COMPRENDRE LE SUD-OUEST AMÉRICAIN

LE SUD-OUEST AUJOURD'HUI

UNE LONGUE ÉVOLUTION

ART ET CULTURE

ORGANISER SON VOYAGE

TYPES DE SÉJOUR

ALLER DANS LE SUD-OUEST AMÉRICAIN

AVANT DE PARTIR

SUR PLACE DE A À Z

MÉMO

D1260255

NOS INCONTOURNABLES

★★★ **Vaut le voyage**   ★★ **Mérite un détour**   ★ **Intéressant**

★★★
San Francisco et Alcatraz

Pour admirer la ville en damier de San Francisco, faites une excursion, en fin d'après-midi sur l'île d'Alcatraz, le plus célèbre pénitencier du monde. **Voir p. 48.**

C. Ehlers/NordicPhotos/Photononstop

★★★
Yosemite

1 300 km de sentiers de randonnée, au cœur de la Sierra Nevada, pour s'immerger dans un parc national où vallées glaciaires, sommets acérés, chutes d'eau vertigineuses et séquoias géants composent une nature démesurée. **Voir p. 130.**

P. Shung Chen/Getty Images

★★★

Death Valley

L'immense désert de la Vallée de la Mort, célèbre pour ses paysages lunaires, ses champs de sel cristallisé et ses températures extrêmes en été, se couvre de fleurs à l'occasion de rares épisodes pluvieux. **Voir p. 151.**

A. Copson/AWL Images RM/Getty Images

★★★

Le LACMA à Los Angeles

L'un des plus importants musées d'art des États-Unis pour ses collections, inépuisables et éclectiques, et sa politique dynamique. **Voir p. 224.**

N. Lehoux/VIEW Pictures/View/Photononstop

★★★

Big Sur par la Highway 1

Big Sur se découvre le long de cette route emblématique du *road trip* américain. Elle tutoie le Pacifique, de Carmel à San Simeon, et réserve des vues spectaculaires. **Voir p. 181.**

N. Sertorio/Getty Images

★★★

Santa Fe

Ville métissée, la capitale
du Nouveau-Mexique mêle
avec bonheur les influences
indienne, espagnole et américaine,
dans un art de vivre unique.
Voir p. 465.

A. Pistolesi/AGF Foto/Photononstop

★★★

Bryce Canyon

Du lever au coucher du soleil, ce
vaste amphithéâtre, dont les pentes
ont été sculptées par l'érosion, offre
un spectacle inoubliable avec sa
symphonie d'ocres. **Voir p. 312.**

C. et L. McKie/Getty Images

obiasjo/iStock

. Oakley/Getty Images

R.J. Lane/Getty Images

★★★

Las Vegas

Paillettes, strass et dollars, la cité du jeu, construite au milieu du désert, a tout du Disneyland pour adultes. Elle est aussi réputée pour ses restaurants gastronomiques et ses *shows* extravagants. **Voir p. 280.**

★★★

Mesa Verde

En pénétrant dans le Mesa Verde, on redécouvre la civilisation disparue des Anasazis, dont les villages troglodytiques forment un site archéologique étonnant. **Voir p. 348.**

★★★

Grand Canyon

Randonner dans le Grand Canyon, c'est s'immerger dans une vertigineuse gorge naturelle, paysage minéral, brun, rouge et ocre jaune, magnifié par une lumière sans cesse renouvelée. **Voir p. 380.**

Valley of Fire State Park.

TOP 5 **Les plus belles randonnées**

Yosemite Falls, Yosemite National Park.
D. Delimont/Getty Images

💜 **S'éblouir** dans le désert de Mojave. Situé aux portes de Las Vegas, le Valley of Fire State Park doit son nom aux couleurs flamboyantes de ses formations de grès. N'oubliez pas votre appareil photo ! **Voir p. 293**.

💜 **Retrouver l'Amérique des années 1960** à Escalante (Utah). Le Shooting Star RV Resort ravira les nostalgiques avec ses caravanes en aluminium, ses mustangs et son cinéma en plein air. **Voir p. 321**.

💜 **Fouiller dans les bacs** du plus célèbre et du plus grand disquaire de San Francisco. Amoeba Music est une mine d'or inépuisable si vous êtes amateur de CD et de vinyles en tout genre. Des concerts de groupes locaux y sont également programmés. **Voir p. 86**.

💜 **Revivre l'épopée des chercheurs d'or** dans les rues désertes et ventées de Bodie. Mines, saloon, église et maisons vous laisseront imaginer l'existence de ses 10 000 habitants (1880). **Voir p. 321**.

💜 **Suivre la Highway 12** entre Bryce Canyon et Capitol Reef. De *badlands* aux dégradés de bleu en falaises parées d'un rouge franc, d'espaces désertiques en montagnes boisées, la beauté des paysages surprend à chaque virage. **Voir p. 317**.

Highway 12, Utah.
D. Hogan/Getty Images

Lake Tahoe, Nevada.

❤ **S'offrir mille plaisirs** autour du lac Tahoe. Sur une centaine de kilomètres, de la Californie au Nevada, les points de vue panoramiques se succèdent. Et si l'envie de bouger vous prend : baignade, randonnée et, en hiver, glisse sur les pistes enneigées. **Voir p. 125**.

❤ **Tester sa résistance au vertige** à Moro Rock (Sequoia National Park). 400 marches pour atteindre le sommet de cet étonnant dôme de granit, avec à la clé, une vue époustouflante sur le parc et les sommets de la ligne de partage des eaux. **Voir p. 145**.

Moro Rock, Sequoia National Park, Californie.

Canyon de Chelly, Arizona.
R. Nelson/Getty Images

❤ **Voyager dans le temps** à la Carmel Mission. Fondée dans les années 1770, la plus belle des missions construites par les Espagnols en Californie a conservé tout son charme avec ses murs blanchis à la chaux et ses jolis jardins. **Voir p. 177**.

❤ **Rencontrer une communauté amérindienne.** Situé sur un plateau volcanique, Acoma-Sky City (Nouveau-Mexique) est l'un des plus anciens *pueblos* encore habités. L'occasion d'en savoir plus sur l'histoire et les traditions ancestrales des Indiens du Sud-Ouest. **Voir p. 499**.

❤ **Déguster les crus californiens** en visitant les « châteaux » du Wine Country. La Californie est aujourd'hui le 4ᵉ producteur mondial de vin et les vallées de Napa et de Sonoma concentrent les vignobles les plus importants et les plus réputés de l'État. **Voir p. 108**.

❤ **Se fondre dans l'univers d'un architecte.** À Taliesin West, sur les hauteurs de Scottsdale, la résidence de Franck Lloyd Wright reflète le concept d'*organic architecture* inventé par le maître. **Voir p. 409**.

Napa Valley, Californie.
compassandcamera/Getty Images

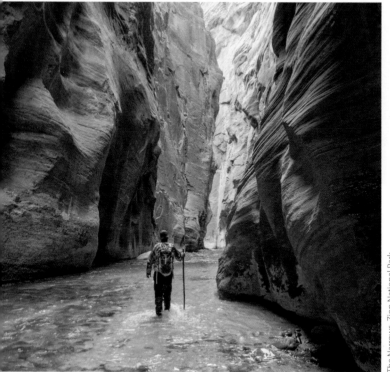

The Narrows, Zion National Park.
K. Dexter/a/Getty Images

❤ **Applaudir les surfeurs** sur la plage de Santa Cruz. Et en front de mer, le *Boardwalk* au charme désuet vous séduira avec ses montagnes russes et ses manèges à l'ancienne. **Voir p. 162**.

Japanese Tea Garden, Golden Gate Park, San Francisco.
G. Lavrov/Getty Images

❤ **Boire un thé** dans la grande tradition au Japanese Tea Garden. Entouré de pagodes, de lanternes en pierre, de plantes indigènes et d'un Bouddha, vous vivrez une expérience dépaysante. Pour prolonger ces instants de plénitude, visitez le Botanical Gardens at Strybing Arboretum, tout proche. **Voir p. 64**.

❤ **Randonner** entre les parois du canyon des Narrows. Cette aventure sportive constituera l'un des grands moments de votre visite du Zion National Park et nécessitera de progresser dans l'eau, parfois jusqu'à la taille ! **Voir p. 304**.

TOP 5 **Avec les enfants**

1. Disneyland Resort (p. 247)
2. Les studios de cinéma à Los Angeles (p. 220)
3. Monterey Bay Aquarium (p. 174)
4. Air & Space Museum à San Diego (p. 262)
5. Durango & Silverton Narrow Gauge Railroad (p. 355)

Aquarium de Monterey Bay.
M. Aw/Getty Images

❤ Communier avec les extraterrestres

à Roswell, petite ville du Nouveau-Mexique où, en 1947, on crut découvrir les débris d'une soucoupe volante. Même les plus sceptiques s'interrogeront après la visite de l'étonnant UFO Museum. **Voir p. 510**.

❤ Prendre de la hauteur

le long de Mulholland Drive et admirer Los Angeles. Cette route, qui a donné son nom à un film de David Lynch, serpente à travers les collines surplombant la Cité des Anges. Plusieurs belvédères vous permettront de profiter tranquillement de la vue sur la ville. **Voir p. 232**.

Vue depuis Mulholland Drive, Los Angeles.
D. Oswald/Getty Images

Rafts et kayaks sur le Colorado.

❤ **Participer à un pow-WOW**, grand rassemblement de tribus indiennes qui se déroule tous les ans à Albuquerque. Ces rencontres constituent l'un des principaux moyens d'expression de l'identité amérindienne. Au programme : concours de costumes, danses rituelles, foires d'artisanat traditionnel… **Voir p. 464**.

❤ **Dévaler le Colorado** en rafting, à partir de Moab ou de Lees Ferry. Une manière plutôt sportive de vous faire apprécier les compositions géologiques soumises à l'érosion. **Voir p. 339 et 379**.

❤ **Décompresser** dans le Balboa Park, immense poumon vert de San Diego, où la végétation luxuriante s'apprécie au fil des sentiers et allées. Puis place aux diverses attractions du parc avant de pousser la porte du Museum of Art ou du passionnant Air & Space Museum. **Voir p. 260**.

❤ **Exhiber ses biceps** avec les accros du bodybuilding à Muscle Beach, dans le quartier de Venice de Los Angeles. Très agréable, la promenade du front de mer, Ocean Front Walk, vous plongera dans un délire tout californien. **Voir p. 233**.

TOP 5 Les plus belles routes

1. High Sierra (p. 134)
2. Desert View dans le Grand Canyon National Park (p. 386)
3. Furnace Creek Wash dans le Death Valley National Park (p. 155)
4. Highway 1 à travers Big Sur (p. 181)
5. Monument Valley Scenic Drive (p. 359)

Route 163, Monument Valley.
deimagine/iStockphoto

Muscle Beach, Venice, Los Angeles.
B. Winiker/Getty Images

Préparez votre voyage en retrouvant tous nos coups de cœur sur notre site internet **voyages.michelin.fr**

Retrouvez-nous également sur Facebook®
fr-fr.facebook.com/MichelinVoyage

La Californie
en 15 jours

En bref : 2 000 km à la découverte du Golden State.

L'île d'Alcatraz, San Francisco.
F. Media/Getty Images

Point Reyes National Seashore, Marin County.
R. Tilley/Getty Images

● J-1 à 3 San Francisco

La cité séduit par son ambiance unique (**p. 28**). Visitez ses quartiers vivants, dont le 2e Chinatown du pays (**p. 42**), les quais et la baie où se dresse le pénitencier d'Alcatraz (**p. 47**). Faites un tour en *cable car* et promenez-vous dans le Golden Gate Park (**p. 62**) où s'élèvent de beaux musées. Longez l'océan (**p. 56**), du Palace of the Legion of Honor jusqu'au Golden Gate Bridge que vous traverserez à pied ou à vélo.

● J-4 Marin County

De l'autre côté du pont, au-delà de la coquette ville de Sausalito (**p. 102**), Muir Woods (**p. 101**) et Point Reyes National Seashore (**p. 104**) sont de merveilleux buts d'excursion pour s'entourer d'une nature sauvage.

● J-5 & 6 Yosemite N.P.

Randonnez dans la vallée glaciaire de Yosemite (**p. 130**).

● **J-7 & 8 Kings Canyon et Sequoia N.P.**

Dans ces deux parcs mitoyens, baladez-vous au gré des 1 230 km de sentiers entre les plus imposants arbres du monde et des sommets dépassant 4 000 m (**p. 144**).

● **J-9 à 11 Los Angeles**

Intimidante au premier abord, la « Cité des Anges » mérite d'être apprivoisée : Getty Center (**p. 231**) et LACMA (**p. 224**), studios d'Hollywood (**p. 220**) et autres lieux mythiques de la capitale du cinéma, balade architecturale dans Downtown (**p. 206**), excursion à Santa Monica (**p. 229**) et Venice (**p. 232**).

● **J-12 à 15 Central Coast**

Remontez la côte le long de la spectaculaire Highway 1 (**p. 181**). Arrêtez-vous à Santa Barbara (**p. 191**), l'« American Riviera » et ses plages, visitez le fabuleux Hearst Castle à San Simeon (**p. 184**), la mission de Carmel (**p. 177**), Monterey et son magnifique aquarium (**p. 171**), Santa Cruz, capitale du surf (**p. 162**), sans oublier de traverser Big Sur (**p. 181**).

Conseils : Selon vos envies et votre condition physique, privilégiez les randonnées dans les parcs ou profitez des nombreuses ressources offertes par les villes. Si vous voyagez avec des enfants, rendez-vous à Disneyland Resort dans les environs de Los Angeles.

The Giant Forest, Sequoia National Park, Californie.
M. Rucker/Getty Images

Le plateau du Colorado
en 15 jours

M. Miller/Getty Images

En bref : 1 500 km au cœur des plus grands parcs américains.

● J-1 à 3 **Las Vegas**

Paillettes et dollars pour la capitale du jeu ! Ne passez pas à côté des hôtels à l'architecture délirante, des *shows* d'envergure et des restaurants de haute volée (**p. 280**).

● J-4 & 5 **Zion N.P.**

Explorez ce canyon boisé, entouré de hautes falaises, en randonnant sur les Narrows et Angel's Landing, ou en voiture le long de la route panoramique (**p. 301**).

Sunset Crater Volcano National Monument, Arizona.
Education Images/Getty Images

● J-6 & 7 **Bryce Canyon**

Admirez cet amphithéâtre naturel au lever ou au coucher du soleil. Spectaculaire ! (**p. 312**).

● J-8 & 9 **Lake Powell**

Cet immense lac artificiel attire des millions de vacanciers (**p. 372**).

● J-10 **Monument Valley**

Voir le programme suivant.

● J-11 & 12 **Grand Canyon**

Voir le tour du Sud-Ouest américain (**p. 23**).

● J-13 & 14 **Flagstaff**

Visitez le centre historique (**p. 434**) et partez pour Sunset Crater Volcano et Wupatki National Monument (**p. 439**).

● J-15 **Las Vegas**

Fin du circuit à Las Vegas.

Conseils : Préférez les intersaisons pour éviter les grosses chaleurs ou la neige.

Les terres indiennes
en 18 jours

En bref : 1 800 km entre *pueblos*, nature et culture.

● J-1 à 3 **Albuquerque**

Privilégiez Old Town et la Route 66, sans oublier le National Museum of Nuclear Science and History et Petroglyph N.M. (**p. 452**).

● J-4 à 6 **Santa Fe**

Voir le tour du Sud-Ouest américain (**p. 22**).

● J-7 & 8 **Taos**

Débutez votre séjour par le Taos Pueblo, village traditionnel, puis flânez dans le centre historique. Visitez le Harwood Museum of New Mexico, consacré à l'art (**p. 482**).

● J-9 & 10 **Durango**

Baladez-vous dans le centre historique, digne d'un western, puis suivez le Durango & Silverton Narrow Gauge Railroad (**p. 355**).

● J-11 & 12 **Mesa Verde**

À voir : les villages troglodytiques et les pétroglyphes dessinés par les Indiens anasazis (**p. 348**).

● J-13 **Monument Valley**

En territoire navajo, appréhendez les paysages sauvages de l'Ouest avec un guide, hors des sentiers battus. Puis allez voir les méandres de la San Juan River au Gooseneck S.P. (**p. 359**).

● J-14 **Canyon de Chelly**

Avec ou sans guide, immergez-vous dans un site indien sacré : points de vue superbes sur des falaises de grès rouges, vestiges anasazis et fermes navajos (**p. 367**).

Chemin de fer de Durango à Silverton, Colorado.
F.-M. Frei/Getty Images

● J-15 **Petrified Forest**

Une vaste étendue désertique ponctuée d'arbres fossilisés et un « désert peint » aux collines multicolores (**p. 441**).

● J-16 & 17 **Gallup**

Faites vos achats d'artisanat (bijoux, tapis…) et assistez à un important pow-wow dans ce carrefour commercial des communautés indiennes (**p. 496**).

Dans les environs, Acoma-Sky City, un *pueblo* spectaculaire perché sur un plateau vertigineux, mérite le détour (**p. 499**).

● J-18 **Albuquerque**

Fin du circuit à Albuquerque.

Conseils : Si vous disposez de temps, passez par Moab, après Mesa Verde, pour randonner à Arches et Canyonlands. Attention : en été, vous risquez de souffrir de la chaleur.

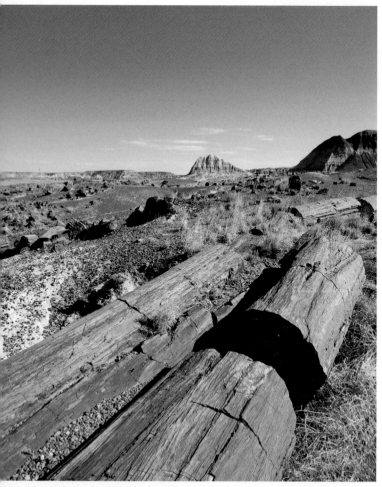

Painted Desert dans le Petrified Forest National Park, Arizona.
Arterra/Getty Images

Los Angeles et la Route 66
en 21 jours

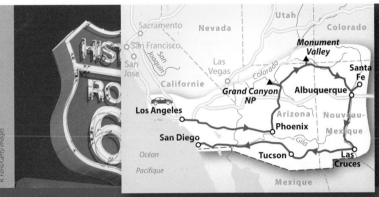

En bref : 3 000 km sur une route mythique.

● J-1 à 4 **Los Angeles**

Voir La Californie (**p. 17**). Emmenez les enfants à Disneyland Resort (**p. 247**).

● J-5 & 6 **Phoenix**

Prenez une leçon d'architecture dans le centre-ville (**p. 402**) et à Taliesin West, le fief de Frank Lloyd Wright (**p. 409**). Le Heard Museum est consacré à l'art indien (**p. 406**).

● J-7 à 9 **Grand Canyon**

Voir le programme suivant.

● J-10 **Monument Valley**

Voir le programme précédent.

● J-11 à 13 **Santa Fe**

Voir le programme suivant.

● J-14 & 15 **Albuquerque**

Voir le programme précédent.

● J-16 **Las Cruces**

Après le marché de Las Cruces, visitez Old Mesilla, village du 16e s. (**p. 502**).

● J-17 & 18 **Tucson**

Appréciez les richesses de la région : rendez-vous à l'Arizona State Museum (**p. 421**), à l'Arizona Sonora Desert Museum (**p. 423**) et, au sud, dans l'une des villes minières (**p. 428**).

● J-19 à 21 **San Diego**

En arrière du front de mer et de la baie, Old Town et Balboa Park rempliront bien vos journées (**p. 254**).

Conseils : Évitez les fortes chaleurs de l'été. Circulez idéalement en moto.

Paysage du Nouveau-Mexique.
terry6970/iStockphoto

Le tour du Sud-Ouest américain
en 30 jours

En bref : 4 000 km pour un panorama complet d'un territoire aux contrastes saisissants.

● J-1 à 4 San Francisco

Voir La Californie (**p. 16**). Traversez Bay Bridge et consacrez votre dernière journée à East Bay (**p. 88**) : visitez Berkeley, ville universitaire (**p. 90**), et Oakland, cité des Black Panthers (**p. 88**). Ou offrez-vous une dégustation dans les vignobles de Sonoma ou de Napa (**p. 108 et 110**).

● J-5 & 6 Yosemite N.P.

Voir La Californie (**p. 16**).

● J-7 & 8 Mono Lake

Un bain dans ce lac salé hérissé de concrétions calcaires et, dans les environs, l'étrange atmosphère de Bodie, ville fantôme de la ruée vers l'or, vous laisseront un souvenir inoubliable. Les sportifs choisiront Mammoth Lakes (**p. 140**).

● J-9 Death Valley

Vivez une expérience extrême en traversant la Vallée de la Mort : canyons découpés, dunes de sable, lacs salés asséchés… (**p. 151**).

● J-10 & 11 Las Vegas

Voir Le plateau du Colorado (**p. 18**).

● J-12 Bryce Canyon

Voir Le plateau du Colorado (**p. 18**).

● J-13 & 14 Moab

Tous les accros de grands frissons se retrouvent à Moab : randonnée dans les Arches et Canyonlands National Parks (**p. 328**), rafting sur le Colorado, escalade, canyoning, vol en montgolfière… (**p. 339**).

● J-15 Mesa Verde

Voir Les terres indiennes (**p. 19**).

● J-16 Durango

Voir Les terres indiennes (**p. 19**).

● J-17 à 19 Santa Fe

Découvrez la culture métissée de cette ville unique du Nouveau-Mexique en flânant dans le centre historique, en visitant ses musées passionnants, sans oublier de goûtez à aux recettes typiques de sa cuisine comme le *red chile* ou les *quesadillas* (**p. 465**).

● J-20 & 21 **Albuquerque**

Voir Les terres indiennes (**p. 19**).

● J-22 **Gallup**

Voir Les terres indiennes (**p. 20**).

● J-23 & 24 **Flagstaff**

Voir Le plateau du Colorado (**p. 18**).

● J-25 & 26 **Grand Canyon**

LE temps fort d'un voyage dans le Sud-Ouest américain. Que vous soyez à pied, à vélo, en bateau, en voiture, en hélicoptère… le grand spectacle vous attend dans ce canyon qui appelle tous les superlatifs (**p. 380**).

● J-27 à 30 **Los Angeles**

Voir La Californie (**p. 17**). Faites aussi plaisir aux enfants et emmenez-les à Disneyland Resort (**p. 247**).

Conseils : Avec de jeunes enfants, évitez, en été, les zones les plus désertiques, comme la Death Valley et Moab, et privilégiez les destinations balnéaires.

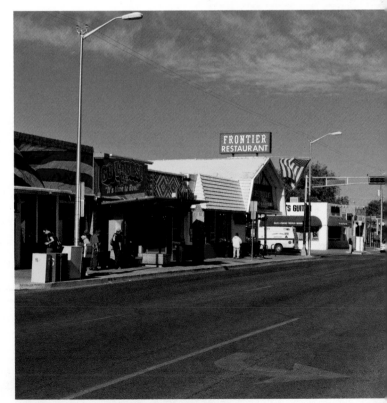

Route 66, Albuquerque, Nouveau-Mexique.
G. Masci/AGF Foto/Photononstop

DÉCOUVRIR LE SUD-OUEST AMÉRICAIN

Un photographe à Zabriskie Point.
J. Pham/Zoonar GmbH RM/age fotostock

SAN FRANCISCO ET SES ENVIRONS

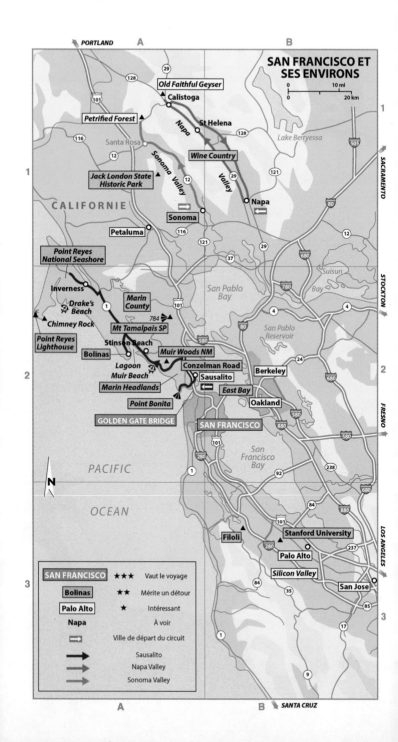

San Francisco et ses environs 1

Carte Michelin Regional 585 – Californie

San Francisco

★★★

837 442 habitants – près de 8,5 millions d'habitants dans la Bay Area

Au bord du Pacifique, à la pointe d'une péninsule qui ferme son immense baie, San Francisco est d'abord connue pour ses paysages splendides et son climat océanique, qui lui garantit une lumière toujours changeante, soleil doré ou écharpes de brouillard accrochées aux ponts, le fameux *fog* qui rend les étés frais. La quatrième ville de Californie est la véritable capitale culturelle de la côte Ouest, quoique, sur ce terrain, Los Angeles lui livre une guerre féroce. On la vante comme la plus tolérante des villes américaines, on aime son histoire en forme d'épopée, l'air incontestable de liberté qui flotte dans les rues, son atmosphère cosmopolite et bigarrée, son relief accidenté, tout en collines vertigineuses, l'inénarrable grincement de ses cable cars, sortes d'antiques funiculaires qui dévalent les pentes, l'élégance surannée et colorée de ses demeures victoriennes, le patchwork culturel de ses quartiers…

🍴 NOS ADRESSES PAGE 69
Hébergement, restauration, achats, activités, etc.

 S'INFORMER

San Francisco Convention & Visitors Bureau – 900 Market St. (Plan II B3), à l'angle de Market St. et de Powell St., au niveau souterrain - ℰ (415) 391 2000 - www.sanfrancisco.travel - lun.-vend. 9h-17h, w.-end et fêtes 9h-15h - fermé dim. de nov. à avr., 1er janv., Thanksgiving et 25 déc. Personnel multilingue, infos et plans gratuits dans toutes les langues, nombreuses documentations touristiques et promotionnelles. Vous pouvez consulter en ligne les programmes culturels, voire réserver.

▶ **SE REPÉRER**

Carte de région AB2 (p. 26) – carte Michelin Western USA 585 A 8 - plan de la ville (p. 30-31). San Francisco se trouve à 395 miles (632 km) au nord de Los Angeles. La ville s'étend au nord de l'aéroport international, sur une longue presqu'île fermant la baie. Elle occupe une succession de collines formant des quartiers au caractère bien spécifique. Son plan quadrillé s'organise selon des rues orientées nord-sud et est-ouest.

Le Golden Gate et la baie de San Francisco.
Q. Alex/fotolia.com

🅿 SE GARER

Les autorisations de stationner sont matérialisées par des couleurs le long du trottoir *(voir p. 70)*.

🕸 À NE PAS MANQUER

Prendre le *cable car* tôt le matin ; traverser le Golden Gate à pied au coucher du soleil ; visiter Alcatraz à la tombée de la nuit ; la vue sur la ville depuis le dernier étage du De Young Museum et la vue sur les Painted Ladies depuis Alamo Square ; le quartier de Haight-Ashbury.

🕐 ORGANISER SON TEMPS

Consacrez au moins **3 jours** à la découverte de San Francisco. Le **premier jour**, flânez à Nob Hill et Russian Hill (passez par la rue à épingles, Lombard St.), descendez sur les quais et embarquez pour une visite de la baie en ferry, ou pour Alcatraz ; passez la soirée à North Beach. Le **lendemain**, découvrez Chinatown de bon matin, puis partez l'après-midi à Haight-Ashbury et à la découverte du Golden Gate Park. Sortez à Mission ou dans Castro District le soir venu. Le **troisième jour**, passez du temps sur la côte : faites la randonnée du bord de mer, du Palace of the Legion of Honor jusqu'au Golden Gate Bridge, et ne manquez pas de traverser le pont, à pied ou en vélo (pour rejoindre Sausalito, par exemple, *voir p. 101*).

👫 AVEC LES ENFANTS

Observer les otaries à Fisherman's Wharf, les bisons au Golden Gate Park et la faune aquatique du California Academy of Science ; monter à bord des bateaux du Maritime National Historic Park ; jouer aux anciens jeux du Musée mécanique et faire des films d'animation au Children's Creativity Museum. Avec ses activités interactives, l'Exploratorium plaît aussi beaucoup.

Se promener

🕸 **Bon à savoir** – San Francisco est coupée par un grand axe diagonal, **Market Street**, qui marque le passage des quartiers résidentiels et financiers au nord vers les zones populaires au sud, bien que ces distinctions tendent à s'estomper. La partie nord est coupée par l'axe nord-sud de **Van Ness Avenue**. La partie sud est également partagée en deux par **Mission Street**. L'un des charmes de la ville tient à ses collines qui rompent la monotonie du quadrillage des rues et délimitent des quartiers bien distincts.

La liste suivante présente les principaux quartiers de la ville :

Downtown/Union Square *(p. 33)* (Plan II) : la place centrale de Downtown, bordée de boutiques et d'hôtels luxueux.

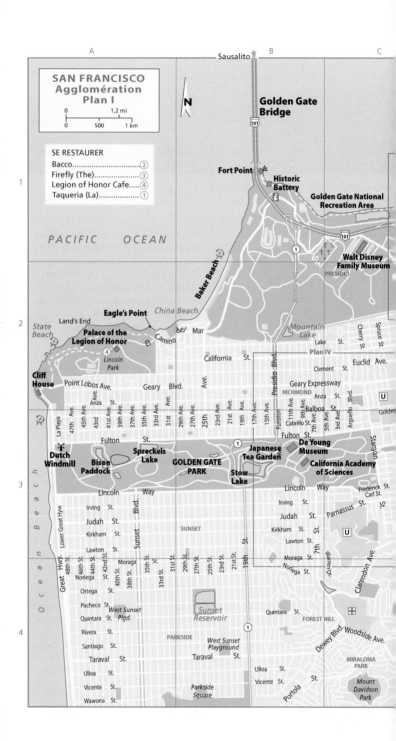

SAN FRANCISCO
Agglomération
Plan I

0   1,2 mi
0   500   1 km

SE RESTAURER
Bacco.............................②
Firefly (The)....................③
Legion of Honor Cafe.....④
Taqueria (La)...................①

PACIFIC   OCEAN

Sausalito

Golden Gate Bridge

Fort Point

Historic Battery

Golden Gate National Recreation Area

Walt Disney Family Museum

PRESIDIO

Eagle's Point

China Beach

Baker Beach

Mountain Lake

State Beach

Land's End

Palace of the Legion of Honor

El Camino del Mar

Lincoln Park

California   St.

Lake   St.

Cherry St.

Spruce St.

Plan IV

Euclid   Ave.

Clement   St.

Cliff House

Point Lobos Ave.

Geary   Blvd.

Geary Expressway

RICHMOND

Anza   St.

Balboa

Golde

47th Ave.

45th Ave.

43rd

41st Ave.

39th Ave.

37th Ave.

33rd Ave.

31st

29th Ave.

27th Ave.

25th

23rd Ave.

19th Ave.

17th Ave.

15th Ave.

Funston

Presidio Blvd.

11th Ave.

7th Ave.

3rd Ave.

Arguello Blvd.

Stanya

La Playa

Anza   St.

Cabrillo St.

Fulton   St.

Spreckels Lake

De Young Museum

California Academy of Sciences

Dutch Windmill

Bison Paddock

GOLDEN GATE PARK

Japanese Tea Garden

Stow Lake

Lincoln   Way

Frederick St.

Carl St.

Lincoln   Way

Irving   St.

Judah   St.

Parnassus   St.

Lower Great Hwy

Great Hwy

Irving   St.

Judah   St.

Kirkham   St.

SUNSET

Kirkham   St.

Lawton St.

Lawton   St.

Moraga

Moraga   St.

7th

Waller

Clarendon Ave.

Noriega   St.

48th St.

46th St.

44th St.

42nd St.

40th St.

38th St.

35th St.

33rd St.

31st St.

29th St.

27th St.

25th St.

23rd St.

21st St.

19th St.

Noriega   St.

Ortega   St.

Pacheco   St.

Quintara   St.

West Sunset Plgd.

Sunset Reservoir

Quintara   St.

FOREST HILL

Dewey Blvd.

Woodside Ave.

Rivera   St.

Santiago   St.

PARKSIDE

West Sunset Playground

Taraval   St.

MIRALOMA PARK

Taraval   St.

Ulloa   St.

Ulloa   St.

Vicente   St.

Portola

Mount Davidson Park

Vicente   St.

Wawona   St.

Parkside Square

Ocean Beach

N

Sausalito — Richmond — D — Tiburon, Angel Island — Sausalito — Vallejo — E

Alcatraz

San Francisco Bay

Alameda, Oakland, Vallejo, Tiburon

Plan III

Palace of Fine Arts & Exploratorium — **Marina**

Pier 45 — Pier 39

FISHERMAN'S WHARF

Jefferson St.

North Point St.

Coit Tower

NORTH BEACH

Exploratorium

Larkspur

EMBARCADERO

Marina Blvd. Cervantes Blvd.
Jefferson St.

North Point Ave.

MARINA DISTRICT
Moscone Playground

Lombard St.

RUSSIAN HILL

Union St.

Columbus Ave.

Montgomery St.

Plan II

Richardson St.

Lombard St.

COW HOLLOW

Union St. Scott St.
Fillmore St.

Pierce St.

Buchanan St.
Franklin St.
Gough St.

Vallejo St.
Broadway
Pacific Ave.

Washington St.

Powell St.
Stockton St.
Grant Ave.
Mason St.
Hyde St.
Leavenworth

NOB HILL

Drumm St.

Davis St.
Steuart St.

Ferry Bldg. Oakland
Berkeley

Broadway
Pacific Ave.

Lafayette Park

PACIFIC HEIGHTS

California St.

CHINATOWN

Main St.

Fremont St.
1st St.

Presidio Ave

Baker St.
Divisadero St.

Alta Plaza Park

California St.

Bush St.

JAPAN TOWN

Post St.

Bush St.

Geary Blvd.

UNION SQUARE

Market St.
Mission St.

FINANCIAL DISTRICT

Museum of Modern Art

80

Post St.
Geary St.

Ellis St.

2nd St.

Pier 38

AT&T Park

China Basin

Turk St.
McAllister St.
Grove St.

Masonic Ave.
Fulton St.

WESTERN ADDITION

Alamo Square

HAYES VALLEY

City Hall

TENDERLOIN

Taylor St.
Jones St.

CIVIC CENTER

5th St.
Howard St.
3rd St.
4th St.

Asian Art Museum

SOUTH OF MARKET

Folsom St.
6th St.

Caltrain Depot

Berry St.

King St.

Fell St.
Oak St.
Page St.
Haight St.

8th St.
9th St.
10th St.
11th St.

Channel St.

Owens St.

3rd St.

4th St.

Terry A François Blvd

HAIGHT ASHBURY

Waller St.

Buena Vista Park

Ashbury St.
Clayton St.

Corona Heights Park

Duboce Park

Waller St.
Duboce St.

Market St.

14th St.
15th St.
16th St.

Franklin Square

16th St.

17th St.
Mariposa

POTRERO HILL

Central Basin

Illinois St.

17th St.
Market St.

CASTRO DISTRICT

Mission Dolores

17th St.
18th St.
19th St.

MISSION DISTRICT

Folsom St.

Missouri St.
Arkansas St.

Rhode Island Ave

Carolina St.

Indiana St.

280

3rd St.

Mission Dolores Park

20th St.

Castro St.
Noe St.
Sanchez St.
Church St.
Dolores St.
Guerrero St.
Valencia St.

21st St.
22nd St.
23rd St.
24th St.

Treat St.
Florida St.
York St.

Van Ness Ave.
Potrero

101

Twin Peaks
△300

Douglass St.
Diamond St.

NOE VALLEY

2
3

25th St.
26th St.
Cesar Chavez St.

Garfield Square

Precita Eyes Mural Art Center

Balmy Alley

Cesar Chavez St.

Market St.

27th St.
28th St.
29th St.
30th St.

Mission St.

Bernal Heights Park

Peralta Ave.

Bayshore Blvd.

McKinnon Ave.
Oakdale Ave.

Evans Ave.

3rd St.

DIAMOND HEIGHTS

Rock Diamond Heights

Glen Canyon Park

O'Shaughnessy BLVD.

Portola Dr.

Cortland Ave.

Industrial St.

1

Financial District *(p. 34)* (Plan II) : le quartier d'affaires où se trouvent les banques et les gratte-ciel.

South of Market (SoMa) *(p. 36)* (Plan II) : au sud-est de Downtown, un quartier d'anciens entrepôts reconvertis en bureaux, accueille le prestigieux musée d'art moderne SF MoMA et des lieux de fête pour *yuppies*.

Civic Center *(p. 41)* (Plan IV) : du Downtown, c'est le centre culturel et administratif de la ville, dominé par la grande place de l'hôtel de ville et le musée des Arts asiatiques.

Hayes Valley *(p. 42)* (Plan IV) : à l'ouest de Downtown, c'est un quartier à la mode où se trouvent les fameuses *Painted Ladies,* la rangée de maisons victoriennes et edwardiennes, véritable carte postale de San Francisco.

Tenderloin (Plan II) : au nord de Downtown, ce quartier représente la face la moins glamour de la ville : refuge des sans-abris, le quartier est aussi celui de la drogue et de la prostitution.

Chinatown *(p. 42)* (Plan II) : le plus vieux quartier chinois du pays, rempli d'échoppes parfumées, se situe autour de l'axe de Grant Avenue.

North Beach *(p. 44)* (Plan III) : le quartier italien, dont les restaurants animés et les bars rappellent l'épopée beatnik.

Telegraph Hill *(p. 46)* (Plan III) : cette colline aux pentes abruptes est dominée par la Coit Tower.

Embarcadero *(p. 47)* (Plans II et III) : le front de mer à l'est de la ville, où passe le tramway, et où l'on trouve tous les quais *(wharf).*

Fisherman's Wharf *(p. 50)* (Plan III) : l'ancien port est aujourd'hui un quartier très touristique, sur la rive de la baie vers le nord, où se succèdent boutiques de souvenirs et attractions diverses.

Marina *(p. 53)* et **Cow Hollow** *(p. 57)* (Plan III) : des zones résidentielles branchées au nord de la ville.

Presidio *(p. 54)* (Plan I) : au nord de la ville, face à la mer, l'ancien site des armées espagnoles est aujourd'hui un grand parc, d'où part le Golden Gate Bridge, et où l'on trouve quelques musées de qualité.

Lincoln Park : *(p. 56)* (Plan I) : au nord-est de la ville, au bord de l'océan, un parc en hauteur, surtout connu pour son musée, le Legion of Honor.

Nob Hill *(p. 59)*, **Russian Hill** *(p. 59)* et **Pacific Heights** *(p. 57)* (Plan III) : sur les collines, ces quartiers résidentiels présentent de belles maisons victoriennes et des rues très pentues.

Japantown *(p. 58)* (Plan IV) et **Fillmore** : encadrés par Fillmore St. et Laguna St. On vient dans le quartier japonais, peu étendu, pour faire du shopping ou y manger japonais, coréen ou chinois. À l'ouest, **Fillmore** est un quartier agréable, réputé pour sa célèbre salle de concerts, The Fillmore.

Haight-Ashbury *(p. 60)* (Plan IV) : l'ancien repaire des hippies des années 1960.

Golden Gate Park *(p. 62)* (Plan IV) : c'est le poumon vert de la ville, où l'on a plaisir à découvrir le Japanese Garden, les musées et, même, des bisons.

Mission District *(p. 66)* (Plan IV) : au sud-ouest de la ville, c'est le quartier latino : restaurants sud-américains, boutiques vintage et fresques sur les murs du quartier attirent les visiteurs.

Castro District *(p. 67)* (Plan IV) : le fief branché de la communauté gay.

Noe Valley *(p. 68)* (Plan IV) : une paisible enclave autour de 24th St. qui rappelle que San Francisco conserve un charme tout provincial. À l'ouest se trouvent les **Twin Peaks**, deux collines qui culminent à 200 mètres d'altitude.

★★ Le centre-ville au bas des pentes

★ DOWNTOWN : AUTOUR D'UNION SQUARE Plan II B2

◖ *Comptez 2h, avec le shopping. De nombreux transports en commun permettent d'accéder à Union Square qui se trouve réellement au centre de la ville, notamment le* cable car *et le BART, station Powell St.*

Union Square

Cette vaste place, rénovée dans les années 1990, doit son nom aux partisans de l'Union qui s'y rassemblaient au temps de la guerre de Sécession. La haute colonne de 29 m érigée en son centre porte une statue de la Victoire, célébrant celle de l'amiral américain Dewey sur la flotte espagnole en 1898. Fréquenté par de nombreux sans-abri, le quartier n'en est pas moins le temple de la consommation effrénée. Powell Street borde Union Square à l'ouest. C'est le trajet emprunté par la plus populaire des lignes du *cable car*, avec un terminus à Market Street, l'immense avenue qui traverse San Francisco.

Westin St Francis Hotel – *335 Powell St., sur le côté ouest de la place.* Il a déterminé l'essor du quartier dès sa construction, en 1904. Très endommagé par le tremblement de terre de 1906, il fut restauré dans un style Renaissance baroque, lourd et imposant. Même si vos finances ne vous permettent pas d'y séjourner, jetez au moins un œil sur le hall d'entrée, avec ses énormes colonnes de marbre, son plafond à caissons et son horloge, point traditionnel de rendez-vous pour les San-Franciscains. Les amateurs de belles vues emprunteront les ascenseurs de verre de la tour annexe pour contempler les tours de Financial District *(au fond du hall à droite, après le concierge).*

Les grands magasins – Parmi les plus célèbres enseignes qui bordent la place, on trouve **Macy's**, **Saks Fifth Avenue** et, à l'angle sud-est, **Neiman-Marcus**, qui a remplacé l'ancien magasin City of Paris, le plus prestigieux de la ville, ouvert en 1850 par un Français. À sa reconstruction, en 1982, on a décidé de conserver la belle rotonde intérieure et ses vitraux aux armoiries de Paris.

Maiden Lane

Cette étroite ruelle, qui s'ouvre à l'est d'Union Square, à l'opposé du Westin St Francis Hotel, s'appelait autrefois Morton Street; les prostituées et filles de mœurs légères y faisaient jadis commerce de leurs charmes. De quartier chaud de la cité, elle est devenue l'une de ses adresses les plus exclusives, réunissant des boutiques de luxe, telles que Chanel, Jil Sanders ou Marc Jacobs, des bars huppés et des galeries d'art. Son nom actuel de « rue des Jeunes-Filles » lui fut donné dans les années 1920, sans doute en souvenir…

GLIDE MEMORIAL UNITED METHODIST CHURCH

Le dimanche matin à 9h et à 11h, venez vous laisser emporter par les chants gospel du chœur de cette église située en plein Tenderloin *(330 Ellis St.),* à quelques blocs au sud-ouest d'Union Square. Comme le sanctuaire se remplit vite, arrivez avec une bonne demi-heure d'avance. Que vous soyez fan de musique gospel ou simple curieux, vous ne serez pas déçu. La passion dure depuis trente ans, faisant de cette institution multiculturelle et chaleureuse un vrai monument vivant. L'obole que vous versez soutient les bonnes œuvres du pasteur : un « Resto du cœur » qui sert plus d'un million de repas par an, une clinique, un centre d'accueil pour les sansabri, un immeuble de 52 logements, une crèche et un centre de formation.

1

Frank Lloyd Wright Building – *Au n° 140.* L'édifice a été conçu en 1949 par le célèbre architecte qui réalisa en 1956 le musée Guggenheim de New York. *De là, vous pouvez ensuite poursuivre jusqu'à Market St. pour rejoindre Financial District.*

FINANCIAL DISTRICT Plan II C1/2-D1

◖ *Comptez 1h. Longez Market St. vers l'est, jusqu'à l'angle de Montgomery St. et de Post St. Devant vous se dresse une forêt de gratte-ciel.*

☻ **Bon à savoir** – Quartier de bureaux, Financial District est sinistre le soir et le week-end. En revanche, l'animation règne autour du Ferry Building y compris les samedis et dimanches matin.

Le « Wall Street » de San Francisco s'étend sur un triangle délimité par Market St. au sud, Montgomery St. à l'ouest et l'Embarcadero côté baie. L'ensemble du quartier a été bâti sur une zone remblayée remplaçant les dunes et anciens marécages qui bordaient le rivage. Ce sont des banques, fondées pendant la ruée vers l'or, qui ont donné naissance au San Francisco des affaires.

La visite débute au n° 1 de Montgomery St., occupé par une filiale de la **Wells Fargo** (C1/2). Il fut construit pour une autre banque après le tremblement de terre, en 1906, et son grand hall d'accueil restitue la grandeur de l'époque. *Empruntez Post St.*

Sur votre droite en sortant de la banque, s'ouvre la Crocker Galleria, arcade commerçante de luxe surmontée d'une verrière.

Traversez-la pour rejoindre Sutter St.

À la sortie de la Crocker Galleria, l'impressionnant **Hallidie Building**★★ *(C2, 130-150 Sutter St.)* dresse ses six étages à parois de verre et corniches gothiques. Construit en 1917, il est l'un des premiers immeubles de ce type au monde. *Suivez Sutter St. vers l'est et tournez à gauche dans Montgomery St.*

★ **Mills Building** (C2) – *220 Montgomery St.* Construction de style néoroman aux riches sculptures, elle date de 1892 et fut commandée par l'un des fondateurs de la Bank of California. La tour qui lui fut ajoutée par la suite sur Bush St. a adopté le style d'origine.

★★ **Russ Building** (C2) – *235 Montgomery St., de l'autre côté de la rue.* Ce bâtiment néogothique de 30 étages fut érigé en 1927. Admirez sa façade en céramique vernissée, ses nombreux décrochements et ses arches en ogives. À l'intérieur, le hall carrelé de mosaïques, les couloirs voûtés et les panneaux d'ascenseur très décorés évoquent l'opulence des Années folles. *Suivez Montgomery St. jusqu'à California St., où vous tournez à gauche.*

★ **Bank of America Center** (B2) – *555 California St.* Haut de 237 m, c'est l'un des plus imposants gratte-ciel de la ville, avec 51 étages de verre et de granit. Bâti en 1971, il abrite le siège mondial de cette banque, qui compte parmi les plus importantes du pays. Initialement, elle se nommait Bank of Italy et accueillait la clientèle des immigrés italiens qui lui apportèrent le succès. *Revenez sur vos pas. Traversez Montgomery St. et suivez California St.*

Merchants Exchange Building (C2) – *465 California St.* Il concentrait jadis les activités commerciales et financières. Dès qu'un bateau arrivait, des vigies postées sur les toits le signalaient aux marchands ou spéculateurs, réunis pour les négociations dans la **salle de l'ancienne Bourse aux grains**, décorée de marines du peintre irlandais Coulter *(salle fermée au public, mais vous pouvez jeter un rapide coup d'œil sur le plafond du hall de la California Bank & Trust). Regagnez Montgomery St., où vous tournez à droite.*

Wells Fargo History Museum (C1/2) – *420 Montgomery St - ☎ (415) 396 2619 - www.wellsfargohistory.com. - lun.-vend. 9h-17h - gratuit, le musée est dans le*

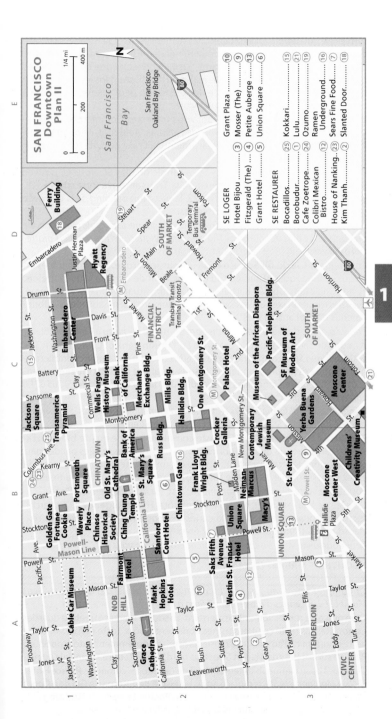

SAN FRANCISCO
Downtown
Plan II

0   200   400 m
0   1/4 mi

San Francisco
Bay

San Francisco–
Oakland Bay Bridge

SE LOGER

Grant Plaza	10
Hotel Bijou	3
Mosser (The)	9
Fitzgerald (The)	4
Petite Auberge	13
Grant Hotel	5
Union Square	6

SE RESTAURER

Bocadillos	25
Kokkari	15
Borobudur	1
Lulu	21
Cafe Zoetrope	24
Ozumo	19
Colibri Mexican Bistro	12
Ramen Underground	16
House of Nanking	23
Sears Fine Food	7
Kim Thanh	2
Slanted Door	18

hall de la banque. Il fait revivre l'histoire de cette florissante compagnie californienne qui débuta en exploitant des diligences. Avec la ruée vers l'or, elle commença à transporter le précieux minerai, puis à le garder en dépôt et à accorder des prêts aux négociants, jusqu'à devenir l'une des plus riches banques du pays. Une authentique malle-poste utilisée dans les années 1860 ravira les passionnés de conquête de l'Ouest (on peut même apprendre à conduire virtuellement un de ces véhicules).

En continuant sur Montgomery St., vous traversez Commercial St., l'une des plus anciennes artères de la ville des affaires. Au début, ce quartier bordait des marécages. Un très long quai prolongeait l'axe de cette rue et menait aux mouillages en eau profonde.

Plus loin encore sur Montgomery St., à l'angle de Clay St., vous ne pouvez manquer la silhouette fine et acérée de la **Transamerica Pyramid**★★ *(C1, 600 Montgomery St.)*, construite en 1972, le plus haut building de la ville avec ses 260 m et ses 47 étages *(ne se visite pas).*

Poursuivez votre chemin sur Montgomery St. pour gagner la partie la plus ancienne du quartier. Le bloc des numéros 700 compte quelques-uns des premiers gratte-ciel de la ville.

En atteignant **Jackson Square**★★ (C1), vous remarquez des immeubles en briques rouges qui ont survécu au tremblement de terre de 1906. Autrefois, cette zone était appelée Barbary Coast et constituait le quartier mal famé, avec ses tripots et ses ruelles coupe-gorge. Aujourd'hui réhabilitée, elle abrite galeries d'art et antiquaires.

Prenez à droite dans Jackson St. puis dans Sansome St., jusqu'à California St.

À l'angle de Sansome St. et de California St., l'**Union Bank of California**★ *(C1/2, 400 California St.)* se distingue par sa façade en forme de temple corinthien. Le hall d'entrée est impressionnant et le sous-sol abrite un **petit musée** présentant les différentes monnaies ayant eu cours dans l'Ouest *(℘ (415) 765 3213. Lun.-vend. 9h-16h30. Gratuit).*

Continuez sur California St. vers l'est, le long d'immeubles futuristes, et tournez à gauche dans Davis St. pour rejoindre Embarcadero Center.

Embarcadero Center (C1) – Ce vaste complexe occupe quatre blocs juxtaposés, constitués de quatre énormes tours de 40 étages, reliées par des passerelles, dont les trois premiers niveaux forment une galerie commerciale assez impersonnelle. La balade sur les passerelles est néanmoins agréable.

Poursuivez votre périple en ressortant par l'est, sur la Justin Herman Plaza.

Du côté de Market Street, notez l'élégant hôtel **Hyatt Regency** (D1) à l'architecture ambitieuse et poussez la curiosité jusqu'à admirer à l'intérieur l'extraordinaire atrium qui s'élève sur 17 étages !

Pour poursuivre votre visite de l'Embarcadero, rendez-vous p. 47.

★ SOUTH OF MARKET (SOMA) Plan II BC3

◗ *Comptez une demi-journée. Prenez n'importe lequel des bus qui longent Market St. Les centres d'intérêt sont à 5mn à pied.*

Créé grâce au remblaiement des terrains au sud de Market Street, ce quartier est longtemps resté celui des usines et des entrepôts, triste et mal famé. On tenta pourtant de l'aménager à plusieurs reprises, notamment autour de South Park au sud, et près de Market Street au nord, pour étendre Financial District. Quelques beaux immeubles témoignent de ces efforts, comme le **Palace Hotel** *(2 New Montgomery St.)*, remplacé après le séisme de 1906 par le **Garden Court** et son toit de verre. Un autre exemple est le **Pacific Telephone Building** *(C3, 140 New Montgomery St.)*, reconnaissable à sa façade de céramique.

Le Downtown, dominé par la Transamerica Pyramid.
B. Gardel/hemis.fr

1

Mais l'ensemble du quartier ne fut réhabilité qu'à partir de 1981, avec la construction du palais des congrès, le **Moscone Center** (C3). On se mit à restaurer des entrepôts, à démolir les bâtiments vétustes et à concevoir un quartier résolument moderne, dont Yerba Buena Gardens et le musée d'Art moderne forment le pivot. Depuis quelques années, SoMa attire de plus en plus les artistes, les galeries, les théâtres avant-gardistes et les bars branchés. En plein essor, il change de physionomie de mois en mois.

★★★ San Francisco Museum of Modern Art (SF MoMA) C3

Comptez une demi-journée. 151 3ʳᵈ St (également une nouvelle entrée sur Howard St.) - ℰ (415) 357 4000 - www.sfmoma.org - tlj sf merc. 10h-17h (jeu. 21h) - 25 \$ (-18 ans gratuit).

Ce musée est installé depuis 1995 dans une ambitieuse **architecture★★** contemporaine, conçue par Mario Botta, l'architecte de la cathédrale d'Évry, en France. Pour vous faire une idée de l'ensemble, montez les marches du jardin, de l'autre côté de la rue. Vous remarquez alors la juxtaposition et le graphisme des blocs de brique rouge, ainsi que l'énorme cylindre tronqué qui permet à la lumière du jour de pénétrer à l'intérieur.

Après trois ans de travaux d'extension, le nouveau SF MoMA a rouvert ses portes en mai 2016. Au bâtiment d'origine est désormais accolée une gigantesque **annexe** de 10 étages à la façade drapée de blanc, tout en relief (courbes, creux, bosses) complétée de panneaux en polymère renforcé de fibre de verre. Une manière, pour le cabinet d'architectes norvégien (Snøhetta) qui a réalisé l'extension, de rappeler les vagues et le brouillard de la baie.

L'évocation des **chiffres** du nouveau SF MoMA, désormais le plus grand musée d'art moderne et contemporain des États-Unis, suffit à donner le vertige : 305 millions de dollars de travaux, une surface de 43 000 m² dont près de 15 000 m² de galeries, 33 000 œuvres. Dès l'entrée, le visiteur est happé par la monumentale sculpture de **Richard Serra**, *Sequence*, et par un mobile de **Calder** au sommet de l'atrium. Le second niveau permet de retrouver

Un destin hors du commun

Les Indiens ont occupé la région bien avant les colons européens. Les **Miwoks**, au nord et à l'est, et les **Ohlones**, au sud, vivaient de la pêche, de la chasse et du troc dès mille ans avant l'ère chrétienne.

UNE BAIE BIEN CACHÉE

Les explorateurs

En 1542, l'Espagnol **Juan Rodriguez Cabrillo** explora la côte californienne et la décréta propriété de la Couronne d'Espagne, mais il ne remarqua même pas la baie de San Francisco, invisible du large, cachée par les collines et noyée dans le brouillard. On doit sa découverte officielle à **Francis Drake**, en 1579, qui explorait, lui, pour le compte de la reine d'Angleterre. Isolée et difficile d'accès, elle resta toutefois loin des préoccupations générales. Il fallut attendre 1769 pour qu'une nouvelle expédition espagnole la redécouvrît par hasard. Après une rumeur d'expéditions russes venant d'Alaska, des troupes espagnoles furent dépêchées du Mexique pour défendre la colonie de Monterey. Faute d'une bonne cartographie, elles manquèrent Monterey et se retrouvèrent à San Francisco…

Espagnols et Mexicains

Très vite, les autorités espagnoles qui gouvernaient la Californie devinèrent l'intérêt de cet avant-poste défensif au nord. En 1776, elles y installèrent donc une garnison militaire, puis fut fondée une mission accueillant les **moines évangélisateurs**. Dans un premier temps, San Francisco n'était qu'un village de pionniers et un centre spirituel pour les moines qui convertissaient activement les Indiens. On s'y livrait à l'élevage, à la culture, à l'artisanat et au commerce du cuir et du suif. Puis, quand en 1821 le Mexique devint indépendant de l'Espagne, des **colons mexicains** s'y installèrent. Mais en 1846, lors de la guerre contre les États-Unis, le Mexique, vaincu, renonça à la Californie, et une nouvelle vague de colons arriva alors de la côte Est. Le village, qui ne comptait que quelques centaines d'âmes, Mexicains, Européens et Indiens, se nommait alors Yerba Buena, « la bonne herbe », désignant la menthe sauvage qui poussait là en abondance.

LE TEMPS DES BOOMS

La ruée vers l'or…

Le destin de la ville bascula en janvier 1848, lorsque la nouvelle de la découverte d'or dans la Sierra Nevada toute proche se répandit comme une traînée de poudre. Le paisible village fut pris d'assaut par des hordes de chercheurs d'or et la population atteignit très vite 40 000 habitants.

Dix ans plus tard, c'est un filon d'argent, toujours dans la Sierra, qui attira de nouveaux arrivants. Les navires se comptaient par centaines dans le port. La ville tira sa richesse du commerce à destination des chercheurs d'or et de leurs familles. Son isolement l'obligea à développer son industrie et elle ne cessa de s'étendre. Enfin, on décida de construire des chemins de fer.

QUAND LA TERRE TREMBLE…

5h13 du matin, ce 18 avril 1906 : la terre tremble à San Francisco. Durant 48 secondes interminables, le sol ondule et se crevasse, rompant les canalisations de gaz, engloutissant les maisons. Cinquante-deux incendies éclatent en même temps, achevant de ravager la ville qui n'est plus qu'un champ de ruines fumantes. Durant trois jours, le brasier est tel qu'on l'aperçoit à plus de 80 km. Vingt-huit mille édifices disparaissent, 10 km² sont réduits à l'état de gravats, plus de 3 000 personnes perdent la vie, les deux tiers des habitants sont sans logis. Pourtant, il ne faudra que six ans pour que la ville renaisse de ses cendres.

17 octobre 1989 : le cauchemar recommence, mais les dégâts sont moindres. Une autoroute et une travée du pont d'Oakland s'effondrent ; 11 victimes sont à déplorer. Les normes antisismiques des constructions modernes font leurs preuves.

… et l'or des chemins de fer

Des hommes d'affaires prospères investirent. La communauté chinoise de San Francisco, concentrée dans le quartier de Chinatown, fournit le gros de la main-d'œuvre. On évalue à 15 000 le nombre d'ouvriers chinois qui travaillèrent à la pose des rails, beaucoup y perdant la vie. Après sept ans de travaux, la voie fut achevée en 1869. La population de la ville atteignit dès lors 150 000 habitants. Celle-ci s'était tellement étendue qu'un moyen de transport fiable et adapté aux reliefs du terrain devint nécessaire : le *cable car* fit alors son apparition en 1873, desservant les zones résidentielles de la ville.

CROISSANCE ET MYTHE

Une période de développement

Le 20e s. est celui de la croissance économique, malgré la crise de 1929.

Après l'horreur du grand tremblement de terre de 1906, ce fut la période des innovations architecturales, des buildings toujours plus hauts, et la construction, dans les années 1930, des deux grands ponts de la baie, le Bay Bridge et le Golden Gate Bridge.

Avec la Seconde Guerre mondiale et le conflit contre le Japon, le port et ses constructions navales redevinrent un enjeu majeur, entraînant un formidable renouveau industriel et urbain. La population recommença à croître. San Francisco fut alors le théâtre de durs affrontements entre les syndicats de dockers et les toutes-puissantes compagnies de navigation. Pourtant, le vent de rébellion le plus étonnant vint des intellectuels et des étudiants, qui conditionnèrent pour les générations à venir la réputation de San Francisco.

Le foyer des contestataires

Le mouvement des beatniks naquit en 1955, au cœur de North Beach, le quartier italien. Il ouvrit la voie aux mouvements estudiantins hippies des années 1960, dont Berkeley et ses célèbres sit-in sont le symbole. À son apogée, lors du Summer of Love de 1967, le mouvement hippie s'est répandu dans le monde entier. Les années 1970 marquèrent ensuite l'affirmation de l'identité de la communauté homosexuelle, qui s'épanouit dans une ambiance générale de tolérance.

des œuvres phares du musée, telles *Frida and Diego Rivera* de **Frida Kahlo**, *No. 14* de **Mark Rothko**, *Les femmes d'Alger* de **Picasso**, ou encore la *Femme au chapeau* de **Matisse**.

Le niveau supérieur abrite le **Pritzker Center for Photography**, une immense galerie dédiée à la photo (la plus importante du pays), de 1839 à nos jours. Prenez également le temps d'admirer sur la terrasse extérieure le **mur végétal** qui s'étale sur 40 m imaginé par le paysagiste David Brenner.

Les quatrième, cinquième et sixième niveaux sont dédiés à la **collection Donald et Doris Fisher**, fondateurs de la marque Gap et passionnés d'art. Après avoir envisagé de créer leur propre musée, ils décidèrent de faire don au MoMA de plus de 1 100 œuvres de 185 artistes, parmi lesquels les emblèmes du pop art **Andy Warhol** et **Roy Lichtenstein**, les précurseurs de l'Allemagne post 1960, **Anselm Kiefer** et **Gerhard Richter**, ou encore les maîtres de l'art non figuratif **Willem de Kooning**, **Ellsworth Kelly**, **Sol LeWitt**…

Le dernier niveau présente des réalisations contemporaines, comme les ballons de basket en lévitation de l'incontournable **Jeff Koons** et les installations lumineuses de **Doug Aitken**.

★ Yerba Buena Gardens BC3

En face du musée, ce jardin offre une enclave de verdure et de calme au cœur des gratte-ciel qui poussent de tous côtés. Ses bancs, ses jeux de fontaines et son esplanade, ponctuée de sculptures, en font le rendez-vous des jeunes cadres à la pause-déjeuner, des enfants et des retraités. Jonquilles, iris, azalées, hortensias, roseaux et saules pleureurs se relaient tout au long de l'année.

👪 Près du parc, le **Children's Creativity Museum**, donne entre autres aux enfants les moyens de créer leurs propres films d'animation en pâte à modeler *(221 4th St. - ☏ (415) 820 3320 - creativity.org - merc.-dim. 10h-16h (et mar. en été) - 12 $).*

St Patrick Church B3

756 Mission St. - ☏ (415) 421 3730 - www.stpatricksf.org.

Cette église en brique paraît presque incongrue dans le paysage urbain, au milieu du verre et du béton. Mais c'est aussi (et surtout) ce qui fait son charme.

★ Contemporary Jewish Museum B3

736 Mission St. - ☏ (415) 655 7800 - www.thecjm.org - tlj sf merc. 11h-17h. (jeu. 21h) - fermé les fêtes juives - 15 $, jeu. 8 $ après 17h, gratuit 1er mar. du mois et -18 ans.

Ce beau musée, qui a ouvert ses portes en juin 2008, a été conçu par l'architecte Daniel Libeskind, également à l'origine du Musée juif de Berlin. L'aspect extérieur est étonnant. Son extension vers l'ouest donne l'impression d'un bloc de granit posé sur la vaste esplanade, dont la présence surprend, coincé entre la St Patrick's Church et les immeubles d'affaire.

Le musée permet de découvrir, à travers ses expositions temporaires et différentes manifestations (concerts, projections…) sur l'art contemporain, tous les **aspects de la culture juive** en Amérique et à travers le monde.

Museum of the African Diaspora (MoAD) C3

685 Mission St. - ☏ (415) 358 7200 - www.moadsf.org - merc.-sam. 11h-18h, dim. 12h-17h, fermé lun., mar. et j. fériés. - 10 $. Dans un bâtiment moderne et sous un angle résolument contemporain, ce musée retrace, à travers des expositions temporaires (rotations tous les 3 à 4 mois), des fragments de l'histoire de la diaspora africaine aux États-Unis et une partie de l'héritage culturel qu'elle a légué. La musique occupe une place importante (et notamment le jazz). Vidéos, photos et objets constituent l'essentiel des présentations.

★ CIVIC CENTER ET HAYES VALLEY Plan IV DE1

▶ *Comptez au moins 3h, avec la visite de l'Asian Art Museum. Empruntez les lignes 5, 9 ou F le long de Market St., ou la ligne 19 si vous venez de Fisherman's Wharf. À pied, vous y serez en moins de 10mn depuis le bas de Powell St., en longeant Market St.*

☺ **Bon à savoir** – Tout le quartier prend vie à l'heure des spectacles et pour les dîners d'avant-théâtre.

Depuis Market Street, vous abordez ce quartier administratif par l'**United Nations Plaza** (E1), une petite place fréquentée par les sans-abri, et qui accueille le *Farmers Market*, les mercredis et dimanches matin, un marché du terroir où les agriculteurs des environs viennent vendre leurs produits.
Dirigez-vous vers l'ouest, le long de la Public Library (bibliothèque municipale), et prenez à droite dans Larkin Street.

★★★ Asian Art Museum E1

200 Larkin St. - ℰ (415) 581 3500 - www.asianart.org - tlj sf lun. 10h-17h (21h jeu.) - 15 $ (-12 ans gratuit), 5 $ jeu. après 17h, gratuit 1ᵉʳ dim. du mois, 20 $ avec les expositions spéciales (25 $ le w.-end), audioguides en français pour les collections permanentes.

Ce musée rassemble sur trois niveaux les plus belles collections d'art asiatique du pays. La part la plus importante est consacrée à l'**art chinois★★★**, mais tous les pays à l'est de l'Oural sont représentés.

Commencez la visite au 3ᵉ niveau, par les salles dédiées à l'**art indien★★** avec de belles statues hindoues et jaïnes, finement ciselées. En suivant la visite, remarquez, dans la partie sur l'art du Sud-Est asiatique, le couple de statues en grès des dieux hindous Shiva, sous son aspect bienveillant, et Parvati (1000-1100). Exposées à l'époque dans un temple cambodgien, ces statues étaient recouvertes de colliers d'or.

Dans les galeries chinoises, on note de très beaux **ustensiles et vases rituels★★★** qui remontent à plus de 1 000 ans av. J.-C. ; le bronze en forme de rhinocéros est unique en son genre, et diffère de ceux de l'époque, d'ordinaire utilisés pour le vin, et recouverts des motifs géométriques, ou d'oiseaux. Celui-ci contenait probablement de la nourriture et, à l'intérieur, une inscription, rare pour l'époque, fait référence à une campagne militaire. Plus loin, on trouve un bronze doré figurant un **bouddha assis★★** chinois, daté de 338, le plus ancien découvert au monde avec une inscription.

Au 2ᵉ étage, la collection chinoise se poursuit, puis c'est au tour de l'**art japonais★★** bien mis en valeur grâce aux **paravents peints★★** ou à un ravissant **palanquin** en bois laqué et argent, puis la **collection coréenne**, plus modeste. C'est au premier niveau que se tiennent les expositions temporaires.

Face au musée s'étend la vaste Civic Center Plaza, dominée par la masse orgueilleuse de l'hôtel de ville (City Hall).

★ Autour du City Hall E1

Malgré son allure néoclassique intemporelle et ses multiples colonnes, l'édifice ne date que de 1915. Il est dominé par un énorme dôme de 94 m. On peut y entrer, et admirer, après les contrôles de sécurité, la **rotonde**, impressionnante, avec ses 55 m de haut et son grand escalier en marbre.

Derrière le City Hall, sur Van Ness Ave., le **San Francisco War Memorial and Performing Art Center** est constitué de deux bâtiments jumeaux, élevés à la mémoire des soldats morts à la guerre. La **War Memorial Opera House** héberge les prestigieux Opéra et Ballet de San Francisco. Le **Veterans Building**

1

accueille des bureaux administratifs et un théâtre. Au sud de ce complexe, à l'angle de Grove St. et de Van Ness Ave., le **Davies Symphony Hall** est la salle de l'Orchestre symphonique de San Francisco.

Pour goûter le charme discret du quartier, poussez jusqu'à Hayes Street.

★ Hayes Valley D1

C'est une enclave tranquille, avec ses galeries, ses boutiques, ses bâtisses traditionnelles et ses arbres touffus. De là, Hayes Street mène, vers l'ouest, à **Alamo Square★★**, l'une des cartes postales les plus célèbres de la ville, soulignant ses paradoxes : une rangée de délicieuses maisons victoriennes aux couleurs pastel, les **Painted Ladies★**, sert de premier plan à une **vue★★** stupéfiante des gratte-ciel de Financial District. Les sept maisons de bois peint datent de 1895 et ont toujours été soigneusement restaurées *(pour y aller en bus, prenez la ligne 21 le long de Market St. : elle longe Alamo Square)*.

★★★ Au nord du centre

★★ CHINATOWN Plan II B1/2

◖ *Comptez de 1 à 2h pour ce circuit, en visitant les échoppes. À pied, entrez dans le quartier chinois par Grant Ave., à l'angle de Bush St. Pour le marché du matin sur Stockton St., prenez les lignes de bus 30 ou 45.*

◉ **Bon à savoir** – Allez-y de préférence le matin, lorsque les habitants du quartier font leurs achats.

Votre périple débute au **Chinatown Gate★** (B2) par un grand portail coloré, gardé comme dans la tradition des villages chinois par des carpes et des dragons porte-bonheur. C'est la République populaire de Chine qui l'offrit en 1969 à la communauté chinoise de la ville, la diaspora la plus importante au monde en dehors de la Chine. Sa forme de pagode et ses tuiles vernissées, les lampadaires assortis, les panneaux en idéogrammes ou les étals chatoyants des bazars vous projettent en plein exotisme.

★ Grant Avenue B1/2

Avec son fouillis de vraies et fausses antiquités, de souvenirs aux couleurs criardes et de porte-bonheur traditionnels, Grant Avenue est le grand axe touristique du quartier.

Des airs disco aux sonorités asiatiques s'échappent des boutiques, tout comme le fumet des *dim. sum* et canards laqués.

À l'angle de Grant Ave. et de California St., l'**Old St Mary's Cathedral** (B2 ✆ *(415) 288 3800 - www.oldsaintmarys.org - lun.-vend. 7h-15h30, sam. 10h-18h, dim. 8h-15h30. Contribution suggérée pour les concerts : 5 $.)*, la première cathédrale de la ville, toute de brique rouge, accolée entre buildings modernes et édifices chinois, a été érigée en 1854 grâce à la main-d'œuvre chinoise. Malgré les ravages du feu, elle a survécu au tremblement de terre de 1906. Si vous êtes fatigué du tumulte de la cité, vous pouvez entrer écouter les **concerts de musique classique** d'une trentaine de minutes qui ont lieu à 12h30 *(programme sur place et sur le site Internet)*.

Sur California St., en face de l'église, **St Mary's Square** (B2) sert de paisible écrin à la **statue de Sun Yat-sen**. Le révolutionnaire chinois séjourna deux ans dans la ville et y prépara l'avènement de la république dans son pays.

De retour sur Grant Ave., en face de la cathédrale, n'hésitez pas à entrer dans le **Ching Chung Temple★** appartenant à la Ching Chung Taoist Association of America *(B2, entrée par la boutique au 615 Grant Ave., 4e étage. Tlj 10h-18h)*,

Chinatown.
tupungato/Getty Images

où se pratique le culte taoïste. Odeurs d'encens et riches ornementations.
Tournez à gauche dans Clay St. Attention, ça grimpe dur !

Clay Street B1

Chinese Historical Society of America – *965 Clay St. - ☎ (415) 391 1188 - www. chsa.org - mar.-vend. 12h-17h et sam.-dim. 10h-16h, fermé j. fériés - 15 $.* Cette société historique possède un petit musée qui retrace l'histoire de la communauté chinoise à San Francisco… en omettant discrètement les périodes sombres du quartier… Le lieu accueille de nombreuses expositions temporaires de qualité.

Redescendez Clay St.

À l'angle avec Grant Ave., imaginez un instant que vous êtes de retour en 1835 : c'est ici que, le premier, un marin anglais aurait planté sa tente, avant que la petite colonie ne devienne une vaste métropole.

En descendant Clay Street en direction de la Transamerica Pyramid, vous atteignez une petite place pittoresque, surnommée le « salon de Chinatown ».

★ **Portsmouth Square** – Tôt le matin, vous y verrez les évolutions hiératiques des pratiquants de taï-chi, remplacés plus tard par les familles et les personnes âgées. Sous les abris et sur les bancs, les hommes jouent aux cartes ou au mah-jong, les billets verts passant prestement d'un joueur à l'autre. Jadis, ce fut le cœur de la ville naissante, là où, en 1848, la nouvelle de la découverte de l'or se répandit comme une traînée de poudre…

Quittez la place par le nord-ouest et Washington St.

Washington Street B1

Le long de Washington Street, après avoir goûté un *Bubble Tea*, une sorte de thé au lait au tapioca, aux étranges parfums de la **Washington Bakery** *(733 Washington St., voir p. 82)*, ne manquez pas l'immeuble de l'**East West Bank** *(au 743)*, remarquable par son style chinois exubérant : jusqu'en 1945, il abritait le Chinese Telephone Exchange, standard téléphonique de Chinatown, où les opérateurs connaissaient par cœur les numéros et les habitudes de tous les abonnés du quartier.

Traversez Grant Ave. et continuez la rue.

Sur la gauche s'ouvre **Waverly Place**, une rue étroite et tranquille, dite la « rue des balcons peints », en raison de ses couleurs vives et de ses détails architecturaux, mêlant styles chinois, anglais et coloniaux. Il y flotte un parfum composite d'encens, d'épices et de viandes marinées. Le **Tin How Temple** (*n° 125, 3e étage - tlj 10h-16h*) est l'un des plus anciens temples des États-Unis (1910), bouddhiste, dédié à la reine du Ciel et des Sept Mers, protectrice des marins.

Revenez sur vos pas et prenez à gauche dans Grant Ave.

Vers Ross Alley B1

Au milieu des bazars pour touristes, quelques échoppes plus authentiques vendent des potions miracles à base de racines, de graines ou d'herbes médicinales mystérieuses. L'herboriste de **Nam Hai Corporation** (*919 Grant Ave - tlj 9h-18h30*) vous conseillera la cure de jouvence ou de santé idéale… Le **Ten Ren's Tea** (*949 Grant Ave - tlj 9h-21h*) vend pour sa part un grand choix de thés que vous pourrez déguster avant de choisir.

Tournez à gauche dans Jackson St. et montez jusqu'à Ross Alley.

Cette obscure venelle conserve l'atmosphère du vieux Chinatown, avec ses ateliers exigus où travaillent les nouveaux immigrants, remplaçant les anciens tripots. C'est ici qu'officient, depuis 1962, les ouvrières de la **Golden Gate Fortune Cookie Company★** (*56 Ross Alley - tlj 8h-18h - 50 cents la photo*). Dans un espace minuscule envahi par une bonne odeur de crêpe chaude, elles enveloppent prestement dans la pâte à biscuit de minuscules messages portant des prédictions. Offerts avec l'addition dans tous les restaurants chinois, les *fortune cookies* ont été inventés à San Francisco.

Reprenez Grant Ave. et tournez à gauche dans Pacific Ave.

Pacific Avenue B1

Vous quittez l'exotisme un peu factice de Grant Avenue pour pénétrer dans le quotidien des Chinois de la ville. Le long de **Pacific Avenue**, les échoppes sans décor alignent marchandises empilées et idéogrammes. La **Kee Cheung Company** (*718 Pacific Ave - tlj 9h-18h30*) est l'un de ces herboristes à l'ancienne, où dénicher les préparations les plus mystérieuses, comme l'extrait de queue de cerf, aux pouvoirs quasi magiques…

Poursuivez jusqu'à Stockton St., où vous tournez à gauche.

★ Stockton Street B1

Loin des magasins pour touristes, les étals de **Stockton Street★** sont fréquentés par tous les Chinois de la ville, qui viennent tôt le matin s'y ravitailler. Ils sont si nombreux à prendre les bus qui longent cette rue que l'on surnomme cette ligne l'« Orient-Express ». Fruits et légumes exotiques, marchands de journaux et traiteurs se succèdent en un kaléidoscope de sons et de couleurs. Les parfums d'épices et de canard laqué planent sur une foule, dense et affairée…

★★ NORTH BEACH Plan III DE2/3

◗ *Comptez 3h avec l'ascension de Telegraph Hill qui se trouve juste à côté (voir ci-après). À pied, North Beach succède à Chinatown, en suivant Grant Ave. vers le nord. Le quartier s'étend de Broadway et Columbus Ave. jusqu'autour de Washington Square. En bus, les lignes 15 et 30, au départ de Kearny St. (Downtown), longent Columbus Ave. et Washington Square.*

◉ **Bon à savoir** – Le quartier est animé en soirée grâce à ses bars et restaurants. Comme son nom l'évoque, North Beach s'étendait à l'origine au bord d'une

---

GÉNÉRATION BEATNIK

Né à New York dans l'immédiat après-guerre, le mouvement *beat* (d'un mot signifiant pulsation ou battement) réunit des poètes et des écrivains désabusés, à la recherche d'un autre souffle, alors que l'Amérique étouffe sous la contrainte du maccarthysme. **Jack Kerouac** et **Allen Ginsberg**, deux pionniers de cette remise en cause, prennent la route de l'Ouest et arrivent à San Francisco, ville de tous les possibles. En compagnie de **Lawrence Ferlinghetti**, libraire et poète, ils y deviennent les chantres d'une génération qui fuit toutes les contraintes, morales, littéraires ou artistiques.

---

plage, que l'on a remblayée depuis. Ce fut l'un des premiers quartiers de la ville naissante, d'abord fréquenté par les prostituées que couraient les chercheurs d'or, puis par les Irlandais. À la fin du 19e s., il se peupla surtout d'immigrés italiens. Dans les années 1950, les intellectuels anticonformistes de la **Beat Generation** y refaisaient le monde, dans les librairies et les bars enfumés, se nourrissant de pâtes, de vin local et de substances plus hallucinogènes… Malgré l'extension du quartier chinois, North Beach a conservé son charme latin et bohème, mélange de restaurants intimes où flottent des parfums d'ail, de tomate et de poivron, de cafés intemporels hantés par les artistes et de bars à jazz vibrant tard dans la nuit.

Beat Museum E3

540 Broadway (à deux pas du City Lights Bookstore, voir ci-dessous, en remontant sur Broadway) - ☎ 1-800 537 6822 - www.kerouac.com - tlj 10h-19h - 8 $ - visite guidée du quartier sur le thème de la Beat Generation, mer. et sam. à 14h, durée : 2h30. Un hommage appuyé à la Beat Generation, illustré par cette citation, plaquée sur un mur : « *La Beat Generation était à la littérature ce qu'Elvis était à la musique et James Dean et Marlon Brando au cinéma.* » Films, affiches, photos et coupures de presse retracent cette époque. Parmi les objets intéressants, de nombreuses éditions étrangères de *Sur la route*, le chef-d'œuvre de Jack Kerouac, une veste lui ayant appartenu (période 1954-1956), ainsi que le miméographe et l'orgue d'Allan Ginsberg.

Columbus Avenue E3

C'est le grand axe du quartier, bordé de restaurants et de bars. Près de l'angle avec Broadway (la rue des peep-shows), au n° 300, par exemple, se tenait jadis le Condor Club où, pour la première fois, en 1964, une danseuse se produisit les seins nus ! Presque en face, moins scandaleux mais tout aussi marginal à l'époque, le **City Lights Bookstore★** *(261 Columbus Ave. - ☎ (415) 362 8193 - www.citylights.com - tlj 10h-0h)* était la librairie de Ferlinghetti ; l'un des premiers poètes *beat* de la ville lança, en 1953, sa propre maison d'édition, les City Lights Books, publiant des petits ouvrages brochés bon marché destinés à faire connaître les auteurs d'avant-garde. Toujours active aujourd'hui, la maison reste l'un des derniers vestiges de cette épopée, avec le **Vesuvio Cafe★★**, au coin de l'impasse voisine *(255 Columbus Ave. 6h-2h du matin)*. Fondé en 1948 par Henri Lenoir, un Français, ce bar était un repaire beatnik, envahi par la fumée des joints et par les habitués les plus étonnants : on y a même vendu de façon humoristique le kit du parfait beatnik, sandales de cuir, pull et lunettes noirs…
Plusieurs cafés des environs reflètent cette atmosphère *funky*, comme le **Tosca Cafe** *(242 Columbus Ave.)*, qui vibre au son de la musique d'opéra, ou le **Spec's** *(12 Saroyan St., près de Columbus)*, conservant un bric-à-brac digne d'un musée.
Suivez Columbus Ave. jusqu'à Washington Square.

Washington Square DE2

Les Chinois matinaux pratiquent le taï-chi dans cet agréable petit parc verdoyant, tandis que les vieux Italiens préfèrent tailler une bavette, assis sur les
bancs. Au centre, l'effigie de Benjamin Franklin rivalise avec l'autre statue du
parc, l'étonnant groupe de **pompiers de bronze**, offert par Lillie Coit, richissime admiratrice des soldats du feu. Inattendues, les deux flèches blanches de
la **Sts Peter and Paul Church** *(666 Filbert St. Messes en anglais, italien, chinois
et latin)* ressemblent à un montage en sucre. C'est la grande église italienne
de la ville, datant de 1924 et attestant l'économie florissante de la communauté. Celle-ci comptait beaucoup de pêcheurs dans ses rangs, d'où la grande
procession organisée chaque année, en octobre, en l'honneur de leurs saints
patrons, Pierre et Paul, et en l'honneur de la Vierge. La procession quitte l'église
et descend au port bénir les bateaux.

C'est aussi dans cette église que Marilyn Monroe épousa en 1954 le joueur de
base-ball des New York Yankees, Joe Di Maggio, son deuxième mari.

★★ TELEGRAPH HILL Plan III E2

 *Quittez Washington Square par son angle nord-est et remontez Filbert St.
pour rejoindre Telegraph Hill. Attention, l'ascension est rude. Vous pouvez aussi
vous y rendre par le bus 39, que vous prenez à l'angle sud-est du parc, au coin de
Stockton St. et d'Union St.*

On repère facilement la colline à la silhouette caractéristique de la fine tour
qui la couronne. La colline ne s'élève qu'à 86 m, mais ses flancs abrupts et ses
ruelles escarpées forment l'un des sites les plus charmants de la ville.

Elle doit son nom à un ancien sémaphore, construit en 1850 pour avertir les
habitants de l'arrivée des bateaux. Le terrain peu pratique et très accidenté,
la proximité du port et des rues chaudes en firent longtemps le quartier des
pêcheurs et des dockers, piqué de modestes masures. Du côté est et nord-
est, les versants furent même exploités comme carrières de pierre, laissant
des falaises inhabitables.

Les **vues★★** sur la ville, le port et la baie qui se déroulent au sommet font
désormais de Telegraph Hill un quartier cher et très couru.

★★★ Coit Tower

*Avr.-oct. : tlj 10h-18h, nov.-mars : tlj 9h-17h – visite du hall gratuite, accès au som-
met 8 $, par ascenseur (8 personnes à la fois, ça peut prendre du temps), puis il
reste un étage à monter à pied.*

Cette curieuse tour fait la célébrité de la colline. Haute de 65 m, en béton
cannelé, elle fut construite en 1933. Bien que ses concepteurs s'en défendent,
beaucoup y reconnaissent la forme d'une lance à incendie, ce qui serait d'autant plus approprié qu'elle est dédiée aux pompiers ! Tout comme les statues
de Washington Square, on la doit à un legs de Lillie Coit, qui voulait laisser à
la postérité un hommage bien visible de sa ferveur... L'ascenseur menant au
sommet permet d'embrasser la **vue spectaculaire★★** sur la ville.

De toute façon, ne manquez pas le hall du rez-de-chaussée et ses **fresques
murales★★**, financées par le gouvernement dans le cadre des grands travaux
du New Deal pour embellir l'Amérique.

Près d'une trentaine d'artistes exécutèrent sur 340 m² un ensemble de vastes
tableaux, qui est nettement inspiré de l'art populaire de rue mexicain. Les
thèmes abordés, s'ils figurent des scènes banales de la vie quotidienne, économique ou industrielle, véhiculent dans leurs dessins une critique à peine
voilée de la société à l'époque de la Grande Dépression. Les commanditaires

---

LA PETITE FILLE ET LES POMPIERS

Lillie Hitchcock avait 7 ans lorsqu'elle échappa de justesse à la mort dans un incendie qui tua ses amies, en 1851. Dès l'adolescence, elle se lia avec une brigade de pompiers, dont elle devint la mascotte. Elle se fit faire un uniforme et porta le casque de la brigade n° 5 dont elle était devenue un membre honoraire. Excentrique et indépendante, elle fumait le cigare, jouait au poker et tirait au pistolet. Elle épousa le riche Howard Coit, mais ne changea rien à son style de vie. Après une tentative de meurtre entreprise par l'un de ses courtisans, dans laquelle un de ses amis fut tué, elle rallia Paris où elle devint l'une des favorites de Napoléon III. À sa mort, en 1923, elle se fit enterrer avec son badge et les honneurs de la brigade. Elle légua le tiers de sa fortune pour ériger un monument à ses chers pompiers. Ce fut la Coit Tower…

---

fédéraux n'apprécièrent pas du tout ce réalisme, d'autant que la ville était alors agitée par une grève des dockers. On suspendit même l'ouverture de la tour durant plusieurs mois.

★ Filbert Steps

En ressortant de la Coit Tower, dirigez-vous vers la droite pour rejoindre un lacis d'escaliers en brique ou en bois dégringolant de la colline au milieu des arbres et des massifs de fleurs. Le voisinage est depuis longtemps un repaire d'artistes. Tout près de là, dans Alta St., résidait Armistead Maupin, écrivain désormais célèbre de la série des *Chroniques de San Francisco* dans le *San Francisco Chronicle*.

La seconde partie des Filbert Steps ouvre sur **Napier Lane**, une allée en bois datant de l'époque où les marins occupaient le quartier. Vous atteignez la **Levi Strauss Plaza**, siège du célèbre fabricant de jeans qui démarra à San Francisco. Près de là, vous remarquez la forme ovale du **Fog City Diner** *(1300 Battery St.).*

★★★ Le long de la baie et vers le littoral

EMBARCADERO Plan I E1

😊 **Bon à savoir** – Le tram F parcourt l'Embarcadero, une longue avenue d'où s'étirent tous les quais *(wharfs)*. La promenade depuis le Ferry Building (quai 14) jusqu'au quai 33, d'où partent les ferrys pour Alactraz, est longue d'1 mile.

★ Ferry Building Plan II D1

Dans le prolongement du Financial District au bout de Market Street, le Ferry Building est le point de départ des ferries pour Sausalito et d'autres villes de la baie. Il a été entièrement rénové après un séisme survenu en 1991. Le bâtiment, surmonté d'un clocher inspiré de celui de la cathédrale de Séville, abrite boutiques *(www.ferrybuildingmarketplace.com, lun.-vend. 10h-18h, sam. 9h-18h, dim. 11h-17h)*, traiteurs et restaurants. Ne manquez pas le marché qui se tient aux alentours le samedi matin : ambiance sympathique et produits bio garantis !

★★ Exploratorium

Pier 15. Lignes de bus Muni 2, 6, 14, 21, 31, lignes de métro F, J, K, L, M, T, N - 📞 *(415) 528 4360 - www.exploratorium.edu - tlj sf lun. 10h-17h (jeu. 18h-22h pour les + 18 ans, 15 $), ouv. certains lun. pendant les vac. scol. - 30 $ (13-17 ans 25 $).*

👨‍👦 Les enfants adorent ce musée des sciences particulièrement vivant. Les lois de la physique, de la biologie et de la chimie sont présentées et expliquées

---

BAY BRIDGE

Depuis l'Embarcadero, on observe un immense pont suspendu… Bien moins célèbre que le Golden Gate Bridge, le Bay Bridge relie San Francisco à Oakland, de l'autre côté de la baie. Ouvert à la circulation en 1936, 6 mois avant le Golden Gate Bridge, c'était à l'époque l'un des plus longs ponts suspendus du monde (7 km), s'appuyant au milieu sur l'île de Yerba Buena. En 1989, un segment est du Bay Bridge s'est affaissé suite à un puissant tremblement de terre, tuant un automobiliste. La conclusion est sans équivoque : on sait dorénavant que le pont ne sera pas assez solide pour résister au prochain gros tremblement de terre. En 1997, on décide d'en construire un autre. Le plus important chantier public de l'histoire de la Californie est lancé : étalée sur 12 ans, sa construction aura coûté 6,4 milliards de dollars, presque cinq fois plus que le budget initialement prévu. Le nouveau pont a été ouvert aux automobilistes en septembre 2013.

---

dans plus de 600 stands interactifs, où le visiteur est invité à reproduire une expérience et à en comprendre les lois. Vous jouerez ainsi à Alice au pays des merveilles grâce à des illusions d'optique dans la **Distorted Room**, ou tenterez de vous orienter à travers le **Tactile Dome**, insonorisé et obscur.

★★★ Alcatraz D1

Comptez 3h. S'adresser à Alcatraz Cruises LLC, Pier 33, Hornblower Alcatraz Landing - 📞 *(415) 981 7625 - www.alcatrazcruises.com - départ en moyenne ttes les 30mn de 8h45 à 15h50 (14h15 de fin oct. à avr.), de 9h55 à 18h30 pour les retours ; 2 départs à 17h55 et 18h30 pour les traversées de nuit, retours à 20h40 et 21h25 - 35,50 $ (visite diurne, avec audioguide pour la visite des cellules), 42,50 $ (visite nocturne, avec guide), 87,50 $ (Behind the Scenes, se rens. pour les horaires) - en saison, réservez longtemps à l'avance. Prévoyez vêtements chauds et bonnes chaussures, la traversée en ferry dure une quinzaine de minutes. Visites combinant Alcatraz et Angel Island, se rens. pour les horaires (69,25 $).*

Le plus célèbre pénitencier du monde est aussi le site le plus mystérieux et fascinant de la baie. D'une superficie de 5 ha, cette île est à moins de 2,5 km du rivage, mais les courants glacials qui la cernent en ont rendu l'évasion quasiment impossible : si 36 tentatives ont eu lieu…, 2 prisonniers seulement ont atteint le rivage (à la connaissance des autorités) et ont été capturés.

Les Espagnols avaient initialement nommée l'île Yerba Buena Island, mais, par suite d'une méprise cartographique, elle prit en 1826 le nom d'Isla de Alcatraces (île des Fous de Bassan), qui désignait une langue de terre voisine. En 1850, elle devint une **réserve militaire** et fut fortifiée, servant parfois de prison à partir de 1861. Quand les fortifications s'avérèrent obsolètes, elle perdit son rôle de poste de défense pour devenir officiellement une prison militaire en 1907. En 1934, elle fut vendue au Service fédéral des prisons qui en fit un **pénitencier**. Les années 1930, synonymes de Dépression aux états-Unis, étaient aussi célèbres pour leurs gangsters, et les plus célèbres d'entre eux, Al Capone ou Alvin Karpis, sont passés par Alcatraz. Au-delà de la réputation sulfureuse de la prison, relayée par la presse à l'époque, les conditions de vie sur « The Rock » étaient terribles, et les prisonniers réduits à un numéro. La visite des cellules rend compte de l'atmosphère pesante des lieux : les cellules, qui s'empilent sur trois étages et quatre grands couloirs, sont terriblement exiguës (1,50 m x 3 m), et les pièces d'isolement *(dark holes)* où l'on jetait les pensionnaires récalcitrants sont impressionnantes. La vie des prisonniers étaient une vie de routine, dirigée par des règles très

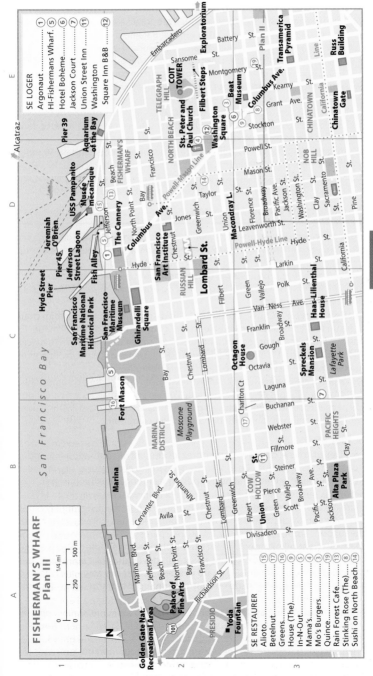

FISHERMAN'S WHARF
Plan III

0 — 1/4 mi
0 — 250 — 500 m

N

Golden Gate Nat.
Recreational Area

Alcatraz

San Francisco Bay

PRESIDIO

■ Yoda
Fountain

Palace of
Fine Arts

Marina

MARINA
DISTRICT

Fort Mason

San Francisco
Maritime
Historical Park

San Francisco
Maritime
Museum

Ghirardelli
Square

Hyde Street
Pier

Jeremiah
O'Brien

Pier 45

Jefferson
Street Lagoon

Fish Alley

The Cannery

USS Pampanito

Musée
mécanique

Pier 39

Aquarium
of the Bay

FISHERMAN'S
WHARF

San Francisco
Art Institute

RUSSIAN
HILL

COW
HOLLOW

Union
St.

PACIFIC
HEIGHTS

Alta Plaza
Park

Octagon
House

Spreckels
Mansion

Lafayette
Park

Haas-Lilienthal
House

Lombard St.

Macondray L.

Powell-Hyde Line

Powell-Mason Line

NORTH BEACH

Washington
Square

Sts. Peter and
Paul Church

TELEGRAPH
HILL

COIT
TOWER

Filbert Steps

Exploratorium

Beat
Museum

Columbus Ave.

Transamerica
Pyramid

CHINATOWN

Chinatown
Gate

NOB
HILL

Russ
Building

Plan II

Embarcadero

Moscone
Playground

Charlton Ct

1

strictes, comme celle du silence, qui a été abandonnée à la fin des années 1930. La monotonie était rompue par quelques rares privilèges : lecture, jeu de dominos, base-ball dans la cour avec la vue sur la ville, inaccessible. L'audioguide raconte également la terrible Bataille d'Alcatraz, au cours de laquelle s'affrontèrent détenus et gardiens, pendant 2 jours, en 1946, et qui fit 5 morts, dont 2 gardiens. La visite propose la découverte de l'île et de ses jardins créés par les prisonniers, la projection d'un court film documentaire et l'exploration du **pénitencier★★★**, que l'on rejoint par un sentier raide. Les bâtiments où vivaient les employés et leurs famille sont aujourd'hui détruits : 300 personne vivaient sur l'île, et les enfants prenaient tous les jours le bateau pour aller à l'école. Une brochure permet de se répérer dans les jardins fleuris tout autour du rocher.

Fermée en 1963 pour raisons financières, l'île fut occupée pendant 19 mois, de 1969 à 1971, par des Indiens. On voit des signes de cette occupation sur la *water tower*. Les fans de cinéma se rappelleront *L'Évadé d'Alcatraz* avec Clint Eastwood (1979) ou *The Rock* avec Nicolas Cage et Sean Connery (1996).

★★ FISHERMAN'S WHARF ET LA BAIE Plan III CDE1/2

▶ *Comptez une demi-journée (une journée si vous faites une croisière dans la baie). Vous pouvez prendre le* cable car *Powell-Hyde ou Powell-Mason et descendre au terminus, ou prendre les bus 30, 15 (descendre à North Point St.), 19 (descendre au bout de Polk St.), 39 ou 49 (qui arrive par Van Ness). Une option pittoresque : prendre la F-line, le vieux trolley qui vient de Downtown depuis Market St. en longeant Embarcadero.*

☺ **Bon à savoir** – Choisissez plutôt la fin de matinée ou l'après-midi pour faire un tour en bateau dans la baie souvent noyée sous la brume le matin. La visite d'Alcatraz est impressionnante le soir *(en saison, réservez bien à l'avance)*. Fisherman's Wharf (« quai du Pêcheur ») est très fréquenté par les touristes et vous risquez de lui trouver un côté artificiel. Il regroupe plusieurs jetées *(piers)*, envahies par les bazars, les restaurants, les musées et les centres commerciaux. Le fumet des soupes de poisson évoque l'océan voisin, mais les embarcations de pêcheurs deviennent de plus en plus rares dans les bassins et il vous faudra venir tôt le matin pour les voir débarquer leur cargaison.

★ **Pier 39** D1

👥 Des **otaries★**, dont vous entendrez les cris, ont élu domicile sur les pontons flottants de ce quai. Ce sont surtout des mâles et des jeunes ; les femelles restant au large, sur les Channel Islands où leur progéniture voit le jour.

Pour des raisons mal connues, la troupe a colonisé cette partie de la baie après le tremblement de terre de 1989. Grands paresseux devant l'Éternel, les mâles apprécient de ne pas avoir à bouger lors des marées. Ils dorment beaucoup, empilés les uns sur les autres, paressent énormément, jouent parfois, crient ou plongent, jetant un œil placide sur la foule de leurs admirateurs (ne les nourrissez surtout pas, car ils deviendraient dépendants des humains et moins méfiants à l'égard des pêcheurs et des embarcations !). Le reste de la jetée est aménagé en centre commercial (nombreux restaurants) et d'attractions.

★ **Aquarium of the Bay** – ☎ *(415) 623 5300 - www.aquariumofthebay.com - fin mai-déb. sept. tlj 9h-20h ; sept.-oct. et mars-mai : 10h-19h ; nov.-fév. : 10h-18h ; horaires variables certains w.-ends, se rens. - 24,95 $ (4-12 ans 14,95 $), suppléments payants (théâtre 3D, spectacles). Un petit aquarium qui présente les milieux marins de la région. Un long tunnel traverse les deux plus vastes, permettant d'évoluer sous l'eau, comme en plongée.

Pier 45 D1

Pour rejoindre le Pier 45, longez les quais vers l'ouest et passez le Pier 41, d'où partent certaines vedettes de croisière dans la baie. C'est le fumet des crabes chauds et de la soupe de poissons qui vous indiquera le chemin, le long de ce que l'on appelle ici les *seafood grottos* (cavernes à fruits de mer), succession d'étalages de fruits de mer, proposant en saison *(de novembre à juin)* le célèbre crabe Dungeness que l'on cuit sous vos yeux. Juste en face, sur la petite place, la **boulangerie Boudin** porte le nom de son fondateur, Isidore Boudin, un Français arrivé à l'époque de la ruée vers l'or.

Le long du quai, le petit **Musée mécanique** présente plus de 200 jouets anciens animés que l'on actionne avec des pièces de monnaie, et des machines d'arcade vintage *(au bout de Taylor St., ℘ (415) 346 2000 - www.museemeca nique.org - tlj 10h-19h, w.-end et vacances 10h-20h - gratuit)*. Adjacente au Pier 45, la **Fishermen's & Seamen's Memorial Chapel** *(chapelle des Pêcheurs et des Marins)* évoque la mémoire des marins disparus en mer.

★★ **USS Pampanito** – *℘ (415) 775 1943. été, tlj 9h-20h ; reste de l'année, lun.-jeu. et dim. 9h-18h, vend.-sam. 9h-20h. 20 $ (6-12 ans 10 $).* C'est le long du Pier 45 qu'est amarré ce sous-marin-musée. Construit en 1943, il patrouilla dans les eaux du Pacifique et coula six navires japonais. La visite du bâtiment, du pont supérieur à la salle des torpilles, fait revivre l'angoisse d'un équipage calfeutré par 200 m de fond dans les eaux ennemies…

★ **Jeremiah O'Brien** – *℘ (415) 544 0100 - www.ssjeremiahobrien.org - brochures en français disponibles - tlj 9h-16h, sauf lorsqu'il prend la mer pour une croisière, 2 ou 3 fois par mois - 20 $ (5-16 ans 10 $).* Un peu plus loin sur le Pier est aussi amarré ce *liberty ship*, petit cargo conçu pour ravitailler les troupes. Il fut l'un des 5 000 navires impliqués dans le débarquement du 6 juin 1944.

Pour gagner le Jefferson St. Lagoon et Fish Alley, tournez à droite dans Jefferson St. et longez les docks.

Fish Alley et les docks qui l'entourent sont le refuge des derniers pêcheurs de San Francisco. Dès les années 1850, les immigrants asiatiques et italiens, principalement des Génois et des Siciliens, laissèrent tomber la course à l'or pour se consacrer à la pêche. Ils ramènent chaque matin dans leurs soutes crabes, crevettes, soles, bars ou seiches, qui seront dégustés dans les nombreux restaurants des quais. Si vous souhaitez acheter des fruits de mer, les pêcheurs d'**Alioto Lazio Fish Co.** vendent généralement leur pêche au n° 440 de Jefferson St. le matin. C'est le long du bassin de **Jefferson Street Lagoon** (D1) que se termine la procession sacrée de la fête des pêcheurs de Madonna del Lume, le jour de Columbus Day, à la mi-octobre.

The Cannery D2

De l'autre côté de Jefferson St., ce centre commercial occupe les anciennes conserveries de pêche Del Monte, construites en 1907. Du bâtiment d'origine, il ne reste que l'extérieur, l'intérieur ayant été habilement reconverti en boutiques.

★★ San Francisco Maritime National Historical Park C1/2

Au bout de Hyde St. Pier - www.nps.gov/safr - tlj 9h30-17h - accès payant à bord des bateaux : 10 $ (valable 7 jours, gratuit -16 ans), pour une visite guidée de certains bateaux, se rens. auprès du ranger.

Le *Visitor Center* du parc est hébergé dans une ancienne conserverie et présente une exposition interactive et des animations *(℘ (415) 447 5000 - tlj 9h30-17h, comme Hyde Street Pier).*

Suivez Jefferson St. jusqu'à Hyde St.

1

👥 Le **Hyde Street Pier** (C1) est un ancien quai en bois où l'on embarquait pour Sausalito et Berkeley avant la construction des deux grands ponts de la ville. Aujourd'hui transformé en musée à ciel ouvert, il réunit une rare collection de navires anciens. Une évocation très vivante de la vie à bord, sur les voiliers qui passaient le cap Horn, les navires qui croisaient en Alaska ou les anciens remorqueurs. Expositions temporaires.

★ **Eureka** – Construit en 1890, il fut le plus grand ferry à aubes et à vapeur de son époque. Il pouvait prendre jusqu'à 2 300 passagers et 120 véhicules, et sillonna la baie jusqu'en 1941. De vieilles automobiles sont exposées sur le pont.

★ **C.A. Thayer** *(en restauration lors de notre visite)* – Très différent, ce trois-mâts en bois est l'un des deux derniers d'une flotte de 900 goélettes qui transportaient le bois pour la construction des villes depuis la côte nord-ouest. Il convoya par la suite le saumon entre l'Alaska et la Californie.

★★ **Balclutha** – Le plus beau de tous. C'est un autre trois-mâts à coque d'acier et à voiles carrées. Construit en Écosse en 1886, il suivait la route du cap Horn entre l'Europe et la Californie. Comparez les quartiers élégants du capitaine et ceux, rudimentaires, de l'équipage, tout en imaginant les terribles tempêtes des Quarantièmes Rugissants !

Hercules – Remorqueur de haute mer, il fut construit en 1907 dans le New Jersey. Il tirait les voiliers vers la haute mer, remorquait des radeaux de grumes ou des troncs bruts qu'il acheminait vers les scieries le long de la côte.

Alma – C'est une sorte de barge, goélette à fond plat et à faible tirant d'eau, pratique pour transporter le bois et le foin dans les recoins peu profonds de la baie.

Eppleton Hall – Cet autre remorqueur, à aubes et à vapeur, a été lancé en Angleterre en 1914.

Remontez Hyde St. et prenez à droite dans Beach St. pour rejoindre Larkin St., à l'angle de Ghirardelli Square.

★ Ghirardelli Square C2

Voici un autre ensemble industriel réhabilité en espace commercial. Ces bâtiments en brique, qui abritaient des filatures de laine, furent rachetés en 1893 par un chocolatier italien, Domingo Ghirardelli, qui voulait développer sa chocolaterie. Jusqu'en 1916, il agrandit petit à petit ces locaux de façon originale et ambitieuse : une pelouse centrale permettait aux ouvriers de prendre l'air, et une imposante **tour-horloge**, à l'image du clocher du château de Blois, fut érigée en 1916 à l'angle de North Point et de Larkin Street. La production de chocolat se poursuit de l'autre côté de la baie depuis 1962, mais les bâtiments ont échappé à la démolition et ont bénéficié d'un *lifting* réussi. Parmi les nombreuses boutiques et cafés, ne manquez pas de goûter aux célèbres chocolats, à croquer, à boire, ou sous forme glacée tout à fait pantagruélique…

Traversez Beach St. en face de Polk St., où vous verrez le Maritime Museum.

★★★ La baie

Minicroisières autour du Golden Gate et d'Alcatraz, et traversée vers Sausalito (voir p. 101). Billet compris dans le forfait City Pass. Sinon comptez environ 30 $ pour un adulte et 20 $ pour un enfant (voir notamment la compagnie Blue Gold Fleet au Pier 39). Prévoyez un coupe-vent et un pull.

La baie est bien sûr ce qui fait le charme du port et on apprécie mieux depuis le large le plan en damier de la ville qui monte à l'assaut des collines. La lumière est plus agréable en seconde moitié d'après-midi. Vous croiserez voiliers ou cargos et serez impressionné par le Golden Gate vu du dessous.

À l'angle de Mason Street et Lombard Street, dans le quartier de North Beach.
B. Rieger/hemis.fr

★ **MARINA DISTRICT** Plan III B2/3

▶ *Cette visite s'enchaîne facilement à pied à partir de North Beach et Fisherman's Wharf, en suivant le sentier qui longe la baie jusqu'à Fort Mason.*

Ce quartier s'étend à l'ouest de Fisherman's Wharf, le long de la baie. Résidentiel, il s'est développé après le tremblement de terre de 1906. La prairie marécageuse qui bordait la baie a été remblayée en vue de l'édification des bâtiments de l'Exposition internationale Panama-Pacifique, en 1915. À la clôture de l'exposition, ils furent tous détruits, à l'exception du Palace of Fine Arts. Des maisons particulières de style néoméditerranéen prirent leur place, mais le quartier souffrit beaucoup lors du tremblement de terre de 1989.

Le rivage, colonisé par un port de plaisance, est aménagé en promenade familiale verdoyante, **Marina Green** (III B2), très fréquentée par les rollers, cyclistes, joggeurs et marcheurs. À pied, on peut ainsi rejoindre le Golden Gate Bridge et les plages au-delà *(voir p. 55)*.

Fort Mason III C2

Fort Mason occupe une avancée de terre, à l'extrémité est de Marina District. Le site servit de base défensive aux Espagnols, puis aux Américains pendant les guerres indiennes du 19e s. Durant la Seconde Guerre mondiale, surtout après l'attaque de Pearl Harbor en 1941, Fort Mason devint une base stratégique d'embarquement et de commandement de la flotte du Pacifique où transitèrent 1,5 million de soldats. Encore utilisée pendant le conflit coréen, la base fut abandonnée par l'armée en 1962. C'est aujourd'hui une auberge de jeunesse *(voir carnet d'adresses page 74)*.

★★ **Palace of Fine Arts** III A2

Accès direct de Downtown par la ligne de bus 30. 3001 Lyon St.

Le pavillon des Beaux-Arts est l'une des images fétiches de la ville, avec son énorme rotonde néoromaine et ses élégantes colonnades se mirant dans les eaux d'un étang où barbotent des cygnes. Il s'agit de la reconstitution en béton (de 1962 à 1975) de l'un des bâtiments de l'Exposition de 1915, initialement construit en bois et en plâtre pour présenter les collections impressionnistes. Œuvre conçue par **Bernard Maybeck**, un architecte réputé de l'époque, elle mêle les inspirations romantiques et romaines. Notez les nymphes éplorées au sommet des colonnes : elles symbolisent la tristesse de la vie sans l'art et tournent le dos aux passants, car leurs larmes devaient arroser des plantes dans les grands bacs auxquels elles s'appuient.

Près de là, dans la cour de la société de production LucasFilm, se trouve la **Yoda Fountain**, où les fans peuvent se prendre en photo avec le sage de la saga *Star Wars*, perché en haut d'une fontaine.

★★★ PRESIDIO Plan I B1/2/3/4

▶ *Comptez une bonne demi-journée. Le PresidioGo Shuttle est un bus gratuit circulant dans le Presidio : l'un fait la liaison avec Downtown, un autre circule dans le parc, et les deux s'arrêtent aux attractions principales et aux points de vue (horaires www.presidio.gov).*

★★ Walt Disney Family Museum Plan I C1

Accès depuis Stockton St. par le bus 30 jusqu'au Palace of Fine Arts, puis bus 28. 104 Montgomery St. - ✆ (415) 345 6800 - www.waltdisney.org - tlj sf mar. 10h-18h (dernière entrée à 16h45) - 20 $ (6-17 ans 12 $) - réserv. par Internet recommandée, au maximum dans les deux mois qui précèdent votre visite.

ⓑ **Bon à savoir** – Malgré quelques activités interactives, le musée n'est pas orienté vers les jeunes enfants.

Ce beau musée, installé dans l'un des anciens bâtiments militaires du Presidio, surplombant la baie, a été fondé par la fille de Walt Disney. Il est dédié à la vie et l'œuvre de son célèbre père. Soixante ans d'une épopée créative et technique, élevant le dessin animé au rang d'art et d'industrie culturelle, sont présentés à travers une dizaine de galeries richement documentées.

On peut y admirer les 248 récompenses que Disney a obtenues au fil de sa longue carrière et une carte de Normandie d'où la famille serait en partie originaire, puis des photos, *cartoons*, esquisses, reportages, posters et divers objets, mettent en valeur différentes périodes de la vie du dessinateur. Chaque étape illustre les évolutions de l'animation : caméras, synchronisation du son et de l'image, colorisation en Technicolor, animation de personnages humains, etc. Il y a beaucoup à lire et à voir, et c'est passionnant. La visite commence par des photos de la famille de Disney ; une reproduction de l'ambulance que Walt conduisait en France pendant la Première Guerre Mondiale trône dans la salle, et des vitrines renferment des planches dessinées pour le journal *Kansas City Star*. Une vie déjà bien remplie avant même son arrivée à **Hollywood**, en 1923, avec son frère Roy, avec qui il s'associe pour créer un studio : le **Disney Brothers Cartoon Studio**. On peut voir des premières esquisses de Mickey, personnage que Walt Disney a imaginé lors d'un long voyage en train, à la fin des années 1920 ; dans les années qui suivent, les premiers produits dérivés arrivent sur le marché. C'était à l'époque les principales sources de revenus du studio : bottes, tricyles, peluches et autre objets à l'effigie de la célèbre souris. Walt et son frère ambitionnent d'élargir l'horizon du *cartoon*, jusque-là relégué à quelques minutes avant le « vrai » film dans les cinémas. Disney se lance dans un projet d'envergure : la création d'un **long métrage d'animation**, une première en son genre, qu'il mettra quatre ans à produire et réaliser dans son studio. L'investissement financier est colossal. Le 21 décembre 1937 sort au **Carthey Circle Theater**, un cinéma mythique de Los Angeles, *Blanche Neige et les sept nains*. Le film est un succès immense.

La galerie dédiée aux années 1940 met en avant les mouvements de grève pour des revendications salariales qui affectèrent la création de *Dumbo* ; Walt Disney partit en tournée de charité en Amérique du Sud pour apaiser les tensions. On découvre aussi des affiches et des films de propagande pour promouvoir la guerre contre le fascime. Après le conflit, les activités du studio se diversifient ; Disney se lance dans des films avec des acteurs en chair et en os : *Vingt mille lieues sous les mers, l'île au trésor* sont les plus belles réussites. à la fin des années 1950, Walt Disney se lance dans la **télévision** ; parallèlement, il imagine un parc d'attractions merveilleux, et **Disneyland** ouvre ses portes près de Los Angeles en 1955. Une grande maquette du parc occupe toute une galerie, et on rappelle au visiteur que tout n'était pas prêt lors de l'inauguration… Walt Disney a aussi été producteur de films qui « rendent heureux », comme *Mary Poppins* en 1964. Walt Disney meurt en 1966 ; une galerie met en perspective les hommages internationaux que cet *entertainer* américain reçut.

★★★ Golden Gate Bridge B1

Desservi par le bus Muni 29 et le bus 10 de la compagnie Golden Gate (Northbound ; plusieurs arrêts dans le centre dont 7th St. et Market St.). Il est possible de traverser le pont à pied ou à vélo (voie ouverte tlj 5h-21h) et de poursuivre jusqu'à Sausalito à 5 km ; la descente à pied jusqu'au village ne présentant pas grand intérêt, vous pouvez aussi reprendre le bus une fois le pont franchi. Vérifiez bien les horaires des passages.

Voici le **symbole par excellence de San Francisco** : 2,6 km de chaussée à 67 m au-dessus de l'eau, deux piles jumelles de 227 m de haut, 520 000 m³ de béton, 1 million de tonnes d'acier et 129 000 km de câbles (ceux qui portent le tablier mesurent 1 m de diamètre…).

Il faut l'approcher pour mesurer son énormité, alors même que sa silhouette gracile et élégante semble enjamber sans peine **le détroit qui sépare San Francisco du Marin County**. Le projet de réunir ces deux rivages remonte au 19e s., mais il ne se concrétisa qu'en 1916 et il fallut encore de longues études pour qu'un plan soit arrêté. La grande crise de 1929 acheva de ralentir les choses et ce n'est qu'en janvier 1933 que la construction débuta. Le brouillard fréquent, les vents violents, les courants, l'alternance des marées et la houle étaient autant d'éléments hostiles qui compliquaient le travail des équipes. Il était particulièrement difficile aux plongeurs qui devaient ancrer les piles du pont d'opérer par 30 m de fond dans ces conditions. Les tours d'acier, hautes de 227 m, étaient exposées aux rafales, à la pluie ou à un soleil de plomb. Malgré ces dangers, la construction fit « seulement » neuf morts. Le 27 mai 1937, pour l'inauguration, une foule de 200 000 curieux envahit le tablier, ouvrant une semaine de festivités.

Depuis, le Golden Gate Bridge fait l'objet d'une attention constante et possède une équipe d'inspecteurs et de techniciens à l'affût du moindre défaut. Vingt-cinq peintres le repeignent en permanence pour le protéger de la corrosion. Sa célèbre couleur, appelée *international orange* et choisie parce qu'elle est visible même dans le brouillard, est fixée une fois pour toutes et on en consomme 2 tonnes par semaine…

Les vues les plus spectaculaires s'ouvrent au pied des falaises, côté océan pour ceux qui auront longé le rivage par le bas *(difficile et escapé)*, ou de l'autre côté du pont, sur le promontoire de Vista Point. En voiture, le passage est gratuit à l'aller (vers Marin County), mais il faudra acquitter 7 $ au retour. Les vues depuis les bateaux qui croisent dans la baie sont impresionnantes, car on voit l'énorme structure du dessous *(pour les croisières, voir p. 86)*. Le plus agréable reste la **traversée à pied**★★ *(prévoyez des vêtements chauds et un coupe-vent).*

1

Après le pont, vous pouvez continuer sur le sentier côtier en suivant les panneaux vers *Picnic Area* et **Historic Battery** (B1). Passez ces anciennes fortifications défensives du 19e s., où les munitions étaient conservées dans des dépôts souterrains, et descendez sur la gauche, en direction de la baie, pour jouir d'un beau **point du vue★★** sur le Golden Gate Bridge. Après 10mn., vous atteignez **Fort Point** (B1), puis le Marin Headlands Visitor Center, qui explique l'environnement naturel des îles Farallon.

★★ Baker Beach

à l'ouest du Presidio, en contrebas des rochers, cette belle plage face au Pacifique offre une vue sublime sur le Golden Gate Bridge, quand il n'est pas enfoui sous le *fog*, le brouillard, présent une grande partie de l'été.

★★ LINCOLN PARK Plan I A2-B1/2

▶ *Comptez une demi-journée. Vous pouvez intégrer la découverte de Lincoln Park à celle du Golden Gate Park, ou préférez faire une promenade côtière jusqu'au Golden Gate Bridge, de préférence en fin d'après-midi.*

★★ Palace of the Legion of Honor A2

Comptez 2h - ℘ (415) 750 3600 - www.famsf.org - tlj sf lun. 9h30-17h15 - 15 $, inclut une visite le même jour au De Young Museum dans le Golden Gate Park - gratuit le 1er mar. du mois (sf pour expositions spéciales) - fermé Thanksgiving et 25 déc.
Il s'agit à plus d'un titre de l'un des plus beaux musées de la ville. Son architecture et son cadre exceptionnel invitent déjà à une balade de charme, et ses magnifiques collections d'art européen en font une étape unique. L'édifice est une copie à l'identique du palais de la Légion d'honneur de Paris. Il fut érigé dans les années 1920 sur l'initiative d'Alma Spreckels, épouse du magnat du sucre, qui était tombée en admiration devant le pavillon de la France à l'exposition Panama-Pacifique de 1915. Passionnée par la France, elle y rencontra Rodin qui devint son artiste fétiche. Le musée est d'ailleurs le plus riche en œuvres du sculpteur (106) en dehors du musée Rodin à Paris. Le visiteur est accueilli dans la cour par le *Penseur* de Rodin et, au-dessus de la colonnade d'entrée on peut lire « Honneur et Patrie », la devise de la Légion d'Honneur. Le musée possède aussi toutes les collections léguées par Alma Spreckels, notamment celle des arts égyptiens.
La visite vous conduit dans chacune des 19 salles qui s'organisent autour d'une rotonde centrale. Les **sculptures de Rodin** sont au cœur du musée, ainsi que de nombreuses et fascinantes études préparatoires aux grandes œuvres. La peinture européenne est très bien représentée avec une salle splendide réservée aux **primitifs italiens★★** marqués encore par l'influence byzantine. L'évolution est passionnante entre cette période et la **Renaissance**, comme le montrent successivement la *Madone à l'Enfant*, raide et majestueuse, de Bartolo (1400), celle déjà plus réaliste de Vivarini (1481) et une autre Madone, tendre, gironde et respirant l'émotion, exécutée en 1515 par Granaci. La salle consacrée à la Renaissance du Nord de l'Europe permet de mesurer les différences avec le Sud : ici, Byzance est loin, mais le gothique austère très présent. Parmi les autres œuvres majeures, on note le *Saint Jean-Baptiste* du Greco (vers 1600), une *Madone à l'Enfant* du Tintoret, mais aussi un merveilleux **triptyque en émail de Limoges★★★** (1500) représentant le mariage de Louis XII et d'Anne de Bretagne. Les **peintures flamande, anglaise et française** sont représentées par Rubens, Van Dyck, Van Ruysdael, Gainsborough, Constable, Reynolds, Watteau et Fragonard. Les **impressionnistes** occupent une salle, avec Monet, Renoir, Pissarro, Sisley, Seurat, Degas et Manet.

Pour rejoindre à pied Cliff House ou le Golden Gate Bridge, le sentier côtier passe en contrebas du musée.

Cliff House A2
1090 Point Lobos Ave., ☎ (415) 386 3330, www.cliffhouse.com.
L'un des buts de promenade favoris des San-Franciscains fut d'abord une auberge, remplacée par un manoir prétentieux de sept étages, lui-même dévasté par les flammes en 1907. Le bâtiment actuel, rénové en 2003-2004, ne présente pas d'autre intérêt que son site grandiose et la **vue**★★ sur la côte, du cap Pedro au sud au cap Reyes au nord, en passant par les îles Farallon, à une cinquantaine de kilomètres au large.

★★ La randonnée côtière vers le Golden Gate Bridge
Comptez de 1h30 à 2h. Facile.
🚶 Elle relie Cliff House et le Golden Gate Bridge.
Juste au nord de Cliff House se dressent les ruines des Sutro Baths, vestiges du luxueux établissement balnéaire construit à la fin du 19ᵉ s. par l'homme d'affaires Adolph Sutro, qui posséda, au temps de sa gloire, jusqu'à un douzième des terrains de la ville ! La promenade traverse le golf et mène à **Eagle's Point**★★ (A2). Un escalier descend vers la falaise d'où l'on a un splendide panorama sur les plages, le Golden Gate Bridge et les Marin Headlands, de l'autre côté du pont. La balade suit **El Camino del Mar**, une jolie avenue bordée de luxueuses maisons de style néoméditerranéen. Suivez la rue parallèle à la côte, puis tournez à gauche dans 25ᵗʰ Avenue North pour rejoindre **Baker Beach** *(ci-contre)*. Au bout de la plage, un escalier assez raide vous ramène en haut de la dune. La promenade suit alors la route, se perdant parfois dans un labyrinthe de sentiers verdoyants qui dominent les falaises. Très loin en contrebas, la houle se brise en blanc pur sur des rochers noir et vert. On devine entre les arbres la silhouette du Golden Gate Bridge qui se rapproche, puis soudain le sentier passe sous le pont *(méfiez-vous des cyclistes qui roulent à toute allure !)*.

★★ Vers les hauteurs

★ COW HOLLOW Plan III B3

▶ *Comptez 1 à 2h, en incluant une pause-café. Union St. est desservie par les lignes de bus 41 et 45, mais la visite du quartier suit aisément celle de Marina District. En sortant de l'Exploratorium, vous pouvez rejoindre Union St. à pied (20mn) en suivant Baker St. vers le sud.*
Vers l'intérieur des terres, au pied des collines du Presidio, de Pacific Heights et de Russian Hill, s'étend une vallée jadis occupée par des pâturages, d'où son nom de Cow Hollow (« creux des vaches »). Transformée en faubourg résidentiel à la fin du 19ᵉ s., c'est l'un des quartiers commerciaux branchés, surtout autour de l'axe d'**Union Street**★, entre Steiner Street et Gough Street. Les rues perpendiculaires, comme **Steiner Street**, sont riches de belles maisons victoriennes ou de folies exubérantes, comme l'incroyable faux palais de maharajah à l'angle de Filbert Street.

★ PACIFIC HEIGHTS Plan III BC3

▶ *Comptez 2h. Les lignes de bus 22 et 49 traversent le quartier du nord au sud, le long de Fillmore St. et de Van Ness Ave.*
S'élevant à l'ouest de Nob Hill et de Russian Hill, Pacific Heights domine la cuvette de Cow Hollow. Au nord, les rues escarpées dégringolent vers Marina

District, tandis qu'au sud la pente descend moins sévèrement vers Japantown. Il s'agit de l'un des quartiers les plus prisés de la ville où s'élèvent encore d'énormes demeures ou **manoirs**. **Fillmore Street★** constitue l'axe commerçant, mais l'intérêt du quartier réside dans son architecture très éclectique.

★ Octagon House C3

2645 Gough St., entre Union St. et Green St. - ℘ (415) 441 7512 - ouverte à la visite le 2e dim. et les 2e et 4e jeu. de chaque mois, sf en janv. et pendant les vac. : 12h-15h - visite sur RV. C'est l'une des cinq maisons de forme octogonale de San Francisco, comme ce fut la mode au milieu du 19e s.

★★ Haas-Lilienthal House C3

2007 Franklin St., près de Washington St. - ℘ (415) 441 3000 - www.sfheritage.org - merc. et sam. 12h-15h, dim. 11h-16h ; visite guidée de 1h ttes les 30mn - 8 $ (-12 ans 5 $). Renseignez-vous, car la maison accueille parfois des réceptions privées le sam. Plus au sud, cette imposante demeure victorienne est tout en bois peint, gris et blanc. C'est un exemple des belles villas de la classe moyenne au 19e s. On reconnaît le style Queen Anne grâce à sa tourelle et à ses nombreux pignons ornés. L'intérieur est entièrement meublé dans le style de l'époque.

Longez Washington St. vers l'ouest jusqu'à Lafayette Park, à l'angle d'Octavia St.

★★ Spreckels Mansion C3

Cet autre exemple d'architecture orgueilleuse est l'une des plus belles demeures privées de la côte avec ses colonnades et ses frontons sculptés. Construite en 1913 par un planteur de canne à sucre, elle compte 26 salles de bains et une piscine. C'est aujourd'hui la maison de l'auteur de romans à l'eau de rose Danielle Steel.

Plus à l'ouest, **Alta Plaza Park** (B3) offre un panorama sur la Marina et sur Japantown, et constitue une étape idéale pour pique-niquer.

★ JAPANTOWN Plan IV D1

◗ *Comptez 2h pour prendre le temps de flâner dans le le Japon Center, un centre commercial avec des boutiques remplies d'incroyables gadgets « kawaï » (mignon en japonais), et des stands de nourriture. La ligne 38 longe Geary Blvd entre Japantown et la St Mary's Cathedral. Le quartier japonais s'étire le long de Post St., entre Fillmore St. et Gough St.*

La communauté japonaise, très importante au début du 20e s., a toujours été victime d'ostracisme, bien qu'elle se soit progressivement intégrée. Durant la Seconde Guerre mondiale, après l'attaque de Pearl Harbor, tous les Nippo-Américains, même ceux naturalisés, furent internés dans des camps.

Après la guerre, la plupart d'entre eux avaient tout perdu et les générations suivantes durent reconquérir leur place malgré la xénophobie ambiante.

Aujourd'hui, les mariages mixtes et la vitalité économique de la communauté garantissent une bonne assimilation dans la société américaine. Cependant, les valeurs traditionnelles japonaises d'honneur, de famille, d'ordre et de travail restent des règles très vivantes qui transparaissent dans la vie du quartier, dominé par la haute silhouette de la **pagode de la Paix**, offerte par le Japon. Chaque année en avril, le quartier s'anime pour le **Cherry Blossom Festival**.

★ St Mary's Cathedral

À l'angle de Geary Blvd et de Gough St. - www.stmarycathedralsf.org - lun.-vend. 8h30-12h, 13h-17h, sam. 9h30-15h30, dim. 10h-15h30.

Située à la limite du quartier, la cathédrale est un chef-d'œuvre de l'architecture contemporaine, une immense nef carrée dont la voûte nervurée s'élève en pointe vers le ciel, à 58 m de haut. L'intérieur est clair et serein. Notez à droite l'orgue sur son piédestal et les spectaculaires baies vitrées dominant la ville. De très bons organistes s'y produisent presque tous les dimanches à 15h30 *(rens. sur le site Internet)*.

★ **RUSSIAN HILL** Plan III ACD2-3

 Comptez 1h. Pour prendre Lombard St. en voiture, venez de Hyde St. En cable car, ligne Powell-Hyde, arrêt Lombard. En bus, ligne 30 le long de Columbus St., arrêt Lombard : c'est à 5mn à pied.

Située au nord de Nob Hill, cette autre colline doit son nom à la découverte de tombes marquées en caractères cyrilliques, sans doute celles de marins ou de trappeurs russes descendus d'Alaska. Tout comme sa voisine, elle se développa surtout à la fin du 19ᵉ s. Ce fut alors le fief des artistes et des écrivains, dont Mark Twain ou Robert Louis Stevenson.

La colline se caractérise par nombre de ruelles en pente et d'escaliers qui atteignent les deux sommets et dégagent un superbe panorama. Une vraie image d'Épinal. Au fil de la balade, vous découvrirez de nombreux exemples de maisons anciennes. Prenez par exemple les **Vallejo Steps**, ces escaliers de Vallejo St. qui joignent Mason St. et Taylor St. en passant par l'adorable **Florence Street★** (D3). Empruntez aussi la pittoresque **Macondray Lane★** (D2), un peu plus au nord, entre Taylor St. et Jones St.

★★ **Lombard Street** D2

La rue peut être fermée à la circulation pendant les week-ends d'été.

Russian Hill se vante de posséder la rue la plus sinueuse du monde, rendue célèbre par l'incroyable poursuite impliquant Steve McQueen dans le film *Bullitt*. Pour adoucir une pente à 27 %, on a construit une chaussée avec huit virages en épingle à cheveux, qui conserve toutefois une déclivité de 16 % ! Les automobilistes s'en donnent à cœur joie, au grand dam des riverains qui subissent cet incessant ballet. D'en haut la vue est belle, mais la perspective vue d'en bas est aussi impressionnante.

San Francisco Art Institute D2

800 Chestnut St. - ☏ (415) 771 7020 - www.sfai.edu - horaires aléatoires mais officiellement lun.-vend. 9h30-17h30.

Agréable cour d'entrée de conception andalouse. L'École des beaux-arts abrite des expositions de qualité. Ne manquez pas la fresque *The Making of a Fresco Showing the Building of a City* de Diego Rivera (1931), dans la galerie qui porte son nom (après l'entrée dans la cour, sur la gauche). Ce trompe-l'œil montre l'artiste admirant, en retrait, le travail de ceux qui bâtissent la ville. De la terrasse, la vue sur la Coit Tower et le front de mer est très plaisante.

★ **NOB HILL** Plan II A1/2

 Comptez 2h. Prenez le cable car *le long de Powell St. et descendez au niveau de California St. Vous pouvez aussi prendre le* cable car *de California St. dans Financial District et vous arrêter à Mason St. Les bus (lignes 1, 31, 38) longent Bush St., et Pine St. mais ne vous éviteront pas un minimum d'effort.*

Bon à savoir – Les distances ne sont pas énormes, mais les pentes abruptes rallongent les temps de la marche.

Cette colline escarpée, juste au nord d'Union Square, offre des vues spectaculaires sur la ville et la baie. Elle resta inhabitée jusqu'à la création du *cable car*, les voitures à cheval ne pouvant y monter. Très vite, elle devint **le quartier le**

plus chic de la ville, où vivaient les nababs (*Nob* viendrait d'une contraction de ce mot). Les plus connus sont les *Big Four* (les quatre grands) de la Central Pacific Railroad Company – Stanford, Huntington, Hopkins et Crocker – qui ont laissé leurs noms en de multiples endroits. La plupart des palais grandioses ont disparu lors du grand tremblement de terre, mais le quartier reste élitiste.

California Street A2

Entre Powell Street et Mason Street, la rue rassemble les plus prestigieux hôtels.

★ **Fairmont Hotel** – *À l'angle nord-est de California St. et Mason St.* Il doit son nom au propriétaire originel du terrain, James Fair, qui avait fait fortune dans les mines d'argent. Le premier hôtel était presque terminé lorsqu'il fut ravagé par les incendies du tremblement de terre de 1906. Par la suite, il accueillit des hôtes de marque et servit de cadre à la signature de la charte des Nations unies en 1945. Un ascenseur extérieur mène au 24e étage, au restaurant Crown Room (très cher) d'où le **panorama★★** est époustouflant.

Stanford Court Hotel – De l'autre côté de California Street, cet hôtel occupe l'emplacement de la résidence de Leland Stanford, magnat des chemins de fer et fondateur de la célèbre université.

Mark Hopkins Hotel – *À côté, à l'angle de Mason Street.* Cet établissement a remplacé le manoir d'origine des Hopkins. Le restaurant huppé qui occupe le dernier étage offre également des vues superbes.

Suivez California St. vers l'ouest jusqu'à l'angle de Taylor St.

Grace Cathedral – Pour bâtir l'édifice, les architectes se sont visiblement inspirés de Notre-Dame de Paris. Commencée en 1929, sa construction ne fut achevée qu'en 1964, pour des raisons financières et techniques. Outre les particularités copiées ailleurs, tels le portail est, identique aux portes du baptistère de la cathédrale de Florence, et la rosace, inspirée de celle de Chartres, notez les **vitraux** et les **peintures murales** où les saints sont remplacés par des figures modernes comme Roosevelt, Einstein ou même le cosmonaute John Glenn ! Ne manquez pas non plus le très beau **retable des Flandres**, en bois sculpté, de la fin du 15e s.

Revenez sur vos pas et prenez à gauche dans Mason St. jusqu'à Washington St.

★ Cable Car Museum A1

1201 Mason St. - ℘ (415) 474 1887 - www.cablecarmuseum.org - tlj 10h-18h (17h nov.-mars) - fermé 1er janv., Thanksgiving et 25 déc. - gratuit.

C'est en fait le bâtiment où est logée la **machinerie** du *cable car*. Depuis la mezzanine, vous verrez, dans le vacarme ambiant, les énormes roues autour desquelles s'enroulent les cables qui tractent les voitures. Ne manquez pas non plus le film documentaire d'explication, les objets historiques et les **voitures anciennes**, dont l'une remonte à la création du système en 1873.

★★ Aux abords de Twin Peaks

★★ HAIGHT-ASHBURY Plan IV C2

◑ *Comptez 2h. Commencez la visite à Buena Vista Park, desservi par les lignes de bus 7 et 71.*

☺ **Bon à savoir** – Venez dans le quartier en fin de matinée, avant de partir vers le Golden Gate Park.

Devenu célèbre dans les années 1960 pour sa contre-culture et ses hippies adeptes du Peace and Love et du **Flower Power**, ce quartier doit son nom à Haight Street qui en est l'axe commerçant et à Ashbury Street qui la croise.

San Francisco, Haight Ashbury.
L. Decoudin/Michelin

Très populaire après la création du Golden Gate Park tout proche, il a relativement peu souffert du séisme de 1906 et conserve un grand nombre de maisons victoriennes. Dans les années 1950, les loyers bon marché attirèrent artistes et beatniks, amoureux du charme des vieilles demeures. Puis, en 1965, ce fut le tour des **hippies**.

Cafés, boutiques de fripes, de livres et de disques d'occasion se sont multipliés, tandis que la marijuana laissait peu à peu la place aux drogues dures et à la violence. Parallèlement, les belles maisons victoriennes reprirent des couleurs, en écho à la culture alternative qui régnait dans le quartier. San Francisco devint alors un temple de la nouvelle scène rock. Les Grateful Dead emménagèrent dans le quartier, de même que Janis Joplin et bien d'autres. Outre la musique, les arts graphiques connurent une éclosion formidable avec les artistes dits psychédéliques qui réalisaient affiches, pochettes de disques, bandes dessinées, aux caractères gonflés et violemment colorés.

Un paroxysme fut atteint durant l'été 1967, le **Summer of Love**, quand 500 000 jeunes hippies affluèrent de tout le pays. Mais la drogue et la violence infiltrèrent le mouvement pacifique, et un groupe d'idéalistes décida d'enterrer symboliquement le mouvement dans Buena Vista Park, le 6 octobre 1967.

Après un long déclin, Haight-Ashbury entama sa renaissance dans les années 1980, lorsque les investisseurs réalisèrent la valeur potentielle des superbes maisons victoriennes. Friperies et bazars indiens laissèrent peu à peu la place à des boutiques plus convenues et plus rangées, même si Haight Street conserve sans conteste un indéniable charme baba-cool et cultive une ambiance très décontractée, entre désinvolture assumée et attitude branchée. N'hésitez pas à flâner dans les rues adjacentes pour découvrir des perles architecturales, amoureusement peintes de toutes les couleurs.

Commencez par les pentes de **Buena Vista Park**. Face au parc, à l'angle de Baker Street et de Haight Street, notez une belle maison de style Queen Anne. Plus à l'ouest, c'est dans Lyon Street, au nord du parc, que s'installa Janis Joplin. Prenez ensuite Buena Vista Avenue West pour voir **Spreckels Mansion** *(n° 737)*, où aurait écrit Jack London. Parcourez également les rues au sud-ouest du parc, notamment Delmar Street pour sa variété de styles architecturaux. *Revenez vers Haight Street.*

★★ Haight Street

Le visage d'Haight Street est aujourd'hui celui d'une rue tapissée de fresques qui témoignent de son passé et le long de laquelle s'égrènent disquaires indépendants de qualité *(dont l'impressionnant Amoeba, au 1855, voir p. 85)*, tatoueurs, cafés et boutiques de prêt-à-porter aux standings variés.

Quelques magasins ont gardé l'esprit de la grande époque hippie, comme l'étonnant **Pipe Dreams** *(1376 Haight St. - ☏ (415) 431 3553 - lun.-sam. 10h30-20h, dim. 10h30-19h)*, qui vend depuis 1969 des pipes à usage plus ou moins légal et des affiches psychédéliques…

La sombre **Bound Together Anarchist Collective Bookstore** *(1369 Haight St. - ☏ (415) 431 8355 - tlj 11h30-19h30)*, cette librairie ouverte depuis 1976, est un témoin de la période plus noire du quartier et reste une référence.

Vers l'ouest, vous atteignez **Ashbury Street**. À gauche, le n° 710 est une belle maison victorienne, autrefois quartier général des Grateful Dead.

Vous pouvez poursuivre par le Golden Gate Park (ci-dessous), Castro, tout proche (voir p. 67) ou Alamo Square (voir p. 42), qui est à quelques encablures du quartier en prenant Scott St. à gauche.

★★ GOLDEN GATE PARK Plan IV AB2 et plan I ABC3

▶ *Comptez une demi à une journée. Le parc est desservi par les bus 5, 7, 21, 33, 44 ou 71. Entrez par Stanyan St., au bout de Haight St., car la plupart des musées et sites se trouvent à l'est du parc. La partie ouest, du côté de l'océan, est occupée par les équipements sportifs et de loisirs. Le City Pass comprend l'entrée des musées. Les week-ends et les jours fériés, une navette circule à l'intérieur du parc (gratuit). Sinon, louez un vélo à côté du parc au 3038 Fulton St. (☏ (415) 668 1177), car les distances sont grandes. Petite précision : le Golden Gate Bridge ne se trouve pas dans le Golden Gate Park…*

🕙 **Bon à savoir** – Le dimanche est particulièrement agréable, car John F. Kennedy Drive est fermée aux voitures.

★★ Le parc

Cette **coulée verte** se déroule depuis Haight-Ashbury jusqu'à l'océan Pacifique, sur une distance de 5 km et une largeur de 800 m. Il n'y avait à l'origine que des dunes mouvantes et arides. En 1870, on confia leur aménagement à William Hall, qui définit le plan général des collines, dessina des rues incurvées et commença des plantations pour fixer le sable toujours déplacé par le vent. Il fut remplacé en 1890 par **John McLaren**, un paysagiste écossais qui donna au parc son allure actuelle en plantant de nombreuses essences rares venues du monde entier. Il acheva de fixer les dunes et les fertilisa en utilisant le crottin de tous les chevaux de la ville. Désigné par le surnom affectueux d'Uncle John, il présida aux destinées du Golden Gate Park pendant cinquante-trois ans, jusqu'à sa mort.

Durant cette période, le parc connut de nombreux épisodes. En 1894, il accueillit la Midwinter Fair, une grande foire internationale dans l'esprit des Expositions universelles. De nombreux pavillons furent construits pour représenter une vingtaine de pays. Le **Japanese Tea Garden** (jardin japonais) en reste le plus bel exemple. Lors du **séisme de 1906**, la zone fut relativement épargnée et servit de refuge à plus de 200 000 personnes qui fuyaient les incendies. Des milliers d'entre elles y restèrent dans les semaines et les mois

---

TINTEMENT DE LA CLOCHE ET CÂBLES GRINÇANTS

Son de la cloche qui danse avec vigueur, vibration des rails et grondement poussif du câble qui circule en permanence dans sa gorge annoncent l'approche du **cable car**. Ce vénérable moyen de transport est l'un des symboles de San Francisco. En service depuis 1870, ce funiculaire urbain est inspiré des wagons qui transportaient l'or des mines californiennes. Presque inchangé depuis lors, classé Monument historique dès 1964, il sillonne dans un joyeux tintamarre les deux grands axes entre le centre-ville et les quais. Notez les efforts fournis pour freiner ou relancer la machine… Pour faire avancer la voiture, le chauffeur actionne le levier de commande d'une pince qui accroche le câble ; pour s'arrêter, il le lâche et actionne les freins. Uniquement adapté aux lignes droites, le *cable car* achève son parcours sur une plate-forme tournante et doit être réorienté dans l'autre sens par la force des bras de son chauffeur. Un tintement de cloche signale le départ, deux annoncent l'arrêt.

---

qui suivirent, en attendant la reconstruction. Enfin, au cours du Summer of Love de 1967, ce sont les concerts et les manifestations hippies qui animèrent les vastes pelouses. Sa superficie (400 ha) offre des activités variées, de la visite des musées à la pratique du polo, du roller, du tennis, de l'aviron ou de la pêche… À droite de l'entrée, **McLaren Lodge**, l'ancienne résidence d'Uncle John, propose toutes les informations utiles sur le parc et ses activités.
Prenez à droite après le tunnel qui passe sous Kennedy Dr. et continuez sur 800 m.

★★ Conservatory of Flowers Plan IV B2

100 John F. Kennedy Dr. - ☎ (415) 831 2090 - www.conservatoryofflowers.org. - mar.-dim. 10h-18h - fermé lun. sf Memorial Day et Labor Day - 8 $. L'immense serre tropicale victorienne est le plus ancien bâtiment du parc (1878). Initialement élevée pour une propriété privée, elle fut importée d'Irlande et rachetée pour le parc. Très endommagée en 1995 par une tempête (plus de 3 000 vitres s'étaient brisées, détruisant beaucoup de plantes), elle a été réouverte après plus de huit ans de restauration soigneuse. Destinée aux nénuphars et aux fleurs tropicales, elle abrite 10 000 spécimens rares ou en voie de disparition. Notez par exemple les plantes carnivores ou la collection d'orchidées.
Revenez sur Kennedy Dr. et suivez les panneaux Music Concourse.

Music Concourse A2

Vaste esplanade aménagée à la française, **Music Concourse** donne accès à plusieurs musées. Le pavillon de musique, une large coquille en béton construite en 1899, accueille des démonstrations de taï-chi ou des concerts municipaux.

★★ California Academy of Sciences Plan IV A2

55 Music Concourse Dr. - ☎ (415) 379 8000 - www.calacademy.org - lun.-sam. 9h30-17h, dim. 11h-17h - 34,95 $ (12-17 ans 29,95 $, 4-11 ans 24,95 $).
Fondée en 1853, l'Académie des sciences de Californie s'installa dans le parc en 1915. Elle a rouvert ses portes en 2008 après 10 ans de travaux au terme desquels l'architecte Renzo Piano l'a transformée en un modèle d'architecture écologiquement correcte. Le prix des billets de ce musée est élevé, mais la qualité des expositions et des installations est au rendez-vous.
La visite s'organise autour de plusieurs pôles : la **Rainforest of the World**, une forêt équatoriale que l'on peut explorer sur trois niveaux, dans un globe situé à la droite de l'entrée, le **planétarium**, dans un globe sur la gauche où des films d'astronomie sont projetés *(en anglais)* ; au sous-sol, le **Steinhard**

Aquarium compte plus de 6 000 spécimens aquatiques installés dans une formidable mise en scène ; enfin, des expositions temporaires dans tout le reste du bâtiment portent sur la **vie sauvage**, les **minéraux**, l'**évolution des espèces vivantes**, de l'homme et de sa culture à travers les âges, les secrets de la terre et de l'espace. Depuis le toit, couvert de verdure, le panorama est magnifique. Ne partez pas sans saluer Claude, l'alligator albinos installé dans la partie **Swamp** (marécages) de l'aquarium.

★★ De Young Museum Plan IV A2

50 Hagiwara Tea Garden Dr., à l'angle de John F. Kennedy Dr. - ✆ (415) 750 3600, - www.famsf.org/deyoung/- mar.-dim. 9h30-17h15 (20h45 le vend. avr.-nov.) - 15 $ (inclut l'entrée le même jour au Legion of Honor, à 10mn en voiture), gratuit 1ᵉʳ mar. du mois (sf expositions spéciales). Accès gratuit à l'observatoire du dernier étage.

œuvre de Herzog et de Meuron, concepteurs du fameux stade de Munich, l'Allianz Arena, le musée est principalement consacré à l'**art d'Amérique** (peinture et sculpture), **d'Afrique et d'Océanie** (sculptures, objets usuels ou rituels, œuvres d'artistes contemporains tels qu'El Anatsui et Magdalene Odundo) et au textile (tissages, tapisseries, costumes…). La **galerie Art of the Americas** possède le plus grand groupe de fresques de Teotihuacan en dehors du Mexique, ainsi que des antiquités mayas.

L'**observatoire** au sommet de la tour, tout en verre, offre des vues magnifiques sur l'ouest de San Francisco, jusqu'au Golden Gate Bridge.

★★ Japanese Tea Garden Plan IV A2

75 Hagiwara Tea Garden Dr., au sud-ouest de Music Concourse - www.japanese teagardensf.com - tlj 9h-18h (16h45 nov.-fév.) - 8 $ (gratuit les lun., merc., vend. si entrée avant 10h) - ♿.

Le jardin de thé japonais est l'un des lieux les plus enchanteurs du parc. Créé pour la Midwinter Fair de 1894, il réunit un jardin zen, une rocaille de bonsaïs, une jolie **pagode** à cinq étages, un *Wishing Bridge* (« pont des Souhaits »), si bombé qu'il forme un cercle avec son reflet dans l'eau, et un beau bouddha de bronze de 3 m de haut, daté de 1790. Ne manquez pas de goûter à une tasse de thé vert, servie avec des *fortune cookies*, à la maison de thé.

★★ Botanical Gardens at Strybing Arboretum Plan IV A2

Entrée au sud du Japanese Tea Garden - ✆ (415) 661 1316 - www.sfbotanical garden.org - mi mars-fin sept. : 7h30-18h ; fév.-déb. mars et oct. : 7h30-17h ; nov.-janv. : 7h30-16h. 8 $, gratuit 2ᵉ mar. du mois et tous les jours de 7h30 à 9h.

Les jardins botaniques occupent 28 ha de relief vallonné rassemblant une large collection de plantes de tous les continents. Leur originalité tient à l'organisation par thèmes qui permet de voyager à travers paysages et parfums. On passe ainsi du jardin biblique à celui du Chili ou de l'Afrique du Sud, du jardin des parfums à la forêt de séquoias, typiques de la côte californienne.

★ La partie ouest du parc Plan I AB3

À l'ouest de l'arboretum, **Stow Lake★**, la plus grande pièce d'eau du Golden Gate Park, encercle **Strawberry Hill**, une colline de 130 m de haut. Le sentier qui fait le tour de l'étang et monte au sommet de l'île est l'une des promenades favorites des familles. Le petit pavillon chinois que vous apercevez au passage près de la cascade artificielle est un don de la ville de Taipei (Taïwan). Au-delà de Stow Lake, vers l'océan, se succèdent d'autres pièces d'eau, comme **Spreckels Lake**, populaire auprès des fans de modèles réduits téléguidés, des terrains de sport, un parc à bisons, **Bison Paddock**, et un moulin à vent hollandais, **Dutch Windmill**, souvenir de l'ancienne alimentation en eau du parc.

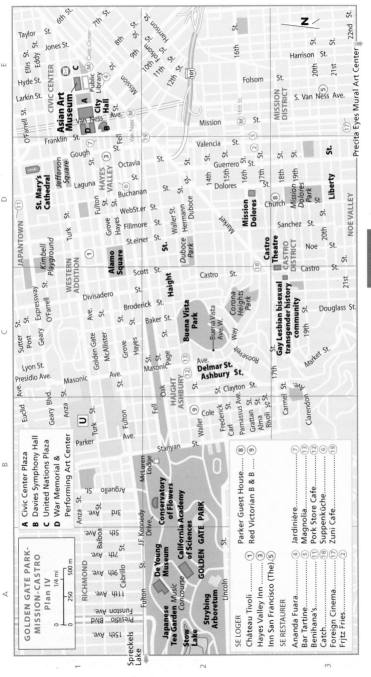

GOLDEN GATE PARK-MISSION-CASTRO
Plan IV

0   250   500 m
0   1/4   1/2 mi

A Civic Center Plaza
B Davies Symphony Hall
C United Nations Plaza
D War Memorial & Performing Art Center

SE LOGER
Château Tivoli.............①
Hayes Valley Inn..........③
Inn San Francisco (The).⑤
Parker Guest House.......⑧
Red Victorian B & B.......⑨

SE RESTAURER
Ananda Fuara.............④
Bar Tartine................⑩
Benihana's................⑪
Catch.......................⑱
Foreign Cinema...........⑰
Fritz Fries..................②
Jardinière..................⑦
Magnolia...................⑬
Pork Store Cafe............⑫
Suppenküche..............⑥
Zuni Cafe...................⑲

★ MISSION DISTRICT Plans IV et I

▶ *Comptez une demi-journée. Le quartier est accessible par les bus 14 ou 49, le tramway J, le BART, stations 16ᵗʰ St. Mission ou 24ᵗʰ St. Mission.*

Taquerías aux odeurs de *chili*, tempo de salsa, fresques murales violemment colorées, bandes de machos gominés défilant dans leurs voitures rutilantes, villas un peu fanées et grands plumeaux des palmiers plantent un cadre très éloigné des tours de verre de Downtown. Mission District est le **quartier latino** de la ville. Au début de la colonisation, les militaires choisirent la colline du Presidio au nord, qui gardait l'entrée de la baie. Les premiers missionnaires espagnols, arrivés à San Francisco en 1776, fondèrent la **mission Dolores**. Les colons vinrent peu à peu du Mexique et s'installèrent tout près, le long de ce qui est aujourd'hui 16ᵗʰ Street. Le quartier fut ensuite progressivement intégré à la ville, mais il resta le lieu d'immigration des populations latinos.

Bien que très prisé par les autres communautés immigrantes, irlandaise, scandinave ou allemande, Mission District a gardé son atmosphère méditerranéenne et vibre toujours en espagnol.

Ses axes les plus vivants et traditionnels sont **Mission Street** et **16ᵗʰ Street**, tandis que Dolores Street et ses hauts palmiers sont l'un des endroits les plus reposants de la ville. Enfin, **Valencia Street** représente la nouvelle vitrine du quartier : moins latina, plus branchée et plus bourgeoise. Le long de cette artère, restaurants aux cadres modernes alternent avec cafés bohèmes, sans oublier les nombreuses boutiques de fripes qui feront le bonheur des adeptes de la mode vintage.

★ Mission Dolores Plan IV D2

À l'angle de Dolores St. et de 16ᵗʰ St. - ☎ (415) 621 8203 - www.missiondolores. org - tlj mai-oct. : 9h-16h30 ; nov.-avr. : 9h-16h - 5 $.

Fondée par les moines franciscains, c'est la 6ᵉ des 21 missions édifiées dans toute la Californie. Elle se composait à l'origine d'une chapelle, de logements, d'une école, d'ateliers, de communs, d'un jardin clos et d'un cimetière, mais elle n'existe plus en l'état.

La visite commence par la **chapelle★★** qui date de 1791, le plus ancien monument de la ville. Construite en adobe (briques de terre séchées au soleil) et couverte de tuiles roses, elle illustre parfaitement l'influence espagnole. Les moines utilisèrent la main-d'œuvre indienne pour la bâtir et on reconnaît certaines de leurs techniques, comme les dessins du plafond que l'on retrouve sur leurs poteries. Les énormes poutres en bois de séquoia sont assemblées au moyen de bandes de cuir (on suppose que la souplesse de l'ensemble sauva la chapelle des tremblements de terre). L'autel somptueux de style mexicain date du 18ᵉ s. En sortant de la chapelle, on accède par une petite cour à la basilique, dont le style baroque contraste avec la modestie de l'ensemble primitif. Elle fut érigée en 1918 et sert aujourd'hui d'église paroissiale. Avant d'entrer dans le cimetière, un petit **musée** rassemble des objets sacrés et une vitrine est dédiée à Junípero Serra, qui s'était porté volontaire en 1749 pour évangéliser le Nouveau Monde. Dans le paisible **cimetière**, seul vestige de la mission d'origine, on peut voir sa statue, ainsi qu'une réplique de hutte des Indiens ohlone.

Remontez Dolores St.

Mission Dolores Park fut jadis un cimetière juif. Les palmiers ont été plantés par John McLaren, le paysagiste du Golden Gate Park. La vue sur la ville y est particulièrement agréable.

Mission District, Women's Building.
A. Pöschel/imagebroker/age fotostock

★★ **Circuit des fresques murales** Plan I

Elles sont réparties dans tout le quartier de Mission District. Il vous suffit d'ouvrir l'œil pour voir ici et là des exemples de cet art populaire plein d'humour et de poésie. Parmi les plus belles fresques, ne manquez pas celles situées à l'angle nord-est de Mission Street et de 24th Street, et à l'angle de 24th Street et de South Van Ness Avenue. Vous en verrez également de superbes le long de 24th Street et dans les rues perpendiculaires. Mais la plus grande concentration se trouve dans **Balmy Alley★★** (D4), une venelle défraîchie qui joint 24th à 25th Street au niveau de Garfield Square. L'art de la fresque étant de plus en plus populaire, de nouvelles œuvres fleurissent un peu partout et s'offriront à vous au fil de la marche.

Precita Eyes Mural Art Center – 2981 24th St. - ℘ (415) 285 2287 - www.precita eyes.org. L'association s'attache à préserver et promouvoir les fresques existantes, et à soutenir la création d'œuvres nouvelles en fournissant des **plans de visite** ou en organisant des excursions guidées *(visite guidée de Mission : sam. et dim. 13h30, 20 $, la visite commence au Centre ; autres visites disponibles, se rens. sur leur site)*.

★ **CASTRO DISTRICT** Plan IV CD3

◯ *Comptez 1h. Prenez le tramway ligne F.*

Castro Street, au sud de Market Street, est le cœur de la **communauté gay**, sans aucun doute la plus libérée des États-Unis. Le nombre d'homosexuels augmenta considérablement à San Francisco du temps où la ville était un grand port militaire. De nombreux soldats furent refoulés pour leurs préférences sexuelles et s'installèrent sur place. Chaque fois qu'une épuration avait lieu dans un secteur, la communauté s'enrichissait de nouvelles recrues. Enfin, le vent de liberté qui souffla sur la ville dans les années 1960 et 1970 permit aux homosexuels de sortir de l'ombre. Castro District devint alors leur quartier général, comme l'annoncent les nombreux drapeaux arc-en-ciel.

UNE MAISON BLEUE ACCROCHÉE A LA COLLINE

La maison bleue de la célèbre chanson de Maxime Leforestier est de nouveau… bleue, après avoir été verte pendant de nombreuses années. Le chanteur a passé l'été 1971 à San Francisco, profitant de l'esprit joyeux de l'époque. Contrairement à ce que l'on pourrait croire, elle ne se situe pas dans le quartier hippie de Haight-Ashbury, mais à Castro, au 3841 18th St.

En 1977, **Harvey Milk** fut le premier conseiller municipal gay à être élu. Son assassinat l'année suivante par un ancien policier homophobe et la déferlante du sida après 1981 mirent toutefois un terme à l'euphorie générale, obligeant la communauté à se discipliner et à s'organiser pour offrir un front efficace contre la maladie. Aujourd'hui, l'atmosphère s'est allégée et les homosexuels sont très actifs dans la ville, où ils évoluent ouvertement et sans complexe. En 2001, un transsexuel (ils sont plus de 30 000 à San Francisco et dans les environs) a pour la première fois été nommé dans une instance municipale. En 2004, les nombreux mariages gays célébrés par le maire de la ville, exploitant une faille de la Constitution, ont lancé le débat dans tous les États-Unis.

Impossible de rater votre entrée dans le sanctuaire de la communauté gay : un énorme drapeau arc-en-ciel flotte à l'angle de Castro St. et de Market St., et CASTRO s'affiche fièrement en lettres blanches sur fond rouge au-dessus du **cinéma★** du quartier *(Castro Theatre, 429 Castro St., C4)*. Magnifique avec sa façade de style mexicain et ses affiches encadrées par des azulejos, il est l'un des endroits emblématiques du quartier. L'intérieur est joliment préservé et les séances – annoncées par un air d'orgue – se déroulent dans une atmosphère souvent joyeuse, voire délirante !

Prenez la température du quartier en sillonnant Castro St. (C3) et Market. St. puis en faisant des incursions dans les rues perpendiculaires, au rythme des drapeaux arc-en-ciel qui jalonnent Castro. Certaines de ces rues ont conservé bon nombre de jolies demeures victoriennes. **Liberty Street★** (D3) compte par exemple une belle rangée de ces cottages en bois multicolores.

Vous pouvez conclure votre visite par un passage au **Gay Lesbian bisexual trangender history community** *(4127 18th St. C3 - www.glbthistory.org/museum - lun.-sam. 11h-19h, dim. 12h-17h - 5 $ - gratuit 1er merc. du mois)*. Second musée du genre après celui de Berlin, il relate l'histoire du mouvement gay aux États-Unis et présente notamment des objets ayant appartenu à Harvey Milk.

★ NOE VALLEY Plan I CD4

▶ *Comptez 1h. Prenez la ligne J. Depuis Castro, remontez Castro St. jusqu'à 24th St., qui redescend dans Noe Valley.*

Noe Valley est un quartier résidentiel qui a gardé le charme d'un village. **24th Street** (CD4) en est l'axe principal : de part et d'autre, superbes maisons, jardins exubérants et ruelles aux pentes vertigineuses.

★★ Twin Peaks C4

Bus 37 ou ligne K, L, M et bus 36.

Si vous voulez embrasser la ville d'un seul regard, faites l'ascension de ces deux collines jumelles qui culminent à 300 m d'altitude au sud-est de Castro District et de Noe Valley. Les Espagnols, beaucoup plus poétiques, les nommaient « les seins de la jeune Indienne ». L'impressionnant **panorama★★★** englobe l'ensemble de San Francisco et de la baie.

NOS ADRESSES À SAN FRANCISCO

TRANSPORTS

Depuis l'aéroport

San Francisco International Airport (SFO) – *Au bord de la baie, à 14 miles au sud de la ville, par la Hwy 101,* 📞 *1-800 435 9736 ou (650) 821 8211, www.flysfo.com.*

Compagnies – Plusieurs compagnies proposent des vols directs Paris-San Francisco, d'une durée approximative de 11 heures. Pour se renseigner ou pour confirmer votre vol : **Air France**, 📞 *1-800 237 2747* ; **Delta**, 📞 *1-800 455 2720* ; **United Airlines**, 📞 *1-800 864 8331* ; **British Airways**, 📞 *1-800 247 9297* ; **KLM**, 📞 *1-866 434 0320.*

Navettes – L'aéroport est relié à San Francisco par le **Bart** (Bay Area Rapid Transit) situé dans le Terminal International. Les terminaux sont reliés entre eux par l'AirTrain, gratuit. Le billet jusqu'à Downtown coûte 8,95 $, 30mn. de trajet, ttes les 15/20mn jusqu'à 23h45.

Bus – L'aéroport est desservi aussi par les lignes de bus **SamTrans**, « 292 North » (1h ; 2,25 $🚌) et l'express « KX North » (40mn ; 5 $🚌), qui s'arrêtent au Transbay Terminal, 425 Mission St., entre 1st St. et Fremont St., et à l'angle de Mission St. et de 5th St. (ttes les heures).

Shuttles – Plus rapides, les navettes privées *(shuttles)* assurent la liaison avec les hôtels de la ville pour un prix d'environ 15-20 $ (même si vous n'allez pas à l'hôtel, certains *shuttles* vous conduisent à votre lieu de résidence). Les compagnies sont nombreuses et très concurrentielles, n'hésitez donc pas, surtout le soir, à choisir parmi celles qui sont déjà devant l'aéroport. Pour le retour, pensez à guetter leurs coupons de réduction dans tous les magazines publicitaires (ou visitez leurs sites Internet et imprimez-en un vous-même). Appelez pour réserver : **Quake City Shuttle**, 📞 *(415) 255 4899* ; **American Airporter Shuttle**, 📞 *(415) 202 0733.*

Taxi – Les taxis sont plus chers *(de 30 à 50 $)* et intéressants si vous êtes plus de deux. Le prix augmente en cas d'embouteillage.

En voiture – Si vous arrivez du sud, vous aurez déjà choisi entre l'US-101 (plus rapide) ou la PCH (Rte 1 qui serpente au-dessus du Pacifique). Depuis la 101, à Sunnyvale, vous pouvez prendre l'I-280 vers le nord, pour passer au centre de la péninsule (la 101 suit sa côte est). La Rte 1 rejoint l'I-280 environ 3 miles au sud de la banlieue Daly City, puis continue vers le nord pour devenir 19th Ave. Celle-ci vous mènera aux quartiers ouest de la ville, Haight-Ashbury, Richmond, Marina… avant d'aboutir au Golden Gate Bridge. Vous pouvez sortir de la 101 et de l'I-280 à Cesar Chavez St. pour les destinations au sud de Market St., comme le Mission District.

La 101-N devient Van Ness Ave. et vous conduira aux quartiers du nord-est (Russian Hill, Nob Hill, Chinatown, North Beach, etc.).

Dans la région

En bus – Les bus régionaux partent et arrivent au Transbay Terminal, *425 Mission St.* (Plan II C2), *ouv. 24h/24 (consigne).* Berkeley et Oakland sont desservis par la compagnie **AC Transit**, *www.actransit.org,* Sausalito et le Marin County par **Golden Gate Transit**, 📞 *(415) 455 2000, www. goldengatetransit.org.* Depuis la région de San Francisco, vous pouvez également appeler un numéro gratuit, ☎ 511, pour des informations sur toutes ces compagnies, ou consulter le site Internet *www.511.org*.

En ville

☺ **Bon à savoir** – N'utilisez surtout pas de voiture. Le mieux est de la garer dans une des rues de Western Addition ou Hayes Valley (Plan I), en faisant bien attention aux pancartes annonçant « No Parking » tel jour sur telle tranche horaire pour le nettoyage de la rue, et ensuite de partir à pied et d'utiliser le réseau de **transports en commun** très développé et assez bon marché. Dans les quartiers vallonnés, la marche est sportive, mais agréable, car les centres d'intérêt sont concentrés dans des périmètres restreints. Pour les zones éloignées, nous vous indiquons la ligne de bus la plus pratique.

En voiture – Si vous tenez absolument à vous déplacer en voiture, sachez que les bus, *cable cars* et piétons sont toujours prioritaires. Choisissez en priorité un hôtel disposant d'un parking.

☺ **Pour vous garer**, en raison des rues très pentues, une **règle absolue** s'impose (faute de quoi vous risquez une amende) : face à la montée, braquez vos roues vers la chaussée ; face à la pente, braquez-les vers le trottoir. Les autorisations de **stationner** sont matérialisées par des **couleurs** le long du trottoir. Pas de couleur : stationnement autorisé, mais qui peut être payant (voir les panneaux). Évitez absolument les « **tow away zones** » : tout ce qui comporte du rouge, du jaune ou du noir. Le vert autorise un arrêt de 10mn, le blanc un arrêt de 5mn pour embarquer ou débarquer les passagers. Le bleu est réservé

aux personnes handicapées. Ne prenez pas le risque d'ignorer ces règles, vous retrouveriez une « pince » sur l'une des roues, ou, au mieux, une amende de plus de 200 $. Toutes les informations pour régulariser ces diverses situations se trouvent sur le PV. Si vous avez commis une énorme infraction (par exemple vous garer sur un passage piéton, plus sévèrement punie qu'en France) et que votre voiture a été enlevée, réglez l'amende à Auto Return, *450 7*[th] *St.*, ouvert 7j/7, 24h/24.

En bus et tramway – Dès votre arrivée, procurez-vous (dans une librairie ou à l'office de tourisme Plan II B3) la *Street & Transit Map* (3 $) qui répertorie les lignes de bus et de tramways. Le prix du billet est fixe (2 $; 0,75 $ pour les enfants de 5 à 17 ans et les plus de 65 ans) : prévoyez le compte exact, car on ne rend pas la monnaie. Si vous devez prendre une correspondance, demandez le *transfer ticket* au chauffeur en précisant où vous allez. Ce ticket vous sera demandé dans le bus suivant (le transfert n'est pas valable sur le *cable car*).

☺ Notez bien l'heure mentionnée sur le ticket : elle indique la limite de validité du billet ; durant ce temps, de 90mn à 2h, vous avez droit à autant de transferts que vous voulez, y compris le retour sur la même ligne. À vous de calculer si cela est plus intéressant que le forfait à la journée.

Les **forfaits illimités**, les Muni passports, valables sur les bus, Muni Metro et *cable cars*, sont vendus à l'office de tourisme : 1 jour (17 $), 3 jours (26 $) et 7 jours (35 $). Le City Pass (94 $) comprend un Muni Pass de 7 jours ainsi que des billets pour 5 attractions, valable 9 jours : l'Academy of Sciences, l'Aquarium of the Bay ou l'aquarium de

Monterey, l'Exploratorium ou le De Young Museum, et une croisière de la ligne Blue & Gold dans la baie. Vous pouvez aussi les acheter dans n'importe lequel de ces sites, ou sur www.citypass.com, en précisant l'adresse de votre hôtel à San Francisco et la date à laquelle vous voudriez que le Pass soit livré. Vous pouvez aussi l'acheter en ligne et le retirer à l'office de tourisme.

⊘ Dès que la qualité de l'air est jugée mauvaise, la régie des transports SF Muni décide d'une journée « Spare the Air » et toutes les lignes sont gratuites.

Les chauffeurs de bus sont en général aimables et acceptent volontiers de vous renseigner ou de vous prévenir lorsque vous arrivez à la destination demandée. Tirez sur le cordon qui court le long des vitres pour demander l'arrêt suivant.

En cable car – Préparez-vous à attendre 45mn au moins en saison (prenez-le avant 8h30 le matin si vous ne voulez pas attendre). Trois axes sont desservis par cet incontournable moyen de transport. Le premier, **Powell-Mason**, part de Powell St. au niveau de Market St., en direction de Fisherman's Wharf. Le deuxième, **Powell-Hyde**, conduit à l'ouest de celui-ci, près de l'Aquatic Park. Le troisième longe California St., entre Market St., dans Financial District et Van Ness Ave. Ce dernier est le moins fréquenté, idéal pour goûter au trajet sans faire trop de queue. Les correspondances entre les trois lignes se font à l'arrêt Powell & California. Attention : en raison de la très forte déclivité, le *cable car* s'arrête au milieu des carrefours où la pente est interrompue.

⊘ Méfiez-vous du trafic en descendant. Le billet vaut 7 $; le forfait est donc très vite amorti,

car il n'y a pas de *transfer ticket* vers les bus.

En BART – Le **Bay Area Rapid Transit** *(www.bart.gov)* est l'équivalent du RER et applique une tarification à part. Il dessert les banlieues et les autres villes de la baie. Toutes les lignes passent sous Market St. par les stations d'Embarcadero, Montgomery, Powell, Civic Center, et sous Mission St. par les stations de 16th St. et 24th St. Les billets s'achètent dans les stations à des machines automatiques.

Le **Caltrain** est un train de banlieue qui couvre les comtés de San Mateo et de Santa Clara. C'est le moyen de transport indiqué en direction de San Jose et de la Silicon Valley. Le terminal est situé à l'intersection de 4th St. et de King St., au sud de SoMa (Plan I E3) (relié au réseau Muni par les lignes de bus 10, 30, 38L, 45, 47 et la ligne souterraine N).

En taxi – Vous en trouverez devant les grands hôtels, sinon placez-vous au bord de la chaussée et faites un signe bien visible. Pour traverser la ville d'est en ouest, comptez au maximum 20 $. Ajoutez 15 % de pourboire.

Location de voiture – Réservez de préférence votre véhicule avant de partir en faisant appel à un organisme national qui négociera les prix. Sinon, les grandes compagnies sont représentées à l'aéroport (transfert gratuit par navette vers le centre de location où sont réunies toutes les enseignes) et dans le centre-ville.

Location de motos, vélos, rollers – Pour chevaucher une Harley-Davidson le long des rues mythiques *(150 $/j. env.)*, adressez-vous à **Eaglerider**, *488 8th St.* (Plan I E3), *☏ (888) 900 9901, www.eaglerider.com.* Réservation conseillée.

Pour les vélos, l'une des adresses les plus pratiques est **Blazing Saddles**, *433 Mason St.* (Plan II A2), *près d'Union Square*, ☏ *(415) 202 8888, www.blazingsaddles. com*. Ils proposent aussi une traversée guidée en vélo du Golden Gate Bridge (départs 10h et 13h, durée 3h). **Golden Gate Park Skate & Bike** *(3038 Fulton St.* (Plan IV B1), ☏ *(415) 668 1117, www.goldengateparkbikeandskate. com)* loue des vélos (25 $/j.) et des rollers (20 $/j.) pour profiter de l'étendue du Golden Gate Park.

☺ Une tradition sympathique depuis les années 1990 pour les fans de roller : chaque vendredi soir, une foule de *rollerbladers* font une grande boucle dans la ville de 20h-20h30 à minuit à partir du Ferry Building (Embarcadero), par Fisherman's Wharf, Marina District, Union Square, South of Market pour revenir dans Financial District, désert le soir, avec entre-temps un passage à pleine vitesse dans le tunnel de Broadway St. Une randonnée sportive en raison des nombreuses collines !

VISITES

San Francisco City Guides – ☏ *(415) 557 4266, www. sfcityguides.org*. Découverte de la ville à pied, quartier par quartier, 7j/7, avec des guides bénévoles de la bibliothèque centrale ; contribution suggérée min. 5 $.
Victorian Homes Walk – ☏ *(415) 252 9485, www.victorianwalk.com, 25 $*🎟. Le point de rencontre est à Union Square, départ 11h, du jeu. au lun., quel que soit le temps, et la destination Pacific Heights et Cow Hollow (durée env. 2h30, pas de réservation nécessaire).

INFORMATIONS UTILES

Internet – On peut se connecter gratuitement dans les bibliothèques municipales (**Main Library**, 100 Larkin St.) (Plan IV E1), (en face de Civic Center), mais il y a souvent la queue et le temps de connexion est limité à 15mn. La plupart des *coffee shops*, dont les Starbucks, offrent du Wifi gratuit, si vous consommez sur place.

Représentations diplomatiques – **Consulat de France**, *88 Kearny St., suite 600* (Plan II B2), ☏ *(415) 397 4330. Lun.-vend. (sans RV) 9h-12h30.*
Belgique, *1663 Mission St., suite 400* (Plan IV E2), ☏ *(415) 861 9910.*
Suisse, *456 Montgomery St., suite 1500* (Plan II C1-2), ☏ *(415) 788 2272.*
Luxembourg, *1 Sansome St., suite 830* (Plan II C2), ☏ *(415) 788 0816.*

Journaux – Le **San Francisco Examiner** est un quotidien local dont l'édition du lundi contient les programmes culturels *(www. sfexaminer.com)*. Autre titre, le **San Francisco Chronicle** consacre une partie de son numéro du dimanche aux loisirs et sorties *(www.sfchronicle.com)*. Gratuit, disponible dans les distributeurs de rue, les commerces et les restaurants, le **San Francisco Bay Guardian** répertorie les restaurants branchés, les sorties incontournables du moment et la liste des films et pièces de théâtre *(www.sfbg.com)*.

Sécurité – Après la nuit tombée, évitez les rues du centre-ville. Union Square et Market St. peuvent être mal fréquentées, de même que le quartier de Tenderloin, entre Civic Center et Downtown. Les petites rues perpendiculaires au haut de 5th St. sont, même en journée, un lieu de prostitution. Si vous sortez le soir dans Mission District ou SoMa, rentrez à plusieurs ou en taxi. Évitez le Golden Gate Park la nuit. En cas de problème, appelez le 911.

HÉBERGEMENT

👍 **Bon à savoir** – San Francisco est une ville chère et très touristique de mai à septembre. Réservez bien à l'avance et demandez les offres spéciales *(special offers)* ou une réduction si vous restez plus de 3 ou 4 nuits. Depuis la France, pensez à surfer sur Internet pour obtenir des tarifs discount.

Les abords d'Union Square et de Market St. sont les plus pratiques pour prendre les transports en commun, mais ils constituent aussi la zone la plus chère. Les **meilleurs rapports qualité-prix** se trouvent un peu à l'écart, dans les quartiers résidentiels généralement bien desservis. La ville étant assez étendue, tenez compte des problèmes de transport. Certains quartiers mal fréquentés, comme Tenderloin, sont moins chers, mais pour votre sécurité, vous devrez sans doute rentrer en taxi tard le soir. Faites vos comptes avant de vous décider.

Autour d'Union Square Plan II

BUDGET MOYEN

Hotel Bijou – *111 Mason St.* (A3) - 📞 *(415) 771 1200 - www.hotelbijou. com -* 🅿 *40 $/nuit -* ♿ *- wifi - 65 ch. 129/229 $* ☕. Bel hôtel dont chaque chambre porte le nom d'un film tourné à San Francisco ; décoration colorée et soignée avec photos de stars. Joli théâtre où regarder ces films (2/j.) et ligne téléphonique directe pour les programmes des cinémas de la ville ! Chambres bien équipées.

Hotel Union Square – *114 Powell St.* (B3) - 📞 *(415) 397 3000 - www. hotelunionsquare.com -* 🅿 *51 $/ nuit - wifi 15 $/j. - 131 ch. et suites 139/659 $.* Un hôtel élégant et chaleureux à la décoration moderne, à deux pas d'Union Square. Les chambres sur l'arrière sont sombres, mais celles sur la rue agréables. Petit-déj. continental. Thé et café inclus. Excellent rapport qualité-prix.

The Fitzgerald – *620 Post St.* (A2) - 📞 *(415) 775 8100 - www. fitzgeraldhotel.com -* 🅿 *24 $/ nuit -* ♿ *- wifi - 46 ch. 149/180 $* ☕. Une jolie demeure victorienne qui abrite des chambres plutôt bien équipées (frigo, micro-ondes, machine à café, planche à repasser). Petit-déj. continental. L'agréable bar à vins **The Barrel Room** *(* 📞 *(415) 275 2283, www. barrelroomsf.com, dim.-jeu. 17h-0h, vend.-sam. jusqu'à 2h)* permet de goûter des productions régionales avec un repas léger.

South of Market Plan II

BUDGET MOYEN

The Mosser – *54 4th St.* (B3) - 📞 *(415) 986 4400 - www.themosser. com -* 🍴 *-* 🅿 *49 $/j. -* ♿ *- wifi - 166 ch. 199/459 $* ☕. De loin le meilleur établissement du quartier, ce bel hôtel historique a pour cadre une construction victorienne réaménagée dans un style contemporain. Également une quarantaine de chambres, sans sdb privées, les moins chères. Café et muffins le matin. Le restaurant Annabelle's (tlj 11h30-15h et 17h30-22h30. 15-25 $) est l'occasion de déguster une cuisine typiquement californienne.

Civic Center et Hayes Valley Plan IV

BUDGET MOYEN

Château Tivoli – - *1057 Steiner St.* (D1) - 📞 *(415) 776 5462 - www. chateautivoli.com - wifi - 9 ch. 130/300 $* ☕. Dans un opulent pavillon victorien, ancien hôtel réservé aux artistes de l'Opéra Tivoli, aux chambres spacieuses et décorées : lits à baldaquin, meubles anciens et tableaux.

1

Celles partageant une sdb sont moins chères. Parking facile aux alentours.

Hayes Valley Inn – *417 Gough St.* (D1) - *℘ (415) 431 9131 - www.hayesvalleyinn.com - wifi - 29 ch. 145/295 $* ☕. À l'ouest de Civic Center, dans un quartier calme et verdoyant, un petit hôtel impeccable et tout proche des théâtres et de l'Opéra. Petit-déj. inclus.

Chinatown Plan II

BUDGET MOYEN

Grant Plaza – *465 Grant Ave.* (B2) - *℘ (415) 434 3883 - www.grantplaza.com -* 🅿 *payant - wifi - 71 ch. 120/208 $*. Tout près du China Gate, une adresse bien située mais relativement basique, voire un peu vieillotte.

North Beach Plan III

POUR SE FAIRE PLAISIR

Hotel Bohème – *444 Columbus Ave.* (E2-3) - *℘ (415) 433 9111 - www.hotelboheme.com - 6h-23h - wifi - 15 ch. 195/375 $*. Un mignon petit hôtel à l'accueil chaleureux, très bien situé, car au cœur de North Beach. Réservez.

Washington Square Inn Bed & Breakfast – *1660 Stockton St.* (E2) - *℘ (415) 981 4220 - www.wsisf.com -* 🅿 *36 $/nuit -* ♿ *- wifi - 15 ch. 209/359 $* ☕. En face de l'église Sts Peter and Paul, au pied de Telegraph Hill, une adresse calme, raffinée… et très demandée. Joli mobilier ancien et bon accueil. Apéritif le soir et petit-déj. compris.

Fisherman's Wharf Plan III

☺ **Bon à savoir** – Les hôtels localisés près des quais sont très chers.

UNE FOLIE

Argonaut Hotel – *495 Jefferson St.* (B2) - *℘ (415) 563 0800 - www.argonauthotel.com -* ✘ - 🅿 *50 $/nuit -* ♿ *- wifi - 252 ch. 439/713 $*. Aménagé dans une ancienne conserverie, ce grand hôtel offre une décoration parfaite alliant brique rouge (un classique de San Francisco), bois et objets de marine. Un très beau cadre pour un service de luxe. Apéritif le soir.

Marina District Plan III

PREMIER PRIX

HI - Fishermans Wharf Hostel – *Building 240 - Fort Mason* (C2) - *℘ (415) 771 7277 - www.sfhostels.org -* 🅿 ♿ *- wifi - 172 lits 39/50 $ en dortoir - ch. 90/110 $* ☕. Bien qu'éloignée du centre, c'est la plus agréable des auberges de jeunesse de la ville, près de la verdure du Presidio, desservie par les bus (lignes 10, 49 et 30). Belle vue. Dortoirs et chambres privées, laverie et cafétéria. Réservez suffisamment à l'avance.

Cow Hollow Plan III

☺ **Bon à savoir** – Cet agréable quartier est chic et cher.

POUR SE FAIRE PLAISIR

Union Street Inn – *2229 Union St.* (B3) - *℘ (415) 346 0424 - www.unionstreetinn.com - wifi - 6 ch. 249/369 $* ☕. Une très belle adresse : on n'a plus envie de partir de cette maison chaleureuse, au décor parfait et au confort douillet. Petit-déj. copieux et toutes sortes d'attentions charmantes. Ravissant petit jardin. 2 nuits min. le w-end.

Pacific Heights Plan III

POUR SE FAIRE PLAISIR

Jackson Court – *2198 Jackson St.* (C3) - *℘ (415) 929 7670 - www.jacksoncourt.com - wifi - 10 ch. 239/295 $* ☕. Pas un panneau n'indique ce B & B chic et discret, aussi a-t-on l'impression d'arriver chez des amis. Tout est d'un goût exquis. Petit-déj., thé et conseils avisés.

Nob Hill Plan II

BUDGET MOYEN

Grant Hotel – *753 Bush St.* (AB2) - *℘ (415) 421 7540 - granthotel. com* - ♿ - wifi - 76 ch. 110/160 $ 🖥. Proche des lignes de *cable car*, ce grand hôtel est très bien tenu. Les chambres sont spacieuses, mais les moins chères très sombres. Préférez celles qui donnent sur Bush St., la différence de prix est justifiée. Petit-déj. continental.

Petite Auberge – *863 Bush St.* (B2) - *℘ (415) 928 6000 - www. petiteaubergesf.com* - 🅿 *39 $/ nuit* - ♿ - wifi - 26 ch. 189/269 $ 🖥. Ce petit hôtel a du charme avec sa jolie façade et son décor romantique. Copieux buffet pour le petit-déj., thé et apéritif inclus.

Haight-Ashbury Plan IV

🅑 **Bon à savoir** – Très peu d'hébergements dans le quartier et ils sont chers.

BUDGET MOYEN

Red Victorian Bed & Breakfast – *1665 Haight St.* (B2) - *℘ (415) 864 1978 - www.redvic.com* - wifi - 18 ch. 145/185 $ 🖥. Seules six chambres ont une sdb, mais celles à partager sont impeccables. La déco hippie signe une adresse unique. Copieux petit-déj.

Mission District Plan IV

BUDGET MOYEN

The Inn San Francisco – *943 S. Van Ness Ave.* (E3) - *℘ (415) 641 0188 - www.innsf.com* - 🅿 *25 $/nuit* - wifi - 21 ch. 185/425 $ 🖥. Un petit hôtel qui a pour cadre une jolie maison victorienne rose meublée d'ancien et entourée d'un jardin plein de charme. La plupart des chambres disposent de sanitaires privés. Copieux petit-déj.

Castro District Plan IV

BUDGET MOYEN

Parker Guest House – *520 Church St.* (D3) - *℘ 1-888520 7275 - www. parkerguesthouse.com* - 🅿 *25 $/ nuit* - ♿ - wifi - 21 ch. 179/289 $ 🖥. Bien qu'orienté vers une clientèle gay, ce B & B accueille tous les voyageurs. Les chambres de la grande maison jaune sont propres et accueillantes, et les jardins agréables. Dégustation de vin et fromage, et accès au hammam gratuits.

RESTAURATION

🅑 **Bon à savoir** – Pour bénéficier d'un meilleur prix, vérifiez si le restaurant que vous avez choisi propose un menu *Early bird* (dîner avant 19h). Outre les restaurants que nous présentons ici, de nombreuses adresses détaillées dans les rubriques « Petite pause » et « Boire un verre » proposent également de la petite restauration. Rendez-vous également sur le site www.sftravel. com/dine pour varier les plaisirs.

Autour d'Union Square Plan II

PREMIER PRIX

Borobudur – *700 Post St.* (A2) - *à l'angle de Jones* - *℘ (415) 775 1512 - www.borobudursf.com* - 11h30-22h, vend.-sam. 11h30-23h, dim. 13h-22h - ♿ - plats 9,50/19 $. Un restaurant familial indonésien à la décoration simple, mais aux petits détails qui font mouche : grand panneau décoratif en bois, ombrelles, porte encadrée par des bambous. Outre les inévitables (mais bonnes) brochettes de viande sauce satay (cacahuètes), des plats plus élaborés de viandes ou poissons. Accueil gentil.

Kim Thanh – *607 Geary St.* (A3) - *℘ (415) 928 6627 - tlj sf mar. 16h-23h* - ♿ - plats 10/30 $. Cuisine vietnamienne et chinoise ultrafraîche pour un petit restaurant très fréquenté par les familles asiatiques. En saison, goûtez absolument le crabe poivre et sel.

Ramen Underground – *356 Kearny St.* (B2) - *℘ (415) 999 2503 - ramenunderground.com - 10h30-21h30, vend.-sam. 11h30-22h - fermé 1er janv., 4 juil., Thanksgiving, 25 déc. - env. 12 $.* Ce tout petit restaurant est souvent rempli, il faut inscrire son nom sur une ardoise à l'entrée et attendre d'être installé pour commander des ramen (des nouilles servies dans un bouillon) que l'on accommode selon ses envies, en ajoutant divers ingrédients : œuf dur, oignons, raviolis, tofu, etc.

Sears Fine Food – *439 Powell St.* (B2) - *℘ (415) 986 0700 - searsfinefood.com - 6h30-22h - ♿ - wifi - 15/30 $.* Cet établissement qui a ouvert ses portes en 1938 résiste depuis soixante-dix ans au temps et aux modes. Un décor désuet et une carte de plats américains très classiques assurent son succès. Idéal pour le petit-déj., servi jusqu'à 15h.

BUDGET MOYEN

Colibri Mexican Bistro – *438 Geary St.* (A3) - *℘ (415) 440 2737 - www.colibrimexicanbistro.com - 11h30-22h, vend. 11h30-23h, sam. 10h30-23h, dim. 10h30-22h - ♿ - Plats 15/27 $.* Dans un restaurant à la décoration moderne, des spécialités mexicaines préparées avec un grand souci de fraîcheur, loin des standards du tex-mex.

Financial District Plan II

🙂 **Bon à savoir** – Les restaurants et snacks sont nombreux. Pour un plat à emporter, mais raffiné, la galerie du Ferry Building (D1) abrite de nombreux traiteurs aux influences variées.

BUDGET MOYEN

Kokkari – *200 Jackson St.* (B1) - *℘ (415) 981 0983 - www.kokkari. com - 11h30-14h30, 17h30-22h,* *vend. 11h30-14h30, 17h30-23h, sam. 17h.-22h, dim. 17h30-22h - fermé j. fériés - ♿ - Mezzés : 9/15,50 $ - plats 26/54 $.* Un restaurant grec qui fait salle comble midi et soir : des plats frais et originaux avec de bons produits méditerranéens, dans une ambiance chic mais chaleureuse. Gardez une petite place pour le dessert, le Galaktoboureko : ce chausson fourré à la crème parfumée au citron est un délice…

Ozumo – *161 Steuart St.* (D2) - *℘ (415) 882 1333 - www. ozumosanfrancisco.com - 11h30-14h, 17h30-22h30, vend. 11h30-14h, 17h30-23h, sam. 17h30-23h, dim. 17h30-22h30 - plats 14/45 $.* Un excellent choix pour les amateurs de sushis et de mets japonais de grande qualité comme les brochette robata. Belle salle moderne, avec vue sur la baie. Atmosphère à la fois raffinée et décontractée.

South of Market Plan II

POUR SE FAIRE PLAISIR

Lulu – *816 Folsom St.* (hors plan par C3) - *℘ (415) 495 5775 - www. restaurantlulu.com - à partir de 11h30 - fermé 1er janv., 4 juil., Thanksgiving et 25 déc. - wifi - 30/50 $.* Une grande salle à la décoration sobre, agencée autour d'une large cheminée où les viandes rôtissent à la broche. Une autre salle pour les grillades de poissons au feu de bois. Excellent bar à huîtres. Très beau choix de vins. Ambiance chic et originale.

Civic Center et Hayes Valley Plan IV

PREMIER PRIX

Suppenküche – *525 Laguna St. - à l'angle avec Hayes St.* (D1) - *℘ (415) 252 9289 - www. suppenkuche.com - 17h-22h, brunch le dim. 10h-14h30 - fermé*

25 déc. - plats 12,50/21,50 $.
Spécialités culinaires et bières
allemandes servies sur des
grandes tables en bois, partagées
par de joyeux convives assis sur
des bancs. Une adresse originale
au cœur de Hayes Valley où la
cuisine est copieuse mais allégée !

BUDGET MOYEN

Ananda Fuara – *1298 Market
St. - angle avec 9th St.* (E1) - *£ (415)
621 1994 - www.anandafuara.
com - 11h-20h, dim. 9h-15h - fermé
lun., 2e sem. d'avr., dern. sem août -
20/30 $.* Strictement végétarien et
végétalien, avec un large éventail
de salades, currys, sandwichs…
Souvent bondé. Très bien
aussi pour le petit-déj. Vente à
emporter.

UNE FOLIE

Jardinière – *300 Grove St.* (D1) -
*£ (415) 861 5555 - www.jardiniere.
com - à partir de 17h - 46/122 $ -
menu dégustation 140 $.* Dans
le quartier de Hayes Valley,
une table raffinée, aux notes
françaises et californiennes. La
carte est en partie renouvelée
quotidiennement.

Chinatown Plans II et III

♿ **Bon à savoir** – Le quartier
compte nombre de restaurants et
assez peu de mauvaises surprises.
Suivez votre intuition !

PREMIER PRIX

House of Nanking – *919 Kearny
St. - à l'angle de Columbus St.*
(II B2) - *£ (415) 421 1429 - www.
houseofnanking.net - 11h-21h,
w.-end 11h30-21h - 7/24 $.* House of
Nanking, tout le monde connaît !
Cet incontournable du quartier,
fréquenté par les touristes et
les étudiants, propose une
cuisine chinoise authentique et
savoureuse. Très bons calamars
frits, relevés par une sauce
légèrement épicée, à l'ail et au
citron. Service pressé.

North Beach Plans III et II

PREMIER PRIX

Bocadillos – *710 Montgomery St.*
(II B1) - *£ (415) 982 2622 - www.
bocasf.com - 11h-22h, sam. 17h-
22h - fermé dim., j. fériés - ♿.*
Pintxos *(bouchées) 3/4 $,* bocadillos
*(sandwichs) autour de 7 $ et
plats entre 8 et 18 $.* Quand San
Francisco vit l'une de ses dernières
modes, les sorties à l'espagnole,
cela donne Bocadillos ! Au pied
de la Transamerica, un petit
établissement moderne, animé
par des collègues de bureau et
des groupes d'amis, qui propose
tapas et plats plus élaborés,
tendance fusion, à accompagner
de bières et vins. Ambiance
décontractée et sympathique.

Mama's – *1701 Stockton St.* (III E2) -
*£ (415) 362 6421 - www.mamas-sf.
com - 8h-15h - fermé lun. -* 🚫 *- plats
10/22 $.* Il faut souvent patienter
près d'une heure pour avoir une
table, car la qualité de sa cuisine
est plébiscitée par le tout San
Francisco. Omelettes, breakfasts
copieux et sucrés, confitures
maison et sandwichs. Pas de
réservation.

Mo's Burgers – *1322 Grant
Ave.* (III E2) - *£ (415) 788 3779 -
mosgourmethamburgers.com -
8h30-22h30, vend.-sam. 8h30-23h -
fermé Noël - ♿ - Moins de 15 $.* Le
chef grille sa viande sous vos yeux.
Poulet ou burgers gigantesques et
succulents. Les petits budgets se
contenteront d'un bol de chili, très
nourrissant. Pour boire, goûtez
l'old fashion shake ou la root beer.

Sushi on North Beach –
745 Columbus Ave. (III D2) -
*£ (415) 788 8050 - www.
northbeachsushi.com - 11h30-
13h45, 17h-21h - vend. 11h30-13h45,
17h-21h45, sam. 17h-21h45 - fermé
dim., 25 déc. - 15/22 $.* Un endroit
qui passe presque inaperçu
depuis la rue ; à l'intérieur,

quelques tables, et un bar où les chefs préparent sushis, makis et sashimis frais. On y déguste aussi tempura et viandes grillées à la japonaise. Une adresse discrète à la cuisine simple et savoureuse.

BUDGET MOYEN

Cafe Zoetrope – *916 Kearny St.* (II B1) - ℘ *(415) 291 1700 - www. cafecoppola.com - 11h-22h, sam. 12h-22h, dim. 12h-21h - fermé lun.* - ᴋ - *plats 13/19 $.* Cinéaste, vigneron et gourmand, Francis Ford Coppola, le propriétaire de ce monument de Little Italy, a créé la sélection de plats rustiques, pasta et pizzas. Excellente ambiance, agréable décoration classique mettant à l'honneur les vins du domaine de Coppola dans la Napa Valley sur fond d'affiches de cinéma. Belle carte des vins donc, dominée par les rouges.

The House – *1230 Grant Ave.* (III E3) - ℘ *(415) 986 8612 - www. thehse.com - 11h30-14h30, 17h30-22h, vend. 11h30-14h30, 17h30-23h, sam. 11h30-14h30, 17h-23h, dim. 17h30-22h* - ᴋ - *Plats 20/35 $.* Quand l'Asie, et plus particulièrement le Japon, rencontre la Californie, cela donne une cuisine savoureuse, tout en mélange de saveurs et en finesse, alliée à une très jolie présentation dans l'assiette. Service professionnel et aimable, décor sobre et élégant. Seul bémol : les tables rapprochées ne favorisent que peu l'intimité entre convives… Une bonne adresse.

The Stinking Rose – *325 Columbus Ave.* (III E3) - ℘ *(415) 781 7673 - www.thestinkingrose. com - 11h30-22h* - ᴋ - *wifi - 25/30 $.* Décor à l'italienne, bric-à-brac de bouteilles, de bouchons et de tresses d'ail. Celui-ci est roi : on l'utilise à profusion et c'est plutôt réussi. Plats copieux, salades,

pâtes à la viande ou aux fruits de mer… Certaines assiettes peuvent néanmoins être servies sans ail. En revanche, évitez le vin maison (Château du Garlique !) qui, lui aussi, dévoile des arômes d'ail ! Bon pain fait maison.

Embarcadero Plan II

BUDGET MOYEN

Slanted Door – *1 Ferry Building 3 - angle nord-est* (D1) - ℘ *(415) 861 8032 - www.slanteddoor.com - 11h-22h, dim. 11h30-22h - fermé Thanksgiving et 25 déc.* - 🅿 ᴋ - *wifi - plats 17/45 $.* Un restaurant vietnamien, dont le succès ne se dément pas. La nourriture y est tout simplement excellente, inspirée par la créativité d'un chef qui privilégie les produits bio locaux. La grande salle est parfois bruyante. Par contre, réservation indispensable.

Fisherman's Wharf Plan III

PREMIER PRIX

In-N-Out – *333 Jefferson St.* (D1) - ℘ *1-800 786 1000 - www. in-n-out.com - 10h30-1h, vend.- sam. 10h30-1h30* - ᴋ. Cette chaîne de fast-foods, créée près de Los Angeles en 1948, n'existe que sur la West Coast. Le menu est simple : burgers, frites et milk-shakes, mais le client peut demander toujours des arrangements du menu secret… plus si secret que ça (« *not-so-secret menu* », voir sur leur site internet). Un arrêt sympa et économique dans l'un des meilleurs fast-foods.

BUDGET MOYEN

Alioto – *8 Fisherman's Wharf - au niveau de Taylor St.* (D1) - ℘ *(415) 673 8300 - aliotos.com - 11h-23h* - 🅿 ᴋ - *formule midi 15 $ - plats 16/56 $.* L'un des restaurants de poisson les plus anciens de la ville et l'un des plus réputés. Beaucoup de spécialités italiennes.

Les plats à base de crabe sont particulièrement savoureux. Sans oublier une carte des vins impressionnante.

Rain Forest Cafe – *145 Jefferson St.* (D1) - ℘ *(415) 440 5610 - www.rainforestcafe.com - 11h-21h, vend. 11h-22h, sam. 11h-23h -* ♿ *- wifi - 18/32 $.* Pour les fans de Disneyworld et d'attractions spectaculaires : l'impression de se retrouver dans Le Livre de la jungle ! Bruyant, un peu cher pour une nourriture convenue, mais le décor enchante les enfants.

Marina District Plan III
POUR SE FAIRE PLAISIR

Greens – *Fort Mason, building A* (B2) - ℘ *(415) 771 6222 - www.greensrestaurant.com - 11h45-14h30, 17h30-21h, lun. 17h30-21h, sam. 11h-14h30, 17h30-21h, dim. 10h30-14h, 17h30-21h -* 🅿 ♿ *- midi 27/38 $ - soir 30/50 $ - menu à prix fixe sam. soir 58 $.* Une excellente cuisine végétarienne gastronomique, à base de produits bio ultrafrais. Le menu change tous les jours. Brunch le week-end. La vue sur le Golden Gate Bridge est superbe. Réserv. indispensable. Propose également de la vente à emporter.

Cow Hollow Plan III
PREMIER PRIX

Betelnut – *2030 Union St.* (B3) - ℘ *(415) 929 8855 - www.betelnutrestaurant.com - Dim.-jeu. 11h30-22h, vend.-sam. 11h30-23h. Plats 10/20 $.* Cuisine asiatique éclectique, fusionnant avec le savoir-faire européen. Essayez les anchois sautés avec cacahuètes et piments ou le bar fumé au concombre et au gingembre.

Pacific Heights Plan III
UNE FOLIE

Quince – *470 Pacific Ave.* (E3) - ℘ *(415) 775 8500 - quincerestaurant.com - 17h30-21h30, vend.-sam. 17h-21h30 - fermé dim., Thanksgiving et 25 déc. -* ♿ *- 68/86 $ - menu fixe 165/220 $.* Restaurant distingué dont la taille contraste avec le succès de sa cuisine italienne, enrichie d'influences françaises. Réserver absolument.

Japantown Plan IV
👁 **Bon à savoir** – Les galeries commerçantes autour de la pagode et surtout le Kintetsu Mall regorgent de restaurants asiatiques. En arrivant de bonne heure, vous n'aurez que l'embarras du choix.

BUDGET MOYEN

Benihana's – *1737 Post St. - Kinetsu Mall* (D1) - ℘ *(415) 563 4844 - benihana.com - 11h30-22h, vend. 11h30-23h, sam. 12h-23h, dim. 12h-22h - 25 $, mais l'addition peut monter bien plus haut selon ce que vous choisirez.* Sous un des nombreux toits de bois de la grande salle, vous pourrez déguster une cuisine japonaise délicieuse préparée devant vous par des artistes du couteau, qui vous feront leur numéro pour le plaisir des yeux et des papilles ! Très animé à partir de 19h30 lorsque la clientèle japonaise s'attable. Réservez alors. Tables de 8 ou 10 à partager.

Haight-Ashbury Plan IV
PREMIER PRIX

Pork Store Cafe – *1451 Haight St.* (C2) - ℘ *(415) 864 6981 - www.porkstorecafe.com - 7h-15h30, w.-end 8h-16h -* ♿ *- wifi - env. 10 $.* La cuisine est faite derrière le comptoir où l'on s'assoit coude à coude avec les nombreux clients et habitants du quartier qui viennent déjeuner dans cette petite salle rose et blanche, chaleureuse et animée. Omelettes, pancakes, burgers, sandwichs… Parfait pour le petit-déj. et le lunch.

BUDGET MOYEN

Magnolia Gastro Pub & Brewery – *1398 Haight St.* (C2) - ℘ *(415) 864 7468 - www.magnoliapub.com - 11h-0h, vend. 11h-1h, sam. 10h-1h, dim. 10h-0h - plats 15/20 $.* Le principal attrait de ce bar reste ses excellentes bières, toutes brassées sur place. Décor agréable : larges baies vitrées reflétant l'animation de la rue, tables en bois et fauteuils de cuir noir. Cuisine classique américaine, avec burgers plantureux, moules à la bière et quelques plats d'inspiration méditerranéenne. Le brunch y est particulièrement populaire.

Golden Gate Park

Selon la saison, vous pouvez pique-niquer en emportant des provisions avec vous, déjeuner au restaurant du De Young Museum ou encore boire un thé au Japanese Tea Garden.

Mission District Plans I et IV

PREMIER PRIX

Frjtz Fries – *590 Valencia St.* (IV D2) - ℘ *(415) 863 8272 - frjtzfries.com - 9h-22h, vend.-sam. 9h-23h, dim. 9h-21h - ♿ - wifi - 7/16,50 $.* Très bon café, énormes salades, crêpes, sandwichs et frites belges avec un grand choix de sauces. Vente à emporter.

La Taqueria – *2889 Mission St.* (I D4) - ℘ *(415) 285 7117 - 11h-21h, dim. 11h-20h - fermé 3 sem. déc.-janv., Memorial Day, 4 juil., Labor Day, Thanksgiving - ♿.* Une cafétéria à l'allure banale où les *burritos* (env. 8,50 $) sont considérés comme les meilleurs de la ville : la nombreuse clientèle locale le prouve.

POUR SE FAIRE PLAISIR

Bar Tartine – *561 Valencia St. - entre 16th St. et 17th St.* (IV D3) - ℘ *(415) 487 1600 - www.bartartine.com - 17h30-22h, vend. 17h30-23h, sam. 11h-14h, 17h30-23h, dim. 11h-14h, 17h30-22h - ♿ - plats 16-33 $ - 37-58 $.* Une belle adresse qui fait beaucoup parler d'elle : on y vient pour sa cuisine délicate et créative : sandwich et soupes le midi, et petits plats le soir, aux associations surprenantes de produits frais de saison. Dans l'assiette, c'est joli et savoureux, très apprêté. La salle est sobre, avec un certain côté rustique.

Foreign Cinema – *2534 Mission St. - entre 21st St. et 22nd St.* (IV E3) - ℘ *(415) 648 7600 - www.foreigncinema.com - 18h-22h, sam. 11h-14h30, 17h30-23h, dim. 11h-15h, 17h30-22h -* 🅿 *15 $/nuit - ♿ - 36,50/65 $.* C'est ici que le staff de Chez Panisse, le légendaire restaurant de Berkeley, tient sa fête annuelle, c'est une garantie ! Des classiques du cinéma sont projetés sur le mur du fond avec des sous-titres, d'où le nom du lieu ; les plats sont une « fusion » heureuse des cuisines méditerranéenne, polynésienne, française et indienne. La carte des vins est épique. Un régal. Magnifique bar à huîtres.

Castro District Plan IV

BUDGET MOYEN

Catch – *2362 Market St.* (D2) - ℘ *(415) 431 5000 - www.catchsf.com - Déjeuner : lun.-vend. 11h30-14h30 ; dîner dim.-mar. 17h30-21h, 22h merc.-jeu. et 23h vend.-sam. ; brunch sam.-dim. 11h-15h30 - midi 36,50/44 $ - soir 33,50/51,50 $.* Le poisson dans tous ses états avec une cave bien fournie et des cocktails étonnants. On apprécie la fraîcheur d'une salle intérieure avec une grande baie vitrée ouverte sur la rue. Bar à huîtres.

Zuni Cafe – *1658 Market St.* (D2) - ℘ *(415) 552 2522 - www.zunicafe.com - 11h30-23h, vend.-sam.*

11h30-0h, dim. 11h-23h - fermé lun. et j. fériés - ▣ 14 $ - ♿ - plats 17/50 $. Vers Castro, trois blocs après Van Ness Ave., un endroit branché avec une ambiance animée. Cuisine aux accents méditerranéens et produits bio. Les plats les plus simples sont les meilleurs, comme la salade César ou le poulet rôti dans un plat d'argile. Bar à huîtres.

Noe Valley Plan I

POUR SE FAIRE PLAISIR

The Firefly – 4288 24th St. (C4) - ✆ (415) 821 7652 - fireflyrestaurant.com - à partir de 17h30 - ♿ - wifi - 43/55 $. Robuste cuisine comme à la maison, mais en bien meilleur. Décor agréable. Plats végétariens également.

Bacco – 737 Diamond St. (C4) - ✆ (415) 282 4969 - www.baccosf.com - 17h30-21h30, vend.-sam. 17h30-22h, dim. 17h-21h - fermé lun. - wifi - 45/55 $. Un excellent restaurant italien qui concurrence, voire dépasse, ceux de North Beach. Accueil sympathique, bon rapport qualité-prix pour les classiques ainsi que pour les recettes plus inventives.

De Lincoln Park au Golden Gate Bridge Plan I

🐦 **Bon à savoir** – Emportez un pique-nique pour la plage.

PREMIER PRIX

Legion of Honor Cafe – Palace of the Legion of Honor (A2) - ✆ (415) 750 3595 - legionofhonor.famsf.org - Tlj sf lun. 9h30-16h30 - comptez 15 $, moins pour une pâtisserie et un thé. Le restaurant du musée possède une carte éclectique teintée d'influences mexicaines.

PETITE PAUSE

🐦 **Bon à savoir** – La plupart des musées possèdent de très belles

cafétérias où il est fort plaisant de s'arrêter.

Autour d'Union Square Plan II

Café de la Presse – 352 Grant Ave. (B2) - ✆ (415) 398 2680 - www.cafedelapresse.com - 7h30-21h30, jeu.-vend. 7h30-22h, sam.-dim. 8h-21h30 - ♿. Point d'ancrage des Français, une adresse style bistrot où le café et les croissants sont bien de chez nous, où l'on peut manger un croque-monsieur en lisant la presse internationale et où les serveurs parlent français. Un bain pour les nostalgiques du pays.

Financial District Plan II

Imperial Tea Court – 1 Ferry Building Plaza, n° 27 (D1) - ✆ (415) 544 9830 - www.imperialtea.com - 10h-18h30, sam. 8h30-18h30, dim. 11h-17h - ♿ - wifi. Un lieu élégant et raffiné, hors du temps et du tumulte du quartier, pour assister à une cérémonie du thé chinoise. Vente à emporter.

South of Market Plan IV

Brain Wash Cafe – 1122 Folsom St. - entre 11th St. et 12th St. (E2) - ✆ (415) 8613 663 - www.brainwash.com - 7h-22h, vend.-sam. 7h-23h, dim. 8h-22h - ♿ - wifi. Boire, manger un snack pendant que votre lessive tourne et que vous surfez sur le Net, tout en écoutant de la musique rock… Voilà le concept de ce lieu inattendu où les rencontres sont souvent originales et sympathiques.

Chinatown Plan II

Washington Bakery & Restaurant – 733 Washington St. (B1) - ✆ (415) 397 3232 - www.washingtonbakerysf.com - 7h30-21h. Clientèle surtout chinoise pour cette adresse proposant un grand choix de gâteaux, des jus de fruits et des milkshakes. Idéal

1

pour reprendre des forces. Pour les petites et les grosses faims, large choix de soupes, congees (porridges), noodles et raviolis. Salle bruyante mais cuisine délicieuse.

Hayes Valley Plan IV

Blue Bottle Coffee – *315 Linden St.* (D1) - *📞 (510) 653 3394 - www. bluebottlecoffee.com - 7h-18h, dim. 8h-18h.* Les clients font la queue pour avoir leur dose d'expresso sirotée sur le trottoir de cette désormais célèbre chaîne de cafés, qui se targue de servir l'un des meilleurs cafés de la région, respectant une longue charte de qualité. Cette adresse, en fait plus un simple stand dans une ruelle, est idéale si vous voulez faire une pause, avant ou après avoir vu les Painted Ladies, situées à 10 minutes à pied.

Smitten Ice Cream – *432 Octavia St.* (D1) - *📞 (415) 863 1518 - www. smittenicecream.com - 12h-23h, jeu. 12h-23h30, vend.-sam. 11h30-23h30, dim. 11h30-22h30 - ♿.* La technologie au service d'une glace de meilleure qualité : telle est l'idée de départ des créateurs de ce marchand de glaces contemporain qui utilise de l'azote liquide pour créer sa glace en un temps record. Parfums classiques ou plus originaux. Un endroit ludique et des glaces délicieuses.

North Beach Plan III

XOX Truffles – *754 Colombus Ave.* (D2) - *📞 (415) 421 4814 - www.xoxtruffles.com - 10h-19h, dim. 10h30-18h - ♿.* Jean-Marc Gorce, ancien chef cuisinier, est arrivé il y a une vingtaine d'années à San Francisco. Il est devenu chocolatier et a ouvert sa boutique. Pour accompagner café, thé ou chocolat au lait (fait avec du vrai chocolat), goûtez ses créations : chocolats à la cannelle épicée, à la crème de menthe, au

vin rouge (!), pur noir ou blanc, à déguster sur un minuscule comptoir et/ou à emporter.

Fisherman's Wharf Plan III

Boudin at the Wharf – *160 Jefferson St.* (D2) - *proche de Pier 43 ½ - 📞 (415) 928 1849 - www. boudinbakery.com - 8h-21h, vend.-sam. 8h-22h.* Parfait pour grignoter. On peut voir les boulangers à l'œuvre. La spécialité maison est un pain au levain, que l'on mange volontiers rempli de soupe aux coques *(clam chowder in sourdough bread)*.

Russian Hill Plan III

Nook – *Angle de Hyde St. et de Jackson St.* (D3) - *📞 (415) 447 4100 - www.cafenook.com - 7h-22h, sam. 8h-22h, dim. 8h-21h - ♿ - wifi (partiel).* Un café tranquille plébiscité par les habitants du quartier. Petite restauration (bagels et très bons sandwichs). Quelques tables en terrasse bien agréables quand le soleil daigne se montrer.

Pete's Deli Cafe – *1661 Divisadera St - San Francisco Art Institute* (D2)- *📞 (415) 931 4800 - tlj sf w.-end 9h-17h - ♿.* En haut de la colline, la cafétéria des étudiants de l'Institut offre une jolie vue sur la baie. Sandwichs, salades à composer et plat du jour, mais le choix est limité.

Haight-Ashbury Plan IV

People's Cafe – *1419 Haight St.* (C2) - *📞 (415) 553 8842 - Tlj.* Un grand établissement à la décoration sobre où les gens du coin viennent boire leur café le matin en lisant les journaux à disposition. Bien pour se reposer au calme un moment et pour prendre le petit-déj., quelle que soit l'heure.

Mission District Plan IV

Coffee Bar – *1890 Bryant St.* (E2) - *📞 (415) 551 8100 - www.coffeebarsf.*

com - 7h-17h, w.-end 8h-17h - wifi. Une adresse un peu à l'écart du centre de Mission mais qui vaut le détour. Ce café est un grand espace lumineux qui propose non seulement du bon café, mais aussi de délicieux plats pour le petit-déjeuner et le déjeuner. Une adresse parfaite pour se sentir dans le jus local, entre les gens de passage et ceux qui s'installent pour quelques heures avec leur ordinateur portable.

Dolores Park Cafe – *501 Dolores St. - à l'angle de 18th St. (D2) - ℘ (415) 621 2936 - www. doloresparkcafe.com - 7h-20h, vend. 7h-22h, dim. 8h-20h -* &. *- wifi.* Un café clair face au parc, pour manger des sandwichs chauds et copieux au poulet ou au pastrami, des salades, des bagels, et choisir l'un des jus de fruits frais pressés.

Mitchell's Ice Cream – *688 San Jose Ave. - entre 21st St. et 22nd St. (D2) - ℘ (415) 648 2300 - www. mitchellsicecream.com - 11h-23h.* La maison ne paie guère de mine, mais attire des foules multiculturelles avec ses glaces maison parfumées à la noix de coco, à l'avocat ou au melon, en plus des classiques chocolat ou French vanilla.

Castro Plan IV

Harvey's – *500 Castro St. (C3) - à l'angle de Castro St. et de la 18th St. - ℘ (415) 431 4278 - www. harveyssf.com - 11h-23h, w.-end 9h-2h - Happy Hours en sem. 15h-18h sur les bières -* &. Rendant hommage au « maire de Castro », Harvey Milk, ce café moderne (et militant) aux grandes baies vitrées propose bières et cocktails, ainsi que de la restauration typiquement américaine (burgers, salades, sandwichs). Aux murs, des photos font revivre l'atmosphère du quartier, période 1960-1970. Ambiance sympathique.

Noe Valley Plan IV

Martha & Bros Cafe – *3868 24th St. (D3) - ℘ (415) 641 4433 - www. marthabros.com - 15h-19h30, dim. 6h-19h -* &. *- wifi.* Au cœur du quartier de Noe Valley, l'endroit où boire son café pour les 30 sortes de grains grillés et moulus sur place. Possibilité de les aromatiser à la cannelle, à la noisette, à la noix de coco, à l'orange, mais également au chocolat. Et quand il fait beau, on le boit dehors, sur un banc, en regardant les passants…

BOIRE UN VERRE

Autour d'Union Square Plan II

Swig – *561 Geary St. (A2) - ℘ (415) 931 7292 - www.swigbar. com - 17h-1h30, sam. 18h-1h30, dim. 19h-1h30 -* 🅿. Un petit bar sombre aux murs de brique et à la déco design et épurée (avec une agréable cheminée) qui propose un large choix d'alcools (whiskies surtout) et de cocktails à base de produits frais. Jazz et blues live alternent avec la présence d'un DJ. L'ambiance peut se révéler bruyante après 22h.

South of Market Plan II

Thirsty Bear – *661 Howard St. - près de 3rd St. (C3) - ℘ (415) 974 0905 - www.thirstybear. com - 11h30-22h, vend. 11h30-23h, sam. 12h-23h, dim. 17h-22h.* Vaste micro-brasserie en face de l'hôtel W. Cadre assez quelconque dont l'intérêt est relevé par le beau mur en brique rouge. Animé les soirs de w.-end. et bien plus calme le reste de la semaine. Atmosphère chaleureuse et détendue, tapas excellentes. Également les bars de l'hôtel W, en face, pour un cadre plus trendy et branché. Le Trace, au rez-de-chaussée (lun.-jeu. 6h30-14h, 18h-22h (vend 23h), w.-end 7h-14h, 18h-23h (dim. 22h), propose

1

une petite restauration (légère et bonne) et une belle sélection de vins au verre. Le bar du restaurant, Upstair bar *(17h-1h30)*, dominant la salle à manger, est, lui, magnifique. Enfin, n'oubliez pas l'étonnant Brain Wash Cafe.

Chinatown Plan II

Li Po – *916 Grant Ave.* (B1) - *(415) 982 0072 - www.lipolounge.com - 14h-2h* - &. Un bar de quartier en plein Chinatown, à la décoration très couleur locale. Une lumière avare sous le regard bienveillant d'un bouddha rend l'ambiance d'un film de Hong-Kong. Pour déguster une bière chinoise sur fond de sirupeuses chansons…

North Beach Plan III

Caffe Trieste – *601 Vallejo St. - à l'angle de Grant Ave.* (E3) - *(415) 392 6739 - www.caffetrieste.com - 6h30-23h* - & - wifi. Café italien fréquenté par les intellos nostalgiques de la Beat Generation. On y débat et philosophe encore en buvant un café, moulu à la porte d'à côté, et en mangeant une pâtisserie. Les samedis après-midi, concert à l'italienne.

Rogue – *673 Union St.* (III D2) - *(415) 362 7880 - www.rogue.com - 12h-2h* - & - wifi. Une adresse plus rock'n roll, originaire de l'Oregon, spécialisée dans les bières : on en compte plus de 40 à la carte. Pilsner, IPA, Stout ou Ale, c'est le moment de goûter à la grande variété des bières dont toute la côte Ouest s'est fait une spécialité ces dernières années, en développant les micro-brasseries.

Tosca Cafe – *242 Columbus Ave.* (E3) - *(415) 986 9651 - www.toscacafesf.com - 17h-2h* - & - wifi. Du bois et des banquettes en moleskine pour un café-bar qui vibre au son de l'opéra, sorti du vieux juke-box. Boissons alcoolisées ou non, à base de café,

chocolat, whisky… Beaucoup d'atmosphère, surtout en début de soirée. Plus tard, le bruit de la boîte voisine gâche tout.

Vesuvio – *255 Columbus Ave. - près de Broadway* (E3) - *(415) 362 3370 - www.vesuvio.com - 8h-2h, w.-end 6h-2h.* À côté du City Lights Bookstore, ce bar au décor patiné, envahi par les vieilles photos, fut le repaire des beatniks qui refaisaient le monde dans les années 1960. Artistes et écrivains s'y donnent rendez-vous, dans une ambiance délicieusement funky.

Fisherman's Wharf Plan III

Buena Vista Cafe – *2765 Hyde St.* (C2) - *(415) 474 5044 - www.thebuenavista.com - 9h-2h, w.-end 8h-2h* - & - wifi. Entre Fisherman's Wharf et Ghirardelli Square, ce bar est devenu célèbre pour son Irish coffee, dont le patron aurait inventé la recette. On peut aussi y manger des snacks.

Mission District Plan IV

Atlas Cafe – *3049 20th St. - à l'angle d'Alabama St.* (E3) - *(415) 648 1047 - www.atlascafe.net - 6h30-22h, w.-end 8h-20h* - & - wifi. Le jeudi soir entre 20h et 22h, du blues acoustique, du bluegrass ou du ragtime se dégustent avec les salades, sandwichs et pizzas proposés par le chef. Pas de limite d'âge, ambiance bon enfant-mini budget.

Zeitgest – *199 Valencia St. - au niveau de Duboce et de la 13th St.* (D2) - *(415) 255 7505 - www.zeitgeistsf.com - 9h-2h, Happy Hours en sem. 15h-20h* - & - wifi. Si la première impression peut laisser planer un doute (ambiance motards, tatouages et rock metal), ce bar à bières dévoile son trésor derrière le comptoir : un vaste espace extérieur où sont posées de nombreuses tables en bois. Un endroit idéal et très fréquenté lors des beaux jours. Grand choix de bières pression et restauration (burgers).

EN SOIRÉE

Autour d'Union Square Plan II
Biscuits & Blues – *401 Mason St.* (A3) - ℘ *(415) 292 2583 - www. biscuitsandblues.com - 17h30-23h30, vend.-sam. 17h30-0h, dim. 17h-23h.* Un temple à la musique blues du Sud, sorte de club de jazz en sous-sol, où l'on peut manger une cuisine typique *(avant 23h).* Entrée payante pour les concerts *(à partir de 12 $).* Tenue décontractée.

Fillmore – *1805 Geary Blvd - à l'angle de Fillmore St. (bus 38 à prendre sur Geary St.), assez éloigné d'Union Square* (IV D1) - ℘ *(415) 346 6000 - www.thefillmore.com - Concerts de qualité presque tous les soirs, à des prix accessibles.* C'est dans ce lieu mythique qu'ont notamment débuté Carlos Santana et Janis Joplin. Le Fillmore, fier de son passé, reste encore aujourd'hui le rendez-vous obligé de toute la scène rock mondiale, comme en témoignent les affiches et photos qui tapissent les escaliers, le bar et le restaurant (sans intérêt). Bar superbement installé car surplombant la salle. De capacité moyenne (1 200 places env.), celle-ci possède du charme avec ses rideaux rouges et ses lustres. Après les concerts, évitez de traîner dans le quartier.

Mission District Plan IV
Roccapulco – *3140 Mission St. - entre Cesar Chavez St. et Precita Ave.* (hors plan par E3) - ℘ *(415) 821 3563 - www.roccapulco. com - vend.-sam. à partir de 20h, se renseigner pour le programme -* &. *- plats 10/18 $.* La boîte de salsa la plus célèbre de la ville. Tous les grands noms de passage

viennent s'y produire. Très bonne programmation de musiciens locaux. Possibilité de dîner sur place au restaurant. Il faut avoir minimum 21 ans pour entrer.

ACHATS

Près d'Union Square Plan II
Vêtements - Levi Strauss & Company – *815 Market St.* (B3) - ℘ *(415) 501 0100 - 9h-21h, dim. 10h-20h.* Une des plus belles boutiques consacrées aux fameux jeans Levi's, nés à San Francisco à l'époque de la ruée vers l'or. Possibilité de faire « customiser » son denim.

Fisherman's Wharf et la baie Plan III
The Cable Car Store – *Pier 39* (D1) - ℘ *(415) 989 2040 - www. cablecarstore.com - 10h-21h -* &. Très touristique mais presque incontournable : vous trouverez réunis ici tous les objets possibles et imaginables à l'effigie du fameux moyen de transport, dissociable de l'image de San Francisco.

Japantown Plan IV
Équipement - Soko Hardware – *1698 Post St.* (D1) - ℘ *(415) 931 5510 - 9h-17h30 - fermé dim.* Une quincaillerie qui évoque une véritable caverne d'Ali Baba : des couteaux à sushis aux éventails, des carillons aux services à thé, tous les objets traditionnels japonais, décoratifs ou utilitaires, qu'on peut rêver trouver dans l'empire du Soleil levant.

Haight-Ashbury Plan IV
Musique - Amoeba Music – *1855 Haight St.* (B2) - ℘ *(415) 831 1200 - www.amoeba.com - 11h-20h -* &. Un magasin de disques, vinyles et CD, rassemblant tout ce que vous imaginez en matière de création

1

musicale sur les cinq continents. Vente également sur le site Internet. Concerts réguliers de groupes locaux.

Mission District Plan IV
Vêtements – Pour les amateurs de vêtements et objets vintage, **Valencia St**. *(voir p. 66)* possède de nombreuses boutiques de fripes et d'antiquités. Il faut évidemment bien chercher pour trouver son bonheur mais les bonnes affaires ne sont pas rares et les prix très démocratiques.

ACTIVITÉS

Excursions
Sur l'eau – En croisière, le **Red and White Fleet** *(℘ (415) 673 2900, redandwhite.com)*, propose une visite de la baie, du Golden Gate et d'Alcatraz, avec des commentaires en français *(30 $, tarif réduit pour les enfants et les familles, 8 à 14 départs/j. selon la saison de Pier 43½)*. Croisière semblable et service de ferry avec **Blue and Gold Fleet** *(℘ (415) 705 8200, www.blueandgoldfleet. com)*. Des coupons de réduction pour les deux compagnies sont disponibles dans le fascicule *San Francisco Chaperon*, dont vous trouverez une édition française au *Visitors Bureau*. Le ferry vous emmènera à Sausalito et Tiburon (départ soit du Ferry Building, soit de Pier 41) pour *23 $ AR* (mais sans commentaires).
Pour le **bateau d'observation de la faune aviaire et aquatique** *(non accessibles aux enfants), à partir du Fort Mason Center, réserv. au moins 15 j. à l'avance, ℘ (415) 256 9604 ou 1-800 326 7491, www. oceanic-society.org. 128 $/pers. pour l'observation des baleines (1 journée)*. Entre décembre et mai, vous pourrez observer le passage des baleines grises ; de juin à

novembre, ce seront les baleines à bosse et les baleines bleues.
À pied – Procurez-vous les dépliants de la **Golden Gate National Recreation Area** pour repérer les sentiers côtiers (14,5 km depuis le Golden Gate Bridge) et les accès aux différentes parties du parc qui s'étend de part et d'autre du Golden Gate.
Dans les environs – De San Francisco, il est possible de visiter **Oakland et Berkeley** *(voir p. 88)*, le **Marin County** *(voir p. 101)*, la **Napa Valley** *(voir p. 110)* ou la **Silicon Valley** *(voir p. 96)*. Adressez-vous à **Tower Tours** *(865 Beach St.* (Plan III C2)*, ℘ (415) 345 8687, www.towertours.com)* qui organise des excursions en bus à la journée vers Monterey *(voir p. 171)* et Carmel *(voir p. 176)*, Yosemite Park *(nov.-avr. seulement ; voir p. 130)* ou Napa et Sonoma Valleys. *Comptez de 75 $ à 141 $ par pers.*

Activités sportives
Base-ball – Pour les fans de **base-ball**, l'équipe des **San Francisco Giants** soulève les foules au AT & T Park, au sud de l'Oakland Bay Bridge (Plan I E2). *Infos : sanfrancisco.giants.mlb.com. Saison avr.-oct. Les places assises coûtent à partir de 8/10 $ pour un match en semaine ; le week-end, les prix tournent à partir de 30/40 $.*
Football américain – Tout aussi populaire, il est représenté par les célèbres **San Francisco 49er s.** (fortyniners), qui jouent au Monster Park, au sud de la ville à Candlestick Point. *Comptez 85 $. Rens. www.sf49ers.com. Saison août-janv., matchs programmés généralement le dim.*
Plages – Les eaux de la baie de San Francisco sont glaciales et agitées de courants très dangereux. Même en été, la température de l'eau n'excède

pas les 15 °C. Côté océan, vous trouverez des plages splendides, accessibles par les transports en commun ou en marchant un peu. Attention toutefois aux vagues qui peuvent être très puissantes. **Ocean Beach** (lignes de bus 5, 18, 31, 38) : accès handicapés, surf. **Land's End** (bus 18 puis 5mn à pied) : bien pour se baigner. **China Beach** (bus 29 puis 5mn à pied) : baignade, surf, accès handicapés et possibilité de camper. **Baker Beach** (bus 29 puis 5 à 10mn à pied) : baignade, surf. Si vous louez une voiture pour visiter les environs, les plus belles plages se trouvent à Marin County (*voir p. 101*) ou, plus loin, le long de la côte Centrale (Santa Cruz 105 km, Carmel 190 km, Big Sur 200 km…).

AGENDA

Chinese New Year – *Entre mi-janv. et mars, selon les années.* Le Nouvel An chinois de San Francisco est l'une des fêtes les plus vivantes et colorées des États-Unis. Elle dure presque une semaine et la grande parade finale traverse le centre-ville pendant toute une journée. *Rens. www.chineseparade.com.*

Cinco de Mayo – *La semaine précédant le 5 mai.* Cette fête latine célèbre la victoire des Mexicains sur Napoléon III. Elle est prétexte à des danses, concerts et festins dans les rues de Mission District. La parade finale se déroule le dimanche le plus proche du 5 mai (*rens. sfcincodemayo.com*). Le dernier week-end de mai, la communauté latino célèbre aussi le **carnaval**. *Rens. www.carnavalsf.com.*

Gay Pride – *La dernière semaine de juin.* Elle prend tout son relief à San Francisco, où la communauté gay est importante et influente. Le défilé final, clou du spectacle, attire plus de 300 000 spectateurs chaque année, dans un fouillis coloré et une ambiance festive. *Rens. www.sfpride.org.*

The Bay Area Blues Festival – *Sur deux jours, vers la fin sept.* Un événement qui mêle blues, gastronomie et artisanat, dans une ambiance particulièrement sympathique. *Rens. bayareabluesfestival.com.*

San Francisco Jazz Festival – *Durant la saison estivale.* Un rendez-vous incontournable et des groupes du monde entier. *Rens. www.sfjazz.org.*

1

East Bay

Oakland, 400 700 habitants – Berkeley, 115 403 habitants – Californie

De l'autre côté de l'immense Bay Bridge, achevé en 1936, Oakland, le grand port cosmopolite, rivalise avec sa voisine, Berkeley, pôle universitaire reconnu. Indissociables de leur voisine San Francisco, les deux villes ont façonné l'histoire de la baie, l'une par son identité multiethnique et son activité économique, l'autre par son rayonnement intellectuel. Oakland et Berkeley ont longtemps souffert d'une réputation sulfureuse due notamment au trafic de drogue, mais les larges efforts faits pour encourager le tourisme ont revitalisé les deux villes ces dernières années.

NOS ADRESSES PAGE 93
Hébergement, restauration, achats, activités, etc.

S'INFORMER

Visit Oakland – *481 Water St. - ℘ (510) 839 9000 - visitoakland.org - lun.-vend. 9h-17h, w.-end 10h-16h.*
Visitor Information Center – *2030 Addison St. - ℘ (510) 549 7040 ou 1-800 847 4823 - www.visitberkeley. com - lun.-vend. 9h-13h, 14h-17h.*

SE REPÉRER

Carte de région B2 (p. 26) – carte Michelin Western USA n° 585 A 8. On accède à l'East Bay, c'est-à-dire à **Oakland** et à **Berkeley**, par le Bay Bridge. Possibilité d'emprunter le BART pour rejoindre les deux villes, ou le ferry.

À NE PAS MANQUER

Le trajet en ferry jusqu'à Oakland et une visite dans Jack London Square ; le « Gourmet Ghetto » autour de Chez Panisse à Berkeley.

ORGANISER SON TEMPS

Si vous tenez à voir les deux villes en une journée, commencez par Oakland tôt le matin : promenez-vous le long des quais et du Jack London Square, puis passez 1 à 2h au musée d'histoire de la Californie. Pour un snack très gourmand, le *sunday* ou le banana split de Fentons Creamery tiendra ses promesses. Visitez ensuite Berkeley, plus chaleureuse le soir.

Se promener

Autrefois simples pâturages sur une longue crête de collines boisées, le territoire des actuelles Oakland et Berkeley devint, vers 1820, la propriété de Luís María Peralta, dont le ranch englobait la quasi-totalité de l'est de la baie. Comme dans le cas de San Francisco, c'est la ruée vers l'or qui changea le destin de la région. Depuis, le port d'Oakland s'est forgé et entretient une véritable identité ouvrière, tandis que Berkeley reste le symbole de la contestation intellectuelle des années 1960.

★ OAKLAND

Comptez une demi-journée.

Balade sur les quais

Au-delà des grands entrepôts de fruits et légumes *(marché le dim. mat.)*, la voie ferrée longe la rue séparant la ville du port. Le grondement du train participe

LA VILLE DES BLACK PANTHERS

Au début du 19ᵉ s., il n'y avait à Oakland qu'un embarcadère privé du ranch Peralta pour le négoce du cuir. Avec l'afflux des chercheurs d'or, après 1850, beaucoup découvrirent cette rive de la baie, plus fertile et plus boisée que les collines sablonneuses de San Francisco (Oakland signifie « pays du chêne »). La spéculation immobilière eut finalement raison de l'immense ranch. Après l'arrivée du chemin de fer reliant les côtes Est et Ouest du pays, Oakland devint une importante plate-forme de transport, concentrant tout le commerce de la région, entre le terminal ferroviaire et un port florissant. Moins touchée que sa voisine par le tremblement de terre de 1906, la ville accueillit plus de 150 000 réfugiés. Malgré un grave déclin au cours du 20ᵉ s., Oakland resta l'un des vingt plus grands ports de commerce du monde et une métropole ouvrière multiethnique. Éprouvée par la crise économique du milieu du 20ᵉ s., elle a longtemps souffert d'une image négative liée à la drogue et à la violence. C'est dans ce terreau de pauvreté et de ségrégation raciale qu'est né le mouvement des **Black Panthers**. Aujourd'hui, l'urbanisation ambitieuse et le dynamisme des communautés multiraciales en font une cité attrayante et en plein essor.

au charme du quartier. De l'autre côté des rails s'ouvre **Jack London Square**, le front de mer entièrement réhabilité, avec marina, hôtels et restaurants.

★ **USS Potomac** – *Amarré à droite du quai, 540 Water St. - ☎ (510) 627 1215 - www. uss potomac.org - visite guidée de mi-janv. à mi-déc. (45mn) : merc., vend. et dim. 11h-14h30, dernier billet 45mn avant la fermeture - 10 $ - croisières organisées jeu. et sam. à 10h30 (voir calendrier en ligne) : 35/75 $, réservez bien à l'avance.* Il s'agit de l'ancien yacht présidentiel, surnommé la « Maison Blanche flottante », où le président Roosevelt passa des moments de détente. Il y reçut les souverains britanniques, George VI et la future reine Elizabeth, en 1939. à la mort du président, en 1945, le bateau fut vendu et connut de nombreux propriétaires, dont le chanteur Elvis. En 1980, tombé dans les mains de trafiquants de drogue, le bateau coule au fond de la baie. Il est récupéré et mis à la décharge… jusqu'à ce que le port d'Oakland décide de le restaurer et d'en faire un mémorial en hommage au président connu, entre autres, pour le New Deal pendant les années de Dépression aux états-Unis.

Traversez le square.

★ **Heinold's First and Last Chance Saloon** – Le bar était fréquenté par Jack London à la fin du 19ᵉ s. L'écrivain, qui grandit à Oakland, venait y vendre des journaux quand il était enfant. Il y rencontra toutes sortes de personnages qui firent naître plus tard son goût pour l'aventure. Apprécié de même par Robert L. Stevenson ou Ambrose Bierce, le lieu est reconnu comme un véritable monument littéraire national.

Quittez le port par Jackson St., à l'est, remontez jusqu'à 10ᵗʰ St. et prenez à droite jusqu'à Oak St.

★★ Oakland Museum of California

1000 Oak St. - ☎ (510) 318 8400 ou 1-888 625 6873 - www.museumca.org - merc.-jeu. 11h-17h, vend. 11h-22h (avec animations et concerts), w.-end 10h-18h - fermé lun. et mar. - 15,95 $ (9-17 ans 6,95 $). Très agréable café au rez-de-chaussée, groupe de jazz le midi, terrasse ensoleillée.

Ce musée évoque l'histoire artistique, humaine et naturelle de la Californie, dans un bâtiment construit au milieu des années 1960, sur trois niveaux, et offrant, à l'arrière, un agréable parc rempli de sculptures contemporaines.

Le troisième niveau, celui par lequel on entre dans le musée, est dédié à l'art en Californie, passé et contemporain. Un beau documentaire vidéo sur le *fog* montre la baie de San Francisco sous ce manteau nuageux, puis les salles présentent des photographies et des peintures, de nombreux paysages californiens et des œuvres contemporaines d'artistes vivant ou travaillant sur la côte Ouest.

Le deuxième niveau, le plus passionnant, est consacré à l'histoire de la Californie à travers ses **populations** successives (Indiens, premiers missionnaires espagnols, aventuriers, chercheurs d'or, migrations chinoises, rêveurs hollywoodiens ou geeks de la Silicon Valley).

Au rez-de-chaussée, différents écosystèmes de la baie et du parc de Yosemite ont été reconstitués. Ce dernier niveau du musée est orienté vers la pédagogie scolaire et offre moins d'intérêt.

★ BERKELEY

◖ *Comptez une demi-journée.*

En ville

Telegraph Avenue est la grande rue perpendiculaire à Bancroft Way, face à l'entrée du campus. L'atmosphère est chaleureuse et conviviale, entre les cafés d'intellectuels, les « cantines » d'étudiants, les librairies et les boutiques de fripes ou de musique, baignés de parfums d'expresso ou de senteurs d'encens. À deux pas de là, le long de Haste Street, **People's Park** est devenu un repaire de marginaux et n'est plus que le pâle reflet de l'épopée des années 1960, quand les hippies y campaient.

> ## LA VILLE DE LA CONTESTATION ÉTUDIANTE
> Ancienne terre agricole, Berkeley doit son essor à l'implantation d'une université en 1868. La ville prit le nom d'un théologien philosophe irlandais et gagna peu à peu la réputation d'une localité calme et verdoyante, peuplée d'universitaires. Malgré son architecture prestigieuse et ses musées exceptionnels, c'est surtout dans les années 1960 que l'université de Berkeley devint célèbre et symbole universel de la contestation étudiante. Toutes les grandes luttes sociales y ont été défendues, celles des droits civiques, de la liberté d'expression et de l'égalité raciale. **People's Park**, l'un des jardins de la ville, devint le centre de ralliement de toute la jeunesse gauchiste, et l'université elle-même le siège de sit-in très politisés. De cette époque, Berkeley a gardé un profil de tolérance et d'ouverture sur les communautés multiethniques, tout en se plaçant parmi les meilleures universités du pays, avec près de 1 500 enseignants et huit prix Nobel.

UC Berkeley Art Museum and Pacific Film Archive – *2155 Center St. - $\wp$ (510) 642 0808 - www.bampfa.berkeley.edu - merc.-jeu. et dim. 11h-19h, vend.-sam. 11h-21h - museum 12 \$, gratuit le 1er jeu. du mois ; Pacific Film Archive 12 \$.* Le centre d'art visuel de l'université de Californie possède une très belle collection d'**art asiatique★**, dont de rares objets sacrés en céramique témoignant des rites mortuaires (3e-1er s. av. J.-C.) et de ravissantes peintures indiennes ou musulmanes (15e-19e s.). La **peinture occidentale★** est mise à l'honneur, du 19e s. jusqu'aux artistes contemporains, tels Bacon, Pollock, Clyfford Still ou Alechinsky. Sa collection de 250 tableaux de l'expressionniste abstrait allemand Hans Hofmann, un don de l'artiste, est la plus importante au monde. Les projections, qui se déroulent dans le **Barbro Osher Theater**, reflètent l'inspiration de la Cinémathèque française d'Henri Langlois.

Phoebe A. Hearst Museum of Anthropology – *103 Kroeber Hall sur Bancroft Way - $\wp$ (510) 642 3682 - hearstmuseum.berkeley.edu - fermé pour rénovation, réouverture prévue en 2017.* Cet autre musée s'enorgueillit de l'une des plus belles collections anthropologiques du monde. Quatre millions d'objets, accompagnés d'explications passionnantes *(en anglais)*, témoignent des coutumes de toutes les peuplades de la Terre. Les salles, malheureusement trop exiguës, accueillent des expositions temporaires.

University of California
www.berkeley.edu/visit - visites guidées tlj 10h - réservation en ligne obligatoire - départ du Koret Visitor Center (210 Stadium Rim Way au California Memorial Stadium).

Au début du 20e s., Phoebe Hearst (la mère du magnat de la presse) contribua à l'aménagement de ce campus prestigieux, grâce à ses dons et aux subventions qu'elle fit obtenir. L'ensemble s'inspire de l'architecture de la Grèce antique. Les différents bâtiments de l'université, qui portent chacun le nom d'un mécène, sont dispersés sur une étendue boisée de 500 ha, mais les plus spectaculaires se trouvent autour de sa partie centrale, comprise entre les deux bras du Strawberry Creek.

Sather Gate – *Face à Telegraph Ave.* On pénètre dans le campus par ce lourd portail de bronze de 1910. Avant de le franchir, les nostalgiques pourront faire un détour par la **Sproul Plaza**, où furent organisés les célèbres sit-in des années 1960.

Prenez le temps de flâner le long des allées, bordées d'imposants édifices de style néoclassique. Le massif **Life Sciences Building**, qui se dresse à l'ouest, abrite l'**UC Museum of Paleontology**, un centre de recherches qui n'est pas ouvert au public, mais on peut voir des fossiles de dinosaures dans la cour (*gratuit*).

★ **Free Speech Movement Cafe** – *Situé à l'entrée de la Moffitt Undergraduate Library - Horaires variables, à consulter sur www.lib.berkeley.edu.* Pour goûter l'ambiance du campus, arrêtez-vous dans cet établissement dont le nom rappelle l'épopée de 1964, lorsque les étudiants exigeaient le droit d'engagement dans des activités politiques sur le campus, initialement pour les droits civiques des Noirs et ensuite contre la guerre du Viêtnam. Avec sa terrasse dominant le parc, c'est l'un des points de rencontre de l'université, idéal pour un café ou un snack.

★ **Campanile** – Inspiré de celui de la place St-Marc de Venise, cet édifice (Sather Tower) est le plus emblématique. Les 61 cloches du carillon s'animent régulière-ment pour dérouter des concerts… *Hey Jude* des Beatles ou *Bad Romance* de Lady Gaga ont déjà été entendus. On peut aussi monter en ascenseur jusqu'au 8ᵉ étage pour embrasser le panorama sur tout le campus et la baie (*10h-15h45, sam. 10h-16h45, dim. 10h-13h30, 15h-16h45. 3 $*).

Vous pouvez quitter le campus par le North Gate et rejoindre ainsi **Euclid Avenue**. Ce quartier résidentiel vert et tranquille est bordé de cafés et de restaurants. Si vous disposez encore d'un peu de temps, empruntez Centennial Drive (*à l'est du Campanile, à partir de Stadium Rimway*).

Centennial Drive

UC Botanical Garden – ☎ *(510) 643 2755 - botanicalgarden.berkeley.edu - tlj 9h-17h ; fermé 1ᵉʳ mar. du mois et j. fériés - 10 $ (13-17 ans 5 $).* Agréables jardins évocateurs de la flore des cinq continents.

Lawrence Hall of Science – *Plus loin, sur la même route - ℘ (510) 642 5132, - www.lawrencehallofscience.org - merc.-dim. 10h-17h - 12 $.* Musée des sciences, interactif, abordant de façon vivante et concrète les mathématiques, la physique, la chimie et l'astronomie (spectacles dans le planétarium).
En poursuivant sur Centennial Drive, vous redescendrez vers la côte et jouirez de très belles vues sur la baie.

NOS ADRESSES DANS L'EAST BAY

TRANSPORTS

East Bay
En voiture – Traversez le Bay Bridge par l'I-80. Oakland est à 10 miles (16 km, sortie 12th St.), Berkeley à 12 miles (19,5 km).

En Bart – Certaines lignes desservent les villes de la baie *(voir p. 69)*. Comptez 15/30mn de Downtown San Francisco jusqu'à Oakland-12th St. (7 $ environ AR en fonction de la station de départ) et 25/30mn jusqu'à Berkeley (8 $ environ AR en fonction de la station de départ). Vous pouvez acheter le billet AR en mettant le double de la somme de l'aller simple. À l'arrivée, la machine vous restituera le ticket à réutiliser pour le retour.

En ferry – La compagnie **Alameda-Oakland Ferry** *(℘ (510) 522 3300, www. sanfranciscobayferry.com)*, relie le Ferry Building de San Francisco à Oakland et Jack London Square en 35mn. Douze départs quotidiens en semaine (entre 6h30 et 20h25), 6 le w.-end (de 9h25 à 18h40). Comptez env. 13 $ AR.

Oakland
Si vous venez de San Francisco par le Bart *(voir ci-dessus, direction Bay Point ou Richmond)*, descendez à la station Lake Merritt, la plus proche du Museum of California.

Berkeley
Comme pour Oakland, le Bart est le plus pratique pour venir de San Francisco (direction Richmond). Descendez à la station Downtown Berkeley, puis longez Shattuck Ave. vers le sud et prenez à gauche dans Bancroft Way pour arriver sur le campus. Le dimanche, il faut faire un changement. Premier train vers Pittsburg/Bay Point, arrêt à Oakland 12th, puis prendre le train de Richmond.

HÉBERGEMENT

Oakland
Bon à savoir – Les hôtels des grandes chaînes se trouvent le long d'Edes Ave., au sud-est du centre-ville *(Hwy 880, sortie Hegenberger Rd, vers le nord-est).*

BUDGET MOYEN
The Washington Inn – *495 10th St. - ℘ (510) 452 1776 - www. thewashingtoninn.com - ▤ - ▣ 15 $/nuit - ♿ - wifi - 47 ch. 129/299 $ ☕ - ✕ 30 $.* Un hôtel « boutique » à l'européenne, raffiné et confortable, situé dans un édifice ancien du Old Oakland, quartier très animé en soirée.

Berkeley
PREMIER PRIX
Golden Bear Motel – *1620 San Pablo Ave. - ℘ (510) 525 6770 - www.goldenbearinn.com - ▣ ♿ - 40 ch. 90/200 $.* Agréable motel de style pseudo-espagnol, dans une avenue perpendiculaire à University Ave. du côté de la baie. Bon rapport qualité-prix. Micro-ondes dans la chambre à la demande.

1

BUDGET MOYEN

Bancroft Hotel – *2680 Bancroft Way - ☏ 1-800 549 1002 - www. bancrofthotel.com -* 🅿 *15 $/ nuit - wifi - 22 ch. 135/230 $* ☕. En face du musée d'Anthropologie, près du campus, un petit hôtel de charme très confortable et agréablement décoré. De la terrasse du toit, on jouit d'une jolie vue sur la baie et les collines. Et en plus, l'accueil est charmant. Petit-déjeuner inclus.

RESTAURATION

Oakland

PREMIER PRIX

Caffé 817 – *817 Washington St. - ☏ (510) 271 7965 - caffe817. com - 7h30-17h30, w.-end 8h30- 15h.* Un petit café aux murs en brique couverts de toiles contemporaines, pour de copieux petits-déj., salades et snacks légers *(autour de 7-12 $)*. Excellents cookies, grand choix de thés et de cafés.

BUDGET MOYEN

Battambang – *850 Broadway - ☏ (510) 839 8815 - 11h-21h30, vend.-sam. 11h-22h, dim. 17h-22h -* ♿ *- wifi - plats 10/17 $.* Considéré comme le meilleur restaurant cambodgien des environs, ce petit établissement familial sert une cuisine simple et réussie.

POUR SE FAIRE PLAISIR

Yoshi's at Jack London Square – *510 Embarcadero W. - ☏ (510) 238 9200 - www.yoshis. com - 17h30-21h, jeu.-sam. 17h30- 22h, dim. 17h-21h -* 🅿 *payant - 31/66 $.* Associé à un bar à sushis *(de 5 à 15 $)*, ce superbe restaurant japonais attire autant par la variété de la cuisine que par la beauté du décor *(voir aussi le club de Jazz dans la catégorie Boire un verre)*.

Berkeley

🛈 **Bon à savoir** – Dans cette ville étudiante, les cafés et snacks abordables abondent.

PREMIER PRIX

The Musical Offering – *2430 Bancroft Way - ☏ (510) 849 0211 - www.musicaloffering.com - 8h-20h, lun. 8h-17h, sam. 10h30-20h, dim. 10h30-16h -* ♿ *- wifi.* Entre cafétéria et boutique de CD spécialisée en musique ancienne *(early music)*, on mange au son de la musique classique des salades ou quiches le midi, des plats un peu plus élaborés les soirs de concerts à l'auditorium voisin *(autour de 10 $)*.

The Cheese Board Collective – *1512 Shattuck Ave. - ☏ (510) 549 3183 - cheeseboardcolective.coop - 11h30- 20h - fermé dim.* Une coopérative autogérée qui prépare de succulentes pizzas *(10/20 $)* avec des fromages d'élite. Au 1504, se trouve une excellente boulangerie de la même enseigne.

Berkeley Thai House – *2511 Channing Way - ☏ (510) 843 7352 - 11h-21h30, vend.-sam. 11h-22h, dim. 12h-21h30.* Un restaurant thaï traditionnel avec une belle terrasse en hauteur, dans une rue calme donnant dans Telegraph Ave. Particulièrement réputé pour son porc au poivre et à l'ail *(8,95 $)*.

POUR SE FAIRE PLAISIR

Chez Panisse – *1517 Shattuck Ave. - ☏ (510) 548 5525 - www. chezpanisse.com - à partir de 17h30 ou 20h45 - fermé dim. - formule midi 32 $ - midi 39/60 $ - soir prix fixe 75/125 $.* Alice Waters est l'un des chefs à l'origine de la révolution des goûts des Américains dans les années 1970. Les piliers de sa foi : l'utilisation d'ingrédients locaux, garantissant la fraîcheur, et l'inspiration provençale française. Un régal et une légende vivante. Réservez par téléphone seulement, longtemps à l'avance pour le restaurant.

FAIRE UNE PAUSE

Oakland

Fentons Creamery – *4226 Piedmont Ave. - ℘ (510) 658 7000 - www.fentonscreamery.com - 11h-23h, vend.-sam. 9h-0h, dim. 9h-23h -* ♿. On fait la queue pour acheter d'énormes sundaes dont les techniques de production, élaborées depuis plus d'un siècle, assurent la qualité et le succès. Avec plus de 30 parfums, on peut se faire une idée du gigantisme du banana split et autres glaces et sorbets, dans la vitrine près des caisses. Vente sur place ou à emporter. Bon endroit pour prendre le breakfast ou un déjeuner à l'américaine (burger, sandwichs, salades…).

BOIRE UN VERRE

Oakland

Barclays on College – *5940 College Ave. - ℘ (510)* 654 1650 - www.barclayspub.com - 11h-0h, w.-end 10h-0h - ♿ - wifi. En sous-sol, éclairé par de grandes baies vitrées, un pub tout simple, fréquenté par les locaux. Immense choix de bières. Grands écrans pour les soirées sportives.

Yoshi's Jazz Club – *510 Embarcadero W. - ℘ (510) 238 9200 - www.yoshis.com - 16h30-22h, vend.-sam. 16h30-23h, dim. 16h30-21h30 -* 🅿 *payant - 13/35 $*. Mondialement connu, ce bar-club de jazz lié au restaurant japonais accueille les plus grands artistes. Concerts tous les soirs, lundi excepté.

Berkeley

Albatross Pub – *1822 San Pablo Ave. - ℘ (510) 843 2473 - www. albatrosspub.com - 16h30-2h, dim.- mar. 18h-2h -* ♿. Le pub le plus ancien de Berkeley affiche un air très britannique. La bière coule à flots, on joue aux fléchettes et au billard, et on écoute à l'occasion de la musique live.

1

Le quartier Downtown à Oakland.
FOTOSEARCH RM/age fotostock

Silicon Valley

Palo Alto, 63 363 habitants – San Jose, 982 765 habitants – Californie

Aucun gratte-ciel, aucun bâtiment démesuré et gigantesque ne signale la Silicon Valley. La révolution de l'informatique et des nouvelles technologies a plutôt des allures de quartier résidentiel, à perte de vue. Mais qu'on ne s'y trompe pas : derrière le calme apparent se cache une fourmilière. La prestigieuse université de Stanford, les chercheurs et les entreprises sont en effet en constante interaction, et leur sort assure celui des villes de Palo Alto et de San Jose. Et dès que l'on sort du tissu urbain, les collines dorées de l'arrière-pays californien rappellent des paysages méditerranéens.

> ## ☺ NOS ADRESSES PAGE 100
> **Hébergement, restauration, achats, activités, etc.**

⊞ S'INFORMER

Palo Alto Visitors Center – *355 Alma St. - ℘ (650) 324 3121 - www. destinationpaloalto.com - lun.-vend. 9h-17h.*
San Jose Convention & Visitors Bureau – *408 Almaden Blvd - ℘ (408) 792 4511 - www.sanjose.org.*

◖ SE REPÉRER

Carte de région B3 *(p. 26) – carte Michelin Western USA 585 A 8.* La vallée s'étend au sud de la péninsule de San Francisco, entre **Palo Alto** et **San Jose**. La vallée est desservie par deux routes : la Hwy 101, le long de la baie, et l'I-280, au pied des collines.

☺ À NE PAS MANQUER

Le campus de Stanford University à Palo Alto ; le Tech Museum of Innovation à San Jose.

◕ ORGANISER SON TEMPS

Visitez Palo Alto en semaine ; San Jose est plus agréable le week-end, car les parkings sont gratuits et les embouteillages moins nombreux (il faut parfois 2h pour y aller le matin, ou après 16h, en semaine).

Se promener

☺ **Bon à savoir** – El Camino Real (Hwy 82) est l'axe central de la Silicon Valley. Il prend le nom d'Alameda puis de Santa Clara à San Jose.

★ PALO ALTO

◖ *Quittez l'I-280 au sud de San Francisco à la sortie Hwy 82 (El Camino Real). Le centre-ville de Palo Alto est situé à l'est de la route 82, l'université Stanford à l'ouest. Comptez une demi-journée.*
University Ave., perpendiculaire à El Camino Real vers l'est, constitue le centre de Palo Alto. Mais ici, tout est beaucoup plus sérieux et policé qu'à Berkeley. *Pour parvenir au cœur du campus, suivez la direction Quadrangle.*

★★ Stanford University

www.stanford.edu.
Inaugurée en 1891, l'université couvre un immense campus de 3 300 ha et se vante de compter des chercheurs mondialement reconnus, dont 22 prix Nobel

---

SILICON VALLEY OU LA VALLÉE DES CERVEAUX

Autrefois, cette petite plaine fertile d'environ 80 km de long fournissait en denrées comestibles les cantonnements de San Francisco et Monterey. Elle s'est progressivement urbanisée, englobant Palo Alto et l'université Stanford, l'une des plus prestigieuses du monde, ainsi que la ville de San Jose. Sous l'impulsion des chercheurs et des jeunes chefs d'entreprise, les environs se sont peu à peu tournés vers la haute technologie. Les nombreuses firmes informatiques implantées dans la région, comme Apple, Intel, Hewlett-Packard ou Netscape, lui ont valu le nom de **Silicon Valley** (en référence au silicium, un semi-conducteur utilisé pour la fabrication des microprocesseurs). Parmi les célébrités qui ont fait la réputation de la Silicon Valley, beaucoup sont originaires de Palo Alto ou ont étudié à Stanford University. Parmi eux, William Hewlett et David Packard, dont la compagnie est devenue un symbole de la vallée, ou encore Steve Jobs, génial inventeur du Macintosh… Encore étudiants, ils firent leurs débuts dans de modestes garages des environs, avant de fonder d'énormes multinationales. Malgré l'éclatement de la bulle Internet en 2000, on ne compte plus les entreprises majeures de « high tech » – Google, Pixar, Facebook, eBay, Adobe, Yahoo… – et les start-up florissantes.

---

et 5 Pulitzer. C'est en 1885, un an après la mort de son fils unique à l'âge de 15 ans, que **Leland Stanford**, roi des chemins de fer, décida de créer cette université à sa mémoire. Le président de la Central Pacific Railroad, qui fut aussi gouverneur de Californie, voulait consacrer sa fortune à l'éducation des jeunes de l'État. Il avait acquis des terres à Palo Alto pour y développer une ferme, mais préféra y implanter son grand projet d'université, qui, depuis, a gardé le surnom « **The Farm** ». À sa mort, en 1893, son épouse prit la suite. L'architecte s'inspira, comme pour beaucoup de bâtiments officiels, de styles composites, néoroman, byzantin, espagnol.

Au bout de l'impressionnante avenue bordée d'immenses palmiers s'ouvre le **Quadrangle**★ (surnommé *the Quad*), une place entourée d'arcades et de bâtiments à colonnades. L'énorme **Memorial Church**★ (1903), dont la coupole et la façade sont couvertes de mosaïques, ajoute à la grandeur de la cour. Elle fut bâtie par Jane Stanford en souvenir de son mari. Son **orgue** est réputé pour ses 7 777 tuyaux.

Dominant le Quadrangle, la **Hoover Tower**, tour-horloge à carillon de Tournai, en Belgique (87 m), veille sur le campus. Érigée en 1941, elle doit son nom à l'ancien président des États-Unis, qui fit des études de géologie à Stanford. Du sommet, on voit tous les environs *(10h-16h, fermé pdt les vac. universitaires. 3 $)*.

★★ **Cantor Arts Center** – *Lomita Drive - ℘ (650) 723 4177 - museum.stanford. edu - tlj sf lun. et mar. 11h-17h (20h jeu.) - gratuit*. Il fut achevé par Jane Stanford qui, après la mort de son mari, hérita des collections du couple. Très endommagé par les tremblements de terre de 1906 et 1989, il a pris à sa réouverture (1998) le nom de ses plus importants mécènes.

De l'architecture néoclassique en vogue à l'époque, on remarque sur la façade les mosaïques, figurant l'évolution des arts à travers les âges, et les lourdes portes de bronze à la gloire de l'architecture antique. Une petite salle du rez-de-chaussée est consacrée aux Stanford : malgré leur réussite sociale et matérielle, on y lit tout le désespoir de parents ayant perdu leur unique enfant, arrivé tard dans leur vie. Le reste du musée se partage entre les salles des cinq continents, trésors d'Afrique, d'Océanie, d'Asie, d'Amérique du Nord et du Sud. Parmi les nombreux objets remarquables, on note une rare collection de

163 **netsuke japonais**★★, de ravissants **autels portatifs japonais**★ du 17ᵉ s., des manuscrits médiévaux, des objets de jade d'une stupéfiante finesse… Parmi les œuvres européennes, remarquez les **primitifs italiens**★★, des émaux de Limoges (13ᵉ s.) et les peintres flamands (16ᵉ et 17ᵉ s.). Une partie du musée, à l'arrière, est consacrée à l'art contemporain : Andy Warhol, Willem De Kooning, Duane Hanson, Roy De Forest…

Les abords du musée sont occupés par le **Rodin Sculpture Garden**★. Cet espace en plein air consacré au célèbre sculpteur français du 19ᵉ s. présente sur 4 000 m² une vingtaine de grands bronzes.

★★ Filoli

13,5 miles à l'ouest de Palo Alto. 86 Cañada Road, Woodside. Prenez la Hwy 280 N. Sortez à Edgewood Rd et suivez la direction Cañada Rd, à droite en bas de la colline. À un peu plus de 1 mile, un grillage annonce le portail de Filoli sur la gauche - ℰ (650) 364 8300 - www.filoli.org - de mi-fév. à fin oct. : mar.-sam. 10h-15h30, dim. 11h-15h30, fermé j. fériés - 20 $. Pique-nique et tabac interdits.

Cette immense propriété s'étend au pied des Coast Ranges, une chaîne de collines boisées séparant la Silicon Valley de l'océan. L'endroit donne une idée des conditions de vie des riches hommes d'affaires au tournant du 20ᵉ s. William Bowers Bourn, le propriétaire, tira sa fortune d'une mine d'or et se fit construire un imposant **manoir**★ de style géorgien. L'agencement intérieur témoigne d'un goût certain pour les antiquités et les objets d'art. Dans la cuisine, le fourneau a été récupéré sur un paquebot transatlantique…

Les **jardins**★★, d'inspirations française et italienne, s'étirent sur 6,5 ha. Les rythmes de floraison ont présidé au choix des espèces, et le parc offre une profusion de couleurs qui se renouvellent à chaque saison.

Pour rejoindre San Jose, revenez sur le Camino Real ou prenez la Hwy 101, puis la Hwy 87 (Guadalupe Parkway), et sortez à Market St. Depuis la Hwy 280, prenez la Hwy 87 N., puis la sortie Santa Clara St.

★ SAN JOSE

Comptez une demi-journée.

C'est autour de San Jose que la vallée s'est d'abord développée. Fondée en 1797, la mission prospéra grâce à son agriculture florissante (on la surnommait la « Vallée des merveilles » pour ses superbes vergers), et la nouvelle communauté devint même brièvement, en 1849, la capitale de la Californie. Au milieu du 20ᵉ s., l'agriculture céda peu à peu la place à des entreprises de haute technologie. À partir des années 1960, le nom de Silicon Valley finit par désigner les communes entourant San Jose, troisième ville de Californie par son nombre d'habitants.

Bon à savoir – Les principaux centres d'intérêt sont regroupés dans Downtown, autour de l'intersection entre les deux grands axes de 1ˢᵗ St. et de San Carlos St.

★★ Tech Museum of Innovation

201 S. Market St. - ℰ (408) 294 8324 - www.thetech.org - tlj 10h-17h - 29 $ avec un film IMAX. Bons pour le Tech Parking, auquel on accède par 2ⁿᵈ St. ou 3ʳᵈ St.

Un bon moyen de découvrir les innovations technologiques. Des **stands interactifs** permettent de comprendre les lois de sciences aussi variées que l'électronique, la robotique, la modélisation par ordinateur ou les plus récentes techniques de communication ou d'exploration de l'univers. Un **cinéma IMAX** propose des documentaires divers, projetés sur un immense écran hémisphérique.

San Jose Museum of Art
110 S. Market St., de l'autre côté de la place par rapport au Tech - ℘ (408) 271 6840 - www.sjmusart.org - tlj sf lun. 11h-17h (20h, 3ᵉ jeu. du mois) - 10 $.
Il est consacré à l'art du 20ᵉ s. Outre sa collection permanente de peintures et de photographies, il organise des expositions temporaires.

★ San Jose Historical Museum at History Park
1650 Senter Rd, à 3 km du centre. Suivez Market St. vers le sud, prenez à gauche dans Keyes St. jusqu'à Senter Rd. - ℘ (408) 287 2290 - www.historysanjose.org - lun.-vend. 12h-17h, w.-end 11h-17h - fermé j. fériés - gratuit, sauf en cas d'événements particuliers.
Il rassemble 28 maisons et ateliers du 19ᵉ s., restaurés ou reconstitués. Les répliques de trolleys, de rues pavées et d'artisanats anciens retracent la vie quotidienne des débuts de San Jose.

★ Rosicrucian Egyptian Museum & Planetarium
1660 Park Ave. Remontez l'une des rues principales vers le nord et prenez à gauche dans Taylor St., qui devient Naglee Ave. - ℘ (408) 947 3635 - www.egyptian museum.org - merc.-vend. 9h-17h, w.-end 10h-18h, fermé lun., mar. et j. fériés - 9 $ (5-10 ans 5 $) ; gratuit merc.-vend. à partir de 16h.
Les passionnés d'Égypte ancienne se rendront dans ce lieu dont l'architecture évoque celle d'un temple égyptien ; sous l'égide de l'ordre de la Rose-Croix, ce musée a réuni une collection de plus de 4 000 objets d'art de l'ancienne Égypte, portant surtout sur les rites funéraires, la momification et la conception des tombeaux.

★ Winchester Mystery House
À l'ouest du centre-ville. 525 S. Winchester Blvd. Suivez San Carlos St., puis San Carlos Blvd vers l'ouest, et tournez à gauche dans Winchester Blvd. - ℘ (408) 247 2101 - www.winchestermysteryhouse.com - visite guidée uniquement - juin-août : 9h-19h ; reste de l'année : 9h-17h - 44 $ pour la visite complète (2h), 36 $ pour la visite de l'intérieur du manoir (1h), 30 $ pour la visite « Behind the Scene » (45mn).
Voilà un bel exemple de ces folies architecturales nées de l'excentricité de leur riche propriétaire. Celle-ci naquit des excès de Sarah Winchester, dont le mari fabriquait les célèbres carabines. Elle fit construire cette demeure entre 1884 et 1922. Ce ne sont pas les 160 pièces qui sont étonnantes, malgré leur surprenante modernité pour l'époque, mais plutôt leur agencement délirant : fenêtre dans le sol, escaliers ne menant nulle part, cheminée montant sur quatre étages pour s'arrêter juste en dessous du toit, portes ouvrant sur des murs… On a expliqué la folie bâtisseuse de la pauvre femme par le choc de la mort de sa petite fille et de son mari. Un médium peu scrupuleux la convainquit que les esprits des malheureux tués par les innombrables carabines de son défunt époux ne la laisseraient en vie que si elle bâtissait sans répit. Pièce après pièce, les ouvriers ne cessèrent de travailler, nuit et jour, parfois en dépit du bon sens architectural. Selon la légende, c'est une tempête qui interrompit finalement les travaux, en 1922. La même nuit, Sarah Winchester mourait…

1

😊 NOS ADRESSES DANS LA SILICON VALLEY

TRANSPORTS

En train – Le **Caltrain** dessert la Silicon Valley depuis San Francisco (terminal à l'angle de 4th et King St.), avec 39 trains quotidiens en sem., 15 le sam., 10 le dim. Comptez 1h pour Palo Alto et 1h40 pour San Jose Diridon. À San Jose, la gare est hors du centre, mais le Dash vous y conduit (navette gratuite).

HÉBERGEMENT

Palo Alto

😊 **Bon à savoir** – Le prix des hôtels est élevé. Évitez la mi-juin, saison de remise des diplômes…

BUDGET MOYEN

California Hotel – *2431 Ash St. - à 1,5 mile au sud du centre-ville, suivez El Camino Real et tournez à gauche dans California St. - ℘ (650) 322 7666 - www. hotelcalifornia.com - 20 ch. 109/145 $.* ☕. Établissement chaleureux, bon rapport qualité-prix. Chambres petites, calmes et gaies. Cuisine, machine à laver et jolie terrasse fleurie. Accès Internet. Navette pour le campus.

Saratoga

😊 **Bon à savoir** – Cette ville tranquille à 15 minutes à l'ouest de San Jose est une bonne étape si vous rejoignez ensuite la côte.

POUR SE FAIRE PLAISIR

The Inn at Saratoga – *20645 4th St. - ℘ (408) 867 5020 - www. innatsaratoga.com -* 🅿 ♿ *- wifi - 47 ch. 239/289 $* ☕. Un côté de l'hôtel donne sur la rue animée du centre-ville, tandis que l'autre se trouve face à une calme forêt de séquoias. Chambres élégantes et classiques. Journaux disponibles dans le hall, petit-déjeuner inclus.

RESTAURATION

Palo Alto

BUDGET MOYEN

Bodeguita del Medio – *463 S. California Ave. - ℘ (650) 326 7762 - www.labodeguita.com - 11h30-21h30, vend.-sam. 11h30-22h - fermé dim. -* 🅿 *- plats 11/28 $.* Hommage au célèbre restaurant homonyme de La Havane. Bonne cuisine sud-américaine et cubaine. Belle cave à cigares.

Nola's – *535 Ramona St. - ℘ (650) 328 2722 - www.nolas. com - 11h30-22h, vend. 11h30-23h, sam. 11h-23h, dim. 17h-21h-* 🅿 ♿ *- wifi - plats 14/28 $.* Nola, ou Nouvelle-Orléans, Louisiane : cuisine cajun-créole originale dans un décor chaleureux et coloré.

BOIRE UN VERRE

San Jose

Gordon Biersch Brewery – *33 E. San Fernando St. - ℘ (408) 294 6785 - 11h30-22h, jeu. 11h30-22h30, vend.-sam.11h30-23h -* 🅿 ♿ *- wifi.* Nombreuses bières du monde dans cette brasserie fréquentée par un public jeune. Tapas, plats copieux et savoureux *(env. 15/30 $ au dîner).* Musique live en été.

Marin County

Il suffit de traverser le Golden Gate Bridge pour respirer l'aventure. Vous êtes aux portes du Redwood Empire, l'empire des séquoias, une terre sauvage et accidentée de forêts épaisses, de falaises vertigineuses et de villages aux maisons en bois. Marin County n'occupe qu'une péninsule au sud de ce vaste territoire, mais la région offre un avant-goût du Nord, paradis des trappeurs, des bûcherons et des chercheurs d'or.

NOS ADRESSES PAGE 106
Hébergement, restauration, achats, activités, etc.

SE REPÉRER

Carte de région A2 *(p. 26) – carte Michelin Western USA 585 A 8.* Marin County se déploie au nord de San Francisco. La Hwy 101, qui traverse le Golden Gate Bridge, longe le Marin County par l'intérieur des terres. La route côtière, Shoreline Hwy (Hwy 1), est la seule qui permette de découvrir la côte.

À NE PAS MANQUER

Le trajet en ferry jusqu'à Sausalito ; une randonnée à Muir Woods ; boire un verre à Bolina ; le phare de Point Reyes.

ORGANISER SON TEMPS

Comptez 1 ou 2 jours ; commencez tôt la journée par Muir Woods, souvent très fréquenté.

1

Circuit conseillé

Circuit de 110 miles (176 km) environ, de Sausalito à Point Reyes. Comptez la journée. Quittez San Francisco par le Golden Gate. Empruntez la Hwy 101 sur 6 miles et sortez à Alexander Avenue. Si vous préférez arriver à Sausalito par le nord, quittez la Hwy 101 par la sortie Marin City.

★ SAUSALITO

Une balade sympa consiste à rejoindre Sausalito en **vélo** depuis le Golden Gate Bridge (location en ville, *voir p. 62*) puis revenir en ferry si vous effectuez une excursion d'une journée.

À l'extrême sud du Marin County, cette petite ville pittoresque est l'une des plus touristiques de la baie. Initialement zone de mouillage pour les navires et centre de fret pour les cargaisons de bois du Nord, elle était jadis reliée à San Francisco par un bac.

L'édification du Golden Gate Bridge et l'essor de la construction navale lors de la Seconde Guerre mondiale ont dopé son développement. Délaissé ensuite par les industriels, le site fut envahi par une colonie d'artistes et de marginaux qui habitaient dans des maisons flottantes.

Grâce à sa marina et à son cadre enchanteur, le village est devenu peu à peu un quartier résidentiel huppé.

C'est pendant l'été 1967, alors qu'il avait loué une *houseboat*, que le chanteur de soul music, Ottis Redding, aurait écrit les paroles de la chanson *Sittin' On the Dock of the Bay* qui se réfère à la baie de San Francisco, et dans laquelle on entend le roulis des vagues.

Bridgeway

L'avenue qui longe le front de mer et le port de plaisance offre une agréable promenade au bord de l'eau, tandis que des rues verdoyantes partent à l'assaut des collines boisées, piquées de belles villas.

Parmi les nombreuses boutiques du centre, l'une retiendra particulièrement l'attention des amateurs de photos et d'histoire : **The Mark Reuben Gallery** *(34 Princess St. - ℘ (415) 332 8815 - www.markreubengallery.com - tlj 10h-18h)* qui présente des centaines de photos, dont certaines fort anciennes, classées par thème.

Bay Model Visitor Center – *À environ 1,5 mile au nord du centre. 2100 Bridgeway, - ℘ (415) 332 3871 - De Memorial Day à Labor Day : mar.-vend. 9h-16h, sam. 10h-17h - gratuit, contribution souhaitable.* Il propose une intéressante maquette à l'échelle 1 : 1000, de 8 000 m^2, représentant la baie de San Francisco et les différents flux des courants, rivières et marées. On y découvre aussi l'histoire de la construction navale locale, en particulier au moment de la Seconde Guerre mondiale.

Poursuivez vers le nord et sur environ un demi-mile le long de Bridgeway Blvd.

Marin City

On y vient pour ses incroyables maisons flottantes, les *boathouses*. Les plus excentriques ont disparu, remplacées par de véritables villas sur l'eau, mais l'ensemble a conservé un peu du charme bohème revendiqué par les premiers hippies.

Reprenez Bridgeway vers le sud et suivez les panneaux East Fort Baker/ Marin Headlands, puis Marin Headlands, en empruntant un tunnel à circulation alternée qui passe sous la Hwy 101 (attention aux bouchons le week-end quand il fait beau). Marin Headlands est à 3 miles du tunnel.

★★ Marin Headlands

Le promontoire rocheux de **Marin Headlands★★** offre les plus belles vues sur San Francisco et le Golden Gate Bridge. La route mène à Rodeo Beach, après avoir longé un petit lagon.

Le **Marin Headlands Visitor Center** présente la faune, la flore et les sentiers de randonnée des environs *(demandez le dépliant du Golden Gate National Park qui comporte une bonne carte).*

Juste avant le lagon, une petite route bifurque vers **Point Bonita★★**, un cap rocheux surmonté d'un coquet petit phare *(ouvert w.-end en saison).*

Vous pouvez aussi suivre **Conzelman Road★★**, la route qui rejoint East Fort Baker, pour les splendides panoramas sur San Francisco et le Golden Gate.

Reprenez la Hwy 101 vers le nord jusqu'à la sortie Hwy 1 (Shoreline Hwy). Suivez celle-ci sur 2,5 miles et prenez à droite la Panoramic Hwy. Empruntez Muir Woods Rd, sur votre gauche, 0,8 mile plus loin. L'entrée du parc est à 2 miles.

★★ Muir Woods National Monument

℘ (415) 388 2596 - www.nps.gov/muwo - tlj de 8h au coucher du soleil - 10 $/pers. Attention : en quittant Sausalito, il n'y a pas de station-essence pendant une vingtaine de miles. Arrivez très tôt (avant 9h) pour être sûr d'avoir une place de parking. Comptez 1 à 2 heures de promenade dans la forêt, souvent très fréquentée. Café dans le parc.

Situé au fond d'un canyon, un sentier bétonné sillonne la forêt *(1,5 km)*, le long d'un ruisseau.

Le silence est requis en pénétrant dans **Cathedral Grove**, ce bosquet regroupant parmi les plus beaux spécimens de séquoias.

Ce sont les derniers vestiges de la forêt primitive qui bordait la baie de San Francisco avant que les bûcherons n'abattent les arbres pour la construction des villes. Beaucoup d'entre eux ont plusieurs centaines d'années (jusqu'à près de 1 000 ans) et le plus haut atteint 80 m. Le nom du parc rend hommage à John Muir (1838-1914), un naturaliste américain qui milita pour la préservation de la nature, et notamment des forêts.

D'autres sentiers non pavés et moins fréquentés sont accessibles aux marcheurs, demandez conseil aux rangers à l'entrée du parc.

En sortant du parc, Muir Woods Road rejoint ensuite la Shoreline Highway et mène à **Muir Beach★** *(2,5 miles)*, une plage de sable nichée au pied des falaises, puis à **Muir Beach Overlook★★** *(1,7 mile)*, qui offre un panorama époustouflant sur les falaises et San Francisco, plus au sud.

Reprenez la Shoreline Hwy vers le nord en direction de Stinson Beach. À un peu moins de 5 miles, à l'entrée de Stinson Beach, prenez à droite la Panoramic Hwy et suivez-la jusqu'à Pan Toll Station, qui marque l'entrée du Mont Tamalpais State Park (4 miles).

★★ Mount Tamalpais State Park

℘ (415) 388 2070 - www.parks.ca.gov - tlj de 7h au coucher du soleil - gratuit - Plan des sentiers à Pan Toll Station. Des conditions météorologiques défavorables peuvent entraîner la fermeture de certains sentiers, notamment l'hiver. Se renseigner. Possibilité de camping dans des conditions rudimentaires.

Culminant à 784 m, ce parc est un petit éden pour les randonneurs et les adeptes du VTT. L'ascension du mont Tamalpais, entre pâturages et ruisseaux, séquoias et chênes, est facile et permet d'admirer la **vue★★** sur toute la région. Pour les Indiens miwoks, c'est une montagne sacrée, habitée par leur dieu Coyote.

Revenez à Stinson Beach.

STINSON BEACH

Cette langue de sable clair s'étirant au pied des montagnes est un paradis pour les amateurs de pêche et pour les surfeurs, mais les courants et l'eau froide la rendent dangereuse en hiver *(poste de secours ouvert de fin mai à mi-sept.)*. Mais hormis la plage, le surf ou le windsurf, Stinson Beach réjouira aussi les amateurs de nature car, passé le village, la Hwy 1 longe **Bolinas Lagoon**, une lagune poissonneuse, isolée de l'océan par un cordon littoral. Elle accueille chaque année des milliers d'oiseaux migrateurs, des aigrettes et des hérons, que vous pourrez observer depuis le sanctuaire d'**Audubon Canyon Ranch** *(3 miles au nord du village - ℘ (415) 868 9244 - www.egret.org - mars-juil. : mar.-dim. 10h-16h, sur réservation les jours de semaine - gratuit, contribution souhaitable)*. *Après la lagune, bifurquez à gauche vers Bolinas (il n'y a aucun panneau).*

REDWOODS, SEQUOIAS ET SEQUOIAS GEANTS

Bien que deux espèces proches de conifères, le séquoia (*redwood* en anglais) se distingue du séquoia géant *(giant sequoia en anglais)* par son tronc élancé et long, de couleur brun sombre, alors que le séquoia géant a un tronc épais, et de couleur rouge-brun brillante. Le séquoia/*redwood* est l'arbre le plus grand du monde, et pousse sur la côte Pacifique, alors que le sequoia géant est le plus « gros » arbre au monde, et s'épanouit dans la Sierra Nevada. Les deux arbres peuvent vivre des milliers d'années. Le *redwood* est l'arbre officiel de la Californie.

★★ BOLINAS

S'il reste un sanctuaire pour les marginaux, hippies et excentriques *post beat*, c'est bien Bolinas, qui se targue de faire perdurer l'esprit de bohème des années contestataires. Pour preuve, l'acharnement que mettent ses habitants à arracher tous les panneaux de signalisation menant à leur village pour que l'on ne vienne pas les déranger. Il y a d'ailleurs longtemps que l'on a renoncé à les remplacer… Cela ne veut pas dire que Bolinas est désert ou seulement occupé par d'insolites reclus. De plus en plus de citadins en mal de nature et d'authenticité y rachètent de modestes maisons, mais personne n'a encore gâché le charme baba cool des lieux…

Une minuscule église en bois, un chapelet de maisons sur pilotis, un lagon peuplé d'oiseaux et une immense plage composent un cadre échappé de la conquête de l'Ouest. De cette lointaine époque, quand les habitants étaient pêcheurs, bûcherons ou chercheurs d'or désabusés, le village a conservé des bars où la bière coule à flots et où le blues se fait mélancolique. Les galeries d'art et un intéressant petit **musée d'Art et d'Histoire locale** *(48 Wharf Rd, (415) 868 0330 - www.bolinasmuseum.org - vend. 13h-17h, w.-end 12h-17h. Gratuit)*, qui abrite des expositions temporaires, confirment la présence d'artistes et de touristes.

Reprenez la Shoreline Hwy et prenez à gauche en direction d'Olema (18 miles de Stinson Beach), porte d'entrée du Point Reyes National Seashore.

★★ POINT REYES NATIONAL SEASHORE

* (415) 464 5100 - www.nps.gov/pore - tlj de l'aube au coucher du soleil - gratuit. Possibilité de camping avec autorisation à demander sur place. Des cartes des circuits de randonnée (de 2 à 22 km) sont fournies.*

Ce parc de plus de 29 000 ha offre une grande diversité de paysages, mariant longues dunes et falaises, landes noyées de brouillard et marécages, étendues désertiques et forêts, propices à de splendides randonnées.

Commencez votre visite par le **Bear Valley Visitor Center** *(Bear Valley Road. lun.-vend. 10h-17h, w.-end et vac. scol. 9h-17h)*, où vous trouverez toutes les informations concernant la faune, la flore et la géologie du parc. De là, vous pouvez visiter la reconstitution d'un **village miwok** et suivre l'**Earthquake

Marin County, Stinson Beach.
J. Arnold/hemis.fr

Trail★, un sentier qui longe la faille de San Andreas *(facile, 35mn)*.
Empruntez Sir Francis Drake Blvd (attention, ce dernier peut être fermé à la circulation, voir « Transports » dans « Nos adresses »).
La route traverse le hameau d'**Inverness** et de belles landes à l'atmosphère romantique. Plusieurs plages s'offrent à vous, notamment **Drake's Beach** et **Point Reyes Beach** (attention aux courants), envahies par les otaries.

1

★★ **Point Reyes Lighthouse**
À 20 miles env. d'Olema, au bout de Sir Francis Drake Blvd.
C'est l'un des phares les plus attachants de toute la côte Ouest. Il surplombe le Pacifique, perché à mi-hauteur d'une falaise haute de 180 m. Il faut descendre quelque 300 marches, dans le vent et le brouillard, pour l'atteindre *(l'escalier est fermé s'il fait trop mauvais)*. Si le temps est clair, vous bénéficierez d'un **panorama★★★** à couper le souffle sur toute la côte. C'est aussi un excellent point pour observer la **migration des baleines grises** *(de décembre à avril)*.
Tout près, **Chimney Rock**, une formation rocheuse en forme de cheminée, est une plate-forme dédiée à l'observation des mammifères marins : de fin décembre à mars, on peut assister à leur accouplement ou aux évolutions des femelles avec leurs petits.
Retournez à Olema, d'où vous pouvez gagner le Wine Country en prenant la Shoreline Hwy jusqu'à Point Reyes Station (2 miles au nord), puis en suivant les panneaux vers Petaluma (18 miles).

MOUVEMENTS DE PLAQUES
La longue péninsule du cap Reyes s'est formée le long de la **faille de San Andreas**. Appartenant à la plaque pacifique, elle se déplace de 5 cm par an vers le nord-ouest, tandis que la plaque américaine, à laquelle appartient le reste du Marin County, dérive peu à peu vers l'ouest. La zone de rencontre de ces deux plaques, le long de la vallée d'Olema, subit des contraintes énormes. Lors du tremblement de terre de 1906, la péninsule de Reyes est remontée de 5 m d'un seul coup ! Il y a plusieurs millions d'années, elle se situait au nord de Los Angeles. Elle est appelée à se détacher du continent et à dériver peu à peu en direction de l'Alaska.

😊 NOS ADRESSES DANS MARIN COUNTY

TRANSPORTS

En bus – Golden Gate Transit dessert Sausalito à partir du Transbay Terminal de San Francisco, et Marin Headlands à partir du Golden Gate Bridge, côté San Francisco. Pour Stinson Beach, bus à Sausalito-Marin City.

En ferry – Blue & Gold Ferry dessert Sausalito depuis Fisherman's Wharf *(Pier 41 ; 11 $ aller)*. **Golden Gate Ferry** assure la liaison à partir du Ferry Building à Embarcadero *(9,75 $ aller)*.

En voiture à Point Reyes National Seashore – Sir Francis Drake Blvd est en partie fermé à la circulation le w.-end, durant la saison des baleines *(déc.-avr.)*. Une navette assure alors le transfert des visiteurs vers le phare et Chimney Rock *(tlj 9h30-15h, ttes les 15-20mn, 5 $)*.

HÉBERGEMENT

Sausalito

😊 **Bon à savoir** – Les hôtels sont peu nombreux et malheureusement très chers. Le week-end, il faut parfois rester 2 nuits. Réservez impérativement.

PREMIER PRIX

Hi Sausalito – *941 Rosenstock Rd - Fort Barry, Golden Gate Recreational Area -* 📞 *(415) 331 2777 - www.hiusa.org -* 🅿 *-* ♿ *(partiel) - wifi - 100 lits 31/37 $ et 6 ch. 85/132 $.* Une auberge de jeunesse de charme, nichée en pleine nature. Suivez les panneaux *Marin Headlands*, puis *Visitor Center*, c'est à 6 km. Laverie.

POUR SE FAIRE PLAISIR

The Gables Inn – *62 Princess St. -* 📞 *(415) 289 1100 - www. gablesinnsausalito.com -* 🅿 *20 $/ nuit -* ♿ *- wifi - 15 ch. 245/495 $* ☕.

Cette maison de style colonial américain, décorée avec goût, est à deux pas de Bridgeway. Apéritif offert.

UNE FOLIE

The Inn above Tide – *30 El Portal -* 📞 *(415) 332 9535 - www. innabovetide.com -* 🅿 *18 $/day -* ♿ *- wifi - 31 ch. 385/1365 $* ☕. Un hôtel grand luxe en bardeaux de châtaignier, juste au-dessus de l'eau. Vastes chambres, la plupart avec cheminée ou balcon. Toutes ont vue sur la baie et San Francisco. Apéritif offert.

Stinson Beach

POUR SE FAIRE PLAISIR

The Sandpiper – *1 Marine Way -* 📞 *(415) 868 1632 - www. sandpiperstinsonbeach.com - 11h-19h -* 🅿 *- wifi - 6 ch. 155/175 $ et 5 bungalows 200/330 $.* Ravissant jardin luxuriant. Adresse cosy et confortable, réfrigérateur, thé et café dans les chambres. Négociez hors saison.

Bolinas

BUDGET MOYEN

Smiley's Schooner Saloon and Hotel – *41 Wharf Rd -* 📞 *(415) 868 1311 - www.smileyssaloon. com -* ♿ *(partiel) - wifi - 7 ch. 175/200 $.* Au centre du village, des chambres un peu sombres mais confortables dans une maison en bois de 1851. Bruit en saison : le saloon (café à partir de 8h) accueille des concerts *(merc.-dim.)*.

Point Reyes National Seashore

BUDGET MOYEN

Point Reyes Seashore
😊 **Bon à savoir** – Si vous ne trouviez pas d'hébergement aux abords du parc, il reste Petaluma *(env. 18 miles)*, dans le Wine

Country (voir « Nos adresses dans Wine Country », p. 114).

Lodge – 10021 Coastal Hwy 1 - 94950 Olema - ✆ (415) 663 9000 - www.pointreyesseashore.com - ✗ 🅿 ♿ - wifi - 21 ch. 155/240 $ et 2 bungalows 395 $ 🛏. Joli bâtiment en bois, dans un agréable jardin au bord du ruisseau. Chambres très grandes et confortables.

RESTAURATION

Stinson Beach

BUDGET MOYEN

Sand Dollar Restaurant – 3458 Shoreline Hwy - 94970 Stinson Beach - ✆ (415) 868 0434 - www. stinsonbeachrestaurant.com - 15h-0h, w.-end 11h-0h - ♿. Copieuses salades et bons sandwichs le midi (env. 9/15 $), viandes et poissons grillés le soir (17-24 $), dans une ambiance décontractée. Musique live le w.-end et certains soirs en sem.

Point Reyes National Seashore

PREMIER PRIX

Cafe Reyes – State Rte 1 - 94956 Point Reyes - Point Reyes Station, à 2 miles au nord d'Olema - ✆ (415) 663 9493 - 12h-21h - fermé lun. et mar. - 🅿 ♿ - 15/17 $. Le rendez-vous des locaux, où déguster en terrasse de bonnes pizzas.

UNE FOLIE

Saltwater Oyster Depot – 12781 Sir Francis Drake Blvd - 94937 Inverness - ✆ (415) 669 1244 - www.saltwateroysterdepot.com - 17h-21h, w.-end 9h-21h - fermé mar., merc. - 🅿 ♿ - 60/80 $. Un restaurant au décor simple avec sa maison de bord de mer. Au menu : huîtres et bon vin de la région, mais aussi plats légers et créatifs.

BOIRE UN VERRE

Sausalito

No Name Bar – 757 Bridgeway St. - ✆ (415) 332 1392 - www. thenonamebar.com - 11h-2h, w.-end 10h-2h - 🚭 🅿. Vous trouverez un grand choix de bières et quelques plats simples, dans cet espace qui tient à la fois du saloon et du lieu de rencontre beatnik ! Musique live tous les jours.

Smitty's – 214 Caledonia St. - ✆ (415) 332 2637 - www.smittysbar. com - 10h-2h. Très loin de l'animation touristique, ce bar est surtout fréquenté par des habitués qui ne demandent qu'à papoter. Billard et écran géant pour les jours de matchs.

ACHATS

Sausalito

Scrimshaw Gallery – 19 Princess St. - ✆ (415) 331 1409 - www. scrimshawgallery.com - 10h-17h30. Des objets sur le thème nautique, en particulier de fines sculptures ou gravures sur ivoire fossile : dents de baleine, défenses sculptées, bibelots délicats…

ACTIVITÉS

Point Reyes National Seashore

Observer les phoques – C'est entre décembre et mars que l'on peut observer les éléphants de mer, à la période où les femelles donnent naissance aux petits.

Voir passer les baleines – Autour de Chimney Rock et du phare (déc.-avr.). Pensez aux jumelles.

Kayak de mer – Les 15 miles du littoral de Tomal se prêtent à sa pratique. Mais les points d'embarquement sont limités et strictement réglementés. Rens. au Visitor Center.

1

Wine Country

Les meilleurs vins de Californie sont produits dans les vallées de Sonoma et de Napa, dont le climat doux et ensoleillé ainsi que la terre poreuse des anciens volcans composent un terroir favorable à la viticulture. La réputation des domaines place ces vins en tête du marché américain. Faites-vous votre propre idée en vous perdant dans les paysages bucoliques du Wine Country et en vous arrêtant dans les domaines !

NOS ADRESSES PAGE 114
Hébergement, restauration, achats, activités, etc.

▶ SE REPÉRER

Carte de région AB1 *(p. 26) – carte Michelin Western USA 585 A 8*. Ce circuit permet de découvrir les **vallées de Sonoma et de Napa**, au nord-est de San Francisco. Les routes principales suivent l'axe des vallées : la Hwy 101 sépare le Wine Country du Marin County, et traverse Petaluma et la Russian River Valley ; plus à l'est, la Hwy 12 longe la Sonoma Valley et la Hwy 29 (également appelée St Helena Hwy) dessert la Napa Valley.

☺ À NE PAS MANQUER

Déguster des vins ; flâner autour de la Plaza de Sonoma ; s'imprégner du souvenir de Jack London dans son ranch.

◷ ORGANISER SON TEMPS

Chacune des vallées requiert une journée pour parcourir leur route et profiter des chateaux. Tenez compte du fait que la plupart des dégustations ferment à 17h.

Circuits conseillés

SONOMA VALLEY

▶ *Circuit de 60 miles AR, comptez une journée.*

★★ Sonoma

La plus charmante des villes du vignoble est aussi la plus importante sur le plan historique. En 1823, une mission fut fondée à Sonoma, puis on bâtit une caserne pour les soldats chargés de défendre cet avant-poste de la Californie. Le commandant mexicain du Presidio de San Francisco, Mariano Vallejo, prit la tête du détachement en 1834 et supervisa la fondation de la ville. Mais, en 1846, les colons américains se soulevèrent contre le joug mexicain et hissèrent sur la Plaza un drapeau frappé d'un ours et d'une étoile : c'était le *Bear Flag Revolt*. Ils proclamèrent même une république indépendante en Californie. La révolte fut vite réprimée par l'armée américaine, qui enleva la Californie au Mexique. La ville se contente depuis du commerce et de la viticulture, et possède le plus ancien vignoble de la région.

★ **Plaza centrale** – Autour de cette place, à l'atmosphère toute mexicaine avec ses palmiers, sont rassemblés les édifices historiques regroupés au sein du **Sonoma State Historic Park★** *(un billet incluant l'entrée à la mission, aux Barracks et à la maison de Vallejo est en vente à la mission. ✆ (707) 938 9560 -*

www.parks.ca.gov - tlj 10h-17h). C'est la plus ancienne exploitation de la vallée. Elle produit des vins rouges réputés.

Revenez à Sonoma et empruntez la Hwy 12 vers le nord sur 5 miles, tournez à gauche dans Madrone Rd, à droite dans Arnold Dr., puis encore à gauche dans London Ranch Rd, pour atteindre le ranch de Jack London (10 miles).

★★ Jack London State Historic Park

℘ (707) 938 5216 - www.jacklondonpark.com - parc 9h30-17h ; musée 10h-17h - fermé mar.-merc. de nov. à avr. - 10 $/véhicule.

C'est là que le célèbre écrivain, journaliste et aventurier, passa les dernières années de sa vie. En 1905, à l'âge de 29 ans, déjà fatigué par ses périples, il acheta un domaine délabré du village de Glen Ellen. En 1911, il entreprit avec sa seconde femme, Charmian, la construction d'une imposante demeure en

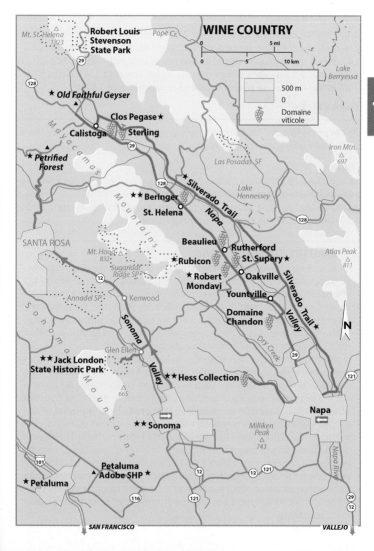

pierre et en bois, Wolf House, qu'un incendie dévasta en 1913, au moment où ils s'apprêtaient à emménager. Renonçant à leur projet, le couple se contenta du vieux cottage. Jack London y mourut en 1916, à 40 ans.

Six ans plus tard, sa veuve fit construire la **House of Happy Walls★**, où sont rassemblés objets personnels, souvenirs de voyages, photographies et courriers de l'écrivain (elle y vécut jusqu'en 1945).

Plusieurs sentiers bucoliques sillonnent le domaine et mènent au cottage où Jack London écrivait, aux ruines de Wolf House et à la tombe du couple. À la sortie du parc, vous pouvez vous arrêter au **Jack London Saloon** (1905), pour retrouver l'ambiance de l'Ouest…

Reprenez la Hwy 12 vers le nord et Santa Rosa. À un peu plus de 11 miles, à l'entrée de Santa Rosa, tournez à droite dans Calistoga Rd et, environ 7 miles plus loin, empruntez à gauche Petrified Forest Rd.

★ Petrified Forest

4100 Petrified Forest Rd, Calistoga - ℰ *707 942 6667 - www.petrifiedforest.org - juin-août : 10h-19h ; avr.-mai et sept.-oct. : 10h-18h ; nov.-mars : 10h-17h - 12 $.*

Ce curieux site regroupe des séquoias qui se sont pétrifiés après avoir été ensevelis, il y a 3 millions d'années, sous les cendres du Mt St Helena, situé à 7 miles au nord-est. Le plus gros arbre a un diamètre de 1,80 m.

NAPA VALLEY

◐ *Circuit de 55 miles AR, comptez une journée. Les propriétés les plus célèbres sont situées le long des Hwy 128 et 29.*

Napa

La capitale du pays du vin n'a pas de charme particulier, mais ses jolies maisons victoriennes et ses cafés méritent néanmoins une visite.

À l'entrée nord de Napa, quittez la Hwy 29 vers l'ouest, en direction de Redwood Rd/Trancas Ave., et poursuivez sur 6 miles à l'ouest.

UNE AUTRE CULTURE DU VIN

C'est le Hongrois **Agoston Haraszthy** qui, au milieu du 19e s., introduisit des plants et des méthodes importés d'Europe, forma de nouveaux viticulteurs – eux-mêmes immigrants européens – et contribua à imposer le vin de Californie du Nord comme le meilleur des États-Unis. Parallèlement, les chercheurs de l'université de Californie aidèrent à combattre le phylloxéra et à adapter des cépages européens aux terroirs locaux. Au début du 20e s., après la grande crise du vignoble sur le Vieux Continent, des vignerons européens vinrent tenter ici leur chance, tandis que d'autres rapportaient des plants américains en France. Malgré la Prohibition et la crise économique des années 1930, la viticulture californienne est demeurée très prospère jusqu'à aujourd'hui où les méthodes de production sont ultramodernes. La région est désormais le **4e producteur mondial**, et certains des vins locaux figurent désormais parmi les meilleurs du monde. Les méthodes de production à l'américaine ont fait leurs preuves. Il faut savoir qu'ici, marketing et commerce obligent, le vin n'est pas conçu comme un produit savamment élaboré à partir de subtils mélanges et selon une ancienne tradition. C'est le cépage qui détermine le vin : zinfandel, cabernet sauvignon, pinot noir, chardonnay… De cette façon, le vin est typé, au goût franc et simple, à boire immédiatement et de qualité relativement constante.

Vignes dans les environs de Calistoga.
B. Gibbons/FLPA/age fotostock

★★ **Hess Collection Winery** – *4411 Redwood Rd - ℘ (707) 255 1144 - www. hess-collection.com - tlj 10h-17h (dégustation, à partir de 25 $) et 10h-17h30 (musée d'art, gratuit) - visite guidée du musée tlj à 10h15 (35 $) ; visites guidées de la propriété et des vignobles sur réservation, mai-oct. : mar.-jeu. (60 $) ; autres formules, se rens.* Située à l'écart, sur les coteaux, c'est l'une des plus imposantes propriétés de la région (découvrez le zinfandel, typique de Californie, ou la syrah). Fondé par les Frères chrétiens en 1930, l'énorme ensemble de pierre rappelle les monastères mexicains. Au-dessus des chais, **galerie d'art contemporain** de grande qualité.
Retournez à Napa et prenez la Hwy 128 vers le nord (8 miles).

Yountville

Ce village évoque un décor de théâtre ! On y visite plusieurs propriétés prestigieuses, dont le célèbre **Domaine Chandon** *(1 California Dr., à droite de la Hwy 29, peu avant l'entrée dans Yountville - ℘ 1-888 242 6366 - www.chandon. com - Visitor Center tlj 10h-17h - dégustation 20-32 $)*, créé en 1973 par la société française Moët-Hennessy. On y retrouve la tradition champenoise et des mousseux de qualité.
Continuez sur la Hwy 29 vers Oakville. Passé Oakville Cross Rd, quelques-uns des domaines les plus réputés se répartissent de part et d'autre de la route.

Oakville

★ **Robert Mondavi Winery** – *Sur la gauche, 7801 St Helena Hwy 29 - ℘ 888 766 6328 - www.robertmondaviwinery.com - tlj 10h-17h - dégustation 20 $, visite et dégustation 20/55 $, avec possibilité de visiter les vignobles.* C'est l'exemple type de la réussite californienne : des vins réputés (dont les superbes Réserves) et un mécénat actif en faveur d'artistes locaux.

Rutherford

★ **St Supery** – *Sur la droite, 8440 St Helena Hwy 29 - ℘ (707) 963 4507 - www. stsupery.com - tlj 10h-17h - dégustation 25/40 $; visite et dégustation 35/70 $*

(réservation recommandée). La propriété ne se contente pas de produire du vin. Elle abrite un centre de découverte où les novices apprendront comment s'élabore le précieux breuvage et s'essaieront à humer les différents bouquets.

★ **Rubicon** – *Sur la gauche, 1991 St Helena Hwy 29 - ✆ (707) 968 1161 - www. inglenook.com - tlj 10h-17h - dégustation 45/50 \$, visite privée et dégustation 75 \$.* C'est la superbe propriété (depuis 1975) du cinéaste Francis Ford Coppola, qui s'attacha à placer ses vins parmi les meilleurs de Californie. Le musée qui expose des souvenirs de sa carrière hollywoodienne a été déplacé dans sa nouvelle propriété à Geyserville en 2007.

Dépassez Rutherford pour entrer sur le territoire de St Helena.

Beaulieu Vineyards – *Sur la droite, 1960 St Helena Hwy 29 - ✆ 800 264 6918 - www.bvwines.com - tlj 10h-17h - dégustation 20 \$, visite et dégustation 35/50 \$.* Dans un style plus convivial, ce domaine a été initialement fondé par un couple de Français en 1900. Très réputé, il propose une visite de la propriété et un verre de vin gratuit. Son chardonnay et son cabernet sauvignon sont considérés parmi les meilleurs de la région.

St Helena

Cette petite bourgade viticole s'étire le long d'une rue aux allures de Far West avec ses boutiques à frontons en bois, ses rues verdoyantes et ses maisons colorées.

On y visite le **Robert L. Stevenson Silverado Museum** *(1490 Library Lane - ✆ (707) 963 3757 - www.silveradomuseum.org - mar.-sam. 12h-16h - gratuit)*, qui expose de nombreux objets ayant appartenu à l'auteur de *L'île au trésor,* mais la ville concentre surtout un nombre impressionnant de *wineries.*

★★ **Beringer Vineyards** – *Sur la droite, 2000 Main St. - ✆ (707) 257 5771 - www. beringer.com - tlj 10h-17h30 ; plusieurs visites guidées différentes par jour - dégustation 25 \$, visite et dégustation 30/50 \$.* Fondés par une famille allemande en 1876, ils sont l'une des plus anciennes exploitations de la vallée, qui a échappé à la prohibition en fabriquant du vin de messe. Le chardonnay blanc et les cabernets rouges, très bien élaborés, sont réputés.

Les Hwy 128/29 continuent vers le nord et Caligosta. Peu avant la station thermale, tournez à droite dans Dunaweal Lane.

Sterling Vineyards – *Sur la droite, 1111 Dunaweal Lane - ✆ 800 726 6136 - www. sterlingvineyards.com - lun.-vend. 10h30-16h30, w.-end 10h-17h - dégustation à partir de 29 \$, -21 ans 15 \$ (même s'ils ne peuvent pas consommer d'alcool).* L'étonnante propriété est perchée en haut d'une butte que l'on atteint en télécabine. Vous y découvrirez un intéressant cabernet sauvignon ou un bon sauvignon.

★ **Clos Pegase** – *Plus loin, sur la gauche, 1060 Dunaweal Lane - ✆ (707) 942 4981 - www.clospegase.com - tlj 10h30-17h - 25/60 \$ - visite guidée des caves tlj à 11h, 13h et 15h.* Cette *winery* fondée par un éditeur et collectionneur d'art mérite le détour pour son opulente architecture néoclassique et ses vins réputés (sauvignon ou chardonnay pour les blancs, merlot ou pinot noir pour les rouges).

Revenez sur la Hwy 128 pour rallier Caligosta.

Calistoga

Située au nord de la vallée de Napa, au pied du mont St Helena (1 323 m), Calistoga est une station thermale riche en geysers et en sources chaudes. Point de départ de belles randonnées vers l'ancien volcan, la ville est aussi réputée pour ses bains de boue et ses soins d'eau thermale, proposés par

---

LES VINS CALIFORNIENS EN TROIS FILMS

Sideways (2004) : un *road movie* mettant en scène deux amis, Miles et Jack, sur la route des vins californiens ; outre leurs questionnements existentiels, ils se déchirent pour savoir quel est le meilleur, du pinot noir ou du merlot. Jouissif.

Bottle Shock (2008) : en 1976, un vin californien remporte le premier prix d'une dégustation à l'aveugle, surpassant les vins français pour la première fois. Le film raconte comment un viticulteur californien en est arrivé là, sur fond de romance.

Mondovino (2004) : polémique, le documentaire de Jonathan Nossiter met en lumière l'impact de la mondialisation sur plusieurs régions viticoles à travers la planète et l'uniformisation du goût en matière de vin. Brillant.

---

les très nombreux établissements *(appelés* springs *ou* Spas *; entre 70 et 150 $).*

★ **Old Faithful Geyser** – *À 2 miles au nord-ouest de la ville par la Hwy 128 - ℘ (707) 942 6463 - www.oldfaithfulgeyser.com - tlj 8h30-19h (18h30 sept.-oct. ; 17h30 de déb. nov. à mi-fév. ; 18h de mi-fév. à fin mars) - 15 $/personne.* C'est l'un des trois geysers au monde qui jaillissent avec une telle régularité. Il projette sa colonne d'eau brûlante à 18 m de haut (ttes les 30-40mn).

Robert Louis Stevenson State Park – *À 7 miles au nord-est de la ville par la Hwy 29 - ℘ (707) 942 4575 - www.parks.ca.gov - tlj du lever au coucher du soleil - gratuit.* Il offre des balades dans la forêt qui couvre les flancs du mont St Helena. L'auteur de *L'Île au trésor* y passa sa lune de miel en 1880 et s'en inspira pour *La Route de Silverado.*

Pour revenir à Napa en évitant la route principale, vous pouvez quitter Calistoga en suivant le **Silverado Trail★**, une petite route touristique qui serpente, à l'est de la Hwy 128, entre vignobles et collines. Le chemin se rattrape au bout de Dunaweal Lane, après le Clos Pegase *(voir ci-contre).*

À proximité

★ **Petaluma**

◖ *À 12 miles au sud-ouest de Sonoma par la Hwy 116.*

Cette petite ville pittoresque s'étire le long de la rivière. Son imposant **moulin**, transformé en galerie commerciale, rappelle le passé agricole de la vallée. Le centre-ville, autour de Kentucky Street, Petaluma Boulevard et Western Avenue, conserve de beaux **immeubles victoriens★**, avec ossature, sculptures et colonnades en fonte, tandis que les quartiers résidentiels offrent une palette de styles de la fin du 19ᵉ s.

Quittez Petaluma par la Hwy 116, en direction de Sonoma. 4 miles plus loin, tournez à gauche et suivez Adobe Rd sur 2,5 miles.

★ **Petaluma Adobe State Historic Park** – *3325 Adobe Rd - ℘ (707) 762 4871 - www.petalumaadobe.com - mar.-dim. 10h-17h - 3 $.* Cet ancien ranch de la période mexicaine a été fondé en 1834 par le commandant Vallejo, qui avait reçu 26 700 ha de terres en rétribution de ses services. Les bâtiments traditionnels en adobe donnent une idée de la vie que l'on menait dans ces grandes exploitations.

😎 NOS ADRESSES DANS WINE COUNTRY

TRANSPORTS

En voiture – Quittez San Francisco par le Golden Gate Bridge et suivez la Hwy 101 jusqu'à **Petaluma** (41 miles), ou enchaînez à partir de Marin County *(voir p. 101)*.

Sonoma est à 12 miles au nord-est de Petaluma. Revenez sur la Hwy 116, que vous suivez vers l'est, puis empruntez la Hwy 12 vers le nord.

En bus – **Golden Gate Transit** assure la liaison de San Francisco vers Sonoma et Petaluma.

VISITES

En bus, car ou limousine

😎 **Bon à savoir** – De nombreuses agences proposent des visites au départ de San Francisco.

Pour bien comparer les offres et éviter les mauvaises surprises, vérifiez si les pourboires, les prix de dégustation et autres taxes sont compris dans le devis.

En voici deux, sérieuses :

Wine Country Tour Shuttle *(☎ (866) 991 8687, www. winecountrytourshuttle.com)* propose des visites guidées à la journée, au départ de San Francisco, avec traversée du Golden Gate Bridge, pique-nique, visites de domaines, et retour en ferry. Départ à 8h45, à partir de 199 $/personne ;

Eclectic Tour *(☎ (707) 224 2265, www.eclectictour.com)* met en avant les visites personnalisées (novice, 510/570 $/4 pers. ; connaisseur, 860/940 $/4 pers., etc.).

HÉBERGEMENT

😎 **Bon à savoir** – Attention à vos bourses, à Napa et Sonoma, les hôtels sont très chers, surtout le w.-end.

Petaluma

BUDGET MOYEN

Metro Hotel & Cafe

B & B – *508 Petaluma Blvd S. - ☎ (707) 773 4900 - www. metrolodging.com -* 🖥 ✖ 🅿 ♿ *- wifi - 15 ch. 119/169 $* 🍽. Des chambres gaies et colorées dont certaines ouvrent sur un jardin. Cottages également disponibles.

Sonoma

BUDGET MOYEN

Sonoma Hotel – *110 W. Spain St. - ☎ 800 468 6016 - www. sonomahotel.com -* ✖ ♿ *- wifi - 16 ch. 160/298 $* 🍽. Un établissement qui possède beaucoup de caractère. Dégustation de vin comprise.

Swiss Hotel – *18 W. Spain St. - ☎ (707) 938 2884 - www. swisshotelsonoma.com - fermé 1 sem. en janv. -* ✖ *- wifi - 5 ch. 160/280 $* 🍽. Fondé en 1840, cet hôtel de style colonial au charme suranné, avec balcons donnant sur la Plaza, est digne d'un western. Dégustation de vin comprise. Le **restaurant** de cuisine italienne *(tlj 11h30-14h30, 17h-22h - plats env. 6-30 $)* possède un joli patio. Bar ouvert jusqu'à minuit.

Calistoga

POUR SE FAIRE PLAISIR

Roman Spa – *1300 Washington St. - ☎ (707) 942 4441 - www. romanspahotsprings.com -* 🅿 ♿ *- wifi - 60 ch. 200/500 $*. Dans une rue calme, établissement thermal de style motel. Grande variété de chambres, certaines avec cuisine ou Jacuzzi à eau thermale. Piscine agréable. Bains de boue, massages, sauna, spa, etc.

Yountville

UNE FOLIE

Vintage Inn – *6541 Washington St. - ℰ (707) 944 1112 - www.vintageinn. com -* 🅿 🛌 ♿ *- wifi - 80 ch. 340/775 $* 🍽. Dans un beau parc, des chambres au luxe discret : cheminée, patio ou balcon, Jacuzzi, dégustation de vin, cookies, petit-déj. au champagne…

Napa

BUDGET MOYEN

Wine Valley Lodge – *200 S. Coombs St. - À l'entrée sud de Napa, sortez par Imola exit, puis tournez à gauche avant le pont - ℰ (707) 224 7911 - www. winevalleylodge.com -* 🅿 🛌 ♿ *- wifi - 54 ch. 140/225 $* 🍽. Motel sans prétention aux chambres impeccables. Accueil particulièrement sympathique. Petit-déj. continental inclus.

RESTAURATION

Sonoma

PREMIER PRIX

Sunflower – *421 1ˢᵗ St. W. - ℰ (707) 996 6645 - www. sonomasunflower.com - 7h-16 - wifi - plats 13/15 $.* Une halte bien agréable dans ce joli café articulé autour d'un patio, et recommandé par les habitants du coin. Belles salades, généreux sandwichs, omelettes et plats plus élaborés permettent de se sustenter entre deux visites de cave.

BUDGET MOYEN

The Girl and the Fig – *110 W. Spain St. - ℰ (707) 938 3634 - www. thegirlandthefig.com - 11h30-22h, vend.-sam. 8h-23h, dim. 10h-22h -* ♿ *- wifi - plats 13/29 $ - menu 38 €.* Un restaurant tenu par une Américaine amoureuse du Sud de la France qui propose une

excellente cuisine « bistrot » et sélection de vins.

Yountville

POUR SE FAIRE PLAISIR

Bouchon B – *6534 Washington St. - ℰ (707) 944 8037 - bouchonbistro. com - 11h-0h, w.-end 10h-0h -* 🅿 ♿ *- carte 35/88,50 $.* Un bistrot qui remporte un franc succès. N'hésitez pas, mais réservez. Brunch le week-end.

UNE FOLIE

The French Laundry – *6640 Washington St. - ℰ (707) 944 2380 - www.thomaskeller.com - 17h30- 21h15, vend.-dim. 11h-13h, 17h30- 21h15 - à partir de 310 $.* Tenue comme le précédent par Thomas Keller, cette table est considérée comme l'une des meilleures du pays. Réservez un mois à l'avance.

St Helena

PREMIER PRIX

Gott's Roadside – *933 Main St. - ℰ (703) 963 3486 - gotts.com - 7h- 22h (7h-21h en hiver) -* 🅿. Salades, burgers et milkshakes à déguster sur de grandes tables de pique- nique, dans ce fast-food chic de bord de route. Essayez le burger de thon mi-cuit, un délice.

ACHATS

Petaluma

Fromages - Marin French Cheese Company – *7500 Red Hill Rd - ℰ (707) 762 6001 - www. marinfrenchcheese.com - 8h30- 16h30.* Une fromagerie fondée par des Anglais en 1865 dont le succès ne se dément pas ! On peut acheter de quoi pique-niquer.

Sonoma

Jack London Bookstore – *14300 Arnold Dr. - Glen Ellen (sur la route du Jack London SHP) - ℰ (707) 996 2888 - www. jacklondonfdn.org - 9h30-17h.*

1

SACRAMENTO ET LA SIERRA NEVADA

DANTE'S VIEW	★★★	Vaut le voyage
Sacramento	★★	Mérite un détour
Furnace Creek	★	Intéressant
S. Lake Tahoe		À voir

0 — 50 mi
0 — 100 km

Ville de départ du circuit
Au sud de Furnace Creek
Au nord de Furnace Creek
YOSEMITE NP — Voir la carte détaillée du circuit

Sacramento et la Sierra Nevada 2

Carte Michelin Western USA 585 – Californie

Sacramento

479 686 habitants – Californie

Loin de l'agitation des villes de la côte, à l'écart des modes et des excentricités de Los Angeles ou de San Francisco, Sacramento est une capitale un peu compassée, rectiligne et ouverte comme beaucoup de grandes villes américaines. Seul le vieux quartier en bordure de la rivière évoque son glorieux passé à l'époque de la ruée vers l'or. Porte d'entrée vers les paysages spectaculaires de la Sierra Nevada, Sacramento cherche aujourd'hui à retenir le voyageur en lui proposant de nombreuses idées de sorties culturelles.

NOS ADRESSES PAGE 124
Hébergement, restauration, achats, activités, etc.

S'INFORMER
Old Sacramento Visitor Center – *1002 2ⁿᵈ St. - ℘ (916) 442 7644 - oldsacramento.com - tlj 10h-17h.*
Sacramento Convention & Visitors Bureau – *1608 I St. - ℘ (916) 808 7777 - www.visitsacramento.com - lun.-vend. 8h-17h.*

SE REPÉRER
Carte de région A1 (p. 116) - carte Michelin Western USA 585 AB 8. La capitale de l'État de Californie se trouve à 87 miles (139 km) au nord-est de San Francisco par l'I-80. Sortez à 10th St. pour le centre-ville. L'I-5,

arrivant de los Angeles, longe Old Sacramento (sortez à J Street).

SE GARER
De nombreux parkings dont celui se trouvant sous l'autoroute à côté d'Old Sacramento.

À NE PAS MANQUER
Le California State Railroad Museum ; flâner dans la vieille ville.

ORGANISER SON TEMPS
Une journée suffit pour visiter la ville ; évitez d'y séjourner le week-end, car le centre est vide et la vieille ville envahie par les touristes.

Se promener

Bon à savoir – À l'exception de Sutter's Fort, qui est un peu à l'écart, il est préférable de parcourir la ville à pied. Un simple regard sur le plan permet de se repérer. D'ouest en est, les rues sont numérotées, tandis que du nord au sud elles portent le nom d'une lettre. N'hésitez pas à marcher, les distances entre Old Sacramento et Downtown ne sont pas très grandes.

★★ OLD SACRAMENTO

Comptez une demi-journée avec les musées. Le quartier s'inscrit entre la rivière et 2ⁿᵈ St., à l'ouest de l'I-5, et entre I St. et L St. Parkings sous l'autoroute, entre I St. et J St.

Old Sacramento est le plus important et le mieux préservé des vieux quartiers américains et, malgré les nombreux visiteurs, on se croirait en plein Far West. Construit autour de l'ancien embarcadère de la colonie Sutter, il conserve trois blocs parfaitement restaurés qui ressuscitent l'atmosphère bourdonnante d'une ville du 19e s. Trottoirs en bois surélevés et couverts,

Tower Bridge.
R.Cummins/age fotostock

immeubles à fronton et saloons rescapés de la grande époque de la ruée vers l'or constituent un ensemble remarquablement homogène, avec boutiques de souvenirs et restaurants. Pour ajouter au charme, d'anciens bateaux sont encore amarrés sur la rivière et, près des quais, une somptueuse locomotive rappelle la grande épopée du chemin de fer. Un bémol cependant, le quartier se trouvant juste derrière une portion surélevée de l'autoroute, le brouhaha de la circulation est permanent.

Débutez la visite au nord du vieux Sacramento, à l'angle de I St. et de 2ⁿᵈ St.

★ California State Railroad Museum
Comptez 1 à 2h. 125 I St. - (916) 323 9280 - www.csrmf.org - tlj 10h-17h (jeu. 20h juin-août) - 10 $ (6-17 ans 5 $) - film (20mn) en anglais, mais documentation en différentes langues.

Ce musée passionnant raconte tout ce que l'on rêve de savoir sur l'épopée du chemin de fer. Il nous renseigne sur son rôle dans le désenclavement de la Californie lié à l'amélioration des échanges de marchandises et du transport de passagers entre la Californie et le reste des États-Unis. On apprend notamment quels furent les problèmes rencontrés lors de la construction de la ligne qui traverse la Sierra Nevada. Un espace qui abrite aussi une superbe collection d'une vingtaine de **wagons** et de **locomotives**, dont un train de 1929, mis en scène avec simulation des sons et vibrations.

Huntington, Hopkins & Co
Sur la droite, notez la façade en brique du magasin **Huntington, Hopkins & Co**, une reconstitution du bâtiment qui se trouvait à l'origine sur le tracé de l'autoroute. Il permit à Collis Huntington et à Mark Hopkins de faire fortune, avant de s'associer à Stanford et Crocker pour former le groupe des *Big Four*, ces riches hommes d'affaires qui investirent dans les chemins de fer et fondèrent la Central Pacific Railroad Company.

Sacramento History Museum

Comptez 1h. 101 I St. - ℰ (916) 808 7059 - tlj 10h-17h (jeu. 20h mai-août) - 6 $.
Il est aménagé dans un bâtiment qu'occupaient jadis les bureaux du maire, de la police, le service des eaux et la prison… On y découvre l'histoire de Sacramento, de la ruée vers l'or aux années 1950.
Face au musée s'ouvre Front Street, deuxième grande rue de la vieille ville.

Front Street

En descendant cette rue vers le sud, vous trouvez sur votre droite la **gare des voyageurs**. De l'autre côté de la rue, au n° 975, l'**Eagle Theatre** fut la toute première salle de spectacle de Californie. C'est en fait une reconstitution d'un bâtiment de 1849. Un peu plus loin, sur la droite, l'ancienne gare des marchandises de la Central Pacific est le point de départ de **circuits en train à vapeur** le long de la rivière *(billets en vente au Railroad Museum - départ w.-end d'avr. à sept., ttes les heures de 11h à 16h - 12 $)*.
Au bord du quai, juste derrière la gare, le **Delta King★** est un ancien bateau à aubes des années 1930, transformé en hôtel-restaurant et lieu de dîners spectacles *(voir p. 124)*. Il faut imaginer que les berges de la rivière étaient initialement beaucoup plus basses qu'aujourd'hui. Pour résister aux inondations, on rehaussa l'ensemble des rues de la vieille ville de plus de trois mètres, avec de la boue draguée au fond de l'American River, un affluent de la Sacramento River. Beaucoup de sous-sols de la ville étaient jadis des rez-de-chaussée.
Descendez Front St. jusqu'à L St. et prenez à gauche jusqu'à 2nd St. que vous remontez vers le Railroad Museum.

Second Street

Sur la gauche, l'**Union Hotel** servait de lieu de rencontre aux hommes politiques : on y pratiquait, autour d'un verre, un lobbying acharné…
Plus loin encore, sur la gauche, le **B.F. Hastings & Co Building** abritait le terminus du Pony Express (courrier à cheval). La Wells Fargo y avait également ses bureaux et vous pouvez visiter aujourd'hui le **Wells Fargo History Museum** *(1000 2nd St. - ℰ (916) 440 4263 - www.wellsfargohistory.com - tlj 10h-17h - gratuit),* où sont exposés quelques souvenirs de l'époque des diligences et de la ruée vers l'or.

★ DOWNTOWN SACRAMENTO

▶ *Comptez une demi-journée en incluant quelques visites de musées.*
Dominé par la haute silhouette du Capitole, ce quartier compris entre l'autoroute et 16th St. accueille les grandes administrations et des musées.
Partez du Convention Center. Remontez 14th St. jusqu'à H St. Tournez à droite.

Governor's Mansion

Au nord-est du Capitole, ce manoir victorien, construit en 1877 par un quincaillier prospère, servit de résidence aux gouverneurs de Californie de 1903 jusqu'au début du mandat de Ronald Reagan, en 1967. Le gouverneur actuel s'est à nouveau installé dans ses murs.
Revenez sur vos pas pour rejoindre le California State Capitol.

★ California State Capitol

1315 10th St., entre L St. et N St. - ℰ (916) 324 0333 - capitolmuseum.ca.gov - lun.-vend. 8h-17h, w.-end 9h-17h - visites guidées ttes les heures de 9h à 16h - gratuit.
Vous ne pourrez manquer cet édifice dont l'orgueilleuse **coupole** néoclassique, typique de beaucoup d'édifices publics américains, s'élève à 64 m au cœur du

Le rêve de Sutter

DE LA NOUVELLE-HELVÉTIE À LA VILLE DE SACRAMENTO

L'ambition d'un homme

La création de Sacramento remonte à 1839, quand **John Sutter**, un Suisse ambitieux qui rêvait de fonder un empire commercial, entreprit la construction d'un fort. Il réussit à convaincre le gouverneur mexicain, alors basé à Monterey, de lui confier la colonisation de la vallée Centrale de Californie. On lui accorda 19 355 ha de terres, qu'il rebaptisa **Nouvelle-Helvétie**.

Le point d'origine de la ruée vers l'or

La main-d'œuvre indienne et la présence d'artisans fraîchement immigrés d'Europe contribuèrent à faire de **Fort Sutter** une destination attrayante pour les colons. Sutter entretenait une armée privée et menait ses affaires avec grand succès. Il reçut même plus de 39 000 ha supplémentaires en 1844, pour avoir aidé les Mexicains à réprimer une révolte indienne. C'est aussi dans le cours d'eau de l'une de ses scieries que furent découvertes les pépites qui allaient déclencher la **ruée vers l'or**.

Le déclin de Fort Sutter

La ruée vers l'or sera pourtant le début des ennuis pour Sutter. La plupart de ses ouvriers désertèrent leur poste pour partir chercher du précieux minerai. Puis le tout nouveau gouvernement américain de Californie renâcla à reconnaître ses droits de propriété et, lorsqu'il le fit enfin, il n'en reconnut qu'une partie. Son propre fils refusa par ailleurs de fonder la future Sutterville autour du fort, et préféra rejoindre ceux qui choisirent logiquement un site au bord de la **Sacramento River**, à 2 miles du fort. La rivière constituait en effet un axe incontournable pour le transport des hommes et le ravitaillement.

À CHACUN SON DESTIN

Sacramento, capitale de la Californie

Commerces, hôtels, saloons et autres baraquements en bois poussèrent le long de quais précaires, progressivement remplacés par des levées, des remblais et des bâtiments de briques suite aux nombreuses inondations et aux incendies. La **vieille ville** actuelle date de cette époque.

Port fluvial actif, la ville accueillit après 1860 le terminus du **chemin de fer** construit à travers la Sierra Nevada. Elle devint ainsi un carrefour majeur entre l'est et l'ouest du continent, de même qu'entre le nord et le sud. Déjà choisie comme **capitale de l'État** en 1854, elle s'équipa peu à peu de bâtiments grandioses, comme le Capitole. Depuis, et malgré la délocalisation de la Cour suprême à San Francisco en 1869, elle conserve le pouvoir fédéral. Administrations, industries agroalimentaires et transport des denrées agricoles de la vallée Centrale sont les trois piliers de la vie économique.

Retour vers l'est

De son côté, le vieux **Sutter** ne lâcha pas prise et, avec sa femme, il partit vivre dans un village en Pennsylvanie afin d'être plus près de Washington, où il pouvait faire du lobbying. Il ne revint jamais en Californie et mourut en 1880. Son épopée et l'histoire de la ruée vers l'or inspireront plus tard à Blaise Cendras son roman *L'Or*, publié en 1925.

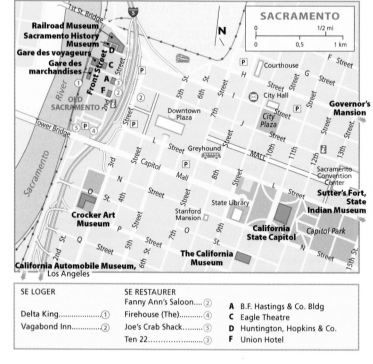

SACRAMENTO

Railroad Museum
Sacramento History Museum
Gare des voyageurs
Gare des marchandises
D
C
A
F
OLD SACRAMENTO
Front Street
2nd Street
1st St Bridge
River
Sacramento
Tower Bridge
Courthouse
City Hall
City Plaza
Downtown Plaza
Greyhound
Capitol Mall
State Library
Stanford Mansion
Crocker Art Museum
California Automobile Museum, Los Angeles
State Capitol
California State Capitol
The California Museum
Capitol Park
Governor's Mansion
Sutter's Fort, State Indian Museum
Sacramento Convention Center

SE LOGER

Delta King..................①
Vagabond Inn.............②

SE RESTAURER

Fanny Ann's Saloon....②
Firehouse (The)...........④
Joe's Crab Shack.........⑤
Ten 22......................③

A B.F. Hastings & Co. Bldg
C Eagle Theatre
D Huntington, Hopkins & Co.
F Union Hotel

centre-ville. On remarque d'emblée sa ressemblance avec celle de Washington. La construction du siège du gouvernement de Californie débuta en 1860. Le parti pris néoclassique se confirme sur la façade principale, côté ouest, avec les colonnes, les frontons et les allégories qui entourent la déesse Minerve.

À l'intérieur, on est impressionné par le dallage de mosaïques, ainsi que par la **rotonde** et sa coupole décorée. Au rez-de-chaussée, jetez un œil aux vitrines des 58 *counties* qui constituent la Californie, pour vous faire une idée de la région et découvrir leurs spécialités et leurs spécificités. Depuis le palier du 2e étage, notez la vue sur la perspective du *Mall*, en direction de la rivière. Un **musée** (℘ (916) 324 0333 - *gratuit*) retrace l'histoire de la construction et du gouvernement de l'État. À l'extérieur, les jardins s'étendent sur 10 ha, plantés d'arbres très variés.

En quittant le Capitole par le *Mall*, vous rejoignez une petite place circulaire encadrée par deux bâtiments néoclassiques ressemblant à des temples antiques (1926) : celui de gauche abrite la bibliothèque de l'État, celui de droite l'administration de la poste.

★ The California Museum

1020 O St., empruntez ensuite 10th St. direction P St. - ℘ (916) 653 7524 - www. californiamuseum.org - mar.-sam. 10h-17h (12h dim.) - 9 $ (6-17 ans 6,5 $).

Au-delà des femmes remarquables de l'état, ce musée est dédié aux différents groupes culturels et ethniques qui composent la Californie, et aux personnalités qui ont contribué à son succès.

Dès l'entrée, le Hall of Fame rend hommage à certains d'entre eux et expose ensuite les objets de leur univers respectif.

★ **Crocker Art Museum**

Comptez 1h. 216 O St., au sud d'Old Sacramento - ☎ (916) 808 7000 - www.crocker artmuseum.org - mar.-dim. 10h-17h (21h jeu.), ouv. certains lun. pdt vac. scol. - 10 $ (7-17 ans 5 $).

Créé en 1872, il fut le premier musée public d'art de l'Ouest américain. Aménagé dans une belle **demeure italianisante**, il rassemble une collection de tableaux allemands et américains du 19e s., flamands et hollandais du 16e et 17e s., italiens du 17e s. ; on peut aussi y admirer des dessins d'artistes européens, des objets d'art d'Afrique et d'Océanie, des céramiques dont une belle collection asiatique (Chine, Japon, Corée, Inde). L'art contemporain californien est également bien représenté.

Continuez sur O St. vers la rivière. Dans Front St., tournez à gauche. Le California Automobile Museum sera indiqué sur la droite, peu avant l'I 80.

★ **California Automobile Museum**

Comptez 1h. 2200 Front St., à un peu plus de 1 mile au sud d'Old Sacramento, ☎ (916) 442 6802 - www.calautomuseum.org - tlj 10h-17h (20h le 3e jeu. du mois), fermé Pâques, 1er janv., Thanksgiving, 25 déc. - 9 $. - 🅿.

Les amoureux de voitures américaines ne manqueront pas ce musée et ses expositions tournantes de modèles rares.

À voir aussi

Sutter's Fort State Historic Park

Comptez 1 à 2h. Quittez le centre par Capitol Ave. vers l'est. Tournez à gauche dans 28th St., puis encore à gauche dans L St.

2701 L St. - ☎ (916) 445 4422 - www.suttersfort.org - tlj 10h-17h - 5 $ (6-17 ans 3 $).

Cette forteresse est celle que construisit John Sutter en 1839. Autour d'une vaste cour centrale, les bâtiments en adobe regroupent les logements et les ateliers des premiers colons, mais seuls les quartiers de Sutter sont d'époque. Deux fois par semaine hors saison, et tous les jours en été, des figurants en costume d'époque, parents et enfants, font revivre le vieux fort. On les voit fabriquer des bougies, des paniers, apprendre à tisser ou à faire du pain.

★ **State Indian Museum**

Comptez de 30mn à 1h. 2618 K St. - ☎ (916) 324 0971 - www.parks.ca.gov - tlj 10h-17h - 5 $ (6-17 ans 3 $).

Tout près du parc historique, il présente des objets quotidiens et sacrés, ainsi que des costumes appartenant aux Indiens des environs. Une partie est consacrée aux conséquences dramatiques, pour la culture indienne, de la ruée vers l'or.

😊 NOS ADRESSES À SACRAMENTO

TRANSPORTS

En bus – Le bus (ligne 30) passe par la vieille ville, le Capitole et Sutter's Fort. *Ttes les 15mn en sem., ttes les 20 à 30mn soir et w.-end (2,50 $; prévoir la monnaie), renseignements www.sacrt.com.*

HÉBERGEMENT

😊 **Bon à savoir** – Large choix de motels bon marché aux abords de la ville, le long de l'I-80 ou de l'I-5.

PREMIER PRIX

Vagabond Inn – *909 3ʳᵈ St. - 90245 El Segundo -* 📞 *(916) 446 1481 - www.vagabondinn.com -* 🖵 ✖ 🅿 🛇 ♿ *- wifi - 103 ch. 95/160 $* ☕. Un hôtel de chaîne confortable, bon marché et bien situé. Bon petit-déj.

BUDGET MOYEN

Delta King Hotel – *1000 Front St. -* 📞 *(916) 444 5464 - deltaking.com -* 🖵 ✖ 🅿 *22 $/nuit -* ♿ *- wifi - 44 ch. 141/219 $* ☕. Romantique bateau à aubes, doté de petites cabines joliment décorées. Surcroît de charme : on entend siffler le train qui passe sur le pont un peu plus loin… Forfaits intéressants. L'élégant **Pilothouse Restaurant** sert des plats autour de 20 $.

RESTAURATION

PREMIER PRIX

Fanny Ann's Saloon – *1023 2ⁿᵈ St. -* 📞 *(916) 441 0505 - www.fannyannsaloon.com - 11h30-2h -* ♿ *- wifi - plats 7/13 $.* Un vrai saloon du Far West, avec son comptoir en bois, ses vieux objets pendus au plafond et ses néons. Cuisine américaine simple et copieuse (burgers, plats de poulet, salades, sandwichs).

BUDGET MOYEN

Ten 22 – *1022 2ⁿᵈ St -* 📞 *(916) 441 2211 - ten22oldsac. com - 11h30-22h, dim.-mar. 11h30-21h -* ♿ *- wifi - formule midi 25 $ (enf. -12 ans 7 $) - à la carte 28/50 $ - soir à la carte 33/55 $.* Au cœur de Old Sacramento, un endroit cosy où l'on mange des plats à la fois simples et sophistiqués (filet de saumon, canard rôti…) sur fond de musique pop.

Joe's Crab Shack – *1210 Front St. -* 📞 *(916) 553 4249 - www. joescrabshack.com - 11h-0h, w.-end 10h-0h -* 🅿 *payant -* ♿ *- wifi - plats 11/35 $.* c'est le slogan de ce restaurant de chaîne où le crabe est roi. Musique à tue-tête, ambiance animée et ribambelle d'objets pendus au plafond dans cet endroit haut en couleurs situé sur la rivière.

UNE FOLIE

The Firehouse – *1112 2ⁿᵈ St. -* 📞 *(916) 442 4772 - www. firehouseoldsac.com - 11h30-21h30, vend. 11h30-22h, sam. 17h-22h, dim. 17h-21h30 -* 🅿 *payant -* ♿ *- wifi - à partir de 50 $.* La meilleure adresse d'Old Sacramento. Un restaurant chic avec une impressionnante carte des vins.

ACHATS

Sacramento Sweets Co. – *1035 Front St. - dans la vieille ville -* 📞 *(916) 446 0590 - www.sacsweets. com - 10h-21h, vend.-sam. 10h-22h - fermé Thanksgiving et Noël -* ♿. Cet incroyable magasin de douceurs régale les gourmands en glaces, confiseries variées, chocolats, etc.

Lake Tahoe

Eaux transparentes, gros rochers ronds et doux, plages bordées de conifères aux allures de Grand Nord : le lac Tahoe offre une enclave inattendue au cœur de la Sierra Nevada. De fait, les riches citadins en ont fait leur destination favorite pour sa fraîcheur estivale et ses stations de sports d'hiver. Vous abonderez certainement dans leur sens après avoir parcouru la route panoramique qui l'encercle : elle déroule une succession de sites et de paysages tout simplement enchanteurs.

NOS ADRESSES PAGE 128
Hébergement, restauration, achats, activités, etc.

S'INFORMER

Informations touristiques - South Lake Tahoe Chamber of Commerce – *3066 Lake Tahoe Blvd - (530) 541 5255 - www.tahoesouth. com*. Demandez les plans des randonnées autour du lac. Plans plus précis fournis à l'entrée des parcs.

SE REPÉRER

Carte de région A1 *(p. 116)* – carte Michelin Western USA 585 B 8. Le site, qui culmine à 1 868 m d'altitude et subit donc un climat de montagne, se trouve à 104 miles (166 km) à l'est de Sacramento. Si vous empruntez

la Hwy 50, vous arrivez par le sud et la ville de South Lake Tahoe. L'I-80 donne, elle, accès au nord du lac, c'est-à-dire à Tahoe City.

À NE PAS MANQUER

Pique-niquer et se baigner à Sand Harbor ; la vue depuis Inspiration View Point à Emerald Bay.

ORGANISER SON TEMPS

En hiver, tenez compte de la météo. Les chaînes sont souvent nécessaires pour circuler et la Hwy 89 est parfois fermée le long du lac. Renseignez-vous *(voir « Nos adresses »)*.

Circuit conseillé

Circuit de 72 miles pour le tour du lac. Comptez de 1 à 2 jours si vous faites des randonnées. Partez de South Lake Tahoe, sur la rive sud.

South Lake Tahoe

Située à la frontière de la Californie et du Nevada, cette ville sans charme entourée de quartiers résidentiels occupe la rive sud du lac, où se concentrent les hôtels et commerces. Vous serez sans doute surpris du nombre de *wedding chapels*, toutes très kitsch, que compte South Lake Tahoe, mais il faut savoir que les Américains considèrent qu'il est très romantique de se marier au bord du lac avant de passer une lune de miel dans un chalet des alentours… Côté Nevada, État qui a légalisé les jeux, l'agglomération s'appelle Stateline et aligne des casinos-hôtels regroupant salles de jeux, boîtes de nuit et salles de spectacle.

Tahoe Keys

À quelques miles de South Lake Tahoe, près de la marina, un quartier résidentiel construit autour de canaux menant au lac. De riches Californiens y amarrent leurs bateaux devant de coquettes résidences.

2

Heavenly Ski Resort

Juste au sud de South Lake Tahoe, station de sports d'hiver très populaire qui, pour certains, aura l'avantage de se trouver à côté des casinos de Stateline. Les téléphériques **Heavenly Aerial Tramway**★ et **Heavenly Gondola**★ *(www.skiheavenly.com - de mi-juin à déb. sept., tlj 9h-17h; sept., vend.-dim. 10h-16h - 46 $)* donnent accès au Monument Peak (3 098 m), d'où l'on jouit d'un très beau panorama sur le lac. Au sommet, les randonneurs suivront le **Tahoe Vista Trail**★ *(3,5 km AR)* pour profiter d'autres très belles vues.

De South Lake Tahoe, empruntez la Hwy 89 qui longe la rive ouest du lac vers le nord, jusqu'à Emerald Bay (8 miles).

★★ Emerald Bay State Park

℘ *(530) 541 3030 - 10 $/pers., camping 35 $.*

Ce parc encadre **Emerald Bay**★★, une baie profonde et presque fermée qui doit son nom à la couleur de ses eaux. C'est l'un des sites les plus célèbres du lac. De nombreux films l'ont choisi pour décor *(Bodyguard, Le Parrain 2)*. Avant d'y accéder, la route longe le petit **lac Cascade**, puis atteint **Inspiration View Point**★, qui offre un point de vue magnifique. Passé les **Eagle Falls** qui se déversent en contrebas, la route mène ensuite aux abords de Vikingsholm.

Vikingsholm

Accès par un sentier pédestre de 1,6 km. Visite guidée uniquement tlj juin-sept. 10h30-15h30 : 10 $.

Un surprenant château aux allures scandinaves, construit dans les années 1920 par une riche Américaine. Les 48 pièces du manoir abritent une collection d'objets traditionnels et d'antiquités. Au milieu de la baie, sur le petit **îlot Fannette**, une maison de thé était réservée aux après-midi d'été.

Poursuivez le long de la Hwy 89.

★ D.L. Bliss State Park

℘ *(530) 525 7277 - du lever au coucher du soleil - 10 $/véhicule, camping 35 $ (fermé en hiver).*

Ce parc attire surtout les amoureux de la nature pour sa jolie plage de sable et ses sentiers de randonnée, comme le **Rubicon Trail**★ *(facile, 7,2 km)*, qui serpente à flanc de montagne au-dessus du lac, passe en surplomb d'Emerald Bay et aboutit aux Eagle Falls, dans l'Emerald Bay State Park.

LE TOUR DU LAC

Le lac Tahoe occupe un vaste bassin créé par une faille puis érodé par les glaciers, ce qui explique sa profondeur : plus de 500 m (le deuxième des États-Unis). Il s'étire sur 35 km de long et 19 km de large, à cheval entre la Californie et le Nevada. Si ses rives ouest, nord et est sont encore sauvages, la rive sud est celle des casinos, concentrés aux frontières Californie-Nevada, côté Nevada. L'État légalisa en effet les casinos dès 1931. À l'époque, la clientèle locale se composait des descendants des chercheurs d'argent, qui succédèrent aux Indiens à partir de 1844. Contrairement aux Washoes qui occupaient la région seulement l'été, les Américains s'y installèrent de manière définitive pour exploiter l'argent et les forêts (le bois servait à construire les maisons et à soutenir les galeries de mines). Aujourd'hui, le lac Tahoe vit certes du jeu, mais surtout du tourisme, notamment l'hiver depuis que les Jeux olympiques, organisés en 1960 dans la Squaw Valley toute proche, dopèrent le secteur des sports d'hiver.

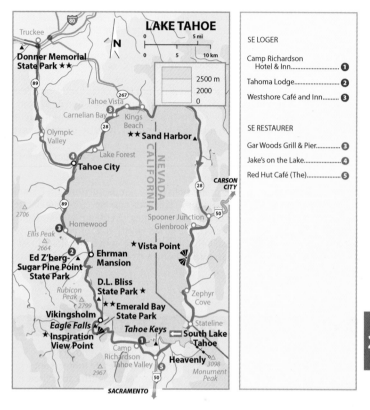

SE LOGER

Camp Richardson
Hotel & Inn...................... ❶

Tahoma Lodge............................ ❷

Westshore Café and Inn.......... ❸

SE RESTAURER

Gar Woods Grill & Pier.............. ❸

Jake's on the Lake...................... ❹

Red Hut Café (The)..................... ❺

★ Ed Z'berg - Sugar Pine Point State Park

℘ (530) 525 7982 - du lever au coucher du soleil - 10 $/pers. - 🅿 *10 $.*
Cet autre joli parc de la rive ouest s'étire autour d'un promontoire dominant le
lac et se prête à de magnifiques randonnées. Il fut occupé dès la fin du 19e s.
par un riche colon, puis c'est un San-Franciscain qui décida d'y faire construire
sa résidence d'été, baptisée **Ehrman Mansion**, un bel exemple de « chalet
de vacances » pour richissime citadin *(visite guidée ttes les h de 10h30 à 15h30
de juil. à Labor Day - 10 $).*
Suivez la Hwy 89 jusqu'à Tahoe City (10 miles).

Tahoe City

🛈 *100 N. Lake Blvd - ℘ (530) 581-6900 - www.gotahoenorth.com - tlj 9h-17h.*
Plus modeste que South Lake Tahoe, mais beaucoup plus chic, ce village
est surtout l'un des plus anciens des environs. On peut d'ailleurs y visiter la
Watson Cabin *(N. Lake Blvd, 800 m à l'est du Visitor's Bureau, ℘ (530) 583 1762.
De Memorial Day à Labor Day : jeu.-dim. 12h-16h ; reste de l'année : w.-end seult -
gratuit, contribution souhaitable),* une cabane en rondins de 1909 abritant un
petit musée consacré à l'histoire locale.
Dans le même esprit, la **Gatekeeper's Log Cabin** *(sur la Hwy 89, au sud du
village - vend.-sam. 11h-17h - 5 $)* rassemble quelques souvenirs des Indiens
et des premiers colons.

Suivez la Hwy 89 en direction de Truckee, puis prenez l'I-80 vers l'ouest pour rejoindre le Donner Memorial State Park (17 miles de Tahoe City au total).

★★ Donner Memorial State Park

℘ (530) 582 7892 - du lever au coucher du soleil - 8 $/véhicule, camping 35 $ (fermé en hiver).

Les passionnés de conquête de l'Ouest pourront faire cette excursion. C'est dans ce campement mythique des immigrants qu'une expédition de 87 pionniers se trouva coincée par l'hiver en 1846. Quarante d'entre eux moururent et les survivants durent manger les morts pour survivre. Un **musée**★★ est consacré à cette épopée *(tlj 10h-17h. Gratuit).*

Empruntez la Hwy 28 pour rejoindre Sand Harbor, sur la rive est du lac (20 miles).

★★ Sand Harbor

Ce sont les énormes blocs de granit polis par le temps qui donnent à Sand Harbor tout son caractère. Le paysage est plein de charme, curieux mélange de Grand Nord et de criques corses ou bretonnes. On peut pique-niquer le long du rivage et nager dans l'eau claire (le lac est ici peu profond), car l'anse est abritée. La route se poursuit ensuite le long de la rive orientale du lac, vers le sud et Stateline. Elle passe **Vista Point**★ d'où l'on embrasse la vue sur la rive ouest.

Revenez à South Lake Tahoe.

😊 NOS ADRESSES AU LAKE TAHOE

TRANSPORTS

Autour du lac et de South Lake Tahoe, plusieurs services locaux assurent les déplacements. Enfin, les casinos disposent tous de navettes gratuites les reliant aux différents motels et hôtels.

INFORMATIONS UTILES

😊 **Bon à savoir** – En été, malgré la chaleur, les nuits restent fraîches. En hiver, interrogez la météo pour ne pas être coincé par une tempête de neige. Vérifiez si vous avez le droit de mettre des chaînes à votre voiture de location, car c'est rarement le cas. **L'état des routes** – **South Lake Tahoe**, ℘ (530) 542 4636 ; **North Lake Tahoe**, ℘ (530) 546 5253.

HÉBERGEMENT

😊 **Bon à savoir** – Les prix varient considérablement selon la saison et augmentent sensiblement en été et les week-ends. Les grandes chaînes de motels sont représentées à South Lake Tahoe. Les parcs proposent quelques emplacements de camping, mais ils sont souvent complets.

South Lake Tahoe

BUDGET MOYEN

Camp Richardson Hotel & Inn – *Hwy 89 - le long de la rive ouest du lac, à 3 miles de la Hwy 50 -* ℘ *1-800 544 1801 - www. camprichardson.com -* ✕ 🅿 ♿ *- wifi - 28 ch. et 40 chalets (certains ouv. seul. l'été).* Un complexe de vacances, comprenant une marina, un petit hôtel rustique près de la route *(145/180 $)* et une auberge plus moderne au bord de l'eau *(155/220 $),* des chalets à louer à la semaine *(à partir de 355 $/2 pers.),* et même des tentes toutes montées. Camping et zone pour les camping-cars. Boutiques, restaurants, dont **The Beacon Barand Grill**, avec une jolie salle au bord du lac où l'on sert des plats très frais *(10/100 $)*.

Tahoma

BUDGET MOYEN

Tahoma Lodge – *7018 W. Lake Bvd - ☏ 1-866 819 2226 - www.tahomalodge.com -* 🅿 *- wifi - 9 cottages sur la rive ouest du lac 120/210 $.* Jolis cottages dans l'un des coins les plus tranquilles du lac, à un mile au nord de Sugar Pine Point State Park et un mile au sud des pistes de Homewood *(navettes gratuites)*.

Homewood

UNE FOLIE

Westshore Café and Inn – *5160 W. Lake Blvd - ☏ (530) 525 5200 - www.westshorecafe.com -* ✗ *(fermé avr.-mai) -* 🅿 ♿ *- wifi - 4 suites, 1 ch. et 2 villas 350/2700 $.* Très bel endroit au pied des pistes du Homewood Resort (même propriétaire) récemment rouvert. Restaurant très cosy aux tarifs *family friendly (plats 14-38 $)* et suites *so chic* (mais chères) avec bel écran plat, cheminées et vue imprenable sur le lac. Un rêve !

RESTAURATION

South Lake Tahoe

PREMIER PRIX

The Red Hut Café – *2723 Lake Tahoe Blvd - ☏ (530) 541 9024 - www.redhutcafe.com - 6h-2h -* 🅿. Un endroit idéal pour le *breakfast (8/13 $)* avant de faire le tour du lac. Depuis 1959, cet endroit a la réputation de servir les meilleurs *pancakes* et gaufres de la région.

Tahoe City

BUDGET MOYEN

Jake's on The Lake – *780 N. Lake Blvd - ☏ (530) 583 0188 - www.jakestahoe.com - 6h30-21h, w.-end* *11h30-21h- fermé 2 sem. en avr. -* 🅿 ♿ *- wifi - à la carte 35/65 $.* Ce restaurant propose depuis plus de 30 ans viandes et poissons dans une ambiance conviviale. Vue imprenable sur le lac et la marina de Tahoe City.

Carnelian Bay

POUR SE FAIRE PLAISIR

Gar Woods Grill & Pier – *5000 N. Lake Blvd - ☏ (530) 546 3366 - www.garwoods.com - 11h30-21h30, vend.-sam. 11h30-22h - wifi - ♿ - carte 13/48 $.* Une grande terrasse surplombant le lac ; viandes et poissons grillés le soir *(35-45 $)*, carte plus simple le midi (salades, sandwichs, 20-25 $). Accès en bateau et amarrage possibles.

ACTIVITÉS

Randonnée – Les parcs d'État *(State Parks)* qui entourent le lac offrent d'agréables sentiers de découverte bien balisés.

Le Squaw Valley Hiking Center – *96146 Olympic Valley - à Squaw Valley, High Camp - ☏ 1-800 403 0206 - www.squaw.com* fournit des listes de randonnées, avec ou sans guide, de niveau moyen (déconseillé aux enfants).

Location de bateaux – **Tahoe Sports** – *Tahoe Keys Marina - ☏ (530) 544 8888 - www.tahoesports.com - tte l'année - à partir de 149 $/h pour un bateau 7 pers.* Kayaks, ski nautique, jet ski.

Kayak et stand up paddle board - Kayak Tahoe – *Timber Cove Marina - ☏ (530) 544 2011 - www.kayaktahoe.com -* 🅿. Leçons ou locations de matériel *(65 $/j pour le kayak ou la planche, équipement inclus)*.

Ski – Location de matériel à South Lake Tahoe et Squaw Valley. La plupart des hôtels proposent des forfaits tout compris.

2

Yosemite National Park

Créé en 1890, ce parc protège 3 000 km² d'espace sauvage au cœur de la Sierra Nevada. Sommets acérés culminant à près de 4 000 m, dômes de granit dénudés, falaises et chutes d'eau vertigineuses, futaies de séquoias géants, la nature exprime ici toute sa démesure. Si la vallée de Yosemite demeure le point de mire du parc, la route de Tuolumne Meadows offre des panoramas d'altitude qui donnent un avant-goût des terres sauvages dans lesquelles s'aventurent les randonneurs épris de silence et de solitude. Avec plus de 800 miles de sentiers, le parc est un véritable paradis pour le marcheur.

NOS ADRESSES PAGE 136
Hébergement, restauration, achats, activités, etc.

S'INFORMER
Visitor Center – *Yosemite Village - tlj du lever au coucher du soleil (approximativement).* Renseignez-vous auprès des rangers pour les randonnées à la journée et les marches à thème qu'ils organisent. *www.nps.gov/yose* - Le **Wilderness Center** *(mai-oct. : 8h-17h),* voisin du *Visitor Center,* délivre les permis de camper en pleine nature, obligatoires et gratuits (nombre limité par jour). Entrée parc : *30 $/ véhicule (25 $ nov.-mars), valable 7 jours. Le National Pass est accepté.*

SE REPÉRER
Carte de région AB1 *(p. 116) – carte Michelin Western USA 585 B 8.* Le parc se trouve à 214 miles (342 km) au sud-est de San Francisco par l'I-580 East, puis la Hwy 120 après Manteca.

Elle mène à Big Oak Flat, l'entrée nord du parc. Les trois autres sont à l'ouest : Arch Rock, via la Hwy 140, South Entrance, par la Hwy 41 depuis Fresno (105 miles, 166 km) et à l'est, la Tioga Pass via la Hwy 120 (fermée de nov. à mai-juin). *Renseignez-vous aux périodes charnières : ℘ (209) 372-0200).*

À NE PAS MANQUER
Glacier Point au coucher du soleil ; les sommets de la High Sierra.

ORGANISER SON TEMPS
Évitez la foule en commençant tôt votre journée d'exploration et n'oubliez pas que le parc s'étage de 610 à 3 963 m d'altitude, donc modulez votre programme en fonction de l'altitude. Pensez à prendre de quoi vous couvrir : il fait plus frais en haut !

Découvrir

★★★ LA VALLÉE DE YOSEMITE

Comptez 2 jours avec les randonnées. Tous les services sont regroupés à Yosemite Village, à l'extrémité de la route à sens unique qui dessine une boucle de part et d'autre de la rivière Merced. Droit d'entrée 30 $/véhicule (25 $ nov.-mars). De mai à nov., possibilité d'accéder au parc par l'est, au niveau de la Tioga Pass (3 030 m).

Bon à savoir – Arch Rock, sur la Hwy 140 en venant de Merced, offre le chemin le plus direct pour la vallée qui s'étend sur plus de 10 km de long.

★★★ Tunnel View

Avant de vous engager dans la vallée, obliquez à droite à la première intersection que vous rencontrez après l'entrée d'Arch Rock, et prenez à droite la route pour Glacier Point et Wawona. Le point de vue est situé à 1 mile, juste avant l'entrée du tunnel. Le point de vue de Tunnel View embrasse toute la vallée de Yosemite, dont l'ampleur contraste avec la vallée encaissée que longe la Hwy 140 pour accéder au parc. Ici, les glaciers ont creusé les falaises et considérablement élargi le canyon amorcé par la rivière Merced qui serpente en contrebas, masquée par l'épais tapis vert qui recouvre le fond de la vallée.

Sur la droite, l'impétueuse et intarissable chute d'eau des **Bridalveil Falls★★** *(Le Voile de la mariée)* s'élance d'une falaise de 189 m de haut. De l'autre côté de la route, la silhouette d'**El Capitan★★** (2 307 m) impressionne davantage. Seuls les grimpeurs chevronnés se mesurent à cette falaise, remarquable par son absence de fractures, qui compte parmi les plus grands monolithes de granit du monde.

Dans le lointain se détache également le profil si particulier du **Half Dome★★** (2 693 m), un monolithe gigantesque, comme coupé en son milieu, et dont la tranche est striée d'une bande noire.

Faites demi-tour et engagez-vous sur la route à sens unique qui mène dans la vallée (pas la 1ʳᵉ route à gauche, qui vous ferait revenir en arrière). Divers parkings permettent de s'arrêter pour contempler les formations rocheuses. Après quelques miles, un pont bifurque sur la gauche, ralliant directement Yosemite Village.

★★ Swinging Bridge

Un joli petit pont qui enjambe la rivière Merced, au milieu des montagnes, et mène à une promenade à travers Sentinel Meadow & Cook's Meadow Loop

2

À L'ORIGINE DES PARCS NATIONAUX

La **vallée de Yosemite** inspira l'idée de « parc national » et elle fut la première à en bénéficier puisqu'en 1864, elle faisait l'objet d'un décret gouvernemental visant à la préservation d'espaces sauvages pour l'agrément de tous. Ici, le décret protégeait des paysages grandioses, fruits d'un long travail d'érosion.

Avant l'ère glaciaire, seule la puissante rivière Merced était parvenue à tailler un canyon digne de ce nom au cœur des monts de la Sierra Nevada, vieux de 5 à 10 millions d'années. Il y a 3 millions d'années, le refroidissement de la planète donna naissance à des glaciers qui s'engouffrèrent dans ce canyon et sculptèrent progressivement de nombreuses vallées en U. L'une d'entre elles, la vallée de Yosemite, joyau du parc, est nichée au pied de falaises de granit de plus de 2 000 m de haut.

Après la fonte du dernier glacier, il y a 10 000 ans, un lac s'installa dans la dépression. Il était délimité à l'ouest par les talus qui bordent les flancs d'El Capitan et des Bridalveil Falls, formés par les moraines terminales du glacier. Il s'est peu à peu rempli de sédiments et de débris charriés par les cours d'eau des montagnes, puis a fini par s'assécher, offrant un sol riche et propice à la végétation.

De là naquit la jolie forêt de chênes et de conifères qui couvre la vallée et favorisa l'occupation humaine.

Le **musée** *(tlj 9h-17h)* et le village indien reconstitué derrière le *Visitor Center* sont dédiés à la civilisation des Miwoks et des Paiutes, qui habitaient la vallée à l'origine.

YOSEMITE NP

(facile, 3,6 km AR, 2h). Très jolies vues sur les chutes et le Half Dome. Un site enchanteur en même temps qu'un havre de paix.

★★★ Yosemite Falls

Le sentier qui mène au pied des chutes d'eau (facile, 30mn AR) débute non loin du Yosemite Lodge at the Falls, à l'ouest de Yosemite Village. Vous pouvez vous y rendre à pied depuis le Visitor Center *ou emprunter le* shuttle.

🥾 Un sentier de randonnée, le **Yosemite Falls Trail**, longe les cascades *(difficile, 11,6 km AR, comptez 6-8h).* Il part de la Northside Drive, peu après le Yosemite Lodge, où vous pouvez laisser votre véhicule *(le parking le plus proche du départ est réservé aux campeurs du Sunnyside Campground).*

Serties dans un écrin de velours vert, trois cascades se succèdent pour former les Yosemite Falls (740 m), la plus haute chute d'eau des États-Unis et la cinquième au palmarès mondial. Alimentée par les eaux de pluie et la fonte des neiges, elle atteint son plus fort débit à l'approche de l'été. Au bout du chemin apparaissent les écumes bouillonnantes de l'**Upper Fall** qui se jette du haut de la falaise, et le filet plus sage de la **Lower Fall** coulant un peu plus bas.

★★ Randonnées à l'est de la vallée

Pour rejoindre l'est de la vallée, où se trouve le Nature Center à Happy Isles, un centre d'activités dédié aux enfants, proposant diaporamas et expositions interactives (juin-oct. : 10h-16h, fermé à l'heure du déjeuner), vous devez laisser votre véhicule au parking et prendre le shuttle *(arrêt n°16), ou emprunter à pied le chemin qui longe la route.*

🥾 Diverses randonnées permettent de découvrir Tenaya Canyon et la vallée de la Merced River, de part et d'autre du Half Dome.

★★ **Mist Trail** – L'une des plus prisées. Elle part de Happy Isles et mène à la **Vernal Fall**, où la Merced River plonge de plus de 97 m *(difficile, 4,8 km AR, comptez 3h. Vous pouvez aussi redescendre par le John Muir Trail en obliquant à droite).* Le sentier se poursuit jusqu'au sommet de la **Nevada Fall** *(difficile, 11 km AR, comptez 6h de Happy Isles),* encore plus spectaculaire du haut de ses 182 m. De là, vous pouvez aussi redescendre vers Happy Isles par le **John Muir Trail** *(possibilité de rejoindre le Panorama Trail qui mène jusqu'à Glacier Point, voir ci-après)* ou continuer jusqu'au sommet du **Half Dome★★** qui domine la vallée et les pics environnants du haut de ses 2 693 m *(très difficile et déconseillé aux personnes sujettes au vertige, il faut grimper à des échelles à même la paroi. Permis obligatoire. Comptez 12h AR à partir de Happy Isles, environ 25 km AR ; prévoyez de camper en route).*

UN PIONNIER DE L'ÉCOLOGIE

Le nom de **John Muir** est très intimement lié aux parcs nationaux américains, particulièrement celui de Yosemite. Né en Écosse en 1838, John Muir grandit dans le Wisconsin avant de partir voyager. À la suite d'un accident de travail, il perd la vue pendant un mois et se promet de dédier sa vie à la nature. Arrivé en Californie en 1868, il tombe en admiration devant les richesses naturelles de la Sierra Nevada et émet le premier l'hypothèse de l'origine glaciaire de Yosemite. Grâce à ses nombreux écrits, il participe activement aux mouvements visant à protéger les espaces sauvages. L'un de ses livres, *Nos parcs nationaux,* attire l'attention du président Theodore Roosevelt, qui lui rend visite à Yosemite en 1903. John Muir s'éteint en 1914. Deux ans plus tard, le Congrès vote la création de l'Organisme des parcs nationaux, le NPS *(National Park Service).*

D'agréables chemins invitent par ailleurs à randonner dans la prairie qui borde la rivière Tenaya et le **lac Mirror★★** *(facile ; 3,2 km AR, 2h ; dép. de la station « Mirror Lake » du shuttle jusqu'en oct., sinon rejoindre le sentier depuis le parking du Curry Village)*. Aux abords du lac, les parois des falaises se rapprochent et vous pénétrez dans Tenaya Canyon, que surplombe le Half Dome. L'imposante falaise de ce monolithe se reflète dans le lac, sauf à la fin de l'été où celui-ci est généralement asséché.

Revenez sur la route. À l'entrée de la vallée, empruntez la route pour Wawona et prenez à gauche au niveau de Chinquapin. Comptez 75mn. Attention, cet accès est fermé de nov. à mai.

★★★ Glacier Point

🐾 *En plus de la voiture, deux sentiers de randonnée mènent aussi au point de vue : le* **Four Mile Trail** *(difficile, 7,5 km, 6h AR) qui débute au parking du même nom sur la Southside Drive, et le* **Panorama Trail** *(moins abrupt, 27 km, 10h AR) qui part de Happy Isles et suit une partie du Mist Trail (voir page précédente). Les marcheurs expérimentés peuvent emprunter un chemin à l'aller et l'autre au retour ; comptez alors une bonne journée. En réservant vos billets suffisamment à l'avance au Yosemite Lodge, vous pouvez redescendre dans la vallée en bus ou, inversement, monter à Glacier Point en bus et randonner vers la vallée.*

À proximité du parking et de la boutique *(souvenirs, snacks, 9h-19h)*, un premier point de vue permet d'apercevoir les deux chutes de la Merced River : **Nevada Fall** et **Vernal Fall**. Un sentier mène à Glacier Point proprement dit, qui offre un panorama exceptionnel sur la vallée, très prisé au coucher du soleil. À la tombée de la nuit, la vallée sombre dans le noir tandis que les sommets se parent de tons rouge rosé. Point de mire de ce ballet chatoyant, le **Half Dome** s'impose avec majesté. Deux agréables randonnées *(2h chacune, 3h combinées)* : celle de Sentinel Dome offre une belle vue sur Half Dome et la vallée, celle de Taft Point mène à des falaises, les Fissures, avec vue sur El Capitan et les chutes d'eau.

★★★ LA HIGH SIERRA

▶ *Comptez une journée. Tioga Rd, qui débute à quelques miles au sud de l'entrée de Big Oak Flat, traverse le parc d'ouest en est (environ 45 km) via Tuolumne Meadows. Depuis la vallée, vous la rejoignez en suivant la direction de Crane Flat. Attention, la route n'est ouverte que de mai à oct.*

★★ La route des crêtes

Les paysages qui se déroulent le long de Tioga Road impressionnent par leur dénuement et leur immensité. À l'extrémité ouest de Tioga Road, **Tuolumne Grove**, auquel on accède par un petit sentier *(4 km AR, 1h30-2h30 AR)*, offre une halte agréable au milieu d'une futaie de séquoias géants. Puis les forêts cèdent la place aux falaises et aux dômes de granit qui se détachent dans le ciel bleu. Ces derniers comptent parmi les plus anciens du parc (environ 200 millions d'années) et subissent l'action de l'érosion depuis les mouvements tectoniques qui ont donné naissance à la Sierra Nevada il y a 15 à 25 millions d'années *(voir p. 558)*. Par endroits, le granit se présente en strates parallèles, séparées par des fissures qui apparaissent lorsque les couches supérieures érodées libèrent la pression exercée sur les couches inférieures. Dans ce paysage dénudé par les glaciers, les conifères s'accrochent aux fractures ou dépressions et semblent ainsi sortir de la pierre.

À **Olmsted Point★★★**, la vue panoramique sur Tenaya Canyon offre un exemple saisissant de l'action d'un glacier sur la vallée environnante.

Yosemite National Park, le lac Tenaya le long de la route du col Tioga.
Ch. Heeb/Hemis.fr

★★★ Tuolumne Meadows

Comptez 1h pour accéder à cette magnifique prairie d'altitude par la route des crêtes. Le Visitor Center *est le premier bâtiment sur la droite. Le camping et la cafétéria sont situés en aval de la route.*

Peu après avoir longé le lac Tenaya, vous parvenez à la plus grande prairie subalpine de la Sierra Nevada, vaste étendue d'herbe dorée parsemée de conifères, au milieu de laquelle la Tuolumne River coule paisiblement. Pendant la courte saison d'été, des buissons aux fleurs d'un rouge prononcé font leur apparition. Parmi tous les animaux peuplant le parc, les cerfs et les marmottes sont les moins farouches, à l'inverse des *bighorns* (mouflons), des pumas et des coyotes. De nombreux chemins de randonnée parcourent la région *(rens. au* Visitor Center*)*. Le paysage est dominé par le **Lembert Dome★** (2 880 m), du sommet duquel on jouit d'une vue imprenable sur la prairie *(4,5 km AR, 2-3h AR ; dép. du parking situé après le pont, sur la gauche)*.

La route se poursuit vers l'est jusqu'à la Tioga Pass, puis rejoint Lee Vining et la Rte 395 qui mène à la Death Valley *(à 200 miles au sud, voir p. 151)*.

★ WAWONA

🕐 *Comptez 2h. Au sud du parc, à 1h de route de la vallée. Petit* Visitor Center *(8h30-16h, fermé en hiver), un magasin et une station-service.*

Wawona Village

Wawona est dédié à l'histoire humaine de Yosemite, bien qu'il soit fait peu de cas des Indiens, qui habitaient dans le parc depuis au moins 4 000 ans. En arrivant, vous remarquez d'abord le magnifique **Wawona Hotel**, au milieu de son impeccable pelouse. Construit en 1879, cet établissement de luxe, bien restauré, a gardé tout son charme.

★ Pioneer Yosemite History Center – *À gauche de l'hôtel, derrière le bâtiment abritant le* Visitor Center. Il s'étire de part et d'autre de la rivière. Outre une collection de carrioles et de wagons, ce musée en plein air expose différentes maisons, provenant pour la plupart de la vallée. L'édifice le plus impressionnant demeure le pont qui enjambe la rivière. Élevé en 1857, il est couvert d'un toit en bois, plus facile à reconstruire en cas de dommages.

★★ Mariposa Grove

Fermé pour un projet de restauration jusqu'à l'été 2017. En été, pour éviter les embouteillages, une navette gratuite relie le magasin de Wawona à la futaie de Mariposa Grove, 6 miles plus au sud. Vous pouvez également vous y rendre à pied en suivant le sentier qui débute à l'arrière de l'hôtel (1h30-2h aller ; possibilité de revenir en navette l'été). Un tramway « Big Trees Tram Tour » parcourt la futaie depuis le parking (℘ 209 372 4386 - dép. ttes les 30mn de 9h30 à 17h de mai à oct. ; comptez 2h. Tarif se rens.). Au départ du sentier, prenez la brochure en français comportant une traduction des panneaux qui jalonnent le parcours.
Mariposa Grove, la plus grande futaie de séquoias géants du parc, compte environ 500 spécimens. Le plus imposant, le **Grizzly Giant**, avoisine les 64 m de haut (âge estimé 2 700 ans). Véritables forces de la nature, ces arbres apparaissent toutefois étonnamment souples au toucher, et leur écorce rousse se révèle friable. Cette particularité a d'ailleurs empêché que l'on en fasse une exploitation intensive, leur bois étant trop fragile pour les constructions.
Sur le trajet, un petit **musée** rend hommage à l'un des premiers protecteurs des séquoias, Galen Clark, qui a découvert la futaie en 1857 et ne l'a jamais quittée : il avait édifié ici une petite cabane en 1861.

😊 NOS ADRESSES À YOSEMITE NATIONAL PARK

TRANSPORTS

Dans la vallée de Yosemite

À vélo – Yosemite Village (à peine 5 % de la superficie du parc national) est réservé aux piétons et aux cyclistes : un bon moyen de découvrir la vallée sans souffrir des embouteillages. 12 miles de pistes cyclables (voies asphaltées obligatoires). **Location de vélos** au **Yosemite Valley Lodge**, ℘ *(209) 372 1208*, et au **Half Dome Village**, ℘ *(209) 372 8319. 9h-18h, 34 $/j.*

En navette – Une navette gratuite, le *shuttle*, dessert l'ensemble du village et certains départs de randonnée, 21 arrêts, afin d'inciter les gens à laisser leur voiture au parking et de préserver l'environnement *(ttes les 10-20mn de 7h à 22h en été, se rens. auprès de la compagnie Yarts au (209) 388 9589 le reste de l'année ; consultez le* trajet dans le journal remis à l'entrée du parc). *L'été, trois navettes supplémentaires font le trajet de Wawoma à Mariposa Grove, de Wawoma à la vallée, et de l'entrée de Tioga pass à Olmsted point.*

Pour arriver au parc

En voiture – Voir « Se repérer », p. 130.

En avion – L'aéroport international le plus proche est à Fresno (105 miles soit 2h30 par l'entrée sud). Comptez 4h depuis l'aéroport de San Francisco.

En train – Chaque jour, les trains **Amtrak** 712 et 716 relient San Francisco et Merced, 82 miles à l'ouest de Yosemite. Même chose au départ de L.A. avec les trains 711 (durée 12h) et 715 (8h15).
À Merced, les bus **YARTS** (℘ *1-877 989 2787, www.yarts.com ; billets à acheter auprès du chauffeur)* assurent la connexion vers le parc et la région de Yosemite.

ADRESSES UTILES

État des routes – **À l'intérieur du parc**, ☎ *(209) 372 0200.*
Stations-service – 24h/24 à Crane Flat, Tuolomne Meadows *(juin-oct.)* et Wawona.
☺ **Bon à savoir** – La petite ville d'Oakdale, sur la Hwy 120, à environ 70 km de Yosemite, est le dernier endroit pour faire le plein d'essence bon marché.

HÉBERGEMENT

☺ **Bon à savoir** – La gestion des hébergements à l'intérieur du parc est centralisée. Pour visualiser les différents équipements et réserver, consultez les sites *www. yosemitepark.com,* et *www. nps.gov/yose* dans la partie *Fees & Reservations.* Vous pouvez aussi réserver au ☎ *(801) 559 4884.* Il est indispensable de s'y prendre des mois à l'avance, parfois même un an, pour un séjour estival.

Dans le parc

PREMIER PRIX

☺ **Bon à savoir** – Il y a 13 campings, dont certains ouverts à la réservation, ☎ *1-877 444 6777* ou *1-877 833 6777 (gratuit), www.recreation.gov.* Comptez 20 $/nuit. Généralement, tous les emplacements sont pris dans les 24h qui suivent l'ouverture des réservations, mais des annulations sont possibles.
À l'est de Yosemite Village – Trois campings se trouvent aux abords de la Merced River : **Upper Pines** (238 empl.), ouv. tte l'année, **Lower Pines** (60 empl.), ouv. avr.-oct. et **North Pines** (81 empl.), ouv. avr.-oct. env.
À l'ouest de Yosemite Village – Le **Camp 4** dispose de 35 empl. réservés aux tentes tte l'année.
Dans le reste du parc – Neuf autres campings, dont ceux de **Wawona** (93 empl.) et de **Hodgdon Meadow** (105 empl.), ouverts tte l'année. Ceux des montagnes ferment en hiver, dont celui de **Tuolumne Meadows** (304 empl.), ouv. juin-sept., où il est possible de se présenter sans réserv. Pour ne pas attirer les ours et autres bêtes sauvages, il est impératif de ranger toute nourriture et tous objets dégageant une odeur dans les conteneurs prévus à cet effet.

BUDGET MOYEN

Tuolumne Meadows Lodge – *À 2 675 m d'altitude -* ☎ *1-888 413 8869 - www. travelyosemite.com -* ✗ ⊞ *- 69 tentes de toile env. 90/142 $.* Les tentes de toile offrent un confort rustique, sans électricité.
Half Dome Village – *Southside Drive - Yosemite Valley -* ☎ *1-888 413 8869 - www.travelyosemite. com -* ✗ ⊞ *- wifi (partiel) - 403 tentes 103/126 $ - 60 chalets 240 $.* Un véritable petit village, créé en 1899, où tentes (avec plancher en bois et lits) et chalets en bois (avec ou sans douche) entourent les restaurants, les magasins de souvenirs, l'épicerie et le théâtre en plein air. Pour faire un barbecue, il faut prendre la navette jusqu'à l'aire de pique-nique de Swinging Bridge (bruyant le soir), qui ressemble à un village de vacances dans un cadre impressionnant.
Housekeeping Camp – *Southside Drive - Yosemite Valley -* ☎ *1-888 413 8869 - www. travelyosemite.com - avr.-oct. -* ⊞ *- 266 ch. 112 $.* Chaque unité peut accueillir 6 pers. Constituée de trois murs en béton et d'un pan de toile, elle ouvre sur une terrasse avec une table et un barbecue. Possible de louer la literie. Sanitaires communs, laverie et épicerie.

2

White Wolf Lodge – *Tioga Rd - au nord du parc* - ✆ *1-888 413 8869 - www.travelyosemite.com* - ✗ 🅿 - *28 cabanes 135 $*. Ces cabanes de toiles sont montées pour l'été, à proximité du camping.

Big Trees Lodge – *Wawona* - ✆ *1-888 413 8869 - www.travelyosemite.com - de mars à fin nov. et de 16 déc. à janv.* - ✗ 🅿 ⚊ - *wifi - 104 ch. 148/218 $*. Un peu isolé du reste à l'entrée sud du parc, cet hôtel de la fin du 19ᵉ s. en bois blanc, élégamment restauré, a un charme fou. Il dispose de chambres de caractère, à la déco soignée, dont la moitié est sans salle de bains. Restaurant, golf, piscine et tennis.

POUR SE FAIRE PLAISIR

Yosemite Valley Lodge – *Yosemite Valley* - ✆ *1-888 413 8869 - www.travelyosemite.com* - ▦ ✗ 🅿 ⚊ - *wifi - 241 ch. env. 266 $*. Des chambres tout confort réparties dans plusieurs bâtiments ombragés. Terrasses privatives pour les lodge rooms. Épicerie.

UNE FOLIE

The Majestic Yosemite Hotel – *À l'est de Yosemite Village* - ✆ *1-888 413 8869 - www.travelyosemite.com* - ✗ 🅿 ⚊ - *wifi - 123 ch. 478/535 $ et suites jusqu'à 1094 $*. Classé Monument historique, ce luxueux établissement datant de 1927 est installé dans une immense demeure admirablement aménagée dans le style indien. Cheminée impressionnante et hauts plafonds.

El Portal

El Portal est situé à 1,3 mile de l'entrée ouest du parc.

BUDGET MOYEN

Cedar Lodge – *9966 Hwy 140 - 95318 El Portal - à 8 miles (13 km) de l'entrée ouest du* parc - ✆ *(209) 379 2612 - www.yosemiteresorts.us* - ▦ ✗ 🅿 ⚊ - *wifi 10 $/24h - 211 ch. 159/600 $*. Motel en bois rouge sur deux niveaux d'allure accueillante. Chambres bien équipées, avec réfrigérateur. Spa. Possibilité de prendre le bus YARTS pour se rendre dans le parc.

POUR SE FAIRE PLAISIR

Yosemite View Lodge – *11136 Hwy 140 - 95318 El Portal* - ✆ *1-888 742 4371 - www.yosemiteresorts.us* - ▦ ✗ 🅿 ⚊ - *wifi 10 $/24h - 235 ch. 189/229 $*. À quelques miles du précédent, cet hôtel est le plus proche du parc. Les bâtiments ont moins d'allure que ceux du Cedar Lodge, mais la qualité des services y est équivalente (même chaîne). Demandez le bâtiment n° 7, qui offre les meilleures vues.

Mariposa

à 32 miles de Yosemite Village, sur la route de Merced (Hwy 140), cette jolie petite ville tout droit sortie du Far West possède la plus ancienne cour de justice de Californie. Mariposa possède quelques hôtels et une palette de motels de grandes chaînes à des prix moins exorbitants que ceux situés plus près du parc.

PREMIER PRIX

Yosemite Bug Hostel – *6979 Hwy 140 - 95318 Midpines - à 10 miles de Mariposa* - ✆ *(209) 966 6666 - www.yosemitebug.com* - ✗ 🅿 - *wifi - 180 lits*. Cette auberge rustique accueillante s'inscrit dans un cadre idyllique, bien qu'un peu isolé. Chambres de 2 et 5 lits (*34 $ par pers.*) dans le bâtiment principal et dans des cabanes installées sur les hauteurs. Camping et cabanes de toile disponibles (*65/80 $*). Internet, laverie et restaurant, mais aussi cours de yoga face à la montagne, et Spa. Pique-niques à emporter *(pack trail lunch 7 $)* pour la journée. Desservie pas le bus YARTS.

BUDGET MOYEN

Mariposa Hotel Inn – *5029 Hwy 140 - 95338 Mariposa -* ✆ *(209) 966 7500 - mariposahotelinn.com -* ▦ ℗ *- wifi - 6 ch. 149/169 $* ☕. Au cœur du quartier historique, cet hôtel impeccablement restauré, datant de 1901, a su garder son âme. L'escalier qui monte à la réception semble tout droit sorti d'un western et les chambres, dans lesquelles on trouve à la fois de jolis objets et des détails kitsch, ont toutes une décoration personnalisée. Agréable terrasse à l'arrière du bâtiment.

RESTAURATION

😀 **Bon à savoir** – La plupart des restaurants de Yosemite sont rassemblés dans la vallée, mais vous trouverez une cafétéria aux abords de chacun des logis détaillés ci-dessus *(comptez env. 15 $, 7h ou 8h-21h)*. Pour un dîner plus formel, **The Mountain Room**, dans le Yosemite Lodge *(15-30 $)*, bénéficie d'une vue panoramique, et le **Pavillion** du Curry Village propose un buffet à volonté (en haute saison) pour un prix tout à fait raisonnable. Pour un dîner gastronomique dans une salle somptueuse, réservez à l'**hôtel Awahnee**, ✆ *(209) 372 1489 (env. 40-60 $)*. À Wawona, l'**hôtel Wawona** *(30-40 $)* comprend une petite salle à manger.

BUDGET MOYEN

Mariposa Savoury's – *5034 Hwy 140 - 95338 Mariposa -* ✆ *(209) 966 7677 - savouryrestaurant. com - à partir de 17h - fermé le merc. en oct.-avr. -* ♿ *- wifi - plats 15/24 $ (enf. 6/7 $)*. Une adresse surprenante qu'on imaginerait plus à San Francisco qu'au fin fond de la Sierra Nevada. Cuisine raffinée à déguster dans un cadre cosy.

ACTIVITÉS

🚶 **Train à vapeur** – Le **Yosemite Mountain Sugar Pine Railroad**, est un circuit de 6,5 km *(1h)* que suit un ancien train à vapeur qui servait à transporter le bois. *Fish Camp, Hwy 41, entrée sud du parc,* ✆ *(559) 683 7273. www.ymsprr.com. Se renseigner pour les horaires mais généralement mars-oct. départs à 11h, 12h30 (14h en été le w.-end), ttes les 30mn, 19/24 $ (3-12 ans 9,50/12 $ et circuit quotidien au clair de lune avec dîner (58 $).*

Randonnée – Nombreux sentiers balisés pour tous les niveaux. Rens. au *Visitor Center*. Pour tout achat de matériel, adressez-vous à **Sport Shop**, Yosemite Village *(9h-17h)*. *(Pour de grandes randonnées organisées de plusieurs jours dans les environs, voir à Lake Tahoe, p. 125)*. La Yosemite Mountaineering School, ✆ *(209) 372 8344*, ouv. tte l'année, propose des expéditions guidées et des cours d'escalades (randonnées en été, ski de fond en hiver).

Rafting - Zephyr Whitewater Expeditions – *95310 Columbia -* ✆ *1-800 431 3636 - www.zrafting. com*. Ils organisent des descentes de rivières entre avril et août ou sept. Demi-journée, 1 ou 2 j. *(109/295 $ selon les formules)*.

Équitation – Dans la vallée de Yosemite, des visites guidées partent de **Yosemite Valley**, **Tuolumne Meadows** et **Wawona**, en été uniquement : **Yosemite Valley Stable**, ✆ *(209) 372 8348*. À Fish Camp, à l'entrée sud du parc, **Yosemite Trails Pack Station** *(*✆ *(559) 683 7611, www. yosemitetrails.com)* propose des balades à cheval *(50-90 $ selon la durée, 1h, 2h)*.

Mono Lake et les alentours

★★

Le versant est de la Sierra Nevada, moins touristique que le versant ouest, mérite pourtant largement le détour pour sa palette variée de paysages. Concrétions calcaires aux silhouettes étranges et jeux de reflets à Mono Lake raviront les passionnés de photographie. Au sud-ouest du lac, le June Lake Lloop, route panoramique le long des lacs, permettra aux contemplatifs d'admirer les fabuleux paysages que l'on trouve de ce côté de la Sierra Nevada. Les nostalgiques de la grande aventure du Far West suivront la piste des chercheurs d'or et flâneront dans les rues poussiéreuses de la plus belle ville fantôme de l'Ouest. Quant aux amateurs de randonnée en montagne, mountain bike, pêche, voire ski en hiver, ils apprécieront Mammoth Lakes pour la haute montagne et ses lacs aux eaux sombres.

NOS ADRESSES PAGE 143
Hébergement, restauration, achats, activités, etc.

S'INFORMER
Informations touristiques – Lee Vining Ranger Station, *à la sortie nord de Lee Vining, par la Hwy 395 - ℘ (760) 647 3044 - www.monolake. org - tlj 9h-17h - fermé en hiver.*

SE REPÉRER
Carte de région B1 (p. 116) – carte Michelin Western USA 585 B 8. Mono Lake se trouve à côté de la petite ville de Lee Vining, le long de la Hwy 395 qui longe la Sierra à l'est, en descendant de Lake Tahoe. L'entrée est du Yosemite n'est qu'à 13 miles (21 km, fermée en hiver), Yosemite Valley Visitor Center à 76 miles.

À NE PAS MANQUER
La forêt de concrétions calcaires de Mono Lake ; l'étrange atmosphère de Bodie ; les activités sportives autour de Mammoth Lakes.

ORGANISER SON TEMPS
C'est le matin de bonne heure que vous prendrez les plus belles photos de Mono Lake ; visitez Bodie dès l'ouverture et en semaine pour y goûter la solitude.

Découvrir

★★ Mono Lake
Alt. 1 948 m. Comptez 2h.
Commencez la visite par le **Visitor Center** (Lee Vining Ranger Station) pour comprendre l'originalité de ce lac d'origine volcanique, classé réserve naturelle et protégé depuis 1978.
Dans les années 1960, cinq rivières l'alimentant ont été captées pour fournir en eau la ville de Los Angeles ; le lac a perdu près de la moitié de son eau (le niveau avait baissé de plus de 13 m en 1982). La salinité a, en conséquence, augmenté (2,5 fois plus que l'océan), perturbant tout l'écosystème… et faisant de la baignade une expérience unique : on est littéralement porté par l'eau. Autre particularité du lieu : la forte concentration en carbonate de calcium qui a donné naissance à un étonnant relief.

Colonnes de tuf sur fond de montagne à Mono Lake.
W. Bibikow/age fotostock

C'est la rive sud qui présente les paysages les plus spectaculaires avec ses hautes **concrétions de tufs karstiques**★★, hautes colonnes calcaires émergeant de l'eau comme des fontaines pétrifiées. Leur reflet dans l'eau, avec en toile de fond les sommets enneigés de la Sierra Nevada, permet de composer des photographies inoubliables. Vous pouvez y accéder par la route menant au South Tufa Trail.

À proximité

★★ **Bodie State Historic Park**

Alt. 2 553 m. Comptez une demi-journée. Au nord de Lee Vining par la Hwy 395 (13 miles), puis la State Route 270 (13 miles) - ℘ (760) 647 6445 - tlj 9h-18h (9h-16h de déb. nov. à mi-mars, mais il faut se renseigner au préalable sur les conditions d'accès : il y a souvent de la neige en abondance et dans ce cas la route est fermée) - 8 $ en liquide - prévoyez votre pique-nique car la boutique ne propose que des boissons.

Ne manquez pas cette émouvante ville fantôme, qui regroupe plus de 170 édifices en bois, typiques de l'époque de la ruée vers l'or.

Tout a commencé en 1859, lorsqu'un certain William S. Bodey trouva dans cette région désolée une pépite d'or. Vingt ans plus tard, la découverte d'un important filon assura en quelques mois le développement spectaculaire et la prospérité de la ville.

Au pied des montagnes, on découvre aujourd'hui les restes de la cité, en grande partie détruite par un incendie en 1932 : des maisons qui semblent juste avoir été quittées par leurs habitants…

★★ **Mammoth Lakes**

Alt. 2 400 à 3 500 m. Comptez une journée. À 25 miles au sud de Lee Vining, à 2h30 de route de Yosemite Valley et 4h de route de Death Valley, près de la Hwy 395.

Niché au pied des versants est de la Sierra Nevada, dans l'Inyo National Forest, Mammoth Lakes est une station qui constitue une étape verdoyante et fraîche, propice aux sports de plein air quelle que soit la saison.

Plus abrupts et plus spectaculaires que les versants ouest, les versants orientaux sont plantés d'épaisses forêts et semés de lacs, offrant un paradis pour les randonneurs et les skieurs de fond. Pour le ski de piste, le domaine est l'un des plus beaux de tout l'Ouest américain.

😊 NOS ADRESSES À MONO LAKE

TRANSPORTS

En bus – La compagnie YARTS (℘ 1-877 989 2787, www.yarts. com ; les billets s'achètent auprès du chauffeur) assure la liaison (juin et sept. : une par jour w.-end, juil.-août : une par jour lun.-dim.) entre le Visitor Center de Yosemite Valley, Lee Vining (2h40, 14 $) et Mammoth Lakes (3h30, 19 $).

INFORMATION UTILE

Visitors Bureau de mammoth Lakes – 2510 Main St., ℘ (760) 924 5500, www.visitmammoth.com. Tlj 8h-17h.

HÉBERGEMENT

Lee Vining

BUDGET MOYEN

Tioga Lodge – Hwy 395 - ℘ (619) 320 8868 - www. tiogalodgeatmonolake.com - de fin mai à mi-oct. - ✕ 🅿 - wifi - 14 ch. 129/159 $. À 2 miles au nord de Lee Vining, un établissement du 19ᵉ s., en pierre et en bois, impeccablement rénové.

Lake View Lodge – 51285Hwy 395 - ℘ (760) 647 6543 - lakeviewlodgeyosemite.com - 🖵 🅿 - wifi - 46 ch. 79/124 $ et 7 cottages 139/264 $. Un hôtel confortable avec des chambres bien équipées.

June Lake

Une dizaine d'hôtels du plus accessible au plus chic dans cette charmante petite station près du lac June (6 miles de Lee Vining et 12 miles de l'entrée est de Yosemite, www.junelakeloop.com).

POUR SE FAIRE PLAISIR

Double Eagle Resort and Spa – 5587 Boulder Drive - Hwy 158 - ℘ (760) 648 7004 - www.doubleeagle.com - tte l'année - ✕ 🅿 ♿ - wifi - 16 ch. et 15 cottages 289/359 $. Cet établissement récent est installé dans un petit coin de paradis, à la sortie de la ville et au pied du Pic Carson. Luxueux cottages et Spa.

RESTAURATION

😊 **Bon à savoir** – L'offre se limite à une poignée de restaurants à **Lee Vining**.
Pour bien manger, allez à June Lake au restaurant du **Double Eagle Resort, l'Eagle's Landing** ou à Mammoth Lakes.

Mammoth Lakes

PREMIER PRIX

Giovanni's Restaurant – 437 Old Mammoth Rd - ℘ (760) 934 7563 - www.giovannismammoth.com - 11h30-21h - ♿ - plats 8/34 $. Les meilleures pizzas de la ville et même de la région, à composer soi-même, de la pâte à la garniture, mais aussi des pâtes, des salades et des sandwichs à midi.

ACHATS

Outlets – 3343-3399 Main St. - ℘ (760) 934 2127 - tlj. Plusieurs magasins d'usine pratiquant des tarifs très intéressants.

ACTIVITÉS

Randonnée – Plus de 70 sentiers balisés sont présentés au Visitors Bureau de Mammoth Lakes.
Ski – Vous trouverez de nombreux loueurs de matériel à Mammoth Lakes. La plupart des hôtels proposent des forfaits.

2

Kings Canyon et Sequoia National Parks

★★

Enclaves protégées au sein de la Sierra Nevada, les parcs de Sequoia et de Kings Canyon sont un paradis pour les randonneurs, avec 700 miles de sentiers qui tutoient des pics de plus de 3 000 m. Le mont Whitney (4 418 m) est d'ailleurs le plus haut sommet des États-Unis, hors Alaska et Hawaii. Ici, on se sent soudain tout petit au pied des plus grands arbres du monde ! Les routes d'accès à ces espaces dévoilent d'abord une végétation aride et broussailleuse qui laisse place à une forêt mixte de conifères, prélude aux futaies de séquoias géants.

NOS ADRESSES PAGE 149
Hébergement, restauration, achats, activités, etc.

▶ SE REPÉRER

Carte de région B2 *(p. 116) - carte Michelin Western USA 585 B 9.* Sequoia et Kings Canyon NP se trouvent à 5h de voiture de Los Angeles et de San Francisco. Depuis Los Angeles (222 miles, 355 km), prenez la Hwy 99 vers le nord et quittez-la vers l'est à hauteur de Visalia, sur la Hwy 198 que vous suivez jusqu'à Three Rivers. Votre visite commencera alors par Sequoia National Park. De San Francisco, prenez la Hwy 72 puis la Hwy 99 et, à Fresno, situé à 80 miles (128 km) de l'entrée la plus proche, bifurquez à l'est par la Hwy 80 qui conduit à Grant Grove Village. Vous visiterez d'abord Kings Canyon.

◉ À NE PAS MANQUER

La Giant Forest et le General Shreman Tree ; la vue du Moro Rock ; les futaies de séquoias géants de Grant Grove.

Découvrir

Créé en 1890, Sequoia est l'un des plus anciens parcs nationaux des États-Unis. Les sommets, les canyons, les lacs et les vallées glaciaires de Kings Canyon ne furent rattachés à cet ensemble qu'en 1940, créant ainsi, avec Sequoia, une étendue sauvage de 3 600 km². Les deux parcs sont reliés par la Generals Highway, achevée en 1935, qui serpente à travers les étendues majestueuses de la Sequoia National Forest.

★★ SEQUOIA NATIONAL PARK

▶ *Comptez une journée. 30 $/véhicule, billet donnant accès à Kings Canyon N.P. National Pass accepté.*

Lodgepole Visitor Center – *Au nord -* ℘ *(559) 565 4436 - www.nps.gov/seki - 7h-19h en été, fermé l'hiver - Informations sur la Giant Forest.*

Foothills Visitor Center – *Au sud -* ℘ *(559) 565 4212 - 8h-16h30 (17h été) - dispose des mêmes renseignements qu'à Lodgepole - de juin à sept., le complexe hôtelier de Wuksachi propose des navettes gratuites reliant le Lodgepole Visitor Center et le General Sherman Tree (départ ttes les demi-heures de 9h à 18h).*

Lodgepole Village

Lodgepole Village est avant tout une étape idéale pour se ravitailler, préparer votre visite du parc et obtenir un permis de camper.

Plusieurs grands chemins de randonnée débutent au bout de la route de Lodgepole, dont le plus facile, le **Tokopah Trail** *(5,5 km AR, 3-4h AR)*, longe une vallée glaciaire et mène aux **Tokopah Falls**, une cascade de plus de 360 m.

Quittez le village au sud, en direction de la Giant Forest (à 2 miles).

★★ Giant Forest

La Giant Forest est traversée par la Generals Hwy.

Grâce à un climat plutôt doux et un apport d'eau et de soleil suffisant, le versant ouest de la Sierra Nevada (entre 1 500 et 2 700 m) a permis la croissance de séquoias géants, répartis dans 75 futaies, dont 30 dans les parcs de Sequoia et de Kings Canyon. La Giant Forest, qui s'étend sur près de 8 km², est l'une des plus grandes et abrite certains des spécimens les plus imposants.

Deux miles au sud de Lodgepole Village, un sentier balisé mène au **General Sherman Tree**★★★. Avec une hauteur de 84 m, une circonférence au sol de 31 m et un volume total de 1 487 m³, cet arbre est le plus grand organisme vivant du monde.

De là, vous pouvez suivre le **Congress Trail**, une boucle qui permet d'approcher ces géants *(4 km AR, 1h-2h ; voir au* Visitor Center *pour les autres balades).*

Pour rejoindre Moro Rock, empruntez la Crescent Meadow Rd qui croise la Generals Hwy au niveau du Giant Forest Museum (peut être fermée à cause de chutes de pierres).

Préparez-vous à l'ascension des 400 marches qui gravissent l'étonnant dôme de granit du **Moro Rock**★★★ (2 050 m) *(déconseillé aux personnes sujettes au vertige)*. Cet énorme rocher dénudé a été taillé par un processus d'érosion appelé l'exfoliation, qui libère des pans entiers de granit, dessinant des pentes lisses. La vue englobe les parties basses du parc, la bourgade de Three Rivers et la vallée de San Joaquin, mais surtout les hauts sommets de la ligne de partage des eaux, The Great Western Divide, ainsi que la vallée boisée de la Middle Fork Kaweah River.

Passé le Moro Rock, la route se poursuit au sein de la Giant Forest et passe à l'intérieur d'un séquoia géant. Au bout de la route vous attend la superbe prairie de **Crescent Meadows**★.

L'embranchement pour Crystal Cave se trouve sur la Generals Hwy, à environ 1,5 mile au sud du Giant Forest Museum. La route menant à la grotte ne fait que 13 miles, mais il faut compter 45mn pour la parcourir vu l'état de la chaussée et le nombre de virages.

2

LE TALON D'ACHILLE DES GÉANTS

Les séquoias possèdent des défenses naturelles qui leur permettent de lutter contre les maladies et les insectes. Leurs troncs contiennent par ailleurs un acide tannique qui les protège efficacement contre le feu, celui-ci n'attaquant que superficiellement leur écorce. Ils n'en demeurent pas moins fragiles, car leur haute taille n'est pas contrebalancée par un réseau de racines suffisamment profondes. Celles-ci peuvent s'étendre sur plusieurs dizaines de mètres, mais elles atteignent rarement plus de 2 m de profondeur.

Certains arbres finissent ainsi par tomber sous l'action du vent ou le poids de la neige, comme le Fallen Monarch de Grant Grove.

N

180

Kings Canyon Scenic Byway

South Fork Kings River

Sequoia National Forest

★★ **Hotel Creek Trail** **North Dome**

Cedar Grove Village △ 2657

★★ **General Grant Tree Trail**
Panoramic Point ★★

Cedar Grove Overlook **Roads End**

B **A** 2596 **Grand Sentinel**

★★ **Roaring River Falls**

2718 △ Sentinel Dome

180 **Grant Grove Village**

Redwood Canyon

Generals

★★ **Kings Canyon**

National Park

★★ **Kings Canyon NP**

North Fork Kaweah River

Highway

△ 2868 JO Pass

Mount Sillinman 3410

Deadman Canyon

Roaring River

Lodgepole Village **Tokopah Trail**

★ **Tokopah Falls**

Alta Peak △ 3415 Moose Lake

★★ **Crystal Cave**

★★★ **GENERAL SHERMAN TREE**

Congress Trail **Sequoia**

Giant Forest Museum

★★ **Crescent Meadows ★**

National

Yucca Creek

MORO ROCK ★★★ 2050

Middle Fork Kaweah

Park ★★

Great Western Divide

| 3000 m |
| 2000 |
| 1000 |
| 0 |

Buckeye Flat

A River Trail ★
B Zumwalt Meadow Trail ★★

Foothills

Milk Ranch Peak 1905

Castle Rocks 2798

River

Timber Gap 2880

THREE RIVERS

Mineral King

KINGS CANYON NP

Kaweah River

180 **Cedar Grove Village**

Grant Grove Village

245

Three Rivers

SEQUOIA NP

198

South Fork Kaweah River

KINGS CANYON & SEQUOIA NP

0   5 mi
0   5   10 km

★★ Crystal Cave

Visite guidée tous les jours de mi-mai à nov. De déb. mai à déb. juin et sept.-oct. : à 11h, 12h, 14h et 15h ; de mi-juin à fin août : ttes les 30mn de 10h30 à 16h30 ; comptez 45mn, 16 $ (5-12 ans 8 $). Attention, les billets ne sont pas en vente sur place, mais uniquement aux Visitor Centers de Lodgepole et de Foothills. Prévoyez des vêtements chauds, car il fait moins de 10 °C dans la grotte.

Un sentier abrupt *(15mn)* descend vers la grotte, à l'intérieur de laquelle des galeries parées de volutes de marbre déploient une féerie de formes et de couleurs. Faites l'expérience du noir total, avec pour seul repère le bruit de l'eau qui s'égoutte inexorablement et sculpte les parois de la grotte.

Mineral King, une vallée située au sud du parc, ne justifie les 639 virages de la route d'accès *(3h AR ; fermé de déb. nov. à fin mai)* que si vous avez le temps d'y faire de la randonnée.

★★ KINGS CANYON NATIONAL PARK

◐ *Comptez une journée. L'entrée du parc s'effectue à partir de la Hwy 180. 30 $/ véhicule, billet donnant accès à Sequoia N.P.*

Kings Canyon Visitor Center – *Grant Village -* ✆ *(559) 565 4307 - www.nps. gov/seki - tlj 8h-17h - brochures très détaillées.*

Cedar Grove Visitor Center – ✆ *(559) 565 3793 - fin mai-déb. sept. tlj. 9h-17h.*

Le parc de Kings Canyon se compose de deux parties, la futaie de Grant Grove, qui se trouve juste après l'entrée du parc, et Kings Canyon, plus à l'est. Distantes de 36 miles, elles sont reliées par la superbe Kings Canyon Scenic Byway *(comptez 1h30 ; cette route est fermée de mi-nov. à fin avr.).*

★★ La futaie de Grant Grove

Avant de rejoindre le canyon qui a donné son nom au parc, faites une halte au Visitor Center. *Le General Grant Tree Trail (facile, 1,3 km AR, 30mn) débute à environ 1,5 mile du* Visitor Center *(prenez la bifurcation à gauche). Des promenades plus longues à travers la forêt de conifères démarrent de l'extrémité ouest du parking.*

🍃 En suivant au petit matin le sentier asphalté du **General Grant Tree Trail★★**, la brume qui enveloppe les troncs couleur cannelle confère encore plus de solennité à la découverte de cette futaie de séquoias démesurés, d'où s'exhale un parfum puissant, à la fois sucré et ambré.

Beaucoup de futaies ayant été découvertes peu après la guerre de Sécession, on donna à ces arbres le nom de généraux illustres.

Le plus imposant d'entre eux, le **General Grant Tree**, trône dans son enclos du haut de ses 80 m. Monument dédié à la mémoire des Américains morts au combat, il est également l'« arbre de Noël » de la Nation depuis 1926 et,

2

COQUETTERIES

Les **séquoias** géants datent de la période postglaciaire, mais il est difficile de connaître exactement leur âge, car il est impossible de prélever un échantillon au centre de leurs troncs. Au début du 20e s., fondant leurs calculs sur ce qu'ils avaient pu extraire de l'arbre, les scientifiques estimaient que le General Sherman Tree était vieux de 5 400 ans environ. Des recherches ont cependant démontré que, une fois parvenu à l'âge adulte, le tronc du séquoia se recouvre bon an mal an du même volume de bois, expliquant ainsi que les cercles concentriques soient de moins en moins espacés, la circonférence de l'arbre augmentant au fil des années. Par conséquent, le General Sherman Tree n'aurait qu'entre 2 400 et 2 700 ans.

chaque année, une cérémonie s'y tient le deuxième dimanche de décembre. Lorsque c'est autorisé, n'hésitez pas à toucher du doigt l'écorce étonnamment souple et légère de ces géants vivants.

Du Visitor Center, *une route mène à Panoramic Point (2 miles). De retour du General Grant Tree Trail, vous pouvez également la rejoindre en continuant tout droit après l'intersection avec la Hwy 180.*

À quelques centaines de mètres du parking, **Panoramic Point★★** offre une superbe vue sur Kings Canyon.

Un panneau indique les noms des sommets et des vallées que vous pouvez admirer en suivant le chemin qui part vers le sud. Par temps clair, on aperçoit également la vallée de San Joaquin, à l'ouest.

★★★ Le canyon de la Kings River

Empruntez la Hwy 180 (Kings Canyon Scenic Byway) vers le nord pour rejoindre Cedar Grove (comptez 1h30).

🅱 *Le bureau des rangers est situé à Roads End, 6 miles après Cedar Grove Village (7h-15h30, ouvert seult l'été). C'est un passage obligé pour qui veut s'engager sur les hauteurs (conseils, cartes et permis).*

Enchâssée entre de hautes falaises de granit de plus de 1 000 m, la vallée glaciaire du bras sud de la Kings River contraste avec l'étroit défilé de la route qui y conduit. À partir de Cedar Grove, le panorama s'élargit et apparaissent les prairies dorées qui tapissent le fond de la vallée, où les *mule deers* (cerfs mulets) n'hésitent pas à s'aventurer. Le **North Dome** (2 657 m) au nord et le **Grand Sentinel** (2 596 m) au sud encadrent la fin de la route, **Roads End**, où débutent les randonnées de haute montagne : ici commencent les grands espaces auxquels l'homme se mesure à pied.

🥾 Au sud de Roads End, un sentier mène à un pont qui enjambe la Kings River. En prenant ensuite à droite, vous rejoignez le **Zumwalt Meadow Trail★★** *(facile, 2,4 km AR, comptez 1h ; au départ du sentier une brochure détaille l'itinéraire)*, une boucle qui fait le tour d'une prairie nichée entre les falaises et la rivière, bordée de pins ponderosa, de saules et de trembles.

Le sentier continue le long du **River Trail★** qui mène jusqu'à la **cascade★★** impétueuse de la Roaring River *(2h AR)*.

🥾 Pour une vue panoramique sur le canyon, engagez-vous sur l'**Hotel Creek Trail★★** qui débute au nord de Cedar Grove Village et grimpe jusqu'à **Cedar Grove Overlook**, perché à 1 855 m d'altitude *(400 m de dénivelé, 3h AR. Possibilité de continuer et de redescendre par le Lewis Creek Loop, comptez alors 5h AR)*.

De Grant Grove Village, la Generals Hwy mène au Sequoia N. P., situé à 2h de route. Peu après l'entrée dans le Sequoia N. P., la route coupe la futaie de Lost Grove, où 400 séquoias géants occupent une vingtaine d'hectares.

😊 NOS ADRESSES À KINGS CANYON ET SEQUOIA

INFORMATION UTILE

Stations-service – Attention, aucune pompe dans l'enceinte des parcs. Ravitaillement possible au Kings Canyon Lodge (très cher et rationné) de mi-avril à mi-novembre *(8h-19h30)* et à Three Rivers.

HÉBERGEMENT

😊 **Bon à savoir** – Dans les deux parcs, les hébergements sont gérés par le même organisme. Les réservations se font au ☎ *(559) 565 3388, 1-877 828 1440, www. sequoia-kingscanyon.com ou www. visitsequoia.com.* Si vous dormez dans le parc, suivez les consignes pour éviter d'attirer les ours. Il y va de la vie d'un ours d'un côté, et d'une amende de 5 000 $ de l'autre. Le vrai danger du parc : les incendies. Les alertes au feu sont fréquentes pendant l'été.

Kings Canyon N. P.

PREMIER PRIX

Campings – Vous trouverez plusieurs campings avec toilettes et douches *(18 $/nuit).* Aucune réservation possible, la règle est celle du premier arrivé, premier servi. Ravitaillement à proximité. Trois terrains à Grant Grove Village : **Azalea** (110 empl., *tte l'année*), **Crystal Springs** (36 empl. pour groupes de moins de 7 pers., 14 pour groupes de 7-15 pers., *fin mai-déb. sept.*) et **Sunset** (157 empl., *fin mai-déb. sept.*). À Cedar Grove, deux terrains **Sentinel** (82 empl., *juil.-août*) et **Sheep Creek** (111 empl., *fin mai-mi-oct.*, selon l'état de la route menant vers les hauteurs.

Grant Grove Cabins – *86728 Hwy 180 - Grant Grove Village, à* l'entrée du parc - ☎ *(559) 236 0100 - www.visitsequoia.com -* 🖥 ✕ 🅿 *- wifi - 49 ch. 70/211 $.* Des cabanes très simples, de tous les niveaux de confort, de la simple tente aménagée *(77 $)* à la cabane rustique *(87 $).* Les douches sont installées à proximité. Une dizaine de cabanes, plus chères, sont équipées d'une salle de bains et du chauffage. Attention : tous les types d'hébergement ne sont pas ouv. tte l'année.

BUDGET MOYEN

Cedar Grove Lodge – *86724 California Hwy 180 - ☎ (599) 236 0100 - www.visitsequoia.com - de mi-mai à mi-oct. -* 🖥 ✕ 🅿 *- 21 ch. 140/146 $.* Tout le confort dans un cadre exceptionnel. Trois d'entre elles *(patio rooms)* bénéficient, pour le même prix, d'une terrasse et d'un patio. Snack-bar.

John Muir Lodge – *Grant Grove Village - ☎ (599) 236 0100 - www. visitsequoia.com - tte l'année -* 🖥 ✕ 🅿 *- wifi - 37 ch. 200/211 $.* Un grand bâtiment en bois à la décoration rustique proposant des chambres confortables.

Sequoia N. P.

PREMIER PRIX

Campings – Deux campings sont ouverts à la réservation, et il vaut mieux s'y prendre longtemps à l'avance pour obtenir avec certitude un emplacement *(22 $/ nuit) :* **Lodgepole** (214 empl. l'été, *mi avr.-oct.*) et **Dorst Creek** (218 empl., *mi-juin-août*), situé au nord de Lodgepole, sur la Generals Hwy, en appelant le ☎ *1-877 444 6777 (mars-oct.)* ou *1-888 448 1474 (nov.-fév.), www.recreation.gov.* Tous deux disposent de toilettes et de

2

douches, ainsi que de places pour les camping-cars.

Deux autres campings, avec uniquement des toilettes, **Potwisha** (42 empl., *tte l'année*) et **Buckeye Flat** (28 empl., *mi-mai-fin sept.*), sont situés à 6 miles au nord du *Visitor Center* de Foothills.

POUR SE FAIRE PLAISIR

Wuksachi Lodge – *64740 Wuksachi Way* - *(559) 565 4070* - *www.visitsequoia.com* - ✕ 🅿 - *wifi* - 102 ch. 249/310 $. Quelques miles à l'ouest du Lodgepole Visitor Center, un hôtel très agréable et bien situé ouvrant sur un immense hall. Les chambres sont confortables et spacieuses. Restaurant et bar-lounge.

Three Rivers

Ce hameau, porte d'entrée de Sequoia N.P., est souvent la seule solution d'hébergement en pleine saison, même pour visiter Kings Canyon. Seuls 3,5 miles le séparent de l'entrée sud de Sequoia N.P., mais la route qui mène à la Giant Forest est toujours en travaux et tourne beaucoup. Quand vous venez de Sequoia, ne vous arrêtez pas dans les premiers motels, mais continuez quelques miles plus loin où les établissements sont plus sympathiques et plus proches des stations-service et des épiceries.

BUDGET MOYEN

Buckeye Tree Lodge – *46000 Sierra Drive* - *(559) 561 5900* - *www.buckeyetree.com* - 🖵 🅿 🛶 - *wifi* - 11 ch. 147/171 $ 🖵. L'établissement a beau être au bord de la route, toutes les chambres ont un patio ou un balcon donnant sur un joli coin de verdure et la rivière.

RESTAURATION

Vous trouverez à Sequoia comme à Kings Canyon des cafétérias *(7h-20h)* et des épiceries *(9h-18h)* dans les villages des parcs.

Sequoia N. P.

BUDGET MOYEN

Vous dégusterez un repas plus formel dans le bâtiment principal du **Wuksachi Lodge** *(plus de 25 $)*. Le **Peaks Restaurant** est l'un des seuls restaurants à l'intérieur des deux parcs. Ouv. toute l'année, on vous servira pour le dîner ainsi que pour le *breakfast* et le déjeuner. Grande salle à manger avec vue.

Three Rivers

PREMIER PRIX

River View Restaurant & Lounge – *42323 Sierra Drive* - *(559) 561 2211* - 🅿 ♿ - *wifi* - 11h-21h - 16/26 $. Burgers, pizzas et sandwichs, servis le midi et le soir. La salle du restaurant ouvre sur une terrasse qui surplombe la rivière. Karaoke le vend., concert le sam. et musique live le dim. Vente à emporter.

BUDGET MOYEN

The Gateway Restaurant and Lodge – *45978 Sierra Drive* - *(559) 561 4133* - *www.gateway-sequoia.com* - 🅿 ♿ - *wifi* - 7 ch. 150/185 $ - 🖵 8 $ - ✕ 10/60 $ (enf. 12 ans 6,50 $). À quelques minutes de l'entrée de Sequoia National Park, un très bon restaurant avec une terrasse donnant sur la rivière. La cuisine y est goûteuse (soupes, viandes et poissons) et le service excellent. Vous pouvez également y loger.

Death Valley National Park

La Vallée de la Mort

Dans la Vallée de la Mort, le regard se perd littéralement dans l'immensité d'un paysage où se dessinent canyons découpés, pentes ravinées,
dunes de sable, collines chamarrées et champs de sel… Les deux routes
qui traversent le parc offrent un bon aperçu de ce vaste désert qui se
pare de fleurs quand les pluies ont été assez généreuses. En dépit de
son nom effroyable, l'endroit recèle en effet une nature d'une richesse
insoupçonnée.

😊 NOS ADRESSES PAGE 157
Hébergement, restauration, achats, activités, etc.

🛈 S'INFORMER
Furnace Creek Visitor Center –
📞 *(760) 786 3200 - www.nps.gov/
deva - juin-sept. : 9h-18h ; reste de
l'année : 8h-17h.* Les rangers vous
proposent un riche programme de
balades thématiques à pied, à vélo
ou en jeep, autour de la géologie ou
de l'histoire naturelle de ce désert.
Un petit musée renseigne sur le parc,
sa faune et sa flore, ainsi que sur
l'histoire de l'exploitation minière
de borax (voir Borax Museum p. 152)
dans la Vallée de la Mort. Il présente
également l'histoire de la tribu
indienne, les **Timbishas shoshones,**
qui vivait sur le territoire. Boutique-
librairie. Entrée du parc et pass en
vente au Visitor Center.
Voir aussi la rubrique « Informations
utiles » dans « Nos adresses » (p. 157).

▶ SE REPÉRER
*Carte de région B2 (p. 116) - carte
Michelin Western USA 585 C 9.* De Las
Vegas, comptez 122 miles (195 km)
en suivant la Hwy 160 vers l'ouest
jusqu'à Death Valley Junction, puis la
Hwy 190 jusqu'à Furnace Creek. De
Los Angeles (290 miles), remontez
la Hwy 395 vers le nord en direction
de Reno, puis tournez vers l'est à
Olancha, sur la Hwy 190.

👁 À NE PAS MANQUER
Les couleurs de Dante's View à la
tombée de la nuit ; les paysages
lunaires de Zabriskie Point ; Sand
Dunes, le Sahara en plein désert
américain.

🕐 ORGANISER SON TEMPS
N'hésitez pas à partir en excursion
ou à circuler dès l'aube car les
plus belles couleurs de la vallée
se révèlent tôt le matin. Vous
échappez en plus à la chaleur
accablante de la journée. Évitez
l'été, quand la température est
difficilement supportable. Planifiez
bien votre circuit, car les distances
sont longues. Veillez à votre jauge
d'essence et emportez toujours
beaucoup d'eau. Attention, pas de
réseau mobile dans tout le parc.

Découvrir

*Six points d'entrée (2 à l'ouest et 4 à l'est, 20 $/véhicule) donnent accès aux deux
routes principales (Hwy 190 et Hwy 178) qui traversent la vallée selon des axes
perpendiculaires. Elles mènent au Furnace Creek Visitor Center.*

2

★ FURNACE CREEK

À l'approche de Furnace Creek, le vert de la palmeraie annonce la présence d'eau, une ressource vitale. Organisé comme un grand ranch, le village constitue le centre névralgique du parc.

★★ Borax Museum

Furnace Creek Ranch - ℘ (760) 786-2345 - lun.-vend. 10h-19h, w.-end. 9h-21h - gratuit.
Avant de vous lancer sur les routes de la Death Valley, ne manquez pas de visiter le musée pour apprécier la richesse de la flore et de la faune du parc. Construit en 1883, le bâtiment dans lequel il est aménagé est le plus vieil édifice de Furnace Creek. Le musée est dédié aux hommes et aux mules qui œuvrèrent dans la vallée entre 1883 et 1888, âge d'or de l'exploitation du borax *(voir p. 155 l'histoire de la 20 Mule Team)*. Ce sel cristallin blanc, qui constituait à l'époque un remède familial (notamment contre les problèmes digestifs et l'épilepsie), est aujourd'hui toujours utilisé dans l'industrie, notamment pour la fabrication du verre, de céramiques et de détergents. À l'extérieur du musée sont exposés des locomotives et des wagons (chacun pouvait transporter 10 tonnes de borax), ainsi que divers ustensiles qui servaient dans les mines.

🐾 À 1 mile au nord de Furnace Creek, un petit sentier balisé, le **Harmony Borax Works Interpretive Trail**, mène aux ruines de la mine.

Quelques centaines de mètres au sud du ranch, vous apercevez sur la droite un village indien, une propriété privée qui ne se visite pas.

Les Indiens natifs de la Death Valley, la tribu des **Timbishas shoshones**, ont été évincés de leurs terres quand, en 1933, le site a été déclaré parc national. Une cinquantaine de personnes (15 familles) ont été relogées dans le « village » voisin *(voir encadré ci-dessous)*, mais beaucoup ont préféré quitter les lieux.

Le Congrès étudie toujours diverses propositions visant à rendre des terres aux Shoshones en créant une réserve.

Circuits conseillés

★★★ AU SUD DE FURNACE CREEK

▶ *Comptez une demi-journée. Au sud du ranch, la route bifurque au pied de la colline du Furnace Creek Inn. Prenez à droite la Rte 178 et réservez les points de vue des hauteurs pour la fin de journée. Avant de vous hasarder en dehors des routes goudronnées, vérifiez l'état de votre pneu de secours et du cric et, éventuellement, votre contrat de location de voiture, qui peut vous interdire de circuler hors des routes proprement dites.*

UNE TERRE DESSÉCHÉE MAIS REVENDIQUÉE

Vestige d'un lac asséché s'étirant entre deux chaînes de montagnes, la **Vallée de la Mort** est une terre d'extrêmes avec des températures moyennes avoisinant les 45 °C en été. La légende veut que son nom lui ait été donné au 19e s. par un visiteur qui s'était égaré dans cet univers inhospitalier. Pourtant, les Indiens shoshones vivent ici depuis près de 1 000 ans. Confinés dans un minuscule village voisin de Furnace Creek, ils revendiquent toujours leurs terres parmi les 13 500 km² d'espace protégé que compte le parc national de la Death Valley, le plus grand des États-Unis (hors Alaska et Hawaii).

Lac asséché dans la Vallée de la Mort.
The Josh/fotolia.com

★★ Badwater Road

Env. 80 miles AR.

🔊 *Descriptif détaillé au Visitor Center.* À environ 1,5 mile de Furnace Creek, un parking sur la gauche indique le point de départ d'un chemin de randonnée qui traverse le **Golden Canyon** selon trois itinéraires différents. Vous pouvez monter jusqu'au point de vue de **Red Cathedral** *(moyenne montée, à éviter s'il a plu ; 2h AR)*, rallier **Zabriskie Point** *(difficile ; 3h30 AR)* ou suivre la boucle du **Gower Gulch Loop** *(moyenne montée ; 6,4 km AR, 3h).*

Reprenez la route sur 8 miles, jusqu'à ce qu'un panneau sur votre droite indique la piste (comptez 10mn) au bout de laquelle s'étend Devil's Golf Course.

★★ **Devil's Golf Course** – Ce champ de sel cristallisé est le vestige d'un lac asséché depuis 2 000 ans.

Revenez sur vos pas et poursuivez sur la route. Prenez à gauche au carrefour suivant (la route, d'environ 3 km de long, est particulièrement mauvaise : elle n'est pas goudronnée et très rocailleuse).

Natural Bridge – 🔊 *30mn AR.* On peut rejoindre cette arche naturelle par un petit sentier qui serpente à travers un canyon.

Retournez sur la Rte 178.

★★ **Badwater** – *17 miles de Furnace Creek.* Vous vous situez à 86 m au-dessous du niveau de la mer, le point le plus bas des États-Unis. En levant les yeux, vous trouverez le petit panneau, accroché sur la montagne, qui indique le niveau de la mer *(Sea Level).* Le sol d'un blanc immaculé réfléchit le soleil, créant ainsi un miroir de sel que vous pouvez fouler du pied.

La route se poursuit vers le sud en longeant les Black Mountains pour arriver à l'**Ashford Mill**, dont seuls subsistent quelques pans de mur. Bâti au début du 20e s., il servait à extraire l'or des minerais provenant de la mine des frères Ashford, située 1 000 m plus haut.

En revenant, à l'approche de Furnace Creek, prenez sur la droite la boucle (9 miles) à sens unique pour Artists Palette.

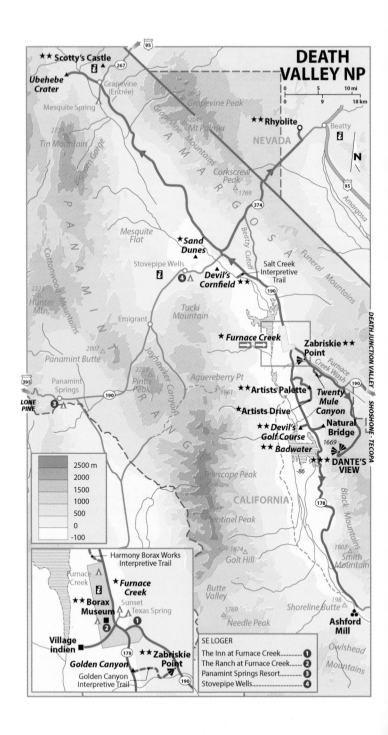

DEATH VALLEY NP

★★ Scotty's Castle

Ubehebe Crater

Grapevine (Entrée)

267

Mesquite Spring

2063

Grapevine Peak

Mt Palmer

★★ Rhyolite

Beatty

NEVADA

N

Tin Mountain

2728

Bighorn Gorge

Corkscrew Peak

2045

1769

374

Amargosa

95

Mesquite Flat

★ Sand Dunes

Stovepipe Wells

4

Devil's Cornfield ★★

Salt Creek Interpretive Trail

Funeral Mountains

190

DEATH JUNCTION VALLEY

Cottonwood Mountains

2221

Hunter Mtn.

Emigrant

Tucki Mountain

Furnace Creek Wash

★ Furnace Creek

Zabriskie Point ★★

190

SHOSHONE-TECOPA

2007

Panamint Butte

Jayhawker Canyon

Aguereberry Pt

1961

★★ Artists Palette

Twenty Mule Canyon

395

Panamint Springs

3

190

2289

Pinto Peak

★ Artists Drive

★★ Devil's Golf Course

Natural Bridge

LONE PINE

P A N A M I N T   R A N G E

1669

★★ Badwater

-86

★★ DANTE'S VIEW

178

Telescope Peak

CALIFORNIA

Black Mountains

2500 m
2000
1500
1000
500
0
-100

Sentinel Peak

1874

Golf Hill

1802

Smith Mountain

198

Butte Valley

Shoreline Butte

Ashford Mill

1769

Needle Peak

Owlshead Mountains

Détail Furnace Creek

Harmony Borax Works Interpretive Trail

Furnace Creek

★ Furnace Creek

★★ Borax Museum

Sunset

Texas Spring

2

1

Village indien

178

Golden Canyon

★★ Zabriskie Point

Golden Canyon Interpretive Trail

190

SE LOGER
The Inn at Furnace Creek............ 1
The Ranch at Furnace Creek........ 2
Panamint Springs Resort............ 3
Stovepipe Wells....................... 4

★ **Artists Drive** – L'étroite route serpente entre des collines très colorées qui révèlent une partie de l'histoire de la vallée.

Lors des mouvements tectoniques qui donnèrent naissance aux Black Mountains, il y a entre 40 et 3 millions d'années, de nombreux débris de roches sédimentaires ou volcaniques furent projetés vers le bas des montagnes, dessinant sur les pentes décharnées la saisissante mosaïque d'**Artists Palette★★**.

Pour rallier les points de vue panoramiques sur la vallée, rejoignez le Furnace Creek Inn et prenez à droite la Rte 190.

Le long du Furnace Creek Wash

Env. 40 miles AR.

La route qui longe ce cours d'eau saisonnier permet de rejoindre deux points de vue panoramiques sur la vallée.

★★ **Zabriskie Point** – *À 4,5 miles du* Visitor Center. Ne manquez pas de faire halte à ce point de vue, idéal pour admirer le coucher du soleil sur ces collines qui semblent drapées dans l'éternité. Le réalisateur italien Antonioni a filmé ici des scènes de son film éponyme *Zabriskie Point* en 1970.

En haut, le **Golden Canyon Interpretive Trail** vous permet de randonner dans les collines et de rejoindre le Golden Canyon (*voir p. 153. Demandez le descriptif de cette randonnée au* Visitor Center).

Reprenez la Rte 190 et n'hésitez pas à vous engager sur la droite dans Twenty Mule Canyon, même si vous n'avez qu'une voiture de ville.

Twenty Mule Canyon – *La piste à sens unique (2,7 miles) est praticable, mais une conduite attentive est requise pour négocier les virages serrés et les pentes abruptes.* Jolie piste serpentant entre les collines dorées. Le nom du canyon fait référence à une figure mythique de la fin du 19e s. : la **20-Mule Team**, mise sur pied pour acheminer le borax hors de la vallée. Cet équipage robuste, mené par 20 mules, devait effectuer un voyage d'une dizaine de jours jusqu'au chemin de fer de Mojave, nécessitant l'ascension des monts Panamint – soit près de 1 200 m de dénivelé – dans des conditions extrêmes. Vous trouverez toutes les explications à vos questions au musée.

De retour sur la route principale, ne manquez pas l'embranchement pour Dante's View, 4 miles plus loin.

★★★ **Dante's View** – En route pour le point de vue le plus incroyable de Death Valley, vous apercevez au loin la seule mine d'extraction de borax encore en activité dans le parc. Une fois au sommet (1 669 m), le regard embrasse la plaine moutonneuse en contrebas. Au loin, on aperçoit les sommets enneigés des Panamint Mountains. À admirer de préférence au coucher du soleil. Un sentier invite à s'engager vers le bord de la falaise, formée de roches parmi les plus anciennes du parc (env. 2 milliards d'années).

LA LÉGENDE DE SCOTTY

Personnage atypique et volubile, Walter Scott, alias Scotty, se lia d'amitié avec un riche investisseur de Chicago, Albert Johnson, et lui proposa de financer des travaux de prospection d'or dans la Vallée de la Mort. L'entreprise n'aboutit pas, mais, contre toute attente, Johnson s'éprit de l'endroit et décida d'y installer sa résidence secondaire. Les travaux qui débutèrent en 1922 ne furent jamais achevés, mais cela n'empêcha pas les Johnson et leur ami Scotty d'y séjourner régulièrement. Ce dernier est d'ailleurs enterré sur une colline en surplomb de la propriété.

★★ AU NORD DE FURNACE CREEK

▶ *Env. 165 miles. Comptez une demi-journée.*

🐟 À 15 miles au nord de Furnace Creek, le **Salt Creek Interpretive Trail** *(30mn AR)* longe un mince filet d'eau salée où vous pourrez peut-être apercevoir, au printemps et à l'automne, les *pupfishes*, une espèce de poissons ayant survécu ici depuis l'ère des glaciations.

Continuez sur la Rte 190.

La portion de route qui mène au **Stovepipe Wells** traverse un paysage singulier : d'un côté, les **Sand Dunes★**, d'immenses dunes de sable au relief changeant selon le gré du vent ; de l'autre, le **Devil's Cornfield★★**, où de petits buissons d'*arrowweed (Pluchea sericea)* indiquent que les couches supérieures du sol contiennent assez d'eau pour le développement de cette espèce, malgré une forte teneur en sel (1 %). Des scènes du film *Star Wars* ont été tournées dans les Mesquite Flat Sand Dunes.

Rebroussez chemin et empruntez la Rte 267 menant au nord du parc (35 miles).

★★ Scotty's Castle – *Visite guidée de 50mn tlj, horaires variables. 15 $ (-15 ans 7,50 $, -5 ans gratuit). Brochure en français.* L'histoire de cette surprenante propriété participe au mythe de la Vallée de la Mort *(voir encadré p. 155).* Elle comprend une bâtisse de style espagnol abritant 25 pièces aménagées avec des meubles importés d'Espagne et d'Italie.

Revenez sur vos pas et à l'embranchement, prenez la direction d'Ubehebe Crater (8 miles de Scotty's Castle).

Ubehebe Crater – Ce cratère de 800 m de diamètre et de 210 m de profondeur est la plus récente des formations volcaniques de la Vallée de la Mort. Il a été façonné il y a 2 000 ans, suite à des explosions de vapeur.

Reprenez la route de Furnace Creek et empruntez sur votre gauche la Rte 374 sur une vingtaine de miles.

★★ Rhyolite – Cette ville fantôme est située en dehors du parc, mais son histoire est étroitement liée aux fièvres minières qui enflammèrent la Vallée de la Mort. Créée suite à la découverte de filons d'or dans le quartz rhyolite en 1904, la ville connut son apogée entre 1905 et 1912, et compta jusqu'à 10 000 habitants. De nombreuses demeures en pierre subsistent, mais le bois de construction étant une denrée rare, la plupart des éléments en bois ont été récupérés quand la ville fut abandonnée.

Revenez à Furnace Creek.

À proximité

Lone Pine

Sur la Hwy 395, 56 miles à l'ouest de Death Valley.

Cette petite ville, née à l'époque de la ruée vers l'or, est une étape passionnante avant ou après Death Valley. Également porte du mont Whitney, la plus haute montagne des États-Unis (4 418 m), Lone Pine et les **Alabama Hills** voisines ont été le terrain de jeu favori des réalisateurs de westerns et de films d'aventures américains. La *movie road* vous propose de faire une pause sur les différents lieux de tournage. Le **Beverly and Jim Rogers Museum of Lone Pine Film History** expose de nombreuses affiches et des accessoires grandeur nature des films tournés dans la région *(701 South Main St. - ℘ (760) 876 9909 - www.lonepinefilm historymuseum.org - avr.-oct. : lun.-merc. 10h-18h, jeu.-sam. 10h-19h, dim. 10h-16h ; reste de l'année : lun.-sam. 10h-17h, dim. 10h-16h, projections de films 5 $).*

NOS ADRESSES À DEATH VALLEY N. P.

INFORMATIONS UTILES

**Informations Death Valley –
Stovepipe Wells Ranger Station**
(45 km à l'ouest de Furnace Creek).
Deux autres centres d'information,
à **Beatty** et **Scotty's Castle**, se
trouvent sur les accès nord-ouest
du parc, respectivement sur la
Hwy 374 et la Hwy 267.
Celui de Scotty's Castle *(☎ (760)
786 2392)* offre la possibilité de
suivre un guide pour un circuit
(payant) à la journée *(☎ 1-877
444 6777, www.recreation.gov).*
Librairie, boissons et snack.

☺ **Bon à savoir** – Cette région
est la plus chaude des États-Unis :
emportez toujours beaucoup
d'eau et pensez à faire le plein
d'essence avant de prendre la
route, si possible avant d'entrer
dans le parc car l'essence y est
vraiment plus chère.

Lieux d'accueil
Stovepipe Wells Village – *Hwy
190, à 28 miles au nord-ouest
des Furnace Creek Inn & Ranch,
☎ (760) 786 2387, www.
escapetodeathvalley.com.* Un
complexe sympathique aménagé
à la façon d'un ranch et disposant
d'un bureau de rangers. Vous y
trouverez saloon, restaurant, bar,
épicerie bien approvisionnée,
à côté de la station-service,
distributeur automatique,
douches et piscine.

Panamint Springs Resort –
*Hwy 190, à 59 miles à l'ouest
de Furnace Creek, à l'une des
sorties du parc, ☎ (775) 482 7680,
www.deathvalley.com/psr.*
Hébergements, bar-restaurant,
épicerie et station-service.

Furnace Creek Resort –
Furnace Creek, près du Visitor
Center, *☎ (760) 786 2345, www.
furnacecreekresort.com -* ✕ ☐.
Hébergement, restaurants, bars,

supérette *(7h-22h)*, distributeur
automatique, station-service
(réparation de pneus possible),
poste, douches, lavomatique,
piscine, tennis et golf.

Stations-service – Au Furnace
Creek Ranch *(7h-19h)*, au
Stovepipe Wells *(7h-21h)* et au
Panamint Springs Resort. Cartes de
paiement 24h/24.

HÉBERGEMENT

Dans le parc
☺ **Bon à savoir** – Les prix sont
plus élevés l'hiver. Le parc compte
douze campings (dont certains
ouverts toute l'année), à éviter
pendant l'été, car les températures
sont insoutenables, même la
nuit *(réserv. : ☎ 1-800 365 2267).*
Certains sont gratuits. Pour les
campings payants, comptez entre
7,50 $ et 32 $. *Voir également
l'hébergement à l'extérieur du parc.
Informations disponibles auprès du
Visitor Center.*

PREMIER PRIX

Campings – *Près du* Visitor
Center. Le **Sunset** (270 empl. ;
12 $) et le **Texas Spring** (92 empl. ;
14 $) n'ouvrent que d'oct. à avr.
*Informations disponibles auprès du
Visitor Center.*

Panamint Springs Resort –
*Hwy 190 - 93522 Darwin - à
59 miles à l'ouest de Furnace
Creek, à l'une des sorties du
parc - ☎ (775) 482 7680 - www.
panamintsprings.com -* ☐ *- 14 ch.
99/270 $ et 1 cottage pour 6 pers.
169 $.* Le lieu abrite un motel un
peu vieillot et isolé, mais l'accueil y
est sympathique. Réception dans
le bar-restaurant ouvrant sur une
terrasse à l'abri du soleil. Les petits
budgets pourront se rabattre sur
le camping un peu ombragé, avec
douches *(de 15 à 30 $).* Accueil des
camping-cars.

BUDGET MOYEN

Stovepipe Wells – *Hwy 190 - 92328 Stovepipe Wells - à 28 miles au nord-ouest des Furnace Creek Inn & Ranch -* ℘ *(760) 786 2387 - www.escapetodeathvalley.com -* 🖥 ✕ 🅿 ⛵♿ *- wifi - 83 ch. 120/210 $ -* ☕*12,50 $.* Les chambres sont simples et confortables. Le lieu abrite également un camping *(mi-sept.-mi-mai - 190 empl. 12 $/ tente)* qui dispose d'emplacements pour les camping-cars.

UNE FOLIE

Furnace Creek Resort – *Furnace Creek - 92328 Death Valley - près du Visitor Center -* ℘ *(760) 786 2345 - www.furnacecreekresort.com -* ✕ 🅿 Vous y trouverez 3 types d'hébergements. L'hôtel **The Inn at Furnace Creek** *(mi-oct.-mi- mai, 66 ch. 345/475 $),* logement dans une magnifique demeure nichée sur une colline au milieu des palmiers et doté d'une piscine, mais aussi, meilleur marché, le motel **The Ranch at Furnace Creek** *(224 ch. 149/199 $)* et le camping **Furnace Creek** (135 empl.; *12 $/tente)* qui accueille aussi les camping-cars.

À l'extérieur du parc

🐾 **Bon à savoir** – Les hôtels du parc affichent souvent complet, bien longtemps à l'avance. La seule solution, par ailleurs moins chère, reste alors de loger tout autour.

À l'est, Death Valley Junction

PREMIER PRIX

Amargosa Opera House and Hotel – *à l'intersection des Hwy 127 et 190, à 85 miles de Las Vegas et 29 miles de Furnace Creek -* ℘ *(760) 852 4441 - www.amargosa- opera-house.com -* ✕ 🅿 *- 15 ch. 70/95 $.* Un lieu absolument improbable, comprenant à la fois un hôtel aux chambres sommaires mais propres, un café et une salle de spectacle. Marta Becket, artiste de music-hall, est arrivée ici par hasard en 1967 et a décidé de s'y installer. Elle a réhabilité une ancienne hacienda, décoré les chambres de ses fresques et peint murs et plafonds de l'*opera house*, dans lequel elle se produit depuis plus de 40 ans. Octogénaire, cette ancienne New-Yorkaise donne encore son spectacle tous les dimanches.

Au nord-est, Beatty (Nevada)

Cette petite ville soigne sa communication en misant sur son évidente proximité avec les différents points d'intérêt du parc. On trouve à Beatty plusieurs motels corrects et bon marché comme l'**Atomic Inn** (℘ *(775) 553 2250, 350 First South St., 65 $),* un motel rétro où l'univers de la bombe atomique est à l'honneur, rappelant le passé de cette région du Nevada où des essais nucléaires ont eu lieu.

Au sud, Shoshone-Tecopa

BUDGET MOYEN

China Ranch – *À 10 miles plus au sud de cette bourgade perdue, un petit ranch est niché au sein d'une oasis où poussent des palmiers dattiers. -* ℘ *(760) 852 4415 - www. chinaranch.com - 9h-17h.* Il abrite en son sein Cynthia's *(* ℘ *(760) 852 4580, www.discovercynthias.com)* qui dispose de chambres, mobile homes et tipis pour passer une nuit dans le désert, avec la douce sensation d'être (très) loin de tout *(comptez 165-225 $).*

À l'ouest, Lone Pine

BUDGET MOYEN

Dow Villa Motel – *310 S. Main St. -* ℘ *1-800 824 9317 - www. dowvillamotel.com -* 🖥 🅿♿ *- wifi - 42 ch. 117/173 $ -* ✕ *5/15 $.* Ce motel tenu par la même famille depuis 1957 est très agréable avec sa façade en bois et ses chambres petites mais confortables. Le lobby est un véritable musée dédié à la mémoire de John Wayne.

RESTAURATION

Dans le parc

🦟 **Bon à savoir** – Vous trouverez une alternative au pique-nique à la cafétéria du **Scotty's Castle** *(55 miles au nord de Furnace Creek)* ou à Furnace Creek Ranch.

BUDGET MOYEN

Corkscrew Saloon – *Furnace Creek Ranch - 92328 Death Valley -* 📞 *760 78 62 345 - 11h-0h.* Ambiance Far West avec grand bar circulaire, néons et billard. Ouv. déjeuner et dîner.

49'er Cafe – *Furnace Creek Ranch - Hwy 190 - 92328 Death Valley -* 📞 *760 786-2345 - www. furnacecreekresort.com - 7h-22h.* Cafétéria agréable pour le petit-déjeuner, le déjeuner ou le dîner.

Wrangler – *Furnace Creek Ranch - 92328 Death Valley - 6h-14h.* Deux salles un peu sombres dans ce restaurant ouvert toute la journée.

À l'extérieur du parc

Death Valley Junction

PREMIER PRIX

Ceux qui logent à l'**Amargosa Opera House and Hotel** *(voir ci-contre)* pourront se restaurer à l'**Amargosa Café** en fin de semaine les vendredi et samedi de 8h à 20h, et le dimanche jusqu'à 15h. Si vous avez faim, vous pourrez toutefois trouver à quelques miles de là des hamburgers « maison » dans un drôle d'endroit, fait de

bric et de broc, où logent une vieille Américaine et ses chiens. Vraiment typique.

Lone Pine

PREMIER PRIX

Alabama Hills Cafe – *111 W. Post St. -* 📞 *(760) 876 4675 - 7h-14h.* Très bonne adresse pour de généreux *breakfasts*.

BUDGET MOYEN

Season's Restaurant – *206 S. Main St -* 📞 *(760) 876 8927 - 17h-21h - fermé lun. de nov. à mars - plats 7/33 $.* Au bord de la route principale, on trouve le meilleur restaurant de la ville. Une excellente alternative aux sempiternels hamburgers de la région. Cuisine fine et prix doux.

ACTIVITÉS

Location de jeeps – Farabee's Jeep Rentals – *Furnace Creek Inn - 92328 Furnace Creek -* 📞 *(760) 786 9872 - www. farabeesjeeprentals.com - location à partir de 195 $/j et tour thématique à partir de 65 $/pers.*

Équitation - Furnace Creek Stables – *Furnace Creek Ranch - Hwy 190 - 92328 Death Valley -* 📞 *(760) 614 1018 - www. furnacecreekstables.net* propose différentes formules de balades de début oct. à mi-mai, à cheval et en calèche *(55 $/h, 70 $/2h).*

AGENDA

Death Valley Encampment – *www.deathvalley49ers..org.* Rassemblement, début novembre, sur le thème des pionniers (spectacles en costume, visites à thème). Hôtels et campings pris d'assaut.

2

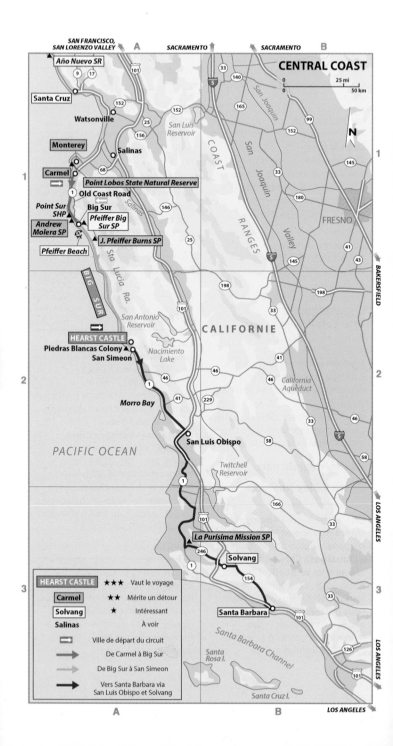

CENTRAL COAST

SAN FRANCISCO,
SAN LORENZO VALLEY

SACRAMENTO

SACRAMENTO

Año Nuevo SR

Santa Cruz

Watsonville

Monterey

Salinas

Carmel

Point Lobos State Natural Reserve

Old Coast Road

Point Sur SHP

Big Sur

Pfeiffer Big Sur SP

Andrew Molera SP

J. Pfeiffer Burns SP

Pfeiffer Beach

BIG SUR

Sta Lucia Ra.

COAST RANGES

San Joaquin

San Joaquin Valley

FRESNO

BAKERSFIELD

CALIFORNIE

HEARST CASTLE

Piedras Blancas Colony

San Simeon

San Antonio Reservoir

Nacimiento Lake

Morro Bay

San Luis Obispo

Twitchell Reservoir

California Aquèduct

LOS ANGELES

PACIFIC OCEAN

La Purísima Mission SP

Solvang

Santa Barbara

Santa Barbara Channel

Santa Rosa I.

Santa Cruz I.

LOS ANGELES

LOS ANGELES

HEARST CASTLE	★★★	Vaut le voyage
Carmel	★★	Mérite un détour
Solvang	★	Intéressant
Salinas		À voir

⇨ Ville de départ du circuit

De Carmel à Big Sur

De Big Sur à San Simeon

Vers Santa Barbara via
San Luis Obispo et Solvang

25 mi

50 km

N

Central Coast 3

Carte Michelin Western USA 585 – Californie

Santa Cruz

62 864 habitants – Californie

Jeune, animée et très anticonformiste, Santa Cruz a gardé un esprit très californien : les surfeurs attendent la vague, les rollers et les vélos partagent la route, les micro-brasseries sont remplies le soir. Dynamique, la ville a su se reconstruire après le terrible tremblement de terre de 1989. Les travailleurs de la Silicon Valley affluent le week-end sur les plages de Santa Cruz, ou dans l'arrière-pays, constitué de montagnes verdoyantes peuplées de séquoias, qui offre d'agréables excursions.

> 😊 **NOS ADRESSES PAGE 168**
> **Hébergement, restauration, achats, activités, etc.**

🛈 S'INFORMER

Conference & Visitors Council – *303 Water St., Suite 100 - ✆ (831) 425 1234 ou 800 833 3494 - www. santacruz.org - lun.-vend. 9h-16h, w.-end 11h-15h.*

▶ SE REPÉRER

Carte de région A1 (p. 160) - carte Michelin Western USA 585 A 8-9-10. Santa Cruz se trouve à 75 miles (121 km) au sud de San Francisco par la Hwy 1 qui longe la côte et devient Mission St. dans Santa Cruz.

☺ À NE PAS MANQUER

Le sentier côtier jusqu'à Natural Bridges State Beach.

👫 AVEC LES ENFANTS

Les attractions du Santa Cruz Beach Boardwalk et le trajet en train du Roaring Camp.

🕐 ORGANISER SON TEMPS

S'il fait beau, visitez les musées le matin, profitez de la plage ou faites une excusion l'après-midi et réservez le parc d'attractions ou une micro-brasserie pour la soirée.

Se promener

Santa Cruz fut longtemps une paisible bourgade blottie autour de sa mission. À la fin du 19e s., avec l'arrivée du chemin de fer, elle profita de la nouvelle mode des bains de mer et devint une importante station balnéaire. Très vite, on y créa le premier parc d'attractions de Californie, le **Santa Cruz Beach Boardwalk** *(voir ci-après)*. Dans les années 1960, l'installation d'un campus universitaire lui donna une nouvelle jeunesse et attira une population d'artistes et d'intellectuels. L'université compte aujourd'hui plus de 15 000 étudiants. Très affectée par le tremblement de terre de Loma Prieta en 1989 – l'épicentre du séisme était tout proche de la ville –, elle a été largement réaménagée.

😊 **Bon à savoir** – La ville comporte de nombreuses rues à sens unique. Pour accéder au front de mer, séparé du centre-ville par des parkings et des motels prenez Bay St., Chestnut St. ou, plus loin, Ocean St.

LE FRONT DE MER

Santa Cruz Beach Boardwalk

Beach St. Suivez les panneaux depuis le centre-ville. ✆ (831) 423 5590 - www.beach boardwalk.com - horaires d'ouverture et de fermeture variables : fermé en grande

Dog Beach vers Lighthouse Field State Park.
Ch. Heeb/hemis.fr

partie de déc. à mars. La plupart des attractions sont fermées la semaine et seulement ouvertes le w.-end - entrée gratuite, mais attractions payantes.

Classé Monument historique, il fait partie intégrante de la civilisation de loisirs de la Californie. Bien que jugées un peu dépassées par les fans des parcs du troisième millénaire, les attractions ont gardé la saveur délicieusement kitsch du début du 20ᵉ s. : **manèges** en couleurs, **montagnes russes** en bois, carrousel à miroirs… Une jolie façon de retomber en enfance.
Suivez le bord de mer vers l'ouest.

Municipal Wharf

Restaurants et boutiques pour pêcheurs *(de 5h à 2h du matin)* s'alignent sur ce long ponton qui s'avance sur près de 1 km dans la baie.
Dirigez-vous ensuite vers **West Cliff Drive★**, l'avenue qui longe l'océan et offre une agréable promenade avec de belles vues sur le Pacifique.

Santa Cruz Surfing Museum

701 West Cliff Dr. - ℘ (831) 420 6289 - www.santacruzsurfingmuseum.org - juil.-août : tlj sf merc. 10h-17h ; reste de l'année : tlj sf mar. et merc. 12h-16h - gratuit.
Surplombant **Steamer Lane**, le spot favori des surfeurs, l'adorable petit phare en brique rouge qui garde la pointe de la baie abrite cet minuscule musée : collection de souvenirs liés à diverses personnalités du surf ainsi qu'une planche entamée par les dents d'un requin !

West Cliff Drive se double ensuite d'un agréable sentier dominant la mer. Il mène à Natural Bridges State Beach.

★ Natural Bridges State Beach

2531 West Cliff Dr., à 2,5 miles de Municipal Wharf - ℘ (831) 423 4609 - www.parks. ca.gov - de 8h au coucher du soleil - ☐ 10 $.
Voilà une belle plage, qui doit son nom à des arches creusées dans les falaises par l'océan. Ces ponts naturels se sont effondrés les uns après les autres, sous les coups de boutoir du Pacifique. Les îlots qui en résultent sont peuplés

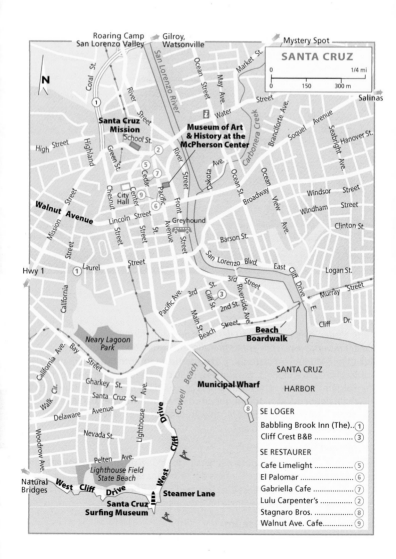

SANTA CRUZ

SE LOGER

Babbling Brook Inn (The)..①
Cliff Crest B&B ....③

SE RESTAURER

Cafe Limelight ....⑤
El Palomar ....⑥
Gabriella Cafe ....⑦
Lulu Carpenter's ....②
Stagnaro Bros. ....⑧
Walnut Ave. Cafe.............⑨

MISSION, PRESIDIO ET PUEBLO

L'occupation espagnole en Californie, appelée *Alta California* à l'époque, se déployait selon trois aspects : les **21 missions**, établies par le franciscain Junípero Serra, à partir de 1769 le long du Camino Real, de San Diego jusqu'au nord de San Francisco, qui avaient un rôle religieux et communautaire ; les **4 presidios**, les postes militaires, et les **2 pueblos**, qui accueillaient des civils : Los Angeles (1781) et San Jose (1777).

d'oiseaux marins. À l'arrière de la plage, la forêt d'eucalyptus est un sanctuaire pour les **papillons monarques**★ qui s'y agglutinent par milliers d'octobre à février.

LE CENTRE-VILLE

Pacific Avenue est l'axe principal du nouveau centre-ville, reconstruit après les terribles dommages causés par le tremblement de terre de 1989. Les anciens bâtiments Art déco ont fait place à un quartier aéré et planté d'arbres.

The Museum of Art & History at the McPherson Center

705 Front St. - ℰ (831) 429 1964 - www.santacruzmah.org - tlj sf lun. 11h-17h (21h vend.) - 5 $, gratuit 1ᵉʳ vend. du mois.

Ce musée accueille une exposition permanente sur l'histoire de Santa Cruz et ses habitants, ainsi que des expositions temporaires ayant trait à la vie et l'art locaux.

À l'ouest, **Walnut Avenue** longe des maisons historiques.

Santa Cruz Mission State Historic Park

144 School St. - ℰ (831) 425 5849 - www.parks.ca.gov - jeu.-sam. et lun. 10h-16h, dim. 12h-16h (horaires soumis à changement) - gratuit. Accès piéton par des escaliers sur N. Pacific Ave.

C'est tout ce qui reste de la 12ᵉ des 21 missions californiennes, fondée en 1791. Le seul bâtiment d'origine date de 1824 : il servait à héberger les Indiens convertis et abrite désormais des expositions sur le mode de vie des divers habitants de la mission. Malgré son importance initiale, la mission de Santa Cruz tomba progressivement en désuétude en raison de nombreux sinistres, incendies, inondations, tremblements de terre… Un peu plus loin, au 130 Emmett St., la petite église en adobe n'est qu'une réplique construite en 1931.

À voir aussi

★ The Mystery Spot

465 Mystery Spot Rd. Prenez la route en face du Visitors Bureau de Santa Cruz. Au 2ᵉ « Stop », tournez à gauche puis continuez tout droit pendant 3 miles - ℰ (831) 423 8897 - www.mysteryspot.com - hiver : lun.-vend. 10h-16h, w.-end 10h-17h ; reste de l'année : se rens. - 8 $; ▣ 5 $.

Un endroit étrange où les lois de la physique (gravité, champs magnétiques, perspectives…) ne semblent plus avoir court. Nombre d'hypothèses ont été avancées pour expliquer ces phénomènes. Une attraction amusante.

Excursions

★ LE LONG DE LA CÔTE

▷ *40 miles de Santa Cruz jusqu'à San Gregorio Beach - comptez une demi-journée en vous arrêtant. Quittez Santa Cruz par la Hwy 1, dir. San Francisco.*

Jusqu'à Half Moon Bay, les collines dénudées ondulent le long de la vallée côtière.

Roulez environ 20 miles pour atteindre l'Año Nuevo State Reserve.

★ Año Nuevo State Reserve

ℰ (650) 879 2025 - www.parks.ca.gov - tlj de 8h30 au coucher du soleil - 10 $/ véhicule - un poste d'observation aménagé est accessible d'avr. à nov. (8h30-15h),

---

LE DESTIN DE LA CENTRAL COAST

Initialement peuplée par plusieurs tribus indiennes, la côte centrale fut colonisée très tôt par les Mexicains, qui choisirent le havre de Monterey pour y établir, en 1770, la capitale du nouveau territoire. Chaque vallée fertile accueillit une petite colonie et les missions fleurirent le long de la côte. En 1848, après le rattachement de la Californie aux États-Unis, on transféra les centres de décision vers le nord : San Jose remplaça Monterey comme capitale avant de céder la place à Benicia, puis à Sacramento. La ruée vers l'or acheva de drainer les populations vers le nord, et la bande côtière retourna à l'agriculture et à la pêche. Entre les crêtes acérées qui bordent l'océan s'étendent de paisibles vallées à vocation agricole, capitales « mondiales » de l'artichaut (Watsonville, *voir ci-contre*) ou de l'ail (Gilroy).

---

après obtention d'un permis à l'entrée. Durant la période des naissances, mi-déc.-fin mars, seules les visites guidées (2h30) sont autorisées - 7 $.

Ce cap rocheux héberge une importante colonie d'éléphants de mer. C'est le seul endroit de la côte en dehors des îles où vous pourrez observer ces animaux. Les femelles y mettent bas entre novembre et mars, et on assiste à d'impressionnants combats de mâles pour la suprématie sur les harems ; puis c'est la saison de la mue, d'avril à août *(permis pour visiter requis, se renseigner à l'entrée du parc 8h30-15h30).*

Reprenez la route en direction du nord.

Vers San Gregorio Beach

Plus loin, le cap de **Pigeon Point★** porte un grand phare blanc dominant une jolie plage. Vient ensuite **Bean Hollow Beach**, l'une des nombreuses criques de sable qui ponctuent cette partie de la côte basse et déchiquetée.

Quelques miles encore et vous atteignez **Pescadero Beach**, une plage battue par les déferlantes, qui précède la lagune du Pescadero Creek.

La route descend ensuite vers **San Gregorio Beach** en dominant la houle du Pacifique qui vient se briser au pied des falaises beiges. Les jours de tempête, les vagues sont particulièrement impressionnantes, étalant leur écume au bord d'une campagne désertique hantée par quelques vaches.

★ SAN LORENZO VALLEY

▶ *Env. 50 miles - comptez une journée. Quittez Santa Cruz au nord, par la Hwy 9 (Graham Hill Rd).*

Cette pittoresque vallée, à laquelle on parvient en suivant la **Hwy 9**, traverse les Santa Cruz Mountains. Verte et sauvage, elle est plantée de séquoias.

Après avoir parcouru environ 6 miles, vous atteignez Felton.

★ Roaring Camp Railroads

5401 Graham Hill Rd, Felton - ☎ (831) 335 4484 - www.roaringcamp.com - site ouv. tlj 9h30-17h - ⓟ 8 $.

👥 Deux trajets en train sont proposés.

Redwood Forest Steam Train – *Comptez 1h15 AR. Départs de déb. juin à déb. sept. : à 11h, 12h30 et 14h (et à 15h30 le w.-end de déb. juil. à déb. sept.) ; de déb. mai à déb. juin (horaires différents lors de Memorial Day) et sept.-oct. : en sem. à 11h, le w.-end à 11h, 12h30 et 14h ; déc.-mars : à 12h30 - 27 $ AR (20 $ enfant).* Cette ligne de train à vapeur du 19e s. relie Roaring Camp, un ancien camp de bûcherons de la San Lorenzo Valley, et la Bear Mountain. La voie serpente entre des séquoias presque millénaires. On peut faire étape au sommet pour un pique-nique et redescendre plus tard.

Santa Cruz Beach Train★ – *Comptez 3h AR. Départs à 10h15 et 14h15 aller, 12h15 et 16h15 retour – de déb. juin à fin août : tlj ; de fin mars à déb. juin et de fin août à fin sept. : le w.-end ; quelques j. en déc. - réservation conseillée - 29 $ AR. (23 $ enfant).* Cette seconde ligne relie le Roaring Camp à Santa Cruz Boardwalk en suivant la plus ancienne ligne de chemin de fer en activité de Californie.

Henry Cowell Redwoods State Park

101 North Big Trees Park Road, Felton - www.parks.ca.gov - du lever au coucher du soleil - nature Center (℘ (831) 335 7077) - 10h-16h - 10 $/véhicule.

Au détour d'une petite route sinueuse, ce parc abrite de grands séquoias, hauts de plus de 90 m, et dispose aussi d'aires de pique-nique. Il se divise en deux entités. La plus au nord, **Fall Creek**, compte 30 km de sentiers de randonnée.

Dans Felton, quittez la Graham Hill Rd peu après Roaring Camp et engagez-vous à droite dans Mont Hermon Rd. Lorsque vous croiserez E. Zayante Rd, tournez à gauche. Suivez la direction de Lompico et de Loch Lomond Recreation Area.

Loch Lomond Recreation Area

Mars-déb. sept. Vérifiez les conditions d'ouverture sur www.cityofsantacruz.com.
Les récentes années de sécheresse menacent ce réservoir d'eau, qui offre de beaux circuits pédestres à la découverte de la vie naturelle.

Revenez sur la Hwy 9 et continuez vers le nord sur environ 17 miles.

★ Big Basin Redwoods State Park

21600 Big Basin Way, Boulder Creek - ℘ (831) 338 8860 - www.parks.ca.gov - tlj de 6h au coucher du soleil - 10 $/véhicule.

Les 80 km de sentiers de ce parc permettent d'admirer de magnifiques séquoias, dont certains ont près de 2 000 ans !

WATSONVILLE

Wetlands

Visites guidées sur demande - ℘ (831) 728 1156 - www.watsonvillewetlandswatch. org.

Dans ces marécages, plus de 200 espèces d'oiseaux peuvent être observées, certaines menacées, comme le faucon pèlerin ou l'aigle royal. Près de 10 km de sentiers ont été aménagés pour se promener à pied ou à vélo le long des marais, cernés par les maisons.

FAIRE LA DIFFERENCE : PHOQUE OU OTARIE ?

Le **phoque** (*seal* en anglais) est dépourvu d'oreille externe et ne peut pas se redresser sur ses nageoires, trop petites ; l'**éléphant de mer** est une espèce de phoque, reconnaissable à son « nez » qui rappelle la trompe de l'éléphant, et à sa grande taille : il peut atteindre jusqu'à 6 m de long ; quant à l'**otarie**, ou **lion de mer** (*sea lion* en anglais), elle a des petites oreilles, c'est ce que signifie *otarie* en grec. Ses nageoires sont longues et musclées, et elle peut se redresser. C'est l'animal que l'on peut observer sur le Pier 39 à San Francisco.

NOS ADRESSES À SANTA CRUZ

TRANSPORTS

En voiture – Pour longer la côte centrale, il faut suivre la mythique Hwy 1 : de San Francisco, quittez le centre-ville par Geary Blvd, prenez vers l'ouest jusqu'à l'océan, puis empruntez la Great Hwy vers le sud qui devient la Hwy 1. De la Silicon Valley ou de Palo Alto, une petite route très pittoresque relie Woodside et Half Moon Bay sur la côte (11 miles).

HÉBERGEMENT

Santa Cruz

Bon à savoir – Tarifs plus élevés le w.-end et réservation parfois pour 2 nuits minimum. De nombreux motels près de la plage.

POUR SE FAIRE PLAISIR

The Babbling Brook Inn – *1025 Laurel St. - ℰ 800 433 4732 - www.babblingbrookinn.com - ℙ - wifi - 13 ch. 229/329 $ ☕.* Une ancienne tannerie et un moulin en bardeaux de châtaignier, construits au-dessus d'un petit torrent. Très chic, mais certaines chambres sont un peu près de la rue. Apéritif, thé, café, biscuits et petit-déj. buffet inclus.

Cliff Crest B & B – *407 Cliff St. - ℰ (831) 427 2609 - www.cliffcrestinn.com - ℙ - wifi - 6 ch. 245/295 $ ☕.* Grand confort, dans une belle demeure de style Queen Anne. Accueil charmant par des hôtes francophones. Petit-déj. délicieux.

Sur la côte

PREMIER PRIX

Pigeon Point Lighthouse Hostel – *210 Pigeon Point Rd - 94060 Pescadero - à 21 miles au sud de Half Moon Bay - ℰ (650) 879 0633 - www.norcalhostels.org - ℙ - 59 ch. 80 $.* Dans l'enceinte du State Historic Park, quatre maisons se répartissent autour du phare. Dortoirs *(25,50/28 $/pers. + suppl. de 3 $ par j./pers. pour les non-membres de Hostelling International)* et 4 chambres privées propres *(76 $ + suppl. de 3 $).* Couvre-feu à 23h. Protection et connaissance de l'environnement y sont les maîtres mots. Vue spectaculaire. Point de départ pratique vers les réserves naturelles. Jacuzzi sur la falaise.

RESTAURATION

Santa Cruz

PREMIER PRIX

Lulu Carpenter's – *1545 Pacific Ave. - ℰ (831) 439 9200 - www.lulucarpenters.com - 6h-0h - fermé Thanksgiving et 25 déc. - ℙ - wifi - 10/15 $.* Café fréquenté par les étudiants, pour son choix de salades, quiches, sandwichs…

Café Limelight – *1016 Cedar St. - ℰ (831) 425 7873 - www.cafelimelight.info - 11h30-14h30, 17h30-20h30, dim.-lun. 11h30-14h30 - 9,50/12,50 $.* Restauration légère qui privilégie les produits bio. Il y a aussi un menu pour chiens ! Terrasse agréable.

BUDGET MOYEN

Walnut Avenue Cafe – *106 Walnut Ave. - ℰ (831) 457 2307 - www.walnutavenuecafe.com - 7h-15h, w.-end 8h-16h - fermé Thanksgiving et 25 déc. - 12/15 $.* Un café relax pour débuter la journée. Le menu est simple, les plats roboratifs et goûteux. Rares places en terrasse, mais très agréables.

Stagnaro Bros. – *59 Municipal Wharf - ℰ (831) 423 2180 - www.stagnarobros.com - 11h-21h - fermé Thanksgiving et 25 déc. - 20/40 $.*

Excellent restaurant de poissons, sur le Municipal Wharf, tenu par la même famille depuis 1937. Tout est d'une extrême fraîcheur.

Gabriella Cafe – *910 Cedar St. - ℘ (831) 457 1677 - www. gabriellacafe.com - 11h30-14h30, 17h30-21h (22h vend.), w.-end 11h-14h, 17h30-22h - 15/30 $.* Une cuisine californienne aux influences méditerranéennes marquées, à déguster dans une atmosphère intime.

El Palomar – *1336 Pacific Ave. - ℘ (831) 425 7575 - www. elpalomarsantacruz.com - 11h-21h30 (22h jeu., 22h30 vend.), sam. 10h-22h30, dim. 10h-21h30 - fermé Thanksgiving et 25 déc. - 8/33 $.* L'un des restaurants mexicains les plus fameux de la ville. Bonne cuisine traditionnelle et excellent *taco bar* pour les petites faims (11h-23h).

BOIRE UN VERRE

Santa Cruz
Poet and Patriot Irish Pub – *320 Cedar St. - ℘ (831) 426 8620 - 13h-2h.* Un vrai pub irlandais, tenu par un irréductible gouailleur. Musique *live* le soir.

The Catalyst – *1011 Pacific Ave. - ℘ (831) 423 1338 - www. catalystclub.com - 15h-1h30.* Musique *live* tous les soirs, rock, blues, jazz, reggae…

Kuumbwa Jazz Center – *320 Cedar St. - ℘ (831) 427 2227 - www. kuumbwajazz.org - lun.-vend. 9h-17h.* Une salle de concerts où écouter du jazz de qualité le lun. et parfois d'autres soirs.

Capitola
Sante Adairus Rustic Ales – *103 Kennedy St. - ℘ 831 462 1227 - www.rusticales.com - 15h-20h, vend.-dim. 12h-20h - fermé lun.* L'adresse n'est pas facile à trouver, mais vaut le détour : cette brasserie locale propose une sélection inspirée de bières.

ACHATS

Santa Cruz
O'Neill – Fondée en 1954, la marque a inventé la combinaison en néoprène, rendant le surf praticable toute l'année. Le fondateur était un habitué de Steamer Lane. Pour du matériel de surf, ou un look californien, ne manquez pas la boutique du centre-ville, **O'Neill Surf Shop**, *110 Cooper St. Tlj 10h-20h (21h vend.-sam.)*

Gilroy
Située au cœur d'une région agricole, la petite ville est aussi un grand centre de culture d'ail : vous pourrez acheter des fruits de saison et des préparations à base d'ail sur les nombreux stands installés le long de la route.

Gilroy Premium Outlets – *681 Leavesley Rd - à 36 miles de Santa Cruz, suivez la Hwy 1 S. jusqu'à Watsonville, puis la Hwy 152 vers l'est - ℘ (408) 842 3729 - www. premiumoutlets.com - 10h-21h, dim. 10h-19h.* 145 magasins d'usine : Gap, Calvin Klein, Ralph Lauren, Jones, Nike, Hugo Boss, Levi's, Guess, Versace, Birkenstock…

ACTIVITÉS

Observer la nature – Activité très appréciée, le **tidepooling** est l'observation de la vie marine dans les mares laissées par la mer à marée basse. L'auberge de jeunesse de **Pigeon Point** propose des sorties vers le phare.

Surf – Club Ed Surf School – *Cowell Beach - au pied du West Coast Santa Cruz Hotel - ℘ (831) 464 0177 - www.club-ed. com.* Location de matériel de surf et leçons (2h en groupe : *débutants 90 $, sinon 75 $*).

3

Monterey et Carmel

Monterey 29 003 habitants – Carmel 3 842 habitants - Californie

Sur la péninsule de Monterey se trouvent deux charmantes villes, reliées par une route côtière privée spectaculaire, la 17-Mile Drive : Monterey, dont la célébrité vient des anciennes conserveries de sardines et des écrivains qui y ont vécu ; Carmel, un repaire de célébrités, dont l'un des anciens maires n'est autre que Clint Eastwood. Le charme de Monterey vient de sa côte rocheuse plantée de cyprès, de son architecture éclectique, entre style colonial et victorien, et de son port de pêche avec les cris rauques des otaries. Quant à Carmel, c'est le symbole d'un certain art de vivre californien. Le village ressemble à un décor de cinéma, et il est admirablement préservé et ultraprotégé : pas de trottoirs, pas de lampadaires, aucun panneau, pas de publicité. Son charme tient surtout à ses villas noyées dans les arbres et les fleurs, à son atmosphère de luxe décontracté, à ses boutiques raffinées et aux paysages sauvages des environs.

NOS ADRESSES PAGE 178
Hébergement, restauration, achats, activités, etc.

S'INFORMER

Monterey Visitors Bureau – *À l'angle de Franklin Ave. et de Camino el Estero* - ✆ *(831) 657 6400 - www. monterey.com, www.seemonterey. com - 9h-18h (17h dim.).* Demandez la carte *The Path of History* (éditée par The Old Monterey Business Organization, *98 Del Monte Ave., Suite 201, www.oldmonterey.org*) et les bons de réduction pour les attractions. Les hôtels et B & B de Monterey et Carmel sont listés, et des bornes téléphoniques permettent de les appeler gratuitement pour réserver.
Carmel Visitor Center – *San Carlos St., entre la 5th et 6th Ave.* - ✆ *(831) 624 2522 - www.carmelcalifornia.org - tlj 10h-17h.* Pour trouver un hébergement si tous les hôtels sont complets.

SE REPÉRER

Carte de région A1 *(p. 160)* - *carte Michelin Western USA 585*

A 8-9-10 - plan p. 176-177. Monterey se trouve à 120 miles (193 km) au sud de San Francisco par la Hwy 101, et à 43 miles (69 km) au sud de Santa Cruz en suivant la côte par la Hwy 1. Carmel est à 4,2 miles (6,7 km) au sud de Monterey en empruntant la Hwy 1, et à 14 miles (22 km) en prenant la route qui longe la côte.

À NE PAS MANQUER

Une promenade le long de la côte ; une sortie en mer, en kayak ou pour aller voir les baleines ; la Mission de Carmel.

AVEC LES ENFANTS

Le Monterey Bay Aquarium propose de nombreuses activités interactives, notamment la « Splash Zone », réservée aux enfants.

ORGANISER SON TEMPS

Comptez 2 jours pour bien profiter de la péninsule.

★★ Monterey Plan p. 176

 Bon à savoir – Le mieux est de vous arrêter d'abord à l'office de tourisme, où vous pourrez retirer la brochure *The Path of History*. Ce circuit d'environ 3 km fait le tour des bâtiments historiques, marqués d'une plaque dans le trottoir et d'un panneau explicatif. Commencez-le sur le front de mer, près de Custom House *(parkings à proximité)*.

★ LE CENTRE HISTORIQUE

▶ *Comptez une demi-journée. La plupart des monuments sont regroupés au sein du Monterey State Historic Park et certains ne sont ouverts que lors de visites organisées (RV face à la Custom House - tlj sf lun. 10h30, 12h30 et 14h - 5 $),* ℘ *(831) 649 7118 - www.parks.ca.gov/mshp).*
C'est près des quais que débarquèrent les premiers explorateurs il y a quatre siècles, et le port fut la première raison d'être de la colonie.

Fisherman's Wharf (Quai du Pêcheur)
Les échoppes colorées et le fumet du poisson grillé sont tout ce qui reste du passé pêcheur de Monterey, évanoui quand les sardines ont quitté la baie. Heureusement, on entend toujours les cris des mouettes et des otaries, qui vivent sur la plage voisine, et le claquement des drisses sur les mâts des voiliers.

Custom House Plaza
En face du quai, la Custom House Plaza est le centre de la ville historique. C'est une zone piétonne agréable et animée, les habitués jouent aux boules dans un coin, le marché se tient sur la place le mardi en fin d'après-midi.
★ **Custom House** – Il s'agit de l'ancien bureau des douanes, construit durant la première moitié du 19e s., quand le gouvernement mexicain autorisa le commerce international à partir du port de Monterey. Ce serait le plus vieux bâtiment administratif de Californie *(tlj 10h-16h - gratuit)*.
Pacific House – *Au sud de la place*. Ce parfait exemple de l'architecture coloniale en adobe (1847) servit au stockage des fournitures militaires, puis abrita diverses administrations ou entreprises, y compris une taverne. On y célébra même la messe. C'est devenu un **musée de l'Histoire californienne** *(tlj 10h-16h - gratuit)*.
Dali17 – *5 Custom House Plaza,* ℘ *(831) 372 2608 - www.dali17.com - 10h-17h (19h vend.-sam.) - fermé 1er janv. et 24-25 déc. - 20 $*. Ce musée rassemble des œuvres de Dalí, essentiellement des lithographies et des gravures, et de nombreux documents sur ce peintre surréaliste. Il doit son nom au 17-Mile Drive où vécut l'artiste dans les années 1940.

First Brick House
Au nord-ouest de la place, un peu à l'écart, sur Oliver Street. Cette demeure (1847) est la première maison bâtie en brique (cuite) et non en adobe (crue). L'intérieur montre comment on vivait autrefois *(tlj 10h-16h, gratuit)*. À côté, **Old Whaling Station** (1847), une maison en adobe à étage, rappelle le passé baleinier de Monterey *(mar.-vend. 10h-14h, jardin ouv. tlj)*.

Pacific Street
Cette rue est l'un des axes majeurs du centre historique.
Descendez-la vers le sud.
First Theatre – *À l'angle de Pacific Street et Scott Street*. Il abritait dans les années 1840 un saloon qui accueillait des pièces de théâtre montées par les soldats.

Casa Soberanes – *336 Pacific St.* Demeure en adobe bâtie en 1840 dans le style colonial à balcons. Dans le jardin, les parterres de fleurs sont faits en coquillages.

Colton Hall – *570 Pacific St., entre Jefferson et Madison St. -* 📞 *(831) 646 5640 - www.monterey.org/museums - tlj 10h-16h - fermé Thanksgiving, 25 déc. et 1er janv. - gratuit.* Avec son porche à fronton caractéristique de l'architecture néoclassique, ce bâtiment joua un rôle important dans l'histoire de l'État : c'est ici que fut élaborée et signée la première Constitution de Californie, en 1849. À côté de cet édifice, on peut encore voir la très sobre **Old Monterey Jail**, l'ancienne prison et ses cellules.

★ **Monterey Museum of Art-Pacific Street** – *De l'autre côté de la rue par rapport au Colton Hall. 559 Pacific St. -* 📞 *(831) 372 5477 - www.montereyart.org - tlj sf. mar. et merc. 11h-17h, (20h le 1er vend. du mois) - 10 $, billet combiné avec le Monterey Museum of Art-La Mirada valable un mois.* Il est consacré à l'art californien, de l'art populaire indien jusqu'aux photos d'Ansel Adams, en passant par les peintres paysagistes.

Quittez Pacific Street pour passer derrière le Monterey Museum of Art et remontez la Calle Principal.

À L'EST DU CENTRE HISTORIQUE

À l'angle de la Calle Principal et de Pearl Street, **Larkin House★** *(464 Calle Principal. Visite guidée uniquement merc. 13h30, vend. 15h, w.-end 14h)* est une autre grande demeure en adobe du 19e s. Elle fut construite en 1834 par un riche marchand, Thomas Larkin, qui devint ensuite le consul américain de Californie. Venu de l'Est, il adapta l'architecture de sa région (toit presque plat, corridor central, galeries) aux coutumes et aux matériaux locaux (adobe et bois de séquoia), donnant ce que l'on a appelé le style colonial de Monterey.

Suivez Pearl St. vers l'est jusqu'à Polk St.

★ **Cooper-Molera Adobe** – *525 Polk St. Visite guidée uniquement, se renseigner au* 📞 *(831) 649 7172.* L'ensemble comprend la maison de la famille Cooper, un exemple d'architecture et de décoration californiennes sur trois générations, ainsi qu'une remise à voitures, un joli potager à l'ancienne et une boutique.

Alvarado Street, qui va vers la Custom House Plaza, accueille chaque mardi soir (été : 16h-20h ; reste de l'année 16h-19h) un **marché★** en plein air, proposant des produits fermiers tout frais, des côtelettes grillées et d'autres délicieux en-cas, chinois ou mexicains.

Empruntez Pearl St. et tournez à droite dans Houston St.

Stevenson House – *530 Houston St., entrée sur Munras St. - Jardin mai-sept. : 10h-17h ; reste de l'année : 10h-16h - maison w.-end 10h-16h.* Construit en 1840 et connu sous le nom de « French Hotel », l'édifice abritait la résidence du percepteur des douanes. Devenue pension de famille, elle accueillit l'auteur écossais de *L'Île au trésor*, Robert L. Stevenson, pendant qu'il faisait la cour à Fanny Osbourne, rencontrée en France (on dit qu'il y écrivit une partie de son célèbre roman).

Descendez Houston St., prenez à gauche dans Webster St., à droite dans Figueroa St., puis à gauche dans Church St.

Royal Presidio Chapel – Elle est la seule chapelle de *presidio* encore existante en Californie (1795). C'est là que Junípero Serra célébra la première messe.

Suivez Fremont St. vers l'est.

★ **Monterey Museum of Art-La Mirada** – *720 Via Mirada,* 📞 *(831) 372 3689 - www.montereyart.org - ouvert seult lors des évènements et des expositions, se rens. auprès du Monterey Museum of Art-Pacific Street.* Située, au cœur d'une

Une cité tournée vers la mer

LA COLONISATION ESPAGNOLE

Une terre de peu d'intérêt

La région de Monterey fut d'abord occupée par les Indiens ohlones qui vivaient de la pêche, de la chasse et de la cueillette. En 1542, un premier explorateur espagnol repéra la baie, mais ce n'est qu'en 1602 que Sebastián Vizcaíno y débarqua et décida de baptiser l'endroit du nom du vice-roi de l'époque, le comte de Monte Rey. On en resta là jusqu'en 1770, date à laquelle les Espagnols, qui gouvernaient le Mexique, décidèrent d'installer une garnison dans cette baie abritée.

La fondation du presidio

On dépêcha **Gaspar de Portolá**, qui fut chargé de fonder un *presidio*. Il était accompagné d'un missionnaire, **Junípero Serra**, qui devait évangéliser les nouvelles possessions. L'un construisit une forteresse, l'autre édifia une mission et entreprit de convertir les Indiens. Comme les soldats étaient un bien piètre exemple pour ces nouveaux chrétiens, le moine décida de déménager un peu plus au sud, le long de la côte, à Carmel.

UN CENTRE DE PÊCHE PROSPÈRE

De la capitale politique…

Pendant ce temps, Monterey prit de l'importance et devint la capitale de la Californie. Elle le resta après l'indépendance du Mexique et le port s'enrichit encore, grâce à la levée des restrictions commerciales. Mais la ruée vers l'or sembla la faire tomber dans l'oubli.

… à la capitale de la pêche

Deux activités la ressuscitèrent à la fin du 19e s. : le tourisme, grâce aux magnats de San Francisco, et la pêche que les Chinois et les Italiens venaient pratiquer dans ses fonds très poissonneux. Au début du 20e s., on créa une sardinerie et Monterey fut très vite promue capitale mondiale de la sardine… Mais, conséquence de la surexploitation, l'industrie s'effondra après la Seconde Guerre mondiale et les conserveries fermèrent. Le charme des paysages et la réserve marine ont permis à la ville de se concentrer sur le tourisme.

LE TOURISME ET LA MER

La protection du patrimoine halieutique

En 1992, 444 km de littoral avec, sur la même distance, une zone de mer large de 45 km, étaient classés. Depuis, le **Monterey Bay National Marine Sanctuary** (MBNMS) protège 33 espèces de mammifères marins, dont les phoques et les baleines, plus de 90 espèces d'oiseaux et 345 de poissons. Un vrai paradis pour plongeurs, kayakistes, caboteurs et photographes !

Souvenirs de marins

Jadis, les campagnes de pêche à la baleine pouvaient durer des années. Pour tuer l'ennui, les marins gravaient ou sculptaient les dents de baleines et de morses. On appelle *scrimshaws* ces délicats objets, décoratifs ou usuels, tels que peignes, dés à coudre, manches de couteaux, bijoux ou boîtes à pilules.

> **DES PETITS ET DES HUMBLES…**
>
> Né en 1902 dans une famille aisée, **John Steinbeck** est un enfant à l'imagination débordante, et passionné par le roi Arthur. Il commence des études à Stanford… qu'il ne terminera jamais, et quitte l'université en 1925. Il découvre le monde ouvrier en occupant une série d'emplois saisonniers dans la vallée de Salinas. Il y rencontre les humbles, ouvriers agricoles ou victimes de la crise des années 1930. Dès son premier roman, *Tortilla Flat*, il décrit les marginaux de Monterey, une ville qui sert souvent de cadre à ses œuvres, mais quand il raconte les difficiles conditions de travail et les grèves des saisonniers, les habitants de la vallée le rejettent et l'accusent de socialisme. Son livre est un succès, et il vend les droits à Hollywood. Il devient également correspondant de guerre. Malgré sa célébrité, il demeure incompris dans sa ville, où le conservatisme reste fermé à son réalisme social et à sa sensibilité à la misère humaine. Son prix Nobel en 1962 n'y change rien et il faudra attendre six ans après sa mort pour qu'une fondation l'honore enfin dans son pays. Le musée qui lui est consacré n'a ouvert ses portes qu'en 1998…

belle roseraie, cette modeste maison en adobe, transformée par la suite en élégante demeure, sert de cadre pour des manifestations et expositions ponctuelles organisées par le Monterey Museum of Art.

Reprenez votre véhicule et longez le front de mer vers l'ouest. Passé Fisherman's Wharf, suivez les panneaux à gauche vers le Presidio.

Presidio of Monterey Museum – *Corporal Ewing Rd, Building 113 -* 📞 *(831) 646 3456 - www.monterey.org/museums - lun. 10h-13h, jeu.-sam. 10h-16h, dim. 13h-16h ; fermé mar. et merc.* Il retrace l'histoire militaire de la région sur plusieurs siècles, depuis l'époque des Indiens.

Reprenez le front de mer en direction de Cannery Row, vers l'ouest.

CANNERY ROW

Immortalisé par **John Steinbeck** dans ses romans *Tortilla Flat* (1935), *Rue de la Sardine* (1945) ou *Tendre jeudi* (1954), ce quartier de Monterey était jadis celui des sardineries (*cannery* veut dire conserverie), qui firent la richesse de la ville. Plus de 4 000 ouvriers travaillaient alors dans une trentaine d'usines. Comme tous les ports du monde, il grouillait de vie et d'activité, résonnant du bruit des machines et des bagarres entre deux verres, des rires des saloons ou des hôtels de passe, imprégné de l'odeur forte des retours de marée et du diesel des bateaux. Toute cette animation s'éteignit brutalement lorsque les stocks de sardines furent épuisés vers 1950. Les usines fermèrent et le quartier s'assoupit. Rajeuni pour le bénéfice du tourisme, il n'a jamais retrouvé son charme pittoresque, mais les boutiques et les restaurants de poisson en font le rendez-vous des touristes.

★★ **Monterey Bay Aquarium**

886 Cannery Row - 📞 *(831) 648 4800 - www.montereybayaquarium.org - tlj 10h-18h (9h30-18h en été, pdt les vac. et les j. fériés ; 9h30-20h les w.-ends d'été) - fermé 25 déc. - 49,95 \$ (3-12 ans 29,95 \$, 13-17 ans 39,95 \$) - billet inclus dans le City Pass de San Francisco.*

👪 Cet aquarium, l'un des plus beaux au monde, est installé dans une ancienne conserverie de sardines, la dernière de Monterey, qui ferma ses portes en 1973 ; il présente, sur deux niveaux, les milieux marins de la baie de Monterey, y compris la faune et la flore des environs, soit plus de 300 000 animaux et 600 espèces végétales. Les expositions sont classées par thème et par milieu, du rivage aux profondeurs abyssales. Vous découvrirez ainsi les oiseaux côtiers, les poissons, les crustacés et les gracieuses méduses du Pacifique, puis voyagerez au cœur d'une forêt d'algues, le Kelp, peuplée de sardines ou de requins, et rencontrerez des otaries, des phoques et des loutres de mer dans de magnifiques mises en scène naturelles. La plus étrange de toutes est la section **Jellies experience** (les méduses : art vivant). Elle présente plusieurs espèces de méduses exotiques aux couleurs spectaculaires qui ont inspiré des artistes. Le visiteur est aussi invité à sortir et observer la baie, car l'aquarium s'ouvre sur l'extérieur.

★ La péninsule de Monterey Plan p. 176

◗ *Comptez au moins 2h.*
De Monterey à Carmel, qui l'encadrent, cette avancée rocheuse est un concentré de la côte californienne.

★ Pacific Grove

Après l'agitation de Cannery Row, **Ocean View Boulevard★** épouse le littoral déchiqueté en longeant d'opulentes villas. Vers le nord, on distingue la silhouette des Santa Cruz Mountains. Ici et là, des surfeurs glissent sur les déferlantes. Dès le printemps, les bords de la route se couvrent du tapis rose fluo ou orange vif des *ice plants*, une sorte d'asters très robustes, adaptés au climat marin et implantés pour retarder la progression des incendies (leurs feuilles épaisses sont très riches en eau).

La rue principale de Pacific Grove, **Lighthouse Avenue**, est bordée de belles demeures victoriennes. Le village est parfois surnommé *Butterfly Town* en raison du nombre invraisemblable de papillons monarques qui viennent y passer les mois d'hiver *(de nov. à mars)* et forment dans les arbres de larges grappes orange. Vous pourrez en observer à **George Washington Park** (*dans Adler St., au sud de Lighthouse Ave.)* ou au **Monarch Grove Sanctuary** (*sur Ridge Rd, une rue parallèle à l'ouest d'Adler St.).*

À l'extrême nord de la péninsule, **Point Piños** porte, en retrait du rivage, le plus ancien phare de Californie encore en activité. Après Point Piños, la route côtière prend le nom de Sunset Drive. Suivez-la jusqu'au Pacific Grove Gate qui marque l'entrée de la 17-Mile Drive.

★★ 17-Mile Drive

Route privée ouv. du lever au coucher du soleil. 10 $/véhicule, vélos gratuits, motos interdites. Au péage, on vous remet une carte avec tous les arrêts conseillés.
Cette ravissante route scénique privée traverse l'un des plus riches et des plus célèbres quartiers résidentiels de la côte Ouest. Elle relie Pacific Grove à Carmel en serpentant au cœur d'une forêt de cyprès. Ici et là, le panorama s'ouvre sur le Pacifique, ses grandes vagues blanches et ses rochers dorés. Spanish Bay doit son nom à l'Espagnol Portolá, fondateur de Monterey, qui y campa en 1769.

Juste au sud, Point Joe est battue par de violents courants qui eurent raison de plus d'un explorateur. Au-delà de cette pointe, un sentier côtier, le **Coastal Bluffs Walking Trail★**, longe le littoral. **Seal Rock** est une aire de pique-nique et d'observation des otaries. Ne manquez pas non plus les belvédères de **Cypress Point★** et de **Lone Cypress★**, qui offrent des vues caractéristiques de la côte de Monterey.

★★ Carmel Plan p. 176

Comptez une demi-journée (appréciez les couchers de soleil depuis la plage).

Dès la création de la petite station, au début du 20ᵉ s., l'accent fut mis sur l'esthétique, mais ce sont les poètes, artistes et écrivains qui fréquentaient le village qui en firent la notoriété, comme Robinson Jeffers, Jack London ou Ansel Adams. Tout cela ne doit pas faire oublier que le cœur de Carmel fut d'abord la mission fondée par Junípero Serra avant de devenir le centre des missions californiennes.

Carmel-by-the-Sea s'articule autour d'Ocean Avenue, de part et d'autre de laquelle les rues ombragées sont bordées de boutiques, d'antiquaires et de

SE LOGER

Borg's Ocean Front Motel	①
Carmel Village Inn	②
Colton Inn	⑤
Old St. Angela (The)	⑦
Stage Coach Lodge	⑧
Vagabond's House Inn	⑨

SE RESTAURER

Bubba Gump	④
Flying Fish Grill	⑥
Katy's Place	⑩
Pâtisserie Boissière	⑫
Red House Cafe	⑭
Rosine's Restaurant	⑯
Roy's at Pebble Beach	⑰
Village Corner	⑱

galeries d'art, et qui conduit à une plage bordée de pins, **Carmel Beach★** *(attention, si vous vous baignez, les vagues sont énormes et les courants assez violents).*

De là, vous pouvez suivre la **Scenic Road★** *(en sens unique),* bordée de cyprès aux troncs tourmentés, qui longe la baie entre rochers et villas aux architectures les plus éclectiques. Elle conduit à **Carmel River State Beach**, plus sauvage que la précédente avec sa lagune peuplée d'oiseaux migrateurs.

★★★ Mission San Carlos Borroméo de Carmelo (Carmel Mission)

3080 Rio Rd Carmel - ℘ (831) 624 1271 - www.carmelmission.org - tlj 9h30-19h, - 6,50 $ (7-17 ans 2 $). Les j. fériés, appelez pour savoir si la visite est possible. Plusieurs messes quotidiennes.

C'est l'une des plus belles missions de Californie. Il s'en dégage un charme et une sérénité intemporels, à peine gâchés par l'affluence touristique. Fondée par le père Junípero Serra en 1771, elle est la deuxième de Californie après San Diego. Construite sur une terre fertile, au bord de la Carmel River, elle fut longtemps un avant-poste spirituel majeur, au nord des colonies espagnoles. Serra y établit sa résidence et en fit le quartier général des missionnaires californiens. À sa mort, en 1784, plus de 700 personnes y vivaient, Espagnols ou Indiens convertis. Sécularisée en 1834, la mission faillit disparaître complètement avant qu'un artisan passionné, Harry Downie, n'entreprît une patiente restauration qui dura cinquante ans.

La première chapelle n'existe plus et l'**église★** actuelle date de 1797. Parmi ses particularités, on note son clocher en dôme et sa magnifique voûte intérieure, inhabituelle dans les églises des missions. Le mobilier sacré date de la fondation de la première église (18e s.) et reflète bien l'influence méditerranéenne, avec ses statues habillées ou la crèche et ses petits santons vêtus à la mode de l'époque. On remarque aussi des tableaux et un très beau retable. L'émouvante petite chapelle latérale est vouée à la Vierge de Bethléem, un culte importé par des marins portugais débarqués à Monterey. Dans l'ancienne **résidence des moines★**, des pièces usuelles ont été reconstituées, comme la cuisine, la salle à manger, la bibliothèque ou la cellule monacale de Junípero Serra. Flânez dans la cour, à gauche de l'église, pour retrouver le calme qu'offrait la mission.

A Casa Soberanes
B Colton Hall
C Cooper-Molera Adobe
D First Brick House
E First Theatre
F Larkin House
G Old Monterey Jail
H Old Whaling Station
I Museum of Monterey
J Mirada Adobe
K Dali17
L Pacific House
M Stevenson House
N Royal Presidio Chapel

San Francisco
Santa Cruz

Del Monte Ave.

Fremont Blvd

North Fremont St.

Aguajito Rd.

Salinas

Infantry
Seeno
Scott

Fisherman's
Wharf

Monterey

Custom
House

Peninsula

Larkin

Van Buren

Pacific

Calle Principal

MONTEREY

Trail

Del Monte Ave.

Washington

Tyler

Franklin

Figueroa

Franklin

Jefferson

Alvarado

Pearl

Webster

Church **M**

Larkin
Park

Pacific

Fremont

Carmel Valley
Garland Ranch

3

À proximité

CARMEL VALLEY

Située à l'embouchure de la rivière du même nom, cette petite vallée fournit au vignoble une terre d'élection. Carmel Valley Road *(la route quitte la Hwy 1 juste au nord de la mission)* s'enfonce entre les collines rondes et vertes des Santa Lucia Mountains, au milieu des golfs et des vignobles *(nombreuses dégustations de vin)*. Elle passe le **Garland Ranch Regional Park**, idéal pour pique-niquer ou randonner dans les collines, et se poursuit jusqu'à **Carmel Valley Village**.

SALINAS Carte de région A1

◗ *17 miles à l'est de Monterey par la Hwy 68. Comptez une demi-journée.*
Grâce à son très agréable climat, cette paisible ville agricole tire sa richesse des cultures maraîchères et des vignobles alentour, mais elle doit toute sa célébrité à un enfant du pays, l'écrivain **John Steinbeck**, prix Nobel de littérature en 1962 : il a largement mis la région de Monterey en avant dans ses nombreux romans, devenus pour la plupart des classiques.

★ National Steinbeck Center

1 Main St. - ☏ (831) 796 3833 - www.steinbeck.org - tlj 10h-17h - fermé Thanksgiving, 25 déc. et 1er janv. - 12,95 $ (6-17 ans 6,95 $).
Un temple dédié à celui qui écrivit *Les Raisins de la colère*. Les archives Steinbeck (photos, articles, manuscrits) sont présentées à travers des expositions et des documentaires. Un film *(24mn, sous-titres en anglais)* retrace la vie de l'écrivain. Le musée est organisé en fonction des œuvres de l'auteur, et des thèmes abordés dans ses romans : la vie rurale dans la vallée, la période de la Grande Dépression… Excellente librairie.

😊 NOS ADRESSES À MONTEREY ET CARMEL

HÉBERGEMENT

Monterey

Les chaînes de motels bon marché se trouvent le long de Fremont St.

BUDGET MOYEN

Stage Coach Lodge – *1111 10th St. - ☏ (831) 373 3632 - www. montereystagecoachlodge.com -* 🅿 🏊 ♿ *- wifi - 26 ch. 100/700 $* 🍽. Des chambres vastes et bien équipées (micro-ondes, machine à café), quoiqu'un peu impersonnelles. Petit-déj. continental. Toutes les attractions sont accessibles à pied.
Colton Inn – *707 Pacific St. - ☏ (800) 848 7007 - www.coltoninn. com -* 🅿 ♿ *- wifi - 50 ch.* Bien placé et calme, à deux pas du centre historique. Chambres, avec balcon ou terrasse, dont certaines avec kitchenette. 2 nuits minimum en haute saison.

Pacific Grove

BUDGET MOYEN

Borg's Ocean Front Motel – *635 Ocean View Blvd - ☏ (831) 375 2406 - www.borgsoceanfrontmotel. com -* 🅿 *- 60 ch. 89/185 $.* Tout proche de Lover's Point Park, un motel simple, en face à la baie, avec vue imprenable sur l'océan ou sur la forêt. Il n'y a pas moins cher si près des flots. Wifi gratuit.
The Old St Angela Inn – *321 Central Ave. - ☏ (831) 372 3246 - www.oldstangelainn.com -* 🅿

&. - wifi - 9 ch. 163/289 $ 🛏.
Un B & B au charme Nouvelle-
Angleterre et à l'accueil raffiné.
Pour une folie, demandez la suite
WhaleWatch, avec balcon, vue sur
la mer, cheminée et Jacuzzi. Petit-
déj. copieux.

Carmel

😊 **Bon à savoir** – Le village
est bondé en haute saison et le
w.-end. N'espérez pas y loger si
vous n'avez pas réservé. Attention,
repérez votre logement quand
il fait encore jour, car les noms
de rues sont très discrets, les
maisons n'ont ni numéro ni boîte
aux lettres et les rues ne sont
pas éclairées la nuit. Hors saison,
tentez les B & B ou les hôtels de
charme aux tarifs intéressants.

POUR SE FAIRE PLAISIR

Vagabond's House Inn – À
l'angle de 4th Ave. et de Dolores
St. - 🖉 1-800 262 1262 - www.
vagabondshouseinn.com - 🅿 -
wifi - 13 ch. 245/375 $ 🛏. Un
charme fou avec un ravissant
patio fleuri agrémenté de
fontaines. Décoration de style
colonial. Apéritif et petit-déj.
(en chambre) inclus. Réservez à
l'avance les chambres standard,
prisées par les moins chères.

Carmel Village Inn – À l'angle
d'Ocean Ave. et de Junipero
Ave. - 🖉 1-800 346 3864 - www.
carmelvillageinn.com - 🅿 - wifi -
34 ch. 240/285 $ (89 $ de fév. à
avr.) 🛏. Des chambres assez
impersonnelles, plus ou moins
vastes, mais bien équipées.
Parking gratuit. Bien placé et bon
rapport qualité-prix.

RESTAURATION

Monterey

PREMIER PRIX

Bubba Gump – 720 Cannery
Row - 🖉 (831) 373 1884 - www.

bubbagump.com - 11h-22h - &. -
wifi - 15/23 $. Cette chaîne de
restaurants a racheté les droits
du film Forrest Gump, pour ouvrir
des adresses très touristiques.
Sur Cannery Row, grande salle
bruyante mais qui propose
une vue superbe sur la baie.
Spécialités de crevettes, à toutes
les sauces : à la vapeur de bière,
sautées, marinées, en beignets,
par exemple…

Rosine's Restaurant –
434 Alvarado St. - 🖉 (831) 375 1400 -
www.rosinesmonterey.com - 8h-
21h, vend.-sam. 8h-22h - fermé
lun.-merc. - plats autour de 15 $.
La longueur du menu peut laisser
pantois : que choisir ? On vient
ici pour les portions généreuses,
les plats classiques, les *pancakes*
du brunch, l'ambiance familiale
et, surtout, les desserts
faramineux.

Pacific Grove et 17-Mile Drive

PREMIER PRIX

Red House Cafe – 662 Lighthouse
Ave. - à l'angle de la 19th St. -
🖉 (831) 643 1060 - www.
redhousecafe.com - 8h-14h30, 17h-
21h - fermé Thanksgiving et 25 déc. -
7,50/23 $. Snack, salades, soupes
ou plats plus élaborés, servis
dans un décor de vieille maison
victorienne.

POUR SE FAIRE PLAISIR

Roy's at Pebble Beach – 2700
17-Mile Drive - The Inn at Spanish
Bay - 🖉 (831) 647 7423 - www.
pebblebeach.com - 6h30-22h - 🅿
&. - wifi -24/40 $. Roy Yamaguchi
est originaire d'Hawaii, et sa
cuisine inventive et raffinée
s'inspire d'un subtil mélange
entre toutes les grandes traditions
culinaires, de la France à l'Asie. Le
cadre, exceptionnel au coucher du
soleil, ne gâche rien.

Carmel

PREMIER PRIX

Katy's Place – *Mission St. - entre 5th et 6th Ave. - ℘ (831) 624 0199 - www.katysplacecarmel.com - 7h-14h - 12/25 $.* Un temple du *breakfast.* Omelettes, gaufres et autres pancakes à profusion *(10-20 $).* Également des salades et hamburgers.

Pâtisserie Boissière – *Mission St. - entre Ocean Ave. et 7th Ave. - ℘ (831) 624 5008 - www.patisserieboissiere.com - 11h30-16h30, merc.-vend. 17h30-21h, w.end 11h30-21h.* Petit salon bonbonnière où les dames de Carmel viennent entre copines pour manger salades, quiches, accompagnées de fruits frais ou de pâtisseries *(8-22 $).*

BUDGET MOYEN

Flying Fish Grill – *Mission St. - entre Ocean Ave. et 7th Ave. - ℘ (831) 625 1962 - www.flyingfishgrill.com - 17h-22h - 26/34 $.* La meilleure table pour les amateurs de poissons, accommodés au style californien mâtiné d'asiatique. Essayez le thon ou le saumon au sésame. Réservation recommandée.

Village Corner – *93953 Pebble Beach - À l'angle de Dolores St. et de 6th Ave. - ℘ (831) 624 3588 - www.carmelsbest.com - 7h-21h - 11/52 $.* Du petit-déjeuner au dîner. Savoureuse cuisine méditerranéenne (paella, raviolis au crabe…) et plats végétariens. Patio particulièrement agréable.

Salinas

BUDGET MOYEN

Monterey Coast Brewing – *165 Main St. - ℘ (831) 758 2337 - www.montereycoastbrewing.com - 11h-23h, lun. 11h-16h - 🅿 - 10,50/22 $.* Une authentique microbrasserie où accompagner sa bière d'un repas 100 % américain ; les hamburgers sont fameux. Salle très agréable.

ACHATS

Salinas

Brocante – Hall Tree Antique Mall – *202 Main St. - ℘ (831) 757 6918 - www.halltreeantiquemall.com - 10h-17h30, w.-end 10h30-17h - fermé j. fériés.* Une grande boutique qui rassemble les stocks de plusieurs brocanteurs et antiquaires. Beaucoup de bijoux, de livres et de petits objets bon marché. Une véritable caverne d'Ali Baba pour passer des heures à fouiner !

ACTIVITÉS

Monterey

Kayak de mer - Adventures by the Sea – *299 Cannery Row - ℘ (831) 372 1807 - www.adventuresbythesea.com - 9h-18h, vend.-dim. 9h-19h - fermé 25 déc.* Location de kayaks de mer *(35 $/pers. pour 1 journée)* et sorties accompagnées *(60 $)* pour observer les otaries et les criques de la côte (2h30). Loue aussi des vélos et des paddle boards.

Plongée – C'est le seul moyen de découvrir le canyon sous-marin de Monterey, deux fois plus profond que le Grand Canyon du Colorado ! Renseignez-vous au **Monterey Bay Dive Charters**, *100 Cannery Row, ℘ (831) 383 9276, www.mbdcscuba.com,* ou à l'**Aquarius Dive Shop**, *2040 Del Monte Ave., ℘ (831) 375 1933, www.aquariusdivers.com.*

AGENDA

Monterey

Monterey Jazz Festival – *Mi-sept. www.montereyjazzfestival.org.* C'est l'un des plus célèbres de la côte Ouest.

Big Sur

Big Sur est une région face à l'océan Pacifique, traversée par la Highway 1 : depuis Carmel, au nord, jusqu'à San Simeon, au sud, les montagnes Sainte Lucie se jettent dans la mer, créant de magnifiques paysages côtiers. Son nom vient de l'espagnol « El Sur Grande » (le Grand Sud), comme les habitants de Monterey nommaient cette région sauvage. C'est aussi devenu le nom de son seul hameau. Ne vous attendez pas à traverser des villages, l'habitat est très dispersé, accentuant l'impression d'isolement. La côte est encore plus attachante en automne, lorsque l'été indien la pare de couleurs flamboyantes, ou durant les beaux jours d'hiver, quand la lumière rasante dore les rochers et que les baleines passent au large. En été, un épais brouillard noie souvent la route le matin, conséquence du choc thermique entre les eaux froides du Pacifique et la terre chaude des collines, mais il se lève en général l'après-midi.

😊 NOS ADRESSES PAGE 188
Hébergement, restauration, achats, activités, etc.

🛈 S'INFORMER

Big Sur Station « Ranger Station » – *Hwy 1, au sud du Pfeiffer Big Sur State Park- 𝒫 (831) 667 2100 - www.bigsurcalifornia.org - lun., merc. et vend. 9h-13h.*

◐ SE REPÉRER

Carte de région A1 (p. 160) - carte Michelin Western USA A 8-9-10. 91 miles (146 km) séparent Carmel de San Simeon.

🐾 À NE PAS MANQUER

Pfeiffer Beach, les Mc Way Falls dans le Julia Pfeiffer Burns State Park et, plus au sud, le démesuré Hearst Castle. Si vous allez jusqu'à Santa Barbara, un détour par la Purísima Mission et le village danois de Solvang s'impose.

🕐 ORGANISER SON TEMPS

Prenez la journée pour parcourir Big Sur : la vitesse est limitée à 55 miles/h (environ 88 km/h), et les points de vue, fréquents. La descente du nord vers le sud rend les arrêts sur le bord de la route plus simples que dans le sens sud-nord, où il faudra traverser la chaussée. Comptez une demi-journée pour découvrir le Hearst Castle (pensez à réserver).

3

Circuits conseillés Carte de région

La Hwy 1 entre Carmel et San Simeon est l'une des plus belles routes de l'Ouest américain, emblématique du *road trip* américain. Elle ne quitte pratiquement pas le bord de mer, se faufilant entre pentes boisées vertigineuses, falaises abruptes et criques battues par les vagues. Le relief accidenté est dû à la faille de San Andreas, qui traverse la région.

★★★ DE CARMEL À SAN SIMEON A1/2

★★ Point Lobos State Natural Reserve

À 4 miles au sud de Carmel. 𝒫 (831) 624 4909 - www.pointlobos.org - de 8h jusqu'à 1/2h. av. le coucher du soleil - 10 $/véhicule, vélos et piétons gratuit, plan 2 $.

Le long de la route côtière, la péninsule de Point Lobos doit son nom à la présence d'otaries, dont les cris rappelaient ceux des loups *(lobos)* aux explorateurs espagnols. Vous pouvez visiter la **Whalers Cove** *(« anse des Baleiniers »)*, qui abrita une station baleinière au 19e s., puis emprunter les sentiers côtiers : le **Bird Island Trail★** offre les plus jolies vues sur le littoral, et le **Sea Lion Point Trail** permet d'observer les otaries *(prévoyez des jumelles)*.

Passé Point Lobos, la route s'élève peu à peu à flanc de montagne, surplombant l'océan. Si vous aimez les belles étendues de sable, ne manquez pas **Garrapata Beach★**, l'une des rares plages que l'on atteigne facilement.

À 3,5 miles de là se déploie le **Bixby Creek Bridge**, impressionnant pont jeté au-dessus d'un profond canyon, offrant un panorama splendide vers le sud.

Old Coast Road

Juste avant le pont de Bixby Creek Bridge, sur la gauche.

🚶‍♂️ L'ancienne piste des pionniers reliait Monterey au village de Big Sur avant la construction du pont et de la Hwy 1 en 1937. Cette piste non goudronnée, idéale pour les randonneurs ou les vététistes, traverse une forêt de séquoias, offre de stupéfiantes vues sur le Pacifique et rejoint l'Andrew Molera State Park *(11 miles)*.

Continuez sur la Hwy 1.

Point Sur State Historic Park

📞 *(831) 625 4419 - www.pointsur.org - visite guidée seult, oct.-mars : w.-end 10h, merc. 13h ; avr.-sept. : sam. et merc. 10h, 14h, dim. 10h, visite suppl. juil.-août jeu. 10h - fermé par mauvais temps - 12 $ (6-17 ans 5 $) - Visites à la nuit tombée d'avr. à oct. 1 ou 2 j. par mois (départ à 18h15, 19h, 19h30 selon les mois) 20 $ (6-17 ans 10 $).*

Perché sur un énorme rocher volcanique, au bout d'une immense langue de sable, le **phare de Point Sur**, datant de 1889, se dresse à 108 m au-dessus de la mer. Comptez 3h et prévoyez de bonnes chaussures.

★★ Andrew Molera State Park

📞 *(831) 667 2315 - www.parks.ca.gov - 1/2h av. le lever du soleil jusqu'à 1/2h apr. le coucher du soleil - 10 $/véhicule (valable la même journée pour les autres parcs), sorties à cheval - voir dans le carnet d'adresses. En raison d'un incendie, une partie du parc était temporairement fermée lors de notre visite, se rens.*

Il occupe une partie du ranch acheté en 1840 par Cooper, un colon de Monterey. Un joli sentier, le **Headlands Trail** *(4,5 km AR)*, passe devant l'ancienne cabane du capitaine John Rogers Cooper et mène à la pointe Molera, qui surplombe

Le pont de Bixby Creek et la Highway 1 sur la côte de Big Sur.
M. Falzone/Getty Images

une belle plage. Autres balades possibles sur les falaises. En continuant au sud du parc, la route pénètre à l'intérieur des terres pour prendre une allure montagnarde et boisée.

Big Sur

Autrefois peuplé de bûcherons, le hameau de **Big Sur** est entouré de grands séquoias et de conifères. Longtemps mal desservi par une piste cahoteuse (la Hwy 1 ne fut achevée qu'en 1937), il ne reçut l'électricité que dans les années 1950! C'est son caractère intact qui séduisit des artistes un peu bohèmes et des écrivains, comme Jack Kerouac et Henry Miller, qui vécut là dans une modeste cabane entre 1944 et 1962 et y écrivit plusieurs de ses romans. Malgré le développement du tourisme et la construction de quelques propriétés de milliardaires, Big Sur reste isolé (moins de 1 000 hab.), surtout lorsque la tempête fait rage. Le groupe de maisons éparpillées compte un bazar, une station-service et un bureau de poste…

3

★ Pfeiffer Big Sur State Park

℘ *(831) 667 2315 - www.parks.ca.gov - 1/2h av. le lever du soleil jusqu'à 1/2h apr.le coucher du soleil - 10 \$/véhicule (valable la même journée pour les autres parcs), 1 \$ plan du parc - En raison d'un incendie, une partie du parc était temporairement fermée lors de notre visite, se rens. Pas d'accès à la plage.*

Il s'étend de part et d'autre de la Big Sur River. Il doit son nom à l'une des premières familles de colons qui venaient exploiter, au 19e s., le bois de séquoia, très utilisé dans le bâtiment.

Le parc compte de nombreux sentiers de randonnée, tels le **Pfeiffer Falls Trail** *(0,4 mile)* qui conduit à des chutes d'eau dans la forêt, ou le **Valley View Trail** *(0,6 mile)*, qui mène à un beau point de vue sur la vallée.

★ Pfeiffer Beach A1

9h-20h. 5 \$/véhicule.

Ne manquez pas ce site, composé de deux plages successives battues par la houle et le vent *(attention aux courants)*.

En reprenant la route, vous passez devant le restaurant **Nepenthe** *(voir p. 189)*. Même si vous ne souhaitez pas y manger, arrêtez-vous pour prendre un café et profiter des splendides **panoramas★★★** que l'on a depuis ses terrasses.

Un peu plus loin sur la gauche, la **Henry Miller Memorial Library** *(℘ (831) 667 2574, www.henrymiller.org. Tlj sf mar. 11h-18h)* rassemble les œuvres et souvenirs du célèbre écrivain.

Continuez sur 8 miles.

★★ Julia Pfeiffer Burns State Park A1

Entrée sur la gauche de la route. ☎ (831) 667 2315, www.parks.ca.gov. 1/2h av. le lever du soleil jusqu'à 1/2h après le coucher du soleil. 10 $/véhicule (valable la même journée pour les autres parcs). En raison d'un incendie, une partie du parc était temporairement fermée lors de notre visite, se rens.

Ce parc est traversé par le ruisseau McWay. Un sentier bordé d'eucalyptus passe sous la route et rejoint la **McWay Falls★**, qui chute de 25 m dans l'océan.

En sortant du parc, les paysages deviennent plus plats, avec de grandes pâtures.

Piedras Blancas Colony

En novembre 1990, 24 éléphants de mer élirent domicile sur cette plage bordée de rochers. Depuis, la colonie de cette espèce autrefois en voie d'extinction, car chassée pour son huile, n'a cessé d'augmenter. C'est aujourd'hui un animal protégé, et il en existe plus de 150 000 dans la région.

SAN SIMEON A1/2

San Simeon est un lieu-dit qui ne présente d'intérêt que pour ses motels, pratiques pour la visite de Hearst Castle ou de Big Sur, mais l'endroit ne possède aucun charme. À 10 miles au sud, **Cambria** est un village beaucoup plus agréable, pour passer la nuit, dîner, ou faire le plein d'essence.

Suivez la Hearst Castle Rd pour parvenir au Hearst San Simeon State Historical Monument (2,5 miles au nord-est de San Simeon).

★★★ Hearst Castle A2

750 Hearst Castle Rd - www.hearstcastle.org - comptez une demi-journée - visite guidée uniquement tlj de 9h à 15h30 (16/17h en été). Réservez impérativement en été ou le w.-end, ☎ 1-800 444 4445, ou sur le site Internet. Brochures en plusieurs langues, mais circuits en anglais ; téléphonez pour connaître les horaires des

---

DE L'OR DES MINES À L'ARGENT DU PAPIER

Fils unique de George Hearst, un chercheur d'or californien devenu milliardaire, et de son épouse Phoebe, une intellectuelle passionnée de culture, **William Randolph Hearst** (1863-1951) hérita à la fois du sens des affaires de son père et du goût de sa mère pour les arts. Forte tête, renvoyé de Harvard, il se fit engager comme journaliste au *New York World*, un journal à sensation. Un an plus tard, à seulement 25 ans, il réussit à convaincre son père de lui confier la direction du *San Francisco Examiner*, racheté en 1880. Ce fut le début de l'énorme empire de presse Hearst qui compta jusqu'à 42 journaux ou magazines, 11 stations de radio, 5 agences de presse et une société de production de cinéma. Rien ne semblait arrêter William Hearst qui se présenta même à deux reprises à la présidence des États-Unis. Marié à une ex-danseuse de New York, avec qui il eut cinq enfants, le magnat vécut ouvertement avec sa maîtresse, la starlette Marion Davies, en Californie. Admirateur des régimes autoritaires de l'entre-deux-guerres, anticommuniste farouche, le milliardaire mégalomane eut aussi une carrière politique : membre de la Chambre des représentants, il échoua au poste de maire puis de gouverneur de New York. Personnage mythique, Hearst a largement inspiré le héros du film d'Orson Welles, *Citizen Kane*, et tenta d'ailleurs en vain de faire interdire le film…

visites en d'autres langues à la condition que le groupe forme 12 pers. minimum.
𝄐 (805) 927 2085 - 25 $/circuit (5-12 ans 12 $) (45mn), 36 $ le circuit nocturne (2h10).
En arrivant sur le parking, au pied de la colline, il est difficile d'apercevoir le château, perché. Dans le Visitor Center, *vous trouverez la billeterie, une boutique de souvenirs, une cafétéria et un cinéma. Le billet d'entrée inclut le film* Building The Dream *(45mn., ttes les h., en anglais, sans sous-titres) : une reconstitution romancée de la vie de William Randolph Hearst. Pour vous rendre en haut de la colline, prenez un bus : à l'aller, vous entendrez l'histoire de la propriété (en anglais) et, au retour, vous passerez devant les cages de l'ancien zoo où vivaient des zèbres, et même un ours polaire.*

Difficile d'imaginer, en quittant les crêtes sauvages de Big Sur, un domaine aussi fou que ce château démesuré, dominant le Pacifique du haut de sa colline. Il illustre à la perfection les contrastes et les paradoxes de la Californie. Sans aucune considération de coût ou de difficulté, le magnat de la presse **William Randolph Hearst** fit appel à l'architecte Julia Morgan, qui avait appris à Paris la technique du béton armé, pour construire entre 1919 et 1947, sur les terres d'un ranch dont il hérita à la mort de sa mère, ce palais hétéroclite et flamboyant, empruntant de par le monde ce que l'art avait produit de plus beau et la technique, de plus performant. Il en résulta un invraisemblable Versailles californien, qui marie sans complexe les mosaïques romaines au gothique flamand, l'Art nouveau à la Renaissance espagnole, une demeure de 6 000 m², la **Casa Grande**, dotée de 115 pièces, 38 chambres, 41 salles de bains, d'un théâtre, d'un salon de beauté, trois maisons d'invités, deux incroyables piscines et un zoo. Remplie de collections d'antiquités dignes d'un musée, lieu de rencontre d'hôtes prestigieux, acteurs, hommes d'affaires, politiciens, la propriété était alors la plus grande résidence privée du pays. Hearst ne la quitta qu'en 1947. Le château et ses 50 ha de jardins furent légués à l'État de Californie en 1957. Le reste du ranch (près de 10 000 ha) appartient toujours à la famille, qui possède encore 6 000 têtes de bétail.

Bon à savoir – La propriété est si grande que la visite s'organise en 3 circuits différents. Chacun inclut l'incroyable **piscine gréco-romaine Neptune**★ et la **piscine romaine**★★ couverte et ses mosaïques d'or.

Circuit 1 (Grand Rooms Tour) – Le plus intéressant pour ceux qui ne connaissent pas l'endroit et qui ne souhaitent suivre qu'une visite. Il comprend le rez-de-chaussée de la **Casa Grande**★, objet de tous les excès. La façade ressemble à celle d'une cathédrale, avec portail gothique, gargouilles et clochers, tandis qu'à l'intérieur les pièces et styles se suivent et ne se ressemblent pas : le hall est carrelé d'une mosaïque romaine authentique, la salle à manger gothique est garnie de stalles du 16ᵉ s. récupérées dans une cathédrale espagnole, et la salle de billard est ornée de tapisseries flamandes du 16ᵉ s. La visite se termine par le théâtre, où l'on projette un petit film en noir et blanc sur la vie au château et les célèbres invités de l'époque.

Circuit 2 (Upstairs Suites Tour) – Il est consacré aux autres étages de la Casa Grande. Vous découvrirez notamment la **suite privée de Hearst**★, sa chambre, son bureau et sa bibliothèque, ainsi que les immenses cuisines.

Circuit 3 (Cottages & Kitchen Tour) – Il comprend la **Casa del Monte**, une maison d'invités, la **Casa del Mar**, la première et la plus importante des trois maisons d'invités, la cuisine et les caves à vin.

Circuit nocturne (Evening Tour) – *Vend.-sam. de mars à mai et d'oct. à déc., tous les soirs fin déc. pour les illuminations de Noël ; 16h, 17h30 ou 18h.* Un circuit original, animé par des figurants, qui constitue un cocktail des trois circuits précédents, et durant lequel on revit l'atmosphère de fête qui flottait sur le château à la grande époque.

VERS SANTA BARBARA VIA SAN LUIS OBISPO ET SOLVANG AB2/3

Circuit de 154 miles (238 km). Comptez une journée. De Hearst Castle, revenez sur la Hwy 1 et descendez vers San Luis Obispo.

Morro Bay A2

À Morro Bay s'élève la silhouette en forme de pain de sucre du **Morro Rock★**. Il s'agit du sommet arrondi d'un ancien volcan, le premier des Nine Sisters, qui se succèdent entre Morro Bay et San Luis. C'est un repaire de faucons pèlerins.

Au sud de Morro Bay, la Hwy 1 quitte le bord du Pacifique pour rejoindre la Hwy 101 à San Luis, à une quinzaine de kilomètres à l'intérieur des terres.

San Luis Obispo A2

🛈 **San Luis Obispo Visitor Center** – 895 Monterey St. - 𝄞 (805) 781 2777 - www. visitslo.com - tlj 10h-17h (19h jeu.-sam.) - efficace pour trouver un hébergement.

👁 **Bon à savoir** – La ville est partout surnommée SLO.

La fondation d'une mission en 1772 est à l'origine de la ville, lieu choisi par Junípero Serra car la terre y était fertile, arrosée par deux rivières, et situé sur la route de Monterey, avant les montagnes de Santa Lucia. La région tirait sa richesse de l'agriculture puis, après l'arrivée du chemin de fer en 1894, du commerce. C'est aujourd'hui une petite ville active, orientée surtout vers le tourisme, grâce à sa position centrale entre San Francisco et Los Angeles.

Traversez le centre par Higuera St. Parkings entre Osos St. et Chorro St.

Le centre-ville s'organise autour de la **Mission Plaza**, traversée par le joli ruisseau San Luis, auprès duquel fut construite la mission.

Mission San Luis Obispo de Tolosa – 751 Palm St. - 𝄞 (805) 781 8220 - www.mis sionsanluisobispo.org - tlj 9h-17h (16h l'hiver), fermé 1er janv., Pâques, Thanksgiving et 25 déc., église 7h-17h (8h30 dim.). Dédiée à saint Louis, évêque de Toulouse au 13e s., elle fut ravagée par plusieurs sinistres, avant de subir un tremblement de terre en 1830. Elle ne cessa par la suite de décliner, comme la plupart des autres missions californiennes. Un peu partout, les Indiens convertis étaient décimés par les maladies des colons, et les missions, coûtant de plus en plus cher, furent peu à peu vendues. Certaines des pièces de San Luis Obispo furent transformées en cour de justice et en prison. Il ne reste aujourd'hui que l'église (1793). La statue de saint Louis est d'origine. Plus intéressant, le petit **musée★** (été 9h-17h ; reste de l'année tlj 9h-16h) contient des objets sacrés ou usuels ayant appartenu aux colons et aux Indiens autochtones, les Chumashs.

Quittez le centre-ville en suivant Higuera St., prenez à droite dans Madonna Rd et traversez la Hwy 101.

★ Madonna Inn – 100 Madonna Rd - 𝄞 (805) 543 3000 - www.madonnainn.com. À mi-chemin entre une maison en pierre sortie d'un conte de Grimm et un pastiche digne de Las Vegas, cette auberge mérite une escale, ne serait-ce que pour admirer les photos de la centaine de chambres psychédéliques. Violence des couleurs et kitsch garantis, depuis la chambre de l'homme des cavernes jusqu'aux grappes de raisin, angelots et rubans qui ornent les restaurants rose bonbon. Rien ne vous interdit d'y dormir (à partir de 189 $) ou d'y manger.

Quittez San Luis Obispo par la Hwy 101 vers le sud, sur 27 miles. Bifurquez ensuite sur la Hwy 1 en direction de Lompoc (58 miles). En arrivant sur la ville, suivez les panneaux vers la gauche (direction Buellton) : la mission est à 2 miles.

★★ La Purísima Mission State Park A3

2295 Purísima Rd. Comptez 2h. - 𝄞 (805) 733 3713 - www.lapurisimamission.org - tlj 9h-17h ; Visitor Center : lun. 11h-15h, mar.-dim. 10h-16h (fermé lun. non fériés de sept. à juin) - 6 $ par véhicule - se renseigner pour le calendrier des animations *(dîners, visites aux chandelles…) et des visites guidées (tlj à 13h devant le Visitor Center sf en cas d'événements particuliers).*

Perdue dans les collines, la 11e mission, fondée en 1787 et rénovée, est l'une des plus complètes de Californie : elle a conservé la quasi-totalité de ses bâtiments et son cadre d'origine. On y retrouve l'atmosphère des années missionnaires et de la vie de la communauté autour de 1820. L'**église**★ est d'une belle simplicité avec la charpente en bambou de la sacristie et ses fresques murales naïves. À côté du sanctuaire, s'étirent les quartiers militaires et les **ateliers**★, la **résidence des moines**★ et le bureau d'où l'on administrait les 120 000 ha du ranch et les quelque 1 000 employés, et enfin, le jardin potager et les dépendances des nouveaux convertis et des femmes.

Suivez ensuite la Hwy 246 vers Buellton que vous traversez pour atteindre Solvang (3,5 miles à l'est de la Hwy 101).

★ Solvang B3

Difficile de croire que ce sont bien des moulins à vent et des maisons à colombages au milieu des collines californiennes : cette colonie danoise, fondée par un groupe d'immigrants en 1911, est devenue très (trop) touristique, envahie de boutiques de porcelaine et de pâtisseries danoises. Tout y fermant tôt, arrivez avant 20h et réservez votre hébergement.

★ **Mission Santa Inés** – *1760 Mission Drive, à la sortie est de Solvang -* ✆ *(805) 688 4815 - www.missionsantaines.org - tlj 9h-17h - 5 $ (-11 ans gratuit).* Le peuplement des environs par les colons remonte à 1804, lorsque la 19e des missions californiennes fut créée pour servir de relais entre celle de Santa Barbara et la Purísima Mission. Cet établissement était florissant grâce à la production de cuir et d'objets en argent, mais la dureté des moines poussa les Indiens convertis à la révolte et Santa Inés fut incendiée en 1824. Moins intéressante que la Purísima, elle mérite toutefois une visite pour le **mobilier sacré de l'église**★, exécuté au 17e s. en Amérique du Sud. Notez la statue de sainte Inès (Mexique) et l'*ecce homo* (Pérou). Les salles adjacentes abritent un petit musée consacré à l'histoire de la mission. Le plus émouvant est le **jardin**★ et le cimetière où reposent 1 700 convertis.

Quittez Solvang par l'est en direction de Santa Barbara.

De Solvang, la Hwy 154 traverse les splendides paysages des **Santa Ynez Mountains**. Ces dernières correspondent à la Santa Ynez Reservation.

Santa Ynez Reservation – La réserve réunit les descendants des Indiens chumashs qui occupaient la région entre San Luis Obispo et Santa Barbara. Vivant principalement de la pêche, ils utilisaient des barques en bois recouvertes de peau ou d'écorce pour chasser les baleines aux Channel Islands. Les missionnaires les convertirent au christianisme et à l'agriculture, et les utilisèrent comme main-d'œuvre. Ils perdirent peu à peu leurs traditions, qu'ils ne retrouvèrent après la sécularisation et leur retour à la liberté. On attribua la réserve aux survivants, qui s'orientèrent vers les affaires et le jeu, même si certains s'évertuent à faire revivre les anciennes légendes et les artisanats oubliés. Passé le San Marcos Pass, spectaculaire descente vers Santa Barbara et le Pacifique.

3

😊 NOS ADRESSES À BIG SUR

TRANSPORTS

Il y a très peu de stations-service sur la Hwy 1 entre Carmel et San Simeon, et elles sont chères.

En bus – La ligne n° 22 du **Monterey-Salinas Transit** (☏ 1-888 678 2871, www.mst.org, 2 $) assure la liaison de Monterey (arrêt au Conference Center, à Monterey) et Carmel à Big Sur (restaurant Nepenthe, mais pas au-delà) de Memorial à Labor Day. L'accès à San Simeon et Hearst Castle n'est possible par les transports en commun qu'à partir de San Luis Obispo par les lignes n° 12 puis n° 15 du **Transportation for SLO County** (RTA). ☏ (805) 781 4472, www.slorta.org.

INFORMATIONS UTILES

Banque/Change – Prenez de l'argent liquide avant de quitter Monterey ou Carmel, car il n'y a pas de banques à Big Sur.

HÉBERGEMENT

De Carmel à Big Sur

En raison de la rareté de l'hébergement, réservez absolument. De juin à sept., prix non négociables. Hors saison, ils diminuent de plus de 30 %.

PREMIER PRIX

Riverside Campground and Cabins – *Hwy 1 -* ☏ *(861) 667 2414 - www.riversidecampground.com -* 🅿 *10 $/nuit - wifi - 22 sites pour des tentes (50 $/nuit), 12 cabines (115/230 $).* Pour être au plus près de l'ambiance nature de Big Sur, ce camping au bord de l'eau est situé dans une forêt de séquoias. Les cabines en bois sont agréables, certaines sont très spacieuses.

BUDGET MOYEN

Ragged Point Inn – *19019 Hwy 1 - 93452 Ragged Point - 45 miles au sud du village de Big Sur -* ☏ *(805) 927 4502 - www.raggedpointinn. com -* 🍴 🅿 ♿ *- wifi - 39 ch. 189/349 $.* Surplombant les falaises, les chambres tout en bois offrent des vues splendides sur la côte. Celles du 2ᵉ étage sont plus chères. Plage privée.

POUR SE FAIRE PLAISIR

Big Sur River Inn – *46840 Hwy 1 - à Pheneger Creek -* ☏ *(831) 667 2700 - www.bigsurriverinn. com -* 🍴 🅿 🏊 *- 22 ch. 295 $.* Les chambres les moins chères donnent sur la route. Les suites pour 4 pers., avec balcon sur la rivière, offrent un bon rapport qualité-prix. Bon restaurant ouv. midi et soir.

UNE FOLIE

Glen Oaks Motel – *47080 Hwy 1 -* ☏ *(831) 667 2105 - www. glenoaksbigsur.com -* 🍴 🍽 🅿 *- wifi - 25 ch. 275/500 $.* De belles chambres spacieuses, alignées en retrait de la route. Deux cottages pour deux personnes.

San Simeon et Hearst Castle

BUDGET MOYEN

San Simeon Lodge – *9520 Castillo Drive -* ☏ *(805) 927 4601 - www. sansimeonlodge.net -* 🅿 🏊 *- 60 ch. 110/200 $ -* 🍴 *8/16 $.* Un hôtel classique et sobre, très confortable, un peu à l'écart de la route principale.

Sea Breeze Inn – *9065 Hearst Drive -* ☏ *(805) 927 3284 - www. seabreezeinnsansimeon.com -* 🅿 🏊 *- 26 ch. 80/265 $* 🛏. Ce motel simple et calme propose des chambres spacieuses à des prix relativement modérés. Certaines chambres ont vue sur l'océan.

POUR SE FAIRE PLAISIR

Fog Catcher Inn – *6400 Moonstone Beach Dr. - 93428 Cambria -* 📞 *(805) 927 1400 - www. pacificahotels.com/fogcatcherinn -* 🅿️ 🏊 *- 60 ch. 220/379 $.* À 12 miles au sud de Hearst Castle, dans une rue longeant la plage, cette auberge chic est constituée de petits cottages fleuris à la déco très british. Les chambres sont spacieuses et disposent toutes d'une cheminée, d'un frigo, d'une machine à café et d'un micro-ondes. Certaines ont vue sur l'océan. Petit-déj. copieux.

San Luis Obispo

♿ **Bon à savoir** – Attention, à part à San Luis Obispo et à Solvang, il y a peu d'hôtels. Alors, mieux vaut réserver en été, surtout le w.-end. On trouve les grandes chaînes de motels à SLO, au nord de Monterey St.

PREMIER PRIX

Rose Garden Inn – *1585 Calle Joaquin -* 📞 *(805) 544 5300 - www. slorosegardeninn.com -* 🅿️ 🏊 *- 35 ch. 99/209 $.* Petit motel à l'accueil agréable, dans une impasse près de la Hwy 101, au sud du centre-ville, à Los Osos Valley Rd et au-delà de Madonna Inn. Accès Wifi gratuit.

BUDGET MOYEN

Garden Street Inn – *1212 Garden St. -* 📞 *(805) 545 9802 - gardenstreetinn.com -* 🅿️ *- 13 ch. 169/229 $.* Belle maison Queen Anne qui abrite des chambres différentes et meublées avec goût. Dégustation de vins et fromages en fin de journée, petit-déj. copieux.

Solvang

BUDGET MOYEN

Solvang Gardens Lodge – *293 Alisal Rd -* 📞 *(888) 688 4404 - www.solvanggardens.com -* 🅿️ ♿ *- wifi - 24 ch. 149/259 $.* Adorable motel de style danois, fleuri et calme, autour d'un jardin. Accès à la cuisine. Petit-déj. continental.

RESTAURATION

De Carmel à Big Sur

PREMIER PRIX

Ripplewood Café – *Hwy 1 -* 📞 *(831) 667 2242 - www. ripplewoodresort.com -* 🅿️ *- wifi - 8h-14h - 5/18 $.* Petit café rustique et convivial, idéal pour un brunch ou un déjeuner léger.

Café Kevah – *Hwy 1 -* 📞 *(831) 667 2345 - www.nepenthebigsur. com - 9h-16h - fermé janv.-fév. - 10/18,50 $.* Au pied du restaurant Nepenthe, café à la terrasse agréable d'où la vue est un peu moins spectaculaire. Snacks légers, le matin ou à midi.

BUDGET MOYEN

Big Sur Bakery & Restaurant – *Hwy 1 -* 📞 *(831) 667 0520 - www. bigsurbakery.com - 8h-21h, lun. 8h-15h - 15/37 $.* Au cœur de Big Sur, cuisine américaine au feu de bois. Jolie vue sur les montagnes.

Nepenthe – *48510 Hwy 1 -* 📞 *(831) 667 2345 - www. nepenthebigsur.com - 11h30-22h - fermé Thanksgiving et 25 déc. - 16/44 $.* On a depuis les terrasses ou la salle l'une des plus belles vues sur Big Sur. Cuisine honnête, mais peu originale et chère le soir *(env. 25-40 $).* Recommandé plutôt pour déjeuner. Réserv. en haute saison.

Près de Hearst Castle

BUGET MOYEN

Black Cat Bistro – *1602 Main St. - 93428 Cambria -* 📞 *(805) 927 1600 - www.blackcatbistro.com - 11h-20h30 - 17/30 $.* Une cuisine inventive et délicieuse, dans un endroit cosy. Gardez une place pour les desserts sucré-salé.

3

Sea Chest Restaurant & Oyster Bar – *6216 Moonstone Beach Dr. - 93428 Cambria -* ☎ *(805) 927 4514 - www.seachestrestaurant. com - 17h30-21h, vend.-sam. 17h30-21h30- fermé mar., w.-end après Thanksgiving et 25 déc. -* 🅿 ♿ *- formules 14/19 $ - 27/62 $.* Situé à deux pas de la plage, cet établissement est réputé pour ses huîtres et ses poissons (*25/45 $, mais bien plus pour le homard ou le crabe env. 60 $*). Vins californiens.

San Luis Obispo

PREMIER PRIX

SLO Brewing Co. – *736 Higuera Street -* ☎ *(805) 543 1843 - www. slobrewingco.com - dim.-lun. 11h-0h., mar.-sam. 11h-2h - fermé Thanksgiving et 25 déc. -* 🅿 ♿ *- wifi - 10/25 $ (enf. 10 $).* Bar à l'atmosphère sympathique. Grand choix de bières maison et de snacks (ailes de poulet, tacos…). Musique live certains soirs.

BUDGET MOYEN

Big Sky Café – *1121 Broad St. -* ☎ *(805) 545 5401 - www.bigskycafe. com - 7h-21h, vend. 7h-22h, sam. 8h-22h, dim. 8h-21h -* 🅿 *1,5 $/h -* ♿ *- 12/27 $.* Une salle claire et agréable où déguster une cuisine à dominante végétarienne. Bien pour le petit-déj. Des artistes différents y sont exposés.

Novo – *726 Higuera St. -* ☎ *(805) 543 3986 - www.novorestaurant. com - 11h-22h - wifi - 15/30 $.* Un concept de « cuisine globale » innovante très réussi (agneau à la marocaine, poulet satay, saumon glacé, etc.). À l'arrière, une vaste terrasse permet de profiter de la fraîcheur du soir. L'établissement dispose d'une belle carte des vins.

ACTIVITÉS

Équitation – Molera Horseback Tours – *Andrew Molera State Park -* ☎ *(831) 625 5486 - www. molerahorsebacktours.com - fermé nov.-avr.* Excursions (*58/114 $, sorties de 1h à 2h30*) à travers les forêts ou sur la plage, et au coucher du soleil…

AGENDA

San Luis Obispo

Festival Mozaic – *Juil.* 2050 Broad St., ☎ *(805) 781 3009, www. festivalmozaic.com.* Musique classique.

Santa Barbara

90 412 habitants – Californie

Santa Barbara, ce n'est pas seulement le feuilleton américain des années 1980, c'est surtout une jolie ville face à l'océan Pacifique, à l'histoire riche, aux splendides demeures et à l'emblématique jetée en bois. La ville, surnommée l'American Riviera, s'étire le long d'un chapelet de plages blondes, sertie par l'écrin boisé des Santa Ynez Mountains. Jardins noyés de fleurs, architecture mexicaine éclatante de blancheur, larges avenues bordées d'arbres et de palmiers, patios secrets où chantent des fontaines : on a laissé le Nord derrière…

> **NOS ADRESSES PAGE 197**
> **Hébergement, restauration, achats, activités, etc.**

S'INFORMER

Visitors Bureau – *1 Garden St., à l'angle de Cabrillo Blvd et de Santa Barbara St.* (B4) - *℘ (805) 965 3021 - www.santabarbaraca.com - fév.- oct. : 9h-17h (10h dim.) ; nov.-janv. : 9h-16h (10h dim.). Pour réserver un hébergement. Brochure en français.*

SE REPÉRER

Carte de région B3 *(p. 160) – carte Michelin Western USA 585 A 8-9-10.* La Hwy 101 traverse Santa Barbara : San Luis Obispo est à 97 miles (155 km) au nord, et Los Angeles à 110 miles (176 km) au sud. Pour le centre-ville et le Museum of Art, sortez à Carrillo St., pour les plages, à Castillo St.

SE GARER

La plupart des places avec horodateur sont limitées à 75mn. Il existe de nombreux parkings privés, plus chers, et des places de parking gratuites sur Shoreline Drive, face à la mer.

À NE PAS MANQUER

La vue sur la ville en haut de la tour de la Santa Barbara County Courthouse, une promenade le long de State St. et sur le bord de mer.

ORGANISER SON TEMPS

La découverte de la ville prend la journée, consacrez plus de temps si vous souhaitez explorer les environs.

3

Se promener Plan de la ville

★ LE CENTRE-VILLE B3

Bon à savoir – State Street constitue l'axe central de la ville. Les rues qui la coupent sont précédées de West ou d'East. Attention aux nombreux « Stop 4 ways » *(voir « Organiser son voyage »).*
Vous apprécierez le charme des petits passages de State St. agréablement transformés en zones piétonnes fleuries, en patios carrelés, ou en *arcadas* et *paseos* à l'espagnole où il fait bon se détendre au soleil. Ne manquez pas le **Farmers Market** *(mar. apr.-midi entre les numéros 500 et 600 de State St. et sam. matin à l'angle de Santa Barbara et de Cota St.).*

★ Santa Barbara County Courthouse

1100 Anacapa St. - ℘ (805) 962 6464 - www.sbcourthouse.org - 8h-17h, w.-end et j. fériés 10h-17h, visites guidées gratuites lun.-vend. à 10h30 et 14h, w.-end.

14h - gratuit, donation suggérée. La salle du premier étage est parfois fermée pour des mariages.

Érigé en 1929 dans un style hispano-mauresque, le palais de justice s'ordonne autour d'un ravissant jardin dominé par une tour-horloge. En montant, on passe devant la salle du mécanisme de l'horloge. Au sommet, la vue panoramique donne une bonne idée de l'organisation de la ville. L'intérieur est joliment décoré de ferronneries d'art, de mosaïques tunisiennes, et de peintures murales sur l'histoire de la ville.

Descendez Anacap St. vers le sud, jusqu'au croisement avec Canon Perdido St, puis prenez à gauche.

El Presidio de Santa Barbara State Historic Park

123 E. Canon Perdido St. - ℰ (805) 965 0093 - www.sbthp.org - tlj 10h30-16h30. - 5 $, gratuit -16 ans (billet combiné avec Casa de la Guerra).

Il ne reste plus grand chose d'origine du Presidio de Santa Barbara, mais la reconstruction du lieu est en cours. La forteresse construite par les Espagnols constituait le cœur historique de la ville. Le fort était à l'époque le siège du gouvernement militaire et civil d'un territoire allant de Los Angeles à San Luis Obispo. Il ne reste des bâtiments d'origine qu'**El Cuartel** (1788), la caserne, et la **Cañedo Adobe** (1782), où se tiennent des expositions sur l'histoire du site. La chapelle et les quartiers militaires, de l'autre côté de la rue, ne sont que des reconstitutions fidèles. Ne ratez pas le film très intéressant qui explique l'histoire de la colonisation espagnole en haute Californie, dès 1542.

Descendez d'une rue vers le sud une fois passée Perdido St.

Santa Barbara Historical Museum

136 E. De la Guerra St. - www.santabarbaramuseum.com - (805) 966-1601 - mar.-sam. 10h-17h, dim. 12h-17h - visites guidées, se rens. - gratuit, contribution souhaitable.

Ce petit musée se compose de deux grandes salles. La première accueille des expositions de peinture contemporaine tandis que la seconde est consacrée à

UN PETIT AIR D'ESPAGNE ?

Juan Cabrillo, explorateur portugais, avait découvert Santa Barbara dès 1542 pour le compte des Espagnols. En 1602, lors d'un second voyage, ceux-ci avaient envisagé d'utiliser le site comme port, mais les véritables débuts de la colonie remontent à 1782. Cette année-là, l'infatigable missionnaire franciscain espagnol **Junípero Serra**, accompagné d'un détachement militaire, décida que l'une des collines dominant l'océan serait idéale pour installer la quatrième forteresse de Californie. Un *presidio* fut donc construit, très vite suivi de la 10e mission californienne.

Les **Indiens chumashs** occupaient quant à eux les lieux depuis déjà 10 000 ans. Les moines entreprirent de les convertir et de leur inculquer les modes de vie et d'agriculture de la société espagnole. L'abondance et la richesse des terres attirèrent un grand nombre de colons espagnols et mexicains, largement suivis par les pionniers américains intéressés par l'or de l'Ouest. À la fin du 19e s., l'arrivée du chemin de fer amena les riches touristes de la côte Est. Longtemps hétéroclite, le style architectural de la ville se transforma peu à peu à partir des années 1920 pour revendiquer clairement l'**héritage espagnol**, les tuiles roses et l'adobe. Les urbanistes furent « aidés » dans leur tâche par un violent tremblement de terre qui, en 1925, eut raison de tout le centre-ville.

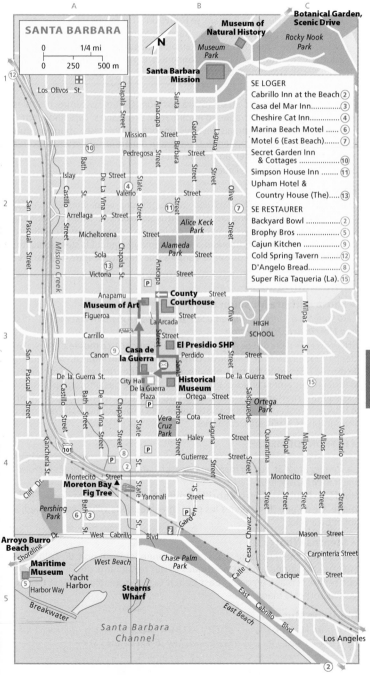

SANTA BARBARA

0   1/4 mi
0   250   500 m

Los Olivos St.

Museum of
Natural History

Botanical Garden,
Scenic Drive

Rocky Nook
Park

Museum
Park

Santa Barbara
Mission

SE LOGER

Cabrillo Inn at the Beach ②
Casa del Mar Inn.............. ③
Cheshire Cat Inn.............. ④
Marina Beach Motel ...... ⑥
Motel 6 (East Beach)....... ⑦
Secret Garden Inn
  & Cottages .... ⑩
Simpson House Inn .... ⑪
Upham Hotel &
  Country House (The)..... ⑬

SE RESTAURER

Backyard Bowl .... ②
Brophy Bros .... ⑤
Cajun Kitchen .... ⑨
Cold Spring Tavern .... ⑫
D'Angelo Bread.............. ⑧
Super Rica Taqueria (La). ⑮

Chapala Street

Anacapa

Santa

Mission   Street

Garden

Laguna

Olive

Barbara

Street

Street

Pedregosa   Street

Bath

Islay

De la Vina St.

State

Valerio

④

Castillo

St.

Street

Arrellaga   Street

⑪

Alice Keck
Park

⑦

Micheltorena   Street

Alameda
Park

Sola

Chapala St.

Street

⑬

Victoria

San Pascual Street

Mission Creek

Anacapa

Street

P

Anapamu   Street

Museum of Art

Figueroa

County
Courthouse

Olive

La Arcada

Milpas

Carrillo

Street

HIGH
SCHOOL

St.

Canon

⑨

Casa de
la Guerra

El Presidio SHP

Street

Perdido   Street

Street

De la Guerra St.

✉

De la Guerra   Street

⑮

San Pascual Street

City Hall

Historical
Museum

Ortega   Street

Ortega
Park

De la Guerra
Plaza

P

Barbara

Cota

Salsipuedes

Vera
Cruz
Park

Street

Laguna

Quarantina

Nopal

Milpas

Alisos

Voluntario

Castillo

Bath Street

De La Vina Street

Chapala Street

State

⑧

P

Haley   Street

Gutierrez   Street

Street

Montecito   Street

Rancheria St.

101

P

②

Montecito   Street

St.

Moreton Bay
Fig Tree

State

Yanonali

St.

Street

Cliff Dr.

Pershing
Park

⑥ ③

Bath   St.

West Cabrillo

Garden

P

Calle Cesar Chavez

Mason   Street

Carpinteria Street

Arroyo Burro
Beach

Shoreline

Dr.

Blvd.

Cacique   Street

Maritime
Museum

West Beach

Chase Palm
Park

East Cabrillo

⑤

Harbor Way

Yacht
Harbor

Stearns
Wharf

East Beach

Blvd

Breakwater

Los Angeles

Santa Barbara
Channel

②

3

UN ARBRE HORS NORME

En plein centre de Santa Barbara, se trouve un arbre imposant : le Moreton Bay Fig Tree, d'origine australienne, transplanté de son emplacement d'origine en 1877. Ses branches s'étalent aujourd'hui sur plus de 60 mètres et les racines de son tronc sont impressionnantes. On peut admirer cet *Historic Landmark* au croisement de West Montecito St. et Chapala St.

---

l'histoire de la ville du milieu du 16e s. à nos jours. Objets, costumes, meubles nous renseignent sur les vagues d'immigration successives : espagnole, américaine (anciens colons anglais devenus américains), chinoise, japonaise, puis plus minoritairement européenne. Dans la cour derière le musée, vous pourrez admirer deux bâtiments en adobe, datant du 19e s.

Suivez De la Guerra St. vers l'ouest.

Casa de la Guerra

15 E. De la Guerra St. - 𝒫 (805) 965 0093 - www.sbthp.org - vend.-dim. 12h-16h - 5 $, gratuit -16 ans (billet combiné avec El Presidio de Santa Barbara State Historic Park). Construite en 1827 par les Indiens, pour José de la Guerra, simple militaire devenu 5e commandant du *presidio,* cette demeure, qui fut la sienne, illustre l'architecture espagnole de Santa Barbara. Elle devint le centre politique et social de la ville.

Remontez State St.

★ Santa Barbara Museum of Art

1130 State St., à l'angle d'Anapamu St. - 𝒫 (805) 963 4364 - www.sbma.net - tlj sf lun. 11h-17h (jeu. 20h) - gratuit. Si l'on excepte ceux de Los Angeles ou de San Francisco, ce musée d'art est l'un des plus intéressants de Californie. Organisé autour d'un rafraîchissant atrium, le musée rassemble sur trois niveaux des antiquités grecques et romaines, des peintures américaines et européennes ainsi que des photographies. Les expositions mettant en avant le fonds du musée tournent régulièrement. À l'étage, les collections d'**art asiatique★★** sont exceptionnelles (céramiques, lithographies, sculptures, costumes).

★ LE FRONT DE MER AB5

Descendez State St. vers la mer (parkings sur la droite, avant et après le croisement avec la Hwy 101). Bordé de hauts palmiers, **Cabrillo Boulevard** longe le front de mer et la plage. C'est l'une des balades les plus agréables de la ville, à faire à pied, à roller ou à vélo.

★ Stearns Wharf B5

Dans l'alignement de State St. La plus ancienne jetée en bois de Californie (1872) est occupée par des boutiques et des restaurants de fruits de mer ; elle sépare la plage en deux : **East Beach**, la plus agréable, et **West Beach**, vers le port et la marina.

Maritime Museum A5

Sur le port. 113 Harbor Way - 𝒫 (805) 962 8404 - www.sbmm.org - tlj sf merc. 10h-18h (10h-17h de Labor Day à Memorial Day) - 8 $ (6-17 ans 5 $).

State Street.
tobiasjo/iStock

Il retrace l'histoire maritime de Santa Barbara et évoque la vie et les techniques de pêche des Chumashs. Plus à l'ouest, Cabrillo Boulevard se double d'une très agréable promenade surplombant la mer. Avec ses parkings gratuits, Shoreline Park, sur les falaises, est idéal pour pique-niquer.

Pour découvrir les magnifiques quartiers ouest, suivez Cabrillo Blvd qui devient Shoreline Dr., puis Cliff Dr. et Marina Dr.

Ne manquez pas de vous arrêter à **Arroyo Burro Beach★**, l'une des plages favorites des gens du coin, avec ses falaises blondes, son sable fin et ses jolis galets rayés. Plus à l'ouest encore, vous parvenez à Hope Ranch, quartier résidentiel de luxe, et à Las Palmas Drive. L'avenue traverse d'opulents terrains de golf, bordés d'immenses palmiers et de propriétés extravagantes.

Las Palmas Dr. rejoint State St. plus au nord. Prenez à droite pour regagner le centre-ville.

MISSION CANYON BC1

Suivez State St. jusqu'à Mission St., que vous prenez à droite, puis suivez les panneaux vers la mission.

Santa Barbara Mission B1

2201 Laguna St. - ℘ (805) 682 4713 - www.santabarbaramission.org - tlj 9h-17h - 8 $ (5-17 ans 3 $), visite guidée (1h30) jeu.-vend. 11h, sam. 10h30, 12 $.

Située sur les hauteurs de la ville, au pied des Santa Ynez Mountains, cette mission, dont la communauté est toujours active, ne fut fondée qu'en 1786, deux ans après la mort de Junípero Serra, qui aurait bien voulu la bâtir plus tôt ; le gouverneur, inquiet de la puissance des missionnaires, s'occupa d'abord du *presidio*. On la surnomme souvent la « reine des missions ». Au fur et à mesure que la colonie s'agrandit, on bâtit une nouvelle église, plus imposante.

Église – L'édifice actuel fut conçu après le tremblement de terre de 1812. Sa taille est à l'image du pouvoir et de la richesse qu'avait acquis la mission. À l'achèvement des travaux, en 1820, elle surpassait sans peine le *presidio*. C'est ce rayonnement qui lui valut son surnom. Malgré un autre séisme dévastateur en 1925, elle fut restaurée à l'identique. La façade, avec son fronton central, ses colonnes et les deux dômes jumeaux de ses tours, dénote clairement l'influence romaine antique. La grande fontaine voisine était autrefois utilisée par les Indiennes comme lavoir. L'intérieur de l'église, avec ses couleurs vives et son style mexicain, n'a presque pas changé. On remarque au sol deux dalles de pierre portant le nom des moines enterrés dans la crypte.

Musée – L'ancienne résidence des moines a été transformée en musée, consacré à l'histoire de la mission et aux Indiens chumashs. Environ 4 000 d'entre eux sont enterrés dans le cimetière, à côté de l'église.

En sortant de la mission, suivez les panneaux vers la gauche, mentionnant la direction « Museum of Natural History ».

★ Santa Barbara Museum of Natural History B1

2559 Puesta del Sol - ℘ (805) 682 4711 - www.sbnature.org - tlj 10h-17h, fermé 1er janv., dernier sam. de juin, Thanksgiving et 25 déc. - 12 $ (2-12 ans 7 $, 13-17 ans 8 $), gratuit 3e dim. du mois de sept. à avr.

Installé dans un joli musée de style hispanique, le musée d'Histoire naturelle s'intéresse à la faune (mammifères, oiseaux, poissons, reptiles), à la flore, à la géologie de la côte pacifique et des Channel Islands ainsi qu'à la vie des Indiens à l'époque préhistorique. à l'arrivée des Espagnols en 1542, le groupe, composé de 15 000 personnes, n'était pas unifié en tribus, même s'ils commerçaient entre eux et partageaient des coutumes similaires. Au début du 20e s., cette culture était quasiment éradiquée, et les ethnologues entreprirent de faire découvrir **les coutumes et l'art des Indiens Chumash★**.

Reprenez vers le nord. Tournez à droite dans Foothill Rd (Hwy 192), puis à gauche dans Mission Canyon Rd, et suivez les panneaux « Botanical Garden ».

★★ Santa Barbara Botanical Garden Hors plan par C1

1212 Mission Canyon Rd - ☏ (805) 682 4726 - www.sbbg.org - mars-oct. tlj 9h-18h (17h nov.-fév.), fermé 1er janv., Thanksgiving, 24 et 25 déc. - 8 $ (2-12 ans 4 $, 13-17 ans 6 $).

Au fond d'un canyon, le jardin botanique occupe 26 ha à la végétation très variée, sillonnés de 8 km de **sentiers de découverte** à l'ambiance sauvage. Des cactus aux séquoias, plus de 1 000 espèces végétales de Californie sont représentées. Après la forêt de séquoias, on peut voir des traces de l'ancien aqueduc et du barrage qui servirent à contrôler l'apport en eau dans cette région fertile au début du 19e s., peu après l'établissement de la mission.

Mission Canyon Road Hors plan par C1

À partir de Mission Canyon Rd, vous pouvez suivre les panneaux « *Scenic Drive* », qui vous conduiront dans les hauts résidentiels de Santa Barbara, au cœur d'une végétation luxuriante.

Seven Falls Trail – *Suivez Mission Canyon Rd. Arrivé à la fourche qui signale le Botanical Garden, prenez à gauche dans Tunnel Rd, allez jusqu'au bout et garez-vous. Comptez 1h30-2h.* Vues fantastiques sur la ville et la mer.

Hot Springs Trail – *Suivez Mission Canyon Rd vers le nord. Au carrefour avec Tunnel Rd, prenez à droite en direction du Botanical Garden. Passez un pont en pierre et tournez tout de suite à droite vers Skofield Park sur Las Canoas Rd. Garez-vous juste après le St Mary's Seminary, avant le petit pont. La promenade commence au panneau « Skofield Park, Rattlesnake Canyon Wilderness Area ». Comptez 5-6h AR.* En plus des vues splendides, vous pourrez observer divers spécimens de la faune et de la flore de Santa Barbara. L'excursion aux sources chaudes prend la journée, mais le sentier est très agréable.

NOS ADRESSES À SANTA BARBARA

TRANSPORTS

En bus et trolley – **Downtown Shuttle** (*www.sbmtd.gov*) relie le haut de State St. et Stearns Wharf ttes les 10/15mn, 9h-18h (21h vend.-sam. soir *1,75 $*), tandis que **Waterfront Shuttle** suit Cabrillo Blvd, longeant les plages. Le **Santa Barbara Historic Trolley** dessert les sites importants, billet à la journée (*22 $*). Dép. ttes les heures 10h-16h, ☏ *(805) 965 0353, www.sbtrolley.com.*

Location de vélos – Le moyen le plus agréable pour profiter du front de mer et des avenues ombragées. **Wheel Fun**, *22 State St. et 23 E. Cabrillo Blvd*

(B4), ☏ *(805) 966 2282, www.wheelfunrentalssb.com.* (*10,95 $/h et 30,95 $/demi-j.* pour un vélo). Location de tandems et rollers.

HÉBERGEMENT

Bon à savoir – Si votre budget vous le permet, les B & B sont la formule la plus agréable. L'été et les w.-ends sont très chers en bord de mer. Les motels des grandes chaînes et hôtels sont concentrés hors du centre, au nord-ouest.

BUDGET MOYEN

Motel 6 (East Beach) – *443 Corona Del Mar* (B2) - ☏ *(805) 564 1392 - www.motel6.com -* 🅿 🏊 *- 51 ch. 145/240 $.* Motel très bien situé, à quelques mètres d'East Beach. Pas cher pour l'endroit.

Marina Beach Motel – *21 Bath St. (A4) -* ✆ *(805) 963 9311 - www. marinabeachmotel.com -* 🖥️ 🅿️ *- 32 ch. 165/275 $.* Joli petit motel fleuri, tout près de la plage. Jacuzzi. Petit-déj. Prêt de vélos.

Secret Garden Inn & Cottages – *1908 Bath St. (A2) -* ✆ *(805) 687 2300 - www.secretgarden. com -* 🖥️ 🅿️ *- wifi - 11 ch. 180/275 $* 🛁*.* Nichée au fond d'un grand jardin plein de charme, la maison principale, tenue par une Française, est entourée de petits cottages, dont certains avec un Jacuzzi extérieur privé. Dégustation de vins, amuse-gueules et fromages français en fin d'après-midi, et somptueux petit-déj.

POUR SE FAIRE PLAISIR

Casa del Mar Inn – *18 Bath St. (A4) -* ✆ *(805) 963 4418 - www. casadelmar.com -* 🅿️ ♿ *- wifi - 21 ch. 279/329 $* 🛁*.* À deux pas de la plage et du port. Toutes les chambres ont une entrée séparée et sont réparties dans plusieurs jolis bâtiments de style mexicain. La plupart ont un frigo et un micro-ondes. Apéritif et petit-déj. inclus.

Cabrillo Inn at the Beach – *931 E. Cabrillo Blvd (C5) -* ✆ *(805) 966 1641 - www.cabrillo-inn.com -* 🅿️ 🏊 *- wifi - 39 ch. 169/300 $* 🛁*.* Face à la plage, mais les chambres avec vue sont plus chères.

Cheshire Cat Inn – *36 W. Valerio St. (A2) -* ✆ *(805) 569 1610 - cheshirecat.com -* 🅿️ ♿ *- wifi - 18 ch. 230/400 $* 🛁 *(cottage 330/460 $* 🛁*).* Ces trois belles villas victoriennes en bois peint, au décor frais et chaleureux, proposent des chambres très différentes et deux cottages. Apéritif et petit-déj. roboratif.

Deux chambres profitent d'un Jacuzzi à l'extérieur.

The Upham Hotel & Country House – *1323 De La Vina St. (A2) -* ✆ *(805) 962 0058 - www. countryhousesantabarbara.com -* 🅿️ *- 8 ch. 221/475 $.* Une belle maison en bois à la décoration chaleureuse et au mobilier ancien. On a l'impression d'être accueilli chez des amis. Petit-déj. copieux.

UNE FOLIE

Simpson House Inn – *121 E. Arrellaga St. (B2) -* ✆ *(805) 963 7067 - www.simpsonhouseinn. com -* 🖥️ 🅿️ ♿ *- wifi - 15 ch. 300/550 $.* Ce B & B est considéré comme l'un des plus luxueux des États-Unis. Jardin de rêve, service irréprochable, décoration de goût, apéritif et petit-déj. raffinés.

RESTAURATION

🛈 **Bon à savoir** -- Évitez les restaurants de Stearns Wharf, très touristiques. La ville de Goleta représente une alternative moins chère en matière de restauration.

PREMIER PRIX

Backyard Bowl – *331 Motor Way (A4) -* ✆ *(805) 845 5379 - www. backyardbowls.com - 7h-17h, w.-end 8h-17h - fermé j. fériés -* 🅿️ *- autour de 10 $.*

D'Angelo Bread – *25 W. Gutierrez St. (A4) -* ✆ *(805) 962 5466 - 7h-14h - fermé 1er janv. et 25 déc. -* 🅿️ ♿ *- 12/25 $.* Une délicieuse boulangerie italienne où prendre son petit-déj. (spécialités d'œufs pochés) ou déjeuner. Copieux sandwichs, salades, pizzas…

La Super Rica Taqueria – *622 N. Milpas St. (C3) -* ✆ *(805) 963 4940 - 11h-21h, vend.-sam. 11h-21h30 - moins de 10 $.* Un petit stand réputé pour déguster tacos, *burritos* et *enchiladas*.

Cajun Kitchen – *901 Chapala St.* (A3) - *☎ (805) 965 1004 - www. cajunkitchencafe.com - 6h30-15h, dim. 7h-15h - 5/13 $*. Une adresse sympathique pour le petit-déj. ou le déjeuner. Spécialités cajuns et bonnes omelettes.

BUDGET MOYEN

Cold Spring Tavern – *5995 Stagecoach Rd* (A1) - *sur la Hwy 154 en direction de Santa Ynez, à 15mn en voiture de Santa Barbara - ☎ (805) 967 0066 - www. coldspringtavern.com - 11h-20h, w.-end 8h-22h - fermé 25 déc. -* 🅿 ♿ *- 10/20 $*. Ancien relais des diligences, cette cabane en rondins perdue en montagne propose de bonnes grillades. Beaucoup moins cher à midi que le soir. Réservez absolument si vous souhaitez dîner.

Brophy Bros – *119 Harbor Way* (A5) - *☎ (805) 966 4418 - www. brophybros.com - 11h-22h - 10/26 $*. Des produits de la mer ultrafrais et bien préparés, servis dans une grande salle dominant le port. Très réputé.

BOIRE UN VERRE

Elsie's Tavern – *117 W. De La Guerra* (A3) - *☎ (805) 963 4503 - 12h-2h, w.-end 16h-2h -* 🅿 ♿ *- wifi*. Petit bar discret, affectionné par les locaux. On y boit de la bière ou du vin sous le ciel étoilé, à l'arrière ou dans la salle.

The Brew House – *229 W. Montecito St.* (A4) - *☎ (805) 884 4664 - www.sbbrewhouse.com - 11h-23h -* 🅿 ♿ *- wifi - 10/25 $*. Cervoises brassées sur place. Salades inventives et excellents plats (11/27 $ le soir). Musique live merc.-sam.

ACTIVITÉS

Au 211 Stearns Wharf (B5), le **Ty Warner Sea Center** (*☎ (805) 962 2526, 10h-17h, 8,50 $, 2-12 ans 6 $, 13-17 ans 7,50 $*) donne les informations pour aller dans les parcs du *county*, les Channel Islands ou observer les baleines.

Observation des baleines – Elles sont nombreuses à passer au large : baleines grises *(déc.-avr.)*, baleines bleues et baleines à bosse *(mai-sept.)*. Les loutres de mer sont visibles de février à mai. Plusieurs compagnies proposent des sorties en bateau de 2 à 3h. On les trouve toutes sur Stearns Wharf. Horaires et tarifs variables.

Observation des oiseaux – Santa Barbara est réputée pour ses sites d'observation dont font partie le Botanical Garden ou tout simplement East Beach, où s'arrêtent des faucons pèlerins.

Tidepooling – Les plages de Carpinteria State Beach ou Arroyo Beach sont idéales pour l'exploration de cuvette de marée, gratifiante au moment des grandes marées, quand la lune est nouvelle ou pleine. Demandez un *tide table* à Stearns Wharf ou au port pour l'heure de marée basse.

Balades – Découvrez l'arrière-pays avec le Sierra Club, un groupe de passionnés de la nature. Visitez la page « Outings » de leur site *lospadres.sierraclub.org*

Beach-volley – Quatorze terrains sont accessibles au public.

Surf – L'obstacle des Channel Islands crée les conditions idéales pour surfer toute l'année. **Santa Barbara Surf School**, *☎ (805) 708 9878, www. santabarbarasurfschool.com*.

3

LOS ANGELES ET LE SUD

Los Angeles et le Sud 4

Carte Michelin Regional 585 – Californie

Los Angeles

3 884 307 habitants – 18 millions d'habitants dans l'agglomération

★★★

Mégapole atypique à la réputation sulfureuse, Los Angeles fascine dès le premier abord par son gigantisme : une succession interminable de quartiers et de banlieues juxtaposés, un tissu urbain ininterrompu sur plus de 10 500 km², un impressionnant réseau autoroutier, près de 18 millions d'habitants, 140 nationalités et une centaine de langues différentes… L'agglomération se présente comme un vaste jardin, d'où seuls émergent les gratte-ciel de Downtown. Ultime étape de la conquête de l'Ouest, la ville continue de cristalliser des rêves de prospérité dont Hollywood n'est pas le moindre. Vieille d'un siècle seulement, elle est animée d'une énergie créatrice, qui en a fait le deuxième pôle économique du pays, et d'une vitalité culturelle symbolisée par ses fantastiques musées.

 NOS ADRESSES PAGE 235
Hébergement, restauration, achats, activités, etc.

ⓘ S'INFORMER

Visitor Centers – *Dans Union Station, 800 N. Alameda St.* Voir aussi les bureaux d'informations à Hollywood, p. 217 et Santa Monica, p. 229. Venice n'a pas de *Visitor Center*, mais des informations sont disponibles sur *www.westland.net/venice*. Vente de plans.

▶ SE REPÉRER

Carte de région A2 *(p. 200) – carte Michelin Western USA 585 B 11*. La Cité des Anges est à 395 miles (632 km) au sud de San Francisco, 389 miles (622 km) au nord-ouest de Phoenix et 120 miles (186 km) au nord de San Diego.

Ⓟ SE GARER

Il n'est pas difficile de se garer à Los Angeles, mais cela représente un vrai budget. Dans la rue, des panneaux indiquent les jours et heures de nettoyage pendant lesquels les places de parking sont restreintes.

☺ À NE PAS MANQUER

Le Getty Center et le LACMA ; les studios d'Hollywood ; une balade à Venice Beach et Santa Monica ; l'architecture de Downtown ; une soirée dans un club sur Sunset Blvd.

Vue de nuit des gratte-ciel de Los Angeles.
B. Fraunfelter/fotolia.com

🕐 **ORGANISER SON TEMPS**

Les temps de déplacement peuvent être assez longs, vu les distances. Si vous circulez en voiture, évitez les heures de pointe à cause des embouteillages *(voir « Nos adresses », p. 236 pour les astuces)*. Contrairement à certaines idées reçues, la ville peut se visiter en jouant sur la combinaison métro-bus-marche à pied, mais procurez-vous au préalable le plan des transports dans les *Visitor Centers* pour trouver les correspondances. Pour établir le programme de vos sorties, reportez-vous au *LA Weekly (voir « Nos adresses », p. 237)*.

👥 **AVEC LES ENFANTS**

Grammy Museum ; El Capitan Theater à Hollywood ; les studios de cinéma ; Petersen Automotive Museum ; le bord de mer à Santa Monica et Venice.

S'orienter

L'agglomération de Los Angeles occupe une plaine côtière bordée, au nord et à l'est, par des montagnes et, à l'ouest, par 72 miles de littoral où se succèdent les stations balnéaires de **Malibu**, au nord, et **Long Beach** *(voir « Activités », p. 246)*, au sud, en passant par **Santa Monica** *(voir p. 229)* et **Venice** *(p. 232)*. Dans la toile des autoroutes desservant l'agglomération, un nœud se dessine à **Downtown**, le centre-ville historique, où voisinent d'anciennes demeures en adobe et les gratte-ciel du quartier des affaires et du centre administratif. À sa périphérie se sont établies les communautés asiatiques : le discret **Chinatown**, au nord, le dynamique **Little Tokyo**, à l'est, et **Koreatown** le branché, à l'ouest. Toujours à l'ouest, le long de **Wilshire Boulevard**, se sont installés plusieurs musées, dont l'imposant musée d'Art du comté de Los Angeles (LACMA). Dans un rayon plus large, au nord et à l'ouest du centre-ville, cohabitent des enclaves au caractère bien distinct, comme **Pasadena** *(voir p. 250)*, chargée d'histoire et de culture, **Hollywood** *(voir p. 217)*, qui reste emblématique d'une époque même si le quartier est un peu défraîchi, **West Hollywood** *(voir p. 224)*, le quartier gay et branché, qui concentre un grand nombre de musées et de boutiques ; enfin la luxueuse **Beverly Hills** et les collines très exclusives de **Bel Air**, de **Westwood** et de **Brentwood**, dans le voisinage desquelles se dresse le célèbre Getty Center *(voir p. 231)*. Au sud de Downtown, à l'est de l'aéroport, **South Central Los Angeles** abrite les quartiers majoritairement noirs, notamment ceux de Hawthorne et de Watts, tristement célèbres pour leurs émeutes sanglantes. Enfin, à l'est, **East Los Angeles** regroupe la communauté d'origine mexicaine la plus grande hors du Mexique.

4

★★ Downtown L.A. Plan II

Comptez 2 jours.

Souvent critiquée pour son morcellement extrême, la ville de Los Angeles comprend néanmoins un vrai centre, au croisement des Highways 101 et 110, où s'élève une forêt de gratte-ciel dominant les quartiers alentour. Les immeubles de brique édifiés au début du 20e s. dans le « vieux » Downtown côtoient les buildings aux lignes épurées, construits à partir des années 1960. Centre financier et quartier des affaires, Downtown est très animé pendant la journée, mais ses grandes artères se vident dès la nuit venue. Au nord de **Financial District** et de **Civic Center**, le quartier administratif, **El Pueblo**, aux airs de piège à touristes, constitue néanmoins le berceau historique de la ville. Quant à l'**Arts Districts**, un quartier nouvellement redynamisé, il a vu s'établir des artistes dans ses immenses entrepôts abandonnés avant d'accueillir des restaurants et des bars toujours plus branchés.

★★ BUNKER HILL ET FINANCIAL DISTRICT BC2/3

Bâti à la fin du 19e s. par l'homme d'affaires Prudent Beaudry, Bunker Hill fut jusque dans les années 1920 un quartier résidentiel huppé. Sévèrement dégradé au cours des décennies suivantes, il a été remanié et totalement reconstruit à partir des années 1960 pour accueillir le quartier des affaires de Los Angeles.

▶ *Comptez une demi-journée. Débutez votre visite à la station de métro 7th St./ Metro Center (intersection des lignes bleue et rouge), face au Visitor Center. Remontez Figueroa St. et prenez à droite dans 6th St.*

Pacific Center B3

523 W. 6th St. Vous ne pouvez manquer ce bâtiment, à l'étonnante façade néo-classique avec des colonnes d'allure corinthienne, uniques dans le quartier. Il a été construit (1908-1929) par les architectes John Parkinson et Edwin Bergstrom pour le compte de la Pacific Mutual Life Insurance Company.
Poursuivez votre chemin et prenez à gauche dans Olive St.

★★ Biltmore Hotel B3

506 S. Grand Ave. Il était, avec plus de 1 000 chambres, le plus grand hôtel de la ville lors de son ouverture en 1923. Rénové à plusieurs reprises, il a conservé les peintures murales et les plafonds exécutés par Giovanni Smeraldi, un artiste italien réputé pour ses œuvres inspirées de la Renaissance. Dans les vastes salons du rez-de-chaussée, des vases japonais et des meubles antiques parachèvent l'impression de luxe désuet. La convention démocrate de 1960, qui désigna John F. Kennedy comme candidat à la présidence, se déroula dans l'hôtel, de même que huit cérémonies des Oscars.

Pershing Square BC3

532 S. Olive St. - au pied du Biltmore Hotel. Des concerts sont organisés dans le parc de juil. à sept. Rens. ℘ (213) 847 4970 - www.laparks.org/pershingsquare.
Ce square a perdu de sa superbe. Aménagé en 1866, le plus vieux parc de Los Angeles fut un temps un lieu de rendez-vous très prisé, mais un aménagement résolument moderne lui confère aujourd'hui un air un peu froid et triste.
Traversez la place pour rejoindre Hill St. Descendez-la jusqu'à 7th St.
Vous êtes au cœur du quartier des joailliers. Prenez à gauche pour gagner Broadway.

★★ **Broadway** C3

Cette avenue, qui n'est pas sans rappeler Hollywood et un âge d'or aujourd'hui révolu, connut son heure de gloire au début du 20e s. quand une quinzaine de théâtres et de cinémas fleurirent dans le quartier, dont le Million Dollar Theater de Sid Grauman (1918), où se tenaient les grandes avant-premières. Les cartes postales de l'époque nous permettent d'imaginer quelque peu l'ambiance qui régnait alors, les trolleys dévalant la chaussée, la foule des employés se pressant sur les trottoirs et dans les grands magasins alentour. Dès les années 1920, Broadway fut cependant supplantée par Hollywood, développé sous l'impulsion du même Sid Grauman.

Aujourd'hui, Broadway aligne ses imposants buildings historiques un peu décatis et ses salles de spectacle aux affiches de moindre qualité. Et pourtant… Malgré son prestige envolé et ses trottoirs colonisés par des boutiques sans grand intérêt fréquentées par des chercheurs de rêve, le charme opère encore. Certainement la nostalgie d'un glorieux passé, celui d'une certaine puissance de l'Amérique.

Clifton's Brookdale – *648 S. Broadway -* ℘ *(213) 627 1673 - www.cliftonscafeteria. com. Fermé pour rénovation lors de notre visite, se renseigner pour la réouverture.* Cette cafétéria à la décoration kitschissime, dans le style montagnard, avec ours, cascades et cerf empaillé, est depuis 1935 une institution dans le quartier. *Remontez l'avenue jusqu'au marché central.*

★ **Grand Central Market** C3

317 S. Broadway - ℘ *(213) 624 2378 - www.grandcentralsquare.com - tlj 8h-22h.*
Il se devine à peine derrière les premières enseignes lumineuses qui scintillent dans la pénombre. Depuis 1917, il règne sous cette grande halle une animation incroyable, pimentée d'une certaine promiscuité qui se rencontre rarement dans les magasins américains.

À l'intérieur, une profusion d'étals de produits frais, de viandes et de poissons, d'épices et de fleurs colorées voisinent avec de petits stands qui proposent une cuisine variée et bon marché.

À gauche en entrant, vous pouvez également observer une fabrique de *tortillas.* Vous êtes plongé dans une atmosphère cosmopolite, où se côtoient de vieux Mexicains venus faire leur marché, des Asiatiques affairés à faire frire nouilles et légumes, et les employés des bureaux du quartier en quête d'un déjeuner *(si vous souhaitez manger ici, commandez au stand de votre choix et allez vous attabler dans Market Court, à l'extérieur du marché, sur Hill St.).* *Sortez du côté de Hill St., face au funiculaire.*

Angels Flight Railway C3

℘ *(213) 626 1901 - https://angelsflight.org - fermé pour une durée indéterminée, se rens.*
Pittoresque, sa présence étonne au milieu des buildings environnants. Mis en service en 1901, le plus petit funiculaire du monde, dont les deux wagons gravissent 96 m de dénivelé de la colline de Bunker Hill (33 % de déclivité !) pour déboucher sur la California Plaza, permettaient aux habitants des beaux quartiers de se rendre dans les artères commerçantes, d'affaires et de loisirs de Spring St., Hill St. et Broadway. Il a fermé en 2003 suite à un déraillement. En attendant la réouverture, il est possible de visiter virtuellement le funiculaire, grâce à un lien sur le site Internet.

★★ **California Plaza** C2

L'amphithéâtre de la plaza, ensemble conçu en 1983 et achevé dix ans plus tard, est un lieu fort apprécié des visiteurs et des employés des bureaux voisins qui

4

LOS ANGELES Downtown Plan II

Los Angeles River

Disneyland, San Diego

ART DISTRICT

Avila Adobe

Union Station

Sepulveda House

Geffen Contemporary at MOCA

Chinese American Museum

Japanese American National Museum

El Pueblo de LA State Hist Park

EL PUEBLO

Olvera Street

A+D Museum

CHINATOWN

LA Artcore

City Hall

Natl. Center for the Preservation of Democracy

LITTLE TOKYO

Japanese Village Plaza

LA Times Building

CIVIC CENTER

Ahmanson Theater

BUNKER HILL

Greyhound Station

Museum of Contemporary Art (MOCA)

Grand Central Market

Music Center

California Plaza

Angels Flight

Walt Disney Concert Hall

The Broad Museum

FINANCIAL DISTRICT

Bunker Hill Steps

Biltmore Hotel

Pershing Square

YMCA

Arco Center

Pacific Center

Clifton's Brookdale

Westin Bonaventure Hotel

Central Library

Echo Park, Silver Lake

Hollywood

LACMA Miracle Mile

Good Samaritan

7th St. Metro Center

Santa Monica

Grammy Museum

Exposition Park

N

0   350   700 m
0   1/4   1/2 mi

Broadway

viennent ici se détendre ou siroter leur café en terrasse *(concerts, spectacles de danse les soirs d'été, rens. : ☎ (213) 687 2190 - www.grandperformances.org).* En bas des marches, un bassin parsemé d'îlots fleuris sur lequel veille un ange aux larges ailes. L'arrivée à la sortie du funiculaire procure une sensation saisissante, celle d'être complètement dominé par les deux hautes tours jumelles de verre et d'acier qui encadrent l'esplanade, pourtant longtemps fustigées pour leur manque d'originalité.

Pour rejoindre le MOCA, au nord de California Plaza, empruntez à droite l'allée qui passe devant l'hôtel Inter-Continental.

★★ Museum of Contemporary Art (MOCA) C2

250 S. Grand Ave. - ☎ (213) 626 6222 - www.moca.org - lun., merc. et vend. 11h-18h, jeu. 11h-20h, w.-end 11h-17h - 12 $, gratuit jeu. après 17h. Le billet donne accès, le jour même, au « MOCA at The Geffen Contemporary », situé dans Little Tokyo (voir p. 211), et au « MOCA at The Pacific Design Center », dans West L.A. (voir p. 227).

Le musée d'Art contemporain occupe un bâtiment en brique rouge surmonté d'une pyramide de verre conçu par l'architecte japonais Arata Isozaki. Des expositions tournantes (tous les 3 mois) permettent d'apprécier une collection riche de près de 5 000 œuvres (peintures, photos, sculptures) d'artistes de renommée internationale, tels Roy Lichtenstein, Mark Rothko, Robert Rauschenberg, Alberto Giacometti, Piet Mondrian, Andy Warhol, Jackson Pollock, Jean-Michel Basquiat et David Hockney. Admirez la sculpture monumentale devant le musée.

Traversez Grand Ave.

★★ The Broad Museum C2

221 S. Grand Ave. - ☎ (213) 232 6200 - www. thebroad.org - mar.-merc. 11h-17h, jeu.-ven. 11h-20h, sam. 10h-20h, dim. 10h-18h - réservation en ligne fortement conseillée - gratuit, certaines expositions temporaires payantes.

Ouvert en 2015, le Broad Museum abrite 2 000 œuvres post-modernes et contemporaines dans un bâtiment à l'architecture ultramoderne, conçu par le célèbre cabinet Diller Scofidio + Renfro. Ce vaste musée de deux étages est une contribution architecturale et artistique exceptionnelle à la revitalisation d'un Downtown qui se consacre de plus en plus à la culture. Ed Ruscha, Cindy Sherman, Cy Twombly, Georges Braque, Jean-Michel Basquiat, Takashi Murakami ou encore Jeff Koons font partie des nombreux artistes majeurs de cette collection qui promeut également les jeunes talents, en mettant notamment l'accent sur la scène *angeleno*.

Remontez Grand Ave.

★★ Walt Disney Concert Hall C2

111 S. Grand Ave. - ☎ (213) 972 7211 - www.laphil.com - ouv. tlj mais horaires variables selon le programme des concerts.

Vous ne pouvez manquer ce chef-d'œuvre architectural qui, de par son originalité, se détache complètement du paysage urbain. La structure étonnante de bois et d'acier a été dessinée par Frank Gehry, financée en grande partie par la famille Disney et achevée après plus de 16 ans de travaux en 2003. Le design, précurseur du musée Guggenheim de Bilbao (Espagne), se veut inspiré de la nature : voiles gonflées par le vent à l'extérieur, ventre de baleine entourant le lobby, arbres pour colonnes, tissu à fleurs sur les sièges de l'auditorium, forêt des 6 125 tuyaux de l'orgue… Selon le moment de la journée, la lumière joue sur le revêtement métallique, ajoutant une note magique à l'ensemble.

Les **jardins★** au 2ᵉ étage, dessinés par Melinda Taylor, offrent une très belle vue sur L.A. Les arbres, qui y fleurissent tout au long de la saison des concerts,

4

sont organisés autour de la **Rose for Lilly**, sculpture de Gehry composée des éclats de 200 vases de porcelaine. Part du **Music Center** qui se poursuit de l'autre côté de 1ˢᵗ St., le hall est le siège de l'Orchestre philharmonique et du Chœur de Los Angeles.

Redescendez Grand Ave. sur le trottoir d'en face pour rejoindre la California Plaza, puis traversez à hauteur du Wells Fargo Center. Gagnez ainsi la tour carrée de l'Arco Center et obliquez à gauche dans Flower St.

★ Westin Bonaventure Hotel B2

Au croisement de Hope St. et de 4ᵗʰ St. *(souterraine)*, vous apercevez à l'ouest les cinq tours cylindriques vitrées de cet immense hôtel construit en 1974-1976, l'un des symboles de Los Angeles. Il compte 1 354 chambres et a été conçu selon un plan atypique, ce qui lui a valu de servir de cadre à de nombreux films et séries (*Hancock, Mission Impossible*). N'hésitez pas à vous aventurer à l'intérieur *(une galerie marchande et des restaurants occupent les six premiers étages)* et à emprunter, si vous avez le cœur bien accroché, les ascenseurs vitrés qui donnent une superbe vue du 35ᵉ étage sur la ville (les rouges vont plus haut, les jaunes sont ceux de la scène finale du film *True Lies* avec Arnold Schwarzenegger).

Revenez sur Hope St. et prenez à droite la rue bordée d'arbres qui descend vers les escaliers de Bunker Hill (dans le virage).

Les 103 marches des **Bunker Hill Steps**★(B3) surmontées d'une statue de femme-fertile conduisent à la bibliothèque municipale, dont vous apercevez la façade Art déco à travers les feuillages.

★ Central Library B3

630 W. 5ᵗʰ St. - ☎ (213) 228 7000 - lun.-jeu. 10h-20h, vend.-sam. 9h30-17h30, dim. 13h-17h. Vous pouvez emprunter une brochure descriptive au bureau d'informations dans le hall. Visites guidées (1h) lun.-vend. 12h30, sam. 11h et 14h, dim. 14h, rendez-vous devant le Library Store.

Construite en 1926, elle est dotée d'une façade Art déco ravissante, surmontée d'un toit pyramidal décoré d'une superbe **mosaïque** scintillante, figurant un soleil. Dévastée par deux incendies en 1986, la bibliothèque a été totalement restaurée depuis, mais les décorations murales d'origine ont été préservées. Passé les portes, vous parvenez dans le hall central. Au 2ᵉ étage, une grande rotonde surplombe une **fresque** (1932) qui raconte quatre grandes étapes de l'histoire californienne : la découverte, les missions, l'arrivée des Anglais et le début des arts et de l'industrie. La partie est, Bradley Wing, s'organise autour d'un vaste atrium orné de sculptures monumentales et de trois lustres étonnants pesant chacun une tonne !

Sortez par Hope St. et descendez jusqu'au croisement de Olympic Blvd que vous prendrez à droite.

UNE POPULATION DE 7 000 MISÉREUX

Skid Row, le quartier de Downtown Los Angeles, est connu pour abriter l'une des plus grandes populations de *homeless* des États-Unis, et peut-être du monde occidental. La plupart des associations de secours aux SDF ont leurs QG dans ces rues entre 3ʳᵈ et 7ᵗʰ, et Alameda et Main. Si vous vous aventurez à l'est de Downtown (c'est déconseillé, surtout après le coucher du soleil), vous ne verrez pas de pancarte identifiant le quartier… L'évidence est dans les alignements de logements de fortune, tentes et boîtes en carton, et l'odeur de misère.

★★ **Grammy Museum** A3

800 W. Olympic Blvd, entrée sur Figueroa St. - ℰ *(213) 765 6800 - www.grammy museum.org - lun.-vend. 10h30-18h30, w.-end 10h-18h30 - 12,95 $.*

👤👤 Un endroit étonnant qui retrace l'histoire de la musique aux États-Unis. Si les premiers pas dans le musée peuvent laisser penser à une célébration trop ostentatoire des Grammy Awards (équivalent plus « spectaculaire » de nos Victoires de la Musique), la suite laisse une tout autre impression.

De l'explication des différents styles musicaux (que l'on peut écouter) à l'exploration des courants et des artistes qui ont fait la musique américaine, le panorama est assez complet. Affiches, bornes sonores, photos et vidéos égayent la visite.

Mais la richesse du musée réside dans ses nombreux ateliers interactifs : le visiteur peut ainsi prendre part, dans un véritable studio, à la participation d'un enregistrement, s'isoler dans des cabines pour apprendre à mixer des morceaux ou à produire des chansons… Avis aux familles, les parents seront charmés et les enfants conquis.

Revenez sur Hope St. jusqu'au métro à l'angle de 7ᵗʰ St.

★ **CIVIC CENTER ET LITTLE TOKYO** Plan II C2-D2/3

Civic Center, le quartier administratif, regroupe les bureaux des instances dirigeantes de la ville, ainsi que celles du comté, de l'État, et même du gouvernement fédéral, dont c'est le deuxième plus grand centre après Washington DC.

▶ *Comptez 2h. Débutez votre visite à la station de métro Civic Center (ligne rouge) et empruntez 1ˢᵗ St. vers l'est jusqu'à l'angle avec Broadway St.*

★★ **Los Angeles Times Building** C2

202 W. 1ˢᵗ St. - lun.-vend. 7h-15h - visite guidée de l'immeuble et, sur demande, ℰ *(213) 237 5757, de l'Olympic Manufactory Plant, l'imprimerie du journal (2000 E. 8ᵗʰ St.).*

Cet immeuble imposant abrite les bureaux du grand quotidien de la ville depuis 1935. Sa large façade blanche percée de hautes fenêtres est surmontée de l'une des rares horloges encore en fonctionnement dans Downtown. Le style Art déco s'exprime dans la majestueuse entrée en marbre rosé. N'hésitez pas à franchir ses portes vitrées pour jeter un œil au vaste hall, dans lequel une exposition retrace l'histoire du journal à travers ses unes les plus célèbres. En sortant, remarquez sur la droite un immeuble similaire mais plus élevé et plus effilé, le **City Hall**★(D2), qui abrite le conseil de la ville depuis 1928 *(fermé au public)*. Symbole du pouvoir municipal, il a été protégé par décret pendant plusieurs décennies afin qu'aucun gratte-ciel ne puisse dépasser ses 27 étages. *Poursuivez votre chemin sur 1ˢᵗ St. pour rejoindre* **Little Tokyo** *(depuis la station de métro de 7ᵗʰ St., prenez le bus DASH A en semaine et le DASH DD, pour Downtown Discovery, le w.-end).*

★ **Little Tokyo**

🛈 *307 E. 1ˢᵗ St. -* ℰ *(213) 613 1911 - lun.-sam. 10h-18h - surtout destiné à renseigner les habitants ou les touristes japonais.*

Les premiers immigrants japonais débarquèrent à Los Angeles à la fin du 19ᵉ s., où ils fondèrent ce quartier. Little Tokyo fut fortement ébranlé au cours de la Seconde Guerre mondiale du fait des déportations massives de Japonais vers les camps de détention, et il ne reste que très peu d'édifices du début du siècle, mis à part les quelques bâtiments en brique de 1ˢᵗ Street, entre San Pedro Street et Central Avenue. Depuis 1977, Little Tokyo a retrouvé son dynamisme industrieux et la plupart des 200 000 personnes que compte aujourd'hui la

4

communauté japonaise de L.A. sont installées dans ce quartier où sont rassemblés nombre de commerces et d'institutions financières et culturelles.

Remontez 1ˢᵗ Street vers l'est jusqu'à Central Ave. Au croisement des deux rues s'étire une vaste esplanade sur laquelle voisinent deux musées.

★ **Japanese American National Museum** (D3) – *100 N. Central Ave. - ☏ (213) 625 0414 - www.janm.org - tlj sf lun. 11h-17h (jeu. 12h-20h) - 10 $, gratuit jeu. de 17h à 20h et le 3ᵉ sam. de chaque mois.* Dans un beau bâtiment de verre circulaire, ce musée est consacré à la culture nippone aux États-Unis. Le chapitre dédié à la Seconde Guerre mondiale est particulièrement émouvant. Le musée accueille des expositions variées et propose un programme d'ateliers, pour les enfants et les familles.

National Center for the Preservation of Democracy (D3) – *111 N. Central Ave. - ☏ (213) 830 1880 - sur RV mar.-vend. 13h-16h.* Il s'agit d'un lieu d'échanges et de réflexion sur la démocratie et la place des minorités aux États-Unis.

★★ **The Geffen Contemporary at MOCA** (D3) – *152 N. Central Ave. - ☏ (213) 626 6222 - www.moca.org - lun., merc., vend. 11h-18h, jeu. 11h-20h, w.-end 11h-17h - 12 $, gratuit jeu. 17h-20h.* Aménagé dans d'anciens entrepôts, un peu en retrait de 1ˢᵗ Street, cet édifice accueille, comme le MOCA de la California Plaza *(voir p. 209)*, des expositions d'art contemporain.

Au bout du parking, en face, un bâtiment abrite un théâtre et une petite galerie d'art. **L.A. Artcore** *(merc.-dim. 12h-17h. Gratuit)* tente de promouvoir des créateurs locaux aux influences variées et de créer des passerelles avec des artistes du monde entier.

Au sud de 1ˢᵗ Street, une énorme porte en bois marque l'entrée de la **Japanese Village Plaza★**, une petite rue piétonne animée où sont concentrés tous les restaurants du quartier.

A + D Museum (Musée de l'architecture et du Design)
Hors plan par D3

900 E. 4ᵗʰ St. - ☏ (213) 346-9734 - www.aplusd.org - mar.-vend. 11h-17h, w.-end. 12h-18h, fermé lun. - 7 $.

Installé depuis 2015 à la frontière entre Little Tokyo et Art District, le A + D Museum organise des expositions temporaires très conceptuelles réservées aux amateurs (très) éclairés et aux spécialistes.

★★ EL PUEBLO DE LOS ANGELES Plan II D1/2-E2

▶ *Comptez 2h. Pour rejoindre El Pueblo en métro, empruntez la ligne rouge et descendez à Union Station. Il est également desservi en semaine par le DASH B et le w.-end par le DASH DD. 845 N. Alameda St. Les commerces du « village » d'Olvera St. sont accessibles tlj de 9h à 20h, les restaurants sont ouverts jusqu'à 22h environ.* ▯ *Avila Adobe, tlj 9h-16h.*

★★ Union Station D/E2
La superbe gare ferroviaire de L.A. mérite une visite. Elle occupe un imposant bâtiment blanc couvert de tuiles rouges, apparenté au style néocolonial espagnol. Achevée en 1939, elle conserve un hall somptueux, baigné de lumière, orné de mosaïques de marbre, de magnifiques lustres et de larges fauteuils en cuir et en bois vernis. Entourée de jardins, Union Station dégage une tranquillité étonnante, peu conforme au tumulte rencontré dans la plupart des grandes gares ferroviaires.

Traversez Alameda St. et empruntez Los Angeles St. jusqu'à la place qui marque le cœur d'El Pueblo.

★ **Olvera Street** D2

La trentaine de bâtiments protégée de ce site historique, dont Olvera Street constitue l'axe principal, date pour la plupart de la seconde moitié du 19e s. Ils ont été édifiés près de l'emplacement où les premiers colons espagnols fondèrent un village en 1781. Ce dernier avait alors pour charge de procurer nourriture et vêtements aux missions et aux forts *(presidios)* établis en Californie pour contrer d'éventuelles incursions russes et anglaises. Le village prospéra, mais, après le grand boom démographique des années 1880, l'activité de L.A. se recentra plus au sud, aux abords de Pershing Square, et le quartier fut laissé à l'abandon jusqu'à la fin des années 1920. Réhabilitée en 1930 à l'initiative de Christine Sterling, une passionnée d'histoire qui se battit pour empêcher la démolition des vieux bâtiments, Olvera St. fut transformée en village mexicain afin d'attirer les touristes et redonner vie au berceau de la ville.

La large place ronde à l'entrée d'Olvera St., couverte de figuiers touffus, est un lieu propice aux manifestations musicales accompagnées de danses. L'ambiance indolente du quartier et les senteurs de fleurs vous invitent à vous enfoncer plus avant dans l'allée piétonne envahie de petites échoppes en bois colorées, regorgeant de poteries, de peintures, de souvenirs kitsch et de sacs en cuir mexicains. De l'autre côté de la place, l'église **Nuestra Senhora Reina de Los Angeles** (1781), reconnaissable à sa façade jaune, est un lieu de rassemblement et de prière pour la communauté mexicaine. Agréable cour ombragée qui permet d'échapper quelque temps au soleil.

Rentrez dans Olvera Street. À 50 m sur la droite, vous parvenez aux abords d'une maison blanche en adobe précédée d'un porche en bois.

Avila Adobe – *Tlj 9h-16h. Gratuit./*La plus ancienne habitation de Los Angeles (1818) appartenait à la famille Avila qui s'enrichit en troquant des peaux contre des meubles qu'elle revendait. Elle a été sauvée de la destruction par Christine Sterling en 1930. Les pièces de la maison conservent du mobilier et des objets caractéristiques des riches demeures californiennes des années 1840. La cour intérieure, où poussent toujours cactus, citronniers et orangers, était le foyer de l'activité familiale ; elle servait à la fois d'atelier, de cuisine et de jardin. De vieilles photos racontent l'histoire de la famille et de L.A.

Sepulveda House – *De l'autre côté de la rue. Fermé à la visite.* Elle témoigne d'un syncrétisme propre à la Californie, mélange d'architectures mexicaine et américaine. Reconstruite en 1887 dans un style victorien, la maison était alors divisée en deux parties, avec une boutique ouvrant sur Main St. et les habitations donnant sur Olvera St. La cuisine et la chambre reflètent le style des années 1890.

Chinatown D1

Au nord d'El Pueblo, de l'autre côté de Cesar Chavez Ave.

Le quartier de **Chinatown** est entièrement financé et contrôlé par les Chinois de Los Angeles. Le vieux Chinatown a été détruit lors de la construction de la gare Union Station, seules subsistent certaines rues commerçantes peu pittoresques. Le quartier possède toutefois quelques bâtiments hauts en couleur le long de Broadway, passé College St., aux abords de l'Easy Gate.

Chinese American Museum (D2) – *425 N. Los Angeles St., en face de l'entrée d'Olvera Street, de l'autre côté de la place - ℘ (213) 485 8567 - www.camla.org - mar.-dim. 10h-15h - 3 $.* Un rappel de l'histoire et de l'évolution de l'immigration chinoise à L.A., à travers des panneaux et de nombreux (et beaux) objets. Le musée présente également des expositions temporaires, consacrées à l'immigration en général, à travers des œuvres contemporaines et politiques d'artistes sino-américains et étrangers.

La Cité des Anges

DE MODESTES DÉBUTS

Un site prometteur

Juan Rodriguez Cabrillo fut vraisemblablement le premier étranger à arriver en vue de la côte de Los Angeles en 1542, mais c'est l'expédition du capitaine Gaspar de Portolá, en 1769, qui attira l'attention sur le site de la future « Cité des Anges », une large vallée boisée, traversée par une rivière et habitée par des Indiens accueillants. Il réussit à convaincre le gouverneur de haute Californie de demander au roi d'Espagne la permission d'y établir un village. El Pueblo de la Reina de Los Angeles (le village de la Reine des anges) vit ainsi le jour en 1781, sur un site proche du Pueblo d'aujourd'hui. Il accueillit onze familles, d'origine indienne, espagnole ou noire, dont le rôle était d'assurer l'approvisionnement des forts installés sur la côte. La population s'élevait à 139 habitants en 1790 ; on en comptait 315 dix ans plus tard.

UNE VILLE ESPAGNOLE

Quand en 1821 le Mexique gagna son indépendance, El Pueblo était déjà la ville la plus importante de la région. Elle passa sous domination mexicaine jusqu'en 1848, date à laquelle les Américains remportèrent la guerre et les territoires disputés aux Mexicains. Deux ans plus tard, le comté de Los Angeles était institué, peu avant la création de la ville de Los Angeles et l'entrée de la Californie dans l'Union. Durant cette période, la Californie vit affluer les chercheurs d'or. Quelques Américains ambitieux épousèrent les filles de grands propriétaires de ranchs mexicains, mais la culture de la ville resta en majorité hispanique. Les périodes de sécheresse du début des années 1860 causèrent la perte de 70 % du bétail, qui assurait la richesse de l'économie du sud de la Californie. Les terres passèrent aux mains d'entrepreneurs venus de San Francisco, liés à l'industrie des chemins de fer.

LE TERMINUS DES TRAINS

Le boom immobilier...

Après l'ouverture de la ligne ferroviaire Los Angeles-San Francisco en 1876, la compagnie Southern Pacific inaugura au début des années 1880 la première liaison transcontinentale. Elle était alors concurrencée par la compagnie Santa Fe, avec laquelle s'engagea une guerre commerciale. La Californie était célébrée, à grand renfort de publicité, comme une région ensoleillée où il faisait bon vivre et où les terres abondaient. Avec l'arrivée d'immigrants du Midwest et de la côte Est, la population passa de 11 000 habitants en 1880 à 50 000 en 1890. La spéculation immobilière battait alors son plein.

... même aux alentours

En 1887, Harvey Wilcox acheta des terres sur lesquelles il imagina une ville où des demeures cossues de style victorien s'aligneraient au milieu des vergers. Il laissa à sa femme le soin de baptiser l'ensemble : Hollywood était né (le hameau fut rattaché à la ville de Los Angeles en 1910 afin de bénéficier de l'acheminement d'eau). De même, en 1892, Venice naquit sous l'impulsion d'Abbot Kinney, qui acquit une partie du littoral et y construisit des canaux et un parc de loisirs (Venice intégra Los Angeles en 1925).

LA VILLE FAIT SON CINÉMA

Une cité moderne

Au tournant du siècle, la ville entreprit les grands travaux qui s'imposaient : la construction d'un aqueduc, l'agrandissement du port et l'élaboration d'un système de transport public fonctionnant à l'électricité. Les premières voitures firent leur apparition, phénomène déterminant pour une cité construite sur le modèle de la propriété individuelle : en 1904, on recensait à Los Angeles 1 600 véhicules et, en 1925, la ville comptait le taux d'automobiles par habitant le plus élevé du pays.

La capitale du cinéma

Dès les années 1920, l'**industrie du cinéma** fleurit à Hollywood et devint un véritable pouvoir économique régional. Les professionnels délaissèrent New York pour Los Angeles, où ils bénéficiaient de conditions naturelles exceptionnelles et d'une importante main-d'œuvre. Les studios se multiplièrent et la ville se dota de cinémas et d'espaces destinés à célébrer les stars du grand écran. De nombreuses entreprises s'installèrent à Los Angeles, comme Ford, qui choisit la ville pour construire sa première usine d'assemblage dans le Sud californien. Les années 1920 connurent un afflux important d'émigrés mexicains. En 1924, Los Angeles atteignait le million d'habitants, dont, fait notable, 43 000 agents immobiliers !

LA GRANDE DÉPRESSION ET LA REPRISE DE L'APRÈS-GUERRE

Les années qui suivirent le krach de 1929 n'épargnèrent pas Los Angeles. Durant cette période de crise où le chômage allait croissant, des Mexicains furent massivement reconduits dans leur pays. Des brigades envoyées à la frontière du Nevada empêchaient l'entrée en Californie des sans-emploi venus de l'Est, qui voulaient fuir la misère et pensaient trouver dans l'Ouest un Eldorado. Dans les années 1940, la ville retrouva un nouveau souffle avec les industries de guerre, particulièrement dans l'aéronautique. Les vagues d'immigration reprirent et la population atteignit 2,4 millions d'habitants en 1960.

UNE MÉTROPOLE COSMOPOLITE

Depuis le milieu des années 1980, les terres disponibles se sont faites plus rares mais la ville n'en a pas moins continué de croître : avec plus de 3,8 millions d'habitants, c'est aujourd'hui la deuxième plus grande ville des États-Unis. Métropole cosmopolite s'il en est, Los Angeles compte une importante **communauté hispanique** (46,5 %) devenue la première de la ville, devant les Blancs d'origine non hispanique (29,7 %), les Noirs (11,2 %) et les Asiatiques (10 %). Elle demeure toutefois prisonnière de son découpage en banlieues communautaires qui attisent les tensions et les ressentiments.

Les quartiers noirs de South Central L.A., qui avaient déjà connu des émeutes sanglantes en 1965 (34 morts à Watts) après une affaire de brutalité policière, s'enflammèrent à nouveau en 1992 lors de l'**affaire Rodney King** (plus de 50 morts et 1 milliard de dollars de dégâts), lorsque furent acquittés des policiers blancs, filmés par une caméra amateur en train de passer à tabac un automobiliste noir. À Los Angeles, la plus grande richesse côtoie l'extrême pauvreté. Néanmoins, la cité n'en finit pas d'exercer une réelle fascination auprès des candidats du « tout est possible », attirés par les feux de l'industrie cinématographique ou de la réussite, présumée facile, dans un endroit qui reste un mythe vivant.

EXPOSITION PARK Plan I

◗ *Au sud-ouest de Downtown par la Hwy 110, sortie Exposition Blvd. Le bus DASH F qui passe par 7th St. longe le boulevard.*
Le Parc des expositions de Los Angeles accueillit en 1913 un hall d'exposition et le County Museum of History, Science and Art. En 1923 fut ouvert le **Los Angeles Memorial Coliseum**, où eurent lieu en 1932 et en 1984 les Jeux olympiques. Depuis, le nombre de musées a augmenté et un autre stade a été construit, faisant du Parc un lieu culturel et sportif vivant, près de l'université de Californie du Sud.

★★ Natural History Museum

900 Exposition Blvd - ℘ (213) 763 3466 - www.nhm.org - tlj 9h30-17h - 12 $ (3-12 ans 5 $) ou 17 $ avec l'entrée au Pavillon des Papillons (3-12 ans 8 $).
Créé à partir du premier musée du Parc, le Muséum d'histoire naturelle du comté de Los Angeles regroupe des collections riches et variées. L'exposition sur les dinosaures est la plus impressionnante, présentant des squelettes complets : du **Mamenchisaurus★★**, l'espèce de dinosaures à l'échine la plus large, au très rare requin **Megamouth★★** en passant par le classique **Tyrannosaurus rex**.
Le musée comprend aussi au 1er étage plusieurs halls consacrés à l'anthropologie : l'**Ancient Latin America Hall★** regroupe des vases, figurines et ornements des sociétés anciennes d'Amérique du Sud et centrale ; **Zuni Fetishes** présente des sculptures des Indiens du Sud-Ouest ; enfin, **Lando Hall of California History★** suit la chronologie de l'histoire du Sud-Ouest américain du 16e s. aux années 1940 selon 12 thèmes (les Indiens, la compétition internationale, le 31e État, la mer et l'air…). Également un **Hall of Gems & Minerals★★** mondialement reconnu.

★ California Science Center

700 Exposition Park Dr. - ℘ (323) 724 3623 - www.californiasciencecenter.org - tlj 10h-17h - gratuit sauf les attractions (IMAX, mur d'escalade, simulateur de vol).
Composé de l'**Aerospace Museum★** et de l'IMAX Theater, ce centre présente scientifiquement les découvertes et évolutions technologiques : les expositions de **Creative World★** expliquent les progrès des communications, constructions et transports à travers les exemples de l'imagerie numérique, des véhicules solaires et des normes parasismiques ; la galerie **World of Life★** aborde la connaissance du vivant (de l'homme à la cellule) par les thèmes de l'énergie, des déchets, des défenses naturelles et de l'information génétique ; l'**Air and Space Gallery** présente le fonctionnement des avions et les enjeux de l'aérospatiale, de la survie de l'homme dans l'espace au suivi des missions sur les autres planètes. L'**IMAX Theater** *(8,50 $)*, cinéma en 3D, comporte une exposition expliquant le mécanisme du film en 3D.

California African American Museum

600 State Dr. - ℘ (213) 744 7432 - www.caamuseum.org - 🅿 *12 $ - mar.-sam. 10h-17h, dim. 11h-17h - gratuit.*
Ouvert en 1984, le musée dessiné par les architectes Vince Proby et Jack Heywood a été rénové en 2001. Il présente peintures, sculptures et vidéos d'artistes du 20e s. illustrant la vie des Afro-Américains aux États-Unis ainsi que leur place dans l'histoire et la culture californiennes. Expositions temporaires sur l'art, l'histoire ou la musique.
Avant de quitter le parc, faites un tour dans le **Rose Garden**, parmi les plus beaux de Californie. Seize mille rosiers y fleurissaient dès 1928.

Fresque murale dans Hollywood.
A Leiva/age fotostock

★★ Hollywood Plan III

▶ *Au nord-ouest de Downtown, en remontant Wilshire Blvd jusqu'à Highland ou La Brea, où vous prenez à droite, ou par l'Hollywood Fwy (US-101). En métro, descendez aux stations Hollywood & Vine ou Hollywood & Highland (ligne rouge).*
🛈 *6801 Hollywood Blvd, dans le complexe Hollywood & Highland - ☎ (323) 467 6412 - tlj 9h-22h (10h-19h dim.).* Brochures, plans et horaires des lignes de bus, coupons de réduction pour les attractions et les hébergements.

Le nom d'Hollywood évoque le crépitement des flashs et les frasques des stars, mais seules les lettres blanches accrochées à la colline, au nord du quartier, n'ont pas pris une ride. La plupart des studios venus s'installer au début du 20e s. ont déménagé à Burbank ou dans la San Fernando Valley, et Hollywood Blvd n'est plus que l'ombre de ce qu'il fut. Nombre de ses édifices sont à l'abandon, remplacés par des boutiques de souvenirs destinés aux touristes qui se pressent sur les trottoirs pavés d'étoiles.

À la nuit tombée, le quartier est hanté par des sans-logis. Malgré tout, un effort de préservation s'est traduit par la rénovation et la réouverture de salles de spectacle et par la construction d'un complexe destiné à la cérémonie des Oscars, à deux pas du lieu où s'est tenue la grande première de cette manifestation emblématique.

★★ HOLLYWOOD BOULEVARD Plan III

▶ *Comptez 2h. Les bus DASH parcourent Hollywood Blvd toutes les 30mn, du lun. au sam. (0,50 $). Le long du boulevard, des panneaux explicatifs annoncent certains édifices. Si vous désirez un plan des attractions, passez à l'office de tourisme du complexe Hollywood & Highland et commencez alors le circuit par la fin.*
☺ **Bon à savoir** – La portion la plus intéressante de Hollywood Blvd s'étire sur 1 mile environ, entre La Brea Ave. et Vine St. L'itinéraire commence au milieu de ce segment.

Universal Studios,
Santa Barbara, San Francisco   Warner Bros. Studios

Hollywood Heritage Museum

LOS ANGELES
Hollywood
Plan III

	A	Guinness Museum
B	Ripley's Museum
C	Wax Museum

0   1/2 mi
0   400   800 m

Downtown L.A.

Capitol Records

Franklin   Ave.

Dolby Theater

Chinese Theater

Hollywood & Highland

Jane's House

Warner Pacific Theater

Pantages Theatre

Hollywood

Blvd.

Egyptian Theater

LACE

Taft Building

Hollywood & Vine

Roosevelt Hotel

El Capitan Theater

Frederick's of Hollywood

Selma Ave.

Beverly Hills

Sunset   Blvd.   Sunset   Blvd.   Sunset   Blvd.

Santa Monica Blvd.   Paramount Studios

SE LOGER		SE RESTAURER	
Highland Gardens.............. (1)	Legend Hotel Hollywood....(3)	Mel's Drive In................ (2)
Hollywood Liberty Hotel... (10)	Secret Garden B&B (The)....(7)	Moun of Tunis............ (9)
Hollywood Orchid Suites... (6)	Walk of Fame Hostel..........(4)	Musso & Frank Grill.....(8)

★ Jane's House

Seule maison victorienne (1903) qui ait résisté aux promoteurs, elle témoigne de la période précédant l'arrivée de l'industrie du cinéma à Hollywood, quand la plaine était couverte de vergers et de cultures. Au tournant du 20e s., le propriétaire du terrain de Hollywood, un certain Harvey Wilcox, vendit des parcelles à des retraités du Middle West, qui y construisirent des villégiatures d'hiver. La demeure la plus célèbre de l'époque appartenait à un peintre français, Paul de Longpré *(plaque à l'angle de Hollywood Blvd et Cahuenga Blvd)*.
En sortant de l'impasse, prenez à gauche sur Hollywood Blvd.

Chaque mètre de l'artère dévoile une étoile du **Walk of Fame**, la promenade des Célébrités. Ces plaques incrustées dans le trottoir – plus de 2 000 – rendent hommage aux grands noms du monde du spectacle (cinéma, télévision, théâtre et musique). La première date de 1958 et célèbre l'actrice Joanne Woodward. Sachez toutefois que chaque heureux lauréat a dû s'acquitter d'une somme de 30 000 dollars pour voir son nom gravé sur les trottoirs de Hollywood. Une broutille pour la plupart.

Warner Pacific Theater

Après Wilcox Ave. Fermé à la visite.

Imposante façade dont l'enseigne bleue est en partie dissimulée par les arbres. Les deux tourelles métalliques qui encadrent le bâtiment servaient à transmettre des émissions de radio.

En traversant Ivar Ave., vous apercevez sur votre gauche les **lettres Hollywood**, dans le lointain. Installées en 1923 par un promoteur immobilier, elles disaient à l'origine « Hollywoodland ». Véritables emblèmes de la ville, elles sont interdites d'accès pour prévenir le vandalisme, le vol, voire les actions désespérées. Vous les verrez encore mieux depuis le complexe d'Hollywood & Highland *(p. 220)*.

Poursuivez jusqu'à Vine Street où se dresse la silhouette cylindrique du **Capitol Records**, un studio d'enregistrement construit en 1956 et figurant une pile de 45 tours.

De l'autre côté de Hollywood Boulevard, observez l'imposant **Taft Building**, premier gratte-ciel du quartier, édifié en 1924.

★ Pantages Theater

6233 Hollywood Blvd - www.pantages-theater.com.

Il se repère à sa belle enseigne qui se détache de la façade. Premier cinéma entièrement conçu Art déco (1930), il est doté d'une entrée majestueuse, ornée de statues et de motifs dorés rehaussés par des lustres pittoresques. Il est l'un des premiers à s'être adapté au cinéma parlant, au milieu des années 1920. La cérémonie des Oscars y a élu domicile de 1949 à 1959.

Traversez Hollywood Blvd et remontez le boulevard dans le sens inverse.

★ LACE

Passez Wilcox Ave, 6522 Hollywood Blvd - ℰ (323) 957 1777 - www.welcometolace. org - merc.-dim. 12h-18h - gratuit, contribution recommandée.

N'hésitez pas à pousser les portes en verre opaque de cette surprenante galerie d'art contemporain. Vous pourrez ainsi vous isoler de la frénésie mercantile du boulevard tout en découvrant des expositions temporaires de qualité.

★★ Egyptian Theater

6712 Hollywood Blvd - www.americancinematheque.com.

Il a conservé son enseigne d'origine. Il est précédé d'une cour plantée de palmiers avec fresques et colonnes égyptiennes « à la mode hollywoodienne ». Pour son inauguration en 1922, l'édifice accueillit la première de *Robin Hood*, avec Douglas Fairbanks, ouvrant la voie à la tradition des grandes premières. Il abrite depuis 1998 la Cinémathèque américaine, qui organise des projections dans la très belle salle. *Forever Hollywood*, beau film réalisé à la gloire des hommes et des stars qui ont fait Hollywood, célèbre plus d'un siècle de cinéma *(55mn, horaires sur le site Internet. 7 $).*

★ Frederick's of Hollywood

6751 Hollywood Blvd. - lun.-sam. 10h-21h, dim. 11h-19h. Cette boutique de lingerie farfelue est un autre monument du boulevard. Frayez-vous un chemin parmi les culottes colorées pour jeter un œil au petit musée qui retrace l'histoire de la lingerie et expose des sous-vêtements de stars, dont un caleçon de Tom Hanks !

4

Angle Hollywood Blvd et Highland Ave.

Trois musées tapageurs étalent leurs devantures classées, tapissées de néons.

Guinness World of Records Museum – *6764 Hollywood Blvd - ℰ (323) 463 6433 - www.guinnessmuseumhollywood.com - lun.-jeu. et dim. 9h-0h, vend.-sam. 9h-1h - 20 $, 30 $ avec le Wax Museum et le Ripley's Believe It or Not !).* Ce musée met en scène les records du monde les plus fous.

Ripley's Believe It or Not ! – *6780 Hollywood Blvd - ℰ (323) 466 6335 - www. ripleys.com/hollywood - tlj 10h-0h - à partir de 20 $, 30 $ avec le Guinness Museum et le Hollywood Wax Museum.* Il se targue d'être le musée de l'étrange et de l'absurde.

Hollywood Wax Museum – *6767 Hollywood Blvd - ℰ (323) 462 5991 - www. hollywoodwaxmuseum.com - dim.-jeu. 19h-0h, vend.-sam. 9h-1h - 20 $, 30 $ avec le Guinness Museum et le Ripley's Believe It or Not !* Ici, les statues de cire attendent indéfiniment les visiteurs.

★ El Capitan Theater

6838 Hollywood Blvd. 👥👤 Le plus extravagant des palais du boulevard a conservé son enseigne. Achevé en 1926, il combine le style espagnol colonial à l'extérieur et une décoration intérieure chatoyante. Reconverti en cinéma en 1942, il propose surtout des films pour enfants et organise diverses rétrospectives.

★★ Roosevelt Hotel

7000 Hollywood Blvd. Édifié en 1927, il se dresse à l'intersection d'Orange Ave. et Hollywood Blvd. Passez les portes de l'immense hall d'entrée décoré dans le style colonial espagnol. Les larges fauteuils invitent à la détente, au son d'une musique douce. Fondé par une pléiade de célébrités, dont Mary Pickford, Douglas Fairbanks et Louis B. Mayer, l'hôtel servit de cadre en 1929 à la première cérémonie de remise des Oscars. Rénové en 2005, ce palace (suite Marylin Monroe à plus de 2 500 $/nuit !) est connu pour ses fêtes autour de la piscine.
Traversez le boulevard.

★★ Chinese Theater

6925 Hollywood Blvd - 📞 *(323) 461 3331 - visite guidée ttes les 1h (30mn) - 15 $.*
Avec son toit recourbé, ses peintures murales et ses colonnes laquées, il fait aussi partie du paysage depuis 1927. Ce cinéma d'exception accueillait les grandes premières. Il fut construit par Sid Grauman suite au succès de l'Egyptian Theater et rien n'a été laissé au hasard dans l'ornementation des lieux. Le spectacle est également à l'extérieur, tous les visages étant rivés sur le sol à la recherche des empreintes de pas et de mains laissées dans le ciment par plus de 170 stars. Sur le trottoir, les vedettes de la chanson et du cinéma (des faux bien sûr) attendent les touristes pour une photo, moyennant quelques dollars.

Hollywood & Highland

La visite s'achève devant ce pharaonique complexe ouvert fin 2001. L'édifice est emblématique des efforts menés pour revaloriser le quartier. Il abrite le *Visitor Center*, un grand hôtel, des boutiques, des restaurants et une salle de spectacle, le **Dolby Theater**, qui accueille la cérémonie des Oscars. Depuis la grande arche orientale, belle vue sur les **lettres Hollywood**.

★ LES STUDIOS DE CINÉMA Plan I/Hors plan III

★ Paramount Studios Hors plan III

Au sud de Hollywood, 20mn en bus. De Hollywood Blvd, le n° 210 descend Vine St. jusqu'à Melrose Ave., où il faut changer pour le n° 10 (trottoir d'en face) ou marcher vers l'est jusqu'à Gower St. - 5515 Melrose Ave. Réservation par téléphone au

---

DES EMPREINTES DE LÉGENDE

Le soir de l'ouverture du Chinese Theater, alors que le ciment n'avait pas encore fini de sécher, l'empreinte laissée par une star empressée aurait donné l'idée à Sid Grauman, propriétaire du lieu, de demander à d'autres célébrités d'apposer leur marque. Marie Pickford et Douglas Fairbanks l'ont fait en 1927. Une grande partie des empreintes qui ornent le trottoir appartiennent à des célébrités des années 1930 et 1940, mais elles voisinent avec celles de Clint Eastwood, Steven Spielberg, et même C-3PO et R2-D2, les robots de *La Guerre des étoiles*…

BEVERLY HILLS, NAISSANCE D'UNE BANLIEUE LÉGENDAIRE

À l'époque du cinéma muet, en 1919, les stars Mary Pickford et Douglas Fairbanks achetèrent un terrain pour construire leur luxueuse villa « Pickfair » dans le lotissement conçu en 1907 par l'architecte paysager Wilbur D. Cook. Les larges rues bordées de palmiers, eucalyptus et acacias plurent à d'autres personnalités de l'industrie du cinéma, et la colonie était bien lancée quand, en 1928, Harold Lloyd et John Barrymore firent bâtir leurs somptueux domiciles. En un siècle, l'ancien site sacré des Indiens tongvas, qui l'appelaient « Le lieu où les eaux se réunissent » (*El rodeo de las aguas*, en espagnol), est devenu un « must » pour les Américains riches et célèbres. La statue d'un Indien tongva au centre de la « fontaine électrique », à l'angle de Wilshire et Santa Monica, rend hommage à cette tribu. Toute la journée, des minivans remplis de touristes sillonnent les rues de Beverly Hills et s'arrêtent devant les villas de stars, rompant la monotonie ambiante, sous le regard indifférent des jardiniers mexicains.

Rodeo Drive (*entre Wilshire Blvd et Santa Monica Blvd,* plan IV AB2-3*)* est l'une des plus célèbres (et riches) avenues du monde. Sur quelques centaines de mètres, joailliers, designers et couturiers proposent leurs dernières créations. Au 420, le magasin d'habillement masculin Bijan est le symbole de l'ultraluxe. Du prince William à Jack Nicholson, en passant par Bill Clinton ou Barack Obama, chaque client dépense, paraît-il, en moyenne 100 000 $! Au niveau du 443, le très calme centre commercial Rodeo Collection dispose de boutiques évidemment très chic et d'une pâtisserie nommée, en toute modestie, « La Pâtisserie artistique »!

(323) 956 1777 ou en ligne www.paramountstudiotour.com. Visite guidée tlj de 2h, départ chaque demi-heure de 9h30 à 15h (horaires pouvant varier le w.-end) - âge min. : 10 ans. 55 $.

La célèbre arche où attendaient les acteurs en quête de gloire marque l'entrée des studios. La société Paramount s'installa ici en 1927, au début d'une décennie qui consacra l'âge d'or des studios : les productions s'enchaînaient alors à un rythme effréné et les cinq grandes compagnies sortaient à elles seules un film par jour. Aujourd'hui, Paramount travaille à 90 % pour la télévision. Une reconversion réussie mais surtout nécessaire depuis que l'industrie du cinéma a délaissé Hollywood, pour la San Fernando Valley notamment.

Une grande agitation règne dans les allées où se croisent voiturettes chargées de bobines, menuisiers outils en main et acteurs répétant leur texte. La visite guidée se fait à pied et en voiturette. On découvre avec bonheur les bureaux des producteurs, l'intérieur d'un studio avec des décors en place pour un tournage, le parking qui sert aussi de plan d'eau (voir la scène de l'ouverture de la mer Rouge dans *Les Dix Commandements*). L'illusion des **décors sur pied** qui figurent Londres, Paris ou New York est parfaite. Avec un peu de chance (ce n'est pas systématique), vous verrez la réserve des studios où est stockée une quantité impressionnante d'objets et de mobilier soigneusement étiquetés.

★★ **Universal Studios** Plan I

100 Universal City Plaza - en voiture, d'Hollywood Blvd, remontez Highland Ave. vers le nord, empruntez Hwy la 101 N., sortez à Universal Center Drive et suivez les panneaux jusqu'au parking (18 $). En métro : ligne rouge jusqu'à la station Universal City, puis navette gratuite (ttes les 10-15mn) jusqu'à Universal CityWalk. Universal City, (800) 864 8377 - www.universalstudioshollywood.com - horaires, se rens. sur le site : 9h ou 10h jusqu'à 18h ou 20h - comptez 99 à 110 $ pour le pass

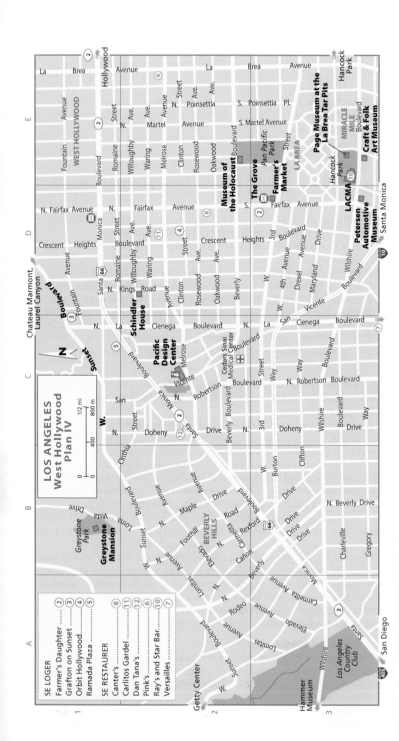

**LOS ANGELES
West Hollywood
Plan IV**

0   400   800 m
0   1/2 mi

SE LOGER
Farmer's Daughter .... ②
Grafton on Sunset .... ③
Orbit Hollywood .... ④
Ramada Plaza .... ⑤

SE RESTAURER
Canter's .... ⑧
Carlitos Gardel .... ⑪
Dan Tana's .... ⑫
Pink's .... ⑥
Ray's and Star Bar .... ⑩
Versailles .... ⑦

WEST HOLLYWOOD

LA BREA

MIRACLE MILE

BEVERLY HILLS

Hancock Park

Greystone Park
Greystone Mansion

Schindler House

Pacific Design Center

Cedars Sinai Medical Center

Museum of the Holocaust

The Grove

Farmer's Market

Page Museum at the La Brea Tar Pits

Craft & Folk Art Museum

LACMA

Petersen Automotive Museum

Getty Center

Hammer Museum

Los Angeles Country Club

Chateau Marmont, Laurel Canyon

San Diego

une journée (achetez-le en avance sur Internet ou dans un Visitor Center *de L.A. pour éviter de faire la queue) - Attention, certaines activités ne sont pas autorisées aux enfants de -1,20 m. Le plan remis à l'entrée détaille les attractions. Horaires des shows affichés sur des panneaux lumineux.*

Universal CityWalk est la rue d'accès au parc où se succèdent restaurants et boutiques.

La majestueuse entrée du parc, ornée de la mappemonde d'Universal, ouvre sur **Upper Lot** : c'est ici que se déroule le show sur l'eau très réussi de **Waterworld**, celui de **Shrek : 4D** (film en 4 dimensions!), **The Simpsons Ride**, le show des **Animal Actors**, et celui des **Blues Brothers** ainsi que le **Special Effects Stage** qui vous dévoile les secrets des effets spéciaux. Et pour les amateurs de frissons, **The House of Horrors**.

De Upper Lot part la visite des **studios★★★** (1h), qui s'effectue en navette *(départ continu dès 9h, en anglais ou en espagnol).* À faire absolument ! Elle offre l'occasion d'apercevoir l'envers des décors : le motel de *Psychose* de Hitchcock, une des scènes d'apocalypse de *La Guerre des mondes* avec Tom Cruise, le village des *Dents de la mer*, les maisons des *Desperate Housewives*, des rues de New York, Boston et Paris, un village mexicain envahi par l'eau. Vous survivrez à la destruction de la station de métro, au combat de **King Kong** contre les dinosaures (imaginé par Peter Jackson, en 3D à 360 degrés), à la forêt de *Jurassic Park*, au fléau de *La Momie*.

Depuis Upper Lot, vous accédez à **Lower Lot** et ses attractions par des escalators : vue panoramique sur L.A., les studios Disney au loin, les studios Universal en bas, les décors de rues (les bâtiments n'ont pas de toit!). Les amateurs de sensations fortes (ça secoue beaucoup) se régaleront avec **Revenge of the Mummy**, **Transformer-3D** et l'expédition dans **Jurassic Park** (on est moins mouillé assis au milieu des wagonnets). Les amoureux du cinéma découvriront l'histoire d'Universal Studios dans **NBCUniversal**.

★ Warner Bros Studios Plan I

En voiture, remontez Cahuenga Blvd jusqu'à Barham et tournez à droite. Barham devient Olive. Les studios sont sur la droite. Continuez sur Olive, tournez à droite à Riverside, à droite à Avon, puis à gauche sur Warner Blvd jusqu'aux pancartes « VIP Tour Parking » (payant) - 3400 W. Riverside Drive, Burbank - ☎ (877) 492 8687 - vipstudiotour.warnerbros.com - uniquement des visites guidées, ttes les 15mn, à réserver sur Internet ou par tél. 62 $ Studio Tour (2h15), 295 $ Delux Tour (5h), (réduction avec le coupon du Visitor Center*) - été : lun.-vend. 8h-16h30 ; reste de l'année : se renseigner - âge min. : 8 ans.*

La visite commence par un court film d'introduction à l'histoire de la Warner Brothers, puis on embarque vers les studios. Aujourd'hui, les plateaux servent surtout aux tournages de séries télé comme *Mentalist* ou *Big Bang Theory*, même si des longs-métrages y sont encore produits *(Harry Potter, Spiderman)*. Dans de vastes hangars sont entreposés les costumes, véhicules et meubles ayant servi dans des productions d'antan.

☺ **Bon à savoir** – Vous pouvez assister aux tournages de séries en cours de production, c'est gratuit, mais il faut réserver : *www.tvtickets.com*.

Hollywood Heritage Museum Plan III

2100 N. Highland Ave. - ☎ (323) 874 2276 - www.hollywoodheritage.org - merc.-dim. 12h-16h - 7 $, gratuit -12 ans.

C'est dans ce studio que le grand Cecil B. de Mille tourna son film *Le Mari de l'Indienne* (1914) qui remporta un véritable succès. Outre son bureau et ses effets personnels, c'est toute l'histoire des débuts du cinéma qui vous est racontée ici.

★★ West Hollywood et Westwood Plan IV

▶ *Pour rejoindre Santa Monica Blvd, l'axe central de cette partie de la ville, vous pouvez emprunter l'I-405 (San Diego Freeway), si vous venez de Venice ou Santa Monica (sortie Santa Monica Blvd, Rte 2 Est). Attention, les bouchons sont fréquents, demandez conseil aux locaux sur la meilleure route. En bus, le « Miracle Mile » est desservi par le MTA n° 217 (de Hollywood). Depuis Santa Monica, prenez la ligne de bus MTA n° 20 (1,50 $).*

🛈 *8687 Melrose Ave.* (C2) - ☎ *1-800 368 6020, www.visitwesthollywood.com.*

West L.A. est le moteur culturel et commercial de Los Angeles, avec les musées du Miracle Mile, les boutiques de haute couture de Rodeo Drive, les échoppes excentriques de Melrose Avenue et les villas sur les hauteurs de Beverly Hills. Le campus d'UCLA surplombe l'ensemble. West Hollywood, surnommé WeHo, et officieusement Boys'Town, offre des divertissements pour tous, à condition d'avoir au moins 12 ans. Certains seront attirés par le shopping, d'autres par les boîtes de nuit de Sunset Blvd, les férus de design apprécieront le quartier autour de la Baleine bleue, en particulier le Pacific Design Center.

🅰 **Bon à savoir** – Si vous voulez croiser des stars (mortes ou vives!), le site www.seeing-stars.com vous donnera toutes les combines. Vous aurez sans doute plus de chance en arpentant Malibu et Beverly Hills !

Farmers Market DE3

À l'angle de Fairfax et de la W. 3 rd St. - www.farmersmarketla.com - lun.-vend. 9h-21h, sam. 9h-20h, dim. 10h-19h.

Né en 1934 pour permettre à quelques producteurs locaux d'écouler viandes, fruits et légumes, le concept du Farmers Market a bien évolué avec le temps. Si quelques bouchers et primeurs subsistent, ce sont surtout les stands de cuisine du monde qui attirent les visiteurs dans ce marché à ciel ouvert. Les stars locales se nomment *A Gombo-Pot*, un restaurant de cuisine cajun-créole qui propose notamment de l'alligator en sauce (épicée !) et *Mr Marcel*, fier de mettre en avant ses soupes, vins et fromages.

Juste derrière, le quartier branché **The Grove** s'organise autour d'une quarantaine de boutiques, des restaurants, vendeurs de glace, *coffee shop*… agencés le long de rues piétonnes et de placettes (parking payant à proximité, *www. thegrovela.com*).

THE MIRACLE MILE Plan IV

▶ *Les bus 20 et 21 desservant 7th St. empruntent Wilshire jusqu'au LACMA.*

La portion de Wilshire Boulevard comprise entre La Brea et Fairfax compte également de nombreux musées. Son surnom date des années 1930, quand l'entrepreneur A.W. Ross réussit le pari d'installer des bureaux et des commerces sur ce bout de rue désert.

★★★ Los Angeles County Museum of Art (LACMA) E3

Comptez 3 à 5h - 5905 Wilshire Blvd - ☎ (323) 857 6000 - www.lacma.org - lun., mar., jeu. 11h-17h, vend. 11h-20h, w.-end 10h-19h - 15 $ (25 $ avec les expositions temporaires), gratuit -17 ans et 2e mar. du mois.

Dominant le boulevard, l'immense édifice qui abrite le musée d'Art du comté de Los Angeles impressionne par sa taille, mais sitôt que l'on passe son porche, les fontaines, les arbres et la douceur des couleurs pastel forment un havre de tranquillité. Avec près de 100 000 pièces, il est l'un des plus importants musées d'art des États-Unis. Très dynamique car multipliant les projets, il s'organise en plusieurs bâtiments, disséminés dans les jardins égayés de sculptures, où sont exposées des œuvres du monde entier. Par son volume, le LACMA tient plus du complexe dédié à l'art que du simple musée. Difficile toutefois d'y trouver une lisibilité claire tant les formes, les courants et les époques représentés sont variés, donnant l'impression d'une certaine profusion pouvant provoquer un petit vertige chez le visiteur. En 2013, le LACMA a dévoilé les premières maquettes de la réhabilitation du site par l'architecte suisse Peter Zumthor, sans que l'on connaisse les dates de réalisation du projet.

Le **Broad Contemporary Art Museum** a été dessiné par Renzo Piano. Il rappelle quelque peu le centre Pompidou à Paris avec un escalier extérieur accroché à la façade. Il abrite trois espaces consacrés à l'art contemporain (**Jeff Koons**, **Richard Serra**, **Roy Liechtenstein**, **Andy Warhol**…) et aux expositions temporaires. Dans des espaces aérés, installations, peintures, vidéos, photos et sculptures illustrent la diversité créatrice des artistes.

En face, le plus récent bâtiment, le **Resnick Pavillon**, abrite des expositions temporaires diverses, des photos de Larry Fink aux créations de Tim Burton.

Ahmanson Building – Le bâtiment principal a fait l'objet d'une rénovation en profondeur. Le rez-de-chaussée abrite les salles sur l'**art du Pacifique** : instruments de musique des îles Hawaii, statues du culte des ancêtres de Papouasie-Nouvelle-Guinée… Le 1er étage est consacré à l'**expressionnisme allemand** et à l'**art moderne**. On peut notamment y admirer un *Portrait* de Sebastian Juñer Vidal (1903) et diverses œuvres appartenant à la période bleue de Picasso, *La Trahison des images* (« ceci n'est pas une pipe », 1928-1929) de Magritte, ainsi que des toiles de Matisse, Kandinsky, Braque, Modigliani, Kirchner, Miró, Chagall (touchant *Violoniste sur un banc*, 1913)… Au 2e étage, on découvre les **collections d'antiquités** (Moyen-Orient, Égypte, Grèce, Étrurie, Rome) et les **arts européens** (peintures, sculptures, arts décoratifs) du 12e au 19e s. On remarque notamment un *Portrait de Giacomo Dolfin* (1531) du Titien, plusieurs Rembrandt, une très belle *Madeleine à la veilleuse* (1636-1638) de Georges de La Tour, un délicat *Bulles de savon* (1739) de J.-B. Siméon Chardin, des toiles de Boucher et Fragonard, mais aussi des œuvres du 19e s. et du début du 20e s. avec un *Portrait des sœurs Bellelli* (1862-1864) de Degas, un *Sous-Bois* (1894) de Cézanne, des œuvres de Gauguin, Monet (saisissants *Nymphéas*, 1897-1898 et délicat *Bateaux de pêche sortant du port du Havre*, 1874). Enfin, la sculpture européenne est bien représentée à travers des œuvres de la Renaissance, des polychromes baroques, des pièces en terre cuite du 18e s., mais surtout une galerie entièrement dédiée au travail de Rodin. Au 3e étage se trouvent l'**art de l'Asie du Sud-Est et de l'Est** (Inde, Indonésie…) et l'**art islamique**, du Sud de l'Espagne à l'Asie centrale, avec une collection regroupant plus de 1 000 pièces, la plus riche qui soit aux États-Unis (poterie vernissée, verre émaillé, bois et pierre sculptés, manuscrits enluminés, calligraphie).

Art of the Americas Building – Voisin du bâtiment principal, il réunit une intéressante collection d'**œuvres précolombiennes** (statuettes, poteries, textiles) voisine avec les galeries consacrées aux **arts décoratifs américains** de la fin du 19e s. et du début du 20e s. (beau mobilier du mouvement Arts & Crafts signé Green and Green), à la **peinture** et à la **sculpture américaines**. Vous pourrez notamment y admirer *Mother About to Wash Her Sleepy Child* (1880) de Mary Cassatt, qui contribua largement à propager l'impressionnisme aux États-Unis, un *Portrait of Mrs Edward L. Davis and Her Son* (1890) du portraitiste John Singer Sargent et le *Horse's Skull with Pink Rose* (1931) de Georgia O'Keefe. Derrière, le **Hammer Building** est consacré à l'**art chinois et coréen**.

Pavilion for Japanese Art – Conçu de manière à recréer l'atmosphère d'une maison japonaise, le pavillon est baigné d'une lumière toute particulière, tamisée et douce, filtrée par des panneaux de Plexiglas blanc-gris. Afin de profiter au

4

mieux de l'exceptionnelle collection Shin 'enKan, composée de paravents et de peintures sur rouleaux de la période d'Edo (1615-1868), grimpez au deuxième étage puis descendez le long d'une rampe qui offre différentes perspectives. L'aile ouest du LACMA, **LACMA West**, située sur le même trottoir, abrite la Boone's Chidren's Gallery.

★ Page Museum at the La Brea Tar Pits E3

5801 Wilshire Blvd, voisin du LACMA - ℘ (213) 763 3499 - www.tarpits.org - tlj 9h30-17h - 12 $ (13-17 ans 9 $), gratuit le 1ᵉʳ mar. du mois (sf juil.-août) et tous les mar. en sept.

Construit non loin d'un site de fouilles toujours en activité, il est dédié aux fossiles des mammifères des ères glaciaires, tels que le tigre aux dents de sabre et le mammouth. Le parc qui entoure le musée est agréable et l'on ne court plus le risque de s'embourber comme les mammouths à l'entrée !

À proximité se trouvent également :

★ Petersen Automotive Museum (D3) – 6060 Wilshire Blvd, entrée sur

Fairfax Ave. - ℘ (323) 930 2277 - www.petersen.org - tlj sf lun. 10h-18h - fermé Thanksgiving, 25 déc. et 1ᵉʳ janv. - 15 $ (étudiant et 13-17 ans 12 $), 20 $ supp. pour expos temporaires. 👪 Ce très beau musée raconte l'histoire de l'automobile, l'un des mythes de l'Amérique. On déambule avec beaucoup de plaisir, des premières voitures mises en scène dans des décors de l'Amérique d'autrefois aux bolides de *Batman* ou de *Mission Impossible* dans la salle spécialement consacrée à Hollywood. Un musée pour tous les âges !

Craft & Folk Art Museum (E3) – *5814 Wilshire Blvd - ℘ (323) 937 4230 - www. cafam.org - mar.-vend. 11h-17h w.-end, 11h-18h - 7 $.* Sur les arts populaires américains.

Et un peu plus loin :

Los Angeles Museum of the Holocaust - Lamoth (E2) – *100 S. The Grove Dr. - ℘ (323) 651 3704 - www.lamoth.org - lun.-jeu. et w.-end 10h-17h, vend. 10h-14h - donation appréciée.* Ce musée rassemble des documents et des objets témoignant du génocide juif perpétré pendant la Seconde Guerre mondiale.

★★ HAMMER MUSEUM Plan I

◑ *Comptez 2h. En voiture, prenez la sortie Wilshire Blvd de l'I-405. Le musée se trouve trois rues à l'est, à l'angle de Westwood Blvd. 10899 Wilshire Blvd - ℘ (310) 443 7000 - www.hammer.ucla.edu - mar.-vend. 11h-20h, w.-end 11h-17h - gratuit.*

ARMAND HAMMER

Le parcours d'Armand Hammer (1898-1990), « l'autre » milliardaire du pétrole collectionneur d'art, diffère radicalement de celui de J.-P. Getty *(voir encadré p. 230).* Celui qui se vantait d'avoir été le seul homme de la planète à avoir fréquenté Lénine et Ronald Reagan commence sa carrière de jeune médecin idéaliste en Russie. Il part pour soigner, mais adopte vite le sens des affaires et investit dans des usines. En même temps, il commence à s'intéresser à l'art moderne. En 1929, il quitte Moscou en emportant des trésors artistiques acquis en Europe. Tout en continuant à amasser une belle fortune, notamment grâce à des investissements pétroliers, il enrichit sa collection d'art. En 1965, il donne une collection d'œuvres des maîtres hollandais, flamands, allemands et italiens du 15ᵉ au 17ᵉ s. à l'University of Southern California, puis se consacre jusqu'à sa mort, en 1990, aux deux collections qui sont exposées au musée de Wilshire Blvd.

La collection Armand Hammer embrasse les principaux **mouvements de la peinture française du 19ᵉ s.** en réunissant des toiles et dessins de Corot, Manet, Gauguin, Van Gogh, Monet, Cézanne, Sisley, Pissarro, deux tableaux remarquables de Gustave Moreau, dont la sublime *Salomé dansant devant Hérode*. Cette représentation exotique d'une scène biblique, au magnifique sens du détail, fut acclamée par la critique lors de sa présentation, en 1876.

Le groupe de **tableaux du 17ᵉ s.** est restreint mais bien représentatif du travail des grands maîtres de l'époque, avec un joyau, la *Junon* de Rembrandt (1662-1665). La puissance de l'œuvre tient au fait que Junon, lumineuse, semble surgir de la pénombre.

Des toiles de Mary Cassatt et John Singer Sargent illustrent l'**art américain du 19ᵉ s.**

La deuxième collection importante du musée est celle des peintures, dessins, sculptures et lithographies du caricaturiste français **Daumier**.

AUTOUR DU PACIFIC DESIGN CENTER Plan IV B1-CD2

Pacific Design Center C2

8687 Melrose Ave. - ✆ (310) 657 0800 - www.pacificdesigncenter.com - galeries : lun.-vend. 9h-17h - gratuit.

Ces deux énormes bâtiments surnommés la Baleine bleue et le Géant vert, œuvres de l'architecte Cesare Pelli, forment non seulement une grande galerie de mobilier dernier cri mais aussi un campus où l'on débat d'architecture, design, photographie et art contemporain, illustrations à l'appui. Le terrain accueille également, côté San Vicente Blvd, une antenne du MOCA. La nuit, l'éclairage rend honneur aux bâtiments, qui revêtent un caractère magique.

Schindler House D2

835 N. Kings Road - ✆ (323) 651 1510 - www.makcenter.org - merc.-dim. 11h-18h - 10 $, gratuit vend. après 16h - desservie par les bus MTA 10, 11.

Cette résidence moderne construite en 1922 par Rudolph Schindler (1887-1953), collaborateur et disciple de Frank Lloyd Wright, constitue depuis 1994 une antenne du musée d'Art contemporain de Vienne, sa ville natale. Il a marqué l'architecture moderne par sa volonté d'utiliser des matériaux bon marché afin de démocratiser l'accès aux résidences aérées et lumineuses, ainsi que par son souci de jouer de la relation entre espaces extérieurs et intérieurs.
Remontez vers Santa Monica Blvd, tournez à gauche et continuez jusqu'à vous engager dans W. Sunset Blvd.

4

Jardins de Greystone Mansion B1

905 Loma Vista Drive - www.greystonemansion.org - 10h-17h (18h en été).

Ce parc de 6 ha entoure la plus grande maison de Beverly Hills, la Greystone Mansion, et offre de belles vues sur l'étendue du sud de Los Angeles. La maison et le parc furent construits en 1928 pour Edward L. Doheny Jr., fils d'un immigré irlandais devenu richissime en investissant dans le pétrole.

BALADES ALTERNATIVES Hors Plan IV par D1 et E3

De Sunset à Laurel Canyon Hors Plan IV par D1

En vous dirigeant vers le nord depuis le Pacific Design Center *(par San Vicente Blvd)*, vous rejoignez rapidement **Sunset Blvd**. Cette artère, ancien repaire des acteurs et des mauvais garçons d'Hollywood, accueille aujourd'hui les restaurants et bars les plus chic de la ville.

Son mythe s'est construit grâce aux clubs de rock qui parsèment l'avenue et ses alentours *(Roxy Theater, Whisky à Gogo, Troubadour, voir Nos Adresses p. 244)* et aux hôtels de stars, comme le **Château Marmont** *(au 8221)*, vaguement inspiré du château d'Amboise. L'hôtel a servi de cadre au film de Sofia Coppola, *Somewhere* (2010).

Sunset a vécu des moments de gloire (naissance des Doors au Whisky à Gogo) et subi des événements tragiques (décès par overdose des acteurs River Phoenix devant le club Viper Room et John Belushi au Château Marmont).

En bifurquant à gauche vers les collines d'Hollywood, à la jonction avec Hollywood Blvd. vous entrez dans **Laurel Canyon**. Ce coin de campagne à Los Angeles, qui cultive autant son côté bohème qu'il garde son secret préservé, a accueilli en son sein de grands noms de la musique : Frank Zappa, Jim Morrison, Leonard Cohen, tous attirés par ce calme verdoyant à quelques pas des néons de Sunset. De jolies demeures ponctuent le Laurel Canyon Blvd, noyées sous les pins, les chênes et les eucalyptus.

Un endroit reste emblématique de l'ambiance du lieu : le **Canyon Country Store** *(angle de Laurel Canyon et de Kirkwood Dr.)*, l'épicerie du quartier qui arbore des fresques hippies, distille une musique douce et met fièrement en avant la photo réunissant tous les habitants de la communauté.

Hancock Park Hors Plan IV par E3

À quelques encablures du Museum Mile *(continuez sur Wilshire, puis prenez S Rossmore Ave. sur la gauche)*, le quartier de Hancock Park (à ne pas confondre avec le parc abritant les musées du Museum Mile) préfigure un peu Beverly Hills. Ses belles maisons victoriennes disséminées sur des pelouses ressemblant à des jardins anglais en font un havre de paix apprécié des habitants fortunés de L.A.

Cœur du quartier, **Larchmont Village** *(entre la W 3ʳᵈ St. et Beverly Blvd)* dispose de restaurants branchés (Bourgeois et Birds notamment), de cafés aux terrasses bien tentantes et de jolies boutiques.

★★ Santa Monica Plan V

◗ *De Downtown ou Hollywood, empruntez l'I-10 ou la Hwy 2 W., qui devient Santa Monica Blvd et conduit au front de mer. Les parkings sont nombreux, mais attention au numéro indiqué à leur entrée car ils se ressemblent tous.*

🏠 *2427 Main St.* (A2) - 📞 *(310) 393 7593 - www.santamonica.com - tlj 9h-17h30 (17h w.-end) ; au Kiosque, 1400 Ocean Ave., sur le front de mer, face au Georgian Hotel* (A1) *- tlj 9h-17h ; et sur le Pier, 200 Santa Monica Pier - tlj 11h-19h.*

Moins excentrique que Venice, sa voisine, Santa Monica est une station balnéaire à l'allure cossue. Elle s'organise autour du front de mer, doublé d'allées bordées d'élégants hôtels, et d'un centre-ville très animé, admirablement rénové. Santa Monica s'enorgueillit surtout de la présence de deux prestigieuses institutions, érigées sur les hauteurs de la ville, le Getty Center et la superbe Getty Villa, défiant l'hégémonie culturelle de San Francisco, Chicago et New York.

★ Le front de mer A1/2

À l'extrémité de Colorado Ave., un pont permet de rejoindre à pied la jetée.

Ultime prolongement de la fameuse Route 66, artère historique reliant Chicago à Los Angeles, **Santa Monica Pier★★** (A2) reste le symbole de la ville, notamment lorsqu'elle s'illumine la nuit venue. Édifiée en 1912, elle abrite aujourd'hui un parc d'attractions, dont un manège datant de 1922. Du bout de la jetée, on a une jolie vue sur la côte et les hauteurs de Los Angeles.

Au sud de la jetée, entre la promenade et la mer, à la tombée du jour, des acrobates amateurs s'exercent à **Santa Monica Muscle Beach★** (A2), amplement récompensés par le fait d'être vus et admirés.

Au nord de la jetée, **Palisades Park★** (A1) longe le littoral et surplombe la Pacific Coast Highway. Ces allées très verdoyantes, parsemées de hauts palmiers et de plantes superbes, sont très appréciées des habitants et des joggeurs. Au bout de Palisades Park, 189 marches forment **The Stairs** (« les escaliers ») montant du front de mer au pied d'Adelaide Drive. Certains fanatiques de sport les montent jusqu'à 15 fois ! Une agréable promenade de santé…

★ Le centre-ville A1/3

Revenez à Santa Monica Blvd, que vous empruntez pour rejoindre Third St. Promenade, à deux rues d'Ocean Ave.

Rue piétonne commerçante agréablement restaurée, **Third Street Promenade** (A1) est bordée de boutiques branchées et aboutit au **Santa Monica Place**, un grand centre commercial *(lun.-sam. 10h-21h, dim. 11h-20h)*.

★★ **Main Street** (AB3) – Elle est l'autre artère commerçante de Santa Monica, entre Pico Boulevard et Marine Street *(stationnement gratuit pendant 2h dans les rues perpendiculaires à Main St., ou parkings payants dans le centre)*. Particulièrement pittoresque et agréable avec ses bâtiments en brique peu élevés, ses boutiques originales et ses galeries, cette rue typique du 19e s. bénéficie d'une ambiance à la fois chic et décontractée. Au n° 2612, une maison d'allure victorienne peinte en vert foncé, construite en 1894, abrite les expositions temporaires du **California Heritage Museum** (A3, ☎ *(310) 392 8537 - www.californiaheritagemuseum.org - merc.-dim. 11h-16h - 8 $)*. Située à l'origine sur le front de mer, elle a été déplacée ici en 1977, en même temps que sa voisine, une imposante demeure de 1903.

★★★ Getty Villa Plan I

À Malibu, à environ 5 miles au nord de Santa Monica. En voiture, quittez le Pacific Coast Highway (PCH) à droite, Rte 1N. Le MTA bus 534 s'arrête près de l'entrée (angle Coastline Drive et PCH) - 17985 Pacific Coast Highway, Pacific Palisades - ☎ (310) 440 7300 - www.getty.edu - merc.-lun. 10h-17h ; fermé mar. - gratuit - 🅿 15 $ (10 $ après 15h). Il faut réserver sa visite des mois à l'avance. Toutefois, un certain nombre de billets pour le jour même sont mis à disposition au Getty Center ou sur Internet à l'adresse mentionnée ci-dessus. Plans en français à l'accueil.

La Villa Getty, reconstitution d'une maison de campagne romaine du 1er siècle de notre ère, accueille une importante collection d'antiquités grecques, romaines et étrusques au milieu de jardins somptueux surplombant le Pacifique et ornés de fontaines, mosaïques et pièces d'eau semblables à ceux qu'aurait possédés un haut dignitaire romain de l'époque.

Mille deux cents pièces sont exposées sur deux étages dans des galeries thématiques. Soupçonnée d'avoir acheté des antiquités pillées sur des sites d'Italie et de Grèce, Marion True, la directrice du département des antiquités

---

L'ÂME DU MUSÉE

Féru d'art antique et de mobilier français, le magnat du pétrole **J.-P. Getty** (1892-1976), milliardaire à 23 ans et personnage haut en couleur, fit l'acquisition de nombreuses œuvres d'art, avec pour règle d'or de ne jamais dépenser plus de 10 000 $ par pièce. À sa mort, une bonne partie de sa fortune fut léguée à sa fondation qui, depuis, continue d'enrichir les collections. Sa villa servit de musée jusqu'à la construction du centre.

Le Getty Center, de l'architecte Richard Meier.
L. Maisant/hemis.fr

du musée, dut démissionner en septembre 2005. Le musée a déjà rendu des objets aux autorités italiennes et grecques, mais certaines pièces litigieuses sont toujours à Malibu.

Au rez-de-chaussée sont exposées des statues de dieux et déesses, monstres et dieux mineurs, un temple d'Héraclès, des héros mythologiques et des représentations d'épisodes de la guerre de Troie. Le Forum familial propose des activités pour les enfants, telles que la décoration d'une urne grecque. Dans la salle de cinéma, on peut visionner un film sur la Villa. Le Chronorama propose des expositions interactives.

Outre six galeries dévolues aux expositions temporaires, le 1er étage est consacré aux arts de l'Égypte gréco-romaine et à différents thèmes tels que les femmes et les enfants dans l'Antiquité, les offrandes religieuses, la jeunesse victorieuse, les athlètes ou la compétition, ainsi qu'une collection de pièces de monnaie, pierres précieuses et bijoux. Le Café de la Villa propose une carte de salades et mets méditerranéens en parfaite harmonie avec le lieu.

★★★ Getty Center Plan I

▶ *Comptez une demi-journée. Sur une colline, à 10 miles au nord de Santa Monica. En voiture, prenez la sortie « Getty Center Drive » sur l'I-405 (accès direct aux parkings). Metro Bus n° 734 et n° 234. Au pied de la colline, une navette gratuite conduit les visiteurs à l'esplanade - 1200 Getty Center Drive - ℘ (310) 440 7300 - www.getty.edu - mar.-vend. et dim. 10h-17h30, sam. 10h-21h - fermé lun. et la plupart des vacances - gratuit,* 🅿 *15 $. Plans en français du musée et des jardins disponibles à l'accueil. Visite guidée en anglais (1h). Audioguides en anglais et espagnol seulement. Restaurant sur place, sur réservation ℘ (310) 440 6810.*

Dressant sa silhouette d'un blanc immaculé au milieu des collines verdoyantes des quartiers de Bel Air et de Brentwood, le Getty Center trône sur un site d'exception (269 m). Grâce à cet emplacement, il offre un point de vue remarquable sur Los Angeles. Construit en 1998 sur un terrain de 315 ha, le musée vaut autant pour son architecture et ses jardins que pour ses collections. L'architecte

Richard Meier a pris le parti de la simplicité, privilégiant des formes épurées, mais jouant sur la rupture entre lignes courbes et planes. Les bâtiments se répondent avec grâce par l'utilisation du verre et du travertin, importé d'Italie et taillé pour obtenir un aspect lisse ou rugueux selon les emplacements. Conçu comme un complexe culturel, le Getty Center comprend quatre pavillons où sont rassemblées les collections permanentes, un bâtiment accueillant les expositions temporaires et un institut de recherche.

★★★ **Les collections** – Elles sont présentées de manière chronologique et les peintures exposées dans les étages supérieurs, pour bénéficier de la lumière du jour. Le pavillon nord (avant 1600) expose des bronzes et céramiques, ainsi qu'une superbe collection de **manuscrits enluminés**. À l'étage sont regroupées des **peintures italiennes** de Fra Bartolomeo, Titien, Véronèse et du Pontormo. Le pavillon est couvre la période de 1600 à 1800 et présente des arts décoratifs, des **esquisses** de Daumier, Goya, Watteau, Ingres, Dürer, Leonard de Vinci ou encore Raphaël, ainsi que des **peintures flamandes et hollandaises**, dont des toiles de Rubens et Brueghel, un *Saint Barthélemy* (1661) et un *Vieil Homme en costume militaire* (1630) de Rembrandt. Ce portrait d'un soldat fier, au regard déterminé, fut certainement réalisé dans le cadre de la guerre d'Indépendance des Hollandais contre les Espagnols.

Le pavillon sud est consacré aux **arts décoratifs français**, avec une collection très riche (commodes, tables, vases, tapisseries) comportant notamment des œuvres signées André Charles Boulle.

Enfin, le pavillon ouest (1800-1900) dédié à la **peinture européenne 1800-1900** (dont une large section est réservée aux impressionnistes) regroupe diverses toiles de maîtres, dont *La Promenade* (1870) de Renoir, la célébrissime *Les Iris* (1889) de Van Gogh ou encore la délicate et lumineuse *Modern Rome-Campo Vaccino* de Turner (1839), ainsi que des tableaux de Cézanne, Manet, Pissarro et Monet. Il abrite également des expositions temporaires, de photos notamment.

★★ **Jardin central** – Depuis le musée, un chemin bordé de sycomores descend jusqu'à ce jardin conçu par le paysagiste Robert Irwin comme une véritable œuvre d'art. À son extrémité, le **panorama★★** sur la ville s'étire à perte de vue.

★ Santa Monica Mountains National Recreation Area

Comptez une demi-journée au moins. ☎ *(805) 370 2301 - www.nps.gov/samo - Visitor Center tlj 9h-17h.*

Cette chaîne montagneuse couverte d'une végétation méditerranéenne ferme l'ouest du bassin de Los Angeles et s'étend le long de la côte de Santa Monica jusqu'à Point Mugu. Au nord, la Hwy 101 trace ses limites. Avec plus de 900 km de sentiers, elle offre une spectaculaire alternative à la plage et de superbes points de vue sur le Pacifique.

Un bel exemple de randonnée est celle de **Santa Ynez Canyon★** *(suivez la route côtière vers l'ouest, tournez à droite sur Sunset Blvd, puis à gauche sur Palisades Dr. que vous suivez jusqu'au canyon. 9,6 km AR, facile).*

En voiture, ne manquez pas la mythique **Mulholland Drive★** Plan I *(88 km)*, qui serpente à travers les collines et relie le Leo Carrillo State Park *(20 miles à l'ouest de Santa Monica, sur la côte)* à Hollywood *(Laurel Canyon Blvd)*.

★★ Venice Plan V

▶ *Prenez la Hwy 10 W., sortie Lincoln Blvd vers le sud, sinon, suivez Venice Blvd depuis Downtown. Les parkings de Venice Beach (6h-1h, 9-15 $ la journée) se trouvent au bout de Venice Blvd, de Rose Ave. et de Washington Blvd.*

Cette station balnéaire a gardé son côté bohème et populaire, au contraire de sa voisine Santa Monica. Orson Welles lui trouva même des airs de village délabré de la frontière mexicaine quand il la choisit, en 1958, pour le tournage de *La Soif du mal*. Et Jim Morrison, immortalisé sur de nombreux murs peints, appréciait aussi son côté décontracté.

De la cité des Doges, elle n'a que le nom et quelques canaux. On y passe volontiers une journée à flâner ou à faire du roller sur Ocean Front Walk ou encore à regarder les exploits des surfers.

☺ **Bon à savoir** – Les parkings du centre se font une concurrence farouche et les prix varient toute la journée. Vous pouvez stationner gratuitement dans les rues qui partent du rond-point à l'est de Windward Ave.

Depuis Santa Monica, longez l'océan ou prenez Main Street. Dès que vous croisez Rose Avenue, vous entrez officiellement dans Venice.

★★ Ocean Front Walk B4/5

Bienvenue dans le monde délirant de la Californie! Univers haut en couleur où se côtoient pêcheurs du dimanche, saltimbanques en tout genre, sportifs aux formes sculpturales, marginaux, touristes et sans-abri déclamant la Bible à qui veut bien l'entendre, Ocean Front Walk s'anime dès que le soleil pointe son nez. Très agréable en journée, l'ambiance change dès que le soleil se couche (à éviter en soirée si vous êtes seul(e)).

Baptisée « capitale mondiale des rollers » à la fin des années 1970, Venice regagna la popularité qu'elle avait connue au début du 20e s. Le front de mer devint une piste de choix pour les adeptes des petites roulettes, parmi lesquels Harry Perry, figure emblématique, qui arpente la promenade au rythme de sa guitare électrique, animant la scène avec les diseurs de bonne aventure, les cracheurs de feu et les jongleurs.

Passé Venice Blvd, **Muscle Beach★** (B4), où les corps s'exposent en pleine séance de body-building, constitue le paroxysme de la grande foire exhibitionniste californienne.

Windward Avenue B4– Plus au nord de Muscle Beach, aux abords de Windward Ave., se pressent les marchands de souvenirs et de tee-shirts et les boutiques de tatoueurs. Derrière les façades colorées de l'artère principale de Venice, auberges de jeunesse, restaurants et magasins branchés participent à l'atmosphère bohème qui règne dans la cité balnéaire. À l'angle de Windward Ave. et de Pacific Ave., des cafés accueillants constituent une halte agréable pour profiter du bord de mer.

Venice Pier (la jetée, B5) – *À l'extrémité sud d'Ocean Front Walk*. Elle offre un joli point de vue sur le front de mer, aux abords calmes et résidentiels. Sur la plage, joggeurs et flâneurs profitent de l'air frais de l'océan, à l'écart de l'agitation animant la promenade pavée.

★★ Les canaux B5

Si Venice est aujourd'hui célèbre pour son front de mer et sa longue plage de sable fin, elle doit son nom aux canaux que l'entrepreneur Abbot Kinney fit creuser au début du 20e s. dans ce quartier jadis couvert de marécages. En 1900, il conçut cette « Venise de l'Amérique » comme un véritable parc d'attractions, avec d'authentiques gondoles et gondoliers importés d'Italie. Aujourd'hui, il ne reste que 3 miles de canaux, délimitant un espace résidentiel pittoresque, à deux pas du front de mer *(entre S. Venice Blvd, Ocean Ave., 28th St. et Pacific Ave.)*. Les petites allées fleuries qui longent ces eaux dormantes offrent l'occasion d'une charmante promenade à la découverte de fantaisies architecturales : habitations modernes aux larges baies vitrées, demeures

4

de style espagnol, bungalows en bois ou maisons en pierre plus cossues. Les barques amarrées sur les rives, les petits ponts et les canards contribuent à l'atmosphère reposante du lieu.

Vous pouvez prolonger votre visite de Venice par un passage sur **Abbot Kinney Blvd** (accès depuis Venice Blvd ou Washington Blvd). Cœur du Venice Bohème, cette artère regorge de cafés sympathiques, restaurants chic et bobo, et boutiques vintage (elles ouvrent tard, à faire plutôt l'après-midi et en soirée).

À proximité

Santa Catalina Island Carte de région A1

▶ *La compagnie de ferry Catalina Tours assure des liaisons AR depuis Long Beach - Réduction pour les réservations Internet - ☎ (212) 852 4822 - www.catalinatours. net. Nombreuses options possibles (randonnées, snorkelling, etc.).*
Catalina est une île rocheuse de 194 km² à 35 km de la côte. En plus de sa flore de type chaparral, l'île accueille une espèce de renard indigène et des troupeaux de bisons, qui y furent introduits en 1924 pour le tournage d'un film. 88 % de sa surface est gérée comme réserve naturelle par la Catalina Island Conservancy *(125 Claressa Ave., Avalon (le port), ☎ 310-510-2595), passage obligé pour acheter les permis qui permettent la pratique des activités sportives sur l'île.*

Long Beach Plan I

▶ *À 20 miles au sud de Downtown Los Angeles. Empruntez l'I-710, qui prend fin sur le port et devient Shoreline Drive à l'est. Long Beach est desservie par le métro (ligne bleue ; 45mn de Downtown L.A.).*
Long Beach bénéficie d'un site remarquable, avec un littoral de plus de 5 miles regardant plein sud l'océan Pacifique. La cité balnéaire est dotée d'une marina moderne et d'un front de mer bétonné, le long duquel de larges complexes hôteliers sont venus écraser les grands hôtels du début du 20e s.

On y vient notamment pour admirer le **Queen Mary★★** *(1126 Queens Hwy - ☎ (877) 342 0752 - www.queenmary.com - tlj 10h-18h - à partir de 27 $;* 🅿 *18 $ la journée ; la navette gratuite The Passport relie le centre à Long Beach)*, emblème de Long Beach depuis 1967, date à laquelle il y a élu domicile, après 33 ans de service sur les mers. Ce paquebot de légende, un des plus grands du monde et certainement le plus prestigieux – il a été fréquenté par des stars (Greta Garbo ou Marlène Dietrich) et des têtes couronnées (les Windsor) –, a été transformé en hôtel de luxe avec 365 chambres rénovées dans le style Art déco d'origine. Ne manquez pas la somptueuse salle de l'Observation Bar ainsi que celle des trésors du *Queen Mary*. Des reconstitutions redonnent vie à différentes pièces (chambres, salle à manger, quartier du barbier) du temps où le paquebot effectuait des croisières transatlantiques. L'attraction Ghosts & Legends *(45mn)* attend les plus téméraires pour un circuit d'épouvante relatant diverses histoires de noyés et de mystères inexpliqués attachés au *Queen Mary*. Juste à côté est amarré le **Scorpion**, un authentique sous-marin nucléaire soviétique *(13 $, visite combinée 31 $)*.

Le **Long Beach Aquarium of the Pacific** *(100 Aquarium Way - ☎ (562) 590 3100 - www.aquariumofpacific.org - tlj 9h-18h - 29 $, billet combiné avec le* Queen Mary *57 $; parking en face 8 $)* présente poissons exotiques, oiseaux et reptiles du Pacifique. Impressionnant lagon aux requins, volières, loutres de mer et otaries ainsi qu'une incontournable section dévoilant de nombreux poissons colorés.

Habitations à Venice.
A. Bryukhanova/iStock

😊 NOS ADRESSES À LOS ANGELES

TRANSPORTS

En avion
LAX, l'aéroport de Los Angeles
(📞 *(310) 646 5252, www.lawa.org/
lax*), est à 17 miles au sud-ouest
de Downtown, près du littoral
(Plan I).

Navettes – À l'extérieur, sous
un panneau : rouge pour les
navettes gratuites des hôtels ;
violet pour les compagnies de
location de voiture ; orange pour
les compagnies de minibus-taxis, à
partager avec d'autres passagers,
qui vous déposent directement
devant votre hôtel (**Prime Time**
📞 *1-800 733 8267* et **Super Shuttle**
📞 *1-800 258 3826*). À titre indicatif,
un trajet vers Santa Monica
coûte *env. 25 $, 20 $* pour West
Hollywood et *19 $* pour Venice. Le
panneau bleu indique l'arrêt de la
navette gratuite (ligne G) qui fait le
tour de l'aéroport, desservant les
terminaux de bus et la station de
métro LAX.

Taxi – Pour Santa Monica et West
Hollywood, la course coûte *env.
45 $, 35 $* pour Venice, et plus de
50 $ pour Downtown.

Métro – Pour rejoindre
Downtown Los Angeles, prenez
la ligne verte en direction de
Norwalk. Changez à Imperial/
Wilmington et empruntez la
ligne bleue jusqu'à 7th Street/
Metro Centers : difficile si vous
êtes encombré de bagages, mais
économique *(6 $)*.

Bus – De l'aéroport, des navettes
gratuites (**ligne C**) mènent au
terminal de bus, d'où vous pouvez
prendre les bus urbains pour vos
différentes destinations.
Le bus n° 3 de la compagnie **Big
Blue Bus** *(www.bigbluebus.com)*
mène à **Santa Monica** et à Venice,
mais pour **Venice**, changez au
niveau de Venice Blvd pour le
n° 2 qui y mène directement (1h,
prenez un billet avec *transfer*, *1 $*).

Voiture ou moto – Pour rejoindre
Downtown, prenez l'I-105

4

puis l'I-110 N., sortez à 9th St.
et remontez Figueroa St. Pour
Hollywood, empruntez l'I-105,
rejoignez l'I-405 puis l'US-101 N.
et sortez à Hollywood Blvd. Pour
Santa Monica, suivre Lincoln Blvd
(Hwy 1) vers le nord.

En voiture

🚗 **Bon à savoir** – La voiture
est sans conteste le moyen de
locomotion le plus approprié
vu les distances, à condition de
vous munir d'un bon plan de la
ville ou d'un GPS. La circulation
est dense aux heures de pointe
sur les 527 miles d'autoroutes
de l'agglomération, mais, si vous
transportez au moins un passager,
vous pouvez prendre la voie de
gauche *(Car Pool)*, plus rapide.
Location de voiture – Pour
obtenir les meilleurs prix, réservez
votre véhicule suffisamment à
l'avance par Internet. Plusieurs
sociétés ont des navettes qui
desservent l'aéroport (suivez
les panneaux *Rental Cars)*. Parmi
elles : **Avis**, 📞 *(310) 342-9200* ;
Enterprise, 📞 *(310) 649-5400* ;
Hertz, 📞 *(877) 654-4400* ;
National, 📞 *1-888 826 6890*.
Location de motos – **Eaglerider**,
11860 S. La Cienega Blvd., 📞 *(310)
321 3180, www.eaglerider.com. Tlj
9h-18h30*. Près de l'aéroport, au
sud de l'intersection entre la Hwy
105 et la Hwy 405 (course en taxi :
12 $). Environ *750 $/semaine* pour
une Harley ou une BMW.

En bus

Procurez-vous les plans et horaires
des lignes de bus et de métro
dans les *Visitor Centers*. Attention
pour les bus, il faut toujours avoir
l'appoint sur soi. Achetez une
carte pass *TAP card* (aux bornes
du métro, *1 ou 2 $*), puis vous
la chargez dans le métro ou dans le
bus de la somme que vous désirez
et vous la présentez aux contrôles
(métro) ou au chauffeur de bus.

MTA – L'organisme de transports
publics de Los Angeles *(www.
metro.net)* possède un réseau de
bus assez développé, mais lent.
Un trajet coûte *1,75 $* (supplément
de *0,35 $* si vous effectuez un
changement). Le pass journée, à
charger sur votre carte, *(Metro Day
Pass)* coûte *7 $*, celui de la semaine
(7-Day Pass) *25 $*.
Le **Metro local** : ce sont les bus
qui desservent les quartiers. Le
Metro rapid : ceux qui rayonnent
sur une plus grande distance
comme Venice ou Santa Monica.
Le **Metro express** : ils rayonnent
large comme le précédent mais
avec peu d'arrêts.
Santa Monica – Les **Big Blue
Bus** *(www.bigbluebus.com)* y sont
particulièrement performants. Ils
desservent également l'aéroport,
Downtown L.A. et le **Getty
Center**. Le prix du billet est de *1 $*
et de *2 $* pour l'express (ligne 10).
Downtown et **Hollywood** – Les
Bus DASH *(www.ladottransit.com)*
desservent les deux. Comptez
0,50 $. Reportez-vous à ces deux
quartiers pour plus de détails.

En métro

Six lignes Metro Rail se partagent
Los Angeles *(www.metro.net)*.
La ligne rouge relie Downtown à
North Hollywood (San Fernando
Valley). La ligne bleu foncé part
de Downtown pour rejoindre
Long Beach, la ligne verte dessert
Redondo Beach, l'aéroport
et Norwalk, la ligne or relie
Downtown à Pasadena et la ligne
violette emprunte le Wilshire Blvd,
passe par le Civic Center et finit
son trajet à Union Station. La ligne
bleu ciel, appelée Expo Line relie
Santa Monica à Downtown.
Le métro fonctionne de 5h à
0h30 (2h vend.-sam. soir). Le
prix du billet est de *1,75 $*, mais
vous pourrez opter pour un des
systèmes de Pass si vous comptez

emprunter souvent le métro *(Tap card)*.

Il existe également deux lignes de « Metro Liner » qui fonctionnent en réalité davantage comme un bus que comme un métro. La ligne orange relie Chatsworth au nord d'Hollywood tandis que la ligne argent part de Harbor Gateway pour se rendre dans le quartier d'El Monte. Ces lignes circulent de 4h à 0h (2h vend.-sam. soir). Si le prix du billet de la ligne orange est similaire à celui du Metro Rail, la ligne argent affiche *2,50 $* l'aller.

En taxi

Vous pouvez contacter **United Independent Taxis**, ℘ *(800) 822 8294*, **Yellow Cab Company**, ℘ *1-877 733 3305*, ou **Checker Cab**, ℘ *(213) 222 3333*. Comptez *2,45 $* de base de départ puis environ *2,50 $/mile*.

INFORMATIONS UTILES

Représentations diplomatiques –

France, *10390 Santa Monica Blvd, Suite 410 & 115, L.A. 90025* (Plan IV, hors plan par A3), ℘ *(310) 235 3200. Lun. et vend. 8h45-12h15, mar.-jeu. 8h45-12h15,14h-16h30.*

Belgique, *6100 Wilshire Blvd, Suite 1200, L.A. 90048* (Plan IV, D3), ℘ *(323) 857 1244. Lun.-vend. 9h-12h30 (et sur RV 13h30-16h).*

Canada, *550 S. Hope St., L.A. 90071* (Plan II, B3), ℘ *(213) 346 2700. Lun.-vend. 8h30-16h30.*

Journaux – Plusieurs publications fournissent des listes de restaurants, bars, clubs, musées et attractions diverses. Le plus exhaustif est le **LA Weekly** *(www.laweekly.com)*, hebdomadaire gratuit sortant le jeudi. Il est disponible dans les hôtels et des distributeurs de rue. Le **Los Angeles Times** publie les programmes culturels dans ses éditions du jeudi et du dimanche *(www.latimes.com)*.

Sécurité – Certains quartiers de Los Angeles sont réputés dangereux, mais, comme dans toute grande ville, il faut faire preuve de bon sens et d'un minimum de prudence. Cependant, évitez de vous aventurer dans les quartiers est de LA, ne traînez pas tard le soir à pied dans Downtown et les quartiers pauvres alentour (ne traversez pas Skid Row la nuit). Sachez que Venice, bon enfant la journée, change de visage le soir et que certaines rues perpendiculaires à Hollywood Blvd sont moins recommandables une fois la nuit tombée. En revanche, Santa Monica, Beverly Hills et West Hollywood sont plutôt sûrs, de jour et de nuit.

HÉBERGEMENT

ⓘ **Bon à savoir** – Sans véhicule, il est préférable de résider à Hollywood, desservi par le métro, ou à Santa Monica, accessible en bus depuis l'aéroport et en métro depuis Downtown. Même en voiture, les trajets sont longs, voire interminables aux heures de pointe, aussi privilégiez un hébergement dans les quartiers que vous comptez visiter. Si la vie nocturne de Downtown connaît depuis quelques années un nouveau dynamisme, le quartier n'est pas très sûr le soir. Les noctambules apprécieront West Hollywood et ses nombreux restaurants et clubs *(voir Boire un verre/Sortir, p. 244)*.

Downtown L. A. (Plan II)

PREMIER PRIX

City Center Motel – *1135 W. 7th St.* (A3) - ℘ *(213) 627-2581 - www.ctcenterhotel.com* - 🖥 **P** 🛋 - *wifi* - *42 ch. 80/90 $* 🛏. N'espérez pas un niveau de confort élevé. Les chambres sont correctes, les salles de bains rudimentaires.

BUDGET MOYEN

Kawada Hotel – *200 S. Hill St. (C2) - ✆ (213) 621 4455 - www. kawadahotel.com -* ▤ ✗ *- wifi - 114 ch. 214/232 $.* Bon service pour des tarifs raisonnables (plus cher pendant les séminaires, moins chers le w.-end). Kitchenettes.

Ritz Milner Hotel – *813 S. Flower St. (A3) - ✆ (213) 627 6981 - www. milnerhoteldtla.com -* ▤ *-* ▣ *18 $/j. - wifi - 137 ch. 179/200 $* ▱. Un grand hôtel en plein cœur de Downtown. Chambres modestes.

POUR SE FAIRE PLAISIR

Figueroa Hotel – *939 S. Figueroa St. (A3) - ✆ (213) 627 8971 - www. figueroahotel.com -* ▤ ✗ *-* ▣ *30 $/j. -* ⚊ *- wifi - 273 ch.* Plein de charme, cet hôtel, de style hispano-mauresque aux chambres inégales, est doté d'une piscine située sur une terrasse verdoyante ornée de tissus colorés.

Hollywood (Plan III)

PREMIER PRIX

Walk of Fame Hostel – *6820 Hollywood Blvd - entrée à côté de Budget - ✆ (323) 463 2770 - www.wofhostel.com - wifi - 48 ch. 90/150 $* ▱. Auberge impeccable, lumineuse, disposant de dortoirs *(4 ou 6 lits, 25/30 $)*, de chambres doubles *(à partir de 69 $)* et d'une belle salle commune avec télévision. Cuisine, laverie, accès Internet gratuit. Circuits organisés.

BUDGET MOYEN

Hollywood Liberty Hotel – *1770 Orchid Ave. - ✆ (323) 962 1788 - www.hollywoodlibertyhotel.com -* ▤ ▣ *- 21 ch. 139/229 $* ▱. Une bonne adresse aux chambres impeccables, à proximité d'Hollywood Blvd et du métro Hollywood Highland.

Highland Gardens Hotel – *7047 Franklin Ave - ✆ (323) 850 0536 - www.highlandgardenshotel.com -* ▤ ▣ ⚊ *- 80 ch. 169/199 $* ▱. Hôtel bien entretenu s'organisant autour d'une cour verdoyante et d'une piscine. Accès Internet.

The Secret Garden B & B – *8039 Selma Ave. - ✆ (323) 656 3888 - www.secretgardenhollywood.com -* ▣ *4 ch. 194 $* ▱ *et 1 cottage 210 $* ▱. Près du croisement de Sunset Blvd et Laurel Canyon, belle villa au milieu d'un jardin, en plein cœur d'Hollywood : jolie décoration, atmosphère conviviale, hôtes très accueillants et somptueux petit-déj.

Legend Hotel Hollywood – *1822 N. Cahuenga Blvd - ✆ (323) 467 2252 - www.legendhotelhollywood.com -* ▤ *-* ▣ *20 $/nuit - wifi - 24 ch. 250 $* ▱. Petit motel dont les chambres propres sont bien équipées. Près d'une laverie.

POUR SE FAIRE PLAISIR

Hollywood Orchid Suites – *1753 Orchid Ave. - ✆ (323) 874 9678 - www.orchidsuites.com -* ▤ *-* ▣ *10 $ - wifi - 40 ch. 170/250 $* ▱ *-* ✗ *20/30 $ -* ⚊. Grandes chambres modernes comprenant presque ttes une cuisine (quatre avec kitchenette). Laverie.

West L. A./West Hollywood (Plan IV)

PREMIER PRIX

Orbit Hollywood Hotel and Hostel – *603 N. Fairfax Ave. (D2) - ✆ (323) 655 1510 - www. orbithotels.com -* ▤ ▣ *gratuit avec autorisation - dortoirs propres (4 à 6 lits) entre 25 et 37 $ la nuit, une quinzaine de chambres (107 $ la double)* ▱. Dans un quartier sûr, auberge à l'ambiance très jeune et relax, personnel attentionné.

Organise aussi des tours dans
L. A. à des prix corrects. Internet
gratuit. Une navette fait le
ramassage des clients à l'aéroport,
mais si vous venez directement
par le Shuttle Van, on vous
rembourse le trajet à votre arrivée.

POUR SE FAIRE PLAISIR

Ramada Plaza – *8585 Santa
Monica Blvd* (C1) - *90069 West
Hollywood* - *(310) 652 6400* -
www.ramadaweho.com - 🔲 -
🅿 *30 $/j.* - *wifi* - *176 ch. 200 $* - 🛆.
Trois cafés-restaurants, un centre
de fitness et une société de
location de voitures intra-muros.
À cause des tarifs raisonnables
pour le coin, il attire les fêtards et
peut être bruyant.

Farmer's Daughter Hotel – *115 S.
Fairfax Ave.* (D3) - *(323) 937
3930* - *www.farmersdaughterhotel.
com* - 🔲 - 🅿 *26 $/j.* - 🦽 - *wifi* -
66 ch. 250/400 $ - 🛆. Cet hôtel
au style campagnard, en face
du Farmer's Market, est assez
atypique. Chambres sobres mais
très confortables.

Grafton on Sunset – *8462 W.
Sunset Blvd* (C2) - *90069 West
Hollywood* - *(323) 654 4600* -
www.graftononsunset.com -
🔲 - 🅿 *40 $/j.* - 🦽 - *wifi* - *108 ch.
299/499 $* - 🛆. Décoration soignée
et grand confort, une salle de
fitness pour les sportifs et une
navette gratuite pour les amateurs
de shopping. Beau jardin
méditerranéen.

Santa Monica (Plan V)

🛈 **Bon à savoir** – En dehors de
la pleine saison, les prix baissent
mais restent cependant élevés.

BUDGET MOYEN

Sea Shore Motel – *2637 Main
St.* (A3) - *90405 Santa Monica* -
(310) 392 2787 - *www.
seashoremotel.com* - 🅿 - *wifi* -
20 ch. 120/180 $. En plein cœur de
Main St., ce petit motel familial est

propre et accueillant. Frigo dans
toutes les chambres.

Seaview Motel – *1760 Ocean Ave.*
(A2) - *90401 Santa Monica* - *(310)
393 6711* - *www.seaviewmotel.net* -
🅿 🦽 - *wifi* - *16 ch. 156/178 $*. Ce
petit motel économique ne paie
pas de mine, mais ses chambres,
un peu vieillottes, donnent sur
une cour verdoyante.

POUR SE FAIRE PLAISIR

Bayside Hotel – *2001 Ocean
Ave.* (A2) - *90405 Santa Monica* -
(310) 396 6000 - *www.
baysidehotel.com* - 🅿 *34 $* -
wifi - *25 ch. 209/399 $*. Petit hôtel
impeccablement tenu, plein de
charme, très accueillant, avec vue
sur la plage ou le jardin fleuri.
Certaines chambres ont des
kitchenettes.

UNE FOLIE

The Georgian Hotel – *1415 Ocean
Ave.* (A1) - *90401 Santa Monica* -
1-800 617 1529 - *www.
georgianhotel.com* - 🔲 - 🅿
28 $ - *wifi* - *84 ch. 290/450 $*.
Avec sa façade Art déco bleu
ciel, cet hôtel, un monument
incontournable de l'avenue, ravira
les inconditionnels du luxe à
l'ancienne.

Venice (Plan V)

🛈 **Bon à savoir** – Choix restreint
d'hébergements. Le quartier,
agréable la journée, est plus
risqué le soir (ne pas s'aventurer
seul dans les coins déserts).

PREMIER PRIX

Marina 7 Motel – *2435 Lincoln
Blvd* (C5) - *90291 Venice* - *(310)
301 7073* - 🔲 🅿 - *wifi* - *32 ch.
75-120 $*. Situé à 15mn à pied de la
mer, ce motel loue des chambres
impeccables avec télé, frigo,
micro-ondes et Wifi gratuit.

BUDGET MOYEN

Jolly Roger Hotel – *2904
Washington Blvd* (C5) - *90292*

4

Marina Del Rey - ☏ (310) 822 2904 - www.jollyrogerhotelmarina.com - 🖥 🅿 🛋 ♿ - wifi - 82 ch. 180/185 $ ☕. Outre son prix attrayant, ce petit motel agréable propose un parking gratuit, un frigo et un micro-ondes dans chaque chambre, une laverie et un jacuzzi.

POUR SE FAIRE PLAISIR

The Cadillac Hotel – *8 Dudley Ave.* (A4) - *90291 Venice -* ☏ *(310) 399 8876 - www. thecadillachotel.com -* 🅿 *25/j. $ -* ♿ *- 47 ch. 150/230 $.* De style Art déco, il donne sur la promenade de Venice et possède des petites chambres avec vue. Terrasse sur le toit, salle de gym, sauna, laverie.

UNE FOLIE

The Inn at Venice Beach – *327 Washington Blvd* (B5) - *90291 Venice -* ☏ *(310) 821 2557 - www.pacificahotels.com/ innatvenicebeach -* 🖥 *-* 🅿 *14 $/ nuit -* ♿ *- wifi - 43 ch. 300/400 $* ☕. Belles chambres décorées avec goût, bien équipées, donnant sur une jolie cour, celles du troisième étage bénéficient d'une vue sur l'océan. Salle de gym.

RESTAURATION

Downtown L. A. (Plan II)

PREMIER PRIX

Grand Central Market – *317 S. Broadway* (C3) - ☏ *(213) 624 2378 - www.grandcentralsquare.com - 8h-18h, jeu.-sam. 8h-22h - fermé 1 janv., Thanksgiving et 25 déc. -* 🅿 *2/25 $ -* ♿ *- wifi.* Marché couvert : plats latinos, asiatiques, hawaïens ou orientaux à petit prix, à déguster sur les tables de Market Court.

Philippe the Original – *1001 N. Alameda St.* (D1) - *à la lisière de Chinatown -* ☏ *(213) 628 3781 - www.philippes.com -* 🍴 🅿 ♿ *- 6h-22h - 10 $.* Une adresse « historique » où fut inventé le

fameux *French Dip* sandwich, en 1918, après la chute fortuite d'un bout de pain dans une poêle à viande. Plus de 3 500 clients dégustent chaque jour une viande fondante dans un vaste self à l'ambiance familiale, animée par une armée de serveuses. Parking dans Ord St.

La Luz Del Dia – *1 Olvera St.* (D2) - *face à la croix -* ☏ *(213) 628 7495 - www.laluzdeldia.com - lun. 11h-15h30, mar.-jeu. 10h-20h, vend.-sam. 10h-21h, dim. 8h30-21h - 10/13 $.* Un restaurant mexicain traditionnel où les femmes préparent les *tortillas* à la main. Bonne ambiance, les Mexicains aiment s'y retrouver le dimanche. Parmi les plats proposés, goutez aux spécialités de porc *(carnitas)* et de salade de cactus *(nopales)*.

POUR SE FAIRE PLAISIR

Bestia – *2121 E 7th Pl.* (hors plan par E3) - ☏ *(213) 514 5724, www. bestiala.com. Dim.-jeu. 17h-23h ; vend.-sam. 17h-0h. Plats 14/42 $.* Cet italien chic et moderne, installé dans un entrepôt typique de l'Arts District, est probablement le restaurant le plus couru de Downtown (réservation indispensable le week-end). Les cocktails sont excellents.

Echo Park/Silver Lake
(hors plan II par C1)

Bon à savoir – Les quartiers voisins de Silver Lake et d'Echo Park, autrefois réputés dangereux, sont aujourd'hui le repaire d'une nouvelle jeunesse branchée et cultivée. Sur Sunset Boulevard s'allonge une file de restaurants, de bars, de magasins charmants et originaux.

PREMIER PRIX

Guisados – *1261 W. Sunset Blvd -* ☏ *(213) 250 7600 - www.guisados. co - lun.-jeu 10h30-22h, ven.-sam. 10h30-23h, dim. 9h-17h - taco*

2,75/3 $. D'excellents tacos particulièrement authentiques : les tortillas sont faites à la main, sur place et les préparations, plus variées que sur les *taco stands* habituels. Restaurant familial mexicain, Guisados a désormais tant de succès qu'il a ouvert trois autres échoppes dans L.A.

Pattaya Bay Thai – *1727 N. Vermont Ave. - Ste 105 - ✆ (323) 666 0880 - www.pattayabaythai. com - tlj 11h-2h - 9/12 $.* Les locaux ne fréquentent pas ce restaurant thaï pour sa cuisine, qui est correcte, mais pour son improbable karaoké. L'occasion d'écouter des midinettes thaïlandaises s'époumoner sur des tubes asiatiques, parfois jusqu'à 5h du matin (bien que les horaires officiels annoncent une fermeture à 2h), en dégustant un *pad thaï*.

Café Tropical – *2900 W. Sunset Blvd - ✆ (323) 661 839 - tlj 5h30-22h - 5/10 $.* Pour un snack consistant ou un petit-déjeuner copieux, ce café cubain offre un choix de pâtisseries surdimensionnées et un *cafe con leche* réputé dans tout le quartier.

Xoia – *1801 W. Sunset Blvd - ✆ (213) 413 3232 - www.xoiaeats. com - tlj 11h30-0h (ven.-sam. 2h) - 8/10 $.* Restaurant vietnamien moderne et sans chichis. Les *banh mi*, ces sandwiches très frais dont raffolent les Angelenos, sont excellents.

Hollywood (Plan III)

PREMIER PRIX

Mel's Drive-In – *1660 N. Highland Ave. - ✆ (323) 465 3111 - www. melsdrive-in.com - 7h-3h, vend.-sam. 24h/24 - 🅿 2,5 $/h - ♿ - wifi - 15/30 $.* Grand choix de hamburgers servis dans un décor de skaï, chrome et formica.

BUDGET MOYEN

Musso & Frank Grill – *6667 Hollywood Blvd - ✆ (323) 467 7788 - www. mussoandfrank.com - 11h-23h, dim. 16h-19h - fermé lun. - 8/37 $.* Le plus vieux bistrot d'Hollywood, à l'atmosphère feutrée, propose une cuisine américaine traditionnelle, avec de bons plats de viande. Le serveur pourra vous montrer où s'asseyait Charlie Chaplin.

Moun of Tunis – *7445 ½ W. Sunset Blvd - juste après Gardner, sur la droite - ✆ (323) 874 3333 - www. mounoftunis.la - 17h-23h - 🅿 ♿ - wifi - 19/30 $.* Pour déguster un couscous de qualité au son des sequins des danseuses du ventre, dans un remarquable décor nord-africain. Parking gratuit.

West L. A./West Hollywood (Plan IV)

PREMIER PRIX

Pink's – *709 N. La Brea Ave.* (A2) - *à l'angle de Melrose - ✆ (323) 931 4223 - www.pinkshollywood. com - 9h30-2h, vend.-sam. 9h30-3h - moins de 10 $.* Ce modeste stand de rue, réputé dans tout L.A., connaît depuis 1939, un succès retentissant. Regardez la foule qui attend patiemment de déguster les hot dogs. Même Orson Welles et Bruce Willis y ont succombé ! La spécialité de la maison, c'est la sauce chili qui garnit généreusement les sandwichs. Terrasse derrière le stand et parking gratuit pour les clients.

Versailles – *1415 S. La Cienega Blvd* (hors plan par C3) - *✆ (310) 289 0392 - www. versaillescuban.com - 11h-22h, vend.-sam. 11h-23h - 🅿 ♿ - wifi - 15/19 $.* Les habitués de ce restaurant cubain attribuent des pouvoirs curatifs presque surnaturels à la sauce à l'ail du chef, la *garlic mojo* ; les portions sont généreuses.

Canter's – *419 N. Fairfax Ave.* (D2) - *✆ (323) 651 2030 - www.*

4

cantersdeli.com - 24h/24 - 6/18 $. Implanté dans le quartier juif, ce traiteur sert, depuis plus de 70 ans, des bagels et autres spécialités d'Europe centrale, ainsi que des classiques de la cuisine américaine. Un peu plus cher que les traiteurs alentour, mais la légende se paie.

BUDGET MOYEN

Ray's and Stark Bar – *Dans l'enceinte du LACMA, à côté de la billetterie principale, côté Wilshire Blvd* (E3) - ☏ *323 857 6180 - 11h30-20h, w.-end 10h-20h - fermé merc. -* 🅿 *12 $/j. -* ♿ *- wifi - 15/35 $.* Que vous visitiez ou non le LACMA, voici un bel endroit pour un lunch. Ce café design à ciel ouvert propose d'excellentes pizzas à pâte fine *(flatbreads)*, des assiettes de charcuterie ou de fromages. Belle carte de vins du monde (chers), de bières et excellents cocktails. Son voisin, le restaurant chic **Ray's**, propose une cuisine plus élaborée *(tlj sf merc. 12h-22h, réserv. recommandée).*

POUR SE FAIRE PLAISIR

Carlitos Gardel – *7963 Melrose Ave.* (D2) - *très proche de l'hôtel Orbit -* ☏ *(323) 655 0891 - www. carlitosgardel.com - 18h-23h, dim. 17h-22h -* ♿ *- 26/51 $.* Ambiance feutrée et décoration rendant hommage au danseur argentin Carlos Gardel. À la carte, spécialités de viande argentine et quelques plats de pâtes. Avec les (excellents) vins argentins, l'addition peut vite grimper…

UNE FOLIE

Dan Tana's – *9071 Santa Monica Blvd - 90069 West Hollywood - Nemo St., à côté du club Troubadour -* ☏ *(310) 275 9444 - www.dantanasrestaurant.com - 17h- 1h - fermé Thanksgiving et 25 déc. -* 🅿 *10 $ - wifi - 47/96 $.* Une trattoria fondée en 1964 devenue un lieu (bruyamment) fréquenté

par le tout L.A. Cuisine à base de poissons, pâtes et viandes, aux portions généreuses. Joli décor de fauteuils en cuir, nappes bicolores et bouteilles pendant au plafond. Clientèle de jeunes branchés, starlettes et couples aisés. On y vient autant pour l'ambiance que pour la nourriture.

Santa Monica (Plan V)

PREMIER PRIX

Whole Foods – *500 Wilshire Blvd* (A1) - *90401 Santa Monica -* ☏ *(310) 395 4510 - www. wholefoodsmarket.com - 7h-22h - fermé 25 déc.* Le rayon traiteur de ce supermarché bio propose un tout un assortiment de mets à déguster au bord de la mer ou dans un parc.

Cha Cha Chicken Caribbean Cuisine – *1906 Ocean Ave.* (A2) - *90405 Santa Monica -* ☏ *(310) 581 1684 - www.chachachicken. com - 11h-22h, sam. 10h-22h, dim. 10h-21h30 - 3,50/12,50 $.* Le goût de la Jamaïque dans une ambiance de paillote. Installez-vous en terrasse pour savourer le très bon *coconut fried chicken*, servi avec une sauce à la mangue, et leurs excellents jus de fruits.

BUDGET MOYEN

Border Grill – *1445 4ᵉ St. 90401 Santa Monica* (A1) - ☏ *(310) 451 1655 - www.bordergrill. com - 11h30-22h, vend. 11h30-23h, sam. 10h-23h, dim. 10h-22h -* ♿ *- 10/30 $.* Une cuisine mexicaine inventive, à déguster dans une salle colorée.

Venice (Plan V)

PREMIER PRIX

The Wee Chippy – *1301 Ocean Front Walk - Ste 9* (B4) - ☏ *(310) 450 0077 - www.weechippy.com - tlj 12h-19h30 - cornet de frites 4/5 $.* Une baraque à frites qui sert des fish & chips d'excellente qualité. Partagez un énorme cornet de frites à l'huile de truffe, à déguster sur la plage.

Joni's Coffee Roaster Cafe – *552 Washington Blvd - Marina del Rey* (C5) - ☏ *(310) 305 7147 - www. joniscoffee.com - lun.-vend. 6h-15h, w.-end 6h-16h - 10/13 $.* Bien connu pour ses petits-déj. Des fleurs sur les tables, une ancienne scène de théâtre, de la musique classique et un excellent café, torréfié sur place.

Mao's Kitchen – *1512 Pacific Ave. - près de Windward Ave.* (B4) - ☏ *(310) 581 8305, www. maoskitchen.com - tlj. 11h30-22h30 (3h vend.-sam.) - moins de 10 $.* Cantine chinoise sympathique au cadre désuet étudié où l'on déguste, autour d'une grande tablée, des assiettes copieuses.

BUDGET MOYEN

Rose Cafe & Restaurant – *220 Rose Ave. - à l'angle de Main St.* (B3) - ☏ *(310) 399 0711 - www. rosecafevenice.com - mar.-jeud. 7h-22h, ven. 7h-23h, sam. 8h-23h, dim. 8h-17h - assiettes 10/42 $.* Un entrepôt restauré branché qui propose des *small dishes* (petites assiettes à partager) très à la mode à L.A. Délicieux plats de viande.

BOIRE UN VERRE/SORTIR

☻ **Bon à savoir** – Les quartiers de Downtown et Arts District, longtemps réputés dangereux la nuit (attention, c'est toujours le cas dans certaines rues désertes et à Skid Row), sont en pleine renaissance. Silver Lake et particulièrement Sunset Blvd, est le quartier préféré des noctambules branchés. Hollywood Blvd et Fairfax Blvd sont toujours très vivants le soir.

Downtown L. A./ Arts District (Plan II)

The Standard – *550 S. Flower St.* (B3) - ☏ *(213) 892 8080 - tlj*

12h-1h30. Sur le toit d'un immeuble de 12 étages, au milieu des buildings illuminés la nuit. Mobilier design avec matelas d'eau, piscine cristalline et projection de vidéos sur l'immeuble en face. On plonge dans le rêve américain.

E.R.B. – *1936 E. 7ᵗʰ St.* (hors plan par E3) - ☏ *(213) 335 6166 - www. erbla.com - tlj 17h-2h.* Très branché, ce bar presque toujours bondé (donc bruyant) est doté d'un superbe patio illuminé le soir. Si les cocktails sont excellents, les snacks et les *small plates* sont une véritable surprise gastronomique, à ne rater sous aucun prétexte.

D'Vine Wine Cellar – *821 S. Flower St.* (B3) - ☏ *(213) 784 3048 - www. dvinela.com - lun.-jeu. 17h-23h, ven.-sam. 17h-0h, dim. 17h-22h.* Ce caveau moderne propose des dégustations de vins du monde entier dans une ambiance tamisée et intime, plutôt rare dans le quartier.

La Cita – *336 S. Hill St.* (C3) - ☏ *(213) 687 7111 - www.lacitabar. com - lun.-ven. 11h-2h, sam.-dim. 10h-2h.* Punk, post punk, reggae ou hip hop, ce club authentique et un peu déglingué a un charme fou et aime tous les genres musicaux alternatifs. Concerts le soir, *dancefloor* et agréable patio pour boire un verre.

Silver Lake (hors plan II par C1)

☻ **Bon à savoir** – Très animé, Silver Lake offre mille occasions de se divertir le soir dans une atmosphère *underground*. Le quartier est sûr, même la nuit.

Tiki-Ti – *4427 W. Sunset Blvd -* ☏ *(323) 669 9381 - www.tiki-ti. com - mer.-sam. 16h-2h.* Ce bar ouvert en 1961, alors que la mode polynésienne battait son plein, est tenu de père en fils. Les *aficionados*, arborant des fleurs d'hibiscus dans les cheveux et des chemises hawaïennes, viennent boire des cocktails kitsch (et délicieux) dans ce minuscule bar à la décoration délirante.

Akbar – *4356 W. Sunset Blvd - ☎ (323) 665 6810 - www. akbarsilverlake.com - tlj 16h-2h.* Ce club gay (ouvert à tous), décoré comme une tente du désert, accueille d'excellents DJs dans une ambiance bon enfant.

Cha-Cha Lounge – *2375 Glendale Blvd - ☎ (323) 660 7595 - www. chachalounge.com - tlj 17h-2h.* Décoration mexicaine et ambiance punk-rock pour ce bar très prisé des branchés de Silver Lake.

Hollywood (Plan III)

El Floridita – *1253 N. Vine - ☎ (323) 871 8612 - www.elfloridita. com - 11h30-21h, lun., vend. et sam. 11h30-2h.* Le haut lieu de la salsa cubaine à Los Angeles ; profitez des orchestres de renom sur une belle piste de danse. Dîner avec orchestre le sam. soir *(env. 30 $/ pers.).* Réserv. conseillée. Cours de salsa le merc. *(20h-21h).*

Avalon – *1735 Vine St. - 90028 Hollywood - ☎ (323) 462 8900 - www.avalonhollywood.com - se rens. avant pour l'horaire – fermé dim.* Un vaste club en vogue, à la déco originale, dans un ancien théâtre.

Jumbo's Clown Room – *5153 Hollywood Blvd - ☎ (323) 666 1187 - www.jumbos.com - tlj 16h-2h.* Ce club de strip-tease burlesque et sans nudité, ouvert en 1970, est un *must* d'Hollywood, très couleur locale.

West L. A./West Hollywood (Plan IV)

🕙 **Bon à savoir** – West Hollywood est le siège d'une vie nocturne intense, surtout dans la partie ouest du boulevard et sur Sunset Blvd, où les bars jouxtent les clubs. Partout où l'on sert de l'alcool, il faut prouver qu'on a plus de 21 ans pour entrer. Attention aux contrôles très fréquents d'alcoolémie.

Les clubs rock ne manquent pas (même si les mythiques Cat Club et Key Club ont malheureusement fermé au début des années 2010), notamment les historiques **Roxy Theatre** (*9009 W. Sunset Blvd/Hammond St.* C1 - ☎ *(310) 278 9457 - theroxyonsunset.com*), **Troubadour** (*9081 Santa Monica Blvd/Doheny Dr.* C2 - ☎ *(310) 276 1158 - www.troubadour.com*) ou **Whisky à Gogo** (*8901 W. Sunset Blvd/San Vicente Blvd* C1 - ☎ *(310) 652 4202 - www.whiskyagogo. com*) qui ont accueilli les plus grands, des Doors à Springsteen en passant par Tom Waits, et continuent d'entretenir une programmation pointue, à des prix raisonnables *(de 10 à 25 $ l'entrée selon les concerts).*

Vous pourrez, s'il vous reste un brin d'énergie (et quelques dollars en poche), terminer votre nuit au **Viper Room** (*8852 W. Sunset Blvd* C1 - ☎ *(310) 358 1881 - www.viperroom.com*), le très célèbre club de Sunset qui a appartenu, jusqu'en 2004, à un certain Johnny Depp *(entre 15 et 20 $ l'entrée).*

The Cinefamily at The Silent Movie Theatre – *611 N. Fairfax Ave.* (D2) - ☎ *(323) 655 2510 - www.cinefamily.org.* Ce n'est plus ce vieux ciné qui projettait des films muets accompagnés d'un véritable orchestre, mais une cinémathèque, dédiée aux amoureux du septième art.

Santa Monica (Plan V)

Casa del Mar Hotel – *1910 Ocean Way* (A2) - 90405 Santa Monica - ☎ *(310) 581 5533 - www. hotelcasadelmar.com -* ✕ *-* 🅿 *45 $/ nuit -* ♿ *- wifi - 129 ch. 750/1115 $.*

Dans le magnifique hall d'entrée Art déco, feutré et luxueux, agrémenté de mosaïques, de plantes vertes et de bois foncé, vous pouvez vous attabler devant les grandes baies vitrées donnant sur l'Océan pour prendre un verre (et votre temps).

Harvelle's Home of the Blues – *1432 4th St.* (A1) *- 90401 Santa Monica -* ℘ *(310) 395 1676 - www. harvelles.com - 20h-2h.* Petit club réputé où se produisent des artistes de blues, de R & B et de rock depuis 1931.

McCabe's Guitar Shop – *3101 Pico Blvd* (A1) *- 90405 Santa Monica -* ℘ *(310) 828 4497 - www.mccabes. com - 10h-22h, vend.-sam. 10h-18h, dim. 12h-18h.* Le temple de la guitare (sèche) ne servant pas de boissons alcoolisées, il n'y a pas de limite d'âge pour ses soirées folk *(15-20 $)*. Concerts pour enfants le dimanche matin *(8 $)*.

The Library Alehouse – *2911 Main St.* (B3) *- 90405 Santa Monica -* ℘ *(310) 314 4855 - www. libraryalehouse.com - 11h30-23h, w.-end 11h-23h - 8/24 $.* Une salle simple tout en longueur pour déguster l'une des nombreuses bières servies à la pression, dont une cuvée maison.

The Lincoln – *2536 Lincoln Blvd* (B2) *-* ℘ *(310) 822-1715 - www. thelincolnvenice.com - lun.-sam. 19h-2h, dim. 14h-22h.* Ouvert en 2016, ce bar élégant est devenu l'un des lieux de rendez-vous favoris des gens du quartier pour son atmosphère décontractée et la qualité de ses cocktails.

Venice (Plan V)

🐾 **Bon à savoir** – Venice n'est plus le quartier bohème qu'il était ; les bars et les restaurants, devenus chics et chers, ferment tôt. Éloignez-vous de la plage si vous souhaitez trouver un peu de vie nocturne.

ACHATS

🐾 **Bon à savoir** – Les zones commerçantes les plus vivantes sont celles de **Grand Central Market** et d'**Olvera Street**. Mais le shopping à **Hollywood** et **West L.A.** est d'un autre standing… Dans les années 1950, **Beverly Hills**, au nord-ouest de West Hollywood, s'est réinventé comme un des endroits les plus chic du monde. Une tendance qui dure… Les boutiques de luxe autour de Rodeo Drive donnent l'occasion aux Californiennes de se prendre pour des Européennes et aux Européennes de se prendre pour des Californiennes. Les boutiques branchées, (vintage, design et marques « pointues ») sont sur **Sunset Blvd**, entre les quartiers d'Echo Park et de Silver Lake, et autour de **Vermont Ave.**, à Los Feliz, un quartier charmant qui borde Silver Lake et Hollywood.

It's a Wrap – *3315 W. Magnolia Blvd - Burbank* (Plan I) *-* ℘ *(818) 567 7366 ; 1164 S. Robertson Blvd* (Plan IV, hors plan par C3) *-* ℘ *(310) 246 9727 - www. itsawraphollywood.com - tlj 11h-20h (18h w.-end).* Hélas assez excentrés, ces magasins vendent les vêtements et accessoires de tournages. Fonctionnent aussi à la façon d'une salle des ventes.

Amoeba Records – *6400 Sunset Blvd - à l'angle de Cahuenga* (Plan III) *-* ℘ *(323) 245 6400- www. amoeba.com - lun.-sam. 10h30-23h, dim. 11h-20h.* Le paradis des fans de musique. Un immense espace avec plus d'un million de CD, des DVD et des affiches de collection. Concerts gratuits de groupes locaux reconnus sur la scène rock mondiale (Local Natives, Cold War Kids, Warpaint, Funeral Party).

The Last Bookstore – *453 S. Spring St.* (Plan II, C3) *-* ℘ *(213) 488 0599 - www.lastbookstorela.*

4

com - lun.-jeu. 10h-22h, ven.-sam. 10h-23h, dim. 10h-21h. Des tunnels, des ponts, des alcôves, pleines de livres d'occasion à 1 $… Cette librairie extraordinaire s'est installée dans un loft de Dowtown et fait le bonheur des lecteurs et des mélomanes (disques vinyls neufs et d'occasion).

ACTIVITÉS

Plages – Si vous redoutez les plages trop célèbres de Venice ou Santa Monica, essayez les environs de Long Beach *(p. 234).*
Hermosa Beach : au nord-ouest par la Pacific Coast Hwy, pour les surfers, joueurs de beach-volley, skaters, etc. **Seal Beach** et celle qui suit, **Sunset Beach**, juste au sud de Long Beach, pour le surf et les vastes étendues de sable.
Newport Beach, encore plus au sud, très riche-chic-branchée, mais idéale avec des enfants et fréquentée par les surfers.
Whale watching – *Harbor Breeze Cruises - 100 Aquarium Way, Dock 2 - Long Beach -* 📞 *(562) 432 4900 - www.2seewhales. com.* Venez observer les baleines quand elles descendent vers le sud en décembre ou quand elles remontent en mars-avril : croisières de déc. à avr. *2h, env. 45 $.* En été, des sorties sont prévues le w.-end pour découvrir des dauphins et lions de mer.

Santa Monica
Randonnée – Longez la plage depuis Santa Monica jusqu'à Venice. À l'intérieur des terres, marchez dans les Santa Monica Mountains *(voir p. 232).*
Vélo – Le South Bay Bicycle Trail (35 km) longe la côte de Santa

Monica à Torrance Beach, au sud de la baie.
Perry's Rentals (5 cahutes le long de la plage) : vélos et rollers *(10 $/h).* Aussi à la journée *(30/40 $). Pour plus de rens. : www.perryscafe.com.*

Venice
Rollers, vélos – En longeant la plage, vous tomberez forcément sur une des cahutes de **Venice One-Stop Beach Rentals**. Voir aussi **Boardwalk Skates** *(201 1/2 Ocean Front Walk -* 📞 *(310) 450 6634 - www.boardwalkskate. com - skates et vélos à 7 $/h)* et **Venice Bikes & Skates** *(21 Washington Blvd).* Comptez *6 $/h, 18 $/j.*
Body-building – Pour essayer les appareils sur lesquels Schwarzenegger s'est fait les muscles, prenez un forfait journée au **Gold's Gym**, *(360 HamptonDrive -* 📞 *(310) 392 6004 - www.goldsgym.com).*

AGENDA

😊 **Bon à savoir** – Guide annuel gratuit des festivals de Los Angeles dans les *Visitor Centers.*
Marathon de Los Angeles – Ce grand rendez-vous sportif se déroule chaque année en mars. 📞 *(213) 542 3000, www. lamarathon. com.*
Cinco de Mayo Celebration – *Le 1er w.-end de mai.* Animations festives dans Olvera Street.
Nisei Week – *Au mois d'août.* 📞 *(213) 687 7193, niseiweek.org.* Festival japonais dans Little Tokyo.
Las Posadas – *16-24 déc.* Procession familiale dans Olvera Street.

Disneyland Resort

★★★

C'est à Anaheim, dans l'Orange County, au sud du comté de Los Angeles que Walt Disney a laissé libre cours à son imagination. À son ouverture en 1955, le parc Disneyland offrait une vingtaine d'attractions : aujourd'hui, il en compte plus d'une soixantaine. Ce monde de rêve et de plaisir s'adresse aussi bien aux enfants qu'aux adultes. Disneyland et son univers féerique ravit les plus petits ; California Adventure, qui illustre différents aspects de la Californie, comble davantage les adolescents.

 NOS ADRESSES PAGE 249
Hébergement, restauration, achats, activités, etc.

S'INFORMER

Visitor Center – *800 W. Katella Ave. - ℰ (714) 765 8888 - disneyland.disney. go.com ou visitanaheim.org.*

SE REPÉRER

Carte de région A1 *(p. 200) – carte Michelin Western USA 585 B 11 – plan d'agglomération de Los Angeles (p. 204-205).* Le complexe se trouve à 26 miles (41,6 km) au sud-est de Downtown Los Angeles. Empruntez l'I-5 (Santa Ana Frwy) et sortez à Disneyland Drive (si vous venez du nord) ou à Katella Avenue (si vous venez du sud).

ORGANISER SON TEMPS

Comptez une journée pour chaque parc et évitez absolument le weekend et les jours fériés. Achetez vos billets à l'avance dans un *Visitor Center* de Los Angeles ou à votre hôtel et arrivez au moins 30mn avant l'ouverture du parc : les guichets sont déjà ouverts et vous ferez moins la queue. Dans le parc, en haute saison, retirez aux attractions qui vous intéressent vos tickets Fastpass *(voir p. 249)* et vérifiez bien, avant de faire la queue à une attraction, que vos enfants aient la taille requise.

Découvrir

4

À l'entrée de chacun des deux parcs, demandez le *guide-map* : c'est un plan détaillé du site avec une liste des activités et des restaurants ainsi que les horaires des shows. Toutes les attractions sont évidemment entourées de multiples boutiques, le tout présenté dans des décors de rêves qui mettent en scène les différents thèmes exploités dans ces parcs.

★★★ DISNEYLAND

Le parc se divise en plusieurs secteurs qui s'organisent chacun autour d'un thème. **Main Street**, grande rue typique des villes américaines du 19e s., vous introduit dans l'univers de Disney. Sur la place s'élève la gare d'où part le **train** qui fait le tour du parc. C'est sur Main Street que les enfants peuvent admirer en fin de journée la **grande parade** avec les personnages de Disney. La rue débouche ensuite sur **Fantasyland** dominé par le **château de la Belle au bois dormant** et ses douves. C'est le domaine des tout-petits qui retrouvent leurs héros – Dumbo, Alice, Peter Pan, Pinocchio… – dans des décors féeriques et qui découvrent le monde dans le célèbre **It's a small word**. Pour eux également, **Mickey's Toontown**, au nord, est un village sorti tout droit d'un dessin animé.

À l'est de Main Street s'étend **Tomorrowland**, la « Terre du futur » et des grands frissons, destinée aux plus grands. La **Big Thunder Mountain Railroad** se dévale en bobsleigh. **Space Mountain** est un super huit sous globe plongé dans le noir, accompagné d'effets spéciaux. Avec **Star Tour**, vous vous envolez dans l'espace en compagnie des héros de *La Guerre des étoiles*.

À l'ouest de Main Street, **Adventureland** dévoile la jungle aux petits avec les barques de **Jungle Cruise**. Les grands se régalent en jeep dans l'équipée sauvage d'**Indiana Jones Adventure**.

Dans **New Orleans Square**, ne manquez pas l'attraction qui a lancé une grande série cinématographique : la traversée en barque de **Pirates of the Caribbean**, remise au goût du jour avec la présence de Jack Sparrow. Le bateau pirate et le bateau à vapeur du Mississippi vous attendent sur le lac. Et pour en savoir plus sur les fantômes, visitez la **Maison hantée** (qui n'est guère effrayante). L'attraction phare de **Frontierland** est le train fou des chercheurs d'or, **Big Thunder Mountain Railroad**, qui serpente rapidement au milieu des montagnes.

★★ CALIFORNIA ADVENTURE

Vous rentrez dans le parc par **Buena Vista Street**. Le ton est donné aussitôt avec le Golden Gate Bridge, symbole de San Francisco : le dernier-né des parcs Disney fait défiler les hauts lieux touristiques de la Californie. Le **Red Car Trolley** vous promène tranquillement dans une partie du parc.

À gauche, Hollywood Land et son célèbre **Hollywood Boulevard** vous introduisent dans le monde du spectacle et du cinéma. Avec **Disney Animation**, vous pouvez enregistrer votre voix sur les passages les plus célèbres de dessins animés. La **Twilight Zone Tower of Terror** est un ascenseur plein de surprises. C'est génial, mais à éviter si vous avez des problèmes de santé. **Bug's Land** est un secteur destiné aux petits, sur le thème de la nature et des insectes. Quelques manèges sont accessibles aux enfants mesurant plus de 92 cm, mais tout le monde s'amusera en regardant **It's tough to be a bug**, un film en 3D consacré aux petites bêtes vivant sous terre. **Cars Land** ravira les petits qui rencontreront Cars et ses amis, feront des courses de tracteurs dans le **Mater's Junkyard Jamboree**, tandis que les plus grands commenceront en douceur avec les autotamponneuses-pneus du **Luigi's Flying Tires**, puis dévaleront au volant de leur bolide les pentes des montagnes arides de **Radiator Springs Racers**. Vous découvrez ensuite le grand plan d'eau de **Paradise Pier**, où les amateurs de sensations fortes se régaleront avec le looping géant de **California Screamin'** : si vous aimez être secoué la tête en bas, c'est pour vous ! (à éviter en cas de problèmes de santé). Pour les plus jeunes, choisissez le petit huit **Goofy's Sky School**, la grande roue **Myckey's Fun Wheel**, le carrousel et **The Little Marmeid-Ariel Undersee**, un voyage dans les profondeurs de l'océan en compagnie de la petite sirène. Avec **Silly Symphony Swings** et **Golden Zephyr**, vous vous élevez dans l'air de façon poétique. **Toy Story Midway Manial** plaît à tous les âges : au cœur d'un jeu vidéo, vous ne devez pas rater vos cibles.

En face de Cars Land, vous arrivez dans **Grizzly Peak** et découvrez les grands parcs nationaux. Avec **Redwood Creek Challenge**, vous êtes un scout au sein de la nature. Dans **Grizzly River Run**, vous glissez en raft dans les rapides américains : attention, vous risquez fort de repartir mouillé ! Et pour finir, **Condor Flats** vous propose de survoler en hélicoptère les plus beaux paysages de Californie dans **Soarin'Over California**, un film très réussi.

NOS ADRESSES À DISNEYLAND-ANAHEIM

TRANSPORTS

Transports publics – Le réseau de trains de banlieue **Metrolink** relie Los Angeles/Union Station à la gare d'Anaheim *(ligne 91, 45mn ; 9 $; www.metrolinktrains.com)*, d'où le bus 430 rejoint Disneyland (15mn). **Greyhound** affrète des bus au départ de Downtown de 5h25 à 18h *(1 à 2h, 10/18 $, www.greyhound.com)*, mais il faut ensuite prendre le bus 47 à Anaheim et changer pour le 205 à Katella Ave. Le plus économique reste le **bus de ville 460** : il faut rejoindre Downtown et récupérer ce bus à l'angle de Main St. et de 5th St. Il s'arrête devant l'entrée des parcs *(1h30 à 2h, 3 $)*.

VISITE

Bon à savoir – Quand il y a du monde, une fois dans le parc, utilisez le **Fastpass** : retirez à l'avance un billet pour chaque attraction et une tranche horaire vous est donnée pendant laquelle vous pouvez accéder à l'attraction choisie en empruntant une file d'attente spéciale, plus rapide. **Disneyland/California Adv.** – *℡ (714) 781 4565, https:// disneyland.disney.go.com*. L'entrée des parcs se fait sur Harbor Blvd. Disneyland ouvre tlj de 9h à 21h, 22h en été. Attention les horaires peuvent varier, renseignez-vous. Un billet pour Disneyland ou California Adv. valable 1 jour coûte *100 $ (93 $ 3-9 ans)* ; pour visiter les 2 parcs en 1 jour *150 $ (144 $ 3-9 ans)*. Des billets combinés de 2 à 5 jours permettent d'associer les 2 parcs : pour 2 jours avec un parc par jour *195 $ (183 $ 3-9 ans)* ; pour 2 jours en circulant de l'un à l'autre *235 $ (223 $ 3-9 ans)*. Le Southern California City Pass associe une visite de 3 jours à Disneyland/ California Adv. avec une entrée aux Studios Universal et une à SeaWorld (San Diego), valable 1 an *(à partir de 329 $)*. Nous ne vous conseillons pas d'acheter vos billets sur Internet, cela revient plus cher (comptez 15 jours au moins pour les recevoir, et un surcoût de 20 $ par envoi). Le plus simple est de vous les procurer par l'intermédiaire de votre hôtel (certains ne prennent pas de commission) ou auprès d'un *Visitor Center* (sans commission).

HÉBERGEMENT

Les bus Art relie les hôtels d'Anaheim aux parcs.

PREMIER PRIX

Anaheim Discovery Inn & Suites – *1126 W. Katella Ave. - 92802 Anaheim - ℡ (714) 553 4505 - www.anaheimdiscoveryinn. com -* ▤ 🅿 ⛱ *- 35 ch. à partir de 99 $* ⌑. Bonne adresse à 15mn à pied des parcs. Grandes chambres confortables. Télé, frigo, micro-ondes.

Super 8 - Anaheim Disneyland Drive – *915 S. Disneyland Dr. - 92802 Anaheim - ℡ (714) 778 0350 - www.super8motel.net -* ▤ 🅿 ⛱ ♿ *- wifi. - 111 ch. 80/150 $* ⌑. Un motel simple, à proximité des parcs. Accueil sympa. Jacuzzi.

Del Sol Inn Anaheim Resort – *1604 S. Harbor Blvd - 92802 Anaheim - ℡ (714) 234 3411 - www. delsolinn.com -* ▤ *-* 🅿 *9 $ -* ♿ *- wifi - 59 ch.89/499 $* ⌑ ⛱. Un motel aux couleurs très « Disneyland ». Chambres bien équipées. Jacuzzi. Laverie.

4

Pasadena

152 735 habitants – Californie

Si Pasadena est réputée pour son charme tout provincial, elle n'en demeure pas moins l'une des principales banlieues de Los Angeles, une ville dynamique, accueillant de nombreuses manifestations et activités culturelles. Mais elle est surtout connue dans tout le pays pour sa Rose Parade, un défilé de chars décorés de fleurs, et le Rose Bowl Game, le championnat universitaire de football américain, organisés tous deux chaque année pour le 1er janvier.

NOS ADRESSES PAGE 253
Hébergement, restauration, achats, activités, etc.

S'INFORMER

Visitors Bureau – *300 E. Green St. - ☎ 1-800 307 7977 ou 626 795 9311 - www.visitpasadena.com - lun.- vend. 8h-17h. Possibilité de télécharger sur le site Internet la brochure* Pasadena Official Visitors Guide *qui recense toutes les infos concernant les hôtels, restaurants et les sorties.*

SE REPÉRER

Carte de région A1 (p. 200) – carte Michelin Western USA 585 B 11 – plan d'agglomération de Los Angeles

(p. 204-205). Pasadena appartient au comté de Los Angeles et se situe à 20 miles (32 km) au nord-est de Downtown par l'US-110 N. (Pasadena Freeway, la première autoroute construite à Los Angeles), qui débouche dans Arroyo Parkway.

À NE PAS MANQUER

Une soirée dans Old Pasadena.

ORGANISER SON TEMPS

Comptez une journée ; essayez de déjeuner au Rose Garden Tea Room ou au café du Huntington.

Se promener

Nichée au pied des San Gabriel Mountains, Pasadena était une bourgade agricole tranquille avant que la douceur de son climat n'en fît un lieu de villégiature privilégié. Au début du 20e s., la haute société s'y fit construire de luxueuses demeures, qui comptent toujours parmi les curiosités de la ville.

★ Old Pasadena

Comptez 1h. Remontez Colorado Blvd vers l'ouest.

De part et d'autre de Colorado Boulevard, les bâtiments de style colonial espagnol, Revival ou Art déco, abritent boutiques chic, galeries d'art et restaurants. On vient ici profiter de la douceur de vivre à la terrasse d'un café. Très animé en journée, le quartier est particulièrement vivant le soir, avec ses salles de spectacle, ses clubs et ses bars branchés.

★ Pacific Asia Museum

Comptez 1 à 2h. 46 N. Los Robles Ave. - ☎ (626) 449 2742 - www.pacificasia museum.org - merc.-dim. 10h-18h - 10 $, gratuit 2e dim. du mois - fermé j. fériés.

Bâti en 1971 dans le style des palais impériaux chinois, ce musée rassemble une collection riche de plus de 12 000 objets et œuvres d'art, représentatifs de l'art ainsi que des cultures d'Asie et des îles du Pacifique. À noter, une belle

La Rose Parade.
A. J. Schaben/Getty Images

collection de **céramiques chinoises**, des sculptures bouddhiques, des bronzes et des statues en bois d'Inde et d'Asie du Sud-Est, ainsi que des objets rituels d'Irian Jaya et de Papouasie-Nouvelle-Guinée. Le Japon est représenté par une intéressante collection d'objets décoratifs (laque, céramique) et de peintures. L'agréable cour intérieure, dessinée selon les principes traditionnels chinois, constitue un havre de paix.

À voir aussi

★★ **Norton Simon Museum**

Comptez 2h. 411 W. Colorado Blvd - ☎ (626) 449 6840 - www.nortonsimon.org - lun., merc.-jeu. 12h-17h, vend.-sam. 11h-20h, dim. 11h-17h - 12 $ (-18 ans gratuit), gratuit le 1er vend. du mois de 17h à 20h - 🅿 *gratuit.*

Situé à l'extrémité ouest de Colorado Boulevard, ce musée rassemble l'une des plus importantes collections privées d'arts européen et asiatique au monde, patiemment réunie par l'industriel Norton Simon (1907-1993).

De vastes galeries offrent un assez large panorama de l'**art européen** du 14e au 20e s. La Renaissance est notamment représentée par des peintures de Jacopo Bassano et une belle *Vierge à l'Enfant avec un livre* (1503) de Raphaël. Les écoles italienne, espagnole et française du 17e et 18e s. sont illustrées par des œuvres de Guercino, Baciccio, Tiepolo, Zurbarán, Goya, Fragonard, Poussin, tandis que la peinture hollandaise et flamande est évoquée par de beaux portraits de Rembrandt, Frans Hals, ainsi que quelques toiles de Rubens.

Dans la galerie consacrée aux **impressionnistes et postimpressionnistes**, vous pouvez admirer *Les Repasseuses* (1884) de Degas et quelques œuvres inspirées de sa passion pour la danse, dont son bronze le plus connu, *La Petite Danseuse de quatorze ans*. Ces œuvres voisinent avec une toile de Monet figurant son jardin de Vétheuil (1881), et d'autres tableaux signés Manet, Pissarro (*Marché aux poulets à Pontoise*, 1882), Renoir (*Le Pont des Arts*, 1868), Van Gogh (*Portrait d'un paysan*, 1888 ; *Le Mûrier*, 1889), Cézanne ou Gauguin. Enfin, le 20e s.

4

est également bien représenté, avec des travaux de Picasso (*Femme avec une guitare*, 1913 ; *Femme au livre*, 1932), Kandinsky, Klee, Matisse et Rousseau.

Ne manquez pas, au sous-sol du musée, la remarquable collection d'**art asiatique**, qui compte notamment de superbes sculptures bouddhiques et hindouistes de l'Inde et d'Asie du Sud-Est : bronzes du Tamil Nadu (Shiva, roi de la danse, 10e s.), du Kerala et du Sri Lanka (9e-17e s.), quelques beaux exemples de l'art khmer (Vishnu en grès du 10e s.), ainsi que la plus importante collection de bronzes cholas hors d'Inde. Des sculptures de toutes époques, dont une copie du *Penseur* (1880) et des *Bourgeois de Calais* de Rodin, mais aussi des œuvres de Maillol et Moore, sont disséminées à l'extérieur du musée, dans l'agréable jardin, inspiré de celui de Monet à Giverny.

★★ Gamble House

Comptez 1h. Prenez à droite en sortant du musée, puis encore à droite sur Orange Grove Blvd. La Gamble House se dresse au milieu d'une large pelouse verdoyante à gauche de la route, entre W. Walnut St. et Rosemont Ave. 4 Westmoreland Pl. - ☏ (626) 793 3334 - www.gamblehouse.org - visites guidées (1h) jeu.-dim. ttes les 30mn de 12h à 15h (15 $) - mini-tour mar. 12h15 et 12h45 (8 $).

Bâtie en 1908 pour David et Mary Gamble (de la firme Procter and Gamble), voici l'un des plus beaux exemples du travail des frères **Charles et Henry Greene**, deux célèbres architectes, dont le mouvement Arts and Crafts influença beaucoup l'architecture américaine du 20e s. *(voir p. 581)*. Plus d'une douzaine d'essences de bois, parmi les plus rares (cèdre, séquoia, acajou, teck de Birmanie, érable, pin Douglas, ébène, chêne…), ont été utilisées pour permettre à cette demeure exceptionnelle de s'intégrer parfaitement à l'environnement. Aucun détail n'est laissé au hasard : pièces en bois ouvragé et mobilier témoignent d'un extrême raffinement. Reprenez Orange Grove Boulevard vers le sud. Il a été surnommé **The Millionaire's Row** (« *la rue des Millionnaires* »), en raison des nombreuses demeures luxueuses qui le bordent. Parmi elles, **Tournament House** *(391 S. Orange Grove Blvd - ☏ (626) 449 4100 - appelez pour les visites guidées auprès de Pasadena Heritage)*, construite en 1906, appartenait à l'industriel William Wrigley Jr., magnat du chewing-gum. Elle abrite l'association chargée de l'organisation de la Rose Parade. Admirez surtout son superbe **jardin**, qui ne compte pas moins de 1 500 variétés de roses *(Attention, il n'y a pas de fleurs de fév. à avr.)*.

★★★ The Huntington

Comptez une demi-journée. Poursuivez sur Orange Grove Blvd, tournez à gauche dans California Blvd et, 3 miles plus loin, à droite dans Allen Ave. pour rejoindre l'entrée de la bibliothèque, 1151 Oxford Rd ; autre entrée sur Orlando Rd, à l'intersection d'Allen Ave. - ☏ (626) 405 2100 - www.huntington.org - tlj sf mar. 10h-17h - fermé 4 juil., Thanksgiving, 24 et 25 déc. - 23 $ en semaine, 25 $ w.-end et lun. fériés - gratuit le 1er jeu. du mois à condition d'avoir réservé les billets - ⓟ gratuit - pique-nique interdit.

L'homme d'affaires Henry E. Huntington, neveu de Collis P. Huntington (l'un des *Big Four*, copropriétaire de la Central Pacific Railroad), était féru d'art, de lecture et de botanique. Les œuvres qu'il a acquises sont rassemblées au sein de la fondation qu'il créa en 1919.

La bibliothèque – C'est l'une des plus importantes des États-Unis, essentiellement consacrée à la littérature et à l'histoire anglo-américaines. Elle renferme une collection exceptionnelle de livres rares, de lettres, de dessins, de cartes et de **manuscrits enluminés**, parmi lesquels une bible de Gutenberg (1430) imprimée sur vélin, les premières éditions de certaines œuvres de Shakespeare (*Beaucoup de bruit pour rien*, 1600 ; *Henry IV*, 1599), et celle d'*Ulysse* (1922) de J. Joyce, ainsi qu'un exemplaire grand format des *Oiseaux d'Amérique* de J. J. Audubon.

Les collections d'art – Les collections d'art sont disséminées dans trois bâtiments. La collection d'**arts britannique et français** du 18e s. et du 19e s., dont le célèbre *Blue Boy* (1770) de Thomas Gainsborough et *Pinkie* (1795) de Thomas Lawrence, ainsi que des toiles de Joshua Reynolds et George Romney qu'elle accueillait, est accrochée dans la galerie Lois & Robert F. Erburu.

La galerie Lois & Robert F. Erburu, ouverte en mai 2005, est destinée à terme à recevoir la collection d'**art américain du 20e s.**, qui s'est enrichie de tableaux de maîtres comme Edward Hopper et Robert Motherwell.

Le musée Virginia Steele Scott se consacre à la **peinture américaine** des 18e et 19e s., avec des œuvres de John Singer Sargent (*Mrs William Playfair*, 1887), Mary Cassatt (*Petit-déjeuner au lit*, 1897) et Gilbert Stuart (*George Washington*), ainsi qu'une exposition consacrée aux créations des architectes Charles S. et Henry M. Greene et au mouvement Arts and Crafts.

L'aile ouest de la bibliothèque abrite des **peintures italiennes et flamandes de la Renaissance** (15e-16e s.), dont une *Vierge à l'Enfant* de Rogier Van der Weyden, des sculptures et du mobilier français du 18e s. (un superbe buste de Houdon) et une très belle collection de porcelaines de Sèvres (18e s.).

Les jardins botaniques – Ces magnifiques jardins, aménagés sur plus de 50 ha, comptent 15 000 variétés de plantes différentes, disséminées dans **12 jardins thématiques**. Ne manquez surtout pas son superbe jardin du désert et sa vaste collection de cactus et plantes grasses, le jardin des camélias, des nénuphars, le très zen jardin japonais, le plus exubérant jardin tropical, le jardin australien, mais aussi celui des fines herbes, la jungle, la roseraie et la palmeraie…

🙂 NOS ADRESSES À PASADENA

4

TRANSPORTS

En métro – Pasadena est desservie par la ligne or depuis Union Station, Downtown.

En bus – En ville, des navettes (**ARTS Bus**) relient le quartier d'Old Pasadena à South Lake District et Playhouse District *(lun.-vend. 6h-20h, sam. 11h-20h, dim. 11h-17h ; 0,75 $).*

HÉBERGEMENT

La plupart des motels bon marché se trouvent le long d'East Colorado Blvd, entre Lake Ave. et Rosemead Blvd.

Les grandes chaînes y sont représentées à des prix comparables (Travelodge, Econo Lodge, Comfort Inn, Ramada, etc.).

San Diego

★★

1 355 896 habitants – 4,8 millions d'habitants dans le comté de San Diego

Baignée de soleil plus de trois cents jours par an, San Diego surprend par son charme provincial et sa douceur de vivre. Plaisante en dépit de son étendue et d'une population en croissance constante, elle a su préserver son héritage historique, mettre en valeur son patrimoine, s'est dotée d'un magnifique parc et de nombreux musées. Ajoutez à cela de superbes plages qui s'étirent autour de sa large baie protégée, idéale pour les sports nautiques et les activités de plein air, et vous comprendrez pourquoi la ville figure parmi les grandes destinations touristiques des États-Unis.

 NOS ADRESSES PAGE 272
Hébergement, restauration, achats, activités, etc.

ⓘ S'INFORMER

Visitor Information Center – *996-B N. Harbor Drive* (Plan II, A2) - ☎ *(619) 236 1242 - www.sandiego.org - tlj 9h-17h*. Vente de billets pour les attractions du coin. Le *San Diego Visitors' Planning Guide* vous informe sur la ville et sa région. Si vous êtes en voiture, demandez l'itinéraire du **Scenic Drive** (52 miles), circuit balisé qui vous permet de découvrir la ville. Sinon, le **Trolley Tours** (*39 $, à partir de 9h, horaires et points de rendez-vous sur www.trolleytours.com*) vous permet de visiter San Diego sur une journée en passant par Old Town, le port, l'île de Coronado, le zoo et les musées du parc Balboa.

▶ SE REPÉRER

Carte de région B2 (*p. 200*) – *carte Michelin Western USA 585 B 11*. San Diego se trouve à 132 miles (212 km) au sud de Los Angeles par l'I-5 ou l'I-15, et à 389 miles (623 km) à l'ouest de Phoenix.

☻ À NE PAS MANQUER

Se promener sur le front de mer pour admirer la baie et la marina ; la serre et les musées de Balboa Park ; une soirée à la terrasse d'un café de Gaslamp Quarter ; les vieilles maisons d'Old Town.

⏱ ORGANISER SON TEMPS

Attention, certains musées de Balboa Park ferment le lundi. Si vous avez le temps, prévoyez 2 à 3 jours d'excursions aux environs de San Diego.

👫 AVEC LES ENFANTS

Le zoo ou le Safari Park, parmi les plus beaux au monde ; le Reuben H. Fleet Science Center : l'Air and Space Museum à Balboa Park ; l'USS Midway Museum et le San Diego Maritime Museum.

Se promener

Bénéficiant d'une situation exceptionnelle à l'extrémité sud de la côte californienne, San Diego est la deuxième plus grande agglomération de l'État et la neuvième du pays. Si elle doit faire face aux problèmes que connaissent la plupart des grandes villes, elle offre une qualité de vie que lui envient beaucoup de métropoles américaines. Curieusement, elle reste en effet à taille humaine. Ses curiosités sont rassemblées dans des quartiers délimités que l'on parcourt à pied.

Maisons victoriennes, Heritage Park, *voir p. 268.*
Eco Images/UIG/age fotostock

★★ **DOWNTOWN** plan II

◗ *Comptez une journée à pied.*
Le centre-ville comprend plusieurs quartiers. Le plus agréable, au sud d'Horton Plaza, est le Gaslamp Quarter.
Au nord de la gare s'étend Little Italy, un quartier résidentiel sans intérêt mais très vivant et comptant nombre d'hôtels et de restaurants.

West Broadway Road B2/C2

D'ouest en est, d'American Plaza (gare des trolleys) jusqu'à la 6th avenue. Comptez 1h.

Broadway Road est la grande artère est-ouest en plein cœur de San Diego. Tout comme Gaslamp Quarter dont elle est la limite nord, elle a conservé quelques magnifiques édifices du début du 20e s. Cela vaut donc le coup de s'y promener à pied et de lever les yeux. Proche d'America Plaza, l'**YMCA**, devenu aujourd'hui une auberge de jeunesse, était en 1924 occupé par l'armée. Il est entouré de quelques bâtiments contemporains dont le palais de justice. Après Front St., remarquez l'**hôtel Sofia** et presque en face le **Théâtre Spreckels** (1912). Passé Third Ave., le luxueux **hôtel US Grant** (1910) fait face à **Horton Plaza Park** *(en cours de réaménagement).* C'est un lieu historique où la foule s'est rassemblée plus d'une fois pour exprimer son opinion. *Passez la 5th Ave.* à droite, l'**hôtel Courtyard Mariott** (1920) se dresse face aux imposants **Samuel Fox Building** (1929) et **Spreckles Building** (1925).

★★ **Gaslamp Quarter** CD2/3

Depuis Broadway, descendez par la 4th avenue, remontez par la 5th et finissez par la 6th et le bord de mer (ou inversement). Sachez qu'avant 10h tout est fermé, le quartier est nettement plus animé l'après-midi et en soirée.

Rénové avec brio, Gaslamp Quarter (le quartier des Réverbères), en souvenir des becs de gaz qui éclairaient la ville au 19e s., se compose de 16 pâtés de maisons, compris entre Broadway et Harbor Drive (nord-sud), et les 4e et 6e Ave.

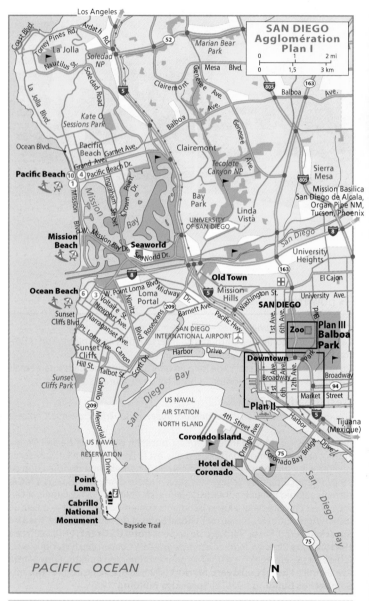

SAN DIEGO
Agglomération
Plan I

0   1   2 mi
0   1,5   3 km

Los Angeles

Coast Blvd.
Ardath Rd.
Torrey Pines Rd.
La Jolla
Nautilus St.
Soledad NP
Soledad Road
La Jolla Blvd.
Kate O.
Sessions Park
Ocean Blvd.
Pacific Beach
Garnet Ave.
Grand Ave.
Pacific Beach
Pacific Beach Dr.
Mission Blvd.
Ingraham Street
Mission Bay Dr.
Point Loma Dr.
Crown Pt. Dr.
Mission Bay
Mission Beach
Seaworld
Sea World Dr.
Ocean Beach
W. Point Loma Blvd.
Voltaire St.
Newport Ave.
Narraganset Ave.
Pt. Loma Ave.
Nimitz Blvd.
Rosecrans St.
Loma Portal
Barnett Ave.
Midway Dr.
Pacific Hwy.
Sunset Cliffs Blvd.
Sunset Cliffs
Hill St.
Talbot St.
Sunset Cliffs Park
Cabrillo
Scott Dr.
Canon
Harbor
Drive
SAN DIEGO INTERNATIONAL AIRPORT
San Diego Bay
US NAVAL AIR STATION NORTH ISLAND
US NAVAL RESERVATION
Memorial Drive
Point Loma
Cabrillo National Monument
Bayside Trail

52
Marian Bear Park
Mesa   Blvd.
Clairemont
Genesee Ave.
Balboa
Clairemont
Tecolote Canyon NP
Bay Park
Linda Vista
UNIVERSITY OF SAN DIEGO
Genesee Ave.
Old Town
Mission Hills
Washington St.
SAN DIEGO
San Diego
University Heights
El Cajon
University Ave.
805
163
Balboa   Ave.
Sierra Mesa
Mission Basilica
San Diego de Alcala,
Organ Pipe NM,
Tucson, Phoenix
8

1st Ave.
6th Ave.
Zoo
Plan III
Balboa Park
Downtown
Broadway
1st Ave.
6th Ave.
12th Ave.
Park Blvd.
Broadway
Market
Street
Plan II
209
Harbor
4th Street
Orange Ave.
Coronado Island
Hotel del Coronado
Coronado Bay Bridge
75
Harbor Drive
Tijuana (Mexique)
San Diego Bay
75

5
8
163
94
5
N

PACIFIC   OCEAN

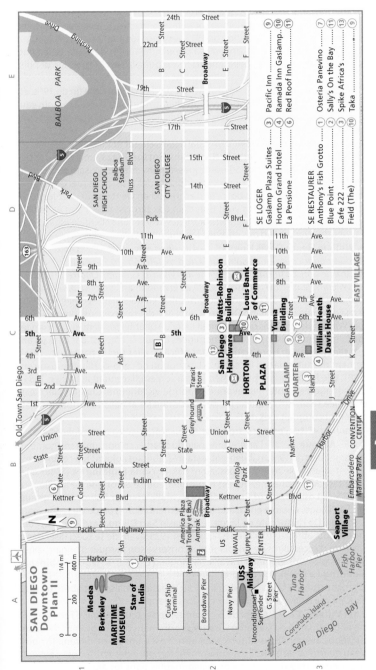

SAN DIEGO
Downtown
Plan II

SE LOGER
Gaslamp Plaza Suites .... ③
Horton Grand Hotel .... ④
La Pensione .... ⑥
Pacific Inn .... ⑨
Ramada Inn Gaslamp .... ⑩
Red Roof Inn .... ⑪

SE RESTAURER
Anthony's Fish Grotto .... ①
Blue Point .... ②
Cafe 222 .... ③
Field (The) .... ⑩
Osteria Panevino .... ⑦
Sally's On the Bay .... ⑪
Spike Africa's .... ⑬
Taka .... ⑨

(ouest-est). Avec la crise immobilière survenue à partir de 1888, ce quartier historique jadis très dynamique tomba en décrépitude. Il se transforma peu à peu, hébergeant principalement des établissements de jeu et des maisons de passe. En vue de l'Exposition de 1915, les autorités municipales décidèrent de le nettoyer et il perdit alors de sa popularité auprès des marins. Il fallut attendre 1975 pour que ces bâtiments historiques, laissés à l'abandon depuis près de cinquante ans, soient enfin restaurés.

La plupart des édifices qui subsistent aujourd'hui datent de la fin du 19e s. et leur architecture victorienne donne un charme tout particulier à ce nouveau centre urbain, par ailleurs réputé pour sa vie nocturne et ses nombreux commerces, le long de 5th Avenue.

Le cœur historique de Downtown, particulièrement animé le week-end, se découvre aisément à pied. On flâne dans **Horton Plaza**, immense centre commercial avec près de 150 boutiques, agrémenté de plaisantes cours et de petites places en plein air où se produisent des artistes de rue. On se promène le long des avenues bordées d'arbres où on vient chiner chez les antiquaires. Les conversations vont bon train aux terrasses des cafés et, le soir venu, théâtres, restaurants et bars branchés attirent une clientèle plus jeune, faisant du quartier l'un des endroits les plus vivants de la ville.

★ **William Heath Davis House** C3 – *410 Island Ave. - ℘ (619) 233 4692 - www. gaslampquarter.org - mar.-sam. 10h-17h, dim. 12h-16h - 10 $ (-18 ans 5 $) - le jeu. à 13h et le sam. à 11h, un guide propose une visite de Gaslamp Quarter au départ de William Heath Davis House (la visite de la maison est comprise dans le tour), comptez 1h30 et 20 $.* Cette jolie construction en bois blanc, édifiée en 1850, est la doyenne de Gaslamp Quarter. C'est l'une des dix maisons commandées par William Heath Davis qui souhaitait créer un quartier résidentiel à proximité de la mer. Les maisons furent acheminées depuis la côte est par bateau, en passant par le cap Horn. Louées à des officiers, elles furent par la suite totalement détruites par un incendie, à l'exception de celle-ci. Habitée jusqu'en 1981, elle fut restaurée puis acheminée à son emplacement actuel en 1984. L'aménagement intérieur évoque l'époque victorienne. Chaque pièce est meublée selon le rôle qui lui fut dévolu durant les années 1850-1880, par les différents propriétaires de la maison.

Remontez 4th Ave., prenez à droite dans Market St., puis à gauche dans 5th Ave.

★★ **5th Avenue** (C2/3) – L'artère principale du quartier compte un grand nombre d'immeubles du 19e s., habilement restaurés, abritant aujourd'hui commerces et restaurants. Ne manquez pas, au n° 631, le **Yuma Building**★★ (1888), à la jolie façade victorienne, qui est le premier édifice en brique de la ville. Au n° 835, la **Louis Bank of Commerce**★★ (1888), premier bâtiment en granit de San Diego, déploie en façade une ornementation typique du renouveau baroque. De l'autre côté de la rue, le magasin **San Diego Hardware**★★, édifié en 1910, abrita une salle de bal jusqu'en 1923, avant de se spécialiser dans la vente d'accessoires de bricolage. Il a conservé son parquet d'origine, ainsi que ses plafonds en métal travaillé. À l'angle d'E Street, le **Watts-Robinson Building**★★ (1913), l'un des premiers gratte-ciel, est représentatif de l'école d'architecture de Chicago. Il domine tout le pâté de maisons et abrite un restaurant qui a tiré parti des beaux espaces intérieurs.

East Village (CD3) – À l'est de 6th Avenue, ce secteur en pleine rénovation ne fait pas partie de Gaslamp Quarter proprement dit. Longtemps délaissé et fréquenté par de nombreux sans-abri, il est en passe de devenir le nouveau quartier à la mode. Il est notamment fort prisé des artistes qui peuvent louer des lofts à des prix encore raisonnables dans les anciens entrepôts du port.

★ **PROMENADE SUR LES QUAIS** Plan II

▶ *À partir du Convention Center, situé au sud de Gaslamp Quarter, vous pouvez emprunter à pied la promenade qui longe les quais et remonter vers le nord.*

Seaport Village AB3

849 W. Harbor Drive - ℘ (619) 235 4014 - www.seaportvillage.com - tlj 10h-21h (22h juin-août), se renseigner pour les j. fériés

Situé non loin du centre-ville, en bord de mer au niveau de Fish Harbor Pier, cet ensemble de maisons en bois colorées, organisées autour de trois places verdoyantes, rassemble 17 restaurants et près de 54 boutiques. C'est un endroit agréable pour flâner avec la mer en toile de fond, un lieu de rendez-vous particulièrement animé le week-end, quand les orchestres de jazz et de rock se succèdent dans le kiosque d'East Plaza *(à partir de 12h)* et que les promeneurs improvisent quelques pas de danse.

En continuant vers le nord, vous apercevez à votre gauche, avec le porte-avions **USS Midway** en toile de fond, une étonnante sculpture, entièrement peinte, très réaliste, mesurant près de 7,50 m : **un marin embrassant une infirmière** *(Unconditionnal Surrender)*. Belle et émouvante, elle symbolise à elle seule l'Amérique des années 1940 et la joie de vivre. Elle est l'œuvre de Seward Johnson qui s'inspira d'une photo prise dans la rue par Alfred Eisenstaedt, le jour de la capitulation du Japon en août 1945. Cette photo fut à l'époque publiée dans le magazine *Life*.

USS Midway Museum A2

Un peu plus au nord. 910 N. Harbor Drive - ℘ (619) 544 9600 - www.midway.org - tlj 10h-17h (dernière entrée 16h), fermé Thanksgiving, 25 déc. et 1er janv. - 20 $ (13-17 ans 15 $, 6-12 ans 10 $ (2 $ moins cher si vous achetez votre billet sur Internet).

👥 Ce porte-avions de l'armée américaine a été en activité durant presque 50 ans. Cette véritable ville flottante se visite désormais (audio-tour fourni). Vous découvrez la vie à bord et vous pouvez admirer ses 29 avions, monter dans certains d'entre eux, essayer les simulateurs de vol, voir des vidéos…

★★ San Diego Maritime Museum A1

Un peu plus au nord. 1492 N. Harbor Drive - ℘ (619) 234 9153 - www.sdmaritime. org - tlj 9h-20h (21h de Memorial Day à Labor Day) - Billet combiné pour la visite des six bateaux 16 $ (13-17 ans 13 $, 4-12 ans 8 $).

👥 Ce musée se compose de sept bateaux amarrés le long des quais, que l'on peut admirer de loin si on ne veut pas rentrer dans l'aire du musée.

★★★ Star of India – Le plus ancien de ces bateaux est un trois-mâts construit en Écosse en 1863. Après plusieurs traversées commerciales vers l'Inde, il effectua 21 fois le tour du monde, pour acheminer notamment des émigrants en Nouvelle-Zélande. À partir de 1900, sa carrière se poursuivit sous les couleurs américaines et le navire fut envoyé de 1906 à 1923 en Alaska pour la pêche du saumon. Depuis 1927, il est amarré dans le port de San Diego, où sa restauration a été achevée en 1976. Vous pouvez désormais arpenter les ponts qui donnent accès aux cabines des passagers, des matelots, du capitaine et du médecin-chirurgien. Des vitrines exposent maquettes, instruments de musique et outils.

★ Berkeley – Ce ferry-boat victorien de 1898 a conservé son intérieur d'origine et sa jolie verrière en vitraux sur le pont supérieur. Il a assuré le transport de passagers entre San Francisco et Oakland jusqu'en 1958. Ne manquez pas la salle des machines, très impressionnante. Une exposition de maquettes de bateaux et de peintures maritimes complète la visite.

4

Medea – Le plus petit bateau du musée est également le plus moderne. Ce joli yacht à vapeur fut construit en 1904 pour un Écossais, avant d'être racheté par la Marine française qui l'utilisa pendant la Première Guerre mondiale. En 1946, il retourna aux mains d'un particulier britannique. Magnifiquement restauré, l'intérieur du bateau, tout en bois, est fermé au public, mais il est possible d'apercevoir la cuisine, le fumoir et la salle à manger, qui conservent leur mobilier d'origine. Deux nouveaux grands voiliers, répliques modernes de navires anciens, sont venus prendre place au musée.

Californian – Datant de 1984, c'est la reproduction fidèle d'une vedette de la douane de 50 mètres de long, construite en 1847 pour patrouiller sur les côtes américaines. Il navigue le week-end, emmenant des « aventuriers » pour des croisières de quatre heures *(embarquement à 12h (3h), 60 $ par pers., -12 ans 48 $)*.

HMS Surprise – Ce trois-mâts de 60 mètres reproduit au détail près une frégate britannique de la marine de Nelson du début du 18ᵉ s. Au cinéma, il n'est autre que le navire anglais commandé par Russel Crowe dans *Master and Commander* de Peter Weir (2003) et *Pirates des Caraïbes 4* (2011).

Sous-marin B-39 – La sixième embarcation est un sous-marin d'attaque soviétique B-39 datant du début des années 1970. Avec ses 100 mètres de long, il est l'un des plus grands sous-marins jamais construits (il devait loger une équipe de 78 hommes). Depuis la chute du régime communiste, il est amarré aux côtés de ses anciens ennemis capitalistes à San Diego.

Sous-marin USS Dolphin – Ce sous-marin a la particularité de pouvoir plonger très profondément ; il est donc employé par l'armée pour des opérations militaires traditionnelles, mais aussi dans le cadre d'activités scientifiques.

À voir aussi

★★★ **BALBOA PARK** Plan III

▶ *Comptez une journée. 1549 El Prado. De Downtown en voiture, vous rejoindrez facilement Balboa Park par la Hwy 163 N. (sortie 200). Vous pouvez également prendre le bus 7, au départ du terminal America Plaza ou y aller à pied (comptez une bonne demi-heure depuis Broadway Avenue). Le parc est ouvert tlj 24h/24. Gratuit.*

🛈 **Visitor Center** *dans la House of Hospitality. Plaza de Panama - ℘ (619) 239 0512 - www.balboapark.org - 9h30-16h30 - demandez la carte du parc : très détaillée, elle donne aussi une liste complète des musées avec leurs horaires. Vous pouvez vous procurer ici « l'audiotour » pour visiter le parc. Le Visitor Center propose également des visites guidées du parc (voir sur Internet ou sur place).*

👁 **Bon à savoir** – L'entrée du parc est gratuite, mais les musées sont payants. Si vous prévoyez d'en visiter plusieurs, vous pouvez acheter le One-Day Explorer, valable 1 jour pour 5 musées *(45 $)* ou le Multi-Day Explorer, valable 7 jours pour les 17 musées *(55 $, 3-12 ans 29 $)* ou le *Passport* combiné avec le Zoo *(94 $, 3-12 ans 61 $)*. Attention, certains musées sont fermés le lundi et le musée d'art ferme le mercredi ; en revanche, plusieurs sont gratuits le mardi. Un **tramway** gratuit circule dans El Prado et rejoint la Pan American Plaza et le parking d'Inspiration Point dans Park Blvd *(tlj 8h30-18h)*. Le parking dans le parc est gratuit. Poumon de San Diego, Balboa Park s'étire sur 486 ha en plein cœur de la ville. Ce magnifique espace vert fut dédié au public par décret en 1868 et abrite depuis les principaux musées, ainsi qu'un grand nombre d'attractions pouvant satisfaire les goûts de chacun. Les sentiers et allées sillonnant le parc constituent un havre de paix pour les joggers, cyclistes ou adeptes du roller souhaitant s'isoler un peu de l'agitation urbaine. Quant aux familles, elles viennent ici profiter d'une végétation luxuriante, pique-niquer sur de vastes

D'UNE EXPOSITION À L'AUTRE

En 1915, le parc accueillit l'Exposition internationale Panama-California, organisée pour célébrer l'ouverture du canal de Panama : d'imposants édifices de style colonial espagnol furent construits de part et d'autre d'El Prado, l'axe qui traverse le parc d'ouest en est. Ces monuments abritent aujourd'hui des musées et des salles de spectacle. Pendant la Première Guerre mondiale, le parc fut investi par l'armée aéronavale américaine, inaugurant ainsi une implantation militaire pérenne à San Diego. Après le départ des militaires, dans les années 1920-1930, les bâtiments du parc furent restaurés et deux édifices furent achevés au nord du Prado : le Museum of Art, dans un style Renaissance espagnole, et le Natural History Museum, plus imposant mais plus sobre. En 1935 eut lieu une seconde Exposition internationale, California Pacific International, et Balboa Park se dota de nouveaux bâtiments le long d'un nouvel axe, au sud du Prado, autour de la Pan American Plaza. Durant la Seconde Guerre mondiale, l'armée installa un hôpital dans le parc pour accueillir notamment les blessés de Pearl Harbor. En 1948, la restauration des édifices était achevée.

pelouses verdoyantes ou se promener le long des larges avenues ombragées, tandis qu'artistes et étudiants en beaux-arts croquent le passant ou s'inspirent de l'extraordinaire variété architecturale des lieux.

Cabrillo Bridge

L'entrée la plus spectaculaire s'effectue par le **Cabrillo Bridge**, premier pont cantilever à plusieurs arches édifié en Californie. Il mène au **West Gate** *(porte ouest)*, une arche en pierre représentant la jonction des océans Atlantique et Pacifique grâce au canal de Panama. Vous débouchez sur la Plaza de California, à gauche de laquelle se trouve l'entrée du Museum of Man.

★ Museum of Man

☎ (619) 239 2001 - www.museumofman.org - tlj 10h-17h - 13 $ (suppl. pour les expos temporaires).

👥 Il est aménagé dans le California Building (1915), un très joli bâtiment en pierre à la façade ouvragée, considéré comme l'un des meilleurs exemples du style Renaissance espagnole. Le musée s'ouvre sur un vaste hall, surmonté d'une grande coupole, où sont exposées des répliques de stèles mayas et des objets mayas. L'ensemble des collections retrace l'**histoire des premiers hommes** avec une galerie de l'Évolution et une salle consacrée aux momies égyptiennes et péruviennes. Une belle collection de poteries, vanneries et objets divers évoque la vie des Indiens du sud-ouest des États-Unis, les Kumeyaays. Le musée accueille également des expositions temporaires. *Quittez la Plaza de California vers l'est et remontez El Prado.*

Longez **Alcazar Garden** (1915), de superbes jardins paysagers égayés de belles fontaines colorées, pour parvenir au musée suivant.

★ Mingei International Museum

☎ (619) 239 0003 - www.mingei.org - mar.-dim. 10h-17h - 10 $.

On accède à ce musée, construit en 1996, par une galerie couverte. Des **objets artisanaux**, traditionnels et contemporains, du monde entier y sont présentés à l'occasion d'expositions tournantes dans de vastes espaces éclairés par la lumière naturelle.

San Diego Art Institute – *Au sous-sol du même édifice. ☎ (619) 236 0011 - www. sandiego-art.org - mar.-sam. 10h-17h, dim. 12h-17h - 5 $.* Il expose les œuvres

4

d'artistes locaux contemporains aux styles très variés, sélectionnés par un jury toutes les six semaines : peintures, sculptures, collages.

Plus à l'est s'ouvre la **Plaza de Panama**. Au sud de celle-ci se dresse la scène en plein air du **Spreckels Organ Pavilion** (1915), où des concerts d'orgue sont donnés gratuitement le dimanche *(14h-15h toute l'année et occasionnellement - ℰ (619) 702 8138 - www.spreckelsorgan.org)*. Il côtoie le **Japanese Friendship Gardens** *(www.niwa.org - tlj 10h-19h - 8 $)*, un petit jardin japonais doté d'un pavillon où l'on peut déguster de nombreuses variétés de thé.

Plus au sud encore, la route rejoint la **Pan American Plaza**, autour de laquelle s'élèvent les bâtiments construits pour la seconde Exposition internationale *(voir encadré page précédente)*.

★★ Air & Space Museum

Sur la Pan American Plaza - ℰ (619) 234 8291 - www.sandiegoairandspace.org - tlj 10h-16h30 - 19,50 $.

C'est une visite passionnante qui vous attend dans le Ford Building (1925), un régal pour les yeux quel que soit l'âge. Ce vaste musée retrace la grande aventure de l'aviation, raconte les exploits des pilotes hommes et femmes qui ont conquis le ciel. Au sol et en l'air, la réplique de l'avion de Lindbergh, des avions des Première et Seconde Guerres mondiales (américains, allemands, français, japonais…) des objets, des uniformes, des affiches, des documents et des vidéos d'époque qui racontent l'histoire de l'aviation. D'autres espaces sont consacrés aux premières machines à voler, aux avions américains plus récents (essayez les simulateurs de vol) et à la capsule Appolo 13.

San Diego Automotive Museum

Sur la Pan American Plaza - ☎ (619) 231 2886 - www.sdautomuseum.org - tlj 10h-17h (dernière entrée 16h30), 10h-16h le mar. - 9 $ (6-15 ans 4 $).

👥 Connaissez-vous les Lowrider ? C'est un concept créé par les Chicanos de la communauté mexicaine qui consiste à conduire le plus près possible du sol. Les Lowrider sont donc des voitures américaines des années 1940-1960 entièrement relookées avec accessoires et couleurs pétantes, à voir au moins une fois dans sa vie. Le musée en possède une belle collection ainsi que des voitures anciennes et des motos (dont certains side-cars) de la première moitié du 20e s.

Revenez Plaza de Panama.

À l'est de la Plaza de Panama se dresse la **House of Hospitality★** (1915), siège du *Visitor Center*.

★★ Museum of Art

Au nord de la place - ☎ (619) 232 7931 - www.sdmart.org - lun.-mar. et jeu.-sam. 10h-17h, dim. 12h-17h - fermé le merc. - 15 $ (-17 ans gratuit).

L'édifice, construit en 1926, présente une façade richement travaillée de style plateresque, inspirée de celle de l'université de Salamanque. Outre ses expositions temporaires, le musée d'Art de San Diego propose des **peintures sacrées et profanes d'Europe** (14e-18e s.), parmi lesquelles *L'Arrestation de Santa Engracia* de Bartolomé Bermejo, ainsi que des œuvres du Greco, de Frans Hals, Francisco de Zurbarán, Goya et Toulouse-Lautrec. Vous pourrez également y admirer des **peintres américains** renommés (19e-20e s.), tels que John Sloan ou Georgia O'Keefe. Enfin, ne manquez pas les **collections d'art asiatique**, avec des jades chinois, et la collection Binney rassemblant des peintures d'Asie du Sud-Est.

Le musée est particulièrement reconnu pour ses collections d'**art moderne**, notamment *Le Bouquet* de Matisse, *Le Spectre du soir* de Dalí, et trois sculptures remarquables : *L'Idea del cavaliere* de Marino Marini, *Torso-l'île de France* d'Aristide Maillol et *Cubi XV* de David Smith. Le musée s'attache également à présenter les œuvres d'artistes californiens contemporains et des pièces de collections privées lors d'expositions à thème.

★ Timken Museum of Art

☎ (619) 239 5548 - www.timkenmuseum.org - mar.-sam. 10h-16h30, dim. 12h-16h30 - fermé lun. et principales vacances - gratuit.

La galerie présente une trentaine de tableaux de **maîtres européens** tels Le Caravage, Corot, Fragonard, David (13e-19e s.), parmi lesquels une *Madone à l'Enfant* de Véronèse, *La Parabole du semeur* de Bruegel l'Ancien, un *Saint Barthélemy* exécuté par Rembrandt et une toile de François Boucher. Il regroupe aussi une collection de **peintures américaines** du 19e s. – Eastman Johnson, Albert Bierstadt – ainsi que des **icônes russes** des 15e-17e s.

★ Botanical Building

Derrière le Timken Museum, vend.-merc. 10h-16h. Gratuit.

Cette immense serre en bois de 1915, l'une des plus grandes au monde, abrite plus de 2 100 espèces de plantes dont une fabuleuse collection d'orchidées, des plantes tropicales, des palmiers, des fougères et des fleurs de saison. Elle est précédée d'un long bassin couvert de nénuphars, dans lequel les malades de l'hôpital militaire venaient se baigner pendant la Seconde Guerre mondiale.

4

À l'est du bassin se dresse la **Casa del Prado★★**, une belle demeure de style colonial espagnol dans laquelle différents organismes municipaux ont installé leurs bureaux. Elle ne fut inaugurée qu'en 1971, mais certaines ornementations proviennent d'un bâtiment édifié pour l'Exposition de 1915.

Il existe également, disséminés dans le parc, une quinzaine de petits jardins à thème (roseraie, jardin des cactus, jardin du désert…), la plupart en accès libre.

★ Casa de Balboa

Face à la Casa del Prado, cette majestueuse demeure fut construite en 1915 par l'architecte Bertram Goodhue qui s'inspira du palais du gouvernement de Querétaro (Mexique). L'édifice abrite aujourd'hui plusieurs musées.

★ Museum of Photographic Arts – ℘ *(619) 238 7559 - www.mopa.org - mar.- dim. 10h-17h (20h le jeu. de juin à août) ; ouvert jusqu'à 15h certains j. fériés - 8 $.* Il possède un fonds de plus de 9 000 photos qui sont visibles à tour de rôle lors d'expositions temporaires consacrées à un artiste ou à un thème. Il est par ailleurs doté d'une salle de cinéma d'art et d'essai.

San Diego History Center – ℘ *(619) 232 6203 - www.sandiegohistory.org - tlj 10h-17h - 10 $.* Dédié à l'histoire de San Diego depuis 1850, ce musée met en scène une partie de ses collections (écrits, photographies, mobilier, peintures, documents divers) lors d'expositions tournantes dont les thèmes sont liés à la ville de San Diego. Sont également exposés, par roulement, des vêtements et accessoires de mode dont le musée possède un fonds intéressant.

★ San Diego Model Railroad Museum – ℘ *(619) 696 0199 - www.sdmrm.org - mar.-vend. 10h-16h, w.-end 11h-17h - 10,75 $ (- 5 ans gratuit).* 👪 Venez découvrir en famille les trains qui ont sillonné les vastes étendues américaines : ici circulent un grand nombre de trains miniatures sur plus de 2 km de voies de chemin de fer, bordées de gares historiques du Sud-Ouest américain.

À l'extrémité est du Prado s'ouvre la Plaza de Balboa.

Reuben H. Fleet Science Center

Au sud de la Plaza de Balboa - ℘ (619) 238 1233 - www.rhfleet.org - tlj 10h-18h (20h vend.) - musée 19,95 $ (3-12 ans 16,95 $) inclut dôme géant + cinéma IMAX. 👪 L'édifice, de 1973, a été conçu dans le but d'initier les enfants mais aussi les adultes à la science. Douze expositions permanentes dotées de nombreuses activités interactives dévoilent le corps humain, l'évolution de l'âge, le monde de l'illusion, de la perception, les principes de construction, les sens, l'espace, l'eau, l'énergie… tandis que des expositions temporaires évoquent l'origine de la vie, les comètes et les astéroïdes, les dinosaures et les fossiles… Des projections sur écran IMAX ont lieu toutes les heures *(à partir de 12h, voir le programme sur Internet).*

San Diego Natural History Museum

Au nord de la Plaza de Balboa - ℘ (619) 232 3821 - www.sdnhm.org - tlj 10h-17h (20h vend. de Memorial Day à Labor Day) - fermé à Thanksgiving, 25 déc. et 1er janv. - 19 $ (3-17 ans 12 $). 👪 Le musée, installé dans un bâtiment de 1933, s'intéresse à l'histoire naturelle de la Californie et à l'écosystème propre aux rivages océaniques. Les squelettes de baleines, de dinosaures et d'autres espèces côtoient les fossiles ainsi que de nombreux exemplaires de la faune et de la flore californiennes. Le musée propose également des expositions temporaires aux thèmes variés et un film sur grand écran.

Empruntez la rue à gauche du musée d'Histoire naturelle. Remarquez la **Casa del Prado★★** et sa très belle architecture de style espagnol colonial : elle sert de cadre à des représentations culturelles et à des dîners *(www.balboa*

park.org). Rejoignez ensuite le très coloré et fleuri **Spanish Village Art Center** (1935) (*℘ (619) 233 9050 - www.spanishvillageart.com - tlj 11h-16h - entrée libre*) qui abrite 37 ateliers/galeries d'artistes et artisans. Potiers, peintres, sculpteurs, émailleurs, souffleurs de verre et graveurs sur bois y présentent et vendent leurs œuvres.

★★ **San Diego Zoo** (Plan III)

Comptez 3h. Le zoo est situé au nord des musées. Vous pouvez le rejoindre directement de Downtown en remontant 12ᵗʰ Ave. puis Park Blvd vers le nord.

℘ *(619) 231 1515 - www.sandiegozoo.org - 6 janv.-20 juin et 3 sept.-oct. : 9h-18h ; 21 juin-2 sept. : 9h-21h ; nov.- 12 déc. et j. fériés : 9h-17h ; 13 déc.-5 janv. : 9h-20h - billet zoo seul : 50 $ (40 $ 3-11 ans) ; billet combiné, valable 5 jours, avec le Safari Park de San Diego (voir p. 271) : 90 $ (70 $ enf.) ; billet combiné, valable 7 jours Zoo Safari Park-SeaWorld : 165 $ (135 $ enf.). Un bus propose une visite guidée de plus de la moitié du zoo (9h30-17h, comptez 35mn sans arrêt). Un bus express vous dépose à 5 endroits différents (à partir de 10h30).*

Aménagé en pleine nature, sur un terrain vallonné et boisé de 50 ha, le zoo de San Diego, le plus vaste au monde, a gagné une solide réputation internationale avec plus de 800 espèces d'animaux. Cinq miles de voies pavées conduisent aux cages *(si vous souhaitez emprunter les bus, prenez à droite et suivez les panneaux jusqu'à la rampe de départ).*

Les **pandas géants**, stars incontestables du zoo, sont généralement visibles en fin de matinée *(10h-13h).* Ils voisinent avec des singes, des ours, des éléphants, des hyènes et des lions.

Le **Children's Zoo** *(à gauche de l'entrée)* s'adresse plus particulièrement aux enfants et leur propose d'observer des animaux de petite taille, ainsi que les bébés de diverses espèces.

Le **Skyfari aerial tram★** *(10h-17h. Le terminal ouest du tram se trouve à gauche de l'entrée)* permet de se rendre en quelques minutes de l'autre côté du zoo, tout en profitant d'une vue panoramique sur le parc.

Le **Zoo 4-D Theater** projette un film en 3D avec effets sensoriels qui raconte l'âge de glace et la grande épopée des dinosaures *(10h30-17h - 6 $).*

D'autres activités payantes sont proposées : visite guidée du zoo, train miniature, déjeuner des girafes… *(se renseigner à l'entrée).*

★ LA BAIE DE SAN DIEGO Plan I

4

▶ *Comptez une journée.*

Fermée à l'ouest et au nord par la péninsule de Point Loma, la baie est occupée par Coronado Island, seconde presqu'île rattachée à la terre ferme, au sud, par une étroite langue sablonneuse.

Coronado Island

La presqu'île est accessible en voiture par le Coronado Bay Bridge, au sud de Harbor Drive (gratuit). Plusieurs compagnies assurent la liaison en ferry depuis Embarcadero, non loin du Maritime Museum (1 départ ttes les h, 15mn de traversée ; 4,25 $ aller). Possibilité de louer un vélo dès votre arrivée sur l'île. Visitor Center : 1100 Orange Ave. - ℘ (619) 437 8788 - www.coronadovisitorcenter.com - lun.-vend. 9h-17h (10h w.-end).

Cette presqu'île résidentielle huppée, occupée pour moitié par une base militaire, compte surtout une attraction très populaire, l'**Hotel del Coronado★**, familièrement surnommé *The Del (1500 Orange Ave. - ℘ (619) 435 6611 ou 800 468 3533 - www.hoteldel.com).* Édifié en 1888 au sud de Coronado Island et restauré en 1998, cet imposant hôtel en bois blanc, quelque peu extravagant, se distingue notamment par ses tourelles couvertes de tuiles rouges. Il accueillit de nombreux hôtes célèbres, comme Marilyn Monroe et Tony Curtis pendant le tournage de *Certains l'aiment chaud* (1959), mis à l'honneur dans le petit musée de l'hôtel. L'élégant hall d'entrée, tout en bois sombre, les restaurants, les bars et les galeries marchandes sont accessibles au public, le reste étant réservé aux résidents.

★ Point Loma et Cabrillo National Monument

Vous pouvez rejoindre la péninsule de Point Loma en voiture par la Hwy 209 ou prendre le bus 26 qui dessert le Visitor Center *(départ ttes les 30mn, de 8h à 17h, de la station de trolley Old Town) - tlj 9h-17h (dernière entrée dans le parc à 16h30) - entrée du parc : 10 $/véhicule ou 5 $/piéton.*

🚻 *Le* Visitor Center *est situé à la pointe. www.nps.gov/cabr.*

Longue de 8 miles, la péninsule de Point Loma garde l'entrée de la baie de San Diego. S'élevant à 128 m au-dessus de la mer, elle a toujours été un point de repère pour les marins. L'espace sauvage protégé qui occupe l'extrémité du promontoire porte le nom de **Cabrillo National Monument★** en hommage à Juan Rodriguez Cabrillo, l'explorateur portugais qui fut le premier à accoster dans la baie en 1542.

Derrière le *Visitor Center*, une petite esplanade offre une vue panoramique sur les installations militaires de Coronado Island et la ville de San Diego.

👣 De là, vous pouvez facilement rejoindre à pied l'**Old Point Loma Lighthouse**, un petit phare blanc en activité de 1854 à 1891, dont l'intérieur donne une idée de la vie qu'y menaient les gardiens. Au départ du phare, le **Bayside Trail** *(2h AR, le sentier ne donne pas accès à la plage)* invite à une balade au sein de l'écosystème préservé du parc : il descend le long de la falaise, à travers les buissons bas et touffus du *chaparral*, la végétation typique de la côte. En sortant du parc, vous pouvez emprunter la route qui descend sur la côte ouest de la pointe où, à marée basse, des retenues d'eau *(tidepools)* permettent d'observer de près les animaux marins.

LE NORD DE SAN DIEGO Plan I

C'est là que la ville est née, au 19ᵉ s. C'est aussi l'endroit où l'on sent le mieux son origine mexicaine.

★★ Old Town San Diego (State Historic Park)

Comptez minimum une demi-journée. Situé à 3,5 miles au nord de Downtown, le parc d'Old Town est accessible en voiture par la Hwy 5 (tournez à droite dans Taylor St.) ou par le trolley (arrêt « Old Town Transit Center » ; depuis American Plaza et Santa Fe Depot, comptez 6mn) - mai-sept. : tlj 10h-17h (lun.-jeu. 16h reste de l'année) pour les musées ; les restaurants et les boutiques ferment plus tard - visite guidée tlj à 11h et 14h devant le Visitor Center. *Visite guidée et entrée d'Old Town gratuites.*

🚻 *Le* **Visitor Center** *est sur la place centrale, dans la Robinson Rose House -* 📞 *(619) 220 5422 - www.parks.ca.gov - Demandez leur plan détaillé d'Old Town.*

👥 Véritable musée en plein air, Old Town se présente comme un village, avec sa place centrale, la **plaza de Las Armas**, et ses demeures historiques, en adobe (brique rudimentaire en terre et paille), en bois ou en brique, dans une atmosphère qui prévalait en Californie du Sud entre 1821 et 1872, pendant l'occupation mexicaine, puis américaine. En 1872, le feu qui ravagea Old Town accéléra le déplacement du centre actif de San Diego vers New Town. À l'arrière du *Visitor Center*, la **McCoy House** est une maison cossue du 19ᵉ s., entièrement meublée comme elle devait l'être autrefois. Devant le *Visitor*

Une mission stratégique

LA PREMIÈRE MISSION DE CALIFORNIE

En 1542, les Indiens tipaïs-kumeyaays qui vivaient sur la côte et dans la vallée de San Diego virent débarquer Juan Rodriguez Cabrillo, le premier Européen à mettre le pied sur cette terre avant de faire route vers le nord. En 1602, Sebastián Vizcaíno fit à son tour escale dans cette baie protégée et la baptisa du nom du saint que l'on fêtait ce jour-là, San Diego (saint Jacques). Aucun campement ne fut toutefois établi avant 1769, date à laquelle la Couronne espagnole organisa « l'expédition sainte » afin d'établir des avant-postes destinés à contrer l'avancée des Russes sur la côte. Une colline, appelée aujourd'hui Presidio Hill, fut choisie pour bâtir la mission et le fort, qui furent bénis par le père **Junípero Serra** et dédiés aussi à San Diego. Contraints de déplacer la mission 5 miles plus à l'est en 1774 pour trouver des terres cultivables, les franciscains tentèrent de convertir les Indiens, qui résistaient avec vigueur et mirent la mission à sac en 1775. Cependant, en 1800, ils étaient près de 1 500 convertis à vivre et travailler aux abords de la mission.

LA PÉRIODE MEXICAINE

Au début du 19e s., des soldats à la retraite s'installèrent au pied de Presidio Hill, autour d'une place qui devint le centre du village : Old Town était né. Sous contrôle mexicain depuis l'accession du Mexique à l'indépendance en 1821, San Diego prospéra grâce au commerce des peaux provenant du bétail hérité des missionnaires. Le trafic maritime lié au transport de ces « billets de banque californiens » se développa rapidement. San Diego se défit alors de son statut militaire pour accéder à celui de *pueblo* (ville) en 1834, mais elle ne comptait que 140 habitants en 1840.

SOUS LA BANNIÈRE ÉTOILÉE

San Diego se distingua par l'organisation de deux Expositions internationales en 1915 et 1935 dans Balboa Park, mais l'activité qui détermina la croissance de la ville est liée à l'implantation de l'armée, notamment la marine, qui s'accéléra avec la Première Guerre mondiale et ne cessa de grandir. La population passa de 17 700 habitants en 1900 à 333 865 en 1950. La pureté du ciel qui prévaut la majeure partie de l'année à San Diego permit à l'aviation de s'y développer et c'est là que s'implantèrent les premières compagnies aériennes, comme Ryan Airlines et Consolidated Aircrafts. La ville attira aussi de grands noms, comme Charles Lindbergh qui, en 1927, y fit construire le *Spirit of St Louis,* avec lequel il traversera l'Atlantique sans escale.

L'ESSOR DU TOURISME

Dans les années d'après-guerre, les ressources municipales provenaient toujours à 78 % des investissements militaires de l'État fédéral à San Diego. Néanmoins, grâce à la douceur du climat, une situation exceptionnelle et une grande richesse culturelle au nombre desquelles le magnifique parc de Balboa, où voisinent une quinzaine de musées, des salles de spectacle et un grand zoo, ou encore le site d'Old Town et ses demeures restaurées du 19e s., le tourisme joua, et joue toujours, un rôle de plus en plus important dans ses ressources et son économie.

Center, à droite, se dresse la **San Diego House**, une auberge avec ses tables apprêtées et ses cuisines. La **Casa de Rodriguez** est un commerce de tabac qui semble n'avoir pas changé depuis sa fondation, avec un magnifique poêle en fonte et des comptoirs en bois chargés de marchandises. La **Colorado House**, devenue musée, n'est autre que l'ancienne agence Well's Fargo qui assurait un service de banque (elle achetait aux pionniers leurs pépites d'or), de transport (comme l'atteste la diligence) et possédait un télégraphe. À côté, la **San Diego Courthouse** faisait office de cour de justice avec sa prison. Derrière, la **Casa de Machado y Stewart** est une modeste demeure en brique, purement mexicaine. À proximité, la **Mason Street School★★** (1865) a conservé ses bancs d'écoliers. De retour sur la place, vous pénétrez dans la **Casa de Estudillo★★**. Datant de 1829, cette impressionnante bâtisse en adobe, dont les pièces meublées avec soin s'organisent autour d'un joli patio intérieur, appartenait à une riche famille de San Diego qui dirigeait les affaires de la ville. Derrière, le **San Diego Union Building★** (1851) accueille l'ancien bureau du rédacteur du journal local et sa presse d'origine. Depuis la place centrale, vous voyez la **Casa de Bandini★★** (1829), superbe demeure d'une élégante simplicité, transformée en hôtel avant de devenir un restaurant. À sa gauche, dans Mason Street, la **Blackhawk Livery Stable** où le forgeron réparait les chariot ; à sa droite, dans Calhoun Street, la **Seeley Stable** qui abrite chariots, diligences et calèches. De nombreuses boutiques et restaurants occupent le pourtour de la place et les rues adjacentes (Twiggs St. et San Diego Ave.). *Suivez San Diego Ave. et remontez à gauche dans Harney St.*

Heritage Park

Sur ce site sont regroupées des maisons en bois de San Diego des années 1880. Laissées à l'abandon, elles risquaient de disparaître à tout jamais. Pour les sauver, elles ont donc été déplacées en camion, installées à Heritage Park et restaurées. Parmi elles se dresse la première synagogue de San Diego (1889).

★ Mission Basilica San Diego de Alcala

10818 San Diego Mission Rd. Empruntez l'I-8 vers l'est et sortez à « Mission Gorge Rd », que vous remontez vers le nord. Prenez à gauche dans Twain Ave., qui devient rapidement San Diego Mission Rd. La mission se trouve sur la droite, après un virage - www.missionsandiego.com - tlj 9h-16h30 - 3 $ - messe tlj 7h, 17h30, plusieurs messes dim. matin. Comptez 1h de visite.

De la place centrale d'Old Town, vous apercevez, au nord, la colline Presidio Hill où se dressait la première mission de San Diego. En 1774, cinq ans après sa fondation, il fut décidé de la déplacer quelques miles plus à l'est afin de la rapprocher des villages indiens et des sources d'eau (un musée construit en 1929 dans le style des missions californiennes occupe désormais Presidio Hill). Elle deviendra la « mère » des 21 missions construites par la suite. Détruite en 1775 par un incendie provoqué par les Indiens, elle fut rebâtie l'année suivante par le père Junípero Serra. Il n'en reste qu'un bâtiment en adobe, la **Casa★**, dont l'une des salles servait de résidence aux prêtres. L'église, ornée d'un plafond et d'un retable en bois peint, donne sur des jardins luxuriants. Au milieu de palmiers, de bougainvillées, de roses et d'*aloa vera* se dresse le *campanario* (« campanile »), une petite tour blanche pourvue de cloches du 19e s. Un **musée** expose des objets de culte, des vêtements sacerdotaux et la reproduction des façades des 21 missions de Californie. Une collection de pistolets et d'épées rappelle que les lieux furent occupés par l'armée lors de la sécularisation (1846-1862). Dans la cour, la **St Bernardine Chapel★** renferme de magnifiques stalles en bois sculpté.

Old Town San Diego State Historic Park.
R. Cummins/Getty Images

★ MISSION BAY plan I

▶ *Comptez une journée. Située à environ 4 miles au nord-ouest de San Diego. De Downtown, prenez l'I-5 vers le nord, puis l'I-8 vers l'ouest.*

Avant de prendre le nom de Mission Bay et d'être aménagés en 1944, les marais du nord de la ville étaient appelés False Bay (Fausse Baie) par les marins, qui les confondaient avec la baie de San Diego. Depuis, ce parc de loisirs de 2 000 ha (composé pour moitié d'eau) draine un nombre croissant de visiteurs, attirés par ses 19 miles de plages, ses activités nautiques et attractions de plein air, ainsi que par le parc de SeaWorld.

★ Les plages

Au nord de Mission Bay, **Pacific Beach★** est la plage la plus agréable et la plus animée du littoral, fréquentée par beaucoup de jeunes. Tandis que planches à voile, catamarans ou skis nautiques évoluent au large, les surfeurs attendent la vague. La promenade du front de mer s'anime d'une foule de cyclistes, rollers, marcheurs ou joueurs de Frisbee, mais on vient aussi ici pour les joies de la baignade et du *farniente* sur le sable. Très animée en journée, **Garnet Avenue**, la rue principale de Pacific Beach où se succèdent bars et restaurants, est un quartier très vivant le soir, apprécié des étudiants. Elle se prolonge par une jetée à l'extrémité de laquelle on bénéficie d'une très belle vue sur la côte.

Au sud de Pacific Beach commence **Mission Beach**, abritée sur une étroite langue de terre entre l'océan et Mission Bay et où les petites baraques en bois côtoient de superbes demeures. Ce traditionnel repaire de surfeurs est bordé au sud par la San Diego River. De l'autre côté de la San Diego River, **Ocean Beach** est, elle aussi, fréquentée par les adeptes du surf. Il y règne une atmosphère de liberté et de non-conformisme très baba cool.

SeaWorld

Comptez une journée. Accessible de San Diego par l'I-5 (suivez les panneaux). Le bus 9 conduit aussi au parc (départ de la station de trolley « Old Town ») - (619)

4

226 3901 ou 800 257 4268 - www.seaworldparks.com - tlj à partir de 9h de mi-juin à début sept., de 10h le reste de l'année ; se renseigner pour l'heure de fermeture (22h en haute saison) - 80 $; billet combiné, valable 7 jours Zoo Safari Park-San Diego Zoo : 180 $ (135 $ enf.) 🅿 *17 $. Le programme remis à l'entrée indique les horaires des spectacles.*

👪 Ce parc d'attractions dédié à la mer est particulièrement adapté aux enfants. Il met en scène les animaux dans différents shows. La star incontestée de SeaWorld, l'orque Shamu, se produit lors d'un show aquatique enlevé, **One Ocean**, tandis que les otaries et les loutres de **Fools with Tools** proposent un spectacle humoristique plaisant, que les dauphins sont à l'honneur dans **Blue Horizons** et que les lions de mer évoluent dans **Sea Lions Live**. Le **Pets Rule** met en scène des animaux domestiques. Des pavillons abritent requins, pingouins, poissons exotiques, tortues, flamants roses, ours… Ne manquez pas **The world of Manta** qui vous emmène dans le monde des raies que vous pourrez toucher, ni les attractions plus récentes, telles que les films **Pirates 4D** et **Wild Arctic**, ou la descente des **Shipwreck Rapids** à bord de petites embarcations. De beaux feux d'artifice sont tirés certains soirs en été.

Excursions Carte de région B3

Si le premier atout de San Diego est sa situation au bord de l'océan, un autre de ses charmes vient des contrastes offerts par l'arrière-pays. À moins de 2h de voiture, on peut se retrouver au choix en plein désert, dans la montagne ou au cœur d'une petite ville du Far West.

★ Torrey Pines State Natural Reserve

◐ *Comptez une demi-journée. De San Diego, empruntez l'I-5 vers le nord et sortez à Genesee Ave. Prenez en direction de l'océan et tournez à droite dans Torrey Pines Rd. L'embranchement pour le parc est sur la gauche. Vous passez devant les plages avant de gravir la falaise par une route tortueuse. 12600 N. Torrey Pines Rd - ℘ (858) 755 2063 - www.torreypine.org - tlj de 7h15 au coucher du soleil - entrée libre -* 🅿 *: lun.-jeu. 12 $, vend.-dim. et vacances 15 $.*

Ce petit parc est le premier espace sauvage accessible sur la côte, au nord de San Diego. Perché en haut de la colline, le *Visitor Center (été : 9h-18h ; reste de l'année 10h-16h)* propose une exposition consacrée au pin de Torrey *(Pinus torreyana)*, une espèce en voie de disparition qui a donné son nom au parc. Quelques sentiers de randonnée invitent à se rapprocher de la falaise et des plages, afin de profiter d'une vue splendide sur l'océan.

★ Mission San Luis Rey de Francia

◐ *Comptez 1h en plus de la route. Sur la Hwy 76 (Mission Ave.) entre l'I-5 et l'I-15, à 32 miles au nord de San Diego et à 85 miles au sud de Los Angeles. 4050 Mission Ave., Oceanside - ℘ (760) 757 3651 - www.sanluisrey.org - musée lun.-vend. 9h30-17h (10h w.-end), départ de la dernière visite à 16h30 - 7 $ - fermé pdt les vacances.*

Fondée en 1798 par le père Fermin Francisco de Lasuen, la 18ᵉ mission de Californie, qui porte le nom de Saint Louis roi de France, fut l'une des plus importantes. Plus de 2 000 Indiens luisenos, originaires de la région, y ont vécu et travaillé entre 1798 et 1832. Utilisée comme caserne de 1847 à 1857, puis laissée à l'abandon après le départ des militaires, elle doit sa renaissance à une communauté de franciscains qui entreprit de la restaurer en 1892.

Commencez par la visite du **musée**, sous une longue galerie. Il retrace l'histoire religieuse, séculaire et militaire de la mission, et présente un enchaînement de pièces aménagées avec des meubles d'époque. Vous accédez ensuite à une petite cour intérieure qui donne d'un côté sur le **cloître** et de l'autre sur l'**église**. À l'extérieur, vous pouvez rejoindre les ruines du campement des soldats, le lavoir et l'aqueduc.

★★ San Diego Zoo Safari Park

▶ *Comptez une demi-journée. 35 miles au nord-est de San Diego. Suivez l'I-15 nord. Sortez à Escondido puis Hwy 78 vers l'est. Le parc est à 6 miles. 15500 San Pasqual Valley Rd, Escondido - ℰ (760) 747 8702 - www.sdzsafaripark.org - tlj en été 9h-19h, reste de l'année 9h-17h - billet Safari seul : 50 $, 40 $ 3-11 ans ; billet combiné, valable 1 an, avec le zoo de San Diego : 90 $, 70 $ enf. ; billet combiné, valable 7 jours San Diego Zoo-SeaWorld : 165 $, 135 $ enf.* 🅿 *12 $.*

👥 Dépendant du zoo de San Diego, ce grand parc vallonné de 730 ha accueille plus de **2 600 animaux sauvages** du monde entier, dont beaucoup font l'objet de programmes visant à la reproduction et à la survie de l'espèce (en particulier les rhinocéros, le bonobo, le condor), ainsi que 3500 espèces végétales.

Une partie du zoo se visite à pied, mais un **train** parcourt l'ensemble du parc pour observer les animaux, originaires des plaines d'Asie, d'Afrique ou des steppes de Mongolie, qui vivent ici en semi-liberté *(départ ttes les 20mn de la station située à 200 m de l'entrée, de 9h30 à 16h ; comptez 50-55mn)*. Le parc propose aussi différents safaris *(de 50 à 140 $ par pers.)* ainsi que des spectacles *(horaires variables selon les saisons, voir le site Internet)*. Le parc étant très grand, nous vous conseillons d'emporter votre pique-nique et de l'eau

★★ Palomar Mountain State Park

▶ *Comptez une journée. À environ 60 miles au nord-est de San Diego par l'I-15, puis la Hwy 76 - tlj de 8h au coucher du soleil - camping dans le parc, ouvert tte l'année, accueillant les camping-cars - ℰ (760) 742 3462 - www.palomarsp. org - 8 $/véhicule.*

C'est un peu la Sierra Nevada du Sud, la vraie montagne de plus de 2 000 m, couverte de conifères, avec vue sur le Pacifique : une enclave de verdure et de fraîcheur, idéale pour les pêcheurs à la truite, les randonneurs (nombreux sentiers) et les vététistes.

★★ Julian

Comptez 3h30, dont 1h30 de route. I-15 vers le nord, puis Hwy 78 vers l'est.

Une ancienne ville de mineurs, telle qu'à l'époque de la ruée vers l'or, avec ses frontons d'échoppes, ses trottoirs de bois et ses mines d'or à l'abandon. Pour les nostalgiques du Far West de cinéma, et les amateurs de tarte aux pommes (c'est la spécialité du village).

★ Anza-Borrego Desert State Park

▶ *30mn de route après Julian - ℰ (760) 767 5311 - 8 $ par véhicule. Visitor Center, w.-end et vac. 9h-17h - évitez la visite au cœur de l'été, trop chaud. Prévoyez de grandes quantités d'eau.*

🌿 Plus de 150 km de sentiers de randonnée pour découvrir le désert du Colorado et des paysages de terre brûlée, typiques du Sud-Ouest américain. Au printemps *(fév.-avr.)*, les pluies font jaillir une profusion de fleurs du désert tout à fait étonnantes.

4

😊 NOS ADRESSES À SAN DIEGO

INFORMATIONS

Le journal *Reader (www.sandiegoreader.com)*, gratuit, donne de nombreuses infos sur l'actualité de la ville : vous le trouverez dans certains magasins.

TRANSPORTS

En avion – San Diego International Airport, *3225 N. Harbor Drive* (Plan I), ℰ *(619) 400 2404, www.san.org.* Situé au bord de la baie, à 2 miles au nord-ouest du centre-ville. Le bus 992 *(The Flyer)* relie l'aéroport au centre-ville de 5h à 0h50 *(20mn ; 2,25 $).*

Transports publics locaux – La Compass Card *(2 $),* pour les **bus** et les **trolleys**, est rechargeable. Vous pouvez le faire à partir d'une borne, sur les quais des trolleys, dans les bus ou au **Transit Store**. *102 Broadway, à l'angle de 1er Ave.* (Plan II, C2), ℰ *(619) 234 1060, www.sdmts.com. Lun.-vend. 9h-17h.* Le prix du billet pour un trajet varie de 2,5 $ à 6 $. Le Regional Day Pass *(5 $)* est valable 1 jour, le Regional 2-Day Pass *(9 $)* 2 jours. Vous pouvez avoir 3 jours *(12 $),* 4 jours *(15 $),* 14 jours *(43 $)* etc. Seuls les Pass permettent d'utiliser à la fois les bus et les trolleys.

En bus – Le réseau **MTS** couvre San Diego et les environs. Le terminal principal, **America Plaza**, se trouve à l'intersection de Kettner Blvd et de C Ave. (Plan II, B2), non loin de la gare Amtrak.

En trolley – Le **San Diego Trolley** compte trois lignes, qui se rejoignent dans Downtown *(5h-0h, plus tard le sam. et en direction du Mexique).* La ligne bleue va jusqu'à la frontière mexicaine, que vous traversez à pied pour rejoindre Tijuana.

En taxi - Yellow Cab of San Diego – ℰ *(619) 444 4444 ;* **American Cab** – ℰ *(619) 234 1111 ;* **Orange Cab Co.** – ℰ *(619) 291 3333. 2,30 $ par mile.*

En vélopousse – Les étudiants arrondissent leurs fins de mois en promenant les touristes dans des *pedicab*, principalement le soir dans Gaslamp Quarter, mais aussi en journée aux abords du port. Il suffit de les héler *(2 pers. max. ; simple trajet : 8 à 15 $/pers. ; visite guidée : de 30mn à partir de 30 $).*

Location de voiture – À l'aéroport : **Avis**, ℰ *(619) 688 5000 ;* **Enterprise**, ℰ *(619) 294 3313 ;* **National**, ℰ *(619) 497 6777.*

Location de vélos - Cheap Rentals Mission Beach, *3689 Mission Blvd*, ℰ *(858) 488 9070, www.cheap-rentals.com. 5 $* l'heure, *12 $* la demi-journée, *15 $* la journée, *49 $* la semaine.

HÉBERGEMENT

Dans le centre-ville (Plan II)

PREMIER PRIX

Red Roof Inn – *719 Ash St.* (C2) - ℰ *(619) 232 2525 - www.redroof.com* - 🖥 🅿 - wifi - 67 ch. Ce motel accueillie est aménagé sur trois étages, autour d'une cour. Chambres propres et spacieuses.

BUDGET MOYEN

Pacific Inn – *1655 Pacific Hwy* (A1) - ℰ *1-800 571 2933 - www.pacificinnsd.com* - 🖥 🅿 🏊 ♿ - wifi - 34 ch. 119/199 $. Petit motel très confortable, à deux blocs de la mer. La piscine est, hélas, à côté du parking. Promotions sur Internet.

La Pensione Hotel – *606 W. Date St.* - au carrefour d'India St. (B1) - ℰ *(619) 236 8000 - www.lapensionehotel.com* - 🖥 🅿 ♿ - wifi - 🍴 15/20 $ - 68 ch. 160/200 $.

Dans Little Italy, cet hôtel d'un très bon rapport qualité-prix possède des chambres de taille moyenne, avec réfrigérateur. Parking souterrain.

POUR SE FAIRE PLAISIR

Ramada Inn Gaslamp – *830 6*[th] *Ave.* (C2) - *☎ (619) 531 8877 - www. stjameshotel.com -* 🖵 ✕ 🅿 *- 99 ch. 119/289 $.* Dans cet hôtel construit en 1913 (son ascenseur était alors le plus rapide au monde !), les chambres ne sont pas très grandes, mais bien aménagées. Superbe vue depuis la terrasse sur le toit, sur la ville.

Horton Grand Hotel – *311 Island Ave.* (C3) - *☎ 800 542 1886 - www. hortongrand.com -* 🖵 ✕ *-* 🅿 *38 $/nuit - wifi - 132 ch. 149/309 $.* Deux hôtels de 1886 ont été rassemblés autour d'un patio pour former cette fantaisie victorienne. Agencement unique et des reproductions de meubles d'époque pour chaque chambre.

Gaslamp Plaza Suites – *520 E. St.* (C2) - *☎ (619) 232 9500 - www. gaslampplaza.com -* 🖵 *-* 🅿 *32 $/j. -* ♿ *- wifi dans le hall - 64 ch. 139/299 $* 🛗*.* Dans cet hôtel historique de 1913, les chambres sont spacieuses (la plupart peuvent accueillir quatre personnes) et bénéficient de belles vues. Le petit-déj. est servi sur le toit-terrasse.

Aux abords des plages
(Plan I)

🅰 **Bon à savoir** – Réservez bien à l'avance, surtout l'été.

BUDGET MOYEN

Mission Bay Motel – *4221 Mission Blvd - près de Reed Ave. - ☎ (858) 483 6440 - www.missionbaymotel. com -* 🅿 🛁 ♿ *- wifi - 50 ch. 169 $.* Des chambres simples, mais propres, dans un motel bleu et blanc, certaines pour 4 avec kitchenette.

Ocean Beach Hotel – *5080 Newport Ave. - ☎ (619) 223 7191 - www.obhotel.com -* 🖵 🅿 🛁 ♿ *- wifi - 56 ch. 179/300 $.* Un motel à l'accueil sympathique et aux chambres bien équipées (machines à café, réfrigérateur) ; certaines ont un balcon ou vue sur l'océan.

POUR SE FAIRE PLAISIR

Surfer Beach Hotel – *711 Pacific Beach Dr. - ☎ (858) 483 7070 - www. surferbeachhotel.com -* 🖵 ✕ *-* 🅿 *17 $/nuit -* ♿ *- wifi - 52 ch. 207/438 $ -* 🛁*.* Grandes chambres confortables, avec balcon et vue sur l'océan. Certaines (4 pers.) ont une kitchenette.

Blue Sea Beach Hotel – *707 Pacific Beach Dr. - ☎ (858) 488-4700 - www.pacificahotels.com/ blueseabeachhotel -* 🖵 ✕ *-* 🅿 *20 $/nuit -* ♿ *- wifi - 128 ch. 229/769 $ -* 🛁*.* Un complexe tout confort avec de grandes chambres bien équipées (cafetières, etc.), certaines avec vue sur l'océan.

RESTAURATION

Dans le centre-ville (Plan II)

🅰 **Bon à savoir** – Ce quartier, animé de jour comme de nuit, invite à la balade. Dans 5th Ave., à l'ambiance bon enfant, vous aurez l'embarras du choix, même si certains restaurants sont chers.

PREMIER PRIX

Cafe 222 – *222 Island Ave.* (C3) - *☎ (619) 236 9902 - www.cafe222. com - 7h-13h45 - 10/13 $.* Un joli café coloré à la décoration éclectique, où déguster de copieux petits-déj. (omelettes, gaufres…) ou un sandwich le midi, sur un fond de musique jazz.

BUDGET MOYEN

The Field – *544 5*[th] *Ave.* (C3) - *☎ (619) 232 9840 - www.thefield. com - 11h-2h, w.-end 9h-2h -* 🅿 ♿ *- wifi - 10/22 $.* Vrai pub irlandais

4

sympathique et restaurant, avec tous les plats traditionnels (*Irish stew, boxty*) et soirées concerts.

Spike Africa's – *411 Broadway Ave.* (C2) - ℘ *(619) 795 3800 - www.SpikeAfricas.com - 11h-22h, vend.-sam. 11h-23h, dim. 13h-21h - 16/30 $.* Venez ici pour déguster les produits de la mer simplement grillés ou soigneusement cuisinés.

POUR SE FAIRE PLAISIR

Blue Point – *565 5th Ave.* (C3) - ℘ *(619) 233 6623 - 17h-22h, vend.-sam. 17h-23h -* 🅿 *15/20 $ -* ♿ *- wifi - 30/55 $.* Une carte originale qu'apprécieront les amateurs de poissons et de fruits de mer. Salle Art déco avec des petites alcôves pour plus d'intimité.

Osteria Panevino – *722 5th Ave.* (C2) - ℘ *(619) 595 7959 - www.osteriapanevino.com - 10h-22h30, vend. 10h-23h, sam. 8h-23h30, dim. 8h30-22h30 - 23/49 $.* Parmi la pléiade de restaurants italiens de l'avenue, celui-ci se distingue par sa décoration sobre, mais élégante, et une carte très variée.

Taka – *555 5th Ave.* (C3) - ℘ *(619) 338 0555 - www.takasushi.com - 17h30-21h30, w.-end 17h30-22h -* ♿ *- 15/25 $.* Le meilleur restaurant japonais de la ville. Poissons très frais et délicieux sushis.

Sur le port (Plan II)

BUDGET MOYEN

Anthony's Fish Grotto – *1360 N. Harbor Dr* (A1-2) - ℘ *(619) 232 5103 - www.gofishanthonys.com - 11h-21h, vend.-sam. 11h-21h30 - fermé Pâques, Thanksgiving, 25 et 31 déc. -* ♿ *- 15/50 $.* Grande cafétéria, à l'ambiance décontractée, aux prix attrayants mais au service un peu long. Sa spécialité : les plats de poisson.

POUR SE FAIRE PLAISIR

Sally's On the Bay – *1 Market Place* (B3) - ℘ *(619) 358 6740 - www.sallyssandiego.com - 11h30-14h30,*

17h30-21h30, vend.-sam. 11h30-14h30, 17h30-22h - 34/72 $. Ce restaurant de poisson au pied de la tour Hyatt's dispose d'une jolie terrasse avec vue sur la marina, ainsi que d'une grande salle élégante en marbre noir. Réserv. vivement conseillée le soir. Tapas dans l'après-midi.

Aux abords des plages (Plan I)

BUDGET MOYEN

Ortega's Cocina – *4888 Newport Ave -* ℘ *(619) 222 4205 - www.ortegascocina.com - 8h-22h, dim. 8h-21h - 15/25 $.* Restaurant mexicain très accueillant et fleuri. Cuisine et ambiance familiales.

SORTIR, BOIRE UN VERRE

😊 **Bon à savoir** – La plupart des clubs ne font payer l'entrée qu'à partir de 21h-22h, mais avant on peut se sentir un peu seul…

Prohibition – *548 5th Ave.* (Plan II C3) - *www.prohibitionsd.com - merc.-sam. 20h-2h.* L'entrée de ce bar à cocktails est invisible ; l'adresse indique un cabinet d'avocats mais la longue file d'attente de gens bien habillés, parfois dans un style rétro, vous rassurera. À l'intérieur, cocktails classiques et musique jazz, dans une ambiance sombre et rouge.

Top of the Hyatt – *1 Market Place - Manchester Grand Hyatt Hotel* (Plan II B3) - ℘ *(619) 232 1234 - 15h-1h -* 🅿. Vue splendide sur la ville et la baie depuis le bar-restaurant panoramique de ce grand hôtel. Idéal pour prendre un verre en fin de journée mais, le luxe a un prix !

Dick's Last Resort – *345 4th Ave.* (Plan II C3) - ℘ *(619) 231 9100 - www.dickslastresort.com - 11h-23h, vend.-sam. 11h-0h.* Une ambiance rock et une atmosphère estudiantine. Dans l'assiette, des ailes de poulet, des huîtres, des crevettes ou des bâtonnets de mozzarella frits. Terrasse.

ACHATS

Centre commercial – Westfield Horton Plaza – *324 Horton Plaza - à l'angle de Broadway et de 4th Ave.* (Plan II C2) - *☎ (619) 239 8180 - www.westfield.com/hortonplaza - 10h-21h, sam. 10h-20h, dim. 11h-18h -* 🅿 ♿. Un complexe agréablement aménagé sur cinq étages, en centre-ville.

ACTIVITÉS

Excursions – Une journée à Tijuana (Mexique). *À 30 miles au sud de San Diego, par l'I-5.* Une assurance spéciale est requise pour conduire au Mexique, mais vous pouvez vous garer avant la frontière et la traverser à pied. Vous pouvez aussi prendre le trolley à San Diego (ligne bleue ; 5 $ AR). N'oubliez pas votre passeport et votre visa touristique (volet vert) afin de pouvoir rentrer aux États-Unis. Tijuana reçoit des flots de touristes et de jeunes Américains, qui viennent s'enivrer ici le w.-end, car la législation en matière de vente d'alcool y est beaucoup plus souple. La ville ne présente pas d'intérêt particulier, si ce n'est le dépaysement et les achats bon marché.

Rollers, vélos et surf - Cheap Rentals Mission Beach – *3689 Mission Blvd - ☎ (858) 488 9070 - www.cheap-rentals.com - 9h-19h (oct.-mars. 10h-17h) - location de rollers et de vélos : 5 $/h, 12 $/j., 49 $/sem. ; location de surf : à partir de 5 $/h, 15 $/j., 65 $/sem.* Pour les leçons, se rens.

Kayak de mer - Hike Bike Kayak – *2216 Avenida de la Playa - 92037 La Jolla - La Jolla - ☎ (858) 551 9510 - www.hikebikekayak.com - 8h-17h.* en kayak vers les grottes de La Jolla (à partir de *50 $*),

pour l'observation des baleines (*70 $*).

Lois Ann Dive Charters – *Mission Bay - ☎ (619) 992 6895 - www.loisann.com - env. 95/125 $/pers. - se rens. pour les tarifs.*

Pêche en mer - H & M Landing – *2803 Emerson St. - ☎ (619) 222 1144 - www.hmlanding.com - 4h-19h.* À partir de 50 $ la demi-journée, *140 $* la journée plus la location du matériel. Possibilité d'excursions sur plusieurs jours.

Observation des baleines – La baie de San Diego est un lieu idéal pour l'observation de la migration des baleines grises appelez pour réserver. **H & M Landing** *☎ (619) 222 1144. www.hmlanding.com.*

AGENDA

Boat Show – *Début janv.* Rassemblement de bateaux dans la marina de San Diego.

Mardi Gras in the Gaslamp – *Fév. www.gaslamp.org.* Grande parade (entrée payante).

Coronado Flower Show Weekend – *En avr. coronadoflowershow. com.* Floralies sur l'île de Coronado.

Fiesta Cinco de Mayo – *1er w.-end de mai. www.fiestacincodemayo. com.* Animations festives dans Old Town.

Festival of the Bells – *Mi-juil. www.festivalofbells.com.* Commémoration de la fondation de la 1re mission de Californie : San Diego de Alcala.

World Body Surfing Championship – *Août. www.worldbodysurfing.org.* Compétition de surf à Oceanside Pier.

San Diego Harbor Parade of Light – *www.sdparadeoflights.org.* Les décorations de Noël des bateaux illuminent la baie.

4

Le plateau
du Colorado 5

Carte Michelin Western USA 585 – Nevada, Utah, Colorado et Arizona

Monument Valley.
J. Arnold/hemis.fr

LE PLATEAU DU COLORADO

SALT LAKE CITY

Utah Lake

PHOENIX

LOS ANGELES

RED ROCK CANYON

UTAH

NEVADA

ARIZONA

Wheeler Peak

Wah Wah Mtns

Meadow Valley Wash

St George

Snow Canyon SP

ZION NP

ZION NP

Cedar Breaks NM

BRYCE CANYON NP

BRYCE CANYON NP

Kanab

Coral Pink Sand Dune SP

Escalante Petrified Forest SP

Capitol Reef NP

Capitol Reef NP

CAPITOL REEF NP

Dead Hors Point SP

Anasazi SP

Boulder

Hole-in-the-Rock Road

Kodachrome Basin SP

Rainbow Bridge NM

Glen Canyon Dam

Lake Powell

ANTELOPE CANYON

Navajo NM

KAIBAB PAIUTE INDIAN RES.

HOPI INDIAN RES.

Valley of Fire SP

LAS VEGAS

Lake Mead

Hoover Dam

Skywalk

GRAND CANYON NP

GRAND CANYON NP

NAVAJO INDIAN RES.

Peach Springs

Mohave Lake

ARIZONA

FLAGSTAFF

Mogollon Rim

Little Colorado

Verde

FORT APACH INDIAN RES

LAS VEGAS ★★★ Vaut le voyage

Lake Powell ★★ Mérite un détour

Ouray ★ Intéressant

Montrose À voir

ZION NP Voir la carte détaillée du circuit

Route 66

Las Vegas

603 488 habitants – Nevada

Il n'existe pas assez de superlatifs pour décrire Las Vegas, the city of entertainment. Paillettes, strass et dollars en cascade, la ville s'affiche comme un Disneyland pour adultes. Les trois miles du Strip sont littéralement tapissés de néons colorés signalant les casinos-hôtels, les salles de spectacle et les boutiques. Pas d'horloges, pas de temps. Dans le tourbillon de cette ville artificielle posée au milieu du désert se côtoient flambeurs, jeunes mariés, businessmen, touristes et étudiants en goguette. Un mélange d'outrance… et de classe. Car après avoir joué au début des années 2000 la carte famille, Las Vegas se tourne vers les lieux haut de gamme et est en bonne place pour compter parmi les plus grandes capitales gastronomiques de la planète.

😀 NOS ADRESSES PAGE 294
Hébergement, restauration, achats, activités, etc.

🛈 S'INFORMER

Las Vegas Convention and Visitors Authority – *3 150 Paradise Rd, à l'angle de Convention Center Drive* (C2) - *℘ (702) 892 7575 ou (877) 847 4858 - www.lasvegas. com - lun.-vend. 8h-17h30.* Ce centre d'information dispense cependant toutes les informations utiles. Très bon accueil. Livret en français détaillant les différents jeux proposés dans les casinos. Le Strip est également jalonné de boutiques arborant le panneau Official Tourist Office, précieuses si vous recherchez un circuit organisé dans la région.

▶ SE REPÉRER

Carte de région A2 (p. 278-279) – carte Michelin 585 D 10. L'I-15 relie la capitale du Nevada à Los Angeles (230 miles - 368 km au sud-ouest) et l'I-93 à Phoenix (290 miles - 464 km au sud-est). Pour éviter les embouteillages du Strip, pensez à emprunter Koval Lane, parallèle au Strip entre Tropicana et Sands Ave.,

ainsi que Paradise Rd (sens unique du nord au sud).

🅿 SE GARER

Chaque casino met à la disposition des visiteurs un *self park* gratuit. Vous pouvez également utiliser le *valet service*, contre pourboire *(2 $)*.

👁 À NE PAS MANQUER

La balade, de jour comme de nuit, sur le Strip, et ses animations. Les plus grands hôtels du monde, leurs gigantesques galeries commerciales avec leurs plafonds en trompe l'œil. Freemont Street Experience.

🕐 ORGANISER SON TEMPS

Attention, l'été en journée, la chaleur est souvent intenable et il faut se réfugier dans les musées ou les Outlets Center. Il faut deux à trois jours pour arpenter le Strip, ses hôtels-casinos et ses boutiques.

👪 AVEC LES ENFANTS

Les attractions du Bellagio, de Treasure Island, de l'Excalibur, du Circus Circus et de la Stratosphere.

Se promener Plan de la ville

La marche est sans conteste le meilleur moyen de sillonner le **Strip**, cette portion du Las Vegas Boulevard qui s'étend sur près de 4 miles (6 km) au

Vue générale de Las Vegas.
D. Delimont/age fotostock

sud de Downtown, entre la tour Stratosphere au nord et le Mandalay Bay au sud. Il constitue l'axe principal de Las Vegas. Attention toutefois, les temps de parcours entre les différents hôtels-casinos sont longs : le Strip révèle des portions infranchissables et vous devrez souvent emprunter passerelles et escaliers pour aller d'un lieu à un autre. Pour la petite histoire, le surnom de Las Vegas Blvd lui a été donné par un officier de police à qui le casino Flamingo (1946) – troisième établissement à avoir vu le jour sur ce qui était alors la Los Angeles Highway – faisait penser aux clubs glamour qui jalonnaient le Sunset Strip de Los Angeles dans les années 1930…

Aujourd'hui, les hôtels-casinos rivalisent de séduction pour retenir les visiteurs. Certains mettent l'accent sur le décor des casinos, des piscines et des galeries marchandes de l'hôtel, d'autres misent sur les spectacles et les attractions. Chaque établissement dispose d'un parking gratuit, d'un service voiturier et de restaurants.

La promenade proposée alterne la marche et les transports en commun, la meilleure façon de découvrir la ville, malgré la chaleur souvent accablante. Elle commence au nord pour terminer au sud du Strip. Sachez qu'un train gratuit circule entre le Mandalay Bay, le Luxor et l'Excalibur, ainsi qu'entre le Mirage et le Treasure Island.

5

DE LA STRATOSPHÈRE… AUX FONTAINES DU BELLAGIO

★ **Stratosphere** C1

2000 S. Las Vegas Blvd - ℘ 702 383 5210 - www.stratospherehotel.com. - dim.-jeu. 10h-1h, vend.-sam. 10h-2h - tour 20 $; 1 attraction 15 $; billet combiné tour + 1 attraction 25 $, + 2 attractions 30 $, + 3 attractions 35 $, + nombre illimité d'attractions 40 $; Sky Jump 120 $.

👥 À l'extrémité nord du Strip, cette immense tour d'observation blanche, la plus haute dans son genre aux États-Unis (350 m), domine le boulevard depuis 1979 et offre une vue panoramique sur la ville, à admirer surtout de nuit.

Les amateurs de sensations (très, très) fortes apprécieront les trois attractions installées à son sommet : *Insanity - The Ride* (un bras mécanique soulève une capsule et ses passagers à une hauteur vertigineuse au-dessus de Las Vegas), *X-Scream* (montagnes russes en folie), *Big Shot* (montée et descente sanglés dans des sièges, à une vitesse incroyable - 70 km/h). *Sky Jump* est un immense saut à l'élastique depuis le 108ᵉ étage de la tour.

Prenez le Deuce sur le trottoir de droite jusqu'au Circus Circus.

Circus Circus B2

Ses 3 773 chambres en font l'un des plus grands hôtels des États-Unis depuis sa construction en 1968. C'est un établissement festif et familial, dont l'entrée se fait par un grand chapiteau qui abrite une véritable fête foraine et une petite piste de cirque où les numéros se succèdent *(tlj à partir de 11h, ttes les 20mn env. Spectacle gratuit).*

Installé sous une vaste coupole, **The Adventuredome** propose des attractions, adaptées pour les petits, plus musclées pour les plus grands *(32 $/j, 18 $/j - 1h20)*, dont un grand huit et un parcours aquatique. Idéal en famille.

Reprenez le Deuce vers le sud jusqu'au Fashion Show Mall, d'où vous prendrez la passerelle vers le Wynn.

★★★ Wynn et Encore B3

Peut-être encore plus mégalomane que d'autres entrepreneurs de Las Vegas, Steve Wynn, un businessman américain, possède un hôtel-casino qui porte son nom. Ces vingt dernières années, il a joué un rôle important dans le développement de la ville puisqu'il est aussi à l'origine du Bellagio, du Golden Nugget, du Mirage et du Treasure Island.

En 2005, il a inauguré le Wynn, complexe hôtelier très haut de gamme conçu autour d'un **lac artificiel**, où les cascades et la végétation luxuriante apportent une note exotique. Bars et restaurants offrent de très jolies vues sur ce lac. Le soir, se déroule un magnifique spectacle aquatique présenté dans une étonnante salle circulaire, *Le Rêve*.

En 2009, une autre tour quasi jumelle a vu le jour juste à côté, **Encore**. Un hôtel de grande classe, où les boutiques et les restaurants se disputent la palme du raffinement, et un pas de plus dans la démesure.

Poursuivez sur le même trottoir : vous passerez devant le Palazzo et le Venetian, superbe complexe reconnaissable à son surprenant palais des Doges, son pont du Rialto et sa tour du Campanile.

★★ Treasure Island B3

Le soir, Treasure Island présente *Mystère*, un spectacle superbe du Cirque du Soleil regroupant clowns, danseurs, musiciens, acrobates et jongleurs du monde entier.

★★★ The Venetian B3

Une Venise bis avec ses 7 000 chambres si l'on compte celles de son extension, **Le Palazzo**, ouvert en 2008. Avec sa majestueuse esplanade traversée par le « Grand Canal » qui serpente dans l'hôtel, il s'agit de l'une des imitations les plus réussies de Las Vegas (1999). La porte du « palais des Doges » franchie, chandeliers, faux marbre, dorures et peintures murales donnent le ton du casino. N'hésitez pas à flâner dans la bluffante galerie commerciale baptisée **Grand Canal Shoppes**, dont les arcades colorées sont éclairées par des réverbères et des lampions plus vrais que nature. Les boutiques installées dans des édifices italiens bordent des places traversées par le canal sur lequel voguent des gondoles *(20/30 $ pour 1h env.)*. Le dépaysement est total et les nuages

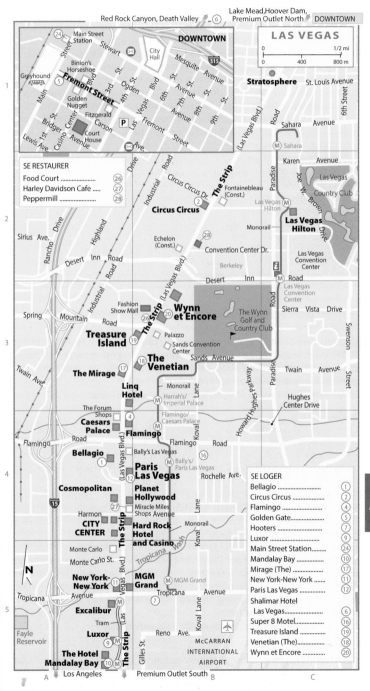

Red Rock Canyon, Death Valley 6
Lake Mead, Hoover Dam, Premium Outlet North DOWNTOWN

LAS VEGAS

0   1/2 mi
0   400   800 m

DOWNTOWN

24 Main Street Station
Stewart
City Hall
Mesquite Avenue
515
St. Louis Avenue
Stratosphere St. Louis Avenue
6th Street

Greyhound
Binion's Horseshoe
Blvd
5 **Fremont Street**
Ogden St.
Avenue
1
Golden Nugget
Fitzgerald
Carson
P
Court House
Las Fremont Street
Avenue
Bridger
Casino Center
Lewis Ave
Ave.
Drive
Road
(Las Vegas Blvd.)
Sahara Avenue
M Sahara
Karen Avenue
Las Vegas Country Club

Circus Circus Dr.
The Strip
Fontainebleau (Const.)
Paradise
Road
Las Vegas Hilton
M
2
Circus Circus
2
Monorail
Las Vegas Hilton
Joe W. Brown Drive
Echelon (Const.)
28
Convention Center Dr.
Berkeley
Las Vegas Convention Center
Desert Inn Road
Sirius Ave.
Rancho Drive
Highland
Desert Inn Road
Industrial Road
(Las Vegas Blvd.)
Desert Inn Road
M
Las Vegas Convention Center

Fashion Show Mall
The Strip
26 20
Wynn et Encore
The Wynn Golf and Country Club
Sierra Vista Drive
Swenson Street
Spring Mountain Road
19
Palazzo
3
Treasure Island
Sands Convention Center
Sands Avenue
18 **The Venetian**
17 **The Mirage**
Twain Ave.
Paradise
Twain Avenue
Hughes Center Drive
Linq Hotel
Monorail
Howard Hughes Parkway
Lane
M Harrah's/ Imperial Palace
The Forum Shops
4
Caesars Palace
Flamingo/ Caesars Palace
M
Flamingo
Flamingo Road
16
Flamingo Road
Bally's Las Vegas
Bellagio
1
M Bally's/ Paris Las Vegas
4
Paris Las Vegas
12
Rochelle Ave.
Cosmopolitan
Planet Hollywood
27 Miracle Miles Shops Avenue
Harmon
CITY CENTER
Hard Rock Hotel and Casino
Monorail
Koval
Lane
Wash
Monte Carlo
Monte Carlo St.
Tropicana
N
New York-New York
11
MGM Grand
M MGM Grand
Tropicana Avenue
Koval Lane
5
Tropicana Avenue
Excalibur
Tram
Reno Ave.
Gilles St.
McCARRAN INTERNATIONAL AIRPORT
Fayle Reservoir
Luxor
9
The Strip
The Hotel
Mandalay Bay
10
A Los Angeles B Premium Outlet South C

5

SE MARIER À LAS VEGAS

Rien de plus facile. Comptez un minimun de 115 $: 60 $ en espèces à la Court House *(201 Clark Ave.)* pour la « marriage license » à se procurer avant la cérémonie, et à partir de 55 $ à la chapelle. Libre à vous de choisir parmi les formules « tout compris » (avec photos, vidéo, fleurs, jarretière, limousine…). Ce peut être la version mariage en grande pompe dans un hôtel de luxe ou dans l'une des chapelles de bois blanc qui jalonnent le haut du Strip, une cérémonie fantaisiste dans une limousine ou en compagnie d'un Elvis ressuscité ! Il y en a pour tous les goûts et toutes les bourses… Location de robe de mariée à partir de 200 $, 100 $ pour un costume d'homme, etc.

Il faut réserver la chapelle suffisamment à l'avance. Elles sont nombreuses, l'une des plus connues est la Little White Wedding Chapel *(1301 S. Las Vegas Blvd, ✆ 1-(800) 545 8111, www.alittlewhitechapel.com. 24h/24).*

Les mariages célébrés à Las Vegas (seulement hétérosexuels) ont valeur légale et sont officiellement reconnus par les autorités américaines et françaises. Pour que votre mariage soit validé, récupérez un *Marriage Certificate* après la cérémonie, à enregistrer auprès du Clark County Recorder *(500 South Grand Central Way)* et à faire valider par le consulat de France à Los Angeles *(voir la section Mariages sur le site www.consulfrance-losangeles. org).* Pour en savoir plus, consultez le site *www.le-mariage.com/vegas.*

qui filent dans le ciel ne sont que d'étonnants trompe-l'œil. Arrêtez-vous à l'un des stands de *gelato* et vous serez définitivement conquis !

à côté du Venetian, le musée **Madame Tussauds** *(tlj 10h-22h, 30 $, 4-12 ans 20 $, 20 % de réduction si vous passez par Internet)* présente et met en scène les plus grandes stars d'Hollywood, de la musique, de la télé, de la politique, etc. grâce à une centaine de personnages de cire.

En face, de l'autre côté du Strip, vous apercevez Treasure Island.

★ **Mirage** A3

L'immense fontaine dotée d'une cascade qui trône au milieu de la promenade verdoyante menant à cet établissement (1989), le long du Strip, se transforme en **volcan★** à la nuit tombée *(tlj à 20h, 21h, et 22h vend.-sam. seult.).* Le soir, au Mirage, la compagnie du Cirque du Soleil présente l'un de ses sept shows, *Love,* qui retrace la grande aventure musicale des Beatles.

À l'intérieur du complexe, les amateurs de bêtes sauvages peuvent visiter le **Siegfried & Roy Secret Garden & Dolphin Habitat**, un zoo-show monté par les deux magiciens Siegfried et Roy, repaire de lions, tigres blancs, panthères noires, léopards et grands dauphins de l'Atlantique *(tlj 10h-18h30, dernière entrée à 17h30, 22 $, 4-12 ans 17 $).* Véritables vitrines du Mirage, les deux illusionnistes, engagés à vie par l'hôtel, ont enflammé Las Vegas pendant plus de 30 ans (et plus de 6 000 représentations !), faisant même disparaître près de 80 tigres blancs simultanément pendant leur show. Mais l'attaque d'un tigre blanc, survenue pendant un show en 2003, laissa Roy paralysé et mit un terme brutal à leur carrière.

Empruntez la passerelle pour vous rendre à l'Imperial Palace.

Linq Hotel A3

Cet hôtel (1978) ne propose rien d'exceptionnel, si ce n'est une magnifique **collection de voitures anciennes** *(The auto collection ✆ (702) 794 3174, tlj 10h-18h, 12 $; possibilité d'entrer gratuitement en imprimant des bons sur le site* *autocollections.com).* Pour rejoindre cette exposition, présentée au 5ᵉ étage de l'édifice, il faut bien évidemment traverser tout le casino.

Continuez à descendre le Strip sur le trottoir de droite, qui se transforme en une jolie promenade plantée longeant le gigantesque Caesars Palace.

★★★ Caesars Palace A4

Depuis 1996, ce palace décline le thème de la Rome antique avec beaucoup de pompe, comme vous pourrez l'observer dans l'immense galerie commerciale **Forum Shops★★**. Statues, jets d'eau et temples agrémentent les jardins, tandis que la décoration du casino marie faux marbres, frises et statues. Au bout de la galerie du Forum, vous pourrez voir *Atlantis,* un spectacle pyrotechnique *(ttes les heures, dès 11h),* un très bel aquarium, et même une réplique de la fontaine de Trévi !

Depuis 2005, le Caesars Palace abrite le restaurant de **Guy Savoy**, le pub & grill anglais du médiatique Gordon Ramsay, et d'autres établissements réputés. Côté spectacle, Céline Dion embrase, depuis 2011, le Colosseum, salle de 4 148 places spécialement construite à l'occasion de la création de son premier spectacle à Las Vegas. Elle partage occasionnellement la vedette avec Elton John, Shania Twain, des comédies musicales et des comiques américains comme Seinfeld.

En continuant sur le trottoir de droite, vous apercevez le Flamingo de l'autre côté du Strip.

★ Flamingo A4

Bâti en 1946, il fit couler beaucoup d'encre en raison de la personnalité de son commanditaire, Benjamin « Bugsy » Siegel, membre notoire de la mafia newyorkaise, venu s'installer à Los Angeles en 1937. Combinant à la fois des activités illicites et des relations avec les stars d'Hollywood, ce play-boy gangster misa sur le potentiel de Las Vegas qui n'était alors qu'une grosse bourgade en plein désert. L'ouverture du Flamingo se fit en grande pompe, en présence notamment de Clark Gable, Lana Turner et Joan Crawford. Le nom de Bugsy, exécuté par la mafia deux ans plus tard, reste associé au développement de Las Vegas. Le complexe a bien changé depuis, mais les flamants roses qui déambulent près des piscines et de la cascade constituent toujours une des principales attractions du lieu.

À l'angle de Las Vegas Blvd et de Flamingo Rd, une passerelle permet de rejoindre le Bellagio.

★★★ Bellagio A4

C'est au Bellagio qu'opère le célèbre gang d'*Ocean's Eleven* mené par George Clooney dans la version de 2001.

Construit en 1998, ce très luxueux établissement est précédé d'un large plan d'eau qui le place agréablement en retrait du Strip. Ne manquez pas le **spectacle de fontaines son et lumière★★** présenté sur ce petit lac, véritable ballet de jeux d'eau *(lun.-vend., ttes les 30mn de 15h à 20h et ttes les 15mn de 20h à 0h ; à partir de 12h sam. et 11h dim.).* Le plafond du hall de l'hôtel est somptueusement orné de fleurs de verre multicolores qui semblent onduler sous l'effet du vent, tandis que, derrière la réception, le Conservatory and Botanical Gardens est une grande **serre★** qui abrite des compositions florales de toute beauté, renouvelées au gré des saisons.

La **Bellagio Gallery of Fine Arts** présente de belles expositions temporaires *(tlj 10h-20h, 17 $)* et la compagnie du Cirque du Soleil déroule avec un magnifique ballet aquatique intitulé *O.*

5

DE LA TOUR EIFFEL AU SPHINX DE GIZEH

★★ Paris Las Vegas A4

Pour qui connaît la capitale française, la façade de cet hôtel (1999) se présente comme un condensé audacieux de ses principaux monuments qui s'entrecroisent.

La **tour Eiffel★** *(Eiffel Tower Experience, pour monter en haut de la tour, tlj 9h30-0h30, 1h vend. et w.-end - 17 $ la journée, 22 $ le soir)* domine le musée d'Orsay, qui voisine avec les fontaines de la place de la Concorde, l'Opéra Garnier et le Louvre. Le casino est également l'un des plus réussis avec ses allures de rues parisiennes, ses réverbères, ses allées pavées, son marché couvert, sa fontaine des Innocents et son pont Alexandre-III ! On se croirait, l'espace de quelques instants, en goguette dans Paris, mais un Paris revu et non corrigé par Hollywood (les fautes d'orthographe et de vocabulaire vous feront sourire). La réception, très versaillaise, avec ses lustres et ses moulures dorées, est tout aussi amusante.

Planet Hollywood A4

Cet ensemble se distingue par ses colonnes incrustées de pierres multicolores. Les galeries marchandes du **Miracle Mile Shops★★★** remportent la palme de la mise en scène pour leur ambiance et leur souci du détail. Conçu à la manière d'un souk autour d'une grande place centrale, il est baigné de parfums d'encens, de musique orientale et de chants d'oiseaux…

Cet hôtel-casino est l'ancien Aladdin, qui connut son heure de gloire sur le thème des Mille et Une nuits avant d'être, signe des temps, totalement détruit et remplacé par le complexe actuel.

De confortables sièges en cuir permettent de faire halte pour contempler les façades ouvrées, les minarets et les coupoles, avant de reprendre la marche dans ce pays imaginaire. C'est là que l'on trouve le Saxe Theater et *Vegas ! the show*, un spectacle musical dédié aux grands artistes qui ont fait l'histoire de Las Vegas *(Tlj spectacles à 19h et 21h, ☏ (866) 932 1818, www.vegastheshow. com, 80 $)*.

★★ City Center A4

Ce nouveau complexe immobilier rassemble hôtels, résidences et galerie commerciale. Un modèle de réussite architecturale sur 27 ha pour lequel de très grandes signatures ont été sollicitées : Pelli Clarke Pelli, Helmut Jahn, Rafael Viñoly, Kohn Pedersen Fox, le studio Daniel Libeskind et David Rockwell.

LES ÉTOILES MUSICALES DE VEGAS

De nombreux grands artistes ont écrit l'histoire de la ville. L'un des premiers fut **Frank Sinatra** dans les années 1960. *The Voice* brûlait alors les planches du Sand's Hotel and Casino et du Caesars Palace, seul ou avec le fameux **Rat Pack** (littéralement la « bande de rats »), groupe dans lequel on trouvait aussi **Dean Martin** et **Sammy Davis Junior**.

En 1967, **Elvis Presley** s'unissait à Priscilla Ann Beaulieu à l'hôtel Aladdin (devenu le Planet Hollywood), dans une ville où il donna plus de 500 concerts. Le crooner britannique **Tom Jones** a, lui aussi, écumé les nombreux clubs de la ville durant les années 1970. Aujourd'hui, et dans un genre bien différent, la star incontestée de Las Vegas est **Céline Dion**, qui chante au Caesars Palace depuis 2003.

Mirages dans le désert

DE LA PRAIRIE À LA VILLE

Une étape bienfaisante

Bien avant que les Mexicains ne nomment le site Las Vegas (« Les Prairies »), des Indiens païutes vivaient aux abords des sources d'eau qui constituaient un élément vital dans le désert Mojave. Leur vallée verdoyante fut redécouverte en 1829 par l'éclaireur d'un convoi mexicain, heureux de raccourcir la voie du Old Spanish Trail menant de Santa Fe (Nouveau-Mexique) à Los Angeles. En 1844, **John C. Fremont** arriva à la tête de l'une de ses nombreuses expéditions dans l'Ouest américain. Il fallut cependant attendre 1855 et l'arrivée des mormons pour qu'un campement fixe soit construit.

Genèse d'une cité

En 1904, la compagnie chargée de poser des rails dans la vallée de Las Vegas acheta les terrains alentour (une partie du Downtown actuel) pour y établir une station de ravitaillement : en 1905, la ville était née. Dans les années de la Grande Dépression, la construction du **barrage de Hoover** (*Hoover dam*), qui occasionna un afflux immédat de population, et la légalisation des jeux d'argent (1931) changèrent le cours de l'histoire. Pendant la Seconde Guerre mondiale, le gouvernement fédéral finança aussi la création d'une école de pilotes de guerre sur un immense terrain au nord de la ville. Las Vegas passa de 800 habitants en 1911 à 8 500 en 1940.

JEU ET TOURISME

« Sin City » ou l'odeur de l'argent

Au début des années 1940, seuls les hôtels-casinos El Rancho (rasé en mars 2000) et The Last Frontier (détruit en novembre 2007) se dressaient le long de la route reliant Los Angeles à Las Vegas. En 1946, la construction du **Flamingo**, par Benjamin « **Bugsy** » Siegel, donna le coup d'envoi du développement effréné de l'actuel Strip, tout en liant pour plusieurs décennies le devenir de la cité avec celui des mafias de l'est du pays. Les casinos représentent en effet un moyen sûr de blanchir de l'argent et de faire des profits non déclarés. À partir des années 1950, « Sin City » (la cité du vice) se dota de nouveaux hôtels ou agrandit ceux déjà édifiés. De 24 624 habitants en 1950, Las Vegas passa à 64 000 en 1960. En 1966, l'arrivée du milliardaire **Howard Hughes**, qui vécut en reclus dans le Desert Inn, marqua un tournant pour la ville. En rachetant plusieurs casinos, il la débarrassa de son image de cité corrompue.

Une rivale de Disneyworld ?

La population de Las Vegas connaît une croissance ininterrompue depuis les années 1950. Aujourd'hui, avec plus de 600 000 habitants, 42 millions de visiteurs par an, le 7ᵉ plus grand aéroport mondial, plus de 151 000 chambres d'hôtel et un taux d'occupation toujours supérieur à 74 %, Las Vegas peut se targuer de rivaliser avec Disneyworld en terme de fréquentation. Même si l'image d'une destination de fête, d'excès et de démesure demeure, la ville a cherché à s'imposer comme une destination familiale, misant tout autant sur les attractions proposées dans les casinos que sur le seul attrait du jeu. Une tentative qui ne s'est pas avérée aussi lucrative que prévue. Aujourd'hui, la ville joue également la carte « Luxe, calme et volupté » !

Les fondations ont été posées en juin 2006 et le centre a ouvert ses portes en décembre 2010. Plus de 9 000 ouvriers y ont travaillé et 6 d'entre eux y ont laissé leur vie.

Le centre commercial **Crystals** offre son espace à de magnifiques boutiques de luxe et des restaurants. Les **Veer Towers**, fausses jumelles inclinées, sont entièrement résidentielles, et trois grands hôtels de luxe composent un arc de cercle contrarié : le **Mandarin Oriental**, dont le 23ᵉ étage sert d'écrin au restaurant le **Twist de Pierre Gagnaire**, l'**Aria Resort and Casino**, qui accueille une nouvelle création du Cirque du Soleil, *Zarkara*, et l'hôtel **Vdara**, l'un des seuls hôtels sans casino et non fumeur.

Un ensemble qui consacre Las Vegas comme la nouvelle capitale du nec plus ultra.

Cosmopolitan A4

Coincé entre les complexes Bellagio et City Center, cet établissement de luxe est le dernier-né des hôtels-casinos du Strip. Design et ultramoderne, c'est le seul possédant des balcons sur le Strip, extension jusqu'ici totalement interdite (sans doute par peur d'éventuels suicides de clients ruinés au casino).

★ MGM Grand A5

Dès l'entrée, le gigantesque lion de la célèbre société de production et de diffusion de cinéma, Métro Goldwynn Meyer, vous donne un avant-goût de la décoration de l'hôtel évoquant les années de fastes hollywoodiens.

Cet immense hôtel conçu pour les grands congrès abrite aussi le **MGM Grand Garden Arena**, salle de 17 000 places qui propose les plus grands combats de boxe de la planète. Le MGM Grand, le Caesars Palace et le Mirage se disputent les vedettes et ont depuis longtemps supplanté le Madison Square Garden de New York et les hôtels-casinos d'Atlantic City. De Mohamed Ali à Mike Tyson, en passant par Marvin Hagler et Sugar Ray Leonard, les plus grands boxeurs ont fait de Las Vegas la capitale mondiale de ce sport.

Le MGM Garden Arena accueille également de nombreux concerts : Lady Gaga et Katy Perry, récemment, mais aussi les Rolling Stones, U2, Madonna, Elton John, Bruce Springsteen, Paul McCartney ou Barbara Streisand s'y sont notamment produits.

On trouve également au MGM Grand les deux prestigieux établissements de **Joël Robuchon** : le **Restaurant** et l'**Atelier**.

Le complexe MGM Grand s'est encore agrandi ces dernières années en ouvrant de nouvelles tours un peu à l'écart du Strip où l'on ne trouve que des suites : **The Signature**. Le spectacle, c'est encore le Cirque du Soleil qui l'assure avec *Kà*, une performance acrobatique et pyrotechnique.

New York-New York A5

Face au MGM Grand, l'hôtel (1997) est reconnaissable à ses gratte-ciel (Empire State Building et Chrysler Building), sa statue de la Liberté et son pont de Brooklyn. L'élégante réception de l'hôtel, dans le style Art déco, est du plus bel effet et vous pouvez emprunter l'un des ascenseurs afin de profiter de la vue que l'on a des étages. Il est très agréable de se promener dans les **Village Eateries★★★** qui reproduisent assez fidèlement les ruelles et arrière-cours du Village de New York, avec arbres et lampions, soupiraux et bouches d'égout d'où s'échappe un peu de fumée. Vous trouverez notamment d'excellents sandwichs, à déguster dans un décor typique des *delis* de New York.

Le Cirque du Soleil joue ici un spectacle intitulé *Zumanity*, show sensuel et érotique réservé aux adultes, tandis que le Blue Man Group fait son show musical contemporain.

Étoiles et toiles

LE BON GOÛT À LA FRANÇAISE

Cela fait quelques années déjà que la gastronomie française a investi la capitale du Nevada. Depuis 2004, au sommet de l'extension du Mandalay Bay sobrement baptisé The Hotel, le restaurant **The Mix** dirigé par **Alain Ducasse** propose une cuisine française sous influence américaine à des tarifs démocratiques, après avoir offert aux clients du bar attenant une vue à couper le souffle sur le Strip.

Pas de vue mais deux restaurants pour **Joël Robuchon** au MGM Grand : une cuisine (haut de gamme) à déguster sur le pouce à L'Atelier ou un repas gastronomique pour savourer, dans le restaurant éponyme, la cuisine 3 étoiles du chef parisien, avant d'assister à l'un des concerts événements du Grand Arena.

Depuis 2005, c'est Franck, le fils de **Guy Savoy**, qui dirige le plus prestigieux restaurant du Caesars Palace, et par là même tous les restaurants du complexe. Quant à **Pierre Gagnaire**, depuis 2009, il twiste les saveurs de l'un des nouveaux buildings du Strip, le très élégant Mandarin Oriental

Il faut ajouter à ce quartet le restaurant d'**André Rochat**, l'un des premiers Français à tenter l'aventure dans le désert, à l'Hôtel Monte Carlo.

Si les chefs français sont si courtisés par Las Vegas, c'est que l'insatiable métropole n'a de cesse de vendre du rêve. Après avoir réussi à faire revenir les plus grands artistes et spectacles du moment, elle est en passe de gagner son nouveau pari : proposer les soirées dîner-spectacle parmi les plus excitantes de la planète.

DE SINATRA À VERY BAD TRIP

Avant que Georges Clooney ne reprenne le rôle de Danny Ocean dans **Ocean's Eleven** (2001) dirigé par Steven Soderbergh dans le somptueux décor du Bellagio, c'est Frank Sinatra qui avait prêté ses traits à l'ingénieux braqueur de casinos dans **L'Inconnu de Las Vegas** (1960).

En 1992, Warren Beatty incarnait Bugsy Siegel dans le film **Bugsy** de Barry Levinson sur l'histoire du gangster qui fut à l'origine de la création du Flamingo. Mais c'est Martin Scorsese qui a permis au grand public d'entrer dans les coulisses des casinos grâce à **Casino** (1995), film épique dans lequel Robert de Niro devient le directeur de casino le plus puissant de la ville, aux côtés de Joe Pesci et Sharon Stone.

Toujours en 1995, Paul Verhoeven dévoile ce qu'il peut encore dévoiler des danseuses *topless* dans **Showgirls**, mais c'est un petit film indépendant qui recueillera les lauriers de la critique : le très dur et bouleversant **Leaving Las Vegas** de Mike Figgis, sur la déchéance d'un scénariste alcoolique (incarné par Nicolas Cage). Si l'on ne souhaite à personne les hallucinations de Johnny Depp dans **Las Vegas Parano** (1998), le film de Terry Gilliam, ex Monthy Python, reste une référence de cinéma psychédélique.

Récemment ce n'est pas **Jackpot** (2008) avec Cameron Diaz qui a raflé la mise au cinéma, mais plutôt **Very Bad Trip** (2009), petit film sans prétention sur le mouvementé lendemain de fête de trois copains partis enterrer la vie de garçon de l'un d'entre eux à Sin City (35 millions de dollars de budget… pour 280 millions de dollars de recettes).

Las Vegas a également inspiré la télévision avec, entre autres productions, une série éponyme et la plus connue (et réussie) **Les Experts : Las Vegas**.

👥 Le **Big Apple Coaster**★, un grand huit plus qu'impressionnant, vous attend sur le toit *(dim.-jeu. 11h-23h, vend.-sam. 10h30-0h, 14 $)*. Il est possible d'organiser sa cérémonie de mariage dans ce manège… **Le Coney Island Emporium** est une salle d'arcade pour les jeunes.

Excalibur A5

👥 Un chateau très kitsch (1990), inspiré des chateaux médiévaux anglais et écossais, jouxte le New York-New York. S'il est plutôt amusant de l'extérieur avec ses formes incroyables et colorées, l'hôtel mérite une visite essentiellement si l'on est accompagné de ses enfants. Plusieurs animations leur sont en effet consacrées.

De l'Excalibur, prenez le train (gratuit) pour aller au Luxor.

★ Luxor A5

La pyramide et le Sphinx grandeur nature (1996) qui garde l'entrée demeurent impressionnants. L'intérieur de la pyramide, immense, cache l'entrée d'un temple qui précède le casino. Levez les yeux et observez les couloirs menant aux chambres, aménagées dans les parois de l'édifice : l'espace vide créé par cette construction atypique est remarquable. Des espaces accueillent des expositions temporaires de qualité : **Titanic** (300 objets et des reconstitutions des cabines, *tlj 10h-22h, 35 $*) et **Bodies** (sur le corps humain, âmes sensibles s'abstenir, *tlj 10h-22h, 35 $*). Le spectacle **Criss Angel Believe** du Cirque du Soleil connaît un véritable succès. La boîte de nuit le **LAX**, animée par des DJ connus, également.

Reprenez le train pour rejoindre le dernier grand complexe du Strip, le Mandalay Bay.

★★ Mandalay Bay et The Hotel A5

L'établissement (1999) se distingue par son élégance, un peu à l'image de celle du Bellagio. De somptueux lustres aux motifs géométriques ornent le casino et la réception. Une grande verrière donne sur le **complexe balnéaire**★, où plusieurs piscines et une plage de sable se nichent au milieu d'une nature luxuriante. Le **Shark reef** est un ensemble d'aquarium géants où l'on voit évoluer une centaine de requins, des crocodiles, des piranhas… *(de fin mai à fin août : tlj 10h-22h ; reste de l'année : dim.-jeu. 10h-20h, vend.-sam. 10h-22h ; 20 $ et 4-12 ans 14 $)*. Le Cirque du Soleil fait revivre la légende de Michael Jackson dans le spectacle **One**. La tour **The Hotel** abrite au 43e étage le restaurant-lounge **The Mix** dirigé par **Alain Ducasse**.

À voir aussi

★ Fremont Street AB1

Au nord du Strip (après la Stratosphère). Au cœur de Downtown (desservie par le Deuce), Fremont St. est un axe perpendiculaire à Las Vegas Blvd, qui comprend une partie piétonne, entre Main St. et 4th St. Comptez une soirée.

La gare ferroviaire de Las Vegas, située à l'extrémité ouest de Fremont Street, fut inaugurée en janvier 1905. Elle occasionna le développement de cette artère qui accueillit les premiers établissements de jeu, dont le **Golden Gate Hotel & Casino**, en 1906.

À partir des années 1950, le quartier fut délaissé jusqu'à la création de la **Fremont Street Experience**★★, spectacle son et lumière qui illumine la rue et sa verrière de 416 mètres grâce à plus de 2 millions de spots. La verrière devient alors le plus grand écran vidéo du monde qui diffuse des clips de

Pyramide et Sphinx grandeur nature de l'hôtel Luxor.
E.Fleisher/age fotostock

6mn totalement psychédéliques *(ttes les h. à partir de 18h/20h jusqu'à minuit, gratuit)*. La journée, la partie piétonne de Fremont Street, bordée de magasins de souvenirs et d'hôtels-casinos, est moins courue que le Strip. Parmi les plus célèbres établissements, le **Binion's Horseshoe** (1931) et le **Golden Nugget** (1946) dégagent un charme un peu vieillot.

★ Hard Rock Hotel & casino B4

De l'autre coté du Strip, entre le Mandalay Bay et l'aéroport, cet établissement de luxe, reconnaissable par la gigantesque guitare électrique, accueille le week-end dès 10h du matin la *Rehab pool party*, où de jeunes gens en maillot dansent dans la piscine sur de la musique mixée par un DJ !
Le reste de la semaine, il demeure l'hôtel le plus rock de Vegas. À conseiller à ceux qui voudraient faire de leur séjour une fête non-stop.

Excursions Carte de région

AUTOUR DE LAS VEGAS

5

★ Red Rock Canyon Hors plan par A2

Comptez une demi-journée. À 18 miles à l'ouest de Las Vegas, sur la Hwy 159 (Charleston Blvd). De 7h au coucher du soleil. 7 $/véhicule. ⛔ *National Pass accepté.*
🚻 *Visitor Center à l'entrée de la route panoramique.* ℘ *(702) 515 50, www. redrockcanyonlv.org. Visitor Center : 8h-16h30 ; route scénique : avr.-sept, 6h-20h ; mars et oct., 6h-19h ; nov.-fév., 6h-17h.*
Situé dans le désert Mojave, ce parc de près de 1 000 km² présente des reliefs formés il y a 65 millions d'années environ, suite à un choc violent entre deux plaques terrestres : la plus ancienne, formée de roche calcaire, fut en partie poussée au-dessus de la plus récente, constituée de grès rouge.
Une route touristique (13 miles) serpente au milieu de ces monts arrondis, dénués de toute végétation, qui flamboient au coucher du soleil. Une

vingtaine de chemins de randonnée (30 miles) permettent d'approcher les formations, offrant des panoramas saisissants. Parfois, de petits ânes sauvages à la robe brun foncé, descendants des ânes des prospecteurs, s'approchent des sentiers.

★★ Lake Mead A2

Comptez une demi-journée. À 30 miles de Las Vegas, sur la Hwy 582 (Boulder Hwy).

★ Hoover Dam – *Le barrage est situé à la frontière du Nevada (Pacific Time) et de l'Arizona (Mountain Time) ; les horaires indiqués ici sont ceux du Nevada. Parking aux abords du barrage (8h-17h15).*

Visitor Center ☎ (702) 494 2517 ou 1-866 730 9097, www.usbr.gov/lc/hooverdam. Tlj 9h-17h, 10 $. Visite guidée de la centrale (30mn) de 9h30 à 16h (15h en hiver), 15 $ (4-16 ans 12 $). Visite guidée du barrage (1h) de 9h30 à 15h30, 30 $. Fermé Thanksgiving et Noël. Prenez un chapeau et de l'eau en quantité.

Le barrage de Hoover, une impressionnante masse de béton édifiée dans un étroit défilé de roches volcaniques, a donné naissance au lac Mead, qui s'étire au milieu de collines arides, que l'on découvre en parcourant les routes aménagées dans le désert alentour.

En 1928, sa construction, destinée à domestiquer le puissant fleuve Colorado, arriva à point nommé en pleine période de Grande Dépression. Las Vegas bénéficia de la publicité faite autour de cette réalisation audacieuse, mais, ironiquement, les responsables du barrage décidèrent de fonder à proximité du site une autre ville, Boulder City, où le jeu était interdit afin que les ouvriers travaillant sur le chantier ne soient pas tentés : de nos jours, c'est la seule enclave du Nevada où cette activité est encore prohibée.

Commencée en 1931, l'édification du barrage fut achevée en 1935, deux ans avant la date prévue. Du haut de ses 379 m, le Hoover Dam était à l'époque le plus grand barrage du monde. En 1999, il a d'ailleurs été reconnu comme l'une des constructions les plus marquantes du 20e s. Après la visite du barrage, faites demi-tour et prenez à droite la Hwy 166 jusqu'au Alan Bible Visitor Center *(9h-16h30)*, agréablement aménagé et très informatif, afin de prendre des cartes et de vous renseigner sur l'état des routes autour du lac Mead.

★★ Rives du lac Mead – Accès à l'espace protégé Lake Mead Recreational Area. *20 $/véhicule, si vous ne possédez pas le National Parks Pass.*

Une fois le barrage achevé, les canyons creusés par le fleuve Colorado et son puissant affluent, la rivière Virgin, se sont remplis, créant le **lac Mead**, une immense étendue de plus de 177 km de long et de 63 900 ha, pouvant contenir jusqu'à 35,2 millions de m3 d'eau. Ce faisant, toute une partie de l'héritage historique du lieu a été engloutie. Les ruines des villages des Indiens anasazis, qui vécurent au confluent de la rivière Virgin et du Colorado de 500 av. J.-C. à 1150, reposent à présent sous l'Overton Arm, au nord du lac. Dans le même temps, l'apparition d'un lac au milieu du désert Mojave, le plus petit, le plus chaud et le plus aride des déserts américains, a occasionné la création du **Lake Mead Recreational Area**, une aire d'activités pour les vacanciers américains, qui viennent ici s'adonner aux sports nautiques.

Le lac Mead est l'un des plus grands réservoirs des Etats-Unis, censé alimenter Las Vegas. Mais la sécheresse des dernières années voit le niveau d'eau diminuer drastiquement.

Il est possible de retourner à Las Vegas en suivant la Hwy 166, puis la Hwy 147. Pour rejoindre l'Utah et St George par l'I-15, suivez les Hwys 166, puis 167 et 169. Pour visiter Valley of Fire State Park (ci-contre), suivez la Hwy 167.

Valley of Fire State Park.
C. Cheadle/age fotostock

★★ **Valley of Fire State Park** A2

Comptez une demi-journée. À 56 miles à l'est de Las Vegas par l'I-15 North (sortie 75), entrée ouest du parc. Depuis le Lake Mead, Hwy 167 qui permet de rejoindre l'entrée est du parc. Du lever au coucher du soleil - 10 \$/véhicule, National Pass non accepté.

🄸 Visitor Center *dans le parc.* 📞 *(702) 397 2088 - www.valley-of-fire.com - 8h30-16h30.*

Situé dans le désert de Mojave, à env. 1h de route de Las Vegas, ce parc, ouvert en 1935, doit son nom à la couleur flamboyante des formations de grès rouge, présentes en nombre. Sans atteindre le grandiose des parcs de l'Arizona et de l'Utah, Valley of Fire se parcourt avec un plaisir certain. Les photographes seront séduits par l'intensité des couleurs (jaune, ocre, rouge) des formations rocheuses modelées par l'érosion qui donne l'impression d'un embrasement permanent. Outre les spectaculaires rochers, il est possible d'y voir des arbres pétrifiés et des pétroglyphes datant de la préhistoire. Trois routes parcourent le parc.

Loop Road – C'est une boucle de 3,2 km, à l'ouest, qui concentre certaines des plus belles formations rocheuses de Valley of Fire. Ne manquez pas Atlatl Rock, un énorme rocher sur lequel sont gravés des pétroglyphes dont les plus anciens ont 3 000 ans (accès par une passerelle).

Scenic Drive – Peut-être la route la plus spectaculaire. Sur 9 km en cul-de-sac, vers le nord du parc, sont alignées d'impressionnantes formations rocheuses aux formes déroutantes et aux couleurs éclatantes. *Les must* : Fire Canyon, issu des bouleversements géologiques créés au temps des dinosaures et Fire Wave, une « vague » aux tons rouge et blanc.

La partie est du parc – Parmi les curiosités, les *Seven Sisters*, 7 blocs rocheux blottis le long de la route et Elephant Rock, un amoncellement de rochers dont la forme étrange rappelle celle d'un pachyderme.

5

St. George A1

À 120 miles au nord-est de Las Vegas par l'I-15 North et à 41 miles à l'ouest de Zion National Park par l'I-15 North puis la route 9.

Au débouché du Zion Canyon et de la Virgin River, St. George est une ville plaisante et une base idéale pour sillonner la région (Zion National Park est à 1h de route), grâce à d'excellentes infrastructures hôtelières *(voir nos adresses p. 297)*. Pas grand-chose à y faire si ce n'est la visite du **temple mormon de l'Église de Jésus Christ des Saints** à la façade blanche immaculée. Dans le *Visitor Center* voisin, ce sont des missionnaires mormons qui accueillent le visiteur de passage.

Si vous avez le temps, avant la visite du Zion National Park, faites une escapade au méconnu Snow Canyon State Park *(ci-dessous)*.

★ Snow Canyon State Park A1

Comptez une demi-journée. À 10 miles au nord de St. George (remontez Bluff Street puis suivez les indications Snow Canyon Parkway puis Snow Canyon Drive). Du lever au coucher du soleil - 6 \$/véhicule, National Pass non accepté.

Visiter Snow Canyon State Park, c'est admirer sur seulement 23 km² le travail de l'érosion et les effets du volcanisme : dunes de sables couleur corail, parois ocres et blanches de *sandstone*, blocs de laves, grottes et épaisseurs de grès rouge et blanc… Un condensé des paysages typiques de l'Ouest américain qui a su séduire de nombreux réalisateurs venus y tourner westerns ou films grand public *(La Famille Pierrafeu)*. Le parc est d'autant plus agréable à visiter qu'il est peu fréquenté.

🐾 Une seule route le traverse, du sud au nord sur 5 miles, la Snow Canyon Drive, le long de laquelle partent des sentiers de randonnée et sont aménagés des points de vue. À voir : **Canyon Overlook**, au nord du parc, accessible depuis l'UT 18 *via* une courte piste qui permet d'embrasser un point de vue spectaculaire à 180° sur le parc ; les petits *trails (sans difficulté)* de **Hidden Pinyon Trail** *(1,5 miles aller-retour)*, **Lava Flow Overlook and Trail** *(2 miles aller-retour)* pour un point de vue sur des roches noires d'origine volcanique ou encore **Petrified Dunes Trail** *(1 mile aller-retour)* où vous attend une massive dune de sable pétrifiée.

😊 NOS ADRESSES À LAS VEGAS

TRANSPORTS

En avion – McCarran International Airport *situé à l'extrémité sud de Paradise Rd, au sud-est du Strip (15mn en voiture)* (B-C5). 📞 *(702) 261 5211, www.mccarran.com.* Des navettes *(shuttle)* de différentes compagnies se partagent et desservent les différents hôtels du Strip *(8 \$)* et de Dowtown *(9 \$)*, 24h/24. Se renseigner aux points d'informations de chacune des compagnies face aux navettes.

La course en taxi revient à *20-25 \$* pour le Strip et à *25-30 \$* pour Downtown ; selon l'horaire c'est plus ou moins cher.

En bus – La compagnie **RTC** gère les bus locaux. **The Deuce**, un bus à étage, dessert les casinos de Downtown (Fremont Street) et du Strip 24h/24h. Très pratique, le trajet peut cependant être assez long en fin de semaine entre 18h et 2h du matin. *(6 \$ valable 2h, 8 \$ pour 24h, à acheter dans le bus, appoint nécessaire ou dans certaines stations équipées de* *distributeurs ; ticket valable sur le SDX, ci-dessous).*

Le **Strip and Downtown Express** (SDX) parcourt Downtown et le Strip, de Las Vegas Outlet au South Strip Transfer Terminal (SSTT), et ne s'arrête qu'aux stations principales. *Circule toutes les 15mn de 9h à 0h30. Même tarif que The Deuce, billet à acheter à un distributeur dans les stations.*

En métro – Le **Monorail** *fonctionne tlj de 7h à 2h du matin (3h vend.-sam.). Sept arrêts entre les hôtels-casinos Sahara et MGM Grand (www.lvmonorail. com. 5 $ le trajet et 12 $ le Day Pass, il existe des Pass valables jusqu'à 7 jours).*

En taxi – Pas de station, il faut se rendre à l'entrée des hôtels ou les appeler. Les 13 compagnies de Las Vegas sont assujetties aux mêmes tarifs. Attention ! Si le chauffeur vous propose de prendre la voie rapide, le tarif sera double.

INFORMATION UTILE

Marriage License Bureau – *201 E. Clark Ave., dans Downtown, à un bloc au sud de l'intersection Lewis Ave.-Casino Center, ☏ (702) 671 0600. 8h-0h.* Se munir de 60 $ en espèces pour obtenir une licence de mariage, qui vous permettra de vous unir civilement ou religieusement, dans l'une des chapelles de la ville *(voir encadré p. 284)*

HÉBERGEMENT

Les prix varient en fonction le taux d'occupation. En grande majorité, ils doublent voire quintuplent les vendredis et samedis. Il sont plus abordables en dehors des grands congrès ou des jours fériés et souvent moins chers au nord du Strip et dans Downtown. Les tarifs,

indiqués ci-dessous et donnés ici à titre indicatif, sont les prix de réservations en ligne pour une chambre double, standard, en semaine, en juillet et en août, taxes non incluses.

🐷 **Bon à savoir** – Les offices de tourisme, les gares et certaines stations-service proposent des coupons de réduction à faire valoir en semaine sur certains hébergements. *www.vegas.com* ou *www.lasvegas.com* rassemblent les offres des plus grands hôtels. Tous les établissements situés sur Las Vegas Blvd et Downtown sont proches d'un arrêt du Deuce.

Hébergements classiques

🐷 **Bon à savoir** – Une auberge de jeunesse peut dépanner les petits budgets dans Downtown : **Sin City Hostel** – *1208 S. Las Vegas Blvd - ☏ (702) 868 0222, www.sincityhostel.com - à partir de 16,50 $.*

PREMIER PRIX

Shalimar Hotel Las Vegas – *1401 S. Las Vegas Blvd* (B1) - *☏ (702) 388 0301 - www. shalimarhotellasvegas.com -* 🍴 🍷 🅿 ⛷ *- wifi - 100 ch. à partir de 50 $ en sem. et 79 $ w.-end.* Belles chambres avec salle de bains assez grande pour un hôtel de chaîne. Celles donnant sur la belle piscine sont les plus agréables. Wifi gratuit.

BUDGET MOYEN

Super 8 Motel – *4250 Koval Lane* (B4) - *☏ (702) 794 0888 - www. super8vegas.com -* 🖥 🅿 ⛷ ♿ *- wifi - 288 ch. 112/144 $* 🛏. Bon rapport qualité-prix pour ce motel de grande chaîne avec tout le confort, à une rue du Strip. Navette gratuite de et vers l'aéroport. Gratuit pour les enfants de moins de 12 ans. Laverie, accès Internet, distributeur ATM, mais pas de petit-déj.

5

Les hôtels-casinos dans Dowtown

PREMIER PRIX

Golden Gate – *1 Fremont St.* (A1) - ☎ *(702) 385 1906 - www. goldengatecasino.com -* 🖵 ✕ 🍸 🅿 *- wifi - 106 ch. 89 $.* Le plus vieil hôtel de la ville (1906) conserve un charme désuet avec son bar rétro, ses premières machines à sous, ses photos historiques et son restaurant aux verres gravés. Les chambres anciennes et modernisées sont un peu désuètes, mais confortables. Celles des nouveaux étages sont modernes. C'est également l'un des hôtels-casinos les moins chers en fin de semaine. Situé à 2mn de la gare Greyhound.

Main Street Station – *200 N. Main St.* (A1) - ☎ *(702) 387 1896 - www.mainstreetcasino.com -* 🖵 ✕ 🍸 🅿 🏊 ♿ *- wifi payant - 406 ch. 55/125 $.* Un très bel hôtel inspiré d'une gare victorienne. On se retrouve plongé au cœur de la conquête de l'Ouest et les machines à sous ont un tout autre cachet dans ce superbe décor comprenant quelques éléments d'époque. Bar Art déco et restaurants très recommandables. Le seul souci, l'hôtel est un peu isolé et au bord de la highway.

Les hôtels-casinos sur le Strip ou à proximité

PREMIER PRIX

Hooters – *115 E. Tropicana Ave.* (B5) - ☎ *1-866 584 6687 - www. hooterscasinohotel.com -* 🖵 ✕ 🅿 🏊 *- wifi - 696 ch. 29/75 $.* Un sympathique hôtel-casino de taille humaine avec une ambiance et une clientèle jeunes, et surtout des prix doux. Chambres confortables agrémentées de meubles en pin et d'un petit bar avec des tabourets hauts. Concerts certains soirs. Une très

bonne adresse. Bon à préciser : Hooters mise sa réputation sur les serveuses sexy qu'il emploie...

Circus Circus – *2880 S. Las Vegas Blvd* (B2) - ☎ *(702) 734 0410 - www.circuscircus.com -* 🖵 ✕ 🅿 🏊 *- wifi - 3 770 ch. 54/139 $.* De grandes chambres tout confort vous attendent dans ce complexe à l'ambiance et aux attractions familiales (payantes).

Flamingo – *3555 S. Las Vegas Blvd* (A4) - ☎ *(702) 733 3111 - www. flamingolasvegas.com -* 🖵 ✕ 🅿 🏊 ♿ *- wifi - 3 626 ch. à partir de 81 $.* Hôtel mythique de Las Vegas agrandi maintes fois depuis sa construction en 1946, ce vétéran du Strip dispose de chambres assez grandes, à la décoration classique, et de plusieurs piscines.

BUDGET MOYEN

Luxor – *3900 S. Las Vegas Blvd* (A5) - ☎ *(702) 262 4000 - www. luxor.com -* 🖵 ✕ 🅿 *8 $/24h -* 🏊 ♿ *- wifi - 4 408 ch. 61/167 $.* Une partie des chambres de cet établissement est aménagée dans les parois de la pyramide et l'une des grandes attractions consiste à emprunter les ascenseurs qui montent à l'oblique ! Jolies chambres confortables à tous les étages.

Treasure Island – *3300 S. Las Vegas Blvd* (B3) - ☎ *(702) 894 7111 - www.treasureisland.com -* 🖵 ✕ 🅿 *payant -* 🏊 ♿ *- wifi - 2 884 ch. 70/154 $.* Cet hôtel à l'atmosphère luxueuse et feutrée propose des chambres, et des suites d'où l'on a une belle vue sur la ville.

The Mirage – *3400 S. Las Vegas Blvd* (A3) - ☎ *(702) 791 7111 - www.mirage.com -* 🖵 ✕ 🅿 *10 $/24h -* 🏊 ♿ *- 3 044 ch. 85/199 $.* Un complexe beau et agréable, malgré son gigantisme, disposant de chambres élégantes et chaleureuses, offrant de superbes vues sur Las Vegas.

New York-New York – *3790 S. Las Vegas Blvd* (A4) - *℘ (702) 740 6969 - www.newyorknewyork.com -* 📧 ✕ - 🅿 *10 $/24h -* ♨ ⚹ *- wifi - 2 024 ch. et suites à partir de 105/179 $.* Le complexe adopte le style des années 1930. Chambres et salles de bains élégantes. Golf, Spa, belle vue sur Las Vegas.

Paris Las Vegas – *3655 S. Las Vegas Blvd* (A4) - *℘ (877) 796 2096 - www.parislasvegas.com -* 📧 ✕ 🅿 ♨ ⚹ *- wifi - 2 916 ch. 111/215 $.* De charmantes chambres « à la française »… façon américaine. Demandez la vue sur la tour Eiffel et sur le lac du Bellagio.

Mandalay Bay – *3950 S. Las Vegas Blvd* (A5) - *℘ (877) 632 7700 - www.mandalaybay.com -* 📧 ✕ - 🅿 *payant -* ♨ ⚹ *- wifi payant - 3 211 ch. 95/295 $.* Un magnifique complexe, d'un très grand confort, dont les chambres sont tout aussi luxueuses. Les piscines, et même une plage, vous attendent au milieu des palmiers.

The Venetian – *3355 S. Las Vegas Blvd* (B3) - *℘ (702) 414 1000 - www.venetian.com -* 📧 ✕ 🅿 ♨ ⚹ *- wifi - 4 049 ch. 159/329 $.* Dans un cadre des plus romantiques, l'hôtel propose des chambres élégantes et très confortables, ainsi que des suites.

Bellagio – *3600 S. Las Vegas Blvd* (A4) - *℘ (702) 693 7111 - www.bellagiolasvegas.com -* 📧 ✕ - 🅿 *10 $/24h -* ♨ ⚹ *- wifi - 3 933 ch. 159/329 $.* De grandes chambres meublées avec goût, à la décoration classique et aux couleurs pastel, procurent tout le confort attendu dans un établissement de cette classe.

Wynn et Encore – *3131 S. Las Vegas Blvd* (B3) - *℘ (702) 770 7000 - www.wynnlasvegas.com -* 📧 ✕ 🅿 ♨ ⚹ *- wifi - 2 716 ch. 169/499 $.*

Le dernier resort de l'ambitieux Steve Wynn est composé de deux hôtels-casinos grand luxe qui s'organisent autour d'un parc pourvu d'un lac et d'une cascade : vastes chambres, villas, cabines au bord des piscines, Spas, centres de fitness, golf, nombreux magasins, bars et restaurants. Encore n'a que des suites et des appartements.

À St. George

Courtyard by Marriott – *185 S. 1470 E. - ℘ (435) 986 0555 - www.marriott.fr -* 📧 ✕ ♨ 🅿 *- 131 ch. et suites à partir de 150 $.* Un hôtel de chaîne de très bonne qualité. Chambres fonctionnelles, piscines intérieure et extérieure et centre de remise en forme. Certaine suites disposent d'une cuisine. Personnel attentif.

Red Mountain Resort – *1275 Red Mountain Circle - Ivins - ℘ (435) 673 4905 - www.redmountainresort.com -* 📧 ✕ ♨ 🅿 *- 130 ch. et villas à partir de 200 $.* Accolé au Snow Canyon State Park, dans un majestueux décor de roches rouges, ce complexe luxueux vaut autant pour la qualité de ses prestations (vastes chambres bien équipées, bon restaurant) que pour la beauté de son environnement. Nombreuses activités (piscine, Spa, yoga, excursions dans les parcs, etc.). Bon rapport qualité/prix. Une excellente adresse.

RESTAURATION

Chaque hôtel-casino propose une pléiade de restaurants, du fast-food aux établissements gastronomiques.

Food Court – *3200 Las Vegas Blvd - Fashion Show Mall, (3e étage,*

accès à l'intérieur de la galerie)
(B3) - ☎ *(702) 369 8382 - 10h-21h,
dim. 11h-19h -* 🅿 *- moins de 25 $.*
Dans le centre commercial, une
vingtaine de stands tout autour
d'une place intérieure permettent
de choisir parmi différentes
cuisines simples (italienne,
grecque, mexicaine, américaine,
etc.). Pratique et rapide.

Peppermill – *2985 S. Las Vegas
Blvd* (B2) - ☎ *(702) 735 4177 - www.
peppermilllasvegas.com - 24h/24 -*
🅿 ♿ *- wifi - moins de 19 $ pour
déj. - soir plats 17/32 $.* Ambiance
soft et portions généreuses,
dignes des restaurants qui
bordent les autoroutes
américaines. La décoration est
en revanche kitsch à souhait.
Surprenant et sympathique.

Harley Davidson Cafe – *3725 S.
Las Vegas Blvd - angle Harmon St.*
(A4) - ☎ *(702) 740 4555 - harley-
davidsoncafe.com - 9h-23h, vend.-
sam. 9h-0h - fermé 25 déc. - formule
déj. 10 $ - plats 12/28 $.* Un beau
café et une cuisine américaine
classique de facture relativement
correcte. Des photos de célébrités
chevauchant leur Harley tapissent
les murs. Terrasse sur le Strip.

Dans les hôtels-casinos

Cafe Bellagio – *3600 S. Las
Vegas Blvd - Hôtel Bellagio* (A4)-
☎ *(702) 693 8865 - www.bellagio.
com - 6h-0h - plus de 15 $.* Très
bien situé, avec vue sur la piscine,
ce café propose des plats sans
prétention dans une salle claire.

Terrace Point Cafe – *3131 S.
Las Vegas Blvd - Hôtel Wynn*
(B3) - ☎ *(702) 770 7000 - www.
wynnlasvegas.com - 7h-15h.* Sur la
terrasse devant la piscine, soupe
ou salade et sandwichs pour
moins de 17 $.

Mon Ami Gabi – *3655 S. Las Vegas
Blvd - Hôtel Paris Las Vegas* (A4) -
☎ *(702) 944 4224 - www.caesars.*

com - 7h-23h - plats 16/41 $. Il
bénéficie d'une vue superbe sur le
lac du Bellagio. Bonnes spécialités
françaises salées ou sucrées.
Comptez 29/41 $ pour les viandes.

Il Fornaio – *3790 S. Las Vegas
Blvd - Hôtel New York-New York*
(A5) - ☎ *(702) 650 6500 - www.
newyorknewyork.com - 11h30-0h -
Pizzas, pâtes 17/26 $, viandes
24/40,50 $.* Ce joli restaurant
à la décoration rustique et
soignée propose des spécialités
italiennes alléchantes. Il jouxte la
boulangerie du même nom.

Oyster Bay – *3667 S. Las Vegas
Blvd - dans le Miracle Mile Shops
du Planet Hollywood* (A4) -
☎ *(702) 794 2929 - 10h-23h, vend.-
sam. 10h-0h - plats 24/46 $.* Un
beau cadre pour déguster des
huîtres avec un verre de blanc au
bar. Poissons du jour.

Les buffets

Tous les hôtels-casinos en
proposent. Ils se ressemblent,
sont de qualité variable, mais
permettent de faire un repas
copieux aux saveurs variées.
Intéressants financièrement en
semaine et à l'heure du déjeuner.
Le week-end, buffet seulement le
soir et *brunch* au champagne.

The Buffet at TI – *3300 S. Las
Vegas Blvd - Hôtel Treasure Island*
(B3) - ☎ *1-800 944 7444 - www.
treasureisland.com - 7h-22h,
brunch au champagne w.-end
27 $. Formules 24/32 $ selon
déj. ou dîner, selon semaine et
w-end.* Grand choix de plats,
d'accompagnements et de
délicieux desserts à déguster dans
deux belles salles.

Le Village Buffet – *3655 S. Las
Vegas Blvd - Hôtel Paris Las Vegas*
(A4) - ☎ *(702) 946 7000 - www.
caesars.com - 7h-22h - formules
25/34 $ (enf. 15/20 $).* L'originalité
culinaire et le décor « village » sont

particulièrement réussis. Le temps d'un repas vous faites un tour de France et de ses spécialités, en passant par l'Alsace, la Bourgogne, la Normandie, la Bretagne, la Provence…

The Buffet – *129 E. Fremont St. - Hôtel Golden Nugget* (Downtown) - ℘ *(702) 386 8152 - www.goldennugget.com - 7h-21h - formules 15/27 $.* Salades, viandes à la découpe : tout y est très frais. Et le vendredi, poissons et crustacés à volonté pour 27 $.

The Buffet – *3131 S. Las Vegas Blvd - Hôtel Wynn* (B3) - ℘ *(702) 770 7000 - www.wynnlasvegas. com - 8h-22h.* Un décor frais et des tables espacées. Excellent choix de fruits de mer, poissons, sushis, spécialités italiennes… De savoureux desserts.

POUR SE FAIRE PLAISIR

L'Atelier de Joël Robuchon – *3799 Las Vegas Blvd - MGM Grand* (B5) - ℘ *(702) 891 7358 - www. mgmgrand.com - 17h-22h30 - formules 58, 98 ou 128 $ - à la carte plats 41/72 $.* Un concept simple : une cuisine ouverte sur un comptoir de 36 places assises qui vous permet de suivre la préparation des plats et de goûter à tous les classiques du grand chef sous forme de petites portions.

UNE FOLIE

TWIST by Pierre Gagnaire – *3752 Las Vegas Blvd - Mandarin Oriental (City Center)* (A4) - ℘ *1-888-881 9367 - www.mandarinoriental. com - 18h-22h - fermé dim. -* 🅿 *- menus à partir de 160 $ - à la carte plats 52/168 $.* Il faut monter au 23e étage du Mandarin Oriental pour accéder au restaurant du pionnier français de la cuisine moléculaire. Au-delà des quelques spécialités cuites à l'azote liquide, le menu dégustation en sept services (777 $) est un feu d'artifice de raffinement à la

française (avec vue sur le Strip) que vous n'êtes vraiment pas prêt d'oublier !

Guy Savoy – *3570 S. Las Vegas Blvd - Caesars Palace* (A4) - ℘ *(702) 731 7286 - www.caesars. com - 17h30-21h30 - fermé lun., mar. - menus 290/375 $.* Contrairement à l'adresse parisienne, le restaurant américain du chef triplement étoilé dispose lui de la vue sur la tour Eiffel ! Un cadre de rêve dans lequel vous pouvez aussi bien déguster des plats à la carte que des menus uniques.

PETITE PAUSE

Jean-Philippe – *3600 S. Las Vegas Blvd* (A4) *- Hôtel Bellagio et Aria -* ℘ *(702) 693 8865 - www. jpchocolates.com - 6h-23h, vend.-dim. 6h-0h.* Le pâtissier de Las Vegas (également français), pour déguster de fines gourmandises, tout en admirant la plus grande fontaine de chocolat au monde. Jean-Philippe se trouve aussi à l'hôtel Aria, dans le City Center.

Cafe Gelato – *3600 S. Las Vegas Blvd - Hôtel Bellagio (Pool Passage)* (A4) - ℘ *(702) 693 7111 - www. bellagio.com - 7h-23h, vend.-sam. 7h-0h.* Pour un vrai expresso avec une glace.

Starbucks Coffee – *3200 Las Vegas Blvd - Fashion Show Mall, (en face du Wynn)* (B3) - ℘ *(702) 369 8715 - 6h-21h - wifi.* Très bon café et Frappucino, exquises petites madeleines.
Et n'oubliez pas l'incontournable **Panatteria Il Fornaio** *(New York-New York).*

BOIRE UN VERRE

The Crown & Anchor – *1350 E. Tropicana Ave.* (B5) - ℘ *(702) 739 8676 - www. crownandanchorlv.com - tlj 24h/24 -* 🅿. Authentique pub anglais, avec une petite terrasse, loin de

5

l'agitation du Strip. Trente bières à la pression.

Rivea – *3950 S. Las Vegas Blvd - The Hotel, (dans l'ensemble Mandalay Bay)* (A1) - *☏ (702) 632 9500 - www. alain-ducasse.com - 18h-22h, vend.-sam. 18h-22h30 - formule 115 $ - plats à la carte 34/56 $.* Situé au dernier étage, le restaurant, bar et club appartenant à Alain Ducasse possède tout simplement la plus belle vue de Las Vegas. Un lieu magique et raffiné pour boire un verre accompagné de délicieux appetizers. Vous pouvez également y dîner pour 90 $ (seulement, serait-on tenté de dire), mais vous ne bénéficierez pas de la vue, dont on peut jouir uniquement du bar et du patio.

ACHATS

Las Vegas ravira les adeptes d'un shopping effréné. De nombreuses enseignes internationales de prêt-à porter y possèdent des boutiques au design soigné dans les immenses galeries des hôtels-casinos. Le cours actuel du dollar permet encore d'y faire de très bonnes affaires. Les grandes marques de luxe sont également omniprésentes. Mais le vrai *shopper addict* doit absolument se rendre dans les Outlets, concentrations de magasins qui proposent des articles à prix d'usine (25 à 65 % de réduction).

Las Vegas Premium Outlets North – *875 South Grand Central Parkway - ☏ (702) 474 7500 - www. premiumoutlets.com - 9h-21h, dim. 9h-20h.* À quelques minutes de Downtown, au terminus du Strip and Dowtown Express. Un centre en plein air où l'on trouve des restaurants et 150 magasins dont Levi's, Converse, Armani Exchange ou Adidas.

Las Vegas Premium Outlets South – *7400 S. Las Vegas Blvd - ☏ (702) 896 5599 - www. premiumoutlets.com - 9h-21h, dim. 9h-20h.* Au sud du Strip, 140 magasins qui ont l'avantage en été de se trouver dans une galerie commerciale en intérieur, donc climatisée.

ACTIVITÉS

Spectacles – Tous les hôtels de la ville proposent des spectacles de toute nature, allant de la magie au music-hall. Attention, la programmation change régulièrement. Visitez le site **www.lasvegas.com**, qui en propose une sélection et permet de réserver son billet à tarif intéressant. Tous les shows donnés dans les hôtels-casinos cités dans le texte remportent un vif succès, il est donc prudent de réserver.

Le site **Las Vegas Online Entertainment Guide** *(www. lvol.com)* liste les spectacles du moment et propose des remises en réservant en ligne. Les prix oscillent entre 60 et 150 $.

Vous pouvez également acheter des places à tarif réduit au bureau d'informations situé à l'entrée du **Las Vegas Premium Outlets North** *(ci-contre)* ainsi que des excursions autour de Vegas. On vous propose des packages dîner + spectacle à des prix très intéressants.

Des places à tarif réduit sont également vendues chaque jour dès 11h chez **Tix4tonight**, situé sur le trottoir du Strip devant le Fashion Show Mall. Les boutiques proposent aussi des remises sur certains restaurants.

Enfin, vous trouvez également des coupons de tarif réduit dans certains magazines, tels **Today in Las Vegas** ou encore **24/7 Magazine** mis à disposition gratuitement dans les hôtels.

Zion National Park

« Sion, la Jérusalem céleste ! » : voilà ce que pensèrent les mormons en découvrant ce canyon tapissé de frênes et de peupliers. C'est dire la forte impression que provoquent ces paysages, classés Domaine national depuis 1909 ! Aujourd'hui, le parc s'étend sur 593 km², avec plus de 100 km de sentiers balisés. Si l'effet de grandeur et de majesté n'est pas aussi immédiat qu'à Bryce Canyon, il faut prendre le temps de découvrir ses nombreux atouts – et ne pas se contenter de la route panoramique – notamment à travers ses randonnées mythiques, The Narrows et Angel's Landing. C'est en effet depuis ses entrailles que Zion Canyon dévoile sa magie.

😊 NOS ADRESSES PAGE 309
Hébergement, restauration, achats, activités, etc.

🗒 S'INFORMER

Visitor Center – *Hwy 9 -* 📞 *(435) 772 3256 - www.nps.gov/zion - été : tlj 8h-19h ; printemps et automne : 8h-18h ; hiver : 8h-17h - 30 $/ véhicule pour 7 j, National Pass accepté.* Le *Visitor Center* donne des informations intéressantes sur la faune et la flore. Si vous souhaitez emprunter les chemins de grande randonnée et camper en pleine nature, demandez le « **Zion Backcountry Planner** » et renseignez-vous sur le permis auprès des rangers. Brochures également disponibles au bureau de Cedar City.

▶ SE REPÉRER

Carte de région A1 *(p. 278-279)* – *carte Michelin Western USA 585 E 9.* Le parc est encadré à l'ouest par l'I-15 remontant de Las Vegas (150 miles, 240 km) et à l'est par la Hwy 89 remontant de Flagstaff. Il comprend deux parties, distantes de 45 miles par l'I-15 : le canyon de Zion (sortie n° 16, Hurricane) et, plus au nord, les hauts plateaux de Kolob (sortie n° 40).

😊 À NE PAS MANQUER

Les randonnées dans le parc (surtout The Narrows et Angel's Landing) ; le point de vue depuis Canyon Overlook.

🕐 ORGANISER SON TEMPS

Découvrez le parc par la route de Mount Carmel, de préférence le matin. Souvenez-vous que le parc vit à l'heure du Mountain Time (1h de plus qu'au Nevada et en Californie). Comptez au moins deux jours sur place si vous souhaitez randonner.

5

Découvrir

La plupart des visiteurs arrivent par le sud, en passant par Springdale, et découvrent d'emblée les falaises de grès blanc et rouge qui se dressent en toute majesté au cœur du canyon. Difficile d'imaginer que ces géantes de plus de 600 m sont l'œuvre de la rivière Virgin, qui coule tranquillement au fond de la vallée et continue son œuvre d'érosion, commencée il y a plus de 50 millions d'années dans deux formations rocheuses du Jurassique : le grès Navajo, qui compose les parois de Zion Canyon, et la formation Kayenta, mélange de grès et de boue, juste au-dessous.

★★ L'ENTRÉE OUEST DE ZION CANYON : L'ARRIVÉE PAR SPRINGDALE

▷ *Comptez une journée. Le journal remis à l'entrée donne toutes les informations nécessaires pour les randonnées, leur niveau de difficulté et un plan détaillé du site.* Long de 13 km et large de 8 km, le canyon est parcouru par la **Zion Canyon Scenic Drive**. Cette route est, de mi-mars à fin oct. (et durant certains w.-end de nov.), **uniquement accessible en navettes** qui partent du parking du *Visitor Center*, où vous laisserez votre véhicule personnel. Les 9 arrêts de la navette correspondent aux points de départ des principales randonnées et des sentiers menant aux différents points de vue.

🥾 Un premier sentier, le **Watchman Trail** *(facile ; comptez 2h AR)*, part du *Visitor Center* pour rejoindre un point de vue panoramique sur le canyon et Springdale.

☝ **Bon à savoir** – Les randonnées dans le Zion National Park sont très populaires. Pour éviter la longue file d'attente au départ des navettes, la foule sur les sites et la chaleur assommante au printemps et en été, prévoyez d'arriver au *Visitor Center* aux environs de 8h.

★ Court of the Patriarchs

Une courte montée conduit à ce point de vue entouré de trois montagnes – portant les noms des patriarches Abraham, Isaac et Jacob – de plus de 2 000 m qui se dressent de l'autre côté de la route. D'autres sommets portent des noms bibliques éloquents, héritage des pionniers mormons : « le Grand Trône blanc » (The Great White Throne), « l'Orgue » (The Organ), « la Chaire » (The Pulpit)…

Zion Lodge

🥾 En traversant la route, vous accédez au départ des chemins **Emerald Pool Trails** *(facile, 1h30 pour les trois cascades)*, parmi les plus parcourus et les plus appréciés. Passé la rivière, suivez à droite le chemin qui s'engage au cœur d'une végétation abondante pour aboutir à une jolie cascade, **Lower Emerald Pool**, la première et la moins élevée. Elle recueille l'eau de la **Middle Emerald Pool**, située juste au-dessus, et que l'on rejoint en se faufilant entre l'eau et la roche creusée par l'érosion.

Un chemin sablonneux mène ensuite à l'**Upper Emerald Pool**, nichée au pied d'une falaise vertigineuse d'un rouge orangé flamboyant. Les longues traînées noires qui strient la falaise résultent des minéraux déposés par l'eau qui ruisselle. Rebroussez chemin pour revenir à votre point de départ. En revanche, si vous aimez marcher, avant d'atteindre la Lower Emerald Pool, prenez à gauche en direction de « Grotto Picnic Area » pour récupérer le **Kayenta Trail★** *(facile, 15mn)*. Ce chemin offre une vue splendide sur le fond du canyon et sur les berges de la rivière Virgin en contrebas, et redescend jusqu'à l'arrêt suivant de la navette, « The Grotto » *(toilettes et tables de pique-nique)*, point de départ vers la mémorable randonnée d'**Angel's Landing**.

★★ Angel's Landing

Arrêt de bus The Grotto. Ascension difficile, physiquement éprouvante ; comptez 4h30 AR (8,7 km et 453 m de dénivelé positif) ; chaussures de randonnée nécessaires. Passages compliqués, dont les derniers 800 m à flanc de falaise. Dernière section déconseillée aux personnes sujettes au vertige et aux plus jeunes.

🥾 Un incontournable de Zion National Park. La randonnée s'effectue en plusieurs temps : après avoir enjambé le petit pont qui surplombe la **Virgin River**, le marcheur commence son aventure, plutôt tranquillement, sur un chemin en terre battue. Après environ 30mn, quand le goudron remplace la terre, le sentier prend subitement de la hauteur. Il faut encore 30mn d'une

ZION NATIONAL PARK

Scale: 0 — 1 mi / 0 — 1 — 2 km

- ★ The Narrows ★★
- Telephone Canyon Trail
- Riverside Walk
- West Rim Trail
- Temple of Sinawava
- The Pulpit
- Observation Point Trail
- ★ Kolob Canyons ★
- 1983m
- Big Bend
- EAST RIM TRAIL
- Timber Creek ★
- Upper Kolob Plateau
- Lava Point 2405m
- Behunin Canyon
- Mount Majestic
- Cathedral Mountain
- The Organ 1554m
- 1765m
- Weeping Rock ★
- Lower Kolob Plateau
- ★★ Angels Landing
- The Great White Throne 2056m
- Hidden Canyon
- Kolob Terrace Road
- Right Fork Virgin River
- Zion Canyon
- Springdale
- Virgin River
- Entrée est
- 9
- Emerald Pools Trails ★
- Kayenta Trail ★
- The Grotto
- Emerald Pool Trails ★
- Zion Lodge 1
- Grafton
- Rockville
- Virgin River
- Jacob 2083m
- Deertrap Mountain Trail
- The Virgin
- Birch Creek
- Isaac 2081m
- Abraham 2083m
- Court of the Patriarchs
- Z I O N   C A N Y O N
- ★ Court of the Patriarchs Viewpoint
- Deertrap Mountain
- Sand Bench Horse Trail
- North Fork Virgin River
- 2094m
- Zion Canyon Scenic Drive
- Pine Creek
- Canyon Junction
- 2174m
- ★ Checkerboard Mesa
- Entrée est
- Oak Creek
- Pine Creek
- ★ Great Arch
- Canyon Overlook Trail
- 9
- 5
- Zion Museum
- Tunnel
- Zion-Mount Carmel Highway
- South Campground
- Entrée sud
- Watchman Trail
- Visitor Center
- **Zion Canyon Theater**
- N
- Watchman Campground
- 2000 m / 1500 / 1000
- Navette / Arrêt
- The Grotto
- Routes interdites aux voitures, accessible seulement en navette
- SE LOGER / Zion Lodge...............1
- ← SPRINGDALE, ROCKVILLE, GRAFTON

THE NARROWS, MODE D'EMPLOI

Randonner dans les Narrows constitue l'un des moments forts d'une visite au Zion National Park. Mais son parcours particulier exige de bien se préparer. En effet, il faut savoir qu'on évolue en grande partie **DANS l'eau** (jusqu'aux genoux et parfois jusqu'à la taille…). Réservez donc le matériel adéquat la veille de votre visite (ou au pire le matin même), dans l'un des magasins spécialisés de Springdale *(voir ci-dessous)* : des **chaussures de marche waterproof**, un **bâton de marche** (nécessaire pour maintenir son équilibre sur les gros galets glissants) et un **sac à dos étanche** *(comptez 30 $ la journée)*. Au printemps et en été, la température de l'eau, froide mais pas glaciale, n'exige pas de combinaison intégrale (17 °C à 20 °C). Renseignez-vous sur la météo, l'accès étant fermé en cas d'**orages**. **Permis** obligatoire si vous désirez y passer plusieurs jours. Navette jusqu'à l'arrêt **Temple of Sinawava**.

Pour louer le matériel : **Zion Adventure Company** – *36 Lion Blvd, ☎ (435) 772 1001, www.zionadventures.com, 8h-20h mars-oct. ;* **Zion Guru** – *792 Zion/ Mount Carmel Hwy, ☎ (435) 632 0432, www.zionguru.com, jusqu'à 21h en saison ;* **Zion Outfitter** – *7 Zion Park Blvd, ☎ (435) 772 5090, www. zionoutfitter.com, 7h-21h en saison.*

marche raide pour pénétrer au cœur du canyon. Ne soyez pas étonnés de voir les gens assis de part et d'autre du sentier sur une courte portion : l'endroit, surnommé « **Refrigerator Canyon** » bénéficie d'un vent frais qui s'engouffre entre les parois du canyon et procure une pause fraîcheur bienvenue. Le froid avant l'effroi ? Car dans la foulée apparaît la redoutable section de **Walter's Wiggles** : une succession de 21 lacets qui mènent (péniblement) à **Scout Lookout**. À 300 m au-dessus du sol, la vue y est admirable. Si beaucoup de randonneurs terminent leur périple ici, les plus téméraires – peu effrayés par le panneau qui annonce « six morts depuis 2004 » ! – se préparent pour le **dernier kilomètre**, le plus spectaculaire et le plus difficile. Plus de sentier et une ascension périlleuse à flanc de roche, avec deux écueils : le fait que ceux qui montent et ceux qui descendent se croisent (il faut alors partager les chaînes qui permettent de s'accrocher à la paroi) et un passage très étroit (à peine un mètre) avec, des deux côtés, le vide. Mais que ces lignes ne rebutent pas les lecteurs : Angel's Landing est très fréquenté avec au final très peu d'incidents. Et arrivé au sommet la vue sur tout le canyon est inoubliable !

Weeping Rock

Un petit chemin pavé (400 m) mène à une jolie alcôve parsemée de végétation, formée par de l'eau qui sort de la roche (d'où son nom, « rocher qui pleure »). En effet, l'eau qui s'infiltre dans le grès Navajo s'échappe quand elle arrive au contact de la couche de Kayenta, imperméable. Ce phénomène est à l'origine de bien des sources et des cascades du parc.

Du Weeping Rock partent plusieurs grandes randonnées sur la rive est du canyon *(East Rim : difficile ; 25 km ; 1 ou 2 jours AR. Deertrap Mountain : difficile ; 26 km ; 1 ou 2 jours AR. Observation Point Trail : difficile ; 13 km ; 6h AR. Hidden Canyon Trail : difficile ; 3,5 km ; 3h AR).*

★★ The Narrows

Arrêt de bus Temple of Sinawava. Conseils de préparation, voir encadré ci-dessus. La durée de la randonnée dépend de vos envie et condition physique, car il s'agit d'un aller-retour (le canyon fait 26 km de long, 12h de marche aller pour le parcourir dans son intégralité).

Randonnée sur Angel's Landing.
W. Skrypczak/Getty Images

🐾 Sortis de la navette, vous empruntez un chemin pavé, **Riverside Walk** *(2 miles ; 30mn)*, qui permet de s'enfoncer plus avant vers **The Narrows**, la partie la plus étroite du canyon. Tout en longeant la rivière, vous pouvez observer à loisir les grands peupliers, les mousses luxuriantes et **Desert Swamp** (marais du Désert). À l'extrémité du chemin pavé commence la véritable aventure des Narrows, une marche dans l'eau entre les parois du canyon. Les moments où le canyon s'élargit et où l'on peut profiter de la berge et de ses bancs de sable alternent avec ceux où il faut nécessairement progresser dans l'eau entre d'étroites et vertigineuses parois délicatement arrondies par les effets de l'érosion. Si l'importance de la foule peut désorienter au début du parcours, elle se raréfie à mesure que l'on progresse dans la rivière. Il est conseillé de faire au moins 2h aller et d'atteindre **Oderville Canyon**. À partir de là, commence la section des Narrows connue sous le nom de **Wall Street** : la rivière fait moins de 8 m de large, cernée par des falaises de grès de 450 m de hauteur. Le retour se vit comme un premier passage, grâce aux effets de lumière qui éclairent l'eau et la roche et qui renouvellent le paysage traversé à l'aller.

★★ L'ENTRÉE EST DE ZION CANYON : LA ROUTE DE MOUNT CARMEL

▶ *Itinéraire de 13 miles. Comptez 30mn, voire 1h30 si vous marchez jusqu'à Canyon Overlook.*

La Highway 9, que vous pouvez emprunter au niveau de Mount Carmel Junction, pénètre dans le Zion National Park par l'entrée est.

C'est une route spectaculaire pour les formations naturelles qu'elle traverse (différentes de l'autre route) et les vues qu'elle procure. À faire absolument.

★ Checkerboard Mesa

Passé la guérite des rangers, un parking sur la droite permet d'observer le relief typique de la **Checkerboard Mesa**, d'étonnantes lignes horizontales et verticales bien distinctes qui strient régulièrement l'immense masse blanche aux contours doux et polis. Cette formation surprenante, composée de grès

Navajo, permet d'imaginer la région il y a environ 170 millions d'années, quand le vent dessinait des dunes par vagues successives. Les fractures verticales seraient dues aux variations climatiques qui fragilisent le grès et, l'eau de pluie aidant, l'amènent à se craqueler davantage. En effet, les millions de minuscules morceaux de quartz, agglomérés par un ciment peu résistant, donnent une roche poreuse et aisément friable.

Canyon Overlook

30mn AR, facile mais peut gêner les personnes sujettes au vertige.

Peu avant l'entrée du deuxième tunnel débute le sentier qui mène à ce point de vue. L'escalier est un peu abrupt, mais le chemin est ensuite bien moins escarpé et suit le canyon creusé par la rivière Pine Creek. Vous parvenez à une surprenante alcôve parsemée de mousse, avant de découvrir le promontoire rocheux, au détour d'un enchevêtrement de rochers et d'arbres pygméens. La vue panoramique sur le sud du canyon vaut le coup. Elle dévoile les pics découpés de couleurs ocre et crème que rehausse le vert de la végétation. Achevé en 1930, le **tunnel**, véritable prouesse technique en son temps, fut creusé à flanc de falaise sur près de 2 km. Les véhicules trop volumineux doivent rouler au milieu, ce qui occasionne bien souvent des embouteillages. À la sortie du tunnel, vous serez surpris par le changement de paysage, qui soudain semble hors de portée. Ne manquez pas d'admirer la **Great Arch★** qui orne la façade est du canyon de la rivière Pine Creek. Les jeux d'ombre et de lumière mettent en valeur cette formation colossale, l'une des plus spectaculaires du parc, née suite à la chute d'un pan de grès.

★ KOLOB CANYONS

Comptez une demi-journée. Rejoignez l'I-15, suivez la direction de Cedar City et empruntez la sortie 40 : accès au Visitor Center de Kolob Canyons (8h-17h, 16h30 en oct.-nov.).
Si vous n'êtes pas pressé, faites un détour par Kolob Terrace Rd qui s'enfonce à partir de Virgin *(Hwy 9)* dans les hauteurs du parc, jusqu'à Lava Point *(comptez 56 miles AR)* : belle excursion hors des sentiers battus.

Timber Creek

L'unique route menant vers les hauteurs de Kolob Canyons part du *Visitor Center* pour aboutir au point de vue de **Timber Creek** *(5 miles)*. Elle serpente à flanc de falaise, le long de la faille Hurricane, une immense plaie ouverte de 192 km de long, avant de longer Finger Canyons et ses falaises de grès Navajo orientées ouest-est. À l'extrémité de la route, on rejoint le point de vue à pied *(facile, 30mn)*, par un petit chemin d'où s'exhalent de fortes odeurs ambrées.

Kolob Arch

Plusieurs randonnées peuvent s'organiser dans la région (les permis sont à retirer au *Visitor Center*). Comptez une journée entière pour celle qui mène à **Kolob Arch**, donnée pour la plus grande arche naturelle du monde.

À proximité

SPRINGDALE ET SES ENVIRONS Carte du Zion National Park

Springdale

Porte d'entrée de Zion National Park, la petite ville de Springdale ne présente pas un grand intérêt mais n'en reste pas moins agréable. Le long de sa rue principale, s'égrènent motels plus ou moins luxueux, magasins spécialisés dans les activités sportives et restaurants. La base idéale pour randonner à Zion.

Depuis Springdale, prenez la route principale en direction de Rockville.

Rockville

Rockville aligne quelques jolis B & B le long de sa rue principale mais derrière cette vitrine coquette, la petite ville a connu des drames liés à sa situation géographique et dont certaines traces sont encore visibles quand on s'enfonce dans ses ruelles : d'énormes blocs de roche se sont en effet détachés de la montagne s'écrasant sur les habitations en contrebas.

Grafton

Pour sortir des sentiers battus, vous pouvez aussi vous rendre à Grafton, une **ville fantôme** située à 3,5 miles de Rockville. Pour la rejoindre, il faut emprunter le pont qui enjambe la Virgin River et continuer sur Grafton Road. La route laisse place à une piste. Au niveau d'un embranchement, prenez à gauche pour rejoindre le **cimetière** de Grafton. Le visiter permet de se rendre compte du destin tourmenté de la petite cité : les stèles en bois couvertes d'épitaphes témoignent des affrontements avec les Indiens et des maladies dévastatrices (scarlatine, diphtérie). Lassés des conditions de vie difficiles, ses habitants (jusqu'à 168 en 1860) la délaissèrent et Grafton devint une ville fantôme en 1944. À côté du cimetière, quelques modestes **maisons** abandonnées, disposées autour de l'église, peuvent être visitées. L'endroit a inspiré l'industrie cinématographique puisque quelques scènes de films célèbres y furent tournées dont *Butch Cassidy and the Sundance Kid* (1969) avec Paul Newman et Robert Redford.

SUR LA ROUTE DE BRYCE CANYON Carte de région

▶ Si vous rejoignez Bryce Canyon par l'I-15, vous pouvez faire étape à Cedar City pour vous ravitailler.

🏛 **Cedar City Visitor Chamber of Commerce** : *peu après le carrefour de Main St. et de Center St., sur la gauche. - lun.-vend. 8h-17h.* Elle dispose de nombreuses brochures sur toutes les attractions de la région, dont un plan du Cedar Breaks National Monument.

★ Cedar Breaks National Monument A1

Empruntez la Hwy 14 au carrefour central de Main St. et de Center St. (à gauche en venant de la Visitor Chamber of Commerce). www.nps.gov/cebr. 5 $/pers.

Cet amphithéâtre, creusé par l'érosion sur près de 5 km de large, est planté d'une forêt de conifères. Une route traverse le site, offrant des points de vue sur ces paysages dans le style de ceux de Bryce Canyon.

Passé Cedar Breaks, prenez à droite la Hwy 143 et continuez jusqu'à **Panguitch**, charmante petite ville où vous pouvez passer la nuit avant de rallier Bryce Canyon. Avec sa rue principale bordée de maisons anciennes, elle a tout de la ville-western *(voir Nos adresses dans Bryce Canyon p. 319).*

▶ Vous pouvez aussi rejoindre Bryce Canyon par les routes 9 et 89, visiter Coral Pink Sand Dunes State Park et faire éventuellement étape à Kanab.

🏛 **Kane County office of tourism** : *78 South 100 East, Kanab, ☎ (435) 644 5033, www.visitsouthernutah.com. Lun.-vend. 8h-17h, sam. 8h30-16h30.* Facilement reconnaissable avec sa fresque murale retraçant les tournages cinématographiques dans la région, l'office de tourisme de Kane County propose nombre de brochures et de livrets sur les attraits de Kanab et sa région.

5

Coral Pink Sand Dunes.
L. Decoudin/Michelin

★ Coral Pink Sand Dunes State Park B1

41 miles à l'est de Springdale par les routes 9 puis 83 et à 20 miles à l'ouest de Kanab par la route 89. ☎ (435) 648 2800, stateparks.utah.gov/parks/coral-pink. Du lever au coucher du soleil. 8 $/véhicule.

Méconnu, comme beaucoup de State Parks, Coral Pink Sand Dunes, cerné par de hautes falaises, étale ses **dunes de sable rose orangé** et ses bouquets de genevriers, dans un paysage qui n'est pas sans rappeler un Sahara miniature (15 km²). Les dunes se sont formées par l'érosion des roches de type *Navajo sandstone* entourant le parc et l'action des vents, entassant le sable incroyablement fin à cet endroit. Outre son côté spectaculaire, le site est apprécié par les amateurs de **surf des sables**, qui s'élancent depuis la seconde plus haute dune du pays, et par les conducteurs de **quads** *(pour réserver un tour en quad, contactez le ☎ (435) 627 0868 ou allez sur www.utahatvtour.com)*. Notez qu'il est possible de **camper** dans le parc *(20 $/emplacement)* et d'y **pique-niquer** (aire aménagée avec barbecue à disposition).

Kanab B1

Kanab, 4 500 habitants, est une agréable ville étape, dont l'histoire fut étroitement liée au cinéma. Elle hérita même du surnom de *Little Hollywood* à partir des années 1930. Pour retrouver quelques traces de cette gloire d'antan, il faut dormir dans son hôtel historique, le Parry Lodge *(voir « Nos adresses »)*, qui accueillait les acteurs en tournée dans la région (John Wayne, Frank Sinatra, Robert Taylor, Clint Eastwood…), et visiter **Frontier Movie Town** *(297 W. Center; accès par l'arrière-boutique de souvenirs; entrée libre mais donation suggérée)*. Vous y verrez les décors représentant une bourgade du Far West, notamment utilisés dans *Josey Wales, hors-la-loi* avec Clint Eastwood (1976).
Si le cinéma a depuis longtemps délaissé Kanab, la petite cité a gagné une nouvelle célébrité en accueillant, dans ses environs proches *(5 miles au nord, Route US 89)*, la **Best Friends Animal Sanctuary** (l'équivalent de la SPA française). Les refuges peuvent être visités *(rens. sur bestfriends.org/visit)* et l'association propose des petits chalets à louer et des missions de bénévolat.

😊 NOS ADRESSES À ZION NATIONAL PARK

TRANSPORTS

Voiture ou navette – Seules les navettes gratuites du parc peuvent circuler sur la Zyon Canyon Scenic Drive de mars à octobre. Départ du *Visitor Center* ttes les 6mn env., entre 6h et 21h15 (l'été), 7h-8h30 (reste de l'année). Vous pouvez monter et descendre à chacun des 9 arrêts. Des navettes gratuites desservent aussi Springdale et permettent de rejoindre le *Visitor Center*, dont le parking est vite rempli en été.

INFORMATIONS UTILES

Zion Canyon, Utah Chamber of Commerce – *À Springdale,* ℘ *888 518 7070, www.zionpark. com.* **Infos sur les randonnées, temps, etc.** – *www.zionnational park.com.* **Zion et sa région** - *www.visitutah.com/fr.*

HÉBERGEMENT

Dans le parc de Zion

PREMIER PRIX

Deux campings (℘ *1-800 365 2267 ou www.zion.national-park.com/ camping.htm*) se situent de part et d'autre du *Visitor Center* : **South Campground** – *Tte l'année -* 180 empl. 16 $/nuit. **Watchman Campground** – *15 mars-1ᵉʳ nov. -* 170 empl. 16 $/empl., 3 $/pers. - réserv. possible.

POUR SE FAIRE PLAISIR

Zion Lodge – *1 Zion Canyon Scenic Dr -* ℘ *(435) 772 7700 - www. zionlodge.com -* 🖥 ✕ 🅿 ♿ - *wifi -* 75 ch., 6 suites, 40 cabanons 210/271 $. Au cœur du parc, cet hôtel impeccable propose des chambres classiques et des cabanes de pionniers rénovées, avec cheminées au gaz et confort douillet. Impératif de réserver.

Rockville et Springdale

😊 **Bon à savoir** – **Motels**, B & B et restaurants le long de la Hwy 9 (Zion Park Blvd) de ces jolies bourgades situées près de l'entrée du parc. De nov. à mars, les prix chutent de 20 à 50 %.

BUDGET MOYEN

Canyon Ranch Motel – *668 Zion Park Blvd - Springdale -* ℘ *(435) 772 3357 - www.canyonranchmotel. com -* 🖥 🅿 ♨ *- wifi -* 22 ch. 119/169 $. Motel très calme composé de sept petites maisons.

Bumbleberry Inn – *97 Bumbleberry Lane - Springdale -* ℘ *(435) 772 3224 - www. bumbleberry.com -* 🖥 ✕ 🅿 ♨ ♿ *- wifi -* 47 ch. 120/137 $ 🍴. Un motel moderne, en retrait de la route. Accueil très professionnel et chambres impeccables.

2 Cranes Inn - Zion – *125 E. Main St. - Rockville -* ℘ *(435) 216 7700 - www.2craneszion.com - wifi -* 🅿 4 ch. Une jolie maison (B & B), avec de ravissantes chambres. Accueil aimable.

Under the Eaves – *980 Zion Park Blvd - Springdale -* ℘ *(435) 772 3457 - www.undertheeaves. com -* 🅿 *- 6 ch. 99/199 $* 🍴. Beau B & B avec jardin, hamacs, bibliothèque. Très bon accueil.

POUR SE FAIRE PLAISIR

Cliffrose Lodge & Gardens – *281 Zion Park Blvd - Springdale -* ℘ *(435) 772 3234 ou 1 800 243 8824 - www.cliffroselodge. com -* 🍴 🖥 ♨ ✕ *- 179-259 $.* Grandes chambres et suites, dont certaines avec cuisine et terrasse. Magnifiques jardins, petite plage aménagée sur la Virgin River.

La Quinta Inn & Suites – *792 Zion Park Blvd - Springdale -* ℘ *(435) 627 5280 - www. laquintazionparkspringdale.*

5

com - 🖥 🅿 🏊 ♿ - wifi - 132 ch.
à partir de 249 $ ☕. Une adresse
sans failles. Petit-déj. inclus.

Flanigan's Inn – *450 Zion
Park Blvd - Springdale -
🕿 (800) 765 7787 - www.flanigans.
com -* 🖥 ✕ 🏊 *- wifi - 39 ch.
169/229 $* ☕. Chambres, suites,
et villas spacieuses, sobres mais
élégantes, accessibles par un
chemin pavé frais et ombragé.
Minimum 3 nuits en haute saison.

Pioneer Lodge – *838 Zion
Park Blvd - Springdale -* 🕿 *(435)
772 3233 - www.zionpioneerlodge.
com -* 🖥 ✕ 🅿 🏊 *- wifi - 43 ch.
195/233 $.* Cet hôtel, à l'enseigne
en forme de chariot, a des
chambres décorées de manière
rustique, ou de style trappeur.

Desert Pearl Inn – *707 Zion
Park Blvd - Springdale -* 🕿 *1-888
828 0898 - www.desertpearl.com -*
🖥 ✕ 🅿 🏊 ♿ *- wifi - 73 ch. et
suites 229/259 $.* Superbe hôtel
de caractère. Les grandes
chambres décorées avec goût
ont un mobilier design. Balcons
dans toutes les chambres.
Demandez celles avec vue sur
les falaises.

Kanab

BUDGET MOYEN

🈺 **Parry Lodge** – *89 E. Center
Str. -* 🕿 *(435) 644 2601 ou
1-888 289 1722 - www.parrylodge.
com -* 🖥 ✕ 🏊 *- 89 ch. 119/149 $.*
C'est l'hôtel des stars de cinéma,
toutes s'affichant fièrement sur les
murs qui entourent la réception.
Une pancarte au-dessus des
chambres (sobrement décorées
mais propres et de taille correcte)
indique qui a dormi où. Superbe
bâtiment de bois blanc, avec une
grange d'époque où passe un
western les soirs d'été. Petit déj.
buffet copieux (9,99 $).

Canyons Boutique Hotel –
190 N. 300 W. - 🕿 *(435) 644 8660 -
www.canyonshotel.com -* ☕

🅿 🖥 ✕ 🏊 *- 28 ch. à partir de
140 $.* Certainement le meilleur
rapport qualité/prix de Kanab :
hôtel charmant aux chambres
spacieuses, élégamment
décorées. Accueil irréprochable.
Nous vous conseillons également
de dîner au restaurant de l'hôtel,
Sego, excellent *(voir Restauration).*

RESTAURATION

🈺 **Bon à savoir** – Pas de
commerces ni de restaurants à
Rockville.

La Verkin

PREMIER PRIX

River Rock Roasting Company –
394 S. State St. - 🕿 *(435) 635 7625 -
riverrockroasters.com - tlj 6h30-18h
(7h dim.) - sandwichs 8/10 $.* Sur
la route de Springdale en venant
de St George, un café vendant
de bons sandwichs faits à base
de produits frais et d'excellents
smoothies. Intérieur coloré, tapissé
d'artisanat local et miniterrasse
surplombant la Virgin River.
Le café, élaboré sur place, est
excellent.

Springdale

PREMIER PRIX

Café Soleil – *205 Zion Park
Blvd -* 🕿 *(435) 772 0505 - www.
cafesoleilzionpark.com - 7h-20h -*
🅿. Tout proche du Cliffrose
Lodge, charmant café avec
terrasse, servant un très bon café.
Gâteaux, petits plats bio, et option
sans gluten.

Pizza & Noodle Co. – *À l'arrêt
nº 3 de la navette, dans le
bâtiment qui ressemble à une
église -* 🕿 *(435) 772 3815 - www.
zionpizzanoodle.com - 16h-22h -
plats 12/17 $.* Pizzas et plats de
pâtes copieux ne démentent
pas la réputation de l'endroit.
Salle avec vue sur la galerie d'art
voisine. Terrasse.

BUDGET MOYEN

Bit & Spur Mexican Restaurant & Saloon – *1212 Zion Park Blvd - face au Zion Park Inn - ☎ (435) 772 3498 - www. bitandspur.com - 17h-0h - 🅿 - wifi - plats env. 16/30 $.* Un lieu hybride, à l'atmosphère conviviale, idéal pour dîner. D'un côté le bar et son billard, de l'autre une salle où l'on déguste des plats mexicains épicés, savamment présentés.

Spotted Dog Café – *428 Zion Park Blvd - ☎ (435) 772 3244 - www. zionspotteddogcafe.com - 7h-11h, 17h-21h - plats 15/21 $.* Un bistrot proposant une cuisine américaine raffinée et variée, joliment présentée (cuisine de saison, produits locaux, dont les herbes fraîches, qui proviennent du potager du restaurant). Bar à cocktails, cave à vins étoffée, terrasse extérieure.

😋 **King's Landing Bistro** – *1515 Zion Park Blvd - ☎ (435) 772 7422 - kingslandingbistro. com - dîner tlj. - plats env. 14/30 $.* Le chef Thomas King a quitté les cuisines géantes des hôtels-casinos de La Vegas pour ouvrir, avec sa femme, pâtissière, cette excellente adresse. Dans l'assiette, une cuisine délicate et goûteuse travaillée avec les légumes et fleurs du potager et des ingédients de première qualité. Superbe terrasse avec vue grandiose sur les parois de grès rouge qui cernent Springdale.

Kanab

PREMIER PRIX

Rocking V Café – *97 W. Cebter - ☎ (435) 644 8001 - 11h30-22h, fermé mar.-merc. - plats 9/15 $.* Un lieu coloré et chaleureux qui fait aussi galerie d'art. Mais il faut venir tôt car il se remplit vite. Cuisine honnête.

POUR SE FAIRE PLAISIR

😋 **Sego** – *190 N. 300 W. - ☎ (435) 644 5680 - www.segokanab.com - dîner tlj sf dim. - plats à partager : env. 30 $/pers.* Au sein du Canyons Boutique Hotel *(voir Hébergement)*, un restaurant qui mise sur le concept de plats « sociaux », c'est-à-dire à partager. Dans l'assiette, tout est convaincant, des entrées aux desserts. Cuisine à l'européenne, élaborée avec maîtrise et finesse, et ingrédients d'une fraîcheur irréprochable. Une belle adresse.

ACTIVITÉS

Springdale

Équitation - Canyon Trail Rides – *Zion Lodge - ☎ (435) 679 8665 - www.canyonrides.com.* Sorties (mars-oct.) de 1h *(45 $)* ou à la demi-journée *(90 $)*.

Hurricane

Zion Helicopters – *25 N. 2770 W. - ☎ (435) 668 4185 - www. ZionHelicopters.com.* Des vols à partir de 45 $/pers. (8 miles) jusqu'à 325 $/pers. (100 miles) pour apprécier, vus du ciel, les majestueux paysages de Zion et du sud de l'Utah.

Kanab

Grand Circle Tours – *☎ (928) 691 0166 - www.vermilioncliffs. net - 79/250 $/pers.* Cette agence propose nombre d'(excellentes) excursions à la journée, à pied et en 4x4, au départ de Kanab, de la découverte du confidentiel Peek A Boo Canyon aux paysages magiques de North Coyotte Buttes.

5

Bryce Canyon National Park

★★★

Comment ne pas tomber sous le charme de ce chef-d'œuvre de la nature, certainement l'un des plus spectaculaires et des plus beaux du Sud-Ouest américain. Bryce Canyon est un vaste amphithéâtre naturel dont les pentes ont été sculptées par l'érosion. Cette magistrale frise de tourelles biscornues, de remparts, de colonnes effilées et de piliers étêtés déploie toute la gamme des couleurs ocre, du rouge au blanc. À l'aube et au crépuscule, le ballet de la lumière dans ce dédale minéral offre un spectacle proprement saisissant. Préparez-vous à un moment inoubliable !

NOS ADRESSES PAGE 319
Hébergement, restauration, achats, activités, etc.

S'INFORMER

Visitor Center – *www.nps.gov/ brca - été : 8h-20h ; oct. et avr., 18h ; reste de l'année, 16h30 - entrée : 30 $ par véhicule si vous ne possédez pas le National Parks Pass*. Les rangers conseillent les randonneurs et délivrent les permis de camper en pleine nature, *backcountry permits* (obligatoires). Le document *Carte et guide officiels* du parc, qui existe en français *(50 cts)*, est en vente au *Visitor Center* ou téléchargeable sur le site Internet du centre.

SE REPÉRER

Carte de région B1 *(p. 278-279)* – carte *Michelin Western USA 585 E 9*. Si vous venez de Las Vegas via Zion, sortez du parc par la Hwy 9 vers l'est jusqu'à la Hwy 89 (30 miles) que vous prenez vers le nord sur 44 miles. Tournez alors vers l'est sur la Hwy 12 jusqu'au parc (17 miles).

À NE PAS MANQUER

Le lever et le coucher du soleil sur l'amphithéâtre de Bryce Canyon ; le chemin de Queen's Garden, à pied ou à dos de mules.

ORGANISER SON TEMPS

Consacrez une journée à la visite du Bryce Canyon National Park, plus si vous faites de la randonnée. Pour l'accès, pensez à mettre votre montre au Mountain Time (1h de plus qu'au Nevada et en Californie). N'oubliez pas que le parc est en altitude (plus de 2 500 m) et qu'il peut faire froid.

Zoom sur les *hoodoos* de l'amphithéâtre.
A. de Valroger/Michelin

👥 AVEC LES ENFANTS

Sur les panneaux explicatifs qui jalonnent le parc, se trouvent des médailles que les enfants peuvent reproduire et dessiner. Au bout de trois dessins réalisés, rendez-vous au *Visitor Center* pour la remise d'un petit cadeau !

Découvrir

★★★ L'AMPHITHÉÂTRE DE BRYCE CANYON

▶ *Comptez une grosse demi-journée. Dans la salle d'exposition du Visitor Center est projetée une vidéo de 15mn, Shadows of Time, qui dévoile Bryce Canyon au fil des saisons. À partir du Visitor Center, une route de 18 miles mène aux quatre points de vue qui jalonnent le parc. La lumière du matin est magnifique sur l'amphithéâtre.*

Créé en 1928, ce petit parc perché sur un versant du plateau de Paunsaugunt préserve 145 km² de forêt rocheuse et un véritable labyrinthe de cheminées de fée piqueté de conifères. Les trappeurs du 18ᵉ s. qualifiaient l'endroit de mauvaises terres *(badlands)*. **Ebenezer Bryce**, qui laissa son nom au canyon à la fin du 19ᵉ s. ainsi qu'une route y menant, aurait déclaré : « Ce n'est fichtre pas un endroit où perdre une vache ! » Aujourd'hui, l'ensemble subjugue par son harmonie.

★★ Sunrise Point

En prenant la deuxième route à gauche après le Visitor Center, vous arrivez au premier des quatre points de vue donnant sur l'amphithéâtre (près du parking se trouvent un petit supermarché, des douches et des toilettes). Pour les randonnées, prévoyez de l'eau (en quantité suffisante si vous combinez plusieurs trails), casquette, lunettes, de quoi se protéger contre le vent qui rafraîchit très vite et un coupe-faim.

Un sentier mène au promontoire d'où la vue panoramique, saisissante, s'étend sur la forêt de *hoodoos*, dont les tons orangés se déclinent fougueusement au lever du soleil. Prenez le temps d'admirer une telle merveille !

🚶 Vous pouvez rejoindre les quatre points de vue, depuis la corniche, en suivant un sentier agréable, le **Rim Trail★★**, qui suit le bord de l'amphithéâtre jusqu'à **Bryce Point** en passant par **Sunset Point** et **Inspiration Point** *(facile ; 4,4 km, 1h30 aller ; vous pouvez revenir ensuite en navette).*

Mais si vous voulez savourer toute la beauté de Bryce Canyon, il faut absolument descendre dans l'amphithéâtre.

5

🚶‍♂️ Suivez tranquillement le **Queen's Garden Trail★★** *(facile ; 3,2 km aller ; 1h à 1h30)* et observez de près les colonnes de pierre, les arches et les falaises découpées qui, de loin, semblent immuables comme des forteresses imprenables, mais apparaissent ici toutes fragiles, tels des amas de miettes. Les lignes horizontales qui rythment les falaises révèlent la superposition de roches de compositions différentes, qui s'érodent plus ou moins rapidement pour créer ces colonnes bosselées. La palette de couleurs devient plus nuancée : les tons de rouge, dus à l'oxyde de fer, sont parsemés de teintes bleutées, voire violacées, résultant de l'oxydation du manganèse. Cheminez dans cette féerie de formes et de couleurs jusqu'à **Queen's Garden**, où la formation de la reine Victoria trône au sein de sa cour de *hoodoos*. Peut-être rencontrerez-vous un chevreuil ou un petit écureuil. Au bout de 2,3 km, vous avez deux possibilités : finir Queen's Garden Trail et remonter sur Sunset Point ou obliquer sur **Peekaboo Loop Trail★★** qui forme une boucle *(8,8 km, 3-4h)* et vous ramène sur Queen's Garden Trail. Si vous aimez la randonnée, nous vous conseillons vivement cette solution car les paysages sont absolument fantastiques !

★★ Sunset Point

🚶‍♂️ Que vous ayez fait ou non Peekaboo Loop, vous continuez ensuite sur Queen's Garden Trail, et vous traversez la forêt de pins et de genévriers qui rejoint le **Navajo Loop Trail** remontant jusqu'à **Sunset Point**. Le sentier, magnifique, vous fait passer par le défilé des Two Bridges *(1 km)*, où vous pouvez observer deux ponts naturels en pierre, ou par le défilé de Wall Street *(1,2 km)* avec ses majestueux pins Douglas qui s'élancent vers le ciel *(les sentiers sont très bien balisés. Ils sont fermés s'il y a le moindre risque)*. Le chemin est pentu mais sans difficulté jusqu'à Sunset Point : il faut simplement marcher à son rythme, s'arrêter pour reprendre son souffle et profiter du merveilleux paysage. De Sunset Point sur la corniche, la vue est superbe. Rejoignez alors tranquillement le point de vue Inspiration Point par le Rim Trail, à pied *(1,2 km)* ou en navette.

★★ Inspiration Point

Depuis le plateau, vous surplombez **Silent City**, ou **Inspiration Point**, un alignement incroyable de statues éphémères qui s'étend au sud de Sunset Point.

🚶‍♂️ Vous pouvez continuer jusqu'à Bryce Point par le Rim Trail, à pied *(2,4 km)* ou en navette. De Bryce Point vous pouvez revenir à Sunrise Point en navette.

★★★ Bryce Point

Depuis ce point de vue (2 528 m), époustouflant, vous embrassez tout l'amphithéâtre. Sur la gauche, en hauteur, les falaises abruptes sont parsemées de cavités qui révèlent une forme particulière d'érosion : la dissolution. À cet endroit, la roche est essentiellement composée de calcaire qui se dissout aisément sous l'action des eaux d'infiltration. À mesure que le plateau recule, des grottes apparaissent dans les parois et dessinent des fenêtres dans d'imaginaires piliers blancs de cathédrales.

🚶‍♂️ Deux sentiers de randonnée partent de Bryce Point et descendent au pied du plateau. Le premier *(1,8 km)* rejoint **Peekaboo Loop Trail★★** *(voir ci-dessus)* et le second, **Under-the-Rim Trail**, rejoint Rainbow Point *(35 km ; 2 jours ; quel que soit le chemin choisi pour remonter sur le plateau, Sheep Creek, Swamp Canyon, Whiteman ou Agua, comptez 2h pour effectuer l'ascension)*.

En repartant de Bryce Point, une route sur la gauche vous conduit à **Paria View**, d'où la vue dégagée donne sur un canyon boisé abritant la vallée du Yellow Creek, un cours d'eau coulant vers l'est.

★★ LA PARTIE SUD DU PARC

▶ *Comptez 3h. À hauteur d'Inspiration Point, prenez la route qui rejoint Rainbow Point (15 miles). Pour les horaires des navettes, voir p. 319.*

Dans la partie sud, où l'érosion a été très active, se trouvent les reliefs les plus découpés ; les *hoodoos* y sont moins nombreux mais plus élancés, et les falaises beaucoup plus abruptes. La route dessert six points de vue différents.

PAYSAGES DE PIERRE

Les formations roses et les falaises blanches qui recouvrent les pentes dans la partie sud sont composées de **Claron**, une roche sédimentaire qui s'est formée en plusieurs couches successives il y a environ 60 millions d'années, suivant le mouvement des eaux. Puis, il y a 16 millions d'années, la conjonction de la montée du plateau du Colorado et de l'activité de failles nord-sud a donné naissance aux hauts plateaux de l'Utah, et notamment à celui de Paunsaugunt. Ce relief nouvellement accidenté a dynamisé l'action des cours d'eau, et la rivière Paria a sculpté Bryce Canyon, sur le bord oriental du plateau. Les **hoodoos** sont le fruit de cette érosion. Ils tapissent le canyon sur près de 300 m de dénivelé entre Fairyland Point, situé avant les guérites de l'entrée, et Bryce Point, extrémité sud de l'amphithéâtre. Aiguilles et tourelles rocheuses se dressent tels les pions d'un jeu d'échecs géant. Elles se composent d'un chapeau de roche calcaire sculpté dans la formation Claron, plus résistante, qui protège les couches inférieures des assauts de l'érosion. Seules quelques espèces de conifères survivent dans ce milieu inhospitalier. La force des cours d'eau, l'impact de la neige dans les fissures, l'action du vent et des racines des arbres n'en finissent pas de modeler le bord du plateau qui recule de 30 cm à 1,20 m par siècle.

Ne manquez pas le **Natural Bridge**, qui domine une superbe arche de 40 m de haut sculptée par l'action combinée de la pluie et du gel, et **Black Birch Canyon**, remarquable pour son à-pic boisé.

Derrière les grands arbres qui entourent le parking, la vue panoramique de **Rainbow Point★**, le point culminant du parc (2 778 m), s'étend au nord vers les escarpements qui se dessinent à perte de vue. Le bord du plateau arbore par endroits une couche de roche d'un blanc éclatant : cette partie de la formation Claron, qui contient principalement du calcaire, a tendance à s'éroder en pentes abruptes, car des pans entiers se désolidarisent de l'ensemble le long de fractures verticales.

Vous apercevez à l'est le **plateau Aquarius**, situé à 30 miles de l'autre côté de la vallée. Il y a 16 millions d'années, il était encore rattaché au plateau sur lequel vous vous tenez.

De Rainbow Point, engagez-vous sur le **Bristlecone Loop Trail★** *(1,5 km ; 40mn)* qui part sur la droite et chemine à travers une dense forêt de sapins et d'épicéas. Vous apercevez notamment, accrochés aux parois des falaises, des pins Bristlecone, une espèce particulièrement résistante. Le doyen, âgé de 4 790 ans, a été recensé dans les White Mountains de Californie : il constitue le plus vieil organisme vivant connu dans le monde. *Suivez au choix l'un des deux sentiers menant à Yovimpa Point.*

De **Yovimpa Point★★**, la vue extraordinairement dégagée englobe un panorama unique. Plein sud, vous distinguez le **Grand Staircase** (« Escalier géant »), la succession de plateaux qui descend jusqu'au Grand Canyon *(voir p. 380)*. Les falaises roses, caractéristiques de Bryce Canyon, sont les roches les plus jeunes et constituent la marche supérieure. Des falaises blanches apparaissent ensuite nettement : elles entourent notamment la **No Mans Mesa**, un petit plateau découpé qui se détache telle une île. Enfin, on devine à l'horizon la ligne bombée du **plateau Kaibab**, la dernière marche de l'Escalier, dans lequel le Colorado a creusé le Grand Canyon. Par temps clair, la visibilité s'étend à plus de 300 km et il est possible d'apercevoir à l'est le mont Navajo, situé à 132 km à vol d'oiseau, à la frontière de l'Arizona.

Highway 12, Grand Staircase-Escalante National Monument, Utah.
W. Skrypczak/Getty Images

À proximité Carte de région

★★ VERS CAPITOL REEF : LA HIGHWAY 12 B1

▶ *103 miles de Tropic à Torrey.*

La Hwy 12 qui relie les parcs de Bryce Canyon et de Capitol Reef est l'une des plus belles routes des États-Unis. De *badlands* aux dégradés de bleu en falaises parées d'un rouge franc, d'espaces désertiques en montagnes boisées, cette route surprend à chaque virage. Ponctuée de bourgades fondées par les pionniers mormons, elle coupe en plusieurs endroits le **Grand Staircase-Escalante National Monument**, le plus vaste et le plus récent des espaces sauvages protégés de l'Utah. Depuis sa création en 1996, pas moins de 6 800 km² de terres sont préservées pour l'étude des scientifiques, et seuls des aventuriers aguerris osent se frotter à ce désert de pierre.

★ Kodachrome Basin State Park

Comptez 2-3h. Accès par Cannonville (5 miles, dir. Tropic), bifurquez sur la droite, suivez les indications jusqu'au Kodachrome Basin SP (9 miles). Dans Cannonville, un bâtiment en briques blanches abrite un Visitor Center *(mars-nov. : 8h-16h30).*
🅱 *℘ (435) 679 8562 - stateparks.utah.gov/park/kodachrome - tlj 6h-22h - 8 $/véhicule, à déposer dans une enveloppe s'il n'y a personne - Prenez un plan. Possibilité de camper ou de loger dans d'agréables petits chalets dans le parc au Trail Head Station (minimarket, vente de bois…). Réserv. nécessaire.*

Ce parc mérite le détour pour ses immenses **cheminées** de grès blanc qui s'élèvent au-dessus d'une forêt pygmée, au pied des falaises rouges. L'origine de ces cheminées n'est pas certaine : il s'agirait de sable liquéfié, remonté à la surface suite à un tremblement de terre, ou de geysers et d'anciennes sources pétrifiées. L'érosion a aplani les roches qui les entouraient, sculptant ces colonnes titanesques. Deux sentiers permettent d'approcher ces formations de plus près. Le **Nature Trail** *(sentier pavé de 400 m ; parking à proximité*

5

OPEN RANGE

Soyez très vigilants lorsque vous croisez sur la route des panneaux illustrés par un bœuf avec la mention « open range ». Ceux-ci, qui s'accompagnent de rouleaux sur le bitume, signalent le fréquent passage de bétail sur la route. Le conducteur, averti, devient responsable et en cas d'accident impliquant un animal, devra rembouser la bête à son propriétaire !

---

des toilettes) attire votre attention sur les espèces végétales de la région, tandis que le **Grand Parade Trail** *(2,4 km ; 1h AR, départ vers le magasin)* vous conduit dans les replis des falaises, auprès de cheminées et de formations rocheuses étonnantes.

De retour sur la Hwy 12, traversez Henrieville (3 miles de Cannonville) avant de rallier Escalante, au terme de 33 miles de route majestueuse. À 1 mile de l'entrée d'Escalante, où vous trouverez stations-service, restaurants et motels, obliquez sur la gauche pour rejoindre le parc. À Escalante, vous pouvez faire halte au Visitor Center *(8h-16h30) pour plus de renseignements (état des routes, randonnées, etc.).*

★ Escalante Petrified Forest State Park

Comptez 1h30.

🛈 ✆ *(435) 826 4466, stateparks.utah.gov//parks/escalante.* Visitor Center *7h30-18h, parc 7h-22h (8h hors saison). 8 $/véhicule. Camping, sans eau (électricité possible), devant un lac artificiel.*

N'hésitez pas à parcourir les hauteurs de ce petit parc pour admirer de beaux exemples de **bois pétrifié** *(40mn de marche pour accéder au site).*

À 5 miles d'Escalante, prenez la route qui part sur la droite vers Devil's Rock Garden. Uniquement par temps sec et avec suffisamment d'essence.

★ Hole-in-the-Rock Road

Comptez 2h AR jusqu'à Devil's Rock Garden (18 miles).

Cette route désertique est une ancienne voie, ouverte en 1880 par des pionniers qui partirent s'installer dans la région de San Juan, à l'est de la rivière Colorado. Elle mène à **Devil's Rock Garden**★ *(idéal pour pique-niquer)*, un surprenant jardin de *hoodoos* qui surgit au détour de la route et contraste avec la plaine alentour. Il peut faire très chaud, prenez suffisamment d'eau.

Revenez sur la Hwy 12 et poursuivez votre route jusqu'à Boulder.

★★ BOULDER B1

▶ Perdue le long de la Hwy 12, à mi-chemin entre Bryce Canyon et Capitol Reef, cette charmante bourgade n'a connu de route pavée qu'en 1971. Il y règne une étrange mais très agréable atmosphère bohème.

Burr Trail

C'est à Boulder que débute la voie historique **Burr Trail**, qui couvre 66 miles jusqu'au lac Powell *(continuez après la station-service et remontez jusqu'à l'embranchement avec le Burr Trail. N'hésitez pas à vous arrêter à la petite terrasse du Burr Trail Trading Post & Grill afin de profiter du paysage)*. Cette route déserte n'est que partiellement pavée et seuls les voyageurs bien équipés sont invités à s'y risquer. Les voitures de ville peuvent toutefois s'engager sur les premiers miles jusqu'à **Long Canyon**★★, un défilé entre deux falaises d'un rouge éclatant, dont les parois immenses semblent avoir été taillées au couteau. Les virages tortueux qui descendent dans le canyon donnent véritablement l'impression de plonger dans les entrailles de la terre.

★★ **Anasazi State Park Museum**

Comptez 1 à 2h.

🔲 📞 *(435) 335 7308, stateparks.utah.gov/stateparks/park/anasazi. 8h-18h (9h-17h hors saison). 5 \$/pers. Vidéo (23mn). Document en français pour la visite.*

À la sortie nord de Boulder, sur la Highway 12, ce petit parc abrite les vestiges de l'un des plus importants villages anasazis de la région. Les recherches archéologiques ont mis au jour 97 chambres et dix *pits* ou *kivas* (pièces sacrées creusées dans le sol). Le musée expose diverses poteries, ainsi que la réplique d'une hutte, illustrant le mode de vie et les coutumes des Indiens qui vécurent ici au milieu du 12e s. À l'extérieur, vous pouvez visiter deux maisons reconstituées.

La Hwy 12 continue jusqu'à Torrey, porte d'entrée du Capitol Reef National Park. Faites la route de jour afin de ne pas manquer les vues exceptionnelles, notamment à l'approche du parc, que vous surplombez à plus de 3 000 m.

Attention, de nombreux animaux traversent la route entre Boulder et Torrey, soyez extrêmement prudents (voir encadré ci-contre) !

😊 **NOS ADRESSES À BRYCE CANYON N. P.**

TRANSPORT

En voiture – Chaque point de vue du parc a des parkings. De mi-mai à mi-oct., des navettes gratuites desservent deux parcours : Bryce Canyon Shuttle pour le nord du parc *(ttes les 10-15mn 8h-21h, durée 50mn, arrêts aux points d'intérêt)*, Rainbow Point Tour pour le sud *(départs 9h et 13h30 ; 3h30 AR, réserv. conseillée). (25 \$, entrée incluse).*

Avant l'entrée dans le parc, le vaste complexe du **Ruby's Inn** est particulièrement utile dans ce secteur isolé.

HÉBERGEMENT

Dans le parc

Deux campings, disposant de toilettes et d'eau, fonctionnent sur le principe du « premier arrivé, premier servi ». *Autour de 15 \$/empl.* On peut néanmoins réserver les séjours entre mai et sept., ce que nous conseillons, surtout pour les camping-cars *(📞 435 834 4765, www.recreation.gov).*

North Campground – Sur la gauche peu après le *Visitor Center* - 106 empl., tte l'année. **Sunset Campground** – À droite de la route principale - 101 empl., avr.-mi-oct. **Backcountry camping** – Permis à retirer au *Visitor Center.*

BUDGET MOYEN

Bryce Canyon Lodge – 📞 *(435) 834 8700 - brycecanyonforever. com - fermé mi-nov.-fin mars -* 🍽 ✕ ♿ *- wifi (partiel) - 114 ch. 193/256 \$.* Deux bâtiments pour les chambres et des cabanes de pionniers (avec cheminée) encadrent le magnifique lodge en rondins de la réception. Bureau de poste. Supérette. Randos équestres *(📞 (435) 679 8665).*

À l'orée du parc

Hôtels et restaurants au croisement des Hwys 12 et 63. Les prix indiqués correspondent à la haute saison (été). Ils peuvent baisser de 50 % le reste de l'année.

PREMIER PRIX

Ruby's RV Park & Campground – *300 S. Hwy 63 - 📞 1-866 878 9373 - www.brycecanyoncampgrounds. com - avr.-oct. -* 🅿 ⚓ *- wifi - 250 empl.* Situé à côté du Ruby's Inn, ce camping pour tentes *(env. 30 \$ pour 2 pers.)* et camping-cars *(env. 43/49 \$ pour 2 pers.)* loue aussi des tipis non meublés *(env. 38 \$)*

5

ainsi que des cabanes rustiques *(env. 65 $ pour 2 pers.)* et des tipis *(41 $ pour 2 pers.)*. Laverie. Magasin.

BUDGET MOYEN

Bryce View Lodge – *105 E. Center St. -* ☎ *1-888 279 2304 - www.bryceviewlodge.com -* 🖥 🅿 ⛴ *- wifi - 160 ch. 108/120 $.* Motel classique tout confort. Possibilités de randonnées équestres.

Best Western Ruby's Inn – *26 S. Main St. -* ☎ *866 866 6616 - www.rubysinn.com -* 🖥 🍴 🅿 ⛴ *- wifi - 370 ch. 145/160 $.* Sorte de village-vacances avec station-service, bureau de poste et de change, Internet et quelques commerces.

POUR SE FAIRE PLAISIR

Bryce Canyon Grand Hotel – *30 N. 100 E. Bryce Canyon City - juste en face du Ruby's Inn -* ☎ *(866) 866 6634 - www.brycecanyongrand.com -* 🅿 ⛴ ♿ *- wifi - 164 ch. 190/280 $* ☕. Le plus récent des hôtels proches de Bryce, chambres spacieuses, tout confort. Petit-déjeuner buffet inclus.

Tropic

Les motels se succèdent tout le long de la rue principale, la North Hwy 12.

PREMIER PRIX

Bybee Steppingstone Motel – *21 S. Main St. -* ☎ *(435) 679 8998 - www.brycecanyonsteppingstone.com -* 🖥 *- 7 ch. 89/99 $.* Ce motel anonyme de bord de route est une bonne affaire. Et ce, pour plusieurs raisons : les propriétaires ont pris soin de décorer les chambres, coquettes et fonctionnelles (frigo, bouilloire et micro-onde), l'accueil y est attentionné et le rapport qualité-prix vraiment intéressant.

Bryce Canyon Inn & Pizza – *21 N. Main St. -* ☎ *(435) 679 8502 - www.brycecanyoninn.com -* 🖥

🍴 🅿 *- wifi - 28 unités 88/142 $* ☕. Beaux chalets individuels en bois clair, avec réfrigérateur, et 9 chambres dans le même bâtiment que la pizzeria. Fermé de nov. à fév.

Americas Best Value Inn – *199 N. Main St. - juste avant la station-service -* ☎ *(435) 679 8811 - www.americabestvalueinn.com -* 🖥 🍴 🅿 *- wifi - 103 ch. 90/110 $.* Motel confortable sur 2 étages, et un bâtiment annexe où les chambres sont petites, mais propres.

BUDGET MOYEN

Bryce Country Cabins – *320 N. Main St. - Hwy 12, à l'entrée de Tropic en venant du parc -* ☎ *(435) 679 8643 - www.brycecountrycabins.com -* 🖥 🅿 *- wifi - 9 cottages 130/145 $.* Treize jolis petits chalets individuels en bois avec une chambre spacieuse et confortable, équipée d'un micro-ondes, d'une cafetière et d'un réfrigérateur. Table dehors pour barbecue. Un cadre champêtre très agréable et un accueil attentionné. Accueil prévenant.

Bryce Canyon Livery B & B – *660 W. 50 S. -* ☎ *(435) 690 9969 - www.brycecanyonbedandbreakfast.com -* 🖥 *- 6 ch. 145/165 $* ☕. Malgré une décoration qui peut friser le kitsch (voir les thèmes Navajo et Noël dans deux des chambres) et un petit problème d'insonorisation, un B & B bien tenu et agréable dans un environnement calme et superbe. Joli jardin verdoyant. Copieux petit-déjeuner.

POUR SE FAIRE PLAISIR

😊 **Stone Canyon Inn** – *1380 W. Stone Canyon Ln - à droite en venant de Bryce Way -* ☎ *(435) 679 8611 - www.stonecanyoninn.com -* 🖥 *-4 bungalows, 4 cabines et une grande maison d'hôte 235/360 $. (voir aussi « Restauration »).* Perdus dans la nature, un ensemble d'hébergements hauts de gamme. Des bungalows à la maison d'hôte, vous trouverez un confort optimal (cheminée, sauna, terrasse privée, barbecue et jacuzzi extérieur pour la maison d'hôte), une décoration sobre et élégante, de l'espace et un calme olympien… Idéal pour les familles et les groupes d'amis. Une adresse coup de cœur!

Panguitch

La plupart des motels ne sont ouverts que d'avr. à oct.

PREMIER PRIX

Blue Pine Motel – *130 N. Main St. - ☎ 1-800 299 6115 - www. bluepinemotel.com -* 🍴 ✕ 🅿 *- wifi - 21 ch. 59/84 $.* Sur la rue principale, avec de grandes chambres agréables.

Canyon Lodge Motel – *210 N. Main St. - ☎ (435) 676 8292 - www.canyonlodgemotel.com -* 🅿 *- wifi - 10 ch. 79/109 $.* Ouvert toute l'année, ce motel familial dispose de chambres personnalisées. Bon accueil.

Historic Panguitch Inn – *50 N. Main St. - ☎ (435) 676 8871 - www. panguitchinn.com - fermé nov.- avr. -* 🍴 🅿 *- wifi - 24 ch. 50/95 $.* Chambres rénovées, confort correct. Demandez la vue sur la rue principale.

Quality Inn Bryce Canyon – *3800 S. Hwy 89 - ☎ (435) 676 8770 - www.brycecanyonwesternresort. com -* 🅿 *- wifi - 80 ch. 90/140 $* 🍽. Sympathique motel de type western remis à neuf. WiFi et petit-déj. inclus.

Highway 12 - Escalante

BUDGET MOYEN

☺ Shooting Star RV Resort – *2020 UT-12 - 3 miles avant Escalante en venant de Bryce Canyon par la Hwy 12 - ☎ (435) 826 4440 - www.shootingstar-rvresort. com -* 🍴 *- 8 caravanes Airstream*

129/159 $. Pour les nostalgiques d'un certain âge d'or et les fans de cinéma, voici une possibilité d'hébergement détonnante et originale. Huit caravanes Airstream en aluminium tout confort posées dans un champ, à la décoration très pop influencée par les stars hollywoodiennes! Les mar., jeu. et sam., dans un cinéma installé en plein air, on regarde, assis à l'intérieur de vieilles Mustang, des classiques des années 1960. Ambiance *Happy Days*!

Highway 12 - Boulder

BUDGET MOYEN

Boulder Mountain Guest Ranch – *3621 Hells Backbone Rd - ☎ (435) 335 7480 - www. bouldermountainguestranch.com -* 🅿 *- wifi - 5 ch., 1 suite, 3 cabanes, 2 tipis, 1 tente 65/125 $ -* 🍽 *9 $.* Ranch perdu dans la nature à 7 miles au sud-ouest de Boulder. Excursions à cheval et, en hiver, ski de fond et raquettes.

Boulder Mountain Lodge – *20 N. Hwy 12 - ☎ (435) 335 7460 - boulder-utah.com -* 🍴 ✕ 🅿 ♿ *- wifi - 20 ch. 135/310 $. (Voir aussi « Restauration », Hell's Blackbone Grill).* Un motel tranquille, tout le confort et jacuzzi extérieur. Excursions guidées et sorties photo.

RESTAURATION

Bryce Canyon City

PREMIER PRIX

Ruby's Inn Restaurant – *26 S. Main St. - ☎ 866 866 6616 - www.rubysinn.com - 6h30-21h30 - formule déj. 15 $ - formule soir 25 $ (enf. 9/13 $) - le soir plats 15/30 $.* Le restaurant de l'hôtel Best Western Ruby's Inn propose un buffet ou un large choix de plats à la carte.

Bryce Canyon Lodge – *Dans le parc* - *☎ (877) 386 4383 - www. brycecanyonforever.com/dining - 7h-22h - plats déj. env. 10/16,50 $ - dîner plats env. 12/34 $.* Situé dans le parc. Cadre agréable et prix raisonnables pour le déjeuner, plus élevés pour le dîner.

BUDGET MOYEN

Ebenezer's Barn & Grill – *E. Center St.* - *☎ (435) 834 8003 - www.ebenezersbarnandgrill.com - de mi-avr. à mi-oct. - à partir de 19h - formules 32/38 $ (menu enf. -12 ans 18 $).* Saloon à l'ambiance western et spectacle pendant le repas. Buffet. Bonne ambiance.

Tropic

PREMIER PRIX

Russell's – *141 N. Main St. - entrée par le supermarché, devant la station-service* - *☎ (435) 679 8383 - 7h-21h (7h-22h en été) - wifi - plats 10/30 $.* Viandes grillées de qualité, sandwichs, salades.

POUR SE FAIRE PLAISIR

Stone Hearth Grille – *1380 W. Stone Canyon Ln - à droite en venant de Bryce Way* - *☎ (435) 679 8923 - www.stonehearthgrille. com - fermé pour le déj. et entre nov. et mars - plats 22/38 $. (voir aussi « Hébergement »).* L'endroit idéal pour déguster un bon steak et quelques assiettes gourmandes (bonnes *bison meatballs* en entrée et jolie mousse à l'orange pour conclure le repas). Agréable terrasse et intérieur classique. On regrettera toutefois un service un peu trop guindé et inégal et des prix assez élevés…

Panguitch

PREMIER PRIX

Cowboy's Smokehouse – *95 N. Main St.* - *☎ (435) 676 8030 - 7h-21h - fermé dim.* - 🚭 - *Plats déj. env. 13 $ - dîner 11/35 $.* Bonnes salades

et viandes goûteuses (comptez un peu plus pour un T-Bone). Concert le w.-end. Ambiance sympathique.

Highway 12 - Boulder

POUR SE FAIRE PLAISIR

😊 **Hell's Backbone Grill** – *20 N. Hwy 12* - *☎ (435) 335 7464 - hellsbackbonegrill.com - fermé de déc. à mi-mars - plats 17/28 $. (voir aussi « Hébergement »).* Dans un cadre bucolique, cette maison aux grandes baies vitrées, entourée d'un jardin d'herbes aromatiques et d'un potager, accueille un excellent restaurant. Totalement bio, la carte décline viandes fermières, truites de rivière et desserts gourmands en des recettes créatives. Excellente adresse.

ACTIVITÉS

Bryce Canyon

Équitation - Canyon Trail Rides – *Bryce Canyon Lodge - 84776 Tropic - près de la réception* - *☎ (435) 679 8665 - www.canyonrides.com - avr.-oct.* Randonnées à cheval de 2h pour Bryce Canyon *(65 $)* ou à dos d'âne pour North Rim Grand Canyon *(45 $).* Compréhension de l'anglais souhaitable.

Escalante

😊 **Canyoning - Excursions of Escalante** – *125 E. Main St.* - *☎ (435) 826 4714 - www. excursionsofescalante.com.* Une agence solide tenue par le volubile et sympathique Rick Green et sa femme Amie. Ils vous emmènent au cœur de l'Escalante National Monument à la découverte des *slots canyons*, très étroits. Initiation aux techniques de passage et aux descentes en rappel *(à la journée 155 $/pers., lunch fourni).* Une très bonne expérience ! Compréhension de l'anglais souhaitable.

Capitol Reef National Park

★★

Si Capitol Reef National Park paraît loin de tout, il mérite néanmoins le détour pour la palette de couleurs qu'offrent ses falaises, ses dômes et ses gorges. Le Waterpocket Fold constitue à cet effet une véritable encyclopédie géologique à ciel ouvert, dans laquelle de nombreuses communautés humaines se sont épanouies au fil des siècles. L'occasion d'une belle leçon d'histoire et de géographie.

NOS ADRESSES PAGE 327
Hébergement, restauration, achats, activités, etc.

S'INFORMER

Visitor Center – *Situé sur la Hwy 24, 6 miles après l'entrée ouest du parc - ℘ (435) 425 3791 - www.nps.gov/care - été : 8h-18h ; printemps et automne, 8h-17h ; hiver, 8h-16h30. 10 $/véhicule, National Pass accepté.*
Une maquette en relief permet de se familiariser avec la configuration du parc. Diaporama et exposition sur l'histoire de la région (certains objets ont été restitués aux tribus indiennes). Demandez la feuille indiquant toutes les randonnées proposées.

SE REPÉRER

Carte de région B1 *(p. 278-279) – carte Michelin Western USA 585 E 9.* Le cœur du parc de Capitol Reef est traversé d'ouest en est par la Highway 24 qui fait un demi-cercle à partir de l'I 70 reliant l'I 15 à Denver. Si vous arrivez de Bryce Canyon par la Highway 12, vous passez par Torrey, qui se situe à 11 miles du *Visitor Center* du Capitol Reef National Park.

À NE PAS MANQUER

Randonner dans Capitol Gorge et un dîner au Capitol Reef Inn & Cafe de Torrey.

ORGANISER SON TEMPS

En chemin pour le parc, arrêtez-vous sur la Hwy 12, qui culmine à 3 000 m, pour profiter de la vue panoramique. À partir de Torrey, si vous vous dirigez vers Moab, passez par la très belle Hwy 24 pour rejoindre l'I-70. État de l'Utah - Mountain Time (1h de plus qu'au Nevada et en Californie).

Découvrir

5

Cet espace protégé depuis 1937 s'étend entre les étendues boisées de la montagne Boulder à l'ouest et une plaine désertique dominée par les monts Henry à l'est. Il englobe le **Waterpocket Fold**, une barrière rocheuse issue des mouvements tectoniques qui modelèrent le plateau du Colorado. La rivière Fremont a creusé l'une des rares voies de passage dans cette muraille qui court du nord au sud, donnant naissance à une oasis de verdure inespérée, dont les hommes tirèrent profit.

Depuis le Visitor Center, deux possibilités : soit emprunter la Scenic Drive (idéale pour les randonneurs) soit s'engager sur la Scenic Byway (plus spectaculaire). Les plus pressés emprunteront cette dernière et ne se priveront pas d'effectuer les petites randonnées qui jalonnent la route.

FRUITA ET LA FREMONT VALLEY/SCENIC BYWAY (24)

Comptez une journée.

Au plus fort de son activité, du début du siècle jusqu'à 1937, le hameau de Fruita comptait une dizaine de familles, venues s'installer à la suite des premiers aventuriers des années 1880 et des polygames mormons qui trouvaient refuge dans ces endroits reculés où ils pouvaient vivre comme bon leur semblait. Ils ont laissé en héritage plusieurs bâtiments remarquablement conservés ainsi que des vergers, alignés le long de la rivière, qui continuent de donner des fruits *(en saison, vous pouvez aller faire la cueillette gratuitement).*

En revanche, les Indiens qui se sont succédé dans la vallée depuis le 8e s. ont laissé peu de traces, mis à part les énigmatiques pétroglyphes gravés à flanc de falaise.

Fruita

Au début de la **Scenic Drive**, après le *Visitor Center*, vous pouvez jeter un œil à l'échoppe de forgeron de Merin Smith, bâtie en 1925, encore tout équipée. Un peu plus loin, la **Gifford Homestead★** fut habitée jusqu'en 1969. Conservée en l'état, avec son garage attenant et ses petits corps de ferme, elle a été aménagée en musée des Arts et Traditions populaires *(été : 11h-17h. Gratuit). Revenez sur la Hwy 24 et prenez à droite, vers l'est.*

Nichée au milieu des vergers, au pied des à-pics de grès rouge, la petite **école** *(Fruita School)* en rondins de Fruita, ouverte entre 1896 et 1941, conserve son poêle, ses pupitres, ses bouteilles d'encre, son tableau noir et même son bonnet d'âne. Le bâtiment servait également de salle de réunion pour la communauté.

Le long de la Hwy 24, peu après l'école, une rampe d'accès en bois surplombe le terrain détrempé qui borde la rivière et mène jusqu'aux **pétroglyphes**. Des figures représentant des personnages dont le torse est décoré, ainsi que des animaux (notamment des *bighorns,* une sorte de mouflons), apparaissent sur certaines falaises du parc. Ces gravures rupestres sont attribuées aux Indiens fremonts, dont la présence dans la région est attestée entre les 8e et 13e s. On sait peu de chose d'eux, sinon qu'ils vivaient de la chasse et de la cueillette et qu'ils cultivaient le maïs et les courges. Les raisons de leur disparition et l'arrivée d'Indiens utes et paiutes du sud et de l'ouest restent sujettes à controverses.

Randonnées

Peu après les pétroglyphes, sur la Hwy 24, débutent deux sentiers de randonnée. Après la courte montée initiale, obliquez à gauche pour suivre la boucle du **Hickman Bridge Trail★** *(facile ; 1h AR)*. Ce chemin bien balisé conduit au **Hickman Bridge★**, une arche naturelle creusée dans la formation Kayenta.

Le **Rim Overlook Trail★★** qui part quant à lui sur la droite *(randonnée sportive ; 4h AR)* est un régal pour qui affectionne les hauteurs et les vues panoramiques. La montée est éreintante, mais quelques arbres procurent des aires de repos ombragées. Le silence qui règne ici et la vallée qui se dévoile au cours de l'ascension sont un enchantement. Vous pouvez poursuivre cette randonnée par le **Navajo Knobs Trail★** *(4-5h AR ; pensez qu'il vous faut redescendre ensuite)*, qui aboutit à l'un des plus beaux points de vue sur le Waterpocket Fold et permet d'apercevoir les dômes blancs de grès Navajo qui ont donné leur nom au sentier.

À l'extrémité est du parc, à droite de la Hwy 24, se dresse toujours l'**Elijah Cutler Behunin Cabin**. Construite en 1884, cette incroyable petite masure de pierre abritait alors une famille de 13 enfants.

WATERPOCKET FOLD/SCENIC DRIVE

◖ *Comptez une demi-journée. Empruntez la route touristique à partir du* Visitor Center *(13 miles). Entrée : 10 $/véhicule. Renseignez-vous sur les conditions météorologiques avant de vous engager sur cette route, notamment pour la visite des canyons Grand Wash et Capitol Gorge (risques de crues subites). Les voies d'accès aux extrémités nord et sud du parc nécessitent des véhicules tout-terrain.*

Le Waterpocket Fold est un plissement de plus de 100 miles de long, formé de roches sédimentaires accumulées depuis 250 millions d'années et mises au jour il y a 60 millions d'années, quand une importante activité des plaques tectoniques bouleversa le relief du continent américain, créant notamment les montagnes Rocheuses. Depuis, l'érosion a fait son œuvre, élimant les couches supérieures et offrant ainsi au visiteur du 21e s. une plongée fantastique dans l'histoire de la Terre.

Une **route touristique** *(Scenic Drive)* longe le versant ouest du Waterpocket Fold, où apparaissent les roches les plus anciennes : elles forment un étagement régulier où l'érosion a, selon leur nature, creusé des sillons, détaché des pans entiers ou dessiné de douces pentes. Cette route donne accès à deux voies de terre qui s'enfoncent dans des canyons étroits où vous pouvez marcher sur les traces des pionniers.

★ Grand Wash

Le premier chemin que vous trouvez sur votre gauche mène à **Grand Wash**, une gorge étroite d'où partent deux sentiers de randonnée. Vous apercevez sur la gauche les entrées d'anciennes mines d'uranium, exploitées sans grand succès au début du 20e s. L'un des sentiers, **Cassidy Arch Trail** *(difficile ; 4-5h AR)*, mène au sommet des falaises d'où l'on aperçoit la **Cassidy Arch**, du nom de ce célèbre hors-la-loi du début du 20ᵉ s. qui, selon la légende, venait avec sa bande trouver refuge dans les replis du Waterpocket Fold. La route touristique se termine par une fourche dont la voie de gauche, en terre, serpente dramatiquement entre les hautes falaises de grès blanc de **Capitol Gorge** (*ne vous engagez pas sur la piste s'il a plu la veille ou si des orages sont prévus ; les voitures classiques de location ne sont pas couvertes en cas de crevaison ou de panne*).

Capitol Gorge

🐾 Parvenu au parking, engagez-vous à pied sur le **Pionner Trail** (*1h AR*). Il suit le lit asséché du cours d'eau qui a creusé ce canyon vertigineux. Avant que la Highway 24 ne soit construite, en 1962, ce défilé constituait une voie de passage à travers la barrière rocheuse. Malgré le risque des crues subites, elle avait été ouverte en 1884 par un pionnier mormon, en remplacement de celle qui suivait la rivière Fremont et obligeait à traverser la rivière en plus de 50 endroits ! Sur le chemin, soyez attentif aux inscriptions gravées sur la falaise par vos prédécesseurs. Le plus vieil autographe de ce *Pionneer Register* (« registre des pionniers ») remonte à 1871 (*il est formellement interdit d'y apposer le vôtre*). À 1 mile environ du départ, un panneau sur la gauche vous invite à gravir une petite colline pour aller découvrir les **poches d'eau** (*waterpockets*) qui ont donné leur nom au plissement (*30mn AR ; suivez les petits tas de pierres qui balisent le chemin, mais faites attention, car il est aisé de se perdre*). Il s'agit de cavités naturelles creusées dans le grès, recueillant les eaux de pluie et constituant de précieux réservoirs.

Une fois redescendu dans le canyon, vous pouvez rebrousser chemin ou pour-suivre plus avant dans le défilé pour atteindre l'autre côté de la barrière de Capitol Reef.

À proximité Carte de région

VERS MONUMENT VALLEY

★ **Natural Bridges National Monument** C1

63 miles au nord de Monument Valley. À la sortie de Capitol Reef, à Hanksville, à l'embranchement des routes 24 et 65, suivez la 95 vers le sud. ☎ (435) 692 1234. nps.gov/nabr. Du lever au coucher du soleil. 10 $/véhicule, National Pass accepté. Peu connu des visiteurs, ce petit parc de 31 km², parcouru par une route en sens unique de 9 miles, renferme des habitations et des pictogrammes anasazis, d'impressionnants canyons de grès blanc et surtout trois ponts majestueux, répertoriés parmi les plus grands ponts naturels du monde : Sipapu Bridge, Kachina Bridge et Owachomo Bridge.

🐾 À partir des points d'observation, des sentiers descendent au fond des canyons pour s'en approcher. Si vous ne deviez en choisir qu'un, privilégiez le Sipapu Bridge (*1,2 miles AR, env. 1h*). Avec ses 82 m de long, il est le plus grand pont naturel au monde après le Rainbow Bridge du Lake Powell. Son accès se fait notamment par de courtes échelles en bois, relativement larges, stables et sans danger.

😊 NOS ADRESSES À CAPITOL REEF N. P.

HÉBERGEMENT/RESTAURATION

Aucun hébergement dans le parc, mis à part **Fruita Campground**.

À Torrey

PREMIER PRIX

Capitol Reef Inn & Cafe – 360 W. Main St. - sortie ouest du village - ℘ (435) 425 3271 - www. capitolreefinn.com - ▤ ✕ 🅿 - fermé nov.-mars - wifi - 10 ch. 71 $. Un motel tout confort à l'ambiance familiale. Le Cafe (tlj 7h-21h ; 9/19 $) sert une cuisine savoureuse.

Rim Rock Inn – 2523 E. Hwy 24 - ℘ (435) 425 3398 - www. therimrock.net - fermé déc.-fév. - ▤ ✕ 🅿 - wifi - 18 ch. 74/84 $. Sur la route du parc. Cet hôtel propose des chambres impeccables et une vue magnifique sur les falaises rouges dont bénéficie aussi le restaurant (mai-oct. : tlj 12h-23h - 15-30 $).

Thousand Lakes – 1110 W. Hwy 24 - en dir. de Bicknell - 1 mile à l'ouest de Torrey - ℘ (435) 425 3500 - www.thousandlakesrvpark. com - fermé nov.-mars - ✕ 🅿 ⏛ - wifi - tentes 20 $/j., cabanes 39 $. Camping accessible aux tentes et aux camping-cars (32 $). Cabanes de pionniers rudimentaires avec deux lits et une table. Salle de bains partagée.

BUDGET MOYEN

Capitol Reef Resort – 2600 E. Hwy 24 - ℘ (435) 425 3761 ou 1-800 780 7234 - book.bestwestern. com - ▤ ✕ ⏛ - 97 ch. 120/176 $. Un grand complexe très bien situé, dont les chambres sont aménagées avec goût. Excellent accueil.

POUR SE FAIRE PLAISIR

😊 **The Lodge at Red River Ranch** – 2900 W. Hwy 24 - (435) 425 3322 ou 1-800 205 6343 - www. redriverranch.com - ▤ ✕ - fermé déc.-fév. -15 ch. 200/335 $. Un B & B au charme unique niché au cœur d'une vaste prairie traversée par une rivière. Il recèle de vastes chambres respirant l'esprit du Grand Ouest avec cheminée, boiseries et tapisseries locales ainsi qu'une impressionnante et monumentale salle commune. Les enfants ne se lasseront pas d'observer les bisons qui paissent à proximité et les pêcheurs apprécieront les possibilités qui leur sont offertes. Jacuzzi dans le jardin. Une très belle adresse.

Torrey Schoolhouse B & B – 150 N. Center St. - ℘ (435) 633 4643 - www.torreyschoolhouse.com - ▤ - fermé nov.-mars - 10 ch. 145/170 $ ☕. Un B & B étonnant puisqu'il occupe les locaux de l'ancienne école publique de Torrey. Les chambres spacieuses et décorées de façon très classique et avec goût, donnent, par leurs grandes fenêtres, sur un jardin coquet. Atmosphère un peu surannée mais néanmoins agréable et accueil attentionné.

RESTAURATION/ACHATS

À l'est de Capitol Reef

PREMIER PRIX

Mesa Farm Market – Hwy 24 - peu après Caineville - ℘ (435) 456 9146 - mesafarmmarket.com - fermé nov.-mi-mars. Cette ferme biologique posée en bord de route mérite un arrêt pour ses produits sains et appétissants : pain maison, houmous, fromage frais de chèvre, légumes du jardin, miel, sauces… pour composer un excellent lunch ou à emporter. Accueil souriant.

5

Arches et Canyonlands National Parks

Moab 5 121 habitants – Utah

Mecque des sports extrêmes, Moab et ses environs attirent aussi les simples randonneurs en quête de panoramas à couper le souffle. Et en la matière, les fabuleux paysages de l'Arches National Park comme ceux, plus secrets, de Canyonlands National Park, réservent quelques instantanés inoubliables. À vos appareils photo !

NOS ADRESSES PAGE 337
Hébergement, restauration, achats, activités, etc.

S'INFORMER

Moab Information Center – *À l'angle de Main St. et de Center St. - ℰ (435) 259 8825 - discovermoab. com - mars-nov. : lun.-sam. 8h-19h, dim. 9h-18h.* Nombreux documents et cartes topographiques. Infos sur les randonnées, leurs difficultés, les conditions des routes, ainsi que sur les activités sportives et les excursions guidées. La région a servi de cadre à de nombreux films ; un dépliant, *Moab Area Movie Locations Auto Tour,* vous permet de leurs décors.

SE REPÉRER

Carte de région C1 *(p. 278-279) – carte Michelin Western USA 585 F 9.* Arches et Canyonlands N.P. se trouvent à quelques miles au nord de Moab

par la Hwy 191. Moab est située à 467 miles (747 km) au nord-est de Las Vegas par l'I-15, puis l'I-70 vers l'est, et la Hwy 191 vers le sud. Attention, les Needles (Canyonlands) sont bien isolées avec un accès au sud.

À NE PAS MANQUER

La Delicate Arch en fin d'après-midi ; la descente du Colorado en bateau et dans Canyonlands N.P., le Shafer Trail ou les randonnées dans les Needles. Prévoyez impérativement 5 l d'eau par personne par jour.

ORGANISER SON TEMPS

Grand View Point et Dead Horse Point sont plus spectaculaires en fin d'après-midi ou très tôt le matin. Réglez vos montres sur le Mountain Time (1h de plus qu'au Nevada et en Californie).

Découvrir

★★★ ARCHES NATIONAL PARK

5 miles au nord de Moab. Circuit de 43 miles. Comptez 1 à 2 jours avec les randonnées.
Visitor Center – *ℰ (435) 719 2299, www.nps.gov/arch - avr.-sept. : 7h30-18h ; oct.-nov. : 8h-17h30 (16h30 de mi à fin nov.) ; déc.-fév. : 9h-16h - fermé 25 déc. Parc ouvert tte l'année 24h/24. 25 $/véhicule, 10 $ pour les piétons et les cyclistes. Dépliants des randonnées et Visitor Guide listant les points d'intérêt du parc. Pensez à réserver dès votre arrivée vos places pour les randonnées guidées dans Fiery Furnace.*

Comme son nom l'indique, l'Arches National Park se distingue par le nombre surprenant de ses arches naturelles, d'une largeur variant entre 90 cm et 91 m. Les spécialistes en ont répertorié plus de 2 000 sur les 296 km² du parc. Celles qui sont facilement repérables par le promeneur sont en réalité moins d'une centaine, mais elles sont spectaculaires. La plus belle d'entre elles, la **Delicate Arch**, est même devenue le symbole de l'Utah.

La plupart des sites sont plus beaux le soir, quand la lumière fait rougeoyer le grès. Si vous n'avez qu'une journée, randonnez le matin dans Devil's Garden, suivez le guide l'après-midi à Fiery Furnace et réservez la Delicate Arch pour la fin de journée. Attention, les seuls points d'eau potable sont au *Visitor Center* et au début de Devil's Garden. Sans être très difficiles, les randonnées nécessitent une bonne forme physique, surtout si vous les enchaînez. Le balisage des sentiers est matérialisé par de petits amas rocheux *(cairns)*. La route principale mène à Devil's Garden. En chemin, deux routes secondaires sur la droite conduisent à Windows Section et à Delicate Arch.

★ Park Avenue

Sentier 2 miles AR, facile. Premier site signalé sur la gauche, ce large canyon est bordé de falaises rappelant des murailles. Leur profil évoque vaguement une rangée d'immeubles, d'où leur nom. Plusieurs films ont été tournés ici, dont des scènes de *Thelma et Louise* ou d'*Indiana Jones et la dernière croisade.*

★ Windows Section

Sentier 1 mile AR, facile. On atteint cette section après avoir dépassé le **Balanced Rock★**, un énorme rocher en équilibre sur un piédestal de grès, rassemblant plusieurs belles arches (explorées aussi par Indiana Jones !), dont une double et une triple.

Reprenez la route jusqu'à Devil's Garden.

★★ Devil's Garden

À l'extrémité de la route, à environ 18 miles de l'entrée du parc.

C'est là que sont concentrées la plupart des grandes arches – on en a répertorié 64 –, dont la célèbre **Landscape Arch★★** (la plus longue arche, 90 m d'ouverture et plus de 30 m de haut), constamment menacée d'effondrement.

DU SEL, DE L'EAU, DU VENT…

La géologie de cet étrange paysage s'explique par une histoire de 150 millions d'années et par la conjugaison de plusieurs phénomènes. À l'origine, une immense mer laissa, en s'asséchant, une épaisse couche de sel (encore visible sur le sol) et de gypse. Avec le temps, celle-ci a été recouverte de divers sédiments qui, grâce à la silice et au carbonate de calcium, se sont agglomérés pour donner le **grès Entrada**, de couleur saumon. Par la suite, du sable s'est également déposé, dessinant des dunes qui se sont pétrifiées pour former le **grès Navajo**, jaune pâle.

L'eau, en infiltrant ces couches épaisses, a fini par atteindre la couche de sel et par la dissoudre, provoquant des glissements de terrain et des effondrements (la vallée de Moab en est l'exemple majeur). À la surface, le grès s'est fissuré, le long des affaissements. L'eau s'est alors infiltrée plus facilement, accentuant l'effet de feuilletage et créant des couloirs, des ponts ou des arches en s'attaquant aux roches les plus tendres. Le gel et le vent se sont combinés à l'eau pour creuser des paysages fantastiques et fragiles. Quand l'érosion est extrême, des pans entiers s'effondrent et redeviennent sable. C'est le sort de Wall Arch, tombée en 2008.

5

Le **sentier principal★★** *(facile ; 4,5 km AR)* rejoint **Dark Angel**, un énorme monolithe, et propose quelques détours pour observer les arches. Un autre trajet, nettement plus pénible mais plus sauvage, suit le sentier principal à l'aller, mais vous ramène au point de départ par le **Primitive Loop Trail★★★** *(comptez 4h pour le circuit complet et quelques passages acrobatiques)*. Dans les deux cas, ne négligez pas les détours balisés vers les arches : les plus belles ne sont pas visibles du sentier principal.

Sur le chemin du retour, arrêtez-vous pour découvrir Fiery Furnace.

★★★ Fiery Furnace

Visite guidée uniquement (16 $) ou permis délivré au Visitor Center *pour les randonneurs qui peuvent justifier d'une connaissance du terrain (6 $). Bonnes chaussures indispensables. Comptez 3h. Billet en vente au* Visitor Center.

Si vous rechignez à suivre une visite guidée, vous comprendrez très vite que celle-ci s'avère incontournable tant le labyrinthe entre les falaises, les pics et les étroits canyons est inextricable. Il est très facile de se perdre avant d'avoir parcouru 100 m !

On l'appelle Fiery Furnace, la « Fournaise ardente », en raison de la couleur rouge orange de ses cheminées et blocs de grès qui ressemblent à des flammes au crépuscule. En fait, les couloirs sont si étroits et ombragés qu'il y fait plutôt moins chaud qu'ailleurs dans le parc. Cette randonnée passionnante permet de mieux comprendre le processus d'érosion du sol et de découvrir la vie naturelle, à l'écart des axes les plus fréquentés. Vous vous faufilerez dans d'étroites failles, ramperez le long des crêtes, à quatre pattes, voire sur les fesses…

★★★ Delicate Arch

Réservez cette randonnée pour la soirée *(env. 2h AR)* mais gardez un peu de force, car la montée, sans être difficile, est longue et peu ombragée. Vos efforts seront récompensés par la vue que l'on a du sommet : les falaises rondes et roses, qui soutiennent la plus élégante de toutes les arches, et les La Sal Mountains, à l'arrière-plan. N'hésitez pas à aller sous sa voûte pour mesurer sa taille monumentale.

Pour l'admirer de loin et surtout sans effort, garez-vous au **Lower Delicate Arch Viewpoint**. Du parking, un sentier mène à l'**Upper Delicate Arch Viewpoint★★** *(15mn AR, facile même si la pente est un peu prononcée).*

★★★ CANYONLANDS NATIONAL PARK

▶ *Comptez 2 à 3 jours. Dans un rayon de 80 miles au sud-ouest de Moab. Alt. 1 500-1 900 m.*

Island in the Sky Visitor Center – www.nps.gov/cany - *de fin avr. à fin sept. : 8h-18h ; horaires restreints jusqu'à fin décembre - fermé janv.-mars - parc ouvert tte l'année 24h/24 - droit d'entrée pour les trois districts : 25 $/véhicule, 10 $/vélo.*

---

127 HEURES AU FOND D'UN CANYON

Le film *127 heures* (2010) retrace l'aventure de l'alpiniste américain Aaron Ralston, victime d'une chute dans le Blue John Canyon, au nord-est de Canyonlands National Park. Parti sans avoir prévenu personne, il est resté pris au piège d'un rocher bloquant son bras, et l'empêchant de s'échapper. Victime d'hallucinations, et à court d'eau, il finit par s'amputer de la main, et réussit à s'en sortir. Bilan : ne partez jamais en randonnée seul ou en petit groupe, dans un endroit reculé, sans avoir prévenu un ranger du parc. Et emportez suffisamment d'eau.

Canyonlands National Park, terrain de jeux pour randonneurs et sportifs.
Aurora/hemis.fr

Ce vaste parc de 1 360 km², encadrant le confluent du Colorado et de la Green River, compte parmi les plus sauvages de l'Ouest. Il se divise en trois districts à visiter séparément, délimités par le parcours des deux rivières : **Island in the Sky**, les **Needles** et le **Maze**.

Tous les paysages du plateau du Colorado s'y succèdent : canyons vertigineux, déserts, mesas, forêt d'aiguilles rocheuses. Il est indispensable de le découvrir à pied, car les points de vue accessibles en voiture, s'ils sont somptueux, ne rendent pas justice à sa diversité et aux merveilles qu'il recèle.

★★★ Island in the Sky

Comptez une journée. 32 miles au sud-ouest de Moab (accès par le nord-ouest). Empruntez la Hwy 191 vers le nord, puis prenez à gauche la route 313. Plans des randonnées au Visitor Center. *Attention, pas d'eau courante dans le parc.* Visitor Center ✆ *(435) 259 4712.*

Island in the Sky (« Île dans le ciel »), la partie la plus haute (1 800-1 900 m) du parc, est une immense mesa (plateau) triangulaire, délimitée à l'est par le Colorado et à l'ouest par la Green River. On l'appelle ainsi car elle est bordée de profonds canyons et n'est rattachée au reste du plateau que par un étroit goulot, le **Neck**.

★ **Shafer Canyon Overlook** – *Environ 0,5 mile après le* Visitor Center, *juste après le Neck, sur la gauche.* La route de terre que vous voyez se dévider le long de la pente en incroyables épingles à cheveux est le **Shafer Trail★★**, une ancienne piste utilisée par les cow-boys puis par les mineurs, qui rejoint l'usine de potasse sur la Hwy 279 *(17 miles).* C'est ici que fut tournée la scène finale du film *Thelma et Louise*, lorsque les deux complices basculent dans le canyon. On peut l'emprunter à pied, à VTT ou en 4 x 4 *(attention : en parler avec un ranger avant de vous y risquer, la piste étant très étroite, voire effrayante par endroits. À parcourir uniquement par temps sec et descendre très lentement). Reprenez la route principale sur 6 miles.*

★ **Mesa Arch** – *Sur la gauche.* Un sentier *(20mn AR)* mène à cette très belle arche derrière laquelle se découpe un panorama magnifique.
Revenez sur la route jusqu'au carrefour de Willow Flat où vous tournez à droite.

5

★★ **Upheaval Dome** – *À 5 miles*. Il s'agit d'un cratère géant de 360 m de profondeur et de plus de 4 km de diamètre, creusé mystérieusement dans un dôme. Après avoir pensé à un effondrement dû à la couche de sel sous-jacente, les géologues évoquent de plus en plus l'impact d'une météorite. Pour le voir, laissez votre véhicule à l'aire de pique-nique et suivez le **Syncline Loop Trail★★** *(🐾 boucle de 13 km ; comptez au moins 5h ; pénible)*. Vous pouvez aussi vous contenter d'aller voir le cratère *(le deuxième point de vue est le plus beau. 3,5 km AR ; 1h)*.

★★ **Green River Overlook** – *À 7,5 miles du* Visitor Center. Ne manquez pas ce point de vue lorsque vous reviendrez sur la route principale.
Revenez sur la route principale, tournez à droite et roulez jusqu'au bout.

★★★ **Grand View Point** – *À 12 miles du* Visitor Center. Il domine un labyrinthe de canyons rouges et offre le plus beau panorama d'Island in the Sky.

★★ Le Needles District

Comptez 1 à 2 jours. À 75 miles au sud-ouest de Moab et à 49 miles au nord-ouest de Monticello. Empruntez la Hwy 191 et à 40 miles au sud de Moab, tournez à droite sur la Rte 211. Visitor Center *(9h-16h30) :* 📞 *(435) 259 4711.*

Attention, ce secteur offre peu de points de vue spectaculaires, mais de beaux paysages variés très adaptés pour la randonnée.

Pour un simple panorama sur la forêt d'aiguilles, vous pouvez vous rendre à **Needles Overlook** *(à 56 miles au sud-ouest de Moab. Prenez la Hwy 191 vers le sud sur 35 miles, puis prenez à droite)*, mais nous vous recommandons plutôt de rejoindre directement le Needles District, qui offre une large palette de randonnées superbes *(comptez une journée pour chacune, à moins de ne les faire que partiellement)*.

En route pour le Needles District, arrêtez-vous sur la Route 211 au **Newspaper Rock★** *(à 12 miles env. de la Hwy 191)*, une paroi rocheuse portant de nombreux pétroglyphes, vraisemblablement exécutés par les Indiens anasazis et navajos.
Passez le Visitor Center (eau courante et plans des randonnées).

Big Spring Canyon Overlook – *Environ 10 miles après le* Visitor Center. De ce belvédère part le **Confluence Overlook Trail★★** *(🐾 18 km AR ; 5-6h ; le sentier n'est pas ombragé)*, qui conduit à un point de vue impressionnant, surplombant de 300 m la confluence du Colorado et de la Green River.

Squaw Flat – *Route de gauche*. De là partent les principales randonnées. Vous êtes ici au bord de la forêt d'aiguilles, que traversent de multiples itinéraires.

🐾 Le **Chesler Park Loop★★** avec retour par le **Joint Trail★★** *(circuit de 18 km ; 6h ; passages ombragés)* offre une belle variété de paysages, falaises, aiguilles roses et blanches aux formes étranges, prairies et fentes étroites entre de hautes falaises où l'on se glisse à peine.

🐾 La randonnée de la **Druid Arch★★** *(18 km AR ; 7h ; passages ombragés, les derniers 400 m sont très raides avec un passage par une échelle)* est une très belle autre possibilité. Elle suit le fond sablonneux d'Elephant Canyon et traverse de magnifiques paysages, avant d'aboutir à une arche qui évoque pour certains les pierres dressées de Stonehenge (Angleterre), d'où son nom de Druid Arch.

★★★ Maze District

Comptez 2 à 3 jours.
À la différence des autres, cette partie isolée du parc demande un réel esprit d'aventure et nécessite de passer une ou deux nuits sur place. Les départs des sentiers ne sont accessibles que par des pistes cahoteuses et poussiéreuses, impraticables dès qu'il pleut *(entre 20 et 30 miles)*. Vos efforts seront toutefois justement récompensés puisque les paysages sont aussi beaux que dans les deux autres districts, mais demeurent totalement sauvages.

CANYONLANDS NATIONAL PARK

0 2 4 mi
0 4 8 km

MOAB, SCENIC BYWAY 128   ARCHES NP

313

★★ **Dead Horse Point State Park**

★★★ **DEAD HORSE POINT OVERLOOK**

★ **Shafer Canyon Overlook**

★★ **Syncline Loop Trail**

Whale Rock ▲

★★ **Upheaval Dome**

Neck Spring ▲

★★★ **ISLAND IN THE SKY**

★ **Basin Overlook**

Gooseneck Overlook

★★ **Shafer Trail**

▲ **Mesa Arch** ★

★★ **Green River Overlook**

Willow Flat

Buck Canyon Overlook

GLEN CANYON NRA

★★★ **GRAND VIEW POINT**

Green River

Colorado River

Indian Creek Canyon

HORSESHOE CANYON, GREAT GALLERY, HANS FLAT

24

Horse Canyon

1901 △

1997 △

Maze Overlook

★★★ **THE MAZE**

★★ **Confluence Overlook Trail**

Big Spring Canyon Overlook

NEEDLES OVERLOOK, NEWSPAPER ROCK, MOAB

211   191

MONTICELLO, MESA VERDE

Brown Betty Rapids

Devil's Kitchen ▲ *Elephant Hill*

Squaw Flat ▲

Elephant Canyon

★★ **Chesler Park Loop**

★★ **The Needles**

★★ **Joint Trail**

Druid Arch ▲

The Grabens

Ernies Country

Colorado River

Cataract Canyon

Imperial Valley

Beef Basin

2106 △

Butler Wash

Salt Creek

Salt Creek Canyon

West Fork

East Fork Canyon

2133 △

Barrier Creek

Horseshoe Canyon

1590 △

Horsethief Canyon

Mineral Point

Mineral Bottom Road

Horsethief Point

1713 △

313

N

Orange Cliffs

Orange Cliffs

5

2000 m
1500
1000
500

★★ **Horseshoe Canyon** – C'est la seule partie que l'on puisse à la rigueur couvrir en une journée, en partant très tôt le matin (*à 107 miles au sud-ouest de Moab. Accessible en voiture de tourisme. Suivez la Hwy 191 vers le nord, puis l'I-70 vers l'ouest. Prenez la Hwy 24 vers le sud et tournez à gauche 32 miles plus loin*). Un sentier part du sommet de la mesa et descend dans le canyon à la **Great Gallery★★★**, nom donné à une partie du canyon qui rassemble une collection rare de pétroglyphes mystérieux, gravés par les Indiens il y a 2 000 ans.

★★★ **Maze** – *À partir du poste de rangers de Hans Flat, à 136 miles de Moab. 4 x 4 indispensable. Poste : 8h-16h30. Pas d'eau courante sur place. Prenez tous les renseignements et cartes avant de partir.* Vous pourrez descendre dans le **Maze** (le « Labyrinthe ») et parcourir son fouillis de canyons, de crêtes et d'aiguilles. Attention cependant, les sentiers sont mal balisés, souvent acrobatiques et très longs (*24 km à pied du poste de rangers à Maze Overlook*).

À proximité Carte de région

★★ DEAD HORSE POINT STATE PARK C1

▶ *Comptez une demi à une journée. À 32 miles de Moab. Suivez la Hwy 191 vers le nord et tournez à gauche 9 miles plus loin. L'entrée du parc est à 22 miles - tlj 6h-22h - 10 $ par véhicule (non compris dans le National Parks Pass) - visitor Center 8h-18h de mi-mars à mi-oct. (9h-17h le reste de l'année) - Excursion à faire de préférence au coucher du soleil, ou à conjuguer avec celle d'Island in the Sky, dans la partie nord du Canyonlands National Park (voir p. 330).*

Si vous êtes amateur d'espaces vertigineux, ne manquez pas ce parc composé d'une gigantesque mesa, presque une île entourée de profonds canyons, surplombant de 600 m le Colorado. Son nom (« pointe du Cheval mort ») vient d'une légende selon laquelle l'extrémité du plateau aurait été utilisée par les cow-boys pour parquer des chevaux sauvages. Oubliés là, les chevaux affolés y seraient morts de soif sans jamais pouvoir atteindre la rivière située en contrebas.

De **Dead Horse Point Overlook★★★**, à l'extrémité sud de cette mesa (alt. 1 730 m), on jouit de l'un des plus beaux panoramas de l'Ouest. On distingue parfaitement sur le flanc des falaises la composition géologique du sous-sol et ses strates successives de sédiments, déposés il y a 300 millions d'années puis lentement érodés par le Colorado. L'étonnant méandre de la rivière, appelé **Colorado Gooseneck★** (le « Cou de l'oie »), n'est que l'un des nombreux détours qu'elle fait sur plus de 2 200 km.

The Needles District, Canyonlands National Park.
A. Copson/Getty Images

Un **sentier pédestre**★★ permet d'effectuer le tour du gigantesque promontoire en longeant les falaises. Du côté est, **Basin Overlook**★ offre une vue sur les bassins d'évaporation bleu vif (la couleur accélère l'évaporation) des mines de potasse.

★ LA SCENIC BYWAY 279 C1

◗ *Comptez 1h en voiture. À 3 miles au nord de Moab, tournez à gauche sur la Hwy 279.*

Cette autre jolie route suit le Colorado vers le sud-ouest, au cœur des mêmes paysages flamboyants. On passe des arches naturelles et des pétroglyphes indiens *(signalés sur la droite)*, ces symboles mystérieux gravés dans la roche. La route s'achève devant une usine de potasse, l'une des richesses des environs, utilisée comme fertilisant agricole.

Plusieurs sentiers de randonnée bien balisés sont signalés à partir de la route, comme le **Portal Overlook Trail**★ *(6,5 km AR ; 300 m de dénivelé ; comptez 2h30 ; départ à 4,2 miles après le carrefour avec la Hwy 191)* et ses vues panoramiques sur la vallée de Moab.

MOAB C1

Ce sont les mormons qui fondèrent la ville de Moab au bord du Colorado et lui donnèrent son nom biblique. Ils s'y établirent en 1855, malgré la résistance des

---

LE FEUILLETON GÉOLOGIQUE

Le sous-sol du parc s'est constitué sur plusieurs centaines de millions d'années. En raison des déplacements des plaques de l'écorce terrestre, ce qui est aujourd'hui le sud-ouest de l'Utah se trouvait jadis au niveau de l'équateur. Il subit au cours de cette migration des changements brutaux de climat. Puis il fut couvert d'un océan au fond duquel se déposèrent plusieurs couches de sédiments.

Il y a environ 15 millions d'années, l'ensemble se trouvait encore au niveau de la mer, avant que les mouvements de l'écorce terrestre ne fassent émerger le plateau du Colorado. Dans le même temps, les rivières se mirent à creuser leur lit dans la masse des sédiments, créant de profonds canyons. Les « îles » qui se formèrent entre ces cours d'eau rétrécirent peu à peu en raison de l'érosion, pour donner les mesas, les buttes et les aiguilles. La sous-couche de sel, infiltrée par l'eau, occasionna d'autres failles et affaissements, suivant un processus similaire à celui d'Arches.

Indiens locaux. Perdue au cœur de vastes étendues sauvages et désertiques, la petite colonie resta très modeste et les environs servirent longtemps de refuge aux hors-la-loi. Dans les années 1950, la découverte d'uranium amena un temps la prospérité (on y produisit jusqu'à 10 % de l'uranium américain). Le déclin de cette activité industrielle ne sonna pourtant pas le glas de la petite ville, car les paysages exceptionnels des environs commencèrent à attirer une nouvelle espèce d'aventuriers, épris de nature et d'espace. Ils marchaient sur les traces de l'écrivain philosophe **Edward Abbey**, qui publia en 1968 *Désert solitaire*, carnets d'un été passé dans le parc d'Arches, devenu livre culte des écologistes américains.

Aujourd'hui, Moab est une porte d'entrée idéale pour découvrir ces déserts rouges. On y pratique tout type de sports, surtout le *mountain bike* et la randonnée, ainsi que le ski, dans les La Sal Mountains *(voir ci-contre)*. Sportifs téméraires, baroudeurs en jeep et randonneurs burinés ont noyé la stricte atmosphère mormone dans un océan de bonne humeur, entre cafés conviviaux et pubs bruyants…

★ LA SCENIC BYWAY 128 C1

◐ *Comptez une demi-journée avec la randonnée des Fisher Towers, ou une journée complète si vous conjuguez ce circuit avec la La Sal Mountains Loop Rd. Empruntez la Hwy 128, à droite au nord de Moab.*

Cette route pittoresque longe sur 30 miles la rivière Colorado entre de hautes murailles rouges, jusqu'au **Dewey Bridge**, un pont suspendu désaffecté.

★ **Negro Bill Canyon** – *4 miles de Moab - sentier facile ; 2,5 km AR.* La balade suit le lit luxuriant d'un petit ruisseau fréquenté par les castors.

★★ **Fisher Towers** – *26 miles de Moab. Une piste de 2 miles mène au parking.* Il s'agit de vertigineuses falaises cannelées où furent tournés plusieurs westerns, dont le célèbre *Rio Grande*, avec John Wayne. Un sentier suit leur tracé, offrant de magnifiques points de vue en contre-plongée sur leurs sommets érodés *(7 km ; 2h30 AR ; passages parfois délicats).*

★ La Sal Mountains

◐ *Comptez 3h. Circuit de 62 miles fermé en hiver. Prenez la Hwy 128, à droite au nord de Moab et tournez à droite quelque 16 miles plus loin. Suivez les panneaux.*

Les La Sal Mountains culminent à plus de 3 800 m à l'est de Moab. On les découvre en voiture en suivant la **La Sal Mountains Loop Road★**. Des sentiers de randonnée, accessibles depuis la route, empruntent les anciens chemins miniers, permettant de découvrir forêts et lacs, faune rare (ours bruns, pumas, porcs-épics, aigles) et flore d'altitude.

☺ NOS ADRESSES À ARCHES ET CANYONLANDS

HÉBERGEMENT

Réservez absolument le w.-end et de mai à oct. Hors saison, les prix baissent de 20 à 40 %.

Dans les parcs

PREMIER PRIX

Le **camping** est le seul hébergement possible dans les parcs.

Dead Horse Point – Il y a des terrains très rudimentaires pour les tentes. Réservations à l'Utah State Parks Office *(8h-17h)*, ☏ *1-800 322 3770, www. reserveamerica.com.*

Arches, Island in the Sky et les Needles – Les places sont limitées. Il faut se présenter au *Visitor Center* dès l'ouverture. Tout est complet avant 10h en été. Possibilité de réserver en ligne sur le site *www.recreation. gov.* Quant au camping sauvage, il peut se pratiquer n'importe où à condition d'avoir un permis *(backcountry permit),* qui s'obtient uniquement au *Visitor Center.*

Moab

PREMIER PRIX

Nombreux campings et auberges à Moab et alentour.

The Lazy Lizard Hostel – *1213 S. Hwy 191 - au sud de la ville, 1re à gauche après le Moab Regional Center -* ☏ *(435) 259 6057 - www. lazylizardhostel.com -* 🖵 ▣ *- wifi - 27 lits 12 $ - 10 ch. 30/57 $.* Un petit complexe très sympathique et bon marché, rudimentaire mais très propre. Lits à partir de *12 $* en dortoir, 10 chambres doubles et 8 cabanons *(30/57 $).*

Moab Valley RV Resort and Campground – *1773 N. Hwy 191 -* ☏ *(435) 259 4469 - www.highwaywestvacations. com/properties/moabvalley - wifi*

(partiel) - ▣ ⌦. Situé à l'entrée nord de la ville, ce bel espace accueille tentes *(28/35 $)* et camping-cars *(31/47 $).* Quatre types de chalets individuels en bois *(60/93 $)* pour 2 à 6 pers.

IInca Inn – *570 N. Main St. -* ☏ *(866) 462 2466 - www.incainn. com -* 🖵 ▣ ⌦ *- wifi - 23 ch. 95/115 $* ⌑. Chambres très simples, mais impeccables. Petit-déj. continental. Accès Internet gratuit.

Adventure Inn – *512 N. Main St. -* ☏ *(435) 259 6122 - www. adventureinnmoab.com - fermé nov.-fév. -* ▣ ♿ *- wifi - 27 ch. 96/105 $* ⌑. Un motel bien situé avec de grandes chambres confortables et un accueil attentionné. Petit-déj. continental.

BUDGET MOYEN

River Canyon Lodge – *71 W. 200 N. -* ☏ *1-866 486 6738 - www. rivercanyonlodge.com -* 🖵 ⌦ ▣ ♿ *- wifi - 80 ch. 102/140 $* ⌑. Grand hôtel neuf et confortable, très pratique et central, bien qu'impersonnel. Chambres spacieuses et claires.

Redstone Inn – *535 S. Main St. -* ☏ *(435) 259 3500 - www. moabredstone.com -* 🖵 ▣ *- wifi - 50 ch. 115/120 $.* Un motel tout en bois, très bien équipé pour le prix (micro-ondes, frigo et machine à café dans les chambres). Barbecue et tables à l'extérieur, laverie. Accès à la piscine du Big Horn Lodge situé en face. 50 % de réduction en hiver.

Riverside Inn – *988 N. Main St. -* ☏ *(435) 259 8848 - www. riversideinn-moab.com -* ▣ ⌦ ♿ *- wifi - 50 ch. 99/111 $* ⌑. Impersonnel mais impeccable, avec tout le confort voulu et une laverie. Petit-déj. continental.

5

POUR SE FAIRE PLAISIR

The Gonzo Inn – *100 W. 200 St. - ✆ (435) 259 2515 - www.gonzoinn. com -* 🖥 🅿 ♨ ♿ *- wifi - 43 ch. 174/260 $ ☕.* Un hôtel très central et calme. Déco design et rétro réussie. Les chambres ont un balcon ou un patio, certaines une kitchenette.

☺ **Sunflower Hill B & B** – *185 N. 300 E. - ✆ (435) 259 2974 - www. sunflowerhill.com -* 🖥 🅿 ♨ *- wifi - 12 ch. 184/234 $ ☕.* Une ravissante demeure de charme au cœur d'un jardin luxuriant. Chaque chambre a un décor personnalisé. Accueil chaleureux et soigné, petit-déj. plantureux, jacuzzi, barbecue, cuisine et laverie. Vous l'aurez compris, voici clairement la meilleure adresse de la région.

Aarchway Inn – *1551 N. Hwy 191 - ✆ 1-800 341 9359 - www. aarchwayinn.com -* 🖥 🅿 ♨ *- wifi - 97 ch. 180/290 $ ☕.* Un grand hôtel moderne et très confortable à 1 mile du centre-ville. Piscine face à la montagne, Jacuzzi. Machine à café, micro-ondes et frigo dans les chambres.

Red Cliffs Lodge – *Mile Post 14 - Hwy 128 - ✆ (435) 259 2002 - www.redcliffslodge.com -* 🖥 ✕ 🅿 ♨ *- wifi - 110 ch. 240 $.* Hôtel d'exception sur les rives du Colorado, à 17 miles au nord de Moab. Vue spectaculaire sur les falaises. L'endroit a été utilisé par John Ford et John Wayne pour plusieurs films. Chambres, suites et chalets spacieux, parfaits pour les familles, tous avec terrasse privée. Le propriétaire fait son vin (dégustations gratuites).

Monticello

Ce village, au sud de Moab sur la Hwy 191, est une possibilité pour ceux qui veulent visiter uniquement les Needles ou passer la nuit avant de se rendre à Mesa Verde.

PREMIER PRIX

Rodeway Inn & Suites – *649 N. Main St. - ✆ (435) 587 2489 - www. rodewayinn.com -* 🖥 🅿 ♨ *- wifi - 40 ch. 90/125 $ ☕.* Le confort et la fiabilité d'une chaîne, mais très impersonnel.

RESTAURATION

Attention : pas de restauration dans les parcs et, en ville, on ne sert plus après 21h30 !

Moab

PREMIER PRIX

Jailhouse Cafe – *101 N. Main St. - ✆ (435) 259 3900 - 7h-12h - fermé mar. - ♿ - moins de 12 $.* Petit restaurant chaleureux servant de copieux petits-déj. Terrasse.

Eklecticafe – *352 N. Main St. - ✆ (435) 259 6896 - 7h-14h30 -* 🅿 *- wifi - moins de 12 $.* Un sympathique endroit où l'on propose des spécialités à base de produits bio, des sandwichs végétariens, quiches, salades… Tables dehors, sous une tonnelle, devant un adorable jardinet. Fermé le soir. Accès Internet gratuit.

La Hacienda – *574 N. Main St. - ✆ (435) 259 6319 - 11h30-20h, vend.-sam. 11h30-21h - fermé mar.- merc. -* 🅿 *- 10/18 $.* Juste à la sortie nord de la ville. Cuisine mexicaine très copieuse. Délicieuses salades et fajitas.

City Market – *425 S. Main St. - ✆ (435) 259 5181 - www.citymarket. com - 6h-23h.* Supermarché avec d'excellents rayons traiteur et salades. Idéal pour préparer son pique-nique.

Eddie McStiff's – *57 S. Main St. - ✆ (435) 259 2337 - www. eddiemcstiffs.com - 11h30-23h - wifi - plats 10/22 $.* Fait très rare pour une ville mormone, on brasse ici sa propre bière. À goûter avec salades et burgers (moins de 12 $), grillades traditionnelles, pâtes ou *fajitas*. Bonne ambiance le soir. Également un menu sans gluten.

Moab Brewery – *686 S. Main St. -* 🖉 *(435) 259 6333 - www. themoabbrewery.com - 11h30-21h -* 🅿 *- plats 8/20 $.* Bières brassées sur place et une cuisine américaine à très bon prix.

BUDGET MOYEN

Atomic – *1393 N. Hwy 191 - à 1,5 mile au nord de la ville -* 🖉 *(435) 259 5201 - www. moabburger.com - 11h-22h -* 🅿 *- burgers 10/16 $, viandes 16/30 $.* Pour déguster de bonnes viandes grillées accompagnées de produits frais et régionaux.

Sunset Grill – *900 N. Hwy 191 -* 🖉 *(435) 259 7146 - www. sunsetgrillmoab.com - 17h-22h - fermé dim. -* 🅿 *- wifi - plats 19/36 $.* Perché sur les hauteurs au nord de la ville, ce restaurant réputé pour ses poissons et ses grillades jouit d'une vue superbe.

ACTIVITÉS

Tag-a-Long – *452 North Main St. -* 🖉 *(435) 259 8946 - www.tagalong. com -* 🅿*.* Sorties en rafting et en jet boat sur le Colorado, 4 x 4 dans Canyonlands, location de matériel (kayaks, canoës, VTT).

Canyoning - Desert Highlights – *50 E. Center St. -* 🖉 *(435) 259 4433 - www.deserthighlights.com - 95 à 200 $/pers.* Circuits découvertes vers des canyons secrets.

Conditions très sportives, entre escalade et randonnée athlétique.

Rafting - Moab Adventure Center – *225 S. Main St. -* 🖉 *1-866 904 1163 - www. moabadventurecenter.com -* 🅿*.* Descentes du Colorado à la demi-journée 60/71 $ (enf. 49/61 $), à la journée 91 $ (enf. 71 $), ou sur deux jours 265 $ (enf. 195 $), avec snacks et bivouac sur la partie est de la rivière, entre le Dewey Bridge et Moab. Location de kayaks gonflables et de VTT, tour en montgolfière…

Adrift Adventures – *378 N. Main St. -* 🖉 *(435) 259 8594 - www.adrift. net* Même type d'excursions et des sorties sur plusieurs jours avec bivouac. Organise des circuits en 4x4 avec chauffeur.

Sheri Griffith Expeditions – *2231 S. Hwy191 -* 🖉 *800 332 2439 - www. griffithexp.com* Le spécialiste des expéditions sur plusieurs jours, panachées avec des randonnées. Propose aussi des raids uniquement pour les femmes !

VTT - Moab Cyclery – *391 S. Main St. -* 🖉 *(435) 259 7423 - www. moabcyclery.com - 8h-18h.* Grand choix de VTT (55/100 $/jour) et des circuits organisés.

Poison Spider – *497 N. Main St. -* 🖉 *1-800 635 1792 - www. poisonspiderbicycles.com - 9h-18h (en été et en hiver), 8h-19h (en printemps et en automne).* Randonnées dans Island in the Sky (White Rim Trail) et le Maze.

5

Colorado National Monument

Grand Junction, 59 778 habitants – Colorado

La liste des attraits du Colorado National Monument parle d'elle-même : lacis de canyons lisses et roses, buttes et aiguilles de grès rouge torturé, végétation abondante et faune très riche. Ce parc méconnu offre à lui seul un concentré des paysages de l'Ouest américain. En comparaison, le Black Canyon de Gunnison n'en paraît que plus âpre et plus sauvage. Les deux sont à voir.

NOS ADRESSES PAGE 344
Hébergement, restauration, achats, activités, etc.

ⓘ S'INFORMER
Visitor Center – ☏ *(970) 858 3617 - www.nps.gov/colm - parc ouvert tte l'année 24h/24 - été : 8h-18h ; reste de l'année : 9h-17h - fermé 25 déc. (horaires susceptibles de varier) - 10 \$/véhicule.*

▶ SE REPÉRER
Carte de région C1 *(p. 278-279) - carte Michelin Western USA 585 F 8.* Le parc jouxte la ville de Grand Junction. Celle-ci se trouve à 518 miles (829 km) au nord-est de Las Vegas par l'I-15 puis l'I-70. Denver est à 244 miles (378 km) à l'est par l'I-70.

☺ À NE PAS MANQUER
La Rim Rock Drive au coucher du soleil, la randonnée de Monument Canyon Trail et le vol des aigles dans le Black Canyon of the Gunnison.

◷ ORGANISER SON TEMPS
Pour ne pas être aveuglé par le soleil, parcourez la Rim Rock Drive d'est en ouest le matin et d'ouest en est le soir. Si vous parcourez aussi Grand Mesa, sachez qu'elle reste enneigée tard dans la saison : prévoyez des chaussures imperméables et une petite laine. Enfin, la région est réglée sur le Mountain Time (1h de plus qu'au Nevada et en Californie).

👫 AVEC LES ENFANTS
Le musée des Dinosaures à Fruita.

Découvrir

★★ COLORADO NATIONAL MONUMENT

▶ *Une journée avec une randonnée. L'entrée est du parc est accessible à partir du centre-ville de Grand Junction : prenez la sortie 31 de l'I-70, suivez Horizon Drive vers le sud puis Downtown et suivez les panneaux. L'entrée ouest est proche de Fruita, à 12 miles au nord-ouest de Grand Junction : quittez l'I-70 à la sortie 19.* Le voyageur pressé peut se contenter de suivre la **Rim Rock Drive★★★**, une route de 23 miles qui traverse le parc, reliant les entrées ouest et est. Quittant la vallée du Colorado, elle s'élève entre les falaises pour atteindre le plateau, puis longe les canyons. Elle est jalonnée de points de vue permettant d'admirer le paysage : ne manquez pas **Independence Monument View★** ou **Grand View★** pour la vue sur d'étranges formations rocheuses aux noms évocateurs, comme le *Pipe Organ* (« tuyau d'orgue ») ou le *Kissing Couple* (« couple s'embrassant »). Les plus beaux panoramas sont ceux de

Cyclistes à Rim Rock Trail, Colorado National Monument, Grand Junction.
D.MacDonald/age fotostock

Monument Canyon View, **Coke Ovens Overlook★★** (d'énormes dômes ressemblant à de gros bouchons) et **Artists Point★★**, pour son subtil dégradé au coucher du soleil.

De nombreux sentiers de randonnée sont signalés le long de la route. Parmi ceux-ci, le **Monument Canyon Trail★★** *(19 km AR ; comptez 7h, mais on peut se contenter de n'en faire qu'une partie)* descend au fond de Monument Canyon. Son départ se situe au même endroit que le **Coke Ovens Trail★**, mais il se prolonge et mène aux formations rocheuses les plus spectaculaires du parc. Des circuits plus courts sont possibles, notamment **Canyon Rim Trail** *(départ en contrebas du* Visitor Center *ouest ; 20mn ; facile)* ou le **Serpents Trail★** *(2h)*, à l'extrémité est de la route : il s'agit d'une ancienne piste tracée au début du 20e s. par John Otto, le tout premier ranger du parc. Jusqu'aux années 1950, c'était une partie de la route principale pour monter au plateau.

À proximité Carte de région

5

Grand Junction C1

🏛 *740 Horizon Dr. - I-70, sortie 31 - ☏ (970) 244 1480 - www.visitgrandjunction. com - juin-sept. : 8h30-18h (9h le w.-end) ; oct.-mai, 8h30-17h (9h le w.-end).*
Grand Junction occupe une place de choix au confluent du Colorado et du Gunnison, au cœur d'une haute vallée fertile plantée de vignes et de vergers. Tout autour, les Colorado Rockies alternent hauts sommets, plateaux boisés et profonds canyons. Important carrefour ferroviaire, elle est surtout la porte d'entrée du Colorado National Monument.

Museum of the West – *462 Ute Ave - ☏ (970) 242 0971 - www.museumofwes ternco.com - mai-sept. : lun.-sam. 9h-17h, dim. 12h-16h ; reste de l'année : lun.-sam. 10h-16h - 7 \$ (enf. 4 \$).* Il reprend toutes les thématiques de l'Ouest : reconstitutions d'une salle de classe, d'un comptoir de saloon ; armes à feu (colt de Buffalo Bill, carabine Springfield…) ; armement espagnol, artisanat indien (paniers apaches, tissages navajo…), poteries…

Dinosaur Journey Museum – *À Fruita, 11 miles au nord-ouest par l'I-70- 550 Jurassic Court. - ℘ (970) 858 7282 - www.museumofwesternco.com - mai-sept. : tlj 9h-17h ; reste de l'année : lun.-sam. 10h-16h (12h dim.) - 9 $ (enf. 5 $).* 👥 Après la **vidéo★★** *(20mn, anglais)* sur les différentes ères préhistoriques, amusez-vous à identifier les empreintes et les crânes de ces géants, contemplez la musculature reconstituée d'une jambe de T-Rex, aidez votre enfant à fouiller dans le sable, et ne manquez pas de regarder les paléontologues à l'œuvre dans leur **laboratoire★** (vue plongeante sur les tables de travail depuis l'étage).

Excursions Carte de région

★ GRAND MESA C1

🧭 *Au sud-est de Grand Junction. Prenez l'I-70 vers l'est. 17 miles plus loin, tournez à droite sur la Hwy 65. Route pittoresque de 62 miles à prendre absolument si vous continuez vers le Black Canyon of the Gunnison National Park.*

Immense montagne table située entre le Colorado et le Gunnison, son altitude moyenne de 3 000 m lui vaut le surnom d'« Île dans le ciel ». Tapissée d'une épaisse forêt de trembles, de bouleaux et d'épicéas, semée de quelque 200 lacs, elle offre un contraste total et rafraîchissant avec les déserts du plateau du Colorado. Terrain de prédilection des skieurs de fond et des fans de motoneige, elle abrite une faune très riche, comptant des ours bruns, des cerfs et des wapitis. Le plus beau moment de l'année est l'automne avec le jaune d'or des trembles.

★★ BLACK CANYON OF THE GUNNISON C1

🧭 *Accessible par Grand Mesa ou via Montrose, à 64 miles au sud de Grand Junction par la Hwy 50. Prenez ensuite à gauche la Hwy 50 et suivez les panneaux.*

🏛 *South Rim Visitor Center ℘ (970) 249 1914 - www.nps.gov/blca - 8h-17h (8h-18h en été, 9h-16h nov.-fév.), fermé 1er janv., Thanksgiving et 25 déc. - 15 $/véhicule - pour les randonnées au fond du canyon, permis obligatoire - camping rudimentaire en été sur les deux berges (15 $/nuit).*

Black Canyon diffère totalement des grandes fissures roses que l'on associe souvent au Colorado. Creusée par la rivière Gunnison, cette gigantesque fente grise et vertigineuse, longue de 53 miles (14 miles dans le parc national), atteint plus de 800 m de profondeur et ses parois ne sont distantes par endroits que de 12 m. Riche d'une faune (tamias, marmottes, ours, chats sauvages) et d'une flore abondantes et variées, le Black Canyon N. P. est l'un des parcs les plus spectaculaires du Colorado. Il couvre les deux rives du canyon, mais la rive nord est plus difficile d'accès et n'est pas aménagée. En hiver, la température chute régulièrement en dessous de - 20 °C.

★★ La rive sud du canyon

Comptez une demi-journée. Partie la plus accessible du parc, à 8 miles à l'est de Montrose, par la Hwy 50 puis la Rte 347 vers le nord. Le parc peut être enneigé en hiver.

Après une escale au *Visitor Center* pour comprendre la formation géologique du site, ne manquez pas, derrière le bâtiment, de descendre à **Gunnison Point★★★** pour admirer le panorama.

La route qui longe ensuite la rive sud du canyon est jalonnée de nombreux belvédères permettant d'observer les parois verticales sous tous les angles. Ils sont signalés et accessibles par de jolis sentiers.

COLORADO NATIONAL MONUMENT

Points de vue – Dans l'ordre où ils se succèdent, **Pulpit Rock Overlook★★** est très impressionnant, offrant une vue sur la rivière qui s'écoule à plus de 500 m en contrebas. Ne manquez pas non plus **Cross Fissures View★★**, assez mal signalé, qui permet de juger de l'étroitesse du canyon. **Chiasm View★★★** présente le panorama le plus spectaculaire. **Painted Wall View★★**, qui n'est pas le plus vertigineux, fait face à la plus haute falaise du Colorado (690 m).

Sentiers Nature – Les passionnés de flore suivront le **Cedar Point Nature Trail★** *(1 km AR ; départ peu après Painted Wall)* ou le **Warner Point Nature Trail★** *(2,5 km AR)*. On découvre aussi bien des yuccas et des cactus que des genévriers de l'Utah (faussement appelés « cèdres ») ou des pins pignons, des fleurs de sauge ou de sarrasin sauvage, des *prickle pear cactus* (poire piquante) ou des *Indian paintbrushes* (pinceau indien). Une aire de pique-nique est aménagée au bout de la route, à **High Point**.

Descendre dans le canyon – Pour ceux qui souhaiteraient accéder à la rivière, il est possible de descendre à **East Portal** (entrée est du canyon) par une route très pentue *(fermée en hiver)* qui part de la Route 347 vers l'est, après le kiosque de péage. Il faut cependant savoir que le Gunnison est à cet endroit si dangereux qu'il est considéré non navigable. Plusieurs sentiers descendent au fond du canyon, mais ils sont mal balisés et demandent expérience et condition physique. Les rangers vous renseigneront sur les tracés et les précautions à prendre. Le moins difficile est la **Gunnison Route★★★** *(permis obligatoire. 3 km AR ; 1h30 pour descendre, au moins 2h pour remonter ; dénivelé 540 m ; départ du Visitor Center en suivant l'Oak Flat Trail puis le panneau « River Access »).*

★★ La rive nord du canyon

Comptez une bonne demi-journée. De Montrose, suivez la Hwy 50 vers le nord. À Delta (21 miles), prenez à droite la Rte 92 jusqu'à Crawford (31 miles), puis à droite la North Rim Rd sur 11 miles. La route et la North Rim Ranger Station ne sont ouvertes qu'en été.

Beaucoup plus sauvage que le côté sud, la rive nord est longée par une route cahoteuse qui serpente parfois tout près du gouffre.

Bien qu'en moyenne un peu moins élevée que la rive sud, elle est plus impressionnante et ménage de nombreux points de vue, comme le **Narrows View★★** et son panorama sur la partie la plus étroite du canyon : à cet endroit, les sommets des falaises ne sont séparés que de 345 m pour une profondeur de près de 520 m !

Plusieurs chemins mènent les randonneurs expérimentés au fond du canyon *(sentiers difficiles ; comptez au moins 5h AR).*

Montrose

À 8 miles à l'ouest du parc.

Montrose *(alt. 1 738 m)* constitue une agréable étape, au cœur d'une petite plaine entourée de sommets dépassant les 4 000 m.

Ute Indian Museum

3 miles au sud, par la Hwy 550, 17253 Chipeta Dr. - ℰ (970) 249 3098 - www.history colorado.org - juil.-oct. : lun.-sam. 9h-16h30, dim. 11h-16h30 ; janv.-juin : mar.-sam. 9h-16h (fermé dim.) ; nov.-déc., lun.-sam. 9h-16h30 - 4,50 $.

Un musée consacré à la tribu des **Utes**, qui occupait jadis l'ouest du Colorado. Vous y découvrirez notamment leur étonnant travail des perles.

😊 NOS ADRESSES À COLORADO NATIONAL MONUMENT

HÉBERGEMENT

Fruita compte peu de restaurants, mais s'avère pratique, car proche de l'entrée ouest du parc. Grand Junction est plus animée et plus près de l'entrée est.

Grand Junction

PREMIER PRIX

Super 8 Motel – *728 Horizon Dr. - sortie 31 de l'I-70 -* 📞 *(970) 248 8080 - www.super8.com -* 🖾 📱 🛒 ♿ *- wifi - 132 ch. 73/81 $* 🛏. Motel au confort habituel, dans un quartier riche en restaurants, près du Visitors Bureau. Laverie. Petit-déj. continental.

Fruita

BUDGET MOYEN

Comfort Inn – *400 Jurassic Ave. - en face du Super 8 -* 📞 *(970) 858 1333 - www. comfortinn.com -* 📱 🛒 ♿ *- wifi - 66 ch. 109/150 $* 🛏. Un peu plus haut de gamme. Piscine et Jacuzzi. Laverie. Petit-déj. continental.

RESTAURATION

Grand Junction

PREMIER PRIX

Main Street Cafe – *504 Main St. -* 📞 *(970) 242 7225 - www.*

mainstreetcafegj.com - 7h-16h, dim. 7h-15h - moins de 13 $. En plein centre-ville. Très bon rapport qualité-prix. Salades et burgers, grillades. Ambiance nostalgique des *fifties*.

Applebee's – *711 Horizon Dr. -* 📞 *(970) 256 0022 - www.applebees. com - 11h-0h, vend.-sam. 11h-1h -* 📱 *- 10/20 $.* Pratique si vous êtes à l'hôtel juste en face. Salades copieuses et délicieuses *(10 $ environ)*, grillades et grands classiques comme les fajitas.

Montrose

PREMIER PRIX

The Coffee Trader – *845 E. Main St. -* 📞 *(970) 249 6295 - 6h-20h, sam. 7h-19h, dim. 7h-18h - wifi - moins de 10 $.* Maison de charme avec un balcon et salon cosy à l'étage. Bon café et délicieux cookies…

AGENDA

Country Jam USA – *3e sem. de juin, countryjam.com.* La ville de Grand Junction est prise d'assaut pendant quatre jours pour cette manifestation extrêmement populaire durant laquelle se produisent les plus grandes stars de musique country.

Dunes et Sangre de Cristo Mountains en toile de fond.
C. Condina/Tips/Photononstop

Great Sand Dunes National Monument

★★

Imaginez des dunes de sable ondulant à perte de vue avec en toile de fond les crêtes enneigées piquées d'épicéas des Sangre de Cristo Mountains (4 200 m). Le contraste est saisissant ! L'ascension des plus hautes dunes réserve aussi des sensations fabuleuses, qui justifient à elles seules l'excursion.

😊 NOS ADRESSES PAGE 347
Hébergement, restauration, achats, activités, etc.

5

🗒 S'INFORMER
Visitor Center – *Au bout de la Hwy 150 - ☎ (719) 378 6395 - www.nps.gov/grsa - été : 8h30-18h ; reste de l'année : 9h-16h30 - dunes accessibles tte l'année 24h/24 - 15 $/ véhicule (+ 16 ans), valable 7 j.*

▶ SE REPÉRER
Carte de région D1 *(p. 278-279)* - carte Michelin Western USA 585 H 9. Le parc se trouve à 173 miles (277 km) au nord de Santa Fe ou 149 miles (238 km) à l'est de Durango.

On y accède par Alamosa. Suivez la Hwy 160 sur 15 miles vers l'est, puis prenez à gauche la Hwy 150.

😊 À NE PAS MANQUER
L'ascension d'une dune, si possible la plus haute, un bain dans le Medano Creek et les Zapata Falls.

🕐 ORGANISER SON TEMPS
Attention, escalader une dune de plus de 200 m est très pénible, surtout en altitude (vous êtes à 2 400-2 649 m). Prévoyez donc

de partir tôt, emportez beaucoup d'eau et protégez-vous du soleil. Mettez des chaussures, car la température du sable peut atteindre les 60 °C, et emmenez un lainage, car le vent est très frais.

Découvrir

Ce parc rassemble les plus hautes dunes de sable d'Amérique du Nord (220 m de haut). Elles s'étendent sur 78 km², mais toute la vallée alentour (466 km²) est couverte d'une épaisse couche de sable, largement stabilisée par la végétation.

★★ Les dunes

Comptez une demi-journée au moins et emportez un pique-nique.

Vous rejoindrez facilement les dunes les plus hautes en suivant les panneaux « Picnic area », à gauche après le Visitor Center.

Laissez votre véhicule sur le parking et rejoignez le Medano Creek qu'il faut traverser à pied. Attention, ce ruisseau, asséché en été, vous obligera le reste de l'année à vous tremper jusqu'à mi-genou. Très froide le matin, la température de l'eau est juste délicieuse au retour.

Le **Medano Creek★**, le ruisseau que vous traversez avant d'accéder aux dunes, présente une rare particularité : le courant crée de petits barrages de sable qui, en rompant, forment des vagues. Il transporte vers le sud le sable devenu trop abondant au nord-est et contribue ainsi à la répétition du processus de formation des dunes.

L'ascension★★★ de la **High Dune★★** (198 m au-dessus de la rivière) et de la **Star Dune★★** (229 m) est longue et pénible, mais offre de superbes panoramas *(2h AR ; si vous avez du temps ou un 4x4, demandez le tracé des autres pistes au* Visitor Center*)*.

★ Zapata Falls

Comptez 1h.

À 7 miles du Visitor Center. *Reprenez la Hwy 150 et empruntez à gauche une petite route caillouteuse indiquée « Zapata Falls ».*

L'EAU, LE SABLE, LA FOUDRE...

Le sable des dunes résulte de l'érosion des montagnes environnantes par les glaciers. Les grains les plus clairs proviennent des **Sangre de Cristo Mountains** (« montagnes du Sang du Christ ») au nord, tandis que les plus sombres et les plus fins, de nature volcanique, proviennent des **San Juan Mountains** à l'ouest. Le Rio Grande a charrié le sable et l'a déposé peu à peu dans la vallée. Les vents, qui soufflent le plus souvent vers le nord-est, l'ont progressivement amassé au pied des montagnes, poursuivant sans cesse leur patient travail de sculpture. C'est ainsi que la couche de dunes la plus épaisse (340 m) se situe le long du Medano Creek, le ruisseau qui enserre le massif à l'est. Vous trouverez peut-être, dans le sable, de curieuses petites formations aux lignes torturées ressemblant à du métal fondu : il s'agit de fulgurites créées par la foudre qui amène le sable à la fusion. Une autre particularité du sable de ces dunes est sa forte teneur en magnétite, que l'on collecte en abondance en promenant un aimant sur le sol.

⊚ **Bon à savoir** – Les orages peuvent être dangereux et très violents. Ne restez pas dans les dunes lorsqu'ils surviennent, car la foudre tombe souvent sur les sommets.

Un joli sentier aux allures de garrigue s'élève à flanc de montagne, au pied du mont Blanca (4 303 m), et mène à un torrent *(1,5 km AR, dont 30 m, à la fin, les pieds dans l'eau très froide! Gardez vos chaussures pour ne pas glisser)*. En remontant son cours par la droite, puis en traversant le petit barrage par l'échelle sur la gauche, vous arrivez à une grotte, du haut de laquelle tombent les chutes d'eau venues du glacier. Les parois restent souvent drapées toute l'année d'un rideau de glace.

😊 NOS ADRESSES À GREAT SAND DUNES NATIONAL MONUMENT

HÉBERGEMENT

Près des dunes

PREMIER PRIX

Piñon Flats Campground – *81146 Mosca - À l'intérieur du parc, juste de l'autre côté du Medano Creek, face aux dunes. Tte l'année -* 📞 *1-877 444 6777 - www.nps.gov/grsa/planyourvisit/ pinonflatscampground - 88 empl. (dont la moitié sans réserv.) 20 $/ nuit.* Ce camping rustique (eau, WC) est réparti dans un bosquet de pins pignons. Les premiers arrivés sont les premiers servis.

BUDGET MOYEN

Great Sand Dunes Lodge – *7900 Hwy 150 - 81146 Mosca - à l'entrée de Great Sand Dunes -* 📞 *(719) 378 2900 - www.gsdlodge. com - mars-oct. -* 🖥 🅿 🛁 *- wifi (partiel) - 14 ch. 105/150 $.* Un tout petit motel situé à côté de l'entrée du parc. Chaque chambre dispose de deux grands lits et le prix reste presque le même si vous êtes quatre. Toutes possèdent un patio avec vue sur les dunes. Machine à café. Pas de petit-déj. sur place, mais barbecue à l'extérieur. Réserv. conseillée.

Alamosa

PREMIER PRIX

Super 8 Motel – *2505 W. Main Hwy 160 - à l'ouest d'Alamosa -* 📞 *(719) 589 6447 - www.super8. com -* 🖥 🅿 🛁 ♿ *- wifi - 57 ch. 94/147 $.* Motel standard mais très confortable, pratique pour le parc. Jacuzzi extérieur. Petit-déj. continental.

5

Mesa Verde National Park

★★★

Un plateau sillonné de profonds canyons boisés, des ruines étonnantes cachées au creux de falaises abruptes et une civilisation disparue : il n'en faut pas plus pour charmer le visiteur. Et si les Anasazis conservent tout leur mystère, on n'en repart pas moins impressionné par leurs villages troglodytiques et leur adaptation à l'environnement. Une vraie leçon d'écologie avant l'heure !

NOS ADRESSES PAGE 356
Hébergement, restauration, achats, activités, etc.

 S'INFORMER

Far View Visitor Center – *15 miles de l'entrée -* 𝄞 *(970) 529 4465 - www. nps.gov/meve - dernière sem. de mai à déb. sept. : 7h30-19h ; mi-avr.-fin mai et sept.-oct. : 8h-17h ; nov.-mi-avr. : 8h30-16h30 - parc ouv. tte l'année de 8h au coucher du soleil - 10 $/véhicule (15 $ fin mai-déb. sept.).* On y retire les tickets *(en vente au Chapin Mesa Museum l'hiver)* pour les trois visites guidées *(4 $/visite)* : Cliff Palace, Balcony House et Long House. Demandez le document en français *French overview*. Cafétérias à Far View et à Chapin Mesa. Snacks en été à Wetherill Mesa.

► SE REPÉRER

Carte de région C1 *(p. 278-279)* – *carte Michelin Western USA 585 G 9.* Le parc se trouve sur la Hwy 160 entre Cortez (Hwy 491 menant de Gallup, 136 miles au sud, à Moab 115 miles, au nord-ouest) et Durango (Hwy 550 reliant Albuquerque, 216 miles, au sud-est, à Grand Junction, 169 miles au nord). Comptez 25 miles (40 km) depuis Cortez et 51 miles (82 km) depuis Durango. En hiver, les virages et la déclivité de la route d'accès peuvent rendre la circulation difficile.

À NE PAS MANQUER

La vue sur Square Tower House, la visite de Cliff Palace et de Balcony House et le voyage à bord du Durango & Silverton Railroad.

◷ ORGANISER SON TEMPS

Comptez une journée et demie avec les trois visites guidées. Attention, en été, à cause de l'affluence, il est possible qu'il ne soit autorisé qu'une

Cliff Palace à Mesa Verde N. P.
D. Ikenberry/Art Directors & Trips Photo/age fotostock

seule visite par personne. Quoi qu'il en soit, on vous conseille de réserver ces visites à l'avance pour être sûr d'avoir une place pour le jour et l'horaire qui vous intéressent. Enfin, la lumière est meilleure en milieu d'après-midi pour Square Tower House et en fin d'après-midi pour Cliff Palace. Sachez qu'il faut 50mn à 1h (cela dépend de l'affluence) pour rallier Spruce Tree House depuis l'entrée du parc.

Découvrir

C'est par une route magnifique que l'on accède au site de Mesa Verde. La montagne, recouverte d'arbres, de pins et de yuccas, présente de beaux points de vue sur les plaines alentours (prenez le temps de vous arrêter aux aires de stationnement prévues à cet effet). Malheureusement, un terrible incendie a détruit une partie de la forêt en 2008, donnant au paysage un air de désolation poignant. Le feu heureusement s'est arrêté bien avant les sites.

Juste après le *Visitor Center*, le parc se divise en deux mesas principales : **Chapin Mesa**, qui se dresse entre Soda Canyon et Spruce Canyon, porte les plus beaux vestiges. Bien équipée et accessible toute l'année, elle est très fréquentée en été. **Wetherill Mesa**, plus isolée et plus sauvage, possède aussi de belles ruines, mais n'est ouverte qu'en été.

★★★ CHAPIN MESA

◐ *Comptez au moins une demi-journée pour cette partie du parc et une journée avec les visites de Balcony House et Cliff Palace.*

À 20 miles de l'entrée du parc et 5 miles du *Visitor Center*, ne manquez pas le **Chapin Mesa Archelogical Museum★★** *(déb. avr.-mi-oct. : 8h-18h30 ; mi-oct. : 8h-17h ; nov.-déc. : 9h-17h ; janv.-déb. mars : 9h-16h30 ; mars : 9h-17h - gratuit).* Un petit musée qu'il est intéressant de visiter avant de continuer, car il explique à partir de nombreux vestiges archéologiques et des panneaux explicatifs tout ce qui vous sera utile pour comprendre les ruines et les coutumes des anciens habitants.

★★★ Spruce Tree House

Facile ; 1 km ; env. 30mn. Départ du sentier derrière le musée.

En contrebas du musée, Spruce Tree House, le troisième village par la taille, est le seul qui soit en accès libre et ouvert toute l'année. On l'aborde par le bas. Bâti en pierres dans une alcôve de 66 m de large et 27 m de profondeur, il comprenait 114 pièces et 8 *kivas*, qui pouvaient accueillir une centaine d'Indiens.

Si les pièces paraissent minuscules, c'est que les Indiens vivaient surtout dehors ; ils ne percevaient pas la nature comme un milieu hostile, mais plutôt comme leur mère nourricière. Ils ne s'abritaient que pour dormir. Les hommes de cette époque mesuraient à peine plus de 1,60 m et les femmes 1,50 m, d'où la taille réduite des pièces et des passages.

Dans ces villages, la gestion des déchets était un détail d'importance : une partie était jetée par-dessus la balustrade sur le talus en contrebas, l'autre était stockée au fond de la caverne. Ces dépotoirs servaient aussi à enterrer les morts, surtout en hiver, quand le sol gelé était beaucoup plus difficile à creuser. Ils sont aujourd'hui une véritable source d'information pour les archéologues qui y découvrent, cassés, des objets de la vie quotidienne, des déchets alimentaires, des restes de tissus, des ossements…

UN PARC TRÈS PARTICULIER

Au sud-est du plateau du Colorado, Mesa Verde est l'un des rares parcs nationaux retraçant l'histoire de ceux que l'on a longtemps appelés les **Anasazis**. Ce nom, prononcé d'une certaine manière, veut dire « ennemi ancien » en langue navajo. Les descendants de ces vieilles tribus préfèrent parler d'ancêtres des Indiens pueblos. Malgré l'importance des ruines et des objets découverts, beaucoup de questions demeurent sans réponse sur l'évolution de cette civilisation *(voir la thématique p. 352-353).*

★★ Petroglyph Point Trail

3,9 km AR. Comptez 1 à 2h. Sentier étroit mais sans danger : restez dessus, car par endroits, la végétation abrite du sumac vénéneux (poison oak, voir p. 620).
En continuant le chemin qui passe devant Spruce Tree House, vous rejoignez cet agréable sentier qui longe le canyon à flanc de montagne, à l'ombre de grands arbres, chênes ou pins pignons. On débouche au pied d'un rocher portant des gravures symboliques indiennes, les **pétroglyphes★**. Ils ne sont pas nombreux mais on reconnaît des mains, des personnages, des animaux… Après de belles vues sur Navajo Canyon, le sentier remonte sur la mesa où la végétation est plus basse et plus éparse (genévriers, faussement appelés cèdres, cactus et yuccas). La promenade en terrain plat est vraiment très agréable. Cette fois-ci, on aborde le village de Spruce Tree House par le haut.
Vous retrouvez le parking du musée au-dessus de Spruce Tree House. Reprenez votre véhicule. Au stop, continuez tout droit en direction de la Mesa Top Loop Road. Au carrefour suivant, prenez à gauche vers Cliff Palace et Balcony House.

★★★ Cliff Palace

De 8h au coucher du soleil, comptez au moins 1h - visite guidée uniquement, de fin mai à fin sept. : départ 9h-17h30, ttes les 30mn - fermeture se rens. - billets au Visitor Center *(4 $) - pensez à réserver, au moins la veille en été, car la visite est très demandée ; une brochure explicative en anglais est disponible.*
Ce « palais de la falaise » est le plus grand et le plus photographié des villages troglodytiques. Il est parfaitement visible du belvédère, mais on ne le visite qu'accompagné d'un ranger. Avec 150 pièces et 23 *kivas*, ce village construit vers 1200 est le plus vaste de Mesa Verde : il a dû héberger plus de 150 personnes. Remarquez le superbe travail de maçonnerie, les tours de défense et les espaces de stockage le long de la partie supérieure de la fissure. En quittant le village *(sous la première échelle),* on aperçoit des encoches taillées dans la falaise : elles servaient d'escalier aux Indiens pour rejoindre la partie haute de la mesa. Imaginez les corvées de ravitaillement dans ces conditions !

★★★ Balcony House

Comptez 1h - de déb. avr. à déb. mai : 10h-16h (ttes les h) ; de fin mai à fin août : 9h-17h (ttes les 30mn) ; de déb. mai à fin mai et de fin août à fin oct. : 10h-17h (16h à partir de mi oct. ; ttes les h) - fermé de fin oct. à déb. avr. - billets au Visitor Center *(4 $) - attention : la visite exige de grimper une large échelle de 10 m (aucun risque, mais pas évident pour ceux qui ont le vertige) et de se faufiler dans un passage étroit en avançant à quatre pattes sur 80 cm. Franchement, ça vaut le coup de le faire.*
Ce hameau troglodyte est moins important que le précédent, mais encore plus spectaculaire. Si on l'atteint aujourd'hui par une échelle, les Indiens y pénétraient par un tunnel, puis en grimpant le long d'encoches dans la roche. Ses quelque 40 pièces n'abritaient qu'une cinquantaine de personnes, qui

5

Le mystère de Mesa Verde

UN MONUMENT GÉOLOGIQUE

Le creusement des canyons

Il y a 100 millions d'années, la région était couverte par la mer et connaissait un climat semblable à celui du golfe du Mexique. 40 millions d'années après, la mer disparut et l'ensemble du plateau du Colorado commença à s'élever. Il y a 1 million d'années, **Mesa Verde** était donc une vaste montagne table, légèrement inclinée vers le sud que la pluie abondante, les cours d'eau, les glaciers et la fonte des neiges allaient creuser progressivement pour former les actuels canyons.

Des alcôves étonnantes

La constitution des **crevasses horizontales** s'explique par la composition hétéroclite des falaises. L'eau s'infiltre facilement dans la couche supérieure de grès qui est perméable, mais lorsqu'elle rencontre la couche sous-jacente de schiste imperméable, elle s'étale et stagne. En hiver, elle gèle, se dilate et fend la pierre, occasionnant des fissures qui s'agrandissent avec les années. Ces dernières ont été ingénieusement mises à profit par les hommes.

UN PEUPLEMENT PROGRESSIF

Des fabricants de paniers…

Le peuplement de Mesa Verde remonte aux environs de 550, quand des groupes de nomades se sédentarisèrent sur la mesa et dans les fissures des falaises. On désigne par le nom de « **basketmakers** » (fabricants de paniers) les indigènes de cette époque, qui remplacèrent peu à peu la cueillette par l'agriculture. Ils vivaient dans des huttes rudimentaires à demi enterrées, ne connaissaient ni la poterie ni les métaux, mais excellaient dans la fabrication de délicates vanneries qui servaient à tout, y compris à transporter l'eau (on les imperméabilisait avec de la poix) ou à faire la cuisine (on faisait bouillir l'eau avec des pierres brûlantes sorties du feu).

… aux pueblos

Avec le temps, ils cessèrent d'enterrer leurs huttes et commencèrent à construire de simples cabanes de piquets recouvertes de boue séchée. À partir de cette époque, on les appelle les **Pueblos** (mot espagnol signifiant « village », utilisé aussi pour désigner les indigènes eux-mêmes). Vers l'an 1000, ils maîtrisaient bien la construction de petites maisons de pierre, comptant plusieurs niveaux et de nombreuses pièces. Ils apprirent la poterie et leur art du panier déclina. Les techniques agricoles progressaient et une portion de plus en plus importante du plateau y était consacrée. Durant deux siècles, les villages prospérèrent au sommet des falaises, à proximité des cultures. L'ensemble du plateau de Mesa Verde comptait alors plusieurs milliers d'habitants.

Les bâtisseurs de palais

Un changement brutal s'opéra vers 1200. Les villages du plateau furent désertés et reconstruits systématiquement à l'abri des anfractuosités des falaises, jusque-là utilisées pour entreposer les denrées. Alors que le 12e s. avait connu réchauffement climatique, abondance et croissance démographique, le 13e s. fut celui du refroidissement brutal et de la raréfaction des ressources alimentaires, engendrant insécurité et violence. Chaque communauté sur-peuplée devait lutter pour sa survie et la protection de ses réserves. Le repli vers les alcôves des falaises permettait de se défendre plus facilement et de se protéger des intempéries. Cela n'empêcha pas les Pueblos d'apporter un soin extrême à leurs nouveaux villages. En observant ces nids d'aigle perchés, on s'émerveille à l'idée des incroyables corvées de transport des matériaux et de ravitaillement…

LE MYSTÈRE DE SON ABANDON

L'abandon
Difficile d'imaginer que tant d'efforts ne servirent que quelques dizaines d'années ! Ce fut pourtant le cas : deux générations tout au plus profitèrent des nouveaux villages qui furent à nouveau brutalement et définitivement désertés avant 1300. Archéologues et anthropologues divergent sur les rai-sons précises de cet exode massif et soudain.

Un phénomène général
En fait, à cette époque-là, il ne resta plus un Indien pueblo dans toute la région des « Four Corners » (une bonne partie du plateau du Colorado). De Mesa Verde jusqu'à Phoenix, la plupart des villages furent abandonnés, souvent brutalement détruits ou brûlés. Beaucoup d'Indiens moururent, peut-être de la famine ou des combats entre communautés voisines. La violence endé-mique, les rigueurs climatiques et l'épuisement des sols découragèrent les survivants. Ils émigrèrent vers le sud et la vallée du Rio Grande, au Nouveau-Mexique, s'intégrant aux tribus locales. Les Indiens actuels les plus proches des anciens Pueblos sont les **Hopis** en Arizona, les **Zunis** et les **Pueblos** au Nouveau-Mexique.

L'HÉRITAGE DES PUEBLOS

Les cérémonies
Kiva est un mot hopi signifiant pièce cérémonielle. Les villages de Mesa Verde en conservent plusieurs. Circulaire et creusée dans le sol, elles servaient aux cérémonies rituelles, mais les Indiens y tenaient aussi leurs réunions et les utilisaient parfois pour le tissage. Des piliers soutenaient un toit de rondins recouverts de boue séchée. Les rebords et les niches accueillaient les objets rituels et les poteries. On y accédait au moyen d'une échelle par un trou dans le toit qui tenait aussi lieu de cheminée. Sur le sol, notez un petit trou, entre le mur et le foyer : c'est le *sipapu*, symbole de l'entrée dans l'autre monde et lieu d'où sont sortis tous les hommes de la tribu.

Le bonheur par les plantes
Les Indiens se fient à la générosité de la nature. Presque toutes les plantes et graines leur sont utiles. Les pignons de pin sont grillés et mangés, la résine sert à réparer les poteries ou à imperméabiliser les paniers, le lichen des rochers, réduit en poudre, calme les douleurs bucco-dentaires. Le *mormon tea* soigne les maladies vénériennes, les infections rénales, la toux et les maux d'esto-mac. On l'utilise aussi pour tanner les peaux. L'écorce de genévrier sert pour les toitures, pour bourrer les oreillers et, réduite en fine charpie, elle tient lieu de couche pour les nourrissons. Les feuilles donnent, elles, une belle teinte verte à la laine. Les racines du yucca se transforment en savon, tandis que les tiges se font cordes, vanneries, tapis ou sandales…

vivaient suspendues à 180 m au-dessus du canyon. Là encore, on mesure les défis qu'a dû poser la construction d'un site qui fut occupé moins d'un siècle. La cour nord, bordée par un parapet, devait servir à garder les jeunes enfants en sécurité, tandis que la cour sud, avec ses *kivas*, accueillait les autres activités du clan (le toit des *kivas* formait une partie de la cour). Le village possède deux sources d'eau qui évitaient la corvée de ravitaillement.

Revenez au premier embranchement et prenez à gauche vers les Mesa Top Sites.

★★ Mesa Top

Moins impressionnantes que les ruines précédentes, celles de Mesa Top permettent de comprendre l'évolution de l'habitat depuis les *basketmakers* jusqu'aux Pueblos. On y voit plusieurs vestiges de huttes enterrées *(pithouses)* et un ravissant petit village, **Square Tower House★★★**, que l'on domine depuis un belvédère. Niché dans sa fissure, il ressemble à une maquette d'argile… Vous passez ensuite quelques beaux points de vue sur les canyons, tel **Sun Point View★★**.

Sun Temple est un étrange édifice au plan géométrique mystérieux. On le pense dédié à un culte élaboré, mais il n'a sans doute jamais été achevé…

Revenez vers le Far View Visitor Center. Juste avant d'y parvenir, une route à gauche, ouverte seulement en été, mène à Wetherill Mesa (12 miles).

★★ WETHERILL MESA

○ *Comptez 2 à 3h - 9h-18h (19h l'été) - fermé de mi-oct. à déb. mai - le minitrain qui dessert les points d'observation de Kodack House et de Long House (départ du parking) est accessible en priorité aux personnes munies d'un billet pour Long House.*

Isolée à l'ouest, cette mesa est nettement plus sauvage que ses voisines.

La route est sinueuse et pentue, et les **panoramas★★** sont splendides. Deux villages pueblos sont ouverts au public, **Step House★** et **Long House★★★** qui est le deuxième en taille après Cliff Palace. Une visite passionnante et assez sportive, où vous grimpez sur trois échelles à l'intérieur du site *(Long House, visite guidée seult, de fin mai à déb. sept. : 9h, 10h, 11h, 14h, 15h, 16h ; de mi-mai à fin mai et de mi-sept. à mi oct. : 9h30, 12h30, 14h - Step House visite libre : 9h-16h). Comptez 1h30. Point de départ au kiosque d'information (parking).*

Un petit sentier, le **Badger House Trail**, permet de découvrir les ruines de maisons construites au sommet de la mesa.

À proximité Carte de région C1

Cortez

○ *Comptez 35mn. À l'ouest de Mesa Verde.*

🛈 *Colorado Welcome Center, 928 E. Main St. - ℘ (970) 565 4048 - www.cityofcortez. com - 8h-17h (18h de Memorial Day à Labor Day).*

LE GOÛTER DU COW-BOY

Ne manquez pas de goûter au *jerky*, une spécialité héritée de l'époque de la conquête de l'Ouest. Ces étroites lamelles de viande marinée et lentement séchée au soleil constituaient déjà les principales conserves de viande de bison des Indiens. On en trouve en sachet dans toutes les épiceries et, dans les villages, des bocaux alignés sur les comptoirs proposent au détail ces longues barres caoutchouteuses et salées. Idéal pour compléter une salade, pour le pique-nique ou pour combler un petit creux…

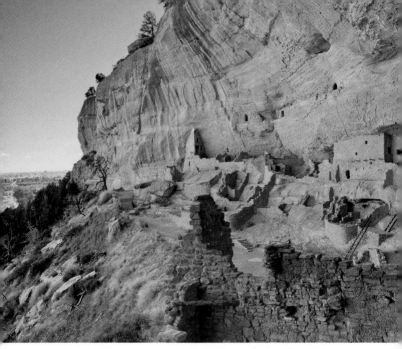

Mesa Verde National Park.
W. Skrypczak/Getty Images

La ville en elle-même n'a rien de particulier. Elle concentre le long d'une large avenue hôtels, restaurants et boutiques, pratiques pour une étape d'un soir. À sa périphérie se tiennent quelques magasins d'antiquités, richement pourvus, qui raviront les amoureux des brocantes et de l'Amérique d'autrefois.

★ Durango

◐ *Comptez 2 à 3h. A l'est de Mesa Verde.*

🄸 *Durango Welcome Center, 802 Main Ave. - 𝄞 (970) 247 3500 - www.durango.org.*
Située sur les rives de la rivière Animas, la ville bénéficie de sources minérales naturellement chaudes, jaillissant à plus de 45 °C. Mais c'est l'or et l'argent des San Juan Mountains qui sont à l'origine de sa fondation, avec la création, en 1880, d'une voie de chemin de fer pour acheminer les précieux métaux depuis les mines d'altitude. L'économie des environs reposa longtemps sur ces dernières et l'élevage dans les ranchs, puis, à partir des années 1960, sur le tourisme (ski, rafting, pêche, randonnée). Aujourd'hui, la ville (14 900 hab.) est l'une des plus attrayantes de la région, avec ses bars et restaurants à l'ambiance conviviale.

Le centre historique s'étend autour de **Main Avenue★**. Commencez au *Train Depot*, la gare d'où part le vieux train à vapeur. Procurez-vous le dépliant *Walking Tour* et longez Main St. pour admirer ses immeubles d'époque en brique et à frontons, dont beaucoup furent jadis des saloons fréquentés par les fortes têtes du comté. Ne manquez pas le Strater Hotel *(699 Main St.)*, la première banque de la région, et son **Diamond Belle Saloon★**, avec serveuses en porte-jarretelles…

★★★ **Durango & Silverton Narrow Gauge Railroad** – *Comptez la journée. 479 Main Ave. - 𝄞 (970) 247 2733 ou 1-877 872 4607 - www.durangotrain.com - de déb. mai à fin-oct., départ de Durango le matin à 8h, et 8h45 (et 9h30 juin-déb. août) 1 seul départ déb. mai et fin oct. (8h45) ; retour à 17h15 et 18h (et 18h30 juin-déb. août) - 89/199 $ AR (selon la classe) - en hiver (nov.-avr.), le train va uniquement jusqu'à Cascade Canyon, départ à 9h45 ; retour à 14h45 - 62/104 $ (selon la classe).*

👤⚡ Opérationnel depuis juillet 1882, ce train à vapeur emprunte une voie ferrée dont les rails, très rapprochés *(narrow gauge)*, sont espacés de 0,91 m, contre 1,42 m pour les rails standard. La voie traverse 45 miles spectaculaires de canyons, de torrents et de versants boisés jusqu'à la petite ville minière de Silverton, où une étape de 2h15 est prévue avant le retour.

Il est aussi possible de rejoindre Silverton, à 48 miles au nord de Durango, par la superbe Hwy 550 *(comptez 1h30)*.

★ Silverton

▶ *48 miles au nord de Durango par la Hwy 550. Comptez 1 à 2h sur place.*

Si vous rêvez de l'Amérique des pionniers, une virée à Silverton (littéralement « Tonne d'argent ») – 500 hab. ; alt. 2 795 m – s'impose, malgré les trop nombreux touristes. Vous trouverez le long des deux rues de terre battue tout ce qui faisait les petites villes de l'Ouest : façades victoriennes colorées et saloons à frontons.

★ San Juan Skyway

▶ La Hwy 550 continue ensuite au cœur des montagnes jusqu'à **Ouray★** *(26 miles)*, petite ville minière au cœur de ce que l'on nomme fièrement la « Suisse d'Amérique ». Profitez de la piscine découverte de sources chaudes *(1230 Main St, tlj l'été 10h-22h)*. Un circuit en boucle quittant Ouray, l'**Alpine Loop★** *(65 miles ; la seconde partie est réservée aux 4 x 4)*, traverse une nature intacte ainsi que des villages fantômes et d'anciennes mines.

😊 NOS ADRESSES À MESA VERDE

HÉBERGEMENT

Si vous ne campez pas, il peut être pratique de dormir à Cortez, ou à Mancos. Réservez absolument entre juin et septembre. Durango offre aussi toutes les ressources nécessaires le long de la Hwy 550 et au nord de Main Avenue. Partez alors très tôt le matin pour avoir le temps de tout voir.

Dans le parc

PREMIER PRIX

Morefield Campground – *À 10,3 miles de l'entrée du parc - ☏ 1-800 449 2288 - www. visitmesaverde.com - avr.-oct. -* ✗ **P** *- 267 empl. 31/40 $.* Un très beau site bien équipé, où vivent des daims et des cerfs, et d'où partent plusieurs sentiers de randonnée. Station-essence, supermarché, amphithéâtre, toilettes, douches et laverie. Réservation conseillée et il faut arriver très tôt pour les camping-cars. La station des rangers est toute proche ; on peut notamment y acheter les tickets des visites guidées de 17h à 20h (règlement en espèces uniquement).

BUDGET MOYEN

Far View Lodge – *À 15 miles de l'entrée du parc (dans le parc), Navajo Rd - ☏ (970) 529 4422 - www. visitmesaverde.com - de mi-avr. à mi-oct. -* 🖥 ✗ **P** *- wifi - 150 ch. 121/203 $ -* ☕ *10/14 $.* Hôtel situé à côté du *Far View Visitor Center*, au cœur d'un splendide paysage. Chaque chambre possède un balcon avec une vue superbe. Les moins chères sont pleines de courants d'air désagréables dès qu'il fait frais… Les Kivas, entièrement rénovées, sont plus luxueuses et mieux équipées mais de taille similaire. Le restaurant Metate Room *(tlj 7h-9h30, 17h-21h30 ; plat soir 20/34 $)* bénéficie d'une vue superbe.

Mancos

Situé à 8 miles de l'entrée du parc, vous y trouverez plusieurs motels et un sympathique bar-restaurant, le Millwood Junction, où l'on sert de bonnes viandes.

PREMIER PRIX

Ancient Cedars at Mesa Verde RV Resort – *34979 Hwy 160 Mancos - à 5mn de l'entrée du parc - ☏ (970) 565 3517 - www. ancientcedarsmesaverde.com - mars-nov. - ⚒ - wifi - 70 empl. 27 $ tente, 39 $ camping-car, 60/65 $ cabane.* Minimarket (vente de glace), douches, toilettes, laverie, piscine, jacuzzi et minigolf. Empl. pour tentes et camping-cars, chambres individuelles confortables avec salle de bains dans des petits chalets en bois avec table et espace barbecue dehors. Minigolf.

Cortez

PREMIER PRIX

Aneth Lodge – *645 E. Main St. - ☏ (970) 565 3453 - www. anethlodge.com - 🖵 🅿 - wifi - 30 ch. 58/62 $.* Un motel simple, bien situé, près du city market et de plusieurs restaurants. Télé, micro-ondes, frigo et Wifi gratuit. Accueil sympathique.

Super 8 Motel – *505 E. Main St. - ☏ (970) 565 8888 - www. super8.com - 🖵 🅿 ♿ - wifi - 58 ch. 70/85 $ ☕.* Adresse à la fois centrale et située sur la Hwy 160 menant à Mesa Verde.

Durango

PREMIER PRIX

Blue Spruce Campground & Cabins – *1875 County Rd 500 - 81122 Bayfield - Vallecito Lake - ☏ (970) 884 2641 - www.bluesprucervpark.com - 🅿 - wifi - 120 empl. 36/41 $, seult pour les camping-cars (pas d'empl. tentes) - bungalows à partir de*

102 $. À 25 miles de Durango (sortie nord vers Vallecito Lake), à la lisière de la forêt de San Juan et à proximité du lac, ce terrain bien ombragé offre une atmosphère bon enfant (leçons de danse, gospel et barbecues). Épicerie, laverie.

BUDGET MOYEN

Econo Lodge – *2002 Main Ave. - ☏ (970) 247 4242 - www. econolodgedurango.com - 🖵 🅿 - wifi - 43 ch. 135/159 $ ☕.* Une bonne chaîne avec des chambres relativement confortables et un bon accueil.

POUR SE FAIRE PLAISIR

Leland House & Rochester Hotel – *726 E. 2nd Ave. - ☏ (970) 385 1920 - www.rochesterhotel. com - 🖵 🅿 - wifi - 24 ch. 199/259 $ ☕.* Certaines chambres avec kitchenette. Un B & B de charme dans deux belles maisons anciennes en brique à la déco raffinée. Petit-déj. très copieux.

Silverton

PREMIER PRIX

Blair Street Hostel – *1025 Empire St. - ☏ (970) 387 5599 - www. blairstreethostel.com - 🅿 - wifi - ch. privées 52/64 $, ch. partagées 22/30 $.* Une sympathique maison qui fonctionne comme une auberge de jeunesse. Salle de bains commune, laverie, coin cuisine. Confort basique.

BUDGET MOYEN

Grand Imperial Hotel – *1219 Greene St. - ☏ 1-800 341 3340 - www.grandimperialhotel.com - 🖵 🍴 🅿 - 40 ch. et suites 115/185 $.* Cet hôtel victorien historique (1882) demeure confortable et jouit de belles vues sur les montagnes. Le restaurant (*mai-oct. : 11h-22h - moins de 20 $*) permet de déjeuner au son du piano, comme au temps de la conquête de l'Ouest.

RESTAURATION

Dans le parc

Le **Far View Terrace Café**, jouxtant le *Visitor Center*, propose des buffets *(env. 12 $, 7h-20h)* et celle de Chapin Mesa, des plats légers bon marché *(moins de 12 $)*, dans un décor assez impersonnel. Prévoyez des pique-niques, car vous devrez vous ravitailler à Cortez, Monticello ou éventuellement au camping.

Durango

BUDGET MOYEN

Jean-Pierre's Bakery – *601 Main Ave. - ℘ (970) 247 7700 - www. jeanpierrebakery.com - 7h-22h - &. - wifi - plat 15/30 $.* Un beau lieu en brique et bois créé par un sympathique Français. Dans la grande salle, on vous sert des œufs pochés, quiches, crêpes, salades et bien sûr des croissants. Côté bar à vin, un grand zinc, un piano et une ambiance détendue le soir. Vin (verre ou bouteille) servi avec du fromage.

Ken & Sue's – *636 Main Ave. - ℘ (970) 385 1810 - www. kenandsues.com - 11h-21h, vend. 11h-22h, sam. 17h-22h, dim. 17h-21h - plats 15/25 $.* Cuisine éclectique, inspirée des traditions asiatiques. Joli patio.

Cyprus Cafe – *725 E. 2nd Ave. - ℘ (970) 385 6884 - www. cypruscafe.com - 11h30-22h - fermé dim. en hiver - &. - wifi - plats 10/32 $ selon déj. ou dîner.* Cuisine méditerranéenne aux saveurs originales servie dans un cadre agréable en bois peint design, ou sur une adorable terrasse (concerts de jazz dim.-lun. soirs en été).

Bar D Chuckwagon – *8080 Country Rd 250 - ℘ (970) 247 5753 - www.bardchuckwagon.com - de Memorial Day à Labor Day - dîner 26/36 $.* Servi à 19h30, le dîner de cow-boys avec show musical est un incontournable de l'Ouest. Ambiance « Amérique profonde », mais chaleureuse et conviviale.

Silverton

PREMIER PRIX

Handlebars Food and Saloon – *13th St. - à l'arrière d'une boutique de cadeaux de la rue principale - ℘ (970) 387 5395 - www. handlebarssilverton.com - mai-oct. : tlj 10h30-21h - plat déj. 10/25 $, dîner jusqu'à 25 $ pour les viandes.* Atmosphère western, décor de saloon tout en bois, plats copieux et bon marché.

ACTIVITÉS

Rafting – La rivière Animas, qui descend des montagnes via Silverton et Durango, permet de faire du rafting, selon la saison et le niveau des eaux.

Outlaw Rivers and Jeep Tours – *555 Main Ave. - 81301 Durango - ℘ (970) 259 1800 - www. outlawtours.com.* Rafting, sorties en jeep et location de VTT.

VTT - Mountain Bike Specialists – *949 Main Ave. - Durango - ℘ (970) 247 4066 - www. mountainbikespecialists.com - 9h-18h - fermé dim. - P.* Location de VTT pour les sportifs et possibilité d'organiser des sorties (1 à 3 jours). Plusieurs circuits au choix dans les environs, sur des routes parfois bien ardues (15/60 miles), ou sur des pistes de montagne (différents niveaux de difficulté) entre Durango et Silverton.

Rodéo – Les rodéos sont une institution dans le Colorado. À Durango, ils se disputent de juin à août à 19h30, à **Plata County Fairgrounds**, à l'angle de Main Ave. et de 25th St. Renseignements au ℘ (719) 593 8840 et sur www. prorodeo.com.

Monument Valley

★★

Fans de westerns, les mesas cultes de Monument Valley n'attendent plus que vous ! N'espérez cependant pas y jouer les John Wayne à votre guise, car la visite est strictement balisée afin de respecter au maximum la vie privée des Navajos. Fort heureusement, le parcours tracé dévoile l'essentiel de ces paysages, qui comptent parmi les plus beaux de l'Ouest.

 NOS ADRESSES PAGE 363
Hébergement, restauration, achats, activités, etc.

S'INFORMER

Visitor Center – *Après l'entrée de la réserve, au niveau de l'hôtel - ℰ (435) 727 5870/5874/5879 - www. navajonationparks.org - mai-sept. : 6h-20h ; oct.-avr. : 8h-17h ; Thanksgiving : 8h-12h - 20 $/véhicule (et 4 passagers), paiement en espèces. Le National Parks Pass n'est pas accepté.*

Ne photographiez jamais les Navajos et leur propriété sans permission. En cas d'accord, ils attendent une contribution. Il est interdit de quitter la piste, même à pied, et d'escalader les buttes. Boissons alcoolisées formellement prohibées.

SE REPÉRER

Carte de région C1 *(p. 278-279)* – *carte Michelin Western USA 585 F 9-10.* La réserve se trouve à la frontière entre l'Arizona et l'Utah, à 423 miles (677 km) à l'est de Las Vegas, 314 miles (502 km) au nord-est de Phoenix (I-17 puis Hwys 89,160 et 163) et 353 miles (565 km) au nord-ouest d'Albuquerque (Hwys 550, 64, 191 et 160).

À NE PAS MANQUER

Une randonnée avec un Navajo loin des sentiers battus. Et sinon, prenez le temps de vous arrêter sur le circuit en voiture et de savourer la beauté du paysage digne des plus grands westerns. Allez aussi à Goosenecks SP.

ORGANISER SON TEMPS

Bien que partiellement en Arizona, la réserve navajo adopte le Mountain Time, appliqué au Nouveau-Mexique, en Utah et dans le Colorado *(voir p. 614)*. Le soir, la vallée prend une belle teinte rouge, idéale pour les photos.

Découvrir

Bon à savoir – On accède à Monument Valley par une route qui quitte la Hwy 163 entre Mexican Hat (24 miles) et Kayenta (23 miles). Vous aurez la plus belle perspective de la route, filant entre les mesas dans le désert rouge, en venant de Mexican Hat.

★★ MONUMENT VALLEY SCENIC DRIVE

Comptez une demi-journée. La piste qui traverse le parc est ouverte tlj 6h-20h30 de mai à sept., 8h-16h30 d'oct. à avr. Elle est accessible aux véhicules de tourisme, sauf par temps de pluie. Évitez les circuits en 4 x 4 découverts chargés de touristes, qui effectuent le tour de la vallée à toute allure dans un nuage de poussière.

La visite de la vallée se fait en suivant une piste de terre longue de 17 miles qui serpente entre les formations géologiques, mesas, buttes ou aiguilles, et

5

permet de découvrir les principaux sites, numérotés et nommés sur le dépliant fourni à l'entrée du parc. Le célèbre **John Ford Point★★★** est incontournable pour la photo, mais hélas très fréquenté. D'une manière générale, à moins de venir hors saison (mi-avril c'est l'idéal) ou tôt le matin, la seule piste autorisée est envahie de visiteurs et il est parfois difficile de percevoir l'atmosphère de solitude étrange qui baigne les lieux avec tout ce monde. Pour découvrir des circuits plus secrets, visiter un hogan, voir les ruines ou les pétroglyphes, il faudra passer par l'un des nombreux guides navajos sur place.

Goulding's Museum – *Comptez 30mn. Adjacent au Goulding's Lodge, de l'autre côté de la Hwy 163 par rapport au* Visitor Center - *℘ (435) 727 3231 - www. goul dings.com/museum - tlj 8h-20h, 17h en hiver.* Installé dans le *trading post* construit par les Goulding en 1927, ce petit musée évoque l'histoire de la vallée et l'épopée des westerns. C'est Harry Goulding, proche des Navajos, qui suggéra à John Ford d'utiliser les décors naturels de Monument Valley pour tourner ses westerns. Dès lors, il accueillit dans son lodge les équipes de tournage.

À proximité Carte de région

Comptez une demi-journée.
Plus confidentiel que Monument Valley, deux sites naturels d'exception, du côté de Mexican Hat, méritent un détour pendant que vous êtes dans les environs. Si vous avez du temps, la petite ville de Bluff retiendra votre attention.

★★ **Goosenecks State Park** C1
▶ *Comptez 30mn sans le trajet. À 9 miles de Mexican Hat. Suivez la Hwy 163 vers le nord sur 4 miles, tournez à gauche sur la Hwy 261 et, 1 mile plus loin, prenez à gauche sur la Hwy 316 en direction de Goosenecks. www.utah.com/stateparks/ goosenecks.htm - 5 $/véhicule.*

Si vous passez par Mexican Hat avant ou après Monument Valley, ne manquez pas les Goosenecks (« cous d'oie »). Un vide immense semble avoir happé une partie du terrain et, au fond, ce n'est pas une simple rivière mais une fascinante série de méandres de la **San Juan River** qui s'écoule dans un canyon profond de 300 m. Les géologues expliquent ces détours spectaculaires par l'élévation très progressive du lit de la rivière qui hésitait à se frayer un chemin. À cet endroit, la rivière fait tellement de virages serrés que près de 10 km de son cours sont tassés sur seulement 2,5 km à vol d'oiseau !

★ **Valley of the Gods** C1
▶ *Prévoyez 2h30. à 8 miles au nord de Mexican Hat sur la Hwy 163.*
Une petite et sauvage réplique de Monument Valley, très belle au coucher du soleil. La piste carrossable *(17 miles, accessible à tous les véhicules par temps sec)* longe de belles mesas. On peut s'en approcher, y pique-niquer et les photographier loin des foules.
Les voyageurs en quête de tranquillité absolue pourront dormir au charmant **Valley of the Gods B & B** *(www.valleyofthegodsbandb.com ; 175/195 $/nuit)* qui se fond à merveille dans son environnement naturel. Une belle expérience.

Bluff
▶ *Highway 163 Est, à env. 40 miles de Monument Valley.*
À la demande de la petite ville de Bluff, les descendants des anciens colons ont reconstruit à l'identique les premières cabanes de leurs ancêtres, à l'emplacement de l'ancien fort. Équipées de mobilier et d'objets d'époque, elles racontent la vie des colons. À l'extérieur, des chariots et divers outils. Une boutique *(ouv. mars-oct.)* présente un film sur l'histoire du site et de ses occupants.

Un site emblématique

UNE TERRE INDIENNE

Les premiers habitants

Au temps de la préhistoire, des chasseurs venaient ici poursuivre les mammouths laineux à l'aide de harpons en pierre taillée. Bien plus tard, les **Anasazis**, ou anciens Pueblos, laissèrent quelques ruines, des encoches dans les falaises qui servaient d'escaliers et des pétroglyphes. On sait que, dès l'an 200, ils vivaient d'un embryon d'agriculture, dans des huttes semi-enterrées. Comme ceux de Mesa Verde et de Chaco Canyon, ils désertèrent la région vers 1300.

La conquête navajo

Par la suite, d'autres Indiens, les Utes et les Paiutes, puis enfin les **Navajos** (15e-18e s.) investirent celle-ci. Sous la domination mexicaine, les Espagnols s'approvisionnaient en esclaves dans les camps navajos, provoquant des raids de représailles sans merci, qui ne cessèrent pas après la prise de contrôle des Américains.

Un refuge ?

La crise atteint un sommet en 1863, lorsque le gouvernement décida de réprimer définitivement la résistance indienne. Sous le commandement de Kit Carson, on brûla les cultures, détruisit les villages et accula 8 000 Navajos à la reddition. Seul l'un des chefs, **Hoskinini**, réussit à s'échapper et trouva refuge à Monument Valley avec sa famille.

ENTRE PROTECTION ET CÉLÉBRITÉ

L'appât du gain

La beauté des bijoux navajos avait fait naître la rumeur de mines d'argent en territoire indien. Deux prospecteurs, **Merrick** et **Mitchell**, venus à Monument Valley en 1880, furent découverts, scalpés par les Navajos, au pied des buttes qui portent leur nom. D'autres tentèrent pourtant leur chance, suivis des commerçants qui ouvrirent les premiers *trading posts*, ces magasins où les Indiens venaient échanger leurs produits.

Le cinéma

Monument Valley fut définitivement attribué aux Navajos en 1933. À cette époque, les premiers touristes avaient déjà découvert ses paysages splendides, suivis de près par les cinéastes. En 1939, **John Ford**, le premier, immortalisa la silhouette des buttes rouges et celle d'un jeune inconnu nommé John Wayne dans *Stagecoach (La Chevauchée fantastique)*. Le reste n'est que du cinéma…

Quelques films…

My Darling Clementine (*La Poursuite infernale*, 1946) avec Henry Fonda, *Fort Apache* (*Le Massacre de Fort Apache*, 1948), *The Searchers* (*La Prisonnière du désert*, 1956) avec Nathalie Wood, *How The West Was Won* (*La Conquête de l'Ouest*, 1962), *The Trial of Billy Jack* (*Le Procès de Billy Jack*, 1974), *The Legend of the Lone Ranger* (*La légende de Lone Ranger*, 1980), *Retour vers le Futur III* (1990), *Restons groupés* (1998).

Excursion Carte de région

★ NAVAJO NATIONAL MONUMENT B2

Comptez une journée. De Monument Valley, suivez la Rte 163 jusqu'à Kayenta, puis prenez la Rte 160 en direction de l'ouest. 20 miles plus loin, empruntez sur votre droite la Rte 564 qui mène au Navajo National Monument (9 miles).

Visitor Center – *À l'entrée du site - ℘ (928) 672 2700 - www.nps.gov/nava - de fin mai à déb. sept. : 8h-17h30 ; reste de l'année : 9h-17h - la visite des sites de Betatakin et de Keet Seel est gratuite, mais très réglementée, et s'effectue de mai à sept. uniquement.*

D'avr. à oct., la réserve navajo vit avec 1h d'avance sur le reste de l'Arizona.

Cachés dans les replis des canyons de la réserve navajo, les sites exceptionnels de Betatakin et de Keet Seel abritent des vestiges étonnamment bien préservés de la fin du 13e s., la grande époque des **Indiens anasazis**. Les Hopis, qui vivent actuellement 50 miles plus au sud, se déclarent être les descendants des Anasazis, fait avéré d'après le type de constructions et les dessins rupestres qui subsistent. Le départ de ces communautés au début du 14e s. reste en partie inexpliqué. Les Navajos, qui arrivèrent au siècle suivant dans la région, ne s'établirent jamais dans ces sites, par respect pour l'harmonie spirituelle créée par les morts enterrés sur ces terres.

★★ Betatakin

Les rangers conduisent des groupes de 25 pers. au terme d'une marche très sportive (5h AR). Départ tlj à 8h15 et 10h en été seult. Pas de réservation ; il faut retirer les billets au Visitor Center le jour même à 8h (il est conseillé d'y être dès 7h30). La visite des ruines n'est plus possible et le guide vous mène jusqu'à un point de vue sur le village. Un film de 20mn au Visitor Center complète la visite. De Betatakin Overlook, qui surplombe le canyon, vous pourrez aussi observer les ruines, en face.

À l'arrière du *Visitor Center*, un sentier pavé *(30mn AR)* mène à **Betatakin Overlook★★**. Les premiers Indiens s'installèrent ici vraisemblablement dans les années 1250. L'imposante alcôve (140 m de haut, 113 m de large et 41 m de profondeur), taillée dans le grès à proximité d'une source d'eau et de terrains plats propices aux cultures, constituait un endroit idéal pour abriter une communauté qui aurait compté jusqu'à 125 membres. Les Anasazis y menaient une vie sédentaire. Si leurs constructions n'égalent pas la maîtrise de celles de Chaco Canyon et de Mesa Verde, elles demeurent néanmoins imposantes par le nombre d'édifices encore debout. Une centaine de pièces ont été dénombrées, habitations, greniers et *kivas*, auxquelles on accédait par une ouverture pratiquée dans le toit.

En revenant sur vos pas, l'**Aspen Trail** *(45mn AR)* s'engage sur la droite et conduit à un point de vue surplombant un défilé étroit où subsiste une surprenante forêt de pins et de trembles. Attention, ce chemin descend à mi-canyon et n'offre pas de point de vue sur le site de Betatakin.

Keet Seel

Pour la visite, il faut réserver 5 mois à l'avance (NPS, Navajo National Monument, HC-71, Box 3, Tonalea, Arizona 86044-9704, ℘ (928) 672 2700), puis confirmer une semaine avant votre arrivée et suivre une formation d'orientation. L'aller comme le retour sont des randonnées difficiles de 4 à 6h. Il est possible de passer une nuit sur place (prévoir de l'eau et des réchauds).

Occupé dès 950, ce site a connu son apogée à la fin du 13e s., date des vestiges. Il s'organise autour de trois rues, fait exceptionnel pour ce type d'habitat perché.

😀 NOS ADRESSES À MONUMENT VALLEY

HÉBERGEMENT

À l'exception des campings et de l'hôtel, cher, de l'entrée du parc, vous ne trouverez pas à vous loger à moins de 35 à 40 km. Mexican Hat est la solution la moins chère, avec des petits motels très corrects. Le village est moins touristique que Kayenta (triste bourgade qui concentre les hôtels plus chers). Bluff, à 41 miles du parc, constitue une meilleure option. Les prix chutent de 20 à 30 % hors saison.

Monument Valley

PREMIER PRIX

Vous trouverez un camping de l'autre côté de la Hwy 163 par rapport à Monument Valley :

Goulding's Monument Valley Campgroud – *1000 Main Street - à côté du Goulding's Lodge - ℘ (435) 727 3231 - www.gouldings. com - 🛏 ⚘ - 70 empl. 29/56 $.* Laverie, épicerie, aire de jeux.

BUDGET MOYEN

Goulding's Lodge – *84536 Oljato-Monument Valley - de l'autre côté de la Hwy 163 par rapport au Visitor Center - ℘ (435) 727 3231 - www. gouldings.com - 🖥 ✕ 🅿 ⚘ - wifi - 62 ch. et des cabanes 140/225 $.* Les chambres, très confortables, disposent toutes d'un balcon avec une vue superbe (mais pas sur le parc). Les cabanes sont particulièrement agréables. Sur place : boutique, épicerie et tours organisés. Par contre, le restaurant est très médiocre, privilégiez un repas fait par vos soins… En été, réservez plusieurs mois à l'avance.

POUR SE FAIRE PLAISIR

View Hotel Monument Valley – *84536 Monument Valley Tribal Park - au bout de la route principale - ℘ (435) 727 5555 - www.monumentvalleyview.com -* ✕ 🅿 ♿ *- 90 ch. 112/371 $.* Cette petite folie se justifie pour la vue sur les trois buttes mythiques du parc. Elle dispose en plus du label *Eco friendly* pour avoir privilégié les lumières naturelles, les matériaux réfléchissant la chaleur, les économies d'eau… Une très belle étape.

Mexican Hat

PREMIER PRIX

San Juan Inn – *Hwy 163 - à la sortie de Mexican Hat vers le pont sur la rivière - ℘ 1-800 447 2022 - www.sanjuaninn.net - 🖥 ✕ - wifi (partiel) - 38 ch. env. 88/104 $.* Un motel agréable avec terrasse, au bord de la San Juan River. Les chambres sont grandes et très confortables. Pour celles à 2 lits, c'est 4 $/pers. si vous êtes plus de deux. Salle de sport, boutique. Petit-déj. en sus à la cafétéria.

BUDGET MOYEN

Hat Rock Inn – *Au milieu du village - ℘ (435) 683 2221 - www. hatrockinn.com - 🖥 🅿 ⚘ - wifi - 43 ch. env. 149/154 $ 🍽.* Ce bâtiment en bois, aux chambres propres et simples, est le plus agréable des motels du village. La climatisation un peu bruyante est bienvenue en été. Petit-déj. continental servi à l'épicerie du motel.

Kayenta

BUDGET MOYEN

Wetherill Inn – *1000 Main St. - ℘ (928) 697 3231 - www.wetherill-inn.com - 🖥 ✕ 🅿 ⚘ - wifi - 54 ch. 108/146 $ 🍽.* Les chambres spacieuses ont télé, frigo, sèche-cheveux et fer à repasser. Piscine intérieure chauffée et petit-déj. buffet copieux.

Hampton Inn – *Hwy 160 - ℘ (928) 697 3170 - hamptoninn3. hilton.com - 🖥 ✕ 🅿 ⚘ ♿ - 73 ch.*

5

169/214 $ 🛏. Un motel calme, tout confort, au style western moderne et impersonnel. Machine à café dans les chambres, petit-déj. continental.

POUR SE FAIRE PLAISIR

Kayenta Monument Valley Inn – *Jonction des Hwys 163 et 160 -* 📞 *(928) 697 3221 - www. kayentamonumentvalleyinn.com -* 📋 ✕ 🅿 ⚊ ♿ *- wifi - 163 ch. 194/229 $.* Hôtel à l'architecture de brique et de bois, et à la déco d'inspiration navajo. Demandez l'une des chambres qui entourent la piscine, très agréable au milieu de son îlot de verdure. Laverie.

Bluff

BUDGET MOYEN

La Posada Pintada – *239 7th E. -* 📞 *(435) 459 2274 - www. laposadapintada.com -* 📋 🅿 *- wifi - 9 ch. 145/155 $* 🛏. Une adresse de charme, assez rare pour la région. Architecture en adobe typique, chambres spacieuses et coquettes. Wifi gratuit et petit-déj. inclus.

Desert Rose Inn – *701 W. Hwy 191 - à la sortie de Bluff vers Mexican Hat -* 📞 *(435) 672 2303 - www.desertroseinn.com -* 📋 ✕ 🅿 ⚊ ♿ *- wifi - 30 ch. et des cabanes 150/189 $.* Joli motel tout en bois, meublé de pin, au cœur de la nature. Chambres douillettes et restaurant correct (pas d'alcool).

RESTAURATION

Mexican Hat ne compte guère de restaurants, mais la station-service **Texaco** abrite un supermarché, un fast-food et un distributeur de billets. Un peu plus de choix à Kayenta, notamment dans les hôtels. Attention, la plupart des restaurants ne servent que jusqu'à 20h30 ou 21h et entre Monument Valley et Kayenta, vous ne trouverez pas d'**alcool** (seulement à Mexican Hat et dans certains restaurants de Bluff).

Mexican Hat

BUDGET MOYEN

Mexican Hat Lodge & The Swingin Steaks – *100 Main Hwy 163 - face à la station Shell -* 📞 *(435) 683 2222 - www. mexicanhat.net - mars-oct. -* 🅿 *- wifi (partiel) - plats env. 15/40 $.* L'un des motels du village sert un menu barbecue très copieux le soir, avec grillades et steaks impressionnants.

Old Bridge Grill – *2306 S. Hwy 163 - à la sortie de Mexican Hat vers le pont sur la rivière, dans la cour de l'hôtel San Juan Inn, tlj 8h-22h -* 📞 *(435) 683 2322 - www. sanjuaninn.net/restaurant - 7h-20h - plats env. 8/25 $.* Spécialités navajos, burgers, salades, plats mexicains et sandwichs.

EXCURSIONS

Pour visiter Monument Valley, suivez un guide navajo. Plusieurs formules sont proposées : à pied, à cheval ou en 4 x 4, pour quelques heures ou pour une nuit, pour randonneurs ou photographes. Les guides les plus intéressants sont à Mexican Hat (il est conseillé de réserver). À Kayenta, **Roland's Navajoland Tours** (📞 *(520) 697 3524)* est une bonne option. Vous trouverez à Monument Valley de nombreux guides proposant des balades à cheval (Ed Black a une écurie sur place. 📞 *(801) 739 4285 ; comptez env. 40 $ pour 1h30).*

Rafting - Wild River Excursions – 📞 *(435) 678 2628 - www. riversandruins.com.* Descentes de la Suan Jan River à la demi-journée *(89 $),* à la journée *(175 $)* ou sur plusieurs jours, avec snacks et nombreux arrêts (pétroglyphes, bois pétrifié, etc.).

Canyon de Chelly National Monument

Le canyon de Chelly (prononcez « de-chai ») se découvre en plusieurs étapes. En arrivant, on admire d'abord son tracé tortueux et ses impressionnantes falaises de grès rouge sculptées par l'eau. Ensuite, on remarque le fond, tapissé de vert. En descendant voir d'un peu plus près ces peupliers et ces cultures, vous accéderez à l'ultime facette du canyon : le voisinage harmonieux des ruines anasazis et des fermes navajos. Le site, sacré, est en effet l'un des rares encore habité et exploité par les Indiens.

😊 NOS ADRESSES PAGE 370
Hébergement, restauration, achats, activités, etc.

🛈 S'INFORMER

Visitor Center – *Situé au carrefour des deux routes qui sillonnent le parc -* 📞 *(928) 674 5500 - www.nps. gov/cach - 8h-17h - fermé 1ᵉʳ janv., Thanksgiving et 25 déc. - aucun droit d'entrée n'est requis pour visiter le canyon, mais vous êtes invité à laisser une contribution au Visitor Center.*

▶ SE REPÉRER

Carte de région C2 *(p. 278-279)* – *carte Michelin Western USA 585 F 10.* Le canyon se trouve à 3 miles (5 km) à l'est de la petite ville de Chinle. Celle-ci est accessible depuis Flagstaff par l'I-40-E et la Hwy 191

N (210 miles, 325 km), ou depuis Albuquerque par l'I-40-W et la Hwy 191 N (248 miles, 384 km).

😊 À NE PAS MANQUER

La randonnée aux ruines de White House.

🕐 ORGANISER SON TEMPS

Attention, le site est soumis à l'heure de la réserve navajo. Longez le canyon del Muerto le matin et descendez dans le canyon de Chelly l'après-midi (à pied, à cheval ou en 4 x 4). N'oubliez pas vos jumelles pour bien observer les hameaux troglodytes.

Découvrir

Comptez une journée. À l'exception de la visite des ruines de White House, il est obligatoire d'être accompagné par un guide navajo habilité pour descendre au fond du canyon. N'oubliez pas de regarder l'ingénieuse construction du hogan, à droite du Visitor Center.

Créé en 1931, ce parc de 340 km² englobe un réseau de gorges creusées depuis plus de 50 millions d'années par les flots qui dévalent périodiquement les pentes des monts Chuska. La plus grande d'entre elles a donné son nom au site. Ce dernier est habité depuis près de vingt siècles par des Indiens, comme en témoigne le grand nombre de ruines et de pétroglyphes qui y ont été retrouvés. Les **Anasazis**, des semi-nomades qui vécurent dans la région entre les 1ᵉʳ et 13ᵉ s., se sont peu à peu sédentarisés et ont laissé des constructions durables. Elles ont parfois été réutilisées par les **Navajos**, qui se sont installés ici à partir du milieu du 18ᵉ s. Des épisodes tragiques sont également

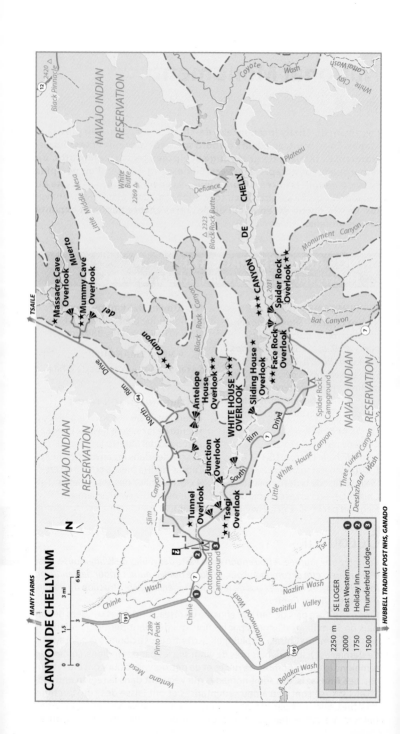

CANYON DE CHELLY NM

MANY FARMS

N

0	1,5	3	6 km
0		3 mil

Ventana Mesa

Pinto Peak △ 2289

Chinle Wash

Chinle

Cottonwood Campground

Balakai Wash

Cottonwood Wash

Nazlini Wash

Beaitiul Valley

Tse

Deeshzhaai Wash

Three Turkey Canyon

Little White House Canyon

Spider Rock Campground

South Rim Drive

Junction Overlook

Antelope House Overlook

WHITE HOUSE OVERLOOK

Sliding House Overlook

Face Rock Overlook

Spider Rock Overlook

△ 2031

DE CHELLY CANYON

Bat Canyon

Monument Canyon

Plateau

Black Rock Butte △ 2323

Defiance

White Butte 2269 △

Little Middle Mesa

White Butte

NAVAJO INDIAN RESERVATION

Coyote Wash

White Clay Wash

Catal Wash

Black Pinnacle △ 2420

TSAILE

North Rim Drive

Massacre Cave Overlook

Mummy Cave Overlook

Muerto

Canyon del

Black Rock Canyon

Slim Canyon

Tunnel Overlook

Tsegi Overlook

NAVAJO INDIAN RESERVATION

NAVAJO INDIAN RESERVATION

SE LOGER
1 Best Western.............
2 Holiday Inn...............
3 Thunderbird Lodge.......

	m
	2250
	2000
	1750
	1500

HUBBELL TRADING POST NHS, GANADO

inscrits dans les replis des falaises. Ces canyons constituaient des cachettes relativement sûres, mais quand l'ennemi parvenait à y pénétrer, l'issue était généralement terrible. Ce fut le cas lors de l'assaut espagnol en 1805 ou des attaques américaines en 1858 et 1864. Quand le dernier traité de paix entre les Américains et les Navajos fut signé en 1868, le canyon de Chelly se trouvait en plein cœur de la réserve nouvellement créée. Aujourd'hui, quelques familles navajos vivent encore au fond du canyon durant l'été et perpétuent leurs traditions dans ce lieu sacré, tout en accueillant les visiteurs.

★★ CANYON DEL MUERTO

◐ *Comptez 2h. Quatre points de vue sont accessibles le long des 15 miles de la route de la rive nord (North Rim Drive) qui débute peu après le* Visitor Center. La route monte progressivement le long du Canyon del Muerto, le défilé le plus au nord du parc, qui doit son nom à la découverte des restes de deux momies lors d'une expédition archéologique dans les années 1880. Des habitations se succèdent le long du chemin : des **hogans** traditionnels voisinent avec des mobile homes et des maisons en dur, parfois construites à la manière de *hogans*. À droite de la route, des sentiers plus ou moins balisés traversent une forêt pygmée composée de genévriers et de pins pignons, et mènent aux différents points de vue qui surplombent les falaises *(soyez très prudent en vous approchant du bord des falaises)*.

★★ Antelope House Overlook

Il donne sur l'un des sites les plus pittoresques, visible depuis deux points de vue balisés par des petits tas de pierres indiquant la direction à suivre. À droite, on aperçoit les ruines d'un village, dont une haute tour reliée à une *kiva* circulaire. À gauche (7-8mn à pied), le canyon forme un superbe fer à cheval avec en son centre un immense rocher. Ce lieu marque le point de jonction entre le Canyon del Muerto et le Black Canyon. Les Navajos, lors des attaques des Espagnols, grimpaient jusqu'au sommet de ce rocher, d'où ils lançaient leurs flèches.

★★ Mummy Cave Overlook

Ce belvédère fait face à deux alcôves élevées où l'on distingue des vestiges datant de la période tardive des Anasazis, dite grande ère classique des Pueblos. Il a été établi que ce site, qui comprend plus de 70 structures, a été occupé sans discontinuer entre 300 et 1300. Les hautes parois du canyon répercutent parfois les jappements du chien de berger rassemblant les moutons qui paissent en contrebas.

★ Massacre Cave Overlook

Le point de vue est bien moins spectaculaire, mais occupe une place primordiale dans l'histoire navajo. Sur la gauche, en hauteur, une alcôve obstruée par des éboulis de pierres se dessine sur un pan de falaise. C'est là que les Indiens trouvèrent refuge en 1805, quand les Espagnols menés par Antonio de Narbona vinrent les combattre. Attaqués de toutes parts, les assiégés ne tinrent pas longtemps sous le feu des fusils, et 115 Navajos furent tués. Ils nommèrent cet endroit « Là où deux sont tombés », en l'honneur de l'Indienne qui, en luttant contre un soldat, fut précipitée avec lui dans le vide.

★★ CANYON DE CHELLY

◐ *Comptez 2h AR pour parcourir les 17 miles de la South Rim Drive qui part à droite du* Visitor Center *(tlj 8h-17h, accès libre au site). Elle dessert les sept points*

5

de vue de la partie sud du canyon. Sachant que les plus intéressants sont plutôt vers la fin de l'itinéraire, roulez donc jusqu'au bout (après Spider Rock Campground, prenez un peu plus loin à gauche la route pavée) et arrêtez-vous aux belvédères en revenant, comme indiqué ci-après.

★★ Spider Rock Overlook

Des hauteurs du plateau, la vue plongeante dévoile des paysages acérés. La végétation tapisse jusqu'aux parois des falaises qui s'élèvent ici à plus de 300 m. Face à vous se dresse l'aiguille du **Spider Rock**, tels deux doigts pointés vers le ciel. Selon la légende, la femme-araignée *(Spider Woman)*, qui enseigna aux Navajos l'art du tissage, réside en ces lieux. Certains prétendent même qu'elle y emmène les enfants pas sages. Au loin, sur la gauche, se profile **Black Rock**, un ancien volcan dont ne subsiste aujourd'hui que le cœur, le pourtour ayant été érodé.

★★ Face Rock Overlook

Quatre petits tubes en fer vous aident à repérer les sites, particulièrement saisissants, nichés dans la falaise qui vous fait face, ainsi qu'en bas sur votre gauche. La piste, en contrebas, se dessine clairement et les randonneurs qui passent parfois ne paraissent pas plus grands que des fourmis.

★ Sliding House Overlook

Il offre de très beaux panoramas sur le canyon et sur des ruines perchées au-dessus d'un contrefort élevé.

★★★ White House Overlook

La « Maison blanche », qui surplombe le village auquel elle a donné son nom, se distingue bien des autres constructions et de la falaise dans laquelle elle a été édifiée. Ce site aurait abrité plus de 12 familles entre 1060 et 1275. Si vous ne comptez pas descendre dans le canyon avec un guide, n'hésitez pas à suivre le **White House Trail** qui mène aux ruines, car c'est l'unique occasion d'approcher de beaux vestiges et de découvrir le canyon de l'intérieur *(1h30 AR ; facile, le chemin débute à 150 m sur la droite ; emportez de l'eau ; toilettes en bas)*. Passé un petit tunnel, vous débouchez sur le chemin qui plonge vertigineusement vers le fond du canyon et qu'empruntent traditionnellement les troupeaux de moutons. Vous croiserez peut-être quelques écoliers qui dévalent la pente pour rentrer chez eux, car ce sentier est l'une des rares voies d'accès qui descendent dans le canyon. Les Navajos ont d'ailleurs utilisé cet atout contre les

---

JOHN LORENZO HUBBELL

Né au Nouveau-Mexique, John Lorenzo Hubbell (1853-1930) est un autodidacte qui a beaucoup voyagé dans le Sud-Ouest américain avant d'acheter le comptoir de Ganado, en 1878. Avec l'arrivée du chemin de fer et la demande croissante de laine pour l'Est du pays, le commerce avec les Indiens prend un nouvel essor et devient crucial pour la survie de ces derniers. Hubbell, qui parle leur langue, accueille et conseille les Navajos qui viennent échanger leurs productions contre des denrées ou des outils, et se tenir au courant des décisions du gouvernement à leur encontre. Apprécié pour son honnêteté et sa justesse, il prospère à la tête de plusieurs comptoirs en recherchant toujours à améliorer les articles apportés par les Navajos, principalement des tissages et des paniers. Il encourage aussi le travail des bijoux en argent et organise un service de vente par correspondance.

Canyon de Chelly National Monument.
Ch.Heeb/hemis.fr

attaques d'autres tribus indiennes et des armées espagnoles ou américaines. Au bas de la falaise, après le deuxième tunnel, un *hogan* traditionnel trône dans son enclos, mais n'oubliez pas que vous êtes ici sur des terres privées et que les photos sont interdites. Suivez le chemin qui part sur la gauche et traverse le cours d'eau pour rejoindre les ruines.

Junction Overlook

Des jumelles sont nécessaires pour observer les ruines situées de l'autre côté du canyon : **First Ruin**, sur la gauche, et **Junction Ruin**, en face de vous, dans une saillie de la falaise.

★★ Tsegi Overlook

Ce belvédère offre une vue beaucoup plus dégagée sur le canyon, au fond duquel se dessinent les méandres du **Chinle Wash**. Durant l'été, la ferme que vous apercevez en contrebas est occupée par des fermiers navajos qui élèvent des chevaux et des moutons, cultivent du maïs, des courges, et font la récolte de quelques arbres fruitiers. L'endroit est fertile, et même quand le cours d'eau est à son plus bas niveau, il suffit de creuser un peu pour trouver de l'eau.

★ Tunnel Overlook

À un peu plus de 1 mile du *Visitor Center,* en un lieu où les falaises sont vingt fois moins hautes que celles qui se dressent plus à l'est, ce site offre une vue partielle du Canyon de Chelly. Les peupliers se détachent sur le rouge des falaises encadrant la brèche qui permet de descendre dans le canyon *(vous pouvez vous avancer jusqu'à la rambarde, mais n'empruntez pas les escaliers sans guide).*

À proximité Carte de région

La seule visite intéressante est la Hubbell Trading Post, qui permet de comprendre comment se déroulaient le commerce et les échanges entre les Indiens et les colons.

★ **Hubbell Trading Post National Historic Site** C2

Comptez 30mn de visite. À 30 miles au sud du Canyon de Chelly et 1 mile au nord de Ganado, sur la Rte 191 - ℘ (928) 755 3475 - www.nps.gov/hutr - tlj 8h-18h - 2 $ (gratuit pour les -15 ans), des coupons sont délivrés au Visitor Center. Une brochure détaille les différents bâtiments.

Débutez la visite par le bâtiment principal, qui abrite le **comptoir**. L'établissement de John Hubbell et de ses descendants connaît la plus longue activité des comptoirs de l'Ouest. Bien que racheté par le gouvernement en 1967, il continue de fonctionner sur le même principe depuis plus d'un siècle. La pièce principale, appelée **bullpen★★★**, reste inchangée : le comptoir en bois entoure le poêle central, boîtes et objets de toutes sortes sont alignés sur les étagères, selles et tissus pendent aux poutres. Dans la **salle des bijoux★**, vous rencontrerez peut-être un artisan navajo venu proposer ses dernières créations, tandis que dans la **salle des tapis★★**, vous pouvez toucher les tissages navajos colorés aux formes géométriques inventives.

La **maison de John Hubbell★★** se visite avec un guide *(2 $)*. La décoration foisonnante de cette jolie demeure révèle la personnalité de son propriétaire, un homme passionné par son métier et par l'art navajo, qu'il a contribué à promouvoir. Outre les nombreux tapis et les paniers qui tapissent le plafond, remarquez les portraits d'Indiens, très expressifs, réalisés par Eldridge A. Burbank. John Hubbell est enterré non loin du comptoir, auprès de sa femme et de son meilleur ami navajo.

🚗 NOS ADRESSES AU CANYON DE CHELLY NATIONAL MONUMENT

TRANSPORTS

Comme le canyon se visite assez rapidement, vous pouvez visiter ce parc après ou avant Monument Valley, située à 93 miles *(voir p. 359)*, où l'enchaîner après Petrified Forest *(voir p. 441)* ou Gallup *(voir p. 496)*.

HÉBERGEMENT

Offre limitée et prix très élevés, mis à part à Many Farms, mais ils chutent (30 à 40 %) de nov. à mars.

Dans le parc

PREMIER PRIX

Cottonwood Campground – *86023 Grand Canyon National Park - près du Visitor Center et de Thunderbird Lodge -* ℘ *(928) 871 6647 - navajonationparks.org/htm/ canyondechelly_camp - tte l'année,* sans réserv. - 93 empl. (25 empl. d'oct. à avr.) 14 $/nuit. Le camping a des toilettes. Pas de douches.

Spider Rock Campground & RV Park – *86503 Chinle - 10 miles à l'est de Chinle par la South Rim Dr. -* ℘ *(928) 781 2016 - www. spiderrockcampground.com - wifi - 30 empl. : tente 9/11 $, camping-car 16 $. Camping privé qui se trouve à la lisière du parc. Toilettes, douches chauffées à l'énergie solaire (3 $), mais pas d'eau potable. Possibilité de louer une tente ou le hogan à 3 places (prix selon la saison). Travellers cheques acceptés. Confort rudimentaire. Pas d'électricité (bougies et lampe à pétrole à disposition).*

BUDGET MOYEN

Thunderbird Lodge – *86503 Chinle - Première route à droite après le Visitor Center -* ℘ *(928) 674 5842 - thunderbirdlodge.com -*

≡ ✕ 🅿 - *wifi - 70 ch. 90/130 $.*
Motel tout confort situé à l'entrée du site qui propose des excursions dans le canyon.

Chinle

Ces deux motels sont le long de la Route 7.

BUDGET MOYEN

Best Western – *100 Main St. - ✆ (928) 674 5874 - bestwesternarizona.com -* ≡ ✕ 🅿 ⛷ *- wifi - 100 ch. à partir de 130 $.* Ce motel dispose de toutes les commodités que peut offrir un établissement de ce type. Piscine couverte.

Holiday Inn – *Bia Route 7 - Garcia Trading Post - ✆ (928) 674 5000 - www.holidayinn.com -* ≡ ✕ 🅿 ⛷ ♿ *- wifi - 108 ch. 115/199 $.* Situé à quelques minutes en voiture du *Visitor Center,* cet hôtel réserve un très bon accueil. Chambres impeccables et toutes dotées d'une grande salle de bains.

RESTAURATION

Chinle

La ville s'organise autour du carrefour des Routes 191 et 7. On ne sert pas d'alcool en terre navajo.

PREMIER PRIX

Junction Restaurant – *100 Main St. - Motel Best Western - ✆ (928) 674 8443 - 6h30-21h, w.-end 7h-20h -* ♿ *- plats 8/15 $.* Plats typiques dans une grande salle

aux tons pâles, éclairée au néon. Accueil sympathique.

Garcia's – *Route 7 - Hôtel Holiday Inn - ✆ (928) 674 2511 - 7h-13h, 17h-21h, w.-end 7h-10h, 17h-20h30 - wifi - plats 9/20 $.* Bien que donnant dans le hall de réception, la salle du restaurant est agréable. Carte sans prétention.

ACHATS

Navajo Arts & Crafts Enterprise – *Intersection des Routes 191 et 7 - ✆ (928) 328 8166 - www.gonavajo.com - 9h-19h, dim. 12h-18h.* Magasin géré par une association qui réinvestit les profits pour aider les artisans dont elle vend les produits.

ACTIVITÉS

Excursions – Trois possibilités pour descendre au fond du canyon : en 4x4 avec une agence, à pied ou à cheval ; rens. auprès des rangers du *Visitor Center* qui vous proposera un guide *(règlement en espèces).* Les rangers, s'ils sont assez nombreux, proposent aussi des sorties *(gratuites)* et délivrent les permis.

De Chelly Tours – *Route 7 - Hôtel Holiday Inn - ✆ (928) 380 4481 - canyondechellytours.com* L'agence propose un circuit de 3h dans un véhicule tout-terrain *(75 $ cash ou 82,50 $ par carte de crédit)* et recommande une visite du canyon l'après-midi, pour une plus belle lumière.

5

Lake Powell

Vous ne serez sans doute pas les seuls à vouloir profiter des eaux calmes et limpides du lac Powell, à cheval entre Arizona et Utah. Chaque année, des millions de vacanciers cabotent le long de ses rives pour admirer les teintes beige ou rosé des falaises et l'arc naturel du Rainbow Bridge. À terre, ils se bousculent aussi dans Antelope Canyon, un étroit et incroyable boyau forgé par les crues torrentielles des orages d'été. Le séjour demande donc un brin de patience et de philosophie, mais heureusement, les sites sont à la hauteur de leur réputation.

😊 NOS ADRESSES PAGE 377
Hébergement, restauration, achats, activités, etc.

🛈 S'INFORMER

Glen Canyon National Recreation Area - Carl Hayden Visitor Center – *À Page, intégré au barrage -* 📞 *(928) 608 6404/6072 - www.nps.gov/glca - mi-mai-mi-sept. : 8h-18h ; nov.-fév. : 8h-16h ; reste de l'année : 8h-17h - fermé 1ᵉʳ janv., Thanksgiving et 25 déc.*

◗ SE REPÉRER

Carte de région B1/2 *(p. 276-277)* – *carte Michelin Western USA 585 F 9.* La ville de Page donne accès aux rives du lac. Elle se trouve à 135 miles (216 km) au nord de Flagstaff par la Hwy 89, 281 miles (450 km) à l'est de Las Vegas par l'I-15 puis la route 9 et la Hwy 89, 121 miles (193 km) à l'ouest de Monument Valley par les Hwys 163, 160 et 98.

👁 À NE PAS MANQUER

Une excursion au Rainbow Bridge, les jeux de lumière sur Antelope Canyon (Upper et Lower) et le Colorado vu de Horseshoe Bend et de Lees Ferry.

🕐 ORGANISER SON TEMPS

Visitez Lower Antelope Canyon le matin, Upper aux heures de la mi-journée et réservez-vous la croisière sur le lac pour le coucher du soleil.

Découvrir

Né en 1963 suite à la création du barrage de Glen Canyon, le lac Powell a atteint sa capacité maximale en 1980 (32 336 millions de m3). Conçu au sein d'un vaste programme de conservation de l'eau du Colorado, ses 300 km représentent la deuxième plus grande réserve d'eau disponible pour les besoins des régions désertiques du Sud-Ouest américain (la première est le lac Mead, avec le barrage de Hoover). Il est essentiel par l'électricité qu'il génère. Au-delà de ces chiffres édifiants, le lac impressionne par sa forme incroyablement découpée (3 150 km de côtes), et les dizaines de baies et de gorges protégées qui résultent de l'inondation des canyons. Facilement accessibles, elles font le bonheur des vacanciers, que l'on croise sur les routes de la région, tractant leur embarcation vers l'une des quatre marinas du lac.

Le **Glen Canyon National Recreation Area**, créé en 1972, s'étend le long des rives nord sur plus de 6 250 000 ha *(25 $ par voiture si vous ne possédez pas le National Parks Pass, 12 $ par pers. sans véhicule).* Destiné avant tout aux activités nautiques, il comprend peu de chemins de randonnée. La rive sud marque quant à elle la frontière de la réserve navajo la plus étendue des États-Unis.

★ Glen Canyon Dam

Comptez de 30mn à 1h. Le barrage est situé sur la Hwy 89, à 2 miles au nord de Page, peu avant la limite de l'Utah. Visite guidée (45mn) aux demies de chaque heure à partir de 8h30 (dernier départ 15h30 ; 16h en été ; 14h30 en hiver) - 2,50 $. La zone d'exposition du Carl Hayden Visitor Center est actuellement fermée pour travaux ; la visite est limitée à la partie supérieure du barrage.

Depuis le *Visitor Center*, la vue panoramique offre le contraste vertigineux entre l'étendue tranquille du lac d'un bleu profond et le dénivelé de 216 m occasionné par la barrière de béton qui rejette les flots en contrebas, dans Glen Canyon. La course du Colorado se prolonge au-delà et rejoint notamment le Grand Canyon, 60 miles plus loin.

De ce côté, les eaux sont d'un vert franc, dû à la prolifération d'une algue, et contrastent harmonieusement avec les falaises rouges de grès Navajo qui forment un canyon étroit et plongeant (cette caractéristique a d'ailleurs joué un rôle important dans le choix du site pour la construction du barrage).

Si vous prenez le temps de suivre la visite guidée, vous découvrirez les entrailles de ce géant de béton, édifié entre 1956 et 1963. Le circuit commence par la crête du barrage, avant de descendre 161 m plus bas pour accéder à la salle des générateurs et des transformateurs.

Rainbow Bridge

Comptez une demi-journée. Le pont est accessible en bateau depuis la Wahweap Marina, située à quelques miles du barrage. Rainbow Bridge Boat Tour : croisières

> **DE LA MÉTHODE**
>
> Avant de pouvoir entamer la construction du barrage proprement dit, d'immenses tunnels ont été creusés dans les parois du canyon afin de détourner le cours du Colorado (ils servent aujourd'hui à déverser le trop-plein du lac), et un pont métallique de 387 m de long (1957-1959) a été patiemment assemblé entre les deux rives *(arrêtez-vous sur le pont pour voir le barrage)*. Par la suite, pas moins de 400 000 coulées de béton, de 24 tonnes chacune, ont été nécessaires pour édifier le barrage : un travail ininterrompu, de jour comme de nuit, pendant plus de trois ans !

de 6h environ, dont 1h30 de promenade pour voir le Rainbow Bridge (sentier de 1,5 mile) - 𝒫 *(928) 645 2433 ou 1-888 896 3829, www.lakepowell.com - départ avr.-oct. : 7h30 (et 12h30 de mi-mai à fin août) ; nov.-fév. : sam. 9h ; mars : jeu. et sam. 8h - 125 $ (- 12 ans, 90 $) - prenez votre pique-nique.*

Deux longs chemins de randonnée (comptez plus de 2 jours) mènent également au Rainbow Bridge, mais il est impératif d'obtenir un permis auprès des autorités navajos en écrivant à : Navajo Nation, Parks and Recreation Departement, P.O. Box 2520, Window Rock, AZ 86515, 𝒫 *(928) 871 6647.*

🞄 **Bon à savoir** – Il est formellement interdit de s'éloigner du sentier et de s'avancer sous le pont.

Longtemps tenu à l'écart des sentiers battus, car protégé par un dédale de canyons difficilement praticables, le pont naturel du Rainbow Bridge a été déclaré Monument national en 1910. Lieu sacré pour cinq tribus indiennes, il se découvre dans le respect. La majestueuse arche de pierre, creusée dans le grès Navajo par la rivière Bridge Creek, se cache au fond d'une gorge étroite. Une fois débarqué, un sentier *(5mn)* mène au pont. C'est alors que l'on découvre, impressionné, l'ampleur du pont, haut de 88 m.

À voir aussi

★★★ ANTELOPE CANYON

◐ *Attention, en territoire navajo, il faut avancer votre montre d'1h. Les canyons se visitent uniquement avec un guide. À 6 miles à l'est de Page, par la Hwy 9, vous arrivez aux deux entrées d'Antelope Canyon : en venant de Page, à gauche, Lower Antelope Canyon ; à droite, Upper Antelope Canyon (6 $ le Navajo permit pour les parkings des deux sites). Très différents, les deux canyons sont tout aussi spectaculaires. L'idéal, pour une question de lumière, est de visiter Lower entre 9h30 et 10h30, puis Upper entre 11h et 13h. Vous pouvez sur place acheter vos billets à l'avance pour vous assurer vos horaires. Si vous avez la possibilité de venir en avril, juste avant la haute saison, il y aura nettement moins de monde.*

★★ Lower Antelope Canyon

Comptez 1h. Visite par groupe de 15 à 20 pers. guidée par un Navajo. 20 $ (moins cher l'après-midi). Peut être fermé par temps de pluie. La montée subite des eaux peut en effet entraîner de terribles accidents, parfois mortels, renseignez-vous en cas de mauvais temps.

Tout simplement féerique ! Ce n'est pas un vaste canyon à ciel ouvert, au contraire. L'entrée se devine à peine, une simple faille dans le sol. Vous descendez au fond du canyon par quelques marches assez raides puis vous déambulez entre deux parois proches l'une de l'autre laissant juste apercevoir le ciel en haut.

Merveille d'érosion à Antelope Canyon.
Ch. Heeb/hemis.fr

C'est un parcours fascinant qui donne l'étrange impression d'être au milieu de vagues de grès qui se déclinent dans des tons orangés. Les effets d'ombre et de lumière rendent le site encore plus mystérieux (l'après-midi, les effets de lumière sont nettement moins spectaculaires).

★★ Upper Antelope Canyon

Comptez 1h30-2h. Le billet s'achète sur place - départ ttes les heures - le Guided Tour (1h) est une visite guidée avec un guide navajo en groupe de 15 à 20 personnes : vous laissez votre véhicule au parking pour prendre une jeep, qui vous dépose à l'entrée du canyon - 8h45-16h - 40 $. Le « Photo Tour » (2h) est une visite guidée par un Navajo censée privilégier certains endroits propres à la photographie - départ à 11h et 13h - 120 $ - ces visites sont gérées par Antelope Canyon Navajo Tours ((928) 698 3384, www.navajotours.com) - tlj 8h-16h. Vous pouvez aussi réserver votre visite par une agence extérieure qui vous amènera depuis Page au canyon.

Corkscrew Canyon (en forme de tire-bouchon) a été découvert fortuitement par une petite bergère navajo en 1931. On y accède en 4 x 4 par une piste en terre.

Là aussi, c'est vraiment magique. Contrairement à Lower Canyon, vous arrivez face à une montagne qui s'entrouvre sur une étroite gorge de grès, d'une centaine de mètres de long, dont les parois ont été sculptées par les pluies torrentielles et le vent. Les rais qui percent par les ouvertures situées sous la voûte dessinent un ballet de lumière singulier, dans des tons ocre plus ou moins foncés, particulièrement saisissants en fin de matinée. Les draperies formées par la roche prennent alors des tons de feu, rehaussés par le scintillement des petits cristaux de quartz.

Prenez en compte que cette beauté peut parfois être occultée par la foule qui se presse dans le canyon. De fait, les groupes y pénètrent à intervalles très rapprochés et des goulots d'étranglement se créent car chacun s'attarde pour ses prises de vue. Mais les Navajos gèrent très bien leur visite et vous pourrez prendre toutes les photos que vous désirez.

PAGE

Page s'est développée suite à la construction du barrage sur le Glen Canyon. Pas désagréable, la localité très vaste, sans véritable centre, est bien pourvue en hébergements et restaurants.

🦉 **Bon à savoir** – Page est en Arizona alors que la plus grande partie du lac Powell se trouve en Utah. Il y a donc un changement d'heure entre les deux ! 🛈 *Informations au Powell Museum ou sur www.visitpagelakepowell.com.*

Powell Museum

6 N. Lake Powell Blvd - ☎ (928) 645 9496 - www.powellmuseum.org - lun.-vend. 9h-17h, sam. avr.-oct. 9h-17h, fermé dim. - 3 $ (5-15 ans 1 $). Vente de photographies et posters des plus beaux sites de la région.

Ce musée évoque la grande aventure de l'expédition de J.W. Powell (1834-1902) en 1869. Géologue, naturaliste et explorateur de l'Ouest américain, il embarqua avec quatre canots et neuf hommes (trois d'entre eux seront tués pendant l'expédition), dans le but d'étudier – pour la première fois – le Colorado et d'établir une cartographie du fleuve. Il découvrit le Grand Canyon *(voir p. 380)*.

Navajo Village Heritage Center

Comptez 30mn à 1h. 1253 Coppermine Rd, au sud de Page - tlj 9h-15h. Pour tous renseignements - www.discovernavajo.com - informations également au Powell Museum ou à la chambre de commerce - 5 $.

Ce musée vivant présente différents types d'habitations navajos, dont les traditionnels *hogans* mâle et femelle, ainsi qu'un *sweat lodge*, sorte de sauna où se tiennent les conversations sacrées et les rites de purification.

La visite de ces lieux remplis de symboles permet au guide qui vous accompagne de vous présenter l'ensemble de la culture et des croyances de la nation navajo, la plus grande des communautés indiennes des États-Unis. Des soirées festives, avec danses traditionnelles et contes autour du feu, sont également organisées.

POINTS DE VUE SUR LE COLORADO

Autour de Page, trois lieux permettent de découvrir le fleuve Colorado sous des aspects très différents. *Attention, déviation importante le long de la Hwy 89, en travaux et fermée sur 23 miles, lors de la rédaction de ce guide pendant l'été 2014.*

★★★ Horseshoe Bend

3 miles de Page par la Hwy 89 en direction de Flagstaff (un panneau « Mile marker 545 » vous indique le site et le parking).

Il faut monter la colline et la redescendre par un sentier *(environ 20mn)* qui conduit au bord de la falaise, d'où vous découvrez une vue spectaculaire, en surplomb d'un méandre du Colorado à la forme parfaite de fer à cheval. Attention, les bords de la falaise ne sont absolument pas protégés. Soyez très prudent si vous prenez des photos et si vous êtes accompagné d'enfants. En bas, sur la plage de sable, au milieu de la boucle du méandre, on aperçoit parfois les tentes de ceux qui bivouaquent le long du fleuve.

★ Navajo Bridge

Le premier pont en acier, construit en 1927, n'étant plus adapté au développement du trafic, il a été décidé de le conserver pour les piétons et d'en construire un autre pour les voitures (en 1995). Le *Visitor Center (9h-17h)* est bien documenté sur la région.

★★ Lees Ferry

42 miles de Page par les Hwys 89 et 89A (25 $ par véhicule ou National Pass).

C'est en ce lieu que fut inauguré, à la fin du 19ᵉ s., le premier ferry sur le Colorado, seul passage à l'époque entre l'Arizona et l'Utah. Lees Ferry est le lieu de débarquement de l'excursion en bateau depuis Page *(voir « Activités »)* et le point de départ de voyages de plusieurs jours en rafting sur les rapides du Colorado. Il est aussi prisé des pêcheurs. On jouit d'un très beau point de vue sur le fleuve et c'est le seul endroit, sur 700 miles, où l'on peut accéder en voiture au bord du Colorado. Paria Beach est une délicieuse plage et un camping domine le site *(voir « Hébergement » à Page).* Plusieurs randonnées partent de Lees Ferry : **Paria Canyon Trail**, une superbe excursion de plusieurs jours pour les bons marcheurs *(45 miles, permis obligatoire)* ; **Cathedral Canyon** *(2h environ)*, une jolie balade dans un canyon étroit, mais où il ne faut pas se rendre si le temps est orageux ; **Spencer Trail**, qui part de River Trail, un sentier qui grimpe sur plus de 500 m pour arriver à un très beau point de vue sur **Marble Canyon**. Si vous randonnez, prévoyez de prendre suffisamment d'eau (aucun achat possible à Lees Ferry) et passez impérativement à la *Ranger's Station* pour vous renseigner.

Pahreah Town

Env. 70 miles à l'ouest de Page par la Hwy 89, en direction de Zion et Bryce Canyon. Prenez à droite une piste en terre sur 5 miles (lieu de tournage de films), et continuez après un arrêt sur 2 miles (site du village et du cimetière).

C'est en 1865 que les premiers colons mormons décidèrent de s'arrêter dans ce site superbe du Grand Staircase-Escalante NM. Attaqués par les Indiens, affaiblis par les inondations et les maladies, les Mormons abandonnèrent définitivement les lieux en 1930. De leur village, il ne reste rien excepté le cimetière. Le site, d'une beauté inouïe, aux roches bigarrées, servit de cadre à plusieurs films. L'idéal est de s'arrêter au bout de 5 miles et de continuer à pied pour jouir du superbe paysage.

⊚ NOS ADRESSES AUTOUR DU LAKE POWELL

TRANSPORTS

En avion – L'aéroport est situé au nord-est de Page. Vols intérieurs uniquement. **Great Lakes Aviation** (*℘ 1-800 554 5111, www.greatlakesav.com*) assure des liaisons directes depuis Phoenix (1h) et Denver (1h30).

En voiture – La ville de Page constitue l'accès principal à Lake Powell (2 miles du lac). Au nord, on traverse le lac en bac à **Halls Crossing** : trajet 25mn. De mi-mai à mi-sept. : ttes les 2h, 8h-18h dans le sens est-ouest, 9h-19h dans l'autre sens ; d'avr. à mi-mai : 4 départs/j. ; de mi-sept. à fin oct. : 5 départs/j. ; reste de l'année, 2 départs/j. 10 $/piéton, 25 $/voiture.

HÉBERGEMENT

Les prix sont sensiblement majorés de mi-mai à octobre. Tandis que les petits motels indépendants proposent un premier prix à 60/70 $, les motels de chaîne (Motel 6, Days Inn et Comfort Inn) affichent à cette saison un prix de base allant de 80 à 110 $. Ces derniers sont situés à l'entrée sud alors que les autres hôtels sont regroupés dans le centre-ville, le long de Lake Powell Blvd. Nos deux adresses à Wahweap sont situées dans le

5

Glen Canyon National Park (entrée 15 $, gratuit avec le National Pass). Il est possible de loger sur un bateau, très confortable, pour découvrir le lac, mais la formule est très chère. Rens. à la marina.

PREMIER PRIX

Lees Ferry Campground – Hwy 89 A - 86036 Marble Canyon - Lees Ferry (route au niveau du Navajo Bridge) - ☎ (928) 608 6200 - www. nps.gov/glca/planyourvisit/ camping - 54 empl. 18 $. Ce camping rudimentaire (sans douche) est situé aux abords du Colorado, dans un cadre particulièrement pittoresque. Pas de réservation.

Wahweap RV & Campground – Wahweap Marina - ☎ (928) 645 2433 - www.lakepowell. com/rv-camping/wahweap-rv-campground - wifi - 139 empl. : tente 26 $/48 $ et camping-car. À 7 miles de Page et à deux pas du lac et de la marina, ce camping est équipé de douches payantes (2 $). Laverie. Réservation possible.

Red Rock Motel – 114 8th Ave. - ☎ (928) 645 0062 - www. redrockmotel.com - 🖥 🅿 - wifi - 14 ch. 95/120 $. Chambres très confortables, avec kitchenette et terrasse pour barbecue. Très bon rapport qualité-prix, propriétaires sympas.

BUDGET MOYEN

Quality Inn – 287 N. Lake Powell Blvd - ☎ (928) 645 8851 - www. choicehotels.com/arizona/page/ quality-inn-hotels - 🖥 ✕ 🅿 ⛷ ♿ - wifi - 130 ch. 112/170 $ ☕. Grandes chambres aux tons grenat, dont certaines, plus chères, jouissent d'une vue sur le lac. Petit-déj. continental.

Rodeway Page Inn – 107 S. Lake Powell Blvd - ☎ (928) 645 2406 - www.rodewayinn.com - 🖥 ✕ 🅿 ⛷ - wifi - 65 ch. 130/280 $ ☕. Ce vieux motel bien entretenu

est doté de balcons. Petit-déj. continental.

POUR SE FAIRE PLAISIR

Page Boy Motel – 150 N. Lake Powell Bvd - ☎ (928) 645 2416 - www.thepageboymotel.com - 🖥 🅿 ⛷ - wifi - 40 ch. 189/231 $ ☕. Un excellent rapport qualité-prix avec de grandes chambres tout confort donnant sur la piscine et le petit jardin. Petit-déj. continental.

Best Western Lake Powell – 208 N. Lake Powell Blvd - ☎ (928) 645 5988 - www. bestwesternatlakepowell.com - 🖥 🅿 ⛷ ♿ - wifi - 132 ch. 170/390 $ ☕. Le plus récent des deux Best Western de la ville. Belles chambres avec frigo-bar, micro-ondes, cafetière, sèche-cheveux et décoration standard.

Lake Powell Resort – 100 Lakeshore Dr. - Wahweap Marina - ☎ 1-888 896 3829 - www. lakepowell.com - 🖥 ✕ ⛷ ♿ - wifi (partiel) - 350 ch. 229/319 $. Ce complexe tout confort ne possède guère de caractère, mais bénéficie de la proximité du lac. La différence des prix des chambres avec vue est justifiée. Location possible de house boats.

Courtyard - Marriott – 600 Clubhouse Dr. - ☎ (928) 645 5000 - www.marriott.com - 🖥 ✕ 🅿 ⛷ - wifi - 153 ch. 239/309 $. Ce complexe luxueux aux allures de ranch mexicain est aménagé avec goût. Vous y croiserez un grand nombre de golfeurs.

Marble Canyon

PETIT PRIX

Lees Ferry Lodge at Vermilion Cliffs – 86036 Marble Canyon - à 2 miles de Marble Canyon en venant de la rive nord du Grand Canyon, au bord de la Hwy 89 - ☎ (928) 355 2231 - www. vermilioncliffs.com - ✕ 🅿 ♿ - 10 ch. 79/102 $. Une bonne étape pour dormir, avec des chambres confortables décorées dans le style western. Sans oublier une table sympathique et un grand bar où l'on sert vin et bière.

RESTAURATION

PREMIER PRIX

The Dam Plaza - Bar & Grill – *644 N. Navajo -* ☎ *(928) 645 2161 - www. damplaza.com - 11h-22h - plats 12/29 $*. Rendez-vous « cow-boy », où l'on mange américain et fraternise avec les locaux : immense bar en bois avec écrans de télévision. Terrasse.

ACTIVITÉS

☺ **Bon à savoir** – La marina de Wahweap propose un vaste choix d'activités nautiques. Il est possible de louer différents types d'embarcations (canoë, voilier, scooter des mers) ou d'embarquer pour quelques heures de croisière. ☎ *(928) 645 1124 (Lake Powell Resort). Pour les croisières* ☎ *1-800 528 6154 (centrale de réservations) ou (928) 645 1070.*

Visites organisées – Plusieurs agences proposent des excursions à Antelope Canyon au départ de Page. Trajet en jeep et visite guidée. Comptez 45 $ par personne ou 60 $ pendant les heures les plus belles, pour 1h30 de visite environ. 80 $ pour le tour spécial photographies *(voir Antelope Canyon p. 374).*

Antelope Canyon Tours – *22 S. Lake Powell Blvd -* ☎ *(928) 645 9102 - www.antelopecanyon. com*. Carolene Ekis, membre de la tribu des Navajos, gère son équipe comme sa famille, avec passion et enthousiasme.

Antelope Slot Canyon Tours – *55 S. Lake Powell Blvd -* ☎ *(928) 645 5594 - www. antelopeslotcanyon.com*. Demandez Chief Tsosie qui jouera

peut-être quelques airs de flûte dans ce site étonnant ; la visite en sera plus poétique. Visites par petits groupes.

Excursions en bateau sur le lac Powell – *Rens. au bureau du tourisme*. Possibilité de se rendre jusqu'à Navajo Tapestry *(1h30, 65 $)* et Rainbow Bridge *(7h30 environ, 135 $).*

Survol en avion - Westwind Scenic Air Tours – *238 10th Ave. -* ☎ *(928) 645 2494 - www. westwindairservice.com*. Plusieurs formules de découverte depuis le ciel, allant de 30mn *(135 $)* à 2h30 *(372 $)*, incluant Grand Canyon et Monument Valley. 2 pers. minimum. Cher mais spectaculaire. Propose aussi un survol du lac Powell et de Monument Valley avec la visite du parc.

Randonnée – Plusieurs sites spectaculaires, dont le Rainbow Bridge, sont accessibles à pied (randonnées tous niveaux). Voir les cartes et les guides au *Visitor Center*. Certaines, en terres navajos, ne sont possibles qu'avec un guide.

Kayak Powell – *816 Coppermine Rd -* ☎ *(928) 660 0778 - www. kayakpowell.com - mars-oct. - fermé lun. -* 🅿. Propose des kayaks et des *stand up paddle boards* (larges planches où l'on rame debout) en location *(à partir de 30 $/j)*. Un enchantement pour longer en silence les falaises roses ou pour faire escale sur une plage sauvage.

Rafting - Colorado River Discovery – *130 6th Av. - à Page -* ☎ *1-888 522 6644 - www. raftthecanyon.com*. Organise des descentes du Colorado, de Page à Lees Ferry (15 miles, 3h30), retour en bus (1h15). Cette excursion a lieu sur une partie dite flat water, c'est-à-dire où les eaux sont calmes (1/2 j 93 $, -12 ans 83 $).

5

Grand Canyon National Park

Impossible de ne pas marquer un temps d'arrêt lorsque se dévoile la gorge immense et vertigineuse derrière le rideau d'arbres. La vision des falaises et des buttes rocheuses balayées par l'ombre des nuages est tout simplement grandiose, comme la répétition à l'infini des strates géologiques. La majesté du Grand Canyon s'impose d'elle-même, offrant en prime un spectacle sans cesse renouvelé au fil des heures et des saisons.

NOS ADRESSES PAGE 391
Hébergement, restauration, achats, activités, etc.

☐ S'INFORMER

Grand Canyon Visitor Center – *Entrée sud - ☎ (928) 638 7888 - www. nps.gov/grca - 8h-17h. L'accès au parc coûte 30 $ par voiture (deux rives comprises, valable 7 j.), si vous ne possédez pas le National Parks Pass.* Nombreuses informations sur le parc et les randonnées. Vues aériennes et maquettes en relief de la région. Librairie (8h-19h).

◐ SE REPÉRER

Carte de région B2 *(p. 278-279)* – *carte Michelin Western USA 585 10 E.* Grand Canyon Village (rive sud) se trouve à 80 miles (128 km) au nord de Flagstaff par les Hwys 180 puis 64 ; ou à 288 miles (446 km) à l'est de Las Vegas par l'I-40 E puis la Hwy 64. Mais l'accès au canyon se fait depuis l'une ou l'autre des rives, au nord *(North Rim, p. 388)* et au sud *(South Rim, p. 381)*. Celles-ci n'ont pas de liaisons directes entre elles et sont distantes de 216 miles (345,6 km).

◐ SE GARER

Que vous arriviez par l'est ou le sud, cherchez d'abord à vous garer, car les parkings sont vite remplis. Ceux du *Visitor Center* et de Market Plaza sont pratiques, car vous avez accès aux navettes du village (circuit bleu).

☺ À NE PAS MANQUER

La randonnée du Rim Trail et la route de Desert View au coucher du soleil.

◔ ORGANISER SON TEMPS

Arrivez tôt pour profiter de la lumière et du calme. Consacrez une journée à la partie ouest du parc (Rim Trail/Hermit Road) et à sa partie centrale (Rim Trail/édifices historiques). Profitez du coucher de soleil. Le lendemain, faites la Desert View. Si vous souhaitez descendre au fond du canyon, prévoyez au moins deux jours supplémentaires. De violents orages suivis de fortes pluies sont fréquents en fin de journée au mois d'août.

Découvrir

Fondé en 1919, le parc national du Grand Canyon renferme 4 931 km² d'espace protégé, le long du profond sillon de 447 km qui court de Lees Ferry jusqu'au lac Mead. Seule une petite partie est facilement accessible par voie terrestre. Les deux rives du canyon sont éloignées de 10 miles en moyenne à vol d'oiseau, mais deux à trois jours de randonnée ardue ou cinq heures de voiture sont nécessaires pour passer de l'une à l'autre. La partie sud, la plus visitée, reste la plus spectaculaire, car les falaises de la rive nord sont beaucoup plus découpées, avec des gorges qui s'enfoncent plus profondément dans le bord du plateau.

★★★ **LA RIVE SUD (SOUTH RIM)**

▶ *Comptez une journée et demie (hors descente dans le canyon).*

Le village de **Grand Canyon**, desservi par la navette, comprend des édifices historiques et, à l'est, un ensemble plus récent organisé autour de Market Plaza, centre de ravitaillement pour les visiteurs.

Dans un premier temps, évitez la foule du village et rendez-vous au Canyon View Information Plaza. De là, une courte marche *(5mn)* mène à **Mather Point**, promontoire idéal pour une première rencontre avec le canyon et possible point de départ du Rim Trail, qui traverse une grande partie du parc. À l'entrée, vous recevrez un journal très bien fait, *The Guide,* qui planifie les circuits et donne les informations nécessaires (parcours des navettes, horaires, météo…).

Le Rim Trail

Cette longue et magnifique promenade permet de suivre le bord sud du canyon sur 12,6 miles *(20,16 km aller ; env. 5h-6h)*, de Pipe Creek Vista jusqu'à Hermits Rest. Il surplombe les falaises, longe la corniche d'un côté et de l'autre une petite partie de la Desert View Drive (à l'est), Market Plaza et les édifices anciens (au centre), et enfin l'Hermit Road (à l'ouest). Le Rim Trail est accessible aux handicapés, de Yavapai Point à Bright Angel Lodge, permettant ainsi de rejoindre les différents édifices historiques. À Yavapai Point se tient un centre d'observation *(8h-20h)* avec une verrière panoramique. Ce trail est très agréable : le sentier caillouteux (facile) serpente le long de la corniche, offrant des vues magnifiques sur le canyon. Il ne présente pas de difficultés particulières. Vous pouvez parcourir le Rim Trail à pied ou combiner marche et navette pour rejoindre certains points de vue. En effet, une navette relie toutes les quinze minutes environ les différents points de vue du parcours pédestre.

Si vous vous garez vers le *Visitor Center*, vous commencerez votre tour par **Mather Point★★★**. Malgré le nombre de visiteurs qui se pressent derrière la rambarde, la première vision que l'on a du Grand Canyon est tellement époustouflante que le silence se fait et seul demeure le bruit du vent. Il faut s'accoutumer à un univers où les distances sont faussées : pensez que la rive nord est éloignée de plus de 10 miles de l'endroit où vous vous tenez, et prenez la mesure du gigantisme des promontoires ravinés qui se succèdent des deux côtés du fleuve. Pour déjouer l'impression que le canyon est à portée de main, vous pouvez chercher sur votre droite le tracé abrupt du **Kaibab Trail** où descendent les mules, ou quelques-unes des cabanes du **Phantom Ranch**, nichées au creux de Bright Angel Canyon, sur la gauche, de l'autre côté de la rivière. Le dégradé de brun, rouge et ocre jaune est sublime, accentué par la lumière qui ne cesse de changer au cours de la journée. Pendant 2,6 miles (4,1 km), vous longez la corniche et le quartier historique en direction de l'ouest. Nous vous conseillons de visiter les différents édifices après votre randonnée, car vous aurez moins chaud en marchant le matin.

★★★ Le long de Hermit Road

Après le quartier historique. Hermit Road suit la partie ouest du Rim Trail sur 7,8 miles (12,5 km). Comptez env. 3h à pied par le sentier de randonnée ou 1h30 en navette en prenant le temps de s'arrêter (circuit rouge, 8 points de vue desservis à l'aller, seulement 3 au retour). Hermit Road est interdite aux autres véhicules.

★★ **Trailview Overlook** – Le premier des points de vue, niché à l'extrémité sud de la plus longue gorge du canyon (18 miles d'une rive à l'autre), offre une vue rapprochée du village. Il surplombe le **Bright Angel Trail** *(voir « Randonnées » p. 395),* où se devinent mules et randonneurs. Le tracé du sentier se poursuit

5

jusqu'à un point de vue donnant sur le fleuve, **Plateau Point** (1 152 m d'altitude), situé au bord de la Tonto Platform. Ce plateau verdoyant qui longe le canyon est constitué de roches déposées il y a environ 500 millions d'années, comptant parmi les plus anciennes du paléozoïque.

Le deuxième point de vue offre un aperçu similaire, mais un peu plus dégagé, tandis que les trois suivants proposent des perspectives différentes.

★★ **Maricopa Point** – Ici, le panorama s'ouvre un peu plus vers l'ouest, invitant le regard à se perdre dans les replis et les mesas creusés par les rivières Trinity, Phantom et Bright Angel. Par endroits, vous apercevez le fleuve Colorado.

Powell Point – Un monument de pierre a été érigé en l'honneur de John Wesley Powell, premier explorateur à avoir descendu le Colorado et ses rapides à travers la gorge du Grand Canyon, en 1869 et 1872. Un sentier sur la droite vous permet d'apercevoir l'**Orphan Mine**, une mine désaffectée surplombant un à-pic vertigineux, et dont les hauts piliers rouillés témoignent d'une activité qui a duré de 1892 à 1969 (cuivre puis uranium, argent et vanadium).

★★ **Hopi Point** et ★★★ **Mohave Point** – Ces deux belvédères regardent résolument vers l'ouest, là où la frise du Grand Canyon se déroule à l'infini : par beau temps, on peut même apercevoir le mont Trumbull (2 447 m), situé à plus de 60 miles de là ! Les deux promontoires de Mohave Point, d'où l'on a vraiment l'impression de flotter sur le canyon, offrent un très large point de vue. Les noms de certaines buttes, évoquant des divinités ou des monuments orientaux (la pyramide de Khéops, les temples de Shiva et d'Osiris), ont été

LES INDIENS HOPIS

Au milieu des terres navajos, le territoire des Hopis, composé d'une douzaine de villages, s'étend à l'est du Grand Canyon. Très pacifique, leur culture se rapproche de celles des Indiens pueblos du Nouveau-Mexique. Leurs femmes se reconnaissent à leur coiffure caractéristique, évoquant deux larges oreilles de chaque côté du visage. Dans cette société matriarcale, les hommes habitent chez la femme qu'ils épousent. Pour que les techniques de construction et les styles architecturaux des Hopis, qui avaient séduit Mary Colter, soient préservés, des ateliers ont été créés à l'intention des jeunes de la tribu. L'objectif est de pérenniser les liens qui existent entre la conception de l'espace de vie et les rites spirituels, particulièrement développés chez les Hopis. Ils établissent par exemple des correspondances entre les directions cardinales, les couleurs, les plantes et la cosmologie.

Le Grand Canyon depuis le West Rim, rivière Colorado et Skywalk.
S. Cordier/hemis.fr

attribués lors de l'expédition de 1880, au cours de laquelle Clarence Dutton, féru de religion asiatique, fit la description des reliefs.

Passé Mohave Point, la route fait un coude le long de l'**Abyss**★ qui surplombe un gouffre vertigineux bordé par une falaise abrupte et passe par **Monument Creek Vista**.

★★ **Pima Point** – L'avant-dernier point de vue ménage un panorama toujours plus occidental, mais vous êtes loin de contempler l'ensemble du Grand Canyon : il s'étend encore sur 95 miles jusqu'aux falaises de Grand Wash, aux abords du lac Mead. D'après John W. Powell, la falaise que vous apercevez sur votre droite constitue le meilleur endroit pour distinguer les 11 strates géologiques. Un panneau permet de repérer les roches qui composent le canyon. Un autre relate l'histoire de Hermit's Camp, établi par le chemin de fer de Santa Fe pour concurrencer le campement d'Indian Garden sur le Bright Angel Trail.

★ **Hermits Rest** – Une discrète bâtisse en pierre construite en 1914 signale la fin du circuit. Dessinée par l'architecte Mary Colter, qui a marqué de son empreinte plusieurs bâtiments du parc, elle était à l'origine destinée aux randonneurs en route pour **Hermit's Camp**, situé dans le canyon. Attirés par les récits des explorateurs et leurs descriptions des roches, les premiers Anglo-Américains à s'installer dans le canyon furent des prospecteurs, comme Louis Boucher, dit « l'Ermite », qui y vécut de 1912 à 1931. Ils sont d'ailleurs à l'origine des chemins de grande randonnée. N'hésitez pas à pénétrer dans l'édifice, qui abrite maintenant un magasin de souvenirs, mais où subsiste une immense cheminée, sise au sein d'une grande alcôve noircie par la suie *(Un snack-bar propose une restauration légère, 9h-19h. Toilettes)*.

★★ Le quartier historique

Revenez à Village Route Transfer avec la navette. Comptez 2h. Demandez le dépliant à la réception des hôtels ou dans les magasins du village.

Ces bâtiments donnent un aperçu des commodités offertes aux visiteurs du début du 20e s. Ils ont conservé pour la plupart leur fonction d'origine.

★★ **Gare** – Comme dans beaucoup de régions de l'Ouest, l'arrivée du chemin de fer marqua un tournant dans l'histoire du Grand Canyon. Dès 1892, une ligne de diligence acheminait les visiteurs depuis Flagstaff, au terme d'un périple de onze heures. Avec la construction de la ligne de chemin de fer par la compagnie de Santa Fe en 1901, le canyon n'était plus qu'à trois heures de voyage de Williams pour un prix cinq fois inférieur. Achevé en 1909, le bâtiment a été restauré et résonne encore chaque jour du signal des trains *(elle n'ouvre qu'à l'arrivée et au départ du train, à 12h15 et 16h)*.

KAIBAB LODGE, JACOB LAKE, PAGE ↑ UTAH

GRAND CANYON VILLAGE

| 0 | | 0,5 | | 1 mi |
| 0 | 0,75 | | 1,5 km | |

★★ **Hopi Point**
Powell Point
★★ **Maricopa Point** ★★

Yavapai Point

★★★ **MATHER POINT**

★★★ **HERMIT RD.**

★★ **Trailview Overlook**

★★ **Bright Angel Lodge** ❶❹

Kolb Studio

Hopi House ★

❷ ☒ **Verkamp's Curios** ★★

Canyon View Information Plaza

Trailer Village

❼

★★ Lookout Studio

Backcountry Office

Center Rd

Market Plaza

Mather Campground

Market Plaza Rd

Park Entrance Road

64

★★★ **DESERT VIEW DRIVE**

180
64

Tonto Trail

△ 1146 Indian Garden

Pipe Spring

Bright Angel Trail

Garden Creek

Rim Trail

Rim Trail

North R
Campgro

The Transe

2683

67

North
Nor

2620

Pipe Creek

The Bassin   2596

Outlet Canyon

North R

2365

SAGITTARIUS RIDGE

Hindu Amphitheater

Tiyo Point

Haunted Canyon

△2046
Walapai Point

COLORADO

Ruby Canyon

Tonto Canyon

Trail

Turquoise Canyon

Sapphire Canyon

Granite Gorge

Tuna Creek

Crystal Creek

Shiva Temple
△ 2322

Osiris Temple
△

Trinity Creek

1644 △
Kheops Pyramid

Ninetyfour Mile Creek

Phantom Ranch
Plateau Point

1152 △

Phantom Creek

Bright

North

2013 △
Mimbreno Point,

Boucher Creek

Eremita Mesa

★★ **Pima Point**

★★★ **MOHAVE POINT**

GRAND CANYON VILLAGE

South Kai
Trail

N

★ **Hermits Rest** ▲

★★ **The Abyss**

Hermit

Rd.

2213 □

★★★ DESE

Ya
Po

KAIBAB NATIONAL FOREST

	2500 m
	2000
	1500
	1000
	0

━━ Navette: Hermits Rest Route
━━ Navette: Village Route

South

180
64
O South Rim Entrance

SE LOGER

Bright Angel Lodge	❶	Kachina Lodge	❹
El Tovar Hotel	❷	Maswik Lodge	❺
Grand Canyon Lodge	❸	Yavapai Lodge	❼

△ Tusayan

✈ 40 **FLAGSTAFF, WILLIAMS**

SADDLE
MOUNTAIN
WILDERNESS

Rim

GRAND CANYON
NATIONAL PARK

0   1,5   3 mi
0   2,5   5 km

Saddle *Canyon*

Little *Nankoweap* *Creek*

NAVAJO INDIAN
RESERVATION

2600
■ **Point Imperial** ★★

Nankoweap *Creek*

1655 △
Nankoweap Butte

Nankoweap
Mesa

Kwagunt Creek

Roaring Springs Canyon

○ *Vista Encantada*

Roosevelt
Point

Kwagunt *Creek*

Kwagunt Valley

Malgosa *Creek*

1996 △
Jeffords Point

△ *1949*
Chuar Butte

LITTLE
COLORADO

WALHALLA

PLATEAU

★★★
BRIGHT ANGEL
POINT

Lava
Creek

Chuar
Creek

East Fork *Carbon* *Creek*

△*1873*
Cap Solitude

PAINTED

2444
François Matthes
Point

Walhalla Glades

Chuar
Valley

Ottoman
Amphitheater

△ *Zoroaster*
Temple

Creek

Basalt
Cliffs

▲ **Cape Royal** ★★

Basalt Canyon Creek

DESERT

Palisades
Creek

of the Desert

Vishnu

Unkar

Creek

2156 △
Comanche Point

Escalante *Route*

Palisades of the Desert

COLORADO

Platform

Granite
Gorge

Tonto Trail

Asbestos Canyon

COLORADO

Unkar Rapids

Cardenas Creek

△ *1911*
Cardenas Butte

2267 ⚐
DESERT
VIEW ★★★

Hance
Rapids

Horseshoe
Mesa
△
1597

Grapevine Creek

Hance Creek

Navajo Point
2243 ⚐ *2285*

★★★ **LIPAN**
POINT

East Rim
Entrance Station

Rim

★ **Moran**
Point
2182

Podago *Creek*

64

●● *Tusayan*
Ruin & Museum

Grandview Trail

DRIVE

EW

★ **Grandview**
Point ★★

64

KAIBAB NATIONAL FOREST

CAMERON, LA RIVE NORD DU GRAND CANYON 89

5

L'ARCHITECTE DU SUD-OUEST

Le nom de **Mary Elizabeth Jane Colter** est indissociable de bien des bâtiments des parcs du Sud-Ouest américain. Née en 1869 en Pennsylvanie, la jeune femme passe l'équivalent du baccalauréat à 14 ans et étudie l'art à San Francisco avant d'entrer, en 1901, au service de la compagnie Fred Harvey, où elle officiera pendant quarante ans. Tous ses projets architecturaux s'attachent à respecter les traditions locales, et à utiliser les matériaux et les techniques de la région. En ce sens, elle est bien la contemporaine de Frank Lloyd Wright et du mouvement Arts and Crafts, typiquement américain, qui recherchent avant tout la fonctionnalité, la simplicité et le régionalisme. Le parc du Grand Canyon renferme plusieurs de ses ouvrages magistraux : la Hopi House (1905), Hermits Rest (1914) et la Watchtower (1932).

★ **El Tovar Hotel** – *Derrière la gare.* Cette élégante construction en pierre et en bois est également l'œuvre de la compagnie de chemin de fer. Célèbre hôtel tenu pour l'établissement le plus luxueux à l'ouest du Mississippi, il fut dessiné par l'architecte Charles F. Whittlesey et achevé en 1905. Avec ses allures de chalet suisse, son magnifique hall d'entrée en bois sombre rehaussé de lustres en cuivre et de trophées, il n'a rien perdu de son charme.

★ **Hopi House** – *Face à El Tovar Hotel, sur le Rim Trail.* Inaugurée un peu avant El Tovar Hotel, cette imposante bâtisse est une autre réalisation de Mary Colter, inspirée de l'architecture traditionnelle des Indiens hopis.

★★ **Verkamp's Curios** – *Derrière la Hopi House.* En 1898, John Verkamp avait provisoirement installé une tente en ce lieu pour vendre des « curiosités » indiennes. Comme le commerce avec les premiers touristes s'avéra rentable, il construisit finalement, en 1905, cette boutique en bardeaux de bois.

★★ **Bright Angel Lodge** – *À l'ouest d'El Tovar Hotel, passé les hôtels Kachina et Thunderbird.* Édifié en 1935 d'après les plans de Mary Colter, il a été construit dans un style plus rustique, destiné aux visiteurs moins fortunés que ceux d'El Tovar. À l'intérieur, à gauche de l'énorme cheminée qui trône dans l'entrée, se trouve l'**History Room** *(9h-17h. Gratuit)*, une salle où sont conservés de la vaisselle et des souvenirs de la compagnie Fred Harvey. Vous pouvez y admirer la fameuse cheminée que Mary Colter fit construire avec les roches du Grand Canyon, agencées dans l'ordre chronologique.

★★ **Lookout Studio** – *Plus à l'ouest sur le Rim Trail.* Ce petit bâtiment en pierre (1914) de Mary Colter se confond avec le bord du canyon : à l'intérieur, un télescope permettait aux visiteurs de suivre les randonneurs en contrebas.

Kolb Studio – *Un peu plus loin, accroché à flanc de falaise.* Il fut aménagé entre 1904 et 1926 par les frères Kolb, spécialisés dans les clichés touristiques (leur projecteur est exposé). Le studio abrite aujourd'hui une salle d'exposition et une librairie *(8h-20h. Gratuit)*.

★★★ Sur la route de Desert View

Comptez 2 à 3h. Le Rim Trail suit le tout début de la route et s'arrête un peu avant Yaki Point. La Desert View Drive (Hwy 64) débute 3 miles à l'est du village pour aboutir à Desert View (25 miles), proche de l'entrée est du parc. Elle dessert six points de vue et traverse une agréable forêt où vous pouvez pique-niquer. Elle rejoint ensuite la Hwy 89 qui rallie Flagstaff au sud et Page au nord. Attention, il faut arriver au plus tard à 16h à Desert View pour avoir le temps de visiter la tour.

Yaki Point – Pour rejoindre Yaki Point, il faut laisser sa voiture au niveau de la route et prendre une navette (circuit orange) qui part vers le nord. Celle-ci fait une première halte sur la route pour déposer les randonneurs en partance pour le **South Kaibab Trail** *(voir « Randonnées » p. 395)*. Bien que le lieu, désert et calme, soit appréciable, nous vous conseillons de vous y rendre uniquement si vous disposez de beaucoup de temps, car la navette ne s'arrête que 15mn *(elle passe ttes les demi-heures)* et le trajet aller-retour peut durer près d'une heure. Suivez la Hwy 64 sur une dizaine de miles.

★★ **Grandview Point** – *Un peu à l'écart de la route principale.* Magnifique vue à 180°. Les bords du canyon étant moins abrupts que dans la partie située à l'ouest du village, un grand nombre de buttes et de mesas s'offrent au regard dans une féerie de couleurs ocre, vert, rouge et beige. Avant l'arrivée du train (1901), le développement du village de Grand Canyon et l'explosion du tourisme, ce site était le principal point de vue de la région et un hôtel s'y tenait même en 1893. Le **Grandview Trail**, qui permettait aux mineurs de se rendre à Horse Shoe Mesa, la butte située au premier plan, est l'un des plus rudes : en moins de 5 km, le dénivelé chute de 793 m *(voir « Randonnées » p. 395)*.

★ **Moran Point** – À cette avancée, le panorama se dégage toujours plus vers l'est du canyon et vous avez quelques échappées sur le Colorado.

Tusayan – Le site *(à droite de la route)* abrite les vestiges d'un village anasazi, où une trentaine de personnes auraient vécu aux environs de 1185. Plus de 2 500 sites archéologiques ont été dénombrés dans le Grand Canyon. Mises au jour en 1930, ces ruines sont loin d'être les plus intéressantes de la région, mais ce sont les plus faciles d'accès dans le parc. Petit **musée** consacré aux différentes tribus indiennes, très bien présenté *(9h-17h. Gratuit. Comptez 30mn)*. Revenez sur la route.

★★★ **Lipan Point** – *Peu après Tusayan.* Superbe point de vue sur le Colorado dont l'eau est d'un vert éclatant et les **Unkar Rapids**. Les falaises se découpent à l'infini comme de la dentelle et vous pouvez apercevoir dans les replis rocheux en contrebas les vestiges d'habitations indiennes : la proximité de l'eau permettait ici de cultiver. En contrebas, les **Hance Rapids**, bien connus de ceux qui descendent le fleuve Colorado en bateau. Les nombreux rapides surviennent lorsque des débris rétrécissent la gorge, obligeant le fleuve à lutter pour se frayer un passage. En observant attentivement les lignes dessinées par la superposition des roches, vous remarquerez une couche légèrement inclinée, proche du niveau de l'eau : les roches qui la composent, visibles uniquement dans la partie est, appartiennent au *Grand Canyon Supergroup* de l'ère précambrienne (– 1 million d'années) et ont été totalement érodées ailleurs.

★★★ **Desert View** – Il s'agit du poste d'observation le plus élevé de la rive sud. La haute tour en pierre *(8h-17h30)* qui s'élève sur le bord de la falaise a été construite en 1932 par Mary Colter. Elle offre en son sommet une vue à 360° sur le canyon et le fleuve Colorado, dont les méandres se profilent maintenant vers le nord. On aperçoit à l'est les collines aux couleurs indéfinissables du Painted Desert, ainsi que la Cedar Mountain, l'un des seuls vestiges de l'ère mésozoïque (245-60 millions d'années) de la région. À l'intérieur de la tour, vous pouvez admirer de belles peintures réalisées par des artistes hopis.

🛈 Visitor Center *(été : 9h-19h ; reste de l'année : 9h-17h)*, épicerie *(tlj 8h-18h)*, snack-bar *(tlj 8h-17h)*, station-service *(tlj 9h-17h, en saison uniquement)*.

D'UNE RIVE À L'AUTRE

La randonnée d'une rive à l'autre est certes une très belle aventure, mais elle n'est pas sans risque et ne s'adresse qu'à des marcheurs expérimentés. Elle se fait toujours de la rive nord à la rive sud, la rive sud étant moins élevée que la rive nord, qui présente un dénivelé de plus de 1 000 m. L'idéal est de la faire

5

en trois jours avec une première nuit à Cottonwood Camp et une deuxième à Bright Angel Camp, près de la rivière Colorado. Si vous avez laissé votre véhicule sur la rive nord, vous pouvez y revenir par le *Transcanyon Shuttle (voir p. 396)*. Prévoyez quatre litres d'eau par jour, des céréales, des barres énergétiques, des fruits, de la viande séchée, etc. Il est recommandé de porter plusieurs couches de vêtements, ce qui permet de s'adapter à la température en fonction de la montée ou de la descente, d'avoir une carte et, obligatoire, un permis de camper *(voir p. 396)*. Avant de partir, informez-vous auprès des rangers sur les passages difficiles, la météo et fiez-vous à leurs conseils.

★★ LA RIVE NORD

▶ *Comptez une journée. Pour atteindre la rive nord du Grand Canyon, vous devez emprunter la Hwy 89A, puis la Hwy 67 à hauteur de Jacob Lake. Comptez 5h à partir de la rive sud du canyon (216 miles) et 1h30 depuis Fredonia. Passé les guérites de l'entrée, la route (14 miles) conduit à la partie aménagée du parc, à proximité de Bright Angel Point, où se trouvent notamment le* Visitor Center *(8h-18h) et le* Grand Canyon Lodge. *Ces derniers ferment de mi-oct. à mi-mai, mais le parc reste ouvert pendant la journée jusqu'à ce que les conditions météorologiques nécessitent la fermeture de la Hwy 67 (pour les prévisions,* ☎ *(928) 638 7496). L'accès (aux deux rives) coûte 30 $/véhicule.*

Découverte de la rive nord

Plus isolée et moins accessible, la rive nord du Grand Canyon accueille dix fois moins de visiteurs, d'autant que chaque hiver d'abondantes chutes de neige en interdisent l'accès pendant plusieurs mois. Les paysages offrent des paysages de montagnes, avec plateaux et forêts de pins. La rive nord procure des vues tout aussi spectaculaires, mais moins nombreuses pour qui n'envisage pas de randonner. L'érosion a été ici plus importante, creusant des canyons secondaires qui s'enfoncent plus profondément dans les terres, créant de hautes falaises et des buttes élevées qui dessinent un premier plan moins dégagé que sur la rive sud. Située sur une étroite langue de terre perpendiculaire à Bright Angel Canyon, cette partie du parc offre des vues plongeantes sur les canyons adjacents, **Transept et Roaring Springs Canyons** *(au départ du Grand Canyon Lodge, le Transept Trail longe le canyon du même nom et conduit jusqu'au camping ; 1h30 AR)*.

Visitez le **Grand Canyon Lodge★★**, un magnifique édifice (1936) en pierre qui s'élève à flanc de falaise, avec salon et terrasse panoramiques.

★★★ Bright Angel Point

En suivant le sentier qui court le long de la corniche, du Grand Canyon Lodge à Bright Angel Point *(facile ; 30mn AR)*, vous distinguez nettement les strates supérieures de la formation du canyon, dont les couleurs tranchent les unes avec les autres : les falaises blanches qui bordent la rive sont composées de grès Coconino, contrastant avec les couches inférieures, composées d'argiles (Hermit Shale) et de roches du Supai Group, puis de calcaire Redwall. Plus bas, la vue est obstruée par l'étroitesse des canyons et les replis qu'ils dessinent. Parvenu à Bright Angel Point, vous apercevez les San Francisco Peaks qui se profilent dans le lointain. Ces montagnes des environs de Flagstaff sont nées de l'activité volcanique de l'ère cénozoïque (de 65 millions d'années à nos jours). Seul le **North Kaibab Trail** descend au fond du canyon, mais en aucun cas il n'est possible d'aller jusqu'au fleuve Colorado et de revenir en une seule journée. Vous pouvez couvrir une partie du sentier pendant la journée, jusqu'à **Coconino Overlook★** *(1-2h AR)*, **Supai Tunnel** *(3-4h AR)* et **Roaring Springs**

Le canyon au microscope

COMPRENDRE SON ANATOMIE

Les strates

Le Grand Canyon compte en moyenne 1 600 m de dénivelé donc de strates. Les roches les plus anciennes, dites précambriennes, datent de 2 milliards d'années et bordent le lit du Colorado. Issues de mouvements volcaniques, elles présentent un aspect noirâtre et forment des falaises à pic. Au-dessus reposent des roches sédimentaires, déposées en couches successives à l'ère primaire (550-250 millions d'années), quand les mers avançaient et reculaient sur le continent. Elles contiennent un grand nombre de fossiles. Les reliefs étagés et colorés résultent de l'altération de ces roches : les calcaires et les grès donnent des falaises abruptes, les schistes s'érodent en pentes douces.

L'érosion

À l'ère secondaire (– 245 à – 65 millions d'années), l'ensemble de la région fut surélevé, mais l'étagement des couches de roches fut préservé. Le soulèvement **Kaibab** (c'est ainsi que s'appelle la partie qui a été surélevée) présente une forme de dôme allongé. Le lit du Colorado passant dans la partie inclinée la plus au sud du dôme, la rive nord du canyon, ou **plateau Kaibab**, surplombe la rive sud, ou **plateau Coconino**, d'environ 305 m.

Cela explique pourquoi la rive nord reçoit davantage de précipitations et de neige, et que l'érosion y a été plus violente, créant un réseau de canyons beaucoup plus conséquent. Sa végétation est aussi plus abondante et diversifiée (sapins, épicéas, pins Ponderosa, trembles) qu'au sud, dominé par une végétation rencontrée dans les régions désertiques (pins, genévriers, yuccas).

DÉCOUVRIR SON HISTOIRE

Un canyon connu mais peu fréquenté

La découverte de figurines en tiges tressées fait remonter la présence humaine dans le canyon à 3 000 ou 4 000 ans, et il est avéré que les Anasazis, qui y ont vécu entre 500 et 120, y ont laissé quelques traces.

Les premiers Espagnols qui découvrirent le canyon arrivèrent quant à eux en 1540 : ils appartenaient à l'expédition menée par Francisco Vasquez de Coronado. Deux siècles plus tard, deux autres expéditions espagnoles, dont celle des pères Escalante et Dominguez, passèrent aux abords du Grand Canyon, mais cette gorge pratiquement infranchissable fut délaissée.

La redécouverte par les explorateurs et les touristes

Après l'acquisition de l'Arizona par les États-Unis en 1848, la région fit l'objet d'études précises. En 1857, l'expédition menée par **Joseph Ives** entreprit de remonter le Colorado, mais elle se heurta aux étroites gorges et aux violents rapides du Grand Canyon, ce qui poussa l'explorateur à décréter qu'il n'y avait rien à tirer de cette région.

Il fallut donc attendre 1869, quand **John Wesley Powell** et son équipage franchirent pour la première fois le Colorado à travers le Grand Canyon, pour que cet endroit unique retienne l'attention des autorités et du grand public. Les prospecteurs arrivèrent dès les années 1880 et les touristes commencèrent à affluer à la fin du 19e s. Aujourd'hui, la magie du lieu attire des visiteurs de toutes nationalités !

> **LE FORMIDABLE FLEUVE COLORADO**
> Ni le plus long ni le plus gros de tous les fleuves d'Amérique, le Colorado se distingue par sa puissance, car il prend sa source à plus de 4 000 m d'altitude, dans les montagnes Rocheuses. Artisan principal du Grand Canyon, il aurait commencé son œuvre d'érosion il y a environ 5 millions d'années, dans des couches de roches sédimentaires datant pour la plupart du paléozoïque (550-250 millions d'années). Alimenté par la fonte des neiges, par les eaux de pluie et par ses affluents, qui ont grandement contribué à l'érosion des parois, il charriait une quantité impressionnante de débris et de boue, qui lui ont valu son nom de fleuve « rouge » en espagnol.

(très difficile ; 930 m de dénivelé ; 7-8h AR), mais soyez très prudent et planifiez votre retour *(un permis est requis pour camper en pleine nature, voir p. 395. Voir aussi « D'une rive à l'autre », p. 387).*

★★ Les points de vue de l'est
Empruntez la route qui bifurque à 2 miles au nord du Visitor Center. Elle mène aux points de vue de Point Imperial (11 miles) et de Cape Royal (23 miles), d'où partent de nombreux chemins de randonnée (reportez-vous au journal).

À plus de 2 600 m d'altitude, **Point Imperial★★** est le point de vue le plus haut de tout le parc. Orienté vers la partie est du canyon, il surplombe Marble Canyon, à l'endroit où le Colorado remonte vers le nord. Il permet de voir, en direction du sud-est, la gorge de la Little Colorado River. Magnifique au coucher du soleil, où la roche semble s'embraser. Situé à l'extrémité sud du plateau Walhalla, le point de vue de **Cape Royal★★** offre un panorama très dégagé sur la rive sud du canyon.

À proximité Carte de région

Skywalk (Eagle Point) et Grand Canyon West (Peach Springs) A2
▶ *Comptez une demi-journée, une journée avec excursion. Peach Springs, capitale de la tribu Hualapai, est à env. 150 miles à l'ouest de la rive sud du Grand Canyon et à 113 miles de Flagstaff. Depuis Las Vegas, rendez-vous à Kingman (84 miles) puis à Peach Springs (50 miles), située le long de la Route 66. « Grand Canyon West » se trouve à 20 miles au nord de Peach Springs - ☎ (928) 769 2636 - www.grand canyonwest.com - entrée Grand Canyon West 46,95 $/pers (Legacy Package). Le Gold Package permet en plus l'accès à Skywalk et un repas compris 71,38 $ (!). Ouvert du lever au coucher du soleil. Voir le site Internet pour des tours en hélicoptère.*

Skywalk – Au printemps 2007 a été inaugurée la première passerelle construite en verre et suspendue à 1 220 m au-dessus du Grand Canyon. Pour visiter cette stupéfiante construction, en forme de fer à cheval, des chaussons spéciaux seront fournis à chaque visiteur, pour protéger le verre et pour éviter de glisser.

Grand Canyon West – Le site se compose d'un village indien, d'un marché et d'un ranch Hualapai, constituant une véritable petite ville western. Il permet l'accès à Guano Point et à Eagle Point. C'est le seul endroit où l'on peut effectuer des excursions en bateau d'une journée sur les rapides du Colorado. *Se renseigner au Hualapai Lodge, 900 Rte 66, Peach Springs - ☎ (928) 769 2230 ou 1-866 264 5744 - info@grandcanyonresort.com - 100 à 110 $ pour une ch. double.*

😊 NOS ADRESSES AU GRAND CANYON NATIONAL PARK

La rive sud

TRANSPORTS

En voiture – L'accès à la rive sud se fait par deux entrées : à l'est par Cameron et au sud par Tusayan. De Flagstaff, prendre la Hwy 180 vers Tusayan via Valle (81 miles) ; de Page, prendre la Hwy 89 vers Flagstaff jusqu'à Cameron puis la Rte 64 (139 miles).

En avion – L'aéroport le plus proche est situé à Tusayan, à 1,5 mile du parc. Vols touristiques et liaisons en provenance de Las Vegas (1h15) assurés par **Scenic Airlines**. ℘ *(702) 638 3300 ou 866 235 9422, www.scenic.com*. Un bus relie l'aéroport au parc *(35mn, ttes les h.)*, en passant par Tusayan.

En train – Le **Grand Canyon Railway** assure une liaison quotidienne entre Williams et le village de Grand Canyon (2h15). Attraction à part entière, ce train transporte les voyageurs dans d'anciens wagons restaurés et propose des animations (quatre classes, de *70 $ à 130 $*). Possibilité de passer une ou plusieurs nuits sur place. *Rens. :* ℘ *(928) 773 1976 ou 1-800 843 8724, www.thetrain.com*.

En navette – Un important dispositif de navettes gratuites (shuttles, *passage ttes les 15mn ou 30mn selon l'heure*) est en place et certains tronçons de route sont interdits aux véhicules particuliers. Le journal *The Guide* vous donne leurs parcours : le circuit orange dessert l'est, de Yaki Point à Yavapai Point (50mn d'un bout à l'autre) ; le circuit bleu dessert le village et les édifices historiques, lodges, restaurants (50mn d'un bout à l'autre) ; le circuit rouge dessert l'ouest, de Village Route Transfert à Hermits

Rest (80mn d'un bout à l'autre). Ils s'arrêtent systématiquement à chaque arrêt.

INFORMATION UTILE

Stations-service – À Tusayan et au Desert View Campground (fermé en hiver).

HÉBERGEMENT

L'idéal est de loger dans le parc ou à Tusayan (2 miles de l'entrée sud), mais les hébergements sont chers. Les prix sont plus abordables à Williams (58 miles/1h) ou à Flagstaff (81 miles/1h30) *(voir p. 434)*.

Dans le parc

Il est vivement conseillé de réserver longtemps à l'avance. Tous les hôtels sont gérés par Xanterra P & R, ℘ *(928) 638 2631 ou 1-888 297 2757 (303 297 2757 depuis l'étranger), www.xanterra. com*. Mais vous pouvez aussi tenter votre chance sur place au dernier moment, car il y a souvent des désistements. Les prix varient entre 90 $ et 470 $.

😊 Le soir, l'éclairage est minimun, munissez-vous d'une lampe électrique. Prévoyez également un vêtement chaud car les soirées et les matinées sont fraîches.

PREMIER PRIX

Les réservations sont toutes centralisées par l'administration des parcs nationaux. ℘ *1-877 444 6777, www.recreation.gov*.

Mather Campground – *1 Village Loop Rd - 1 mile au sud du Visitor Center, réservez à l'avance, signalez tout retard dans votre arrivée -* ℘ *(928) 638-7851 - www.recreation. gov - ouv. tte l'année - 327 empl. 18 $*. Le plus grand des campings

5

du parc. Toilettes, douches à proximité mais pas d'électricité.

Trailer Village – *100 Trailer Village Rd - ℘ (928) 638 1006 - www. visitgrandcanyon.com/trailer-village-rv-park - 84 empl. à partir de 44 $.* Réservé aux camping-cars.

Desert View Campground – *À 25 miles à l'est du Visitor Center - www.nps.gov/grca/planyourvisit/cg-sr - de déb. mai à mi-oct. - ♿ - 50 empl. 12 $ - pas de réserv. possible, principe du « premier arrivé, premier servi ».* Toilettes, pas de branchement électrique. Minimarket et snack.

BUDGET MOYEN

Bright Angel Lodge – *G.C. Village - ℘ 1-888 297 2757 - www.grandcanyonlodges.com/lodging/bright-angel - 🍴 ✕ 🅿 - 90 ch. 93/207 $.* Trois catégories de chambres réparties dans deux grands bâtiments et une quinzaine de petits pavillons en bois, dont certains avec sanitaires communs (tout confort). Quelques cabanes donnent directement sur le canyon. Une adresse sympa, idéalement située.

Maswik Lodge – *202 Village Loop Drive - à 300 m en retrait du canyon - ℘ (888) 297 2757 - www.grandcanyonlodges.com/lodging/maswik-lodge - 🍴 ✕ 🅿 ♿ - 250 ch. 107/205 $.* Une trentaine de chambres réparties dans de petites cabanes, ainsi que des chambres classiques rénovées dans des bâtiments de style motel. Parmi les hébergements les moins prisés, car en retrait du bord du canyon, il est néanmoins sympathique, même si les prix sont équivalents à ceux du Bright Angel Lodge, bien mieux situé.

Yavapai Lodge – *G.C. Village - à proximité de Market Plaza - ℘ 1-877 404 4611 - www. visitgrandcanyon.com/*

yavapai-lodge - 🍴 ✕ ♿ - 358 ch. 149/171 $. Chambres confortables, mais assez sombres, aménagées dans des bâtiments situés au milieu des pins.

POUR SE FAIRE PLAISIR

Kachina Lodge – *G.C. Village - ℘ (928) 638 2631 - www.grandcanyonlodges.com/lodging/kachina-lodge - 🍴 ✕ 🅿 - 100 ch. 215/232 $.* Cet établissement moderne donne directement sur le canyon et propose des chambres confortables, dont la moitié avec vue.

UNE FOLIE

El Tovar Hotel – *G.C. Village - ℘ 1-888 297 2757 - www.grandcanyonlodges.com/lodging/el-tovar - 🍴 ✕ 🅿 ♿ - 78 ch. 207/421 $.* Grand et bel hôtel en rondins situé au cœur du quartier historique. Les chambres, refaites récemment, sont très confortables.

Tusayan

Situé à 9 miles du Grand Canyon Village, Tusayan se résume à une succession d'hôtels et de restaurants le long de la Hwy 64.

PREMIER PRIX

Ten-X Campground – *À 2 miles au sud de Tusayan - ℘ (928) 638 2443 - www.recreation.gov - mai-oct. : 70 empl. 10 $.* Rudimentaire : toilettes mais pas de douches ni de branchement électrique.

7-Mile Lodge – *208 Hwy 64 - à l'entrée sud de Tusayan, à côté du Best Western - ℘ (928) 638 2291 - 🍴 🅿 - wifi - 20 ch. à partir de 109 $.* Un tout petit motel aux chambres sans prétention mais confortables. L'adresse certainement la moins chère et la seule où l'on puisse trouver des chambres pour le jour même. Pas de réservation possible : formule « premier arrivé, premier servi ».

BUDGET MOYEN

Rodeway Inn - Red Feather – *300 Hwy 64 - sur la gauche en entrant dans Tusayan - ☎ (928) 638 2414 - www.redfeatherlodge.com -* ▤✕🅿🛁♿ *- wifi - 216 ch. 150/206 $.* Motel tout confort, bien qu'un peu vieillot, et restaurant accueillant à proximité. Bon rapport qualité-prix.

POUR SE FAIRE PLAISIR

Best Western Grand Canyon Squire Inn – *74 Hwy 64 - sur la gauche à l'entrée de Tusayan - ☎ (928) 638 2681 - www. grandcanyonsquire.com -* ✕🛁 *- 250 ch. 190/300 $.* Grand hôtel tout confort, à la décoration un peu kitsch dans la réception, mais les chambres sont impeccables.

UNE FOLIE

Grand Hotel – *149 Hwy 64 - à droite à l'entrée de Tusayan - ☎ (928) 638 3333 - www. grandcanyongrandhotel.com -* ✕🛁 *- 121 ch. 240/420 $.* Un grand complexe construit dans l'esprit des cabanes de pionniers. Service luxueux et prix en conséquence.

Williams

Petite bourgade historique située sur la Route 66, Williams comprend deux rues principales où s'alignent des commerces et d'antiques motels. Le *Visitor Center* occupe un bâtiment proche de la voie ferrée, au croisement de Railroad Ave. et de Grand Canyon Blvd *(été : 8h-18h30 ; reste de l'année : 8h-17h).*

PREMIER PRIX

Arizona 9 Motel – *315 W. Rte 66 - ☎ (928) 635 4552 - www.9arizona. com -* ▤🅿 *- wifi - 20 ch. 65/100 $.* Idéalement situé, ce motel d'allure modeste est d'un bon rapport qualité-prix. Ces chambres, petites, sont pourvues d'une douche, d'une télé et d'un frigo.

BUDGET MOYEN

M Star Route 66 Grand Canyon – *128 E. Rte 66 - ☎ (928) 635 1515 - route66.aaeworldhotels.com -* ▤🅿 *- wifi - 25 ch. 68/130 $.* Motel classique, tout confort et impeccable. Petit-déj. continental.

The Canyon Motel & RV Park – *1900 E. Rte 66 - ☎ 1-800 482 3955 - www.thecanyonmotel.com -* ▤✕🅿🛁 *- wifi - 18 ch. 79/170 $.* Excellent accueil dans ce vieux motel, où l'on peut entre autres dormir dans d'anciens wagons de la ligne de Santa Fe reconvertis en chambres. Petit-déjeuner inclus de mai à oct. Barbecue, 21 empl. de camping (tentes et camping-cars).

El Rancho – *617 E. Rte 66 - ☎ (928) 635 2552 -* 🅿 *- wifi - 25 ch. 60/115 $.* Accueil professionnel dans ce motel très propre aux chambres bien équipées (machines à café, micro-ondes).

Red Garter Inn Bed & Bakery – *137 W. Railroad Ave - ☎ 1-800 328 1484 - www.redgarter. com -* ▤🛁 *- 4 ch. 120/175 $* ☕. Le nom de cet ancien saloon et maison close (1897), dit de la « jarretelle rouge », évoque l'époque où les hommes venaient ici s'encanailler avec les girls ! Belles chambres restaurées… dans leur atmosphère d'antan. Les plus spacieuses sont les 1 et 3. Quant au rez-de-chaussée, il est occupé par le charmant coffee shop qui vous attend pour le petit-déjeuner.

RESTAURATION

Dans le parc

Si vous souhaitez déjeuner sur le pouce, vous trouverez des sandwichs au **Bright Angel Fountain** (dans le Bright Angel Lodge), ainsi qu'au supermarché de Market Plaza *(tlj 8h-19h).*

5

PREMIER PRIX

Pour une restauration rapide et à moindre coût, vous avez des selfs où l'on vous propose des plats chauds ou froids de 6h à 22h : à la **Maswik Cafeteria** (Maswik Lodge), vous aurez plus de choix et un cadre plus agréable qu'au **Canyon Cafe** (Yavapai Lodge).

BUDGET MOYEN

Pour un vrai repas, vous avez le choix entre trois restaurants.

Bright Angel Restaurant – Plats env. 8,5/20 $. Il est assez banal côté cuisine : viandes grillées, hamburgers, pâtes.

The Arizona Room – Tlj 11h30-22h, env. 8 $-30 $. Ce restaurant est autrement plus sympathique. Cuisine plus inventive – saumon sauvage, baby back ribs… – servie dans une grande salle claire. Pas vraiment de réservation mais présentez-vous vers 18h et, s'il n'y a pas de table libre, on vous met sur liste d'attente et on vous donne un bipeur pour vous « sonner » quand une table se libère. C'est très pratique, on peut se promener pendant ce temps-là ! Méfiez-vous, les portions sont généreuses.

El Tovar Dining Room – ℘ (928) 638 2631 - tlj 6h30-22h - plats env. 10/40 $. Réservation conseillée pour le dîner. Cet établissement est doté d'une superbe salle au décor de boiseries sombres, avec un service qui s'efforce d'être à la hauteur du prestige de cet hôtel presque centenaire. S'il n'y a plus de place, vous pouvez toujours attendre et espérer…

Tusayan

PREMIER PRIX

We Cook Pizza and Pasta – 605 N. Hwy 64 - à l'extrémité sud du village, à côté du supermarché - ℘ (928) 638 2278 - www.wecookpizzaandpasta.com - 11h-21h - plats 10/30 $. Pizzas ou pâtes copieusement servies, à emporter ou à déguster dans une salle animée fréquentée par la population locale.

Williams

PREMIER PRIX

Pine Country Restaurant – 107 N. Grand Canyon Blvd - ℘ (928) 635 9718 - www.pinecountryrestaurant.com - 6h30-21h - plats 9/25 $. Belles salles à l'ambiance sympathique. Idéal pour le petit-déjeuner ou un repas à prix doux.

Pancho McGillicuddy's – Face au Visitor Center, ℘ (928) 635 4150, www.vivapanchos.com. Tlj 11h-22h. Plats 9/20 $. Un appétissant choix de plats mexicains dans le plus ancien saloon de Williams (1895). Agréable pour dîner ou boire un verre.

Cruiser's Route 66 Cafe – 233 W. Route 66 - ℘ (928) 635 2445 - www.cruisers66.com - 11h-22h - plats 5/14 $. Bonne cuisine typiquement américaine dans un cadre qui ravira les nostalgiques de la Route 66. Plats copieux et terrasse.

ACHATS

General Store – Market Plaza, immense supermarché (8h-19h) où l'on trouve de tout pour préparer un pique-nique mais aussi cigarettes, chaussures, quincaillerie, etc., ainsi qu'un formidable rayon spécial campeurs (voir « Randonnées » et « Camper » ci-contre).

Librairie - Kolb Studio – G.C. Village - ℘ (800) 858 2808 - 9h-17h. Vous trouverez également une grande librairie en face du Canyon View Information Plaza.

ACTIVITÉS

Imax Theater – 450 AZ-64 - Tusayan - ℘ (928) 638 2468 -

www.explorethecanyon.com - mars-oct. 8h-22h, nov.-fév. 9h-20h. Film sur la découverte historique du Grand Canyon, tenant à la fois du documentaire et du spot publicitaire sur le tourisme local. *Visitor Center* intégré au complexe.

Circuits à thèmes – Les rangers organisent des tours de 30mn à 3h : programme sur le site et le journal du parc.

Randonnées à pied – Trois chemins de grande randonnée (accessibles aux touristes) descendent dans le canyon depuis la rive sud. Un quatrième est possible mais sous certaines conditions. On vous conseille de vous munir des fiches détaillées de ces trails disponibles sur www.nps.gov/grca/planyourvisit (précisez le nom du trail). Vous pouvez aussi vous procurer la carte *National Geographic Trailers illustrated*, très bien faite (vendue à la librairie du *Visitor Center*).

Le **Bright Angel Trailhead** *(sentier escarpé ; difficile ; 12 miles AR - 19,3 km ; comptez de 9 à 12h ; départ au niveau du Kolb Studio, dans le village)* et le **South Kaibab Trail** *(sentier abrupt ; difficile ; 6 miles AR - 9,6 km ; comptez de 4 à 6h)* sont les plus célèbres. Les deux sentiers se rejoignent, il est donc possible de descendre par l'un et de remonter par l'autre. Cela rallonge un peu l'ensemble. Le premier trail est considéré comme le moins difficile, le second comme le plus rapide mais le plus abrupt. Au printemps, les deux sentiers peuvent avoir des restes de neige, avec des températures fraîches sur la corniche et des températures très élevées au fond du canyon. Il faut donc prévoir des vêtements chauds (polaire, coupe-vent, écharpe), mais aussi casquette, lunettes de soleil, crème solaire. Et bien évidemment de bonnes chaussures de randonnée, une mini trousse de secours (en cas de chute, mal de tête, vomissement, diarrhée), beaucoup d'eau (vous en trouverez à certaines étapes du parcours, mais il est conseillé de la traiter avec des pastilles de micropure) et de quoi manger (nourriture énergétique). Il est fortement déconseillé de tenter de faire l'aller et le retour dans la même journée (de 1 000 à 1 500 m de dénivelé), prévoyez donc de passer une nuit dans l'un des trois campements *(Indian Garden, Bright Angel et Phantom Ranch, voir ci-dessous)*. Sachez enfin qu'il ne faut absolument pas se baigner dans le Colorado : l'eau est très froide (env. 8 °C) et les courants très rapides.

Le **Hermit Trail and Dripping Spring Trail** *(sentier abrupt ; 7 miles AR - 11,3 km ; comptez de 5 à 7h)* est plus difficile, bien balisé dans sa première partie, moins bien entretenu dans la seconde qui descend au fond du canyon. Quant au **Grandview Trail** *(sentier abrupt ; très difficile ; 6 miles AR - 9,6 km ; comptez de 5 à 7h,* chaussures de marche indispensables, ne pas aller plus loin que Coconino Saddle entre juin et sept.), les rangers déconseillent de s'y aventurer. Dans tous les cas, quel que soit le trail que vous choisissez, faites preuve de prudence, car les conditions sont extrêmes, et suivez attentivement les indications données dans le journal du parc, même pour les randonnées d'une journée. Ne partez jamais seul, calculez votre temps de descente et considérez qu'il vous faudra le double de temps pour remonter. évitez de marcher entre 12h et 15h, le soleil tape fort. Emportez aussi une lampe torche et des jumelles.

Camper en pleine nature – Un permis est nécessaire *(10 $ par*

5

permis et 5 \$/pers.) ; réservez à l'avance : *Backcountry Information Center, P.O. Box 129, Grand Canyon, Arizona 86023, ✆ (928) 638 7875.* Vous obtiendrez toutes les informations utiles au **Backcountry Office**, situé au nord du nouveau Maswik Depot *(tlj 8h-12h, 13h-17h)* et sur le site du parc. Attention, les réservations pour dormir au gîte du Phantom Ranch, situé au fond du canyon, non loin de l'unique point de passage du fleuve Colorado, se font de un à deux ans à l'avance, mais on peut s'inscrire sur une liste d'attente (en cas de désistements). Sachez qu'il est possible de louer du matériel de camping au General Store du Market Plaza à des prix raisonnables (caution obligatoire). Consultez le *Backcountry Trip Planner* sur le site du parc et sur place, avant de partir.

À dos de mule – Renseignements et réservations aux bureaux des Bright Angel, Maswik et Yavapai Lodges (*✆ (928) 638 3283 ou 1-888 297 2757, www.grandcanyonlodges. com*) ou contactez *www.xanterra. com.* Randonnées pour Plateau Point *(env. 135 \$)* et sur deux ou trois jours avec nuit au Phantom Ranch *(env. 790 \$ et 1 295 \$ pour deux personnes).* Réservez longtemps à l'avance surtout pour l'été, mais vous pouvez vous inscrire sur les listes d'attente en arrivant (néanmoins peu de chance de partir dans ces conditions). Une certaine compréhension de la langue anglaise est requise.

Rafting – La descente des rapides du Colorado se fait à partir de Lees Ferry *(voir p. 377)*, Moab *(voir p. 335)* et Peach Springs *(voir p. 390).* Durée : 3 à 21 jours, d'avril à octobre, à partir de 1 600 \$ tout compris. Réservation à l'avance indispensable. La liste des agences figure sur le *Backcountry Trip Planner* distribué au Canyon View Information Plaza, et sur le site du parc, *www.nps.gov/grca.*

Vélo – Hermit Road ou Desert View en vélo est tout à fait possible : location 1h *(12 \$)*, une demi-journée *(30 \$)* ou une journée *(40 \$).* Également des tours guidés. *✆ (928) 638 3055, www.bikegrandcanyon.com.*

Survol du Grand Canyon – À l'aéroport de Tusayan, plusieurs compagnies proposent des survols en avion ou en hélicoptère, plus chers. Toutes suivent les mêmes itinéraires et pratiquent des prix équivalents. À titre indicatif : *env. 250 \$* pour 30mn en hélicoptère ; *env. 100 \$* pour 1h en avion.

Grand Canyon Airlines – *86023 Tusayan - ✆ 1-866 235 9422 - www. grandcanyonairlines.com - de 160 à 550 \$ selon le tour.* Cette compagnie propose des trajets un peu plus longs que le concurrent suivant, mais les passagers ne sont pas tous assis à côté d'une fenêtre. Commentaires en français.

Maverick Helicopters – *89119 Las Vegas - ✆ 702 261 0007 - www. maverickaviationgroup.com.* Vols de plusieurs heures.

Papillon Grand Canyon Helicopters – *89005 Boulder - ✆ 1-888 635 7272 - www.papillon. com* Dispose d'hélicoptères de 6 à 9 passagers.

La rive nord

TRANSPORTS

En bus – **Transcanyon Shuttle** relie chaque jour les deux rives (4h30 de route, *90 \$ aller*). Deux départs par jour, de la rive nord et de la rive sud, matin et après-midi. *Réserv. : ✆ (877) 638 2820, www.transcanyonshuttle.com.*

INFORMATIONS UTILES

Stations-service – Stations dans le parc à proximité du camping *(7h-19h)* et peu avant l'entrée *(7h-20h)*. Celle de Jacob's Lake est ouverte 24h/24, paiement uniquement par carte bancaire de 20h à 8h.

HÉBERGEMENT, RESTAURATION

Dans le parc

L'offre est limitée et les réservations prises longtemps à l'avance (hôtels et campings). Tous les équipements ferment entre mi-octobre et début mai.

PREMIER PRIX

North Rim Campground – *86052 N. Rim - Peu avant le Grand Canyon Lodge - ℘ (928) 638-7888 - se rens. pour les dates d'ouv. - 63 empl. 18/30 $.* Douches, supérette (8h-20h), laverie, station-service (7h-19h).

BUDGET MOYEN

Grand Canyon Lodge – *10 Albright St. - ℘ 1-877 386 4383 - www.grandcanyonlodgenorth. com -* 🍽 ✕ *- 210 ch. à partir de 130 $.* À deux pas du bord du canyon, de charmantes petites cabanes (trois catégories, certaines avec cheminée) sont disséminées dans la forêt autour d'un bâtiment principal. Vous pouvez vous restaurer tout en admirant le canyon dans la vaste salle à manger en bois (réservez pour le dîner) ou dans le saloon

(tlj 11h-22h) et le snack-bar Deli *(à partir de 5 $, tlj 6h30-17h)* qui se font face dans la cour intérieure. Sachet-repas pour le midi, parfait pour la randonnée.

En dehors du parc

Il est possible de faire du camping sauvage dans la forêt de Kaibab. Renseignez-vous au *Visitor Center* de Jacob Lake *(tlj 8h-17h - ℘ (928) 643 7298).*

BUDGET MOYEN

Jacob Lake Inn – *AZ-67 & Highway 89A - 86022 Fredonia - à 30 miles au nord du parc - ℘ (928) 643 7232 - www.jacoblake.com -* ✕ 🅿 ♿ *- 61 ch. 96/146 $.* En pleine forêt, des petites cabanes assez confortables, un peu les unes sur les autres, ou des chambres dans un bâtiment annexe. Boulangerie et restaurant sur place.

Kaibab Lodge – *86022 Fredonia - à environ 6 miles de l'entrée du parc et à 25 miles de Jacob Lake - ℘ (928) 638 2389 - www. kaibablodge.com -* ✕ 🅿 *- mi-mai-déb. nov. 29 ch. 90/190 $.* Maisonnettes alignées au bord d'une prairie. Les moins chères sont anciennes et rustiques tandis que les plus récentes (Eastview Unit) sont très confortables avec un balcon et une décoration originale inspirée des pétroglyphes indiens. Accueil chaleureux. En face, de l'autre côté de la route, station-service et minimarket *(7h-19h).*

5

L'Arizona 6

Carte Michelin Western USA 585 – Arizona

Soleil couchant et route dans les environs de Flagstaff.
Tetra images/hemis.fr

EL PASO

Chiricahua NM
△ 2886

L'ARIZONA

Tombstone

Bisbee

80

80

90

92

90

Kartchner
Caverns SP

Miller Peak
2879 △

N

0   15   30 mi
0   25   50 km

B

Chiricahua Mtns

Saguaro NP

Sabino Canyon

Mica Peak
△ 2641

Saguaro NP

Pima Air & Space
Museum

△ 2791
Lemmon Peak

Tucson

△ 2875
Wrightson
Peak

19

15

San Pedro River

77

Gila River

177

79

Old Tucson
Studios

86

Mission San
Xavier del Bac

Titan Missile
Museum

MEXICO

Arizon-Sonora
Desert Museum

10

Casa Grande
Ruins NM

Cowtown
Keeylocko

Superstition Mountain
Lost Dutchman Museum

60

70

191

70

Gila River

San Carlos
Lake

Pinaleno Mtns

Gila Valley

10

191

3

Gila River

70

Tempe

10

8

15

Sabino Canyon

TOHONO O'ODHAM
INDIAN RESERVATION

Sand Tank Mtns

85

86

85

85

Organ Pipe
Cactus NM

Growler Mtns

8

Gila River

2

GOLFO DE
CALIFORNIA

SAN DIEGO

3

4

A

6

Phoenix

1 513 367 habitants – Arizona

Phoenix constitue à elle seule une leçon d'urbanisme avec son centre historique qui se partage entre quartier des affaires, boutiques et centres commerciaux, ses quartiers résidentiels à perte de vue et la voiture comme moyen de transport indispensable. Cependant, si depuis quelques années, les boutiques et les restaurants branchés fleurissent et apportent une âme au centre-ville, Phoenix se visite surtout pour les riches collections indiennes du Heard Museum, pour son étonnant musée des Instruments de musique ou encore pour Taliesin, le laboratoire expérimental de l'architecte Frank Lloyd Wright.

> ### 😊 NOS ADRESSES PAGE 414
> **Hébergement, restauration, achats, activités, etc.**

🔲 S'INFORMER

Downtown Visitor Information Center – *Face à l'entrée du Hyatt - 125 N. 2ⁿᵈ St. Suite 120* (Plan II) - ☏ *(602) 254-6500 - www.visitphoenix. com - lun.-vend. 8h-17h.* Bureau très bien documenté réservant un excellent accueil. Deux ordinateurs connectés sur Internet gratuit et en libre accès.

▶ SE REPÉRER

Carte de région A2 *(p. 400-401) - carte Michelin Western USA 585 E 11.* La capitale de l'État d'Arizona se trouve à 142 miles (227 km) au sud de Flagstaff par l'I-17 et à 331 miles (530 km) au sud-est de Los Angeles par l'I-10. Sachez que Central Avenue (axe nord-sud) constitue la frontière entre l'ouest et l'est de la ville et, que Washington St. marque la limite entre le nord et le sud.

😊 À NE PAS MANQUER

Le travail de Frank Lloyd Wright à Taliesin et un tour sur Apache Trail, au cœur du désert du Sonora.

🕐 ORGANISER SON TEMPS

Visiter les musées, climatisés, aux heures les plus chaudes de la journée. Préparez-vous à passer du temps en voiture, car la ville est incroyablement étendue.

👫 AVEC LES ENFANTS

Les jeux interactifs de l'Arizona Science Center, le Museum of Musical Instruments et le Children's Museum.

Se promener

Comptez une journée.

😊 **Bon à savoir** – Étirée sur plus de 70 km, Phoenix semble ne jamais finir. Pour accélérer vos déplacements, vous pouvez prendre votre véhicule, mais le centre-ville se visite aisément à pied.

Le berceau historique de la ville, où se dresse aujourd'hui le centre de convention et où se concentrent boutiques et centres commerciaux, a longtemps souffert d'une mauvaise réputation en raison d'un fort taux de criminalité. Le projet de revitalisation baptisé **Copper Square** (en l'honneur du minerai qui fit la richesse de l'Arizona) dont *Downtown Phoenix* fait l'objet depuis 2000, a porté ses fruits. Les boutiques « vintage », les bars et les restaurants branchés attirent une clientèle jeune, aisée et bohème.

PHOENIX Downtown Plan I

Museum of Musical Instruments ... ③

SE LOGER
America's Best Value Inn .... ②
Arizona Biltmore .... ①

Scottsdale ⑨
Super 8 .... ⑨
SE RESTAURER
Oregano's Pizza Bistro .. ③

Desert Botanical Garden ⑨
Tonto NM, Apache Trail, Tempe

SKY HARBOR INTERNATIONAL AIRPORT

Greyhound

Casa Grande Ruins NM, Arcosanti, Tucson

Heard Museum

Phoenix Art Museum

Copper Square Plan II

6

★ **AUTOUR D'HERITAGE SQUARE** plan II

▶ *Comptez une demi-journée avec les visites - partez du Visitor Center et remontez 2ⁿᵈ St. puis tournez à droite dans Monroe St.*

St Mary's Basilica

231 N. 3ʳᵈ St., à l'angle de Monroe St. et de 3ʳᵈ St. - ℘ (602) 354 2100 - www.saint marysbasilica.org - lun.-vend. 10h-16h (18h sam. ; 8h-13h dim.) ; messes lun.-vend. à 12h et dim. à 9h et 11h.

Elle est dotée d'une façade blanche de style Mission Revival et précédée d'un escalier latéral. Achevée en 1914, elle s'élève sur le site de la première église catholique de la ville, fondée en 1881. Les franciscains y officient depuis 1895. L'intérieur, simple, cache une jolie rosace dédiée à la Vierge.

Poursuivez jusqu'au bout de la rue et tournez à droite. Heritage Square se trouve au niveau de la halle en bois ajouré.

★ Heritage Square

Délimité par Monroe Street au nord et Adams Street au sud, Heritage Square est la seule portion historique préservée de Phoenix. Cette place, à l'atmosphère intime et harmonieuse, abrite une dizaine d'édifices, parmi lesquels des demeures victoriennes construites entre 1895 et 1901 et aménagées en musée, boutiques ou restaurants.

★★ **Rosson House** – *113 N. 6th St. - ℘ (602) 262 5070 - www.heritagesquare phx.org - Visite guidée seult ttes les h : merc.-sam. 10h-16h (dernier tour à 15h), dim. 12h-16h (dernier tour à 15h) - fermé 1ᵉʳ janv., Pâques, Memorial Day, 4 juil., Labor Day, Thanksgiving, 24 et 25 déc. - 9 $ (6-12 ans 4 $).* Vous l'identifierez à sa tourelle. De style Queen Anne, elle fut en son temps l'une des plus belles résidences de la ville. Elle a conservé son atmosphère d'antan, ses très beaux parquets, ses plafonds en métal repoussé et son mobilier d'époque. Au rez-de-chaussée, les salles d'apparat comptent un parloir, meublé d'un piano et d'un fauteuil chinois, une salle à manger, un cabinet médical et une cuisine. À l'étage étaient aménagées deux chambres d'enfants, les salles de bains et une pièce pour la couture, ainsi qu'un étonnant système d'interphone.

Stevens House – *602 E. Adams St. - accès inclus dans la visite de Rosson House (ci-dessus).* Cette maison, construite en 1901, est un bon exemple de pavillon traditionnel californien avec ses larges porches et ses basses corniches de toit.

Au sud-ouest de Heritage Square, sur une esplanade, se dresse le bâtiment de l'Arizona Science Center.

★ Arizona Science Center

Sur la même esplanade que le précédent. 600 E. Washington St. - ℘ (602) 716 2000 - www.azscience.org - tlj 10h-17h, fermé Thanksgiving, 24 et 25 déc. - 18 $ collection permanente (13-17 ans 13 $) ; 9 $ (enf. 8 $) planétarium ou l'IMAX.

👥 Ce musée se consacre à la vulgarisation scientifique, depuis le corps humain jusqu'au monde digital, la Terre, le Soleil, les perceptions sensorielles, la maison… Chaque section dispose de jeux interactifs.

Suivez Washington St. vers l'ouest jusqu'à Central Ave. N'hésitez pas à prendre le tramway, arrêt Patriots Square.

★ **PROMENADE ART DÉCO** plan II

▶ *Comptez 1h - partez de Patriots Square.*

Au cœur de Copper Square, aux côtés des gratte-ciel récents, s'élèvent quelques beaux édifices Art déco (entre-deux-guerres), de taille plus modeste.

PHOENIX Copper Square Plan II		
0	1/10 mi	
0	150	300 m

SE LOGER
Hilton Garden Inn Phoenix Downtown.... ②
Hyatt Regency............... ①
Renaissance Phoenix Downtown Hotel........ ④

San Carlos.................... ③

SE RESTAURER
Harumi Sushi.................. ④
Pizzeria Bianco............... ③

Patriots Square Park

Cette grande place verdoyante, dessinée en 1988, constitue un point de vue idéal pour observer la fantastique diversité architecturale de Downtown. Admirez notamment les deux édifices qui dominent le sud de la place : le **Luhrs Building★★** (1924) fut en son temps le plus haut de Phoenix. À côté, la **Luhrs Tower★★** (1929) est un magnifique exemple d'architecture Art déco. À l'angle nord-ouest du square se dresse un imposant bâtiment de pierre beige rosé : la **City Court House** (palais de justice, 1928).

Tournez à cet angle pour suivre Washington St. vers l'ouest et prenez la première à droite, 2nd Ave. Tournez ensuite à droite dans Adam St.

★★ Orpheum Theatre

Inaugurée en 1929, cette salle de spectacle se consacra au cinéma jusqu'en 1969, puis accueillit surtout des comédies musicales. Laissée à l'abandon au début des années 1980, elle fut déclarée Monument historique dans le cadre de la revalorisation du centre-ville, mais sa restauration ne débuta qu'avec la construction du nouvel hôtel de ville *(City Hall)* en 1993. Elle a aujourd'hui retrouvé sa splendeur d'antan, avec sa façade de style baroque espagnol richement ouvrée, et a rouvert ses portes en 1997.

Continuez vers l'est sur Adams St.

Wells Fargo History Museum

145 W. Adams St. - ☎ (602) 378 1852 - www.wellsfargohistory.com - lun.-vend. 9h-17h - fermé j. fériés - gratuit

Ce musée met l'accent sur la conquête de l'Ouest et le développement minier (diligence, convoyage, télégraphe, pesée de l'or…).

Tournez à gauche dans Central Ave.

6

★ San Carlos Hotel
À l'angle de Central Ave. et de Monroe St.
Cet élégant hôtel (1927) a été bâti à l'emplacement de la première école de la ville. De l'autre côté du carrefour, vous apercevez les lignes épurées du **Professionnal Building** (1932), qui devrait accueillir un hôtel.
Remontez Central Ave. vers le nord.

★ Security Building
234 N. Central Ave.
Construit en 1928, c'est l'un des rares édifices de cette époque à être encore occupé par des bureaux et dans lequel vous puissiez entrer. Le hall, resplendissant de marbre polychrome et de boiseries, mène à une vitrine où est exposé un bronze du célèbre peintre-sculpteur Frederic Remington.

À voir aussi

★★★ Heard Museum Plan I C1
Comptez 2h. 2301 N. Central Ave., face à Encanto St. - ℘ (602) 252 8848 - www. heard.org - lun.-sam. 9h30-17h, dim. 11h-17h (18h-22h 1er vendredi du mois, sauf en mars) - fermé dim. de Pâques, 4 juil., Thanksgiving et 25 déc. - visites guidées gratuites 12h, 14h et 15h - 18 $ (6-17 ans 7,50 $) (les prix sont revus à la hausse en fonction des événements).
Fondé en 1929 par Dwight B. et Maie Bartlett Heard pour accueillir leurs collections d'**art indien**, ce grand musée aux allures d'hacienda rassemble aujourd'hui quelque 32 000 œuvres dans le but d'initier le public à la très grande richesse culturelle des *Native Americans*.
N'hésitez pas à suivre la visite guidée, très instructive, pour mieux saisir les particularités de chacune des 21 communautés présentées ici, au travers de témoignages et de l'artisanat indien. Vous découvrirez les trois zones géographiques et climatiques de l'Arizona ainsi que l'histoire et le mode de vie des tribus qui les habitent : les Hohokams et leurs descendants, les O'odhams, dans le désert du Sonora ; les Pais et les Apaches dans les terres hautes ; les Anasazis, les Navajos et les Hopis sur le plateau du Colorado. Outre les poteries, les paniers, les habits traditionnels et les bijoux qu'il expose, ne manquez pas la collection de **Katsina dolls**, ces poupées que les Hopis ont coutume de donner aux enfants pour leur enseigner la culture et qui leur servaient de messagers avec les dieux. Un diaporama donne la parole à des Indiens contemporains.
À l'étage, dans l'East Gallery, l'exposition **The Boarding School Experience★** témoigne de manière très vivante de l'expérience de jeunes Indiens, envoyés dans des pensionnats afin de les acculturer. Des événements temporaires (concerts, cérémonies…) viennent parfaire ce voyage chez les Indiens du Sud-Ouest.

★ Phoenix Art Museum Plan I C1
Comptez 1 à 2h. 1625 N. Central Ave - ℘ (602) 257 1222 - www.phxart.org - jeu.- sam. 10h-17h (21h merc., 12h-17h dim.) - fermé 1er janv. et Memorial Day - 15 $ (6-17 ans 6 $), tarifs variables selon les expositions temporaires, gratuit merc. de 15h à 21h, le 1er vend. du mois 18h-22h et le 2e dim. du mois 12h-17h.
Le musée d'Art de Phoenix regroupe quelque 14 000 œuvres exposées dans des salles thématiques, dont l'enchaînement est parfois déboussolant. Celles qui sont consacrées à l'**art européen** comptent 1 200 peintures, dessins et sculptures du 14e au 19e s. À noter, une *Madone à l'Enfant* (auteur inconnu)

datée de 1350, des tableaux signés Boucher, Courbet, Boudin ou Monet. La **peinture américaine** est notamment représentée par des toiles du paysagiste Albert Bierstadt et d'artistes du célèbre Taos Society of Artists (groupe de Taos). Les galeries consacrées à l'**art d'Amérique latine** (18e-20e s.) s'enorgueillissent de peintures signées d'artistes mexicains prestigieux, tels que Diego Rivera et Frida Kahlo.

Le musée rassemble aussi 2 400 œuvres d'art contemporain (peintures et sculptures), au nombre desquelles figurent des créations de Calder et de Jean Dubuffet. Admirez *Pink Abstraction* (1929) de Georgia O'Keeffe.

À noter également une collection d'**art asiatique** (armures japonaises, belles céramiques, peintures et bronzes bouddhiques), ainsi qu'une exposition d'objets miniatures recréant divers intérieurs de maisons et permettant d'apprécier les styles en cours dans différents pays à diverses époques.

Une grande partie du musée est par ailleurs occupée par des expositions temporaires, souvent d'excellente qualité.

★★ **Museum of Musical Instruments** Hors plan I par C1

Au nord-est de Phoenix. 4725 East Mayo Blvd - ℘ (480) 478 6000 - www.mim.org - tlj 9h-17h- 20 $ (4-12 ans 10 $, 13-19 ans 15 $) - audioguide gratuit.

Environ 6 500 instruments de musique sont exposés dans ce vaste musée ouvert en 2010. Le premier étage, organisé par aire géographique, est consacré à la découverte des instruments dans plus de 200 pays. Une scénographie ludique (vidéos et casque audio) permet d'appréhender et d'écouter les différents instruments dans leur contexte. Au rez-de-chaussée, une salle particulièrement appréciée des enfants encourage les visiteurs à essayer eux-mêmes le gamelan balinais, les tambours africains ou encore la thérémine, étrange ancêtre du synthétiseur. Ne ratez pas non plus le piano de John Lennon, la guitare de Roy Orbison ni les costumes de scène de Taylor Swift, exposés parmi d'autres dons de musiciens célèbres. Le musée propose aussi des expositions temporaires.

Pueblo Grande Museum & Archeological Park Plan I E2

Près de l'aéroport, face au 4619 E. Washington St. et à l'arrêt 18 du tram. 4619 E. washington St. - ℘ (602) 495 0901 - www.pueblogrande.com - mar.-sam. 9h-16h45 - 6 $ (6-17 ans 3 $).

L'endroit conserve les vestiges d'un village hohokam abandonné après 1450. Un petit circuit extérieur aborde son évolution au fil des siècles. Le musée expose la vie de ce peuple d'agriculteurs. Salle consacrée au **travail archéologique★** (datation, hypothèses sur l'abandon mystérieux du site…).

Desert Botanical Garden Plan I E2

Comptez 1h30. Dans Papago Park. Depuis Copper Square, prenez Van Buren St. vers l'est. 1,5 mile après le pont routier de la Hwy 202, tournez à gauche. 1201 N. Galvin Parkway - ℘ (480) 941 1225 - www.dbg.org - tlj 7h-20h (8h oct.-avr.) - fermé 4 juil., Thanksgiving et 25 déc. - 22 $ (3-12 ans 10 $).

Ce jardin s'organise autour de six espaces consacrés à la faune et à la flore locales. On découvre ainsi toute la biodiversité du désert : cactées, fleurs, herbes médicinales, mais aussi colibris, papillons, rongeurs et occupation humaine.

TEMPE Carte de région A3

6

◗ *Située à 9 miles au sud-est de Phoenix, la ville universitaire de Tempe s'inscrit dans le prolongement de Van Buren St.*

DE L'AGRICULTURE À L'URBANISME GALOPANT

Il est avéré que les Indiens hohokams occupaient le site de l'actuel Greater Phoenix dès l'an 700. Ils maîtrisaient l'art de l'irrigation et construisirent près de 135 miles de canaux. Les raisons de leur départ, en 1450, sont en revanche mal connues. D'autres communautés indiennes prirent leur suite, mais elles furent évincées par les pionniers anglo-américains qui commencèrent à affluer après 1868 et réaménagèrent les canaux pour développer leurs cultures. Le nom de Phoenix fut alors choisi symboliquement, car la ville semblait renaître de ses cendres. Le premier plan de la ville fut dessiné en 1870, 61 lots furent mis en vente, et l'école accueillait 20 élèves dès 1872. En 1880, la petite communauté agricole comptait 2 453 personnes. Avec l'arrivée du chemin de fer en 1887, Phoenix devint le centre de ravitaillement et de distribution du Sud-Ouest et, deux ans plus tard, elle ravit le titre de capitale de l'Arizona à Tucson. En 1900, elle comptait 5 554 habitants, et la décision du président Theodore Roosevelt d'autoriser la construction de barrages pour les besoins en eau fut à l'origine d'un développement sans précédent. En 1920, le nombre d'habitants était multiplié par six. Lors de la Seconde Guerre mondiale, Phoenix entra dans l'ère industrielle et militaire, l'agriculture cessant d'être l'activité principale. La population dépassa les 100 000 individus en 1950 et l'agglomération commença sa croissance spectaculaire, qui demeure aujourd'hui l'une des plus rapides du pays.

ASU Art Museum

Comptez 1h. Situé à Tempe, à l'est de Phoenix par l'I-10, sur le campus de l'Arizona State University, Mill Ave. et 10th St. - ℘ (480) 965 2787 - asuartmuseum.asu.edu - tlj sf dim., lun. et j. fériés 11h-17h (20h mar. durant semestre académique) - gratuit.
Hébergé dans le Nelson Fine Arts Center, ce musée se consacre à l'art contemporain régional et international, avec un accent sur celui de l'Amérique latine et des Indiens. Le **Ceramics Research Center**, inauguré en 2002, fait le lien avec l'artisanat traditionnel de la céramique et ses débouchés sur l'art contemporain.

★ SCOTTSDALE Carte de région A2

◗ *Pour rejoindre Scottsdale, remontez l'I-17 jusqu'à Bell Rd et prenez à droite vers l'est. Comptez une demi-journée.*
Environ 8 miles au nord-est du centre de Phoenix, Scottsdale, son élégante voisine, est recherchée pour ses boutiques huppées, ses galeries, ses hôtels haut de gamme, ses restaurants branchés et son musée d'art contemporain. La vieille ville, très touristique, évoque un décor de western. Un musée récent, le Museum of the West, y célèbre d'ailleurs le Far West sous toutes ses formes. Les alentours sont ponctués de résidences luxueuses, parmi lesquelles deux demeures atypiques, œuvres de l'architecte Frank Lloyd Wright et de celui qui fut un temps son élève, Paolo Soleri.

Scottsdale Museum of Contemporary Art

Comptez 1h. 7374 E. Second St. - ℘ (480) 874 4666 - www.smoca.org - ouv. seult lors d'expositions temporaires, se rens. - dim.-merc. 12h-17h, jeu.-sam. 12-20h - fermé j. fériés - 7 $.
Ce joli musée installé au cœur de Scottsdale consacre ses expositions à la mode, à l'architecture et au design, aussi bien qu'aux arts visuels contemporains.

Scottsdale's Museum of the West

Comptez 1h. 3830 N. Marshall Way - ℘ (480) 686 9539 - www.scottsdalemu seumwest.org -mar.-sam. 9h30-17h (jeu. 21h), dim. 11h-17h - 13 $ (6-17 ans 8 $).

Ouvert en 2016, ce musée célèbre la mémoire du Far West à travers, notamment, une belle collection d'objets associés à la vie d'un authentique cowboy à la fin du 19e s. et au début du 20e : selles de cheval ouvragées, pistolets de toutes tailles, cartes à jouer… On peut choisir de faire l'impasse sur la collection de peintures récentes, qui représentent la conquête de l'Ouest dans un style pompier, bien loin des faits historiques.

À Scottsdale, Bell Rd devient Frank Lloyd Wright Blvd. La route pour Taliesin se trouve sur la gauche, au croisement avec Cactus Rd.

★★ Taliesin West

Comptez 1h30. 12621 N. Frank Lloyd Wright Blvd - ℘ (480) 860 2700 - www.fran klloydwright.org - visite guidée uniquement : intérieurs (1h30) 9h-16h, dép. ttes les 30mn (nov.-avr.), ttes les h. (mai-oct.) - 36 $ (32 $ achat en ligne) (4-12 ans 17 $) ; extérieurs (1h) à 10h15 et 14h15 ; 28 $ (24 $ achat en ligne) (4-12 ans 10 $) - fermé Thanksgiving, Noël et Pâques - nombreuses visites guidées à consulter sur le site Internet.

Installée sur les hauteurs de Scottsdale, isolée du reste de la ville, Taliesin jouit d'un site exceptionnel au sein duquel l'architecte **Frank Lloyd Wright** (1867-1959) a bâti une demeure à la mesure de sa philosophie, l'*organic architecture*, selon laquelle les édifices doivent épouser et s'inspirer du paysage qu'ils habitent.

À la fois résidence, bureau et atelier d'architecture pour apprentis, Taliesin se compose de plusieurs bâtiments peu élevés, reliés par des allées, des terrasses et des jardins. Les pierres apparentes, coulées dans du béton, proviennent des environs, et l'ensemble, dévié de l'axe nord-sud, bénéficie au maximum de l'ombre procurée par les auvents de bois et les indentations des murs. Elle fut conçue comme un campement d'hiver (pendant l'été, l'école rejoignait le Taliesin d'origine dans le Wisconsin), et les toits en canevas permettent de diffuser une lumière tamisée dans les pièces.

La visite intérieure permet d'apprécier les espaces privatifs et le salon, récemment restaurés. Leur aménagement est fidèle à la volonté de Wright de déconstruire les structures carrées : les pièces sont spacieuses et ouvertes, et le mobilier est créé sur mesure.

De 1937 jusqu'à sa mort, Frank Lloyd Wright, de concert avec ses étudiants, a agrandi et amendé l'édifice, véritable laboratoire architectural où il pouvait laisser libre cours à son imagination.

Pour rejoindre Cosanti, prenez Cactus Rd vers l'ouest et tournez à gauche dans Tatum Blvd. Passez Shea Blvd et tournez à gauche dans Doubletree Ranch Rd. Attention, dans ce quartier résidentiel, aucune signalisation ne vous indiquera Cosanti, excepté un panneau de bois sur la droite marqué **Soleri** *et planté au niveau même du parking.*

★ Cosanti

Comptez 1h. 6433 Doubletree Ranch Rd - ℘ (480) 948 6145 - www.arcosanti. org/cosanti - lun.-sam. 9h-17h, dim. 11h-17h - fermé 1er janv., dim. de Pâques, Thanksgiving et 25 déc. - contribution libre.

Moins spectaculaire que Taliesin West, Cosanti demeure surprenante par son dédale de constructions en béton brut à demi enfouies dans le sol, ombragées par de grands arbres et rafraîchies par des cascades. Certains des édifices sont des demi-dômes à ciel ouvert, qui abritent les ateliers de céramique et

6

de bronze, d'où sortent les cloches éoliennes dont le tintement accompagne la visite *(vendues dans la boutique)*.

L'ensemble a pris de l'âge, mais demeure intéressant en ce qu'il exprime l'itinéraire d'un homme en recherche de nouvelles formes et figures d'architecture. Après dix-huit mois d'études à Taliesin, **Paolo Soleri** retourna dans son Italie natale (il est né à Turin en 1919) où il apprit l'art de la céramique. En 1956, il revint en Arizona et s'installa à Cosanti où il commença à créer des mobiles sonores. Faute de pouvoir s'acheter des moules, il utilisait des cavités creusées à même le sol. Il appliqua ce principe pour la construction des édifices : le béton est coulé sur des monts de terre qui sont ensuite évidés. Cosanti en est le premier exemple. Jusqu'à sa mort en 2013, cet architecte et urbaniste poursuivit son œuvre à Arcosanti, à l'échelle d'une ville *(ci-dessous)*.

Excursions Carte de région

AU NORD A2

★★ Arcosanti

▶ *À 63 miles au nord de Phoenix. Empruntez l'I-17 jusqu'à la sortie 262 (Cordes Junction), d'où le site est fléché. - ℘ (928) 632 7135 - www.arcosanti.org - tlj 9h-17h, fermé 1ᵉʳ janv., dim. de Pâques, Thanksgiving et 25 déc. - visite guidée uniquement (1h ; en différentes langues, selon le nombre de visiteurs), ttes les h à partir de 10h, sf 12h - contribution de 10 $ conseillée - hébergement possible (40 à 65 $ en ch. double, avec petit-déj. continental), mais réservation obligatoire, de 9h à 17h, au ℘ (928) 632 7135.*

Laboratoire urbain de l'architecte italien **Paolo Soleri** *(voir ci-dessus)*, Arcosanti est en construction depuis les années 1970. Volontairement installé en plein désert, sur un promontoire et à proximité de sources, ce prototype de (future) grande ville est patiemment édifié par une communauté de bénévoles et de salariés (noyau permanent d'une quarantaine de personnes), qui vivent et travaillent sur place. Ils fabriquent également des mobiles de céramique et de bronze vendus dans la boutique. Quand les finances sont suffisantes, ils coulent du ciment. Des immeubles d'habitation, une boutique, un café, deux ateliers à ciel ouvert, une scène et un amphithéâtre en plein air sont déjà opérationnels. L'idée maîtresse du projet d'*arcology* (architecture + écologie) est de minimiser les pertes d'espace et d'énergie en réduisant les distances entre les lieux de travail et de résidence.

L'architecture futuriste d'Arcosanti et le climat désertique sont aussi le cadre idéal de nombreuses représentations théâtrales, musicales ou chorégraphiques en plein air. Depuis 2013, le site accueille également FORM, un festival où se produisent des musiciens de renommée internationale.

AU SUD A3

★ Casa Grande Ruins National Monument

▶ *Comptez 1h. À 56 miles au sud-est de Phoenix, près de la ville de Coolidge. Accessible par l'I-10 (sortie 185 ; 1h de route). 1100 W. Ruines Drive - ℘ (520) 723 3172 - www.nps.gov/cagr - tlj 9h-17h - fermé Thanksgiving et 25 déc. - visite guidée (env. 40mn) nov.-avr., se rens. - 5 $, National Parks Pass accepté (-16 ans gratuit).*

Protégée par un auvent métallique, l'imposante construction qu'est la **Casa Grande★** (10 m de haut), dont les quatre étages demeurent en grande partie

Apache Trail, près de Tortilla Flat.
Ch. Heeb/hemis.fr

intacts, n'a toujours pas livré son secret. Érigée avant 1350, vers la fin de la période dite classique des **Hohokams** (1100-1450), elle résulte d'un plan bien défini et exécuté d'une seule traite. Ses quatre murs en boue séchée font face aux points cardinaux et plusieurs ouvertures s'alignent avec le Soleil et la Lune. L'une d'elles notamment est réglée sur le solstice d'été. Ces éléments laissent penser que l'édifice servait d'observatoire astronomique ou avait une signification religieuse.

La Casa Grande était le bâtiment principal d'un village exceptionnellement étendu, ceint par un mur de 2 m de haut et irrigué par un réseau de canaux reliés à la Gila River, au nord. Véritables agriculteurs du désert, les Hohokams cultivaient du maïs, des haricots, des courges, du coton et du tabac.

Plusieurs vestiges de villages ont été découverts à moins de 1 mile à la ronde et, au centre de cet ensemble de constructions dispersées, une enceinte circulaire, appelée *ballcourt*, a été mise au jour *(vous l'apercevez d'un promontoire situé derrière l'aire de pique-nique)*. C'est là qu'auraient été organisés des jeux de balle, similaires à ceux organisés au Mexique à la même époque.

Circuit conseillé Carte de région

★★ **APACHE TRAIL** AB2

6

▶ *Pour visualiser ce circuit de 137 miles, reportez-vous à la carte de région (p. 400-401). Comptez une journée. La boucle de l'Apache Trail débute à l'est de Phoenix, à Apache Junction, et emprunte l'US-88 puis la Hwy 60. En partie non bitumée, elle est cependant accessible aux véhicules de tourisme. Pour la rejoindre, suivez Van Buren St. jusqu'à Apache Blvd (dans Tempe, fourche où vous prenez à gauche) et continuez vers l'est jusqu'à Apache Junction. Tournez à gauche sur l'US-88.*

Apache Junction Chamber of Commerce – *À droite du carrefour avec la Hwy 88, derrière le bâtiment de la Wells Fargo. 567 W. Apache Trail - ☏ (480) 982 3141 - www.ajchamber.com - lun.-vend. 8h-17h (et sam. 9h-14h d'avr. à déc.).*

Cette route touristique serpente au cœur du désert du Sonora et offre des panoramas variés, montagnes couvertes de fleurs sauvages au printemps, canyons vertigineux et lacs créés par les barrages érigés sur la Salt River.

Les premiers miles contournent le bord ouest des **Superstition Mountains**, un ensemble de pitons rocheux qui culmine à 1 541 m et s'élève abruptement au milieu d'une plaine parsemée de buissons. Elles furent ainsi nommées car plusieurs légendes y sont attachées, comme celle de la *Dutchman's Lost Gold Mine*, inspirée par un prospecteur d'origine allemande, mort en emportant le secret du fabuleux filon qu'il y avait soi-disant découvert.

Superstition Mountain Lost Dutchman Museum A2

3,5 miles sur l'US-88, 4087 N. Apache Trail - ℰ (480) 983 4888 - www.superstition mountainmuseum.org - tlj 9h-16h, fermé Thanksgiving, 25 déc. et 1ᵉʳ janv. - 5 $.

Dans les années 1960 se dressait *Apacheland Movie Ranch*, décor monté pour les besoins de séries télé et de films de westerns. Seuls demeurent la chapelle dédiée à Elvis Presley et la grange où Éric, le forgeron, officie *(oct.-mai)*. Maquette d'origine dans le musée, ainsi que tous les thèmes qui font l'Ouest : faune (animaux empaillés), Indiens, militaires, ranch, mine, banque, saloon… *Parcourez environ 3 miles. Goldfield est à gauche.*

Goldfield Ghost Town A2

4650 N. Mammoth Mine Rd. - ℰ (480) 983 0333 - goldfieldghosttown.com - tlj 10h-17h.

La quinzaine de maisons en bois sombre s'égrène le long d'une rue typique du Grand Ouest des westerns. Et pour cause, construite en 1883, alors que la ruée vers l'or faisait rage dans la région, cette ville fantôme a été restaurée et transformée dans les années 1980 en parc d'attractions, proposant des visites de l'ancienne mine, des tours en carriole et des spectacles de rue en costume. *Reprenez la route pour 1 mile.*

★ Lost Dutchman State Park A2

ℰ (480) 982 4485 - www.azstateparks.com/Parks/LODU - Visitor Center tlj 8h-16h (horaires susceptibles de varier l'été) - 7 $/voiture, 3 $/vélo.

Il donne accès à différentes randonnées dans les contreforts des Superstition Mountains. Le **Treasure Loop** *(facile ; 30mn)* permet de découvrir à moindre effort la flore locale (saguaros, *mesquite trees*, cholla cactus). *Continuez sur l'US-88 (12 miles).*

L'APACHE TRAIL : UNE VOIE HISTORIQUE

Utilisé par les Salados dès 900, lors de la transhumance vers les campements d'été, ce chemin a surtout été emprunté par les Apaches, qui vivaient dans les montagnes du Sud-Ouest depuis la fin du 15ᵉ s. et descendaient dévaliser les campements pimas, installés au sud et à l'ouest des Superstition Mountains. Avec l'arrivée des chercheurs d'or, vers le milieu du 19ᵉ s., ces raids s'intensifièrent, justifiant la construction d'un fort. Après la défaite des Apaches en 1886, suite à la reddition de Geronimo, les projets de barrage furent menés à bien. Décidé en 1903, le Roosevelt Dam nécessita une route praticable pour les engins motorisés. Pendant deux ans, le gouvernement employa des Apaches et des Pimas pour la construction de la Tonto Wagon Rd, qui reliait le barrage à la ville de Mesa. Dès 1906, les premiers touristes empruntèrent cette somptueuse route, qui fut baptisée Apache Trail en 1915.

Tortilla Flat A2
www.tortillaflataz.com. 6 hab.
Halte historique pour les voyageurs depuis plus de cent ans, ce hameau aux allures de bout du monde se résume à trois bâtisses alignées le long de la route. N'hésitez pas à entrer dans le saloon aux murs tapissés de billets de 1 $ paraphés *(9h-17h, 18h en hiver, w.-end 8h-19h)*.

★★ Piste AB2
Comptez entre 1h30 et 2h pour parcourir les 27 miles. À éviter par temps de pluie, à moins d'avoir un 4 x 4.
Après 6 miles, le goudron cède la place à une piste poussiéreuse parsemée de nids-de-poule et de rainures plus ou moins rapprochées qui mettent la direction à rude épreuve. Cela dit, la route mérite le détour pour les paysages minéral ou ocre qu'elle dévoile. Au terme d'un tracé sinueux, elle surplombe les eaux vertes et tranquilles d'Apache Lake avant d'arriver au barrage Theodore Roosevelt.

★ Theodore Roosevelt Dam B2
Construit de 1903 à 1911, le barrage d'origine a été renforcé par une structure en béton moderne *(un promontoire permet d'observer l'édifice)*.
4 miles à l'est du barrage et vous arrivez à l'embranchement pour le Tonto N.M.

★★ Tonto National Monument B2
℘ (928) 467 2241, www.nps.gov/tont. Visitor Center, tlj 8h-17h, dernière visite à 16h, fermé 25 déc. ; les ruines hautes se visitent uniquement avec un guide (comptez 3-4h de marche et réservez de nov. à avr.). 5 $, National Parks Pass accepté (-15 ans gratuit).
Admirablement protégées par une grande alcôve, les ruines basses du Tonto National Monument, auxquelles on accède par un chemin pavé *(800 m)*, sont perchées à 100 m au-dessus du *Visitor Center*. Ce site exceptionnel a préservé plusieurs enceintes d'un **village salado**, qui comprenait une vingtaine de pièces accrochées à même la paroi de la grotte. À l'intérieur, on aperçoit encore quelques poutres et des traces noires laissées sur les murs à l'emplacement des foyers. Les Salados (« Gens salés ») ont habité le bassin de Tonto de 1150 à 1450. Leurs villages bordaient la Salt River qui, reliée à des canaux, permettait la culture du maïs, de courges, de haricots et du coton. Ils consommaient également les fruits des cactus, des *mesquite*, des yuccas et des agaves. Leurs tissages de coton figurent parmi les plus fins et les plus élaborés des cultures indigènes du Sud-Ouest.
Les 30 miles entre le Tonto National Monument et Globe se parcourent aisément, car la route est bitumée.
Globe s'étire autour d'une rue, **Broad Street**, bordée de bâtiments pittoresques mais décrépis, datant de 1870 à 1920. La bourgade voisine, **Miami**, partage l'histoire minière de Globe (argent, puis cuivre et turquoise jusqu'à aujourd'hui). Trois mines, toujours en activité, sont visibles de la route. L'exploitation du cuivre emploie encore 20 % des actifs de la région.
Pour regagner Phoenix (80 miles), suivez la Hwy 60 vers l'ouest.

6

😊 NOS ADRESSES À PHOENIX

TRANSPORTS

En avion - Sky Harbor International Airport – *3400 Sky Harbor Drive* (Plan I E3), *à 2 miles au sud-est du centre-ville*, ℘ *(602) 273 3300, skyharbor.com.* Les trois terminaux sont reliés par des bus gratuits. Pour rejoindre le centre-ville en voiture, prenez la sortie ouest de l'aéroport, tournez à droite dans 24th St., puis à gauche dans Van Buren St. Vous pouvez aussi emprunter le bus de la ligne rouge, ou prendre le bus 13 et changer pour la ligne rouge dans 16th St. En taxi, comptez de 15 à 19 $.

En bus ou en tram – Le **DASH** effectue une boucle dans Downtown (entre 4th Ave. et 4th St.) en semaine *(ttes les 6-12mn, de 6h30 à 23h30, sf j. fériés)*. Le service est gratuit.

Les bus ou le tram de **Valley Metro** couvrent l'ensemble de Greater Phoenix. La gare centrale se trouve 302 N. Central Ave. (Plan II), à l'intersection de Central Ave. et de Van Buren St. *Ticket 2 $; Pass à la journée 4 $ ou 6 $ selon le mode de transport choisi.*

HÉBERGEMENT

Vous pouvez obtenir de bons prix pendant les mois d'été, notamment dans les grands hôtels. La haute saison correspondant au printemps, attendez-vous à une hausse sensible dès janvier. *Attention, les prix des hôtels donnés ici sont hors taxes.*

Downtown Plans I et II

PREMIER PRIX

America's Best Value Inn – *424 W. Van Buren St.* (plan I BC2) - ℘ *(602) 257 8331 -* *www.americasbestvalueinn.com* - ▤ - *wifi* - 35 ch. 65/77 $. Les chambres de ce sympathique motel rose et bleu sont soignées. Central et économique.

BUDGET MOYEN

San Carlos Hotel – *202 N. Central Ave.* (plan II) - ℘ *(602) 253 4121 -* *www.hotelsancarlos.com* - ✕ ▢ ⊿ - 128 ch. 150/170 $. Édifié en 1927, le San Carlos est le seul hôtel historique de Downtown. Il a conservé son atmosphère d'antan, notamment dans la réception, où lustres et miroirs sont d'origine. Chambres confortables, sans plus. Parking en sus.

Hyatt Regency – *122 N. 2nd St.* (plan II) - ℘ *(602) 252 1234 -* *www.phoenix.hyatt.com* - ▤ ✕ ⊿ ♿ - 712 ch. 145/215 $. Cet immense hôtel, surmonté d'une coupole abritant un restaurant panoramique tournant, comprend un très joli hall d'entrée, lumineux et aéré, et de vastes chambres élégamment meublées.

Hilton Garden Inn Phoenix Downtown – *15 E. Monroe St.* (plan II) - ℘ *(602) 343 0006 - www.hiltongardeninn3.hilton.com* - 170 ch. 130/179 $. Idéalement situé au cœur du *Downtown* branché, cet établissement, ouvert fin 2015 dans un bâtiment Art déco, offre le confort classique de la chaîne Hilton. Le bar de l'hôtel est réputé pour ses cocktails.

POUR SE FAIRE PLAISIR

Renaissance Phoenix Downtown Hotel – *50 E. Adams St.* (plan II) - ℘ *(602) 333 0000 -* *www.marriott.fr* - ▤ ✕ ⊿ ♿ - 533 ch. 135/351 $. Cet établissement propose le service de qualité d'un grand hôtel et accueille essentiellement une clientèle d'hommes d'affaires. Les chambres sont joliment décorées.

Au nord de Downtown Plan I

UNE FOLIE

Arizona Biltmore – *2400 E. Missouri Ave. - à l'angle de 24th St.* (E3) *- ☎ 1-800 950 0086 - www. arizonabiltmore.com - ✕ ⚲ ♿ - wifi - 738 ch. 146/518 $.* Immense complexe très prisé, le Biltmore bénéficie d'un site somptueux, agrémenté de pelouses et de fleurs, dans les hauteurs de la ville. Achevé en 1929, le bâtiment principal s'inspire des principes de Frank Lloyd Wright. Renseignez-vous sur les offres spéciales.

Aux abords de l'aéroport

Plan I

PREMIER PRIX

Super 8 – *965 E. Van Buren* (E2) *- ☎ (602) 252 6823 - www.super8. com - ▤ 🅿 ⚲ - wifi - 59 ch. 70/120 $.* Bien qu'impersonnelle, l'adresse présente l'avantage d'être proche de l'aéroport.

Scottsdale

POUR SE FAIRE PLAISIR

Valley Ho – *6850 E. Main St. - ☎ (480) 248 2000 - www. hotelvalleyho.com - 241 ch. 149/337 $.* Ce grand hôtel, ouvert en 1956, était autrefois une escapade favorite des stars d'Hollywood. Son décor rétro et design et sa piscine, bordée de palmiers habités d'oiseaux exotiques, offre un voyage dans le temps. Nombreuses offres spéciales sur le site Internet.

RESTAURATION

Downtown Plan II

PREMIER PRIX

Harumi Sushi – *114 W. Adams St. - ☎ (602) 258 0131 - lun.-jeu. 11h-21h, vend. 11h-22h, sam. 16h-22h - plats env. 10/20 $.* Derrière une façade sans prétention, ce restaurant sert des sushi de bonne qualité, à base de riz noir. Ambiance festive le soir.

Pizzeria Bianco – *623 E. Adams St. - ☎ (602) 258 8300 - www. pizzeriabianco.com - lun. 11h-21h, mar.-sam. 11h-22h - plats env. 10/15 $.* Sur Heritage Square, cet authentique restaurant italien à l'atmosphère bon enfant est l'une des références du quartier. Excellentes pizzas au feu de bois, produits frais et locaux.

Autour de Camelback Rd

Camelback Rd est située à 3 miles environ au nord de Downtown.

PREMIER PRIX

St. Francis – *111 E. Camelback Rd - ☎ (602) 200 8111 - www. stfrancisaz.com - lun.-jeu. 11h-22h, vend. 11h-23h, sam. 9h-23h, dim. 9h-21h - plats env. 12/17 $.* Dans une vaste salle en brique rouge, ce restaurant sert une cuisine américaine moderne, saine et de saison.

Copper Star Coffee – *4220 N. 7th Ave. - ☎ (602) 266 2136 - www. copperstarcoffee.com - lun.- vend. 5h30-22h, sam.-dim. 6h-22h - sandwiches et salades 5/12 $.* Cet ancienne station essence, transformée en bistrot bohème, sert un excellent café et des viennoiseries artisanales. On peut y déjeuner sur le pouce d'un sandwich ou d'une assiette de produits frais et régionaux.

Tempe

Tempe s'inscrit dans le prolongement de Van Buren St. Passé le pont qui enjambe la Salt River, vous parvenez directement dans Mill Ave., bordée de bars et de restaurants branchés, très animés la nuit.

PREMIER PRIX

PF Chang's – *740 S. Mill Ave. - ☎ (480) 731 4600 - www. pfchangs.com - 11h-22h, vend.- sam. 11h-23h - menu à la carte*

6

24,50/37,50 $. Apprécié, ce bistrot sert des spécialités chinoises accommodées à la sauce du Sud-Ouest, avec des piments ou du coulis de haricot rouge.

Z'Tejas Grill – *20 W. 6th St. - 85254 Scottsdale - ℘ (480) 377 1170 - ztejas.com - 11h-22h (23h vend.-sam.) - plats 10/29 $.* Les amateurs de plats épicés, notamment de viandes en sauce, se régaleront ici. Terrasse bien abritée.

Scottsdale

PREMIER PRIX

Sugar Bowl – *4005 N. Scottsdale Rd - ℘ (480) 946 0051 - dim.-jeu. 11h-22h, vend.-sam. 11h-0h - plats 5,50/10 $, glaces 2,50/8,50 $.* Ce traditionnel *ice cream parlour* rose bonbon n'a pas changé depuis son ouverture en 1958. On y déguste d'énormes coupes de glaces décorées de fruits, de chocolat et de chantilly, ou un déjeuner rapide, typique des *diners* américains.

BUDGET MOYEN

FnB – *7125 E. 5th Ave. - Suite 31 - ℘ (480) 284 4777 - mar.-sam. 11h-14h et 17h-22h, dim. 13h-21h - plats 13/27 $.* Au cœur de la vieille ville, ce restaurant très recherché est l'œuvre d'une femme chef, bardée de récompenses. La carte des boissons met l'accent sur les vins d'Arizona. La petite boutique voisine permet d'acheter les produits utilisés en cuisines.

BOIRE UN VERRE

Downtown Plan II

Valley Bar – *130 N. Central Ave. - ℘ (602) 368 3121 - www.valleybarphx.com - lun.-vend. 16h-2h, sam.-dim. 18h-2h.* Cette salle de concerts et son bar à cocktails, cachés dans la cave d'un immeuble de *Downtown*, attirent une foule branchée, créative et haute en couleurs.

Bitter & Twisted – *1 W. Jefferson - ℘ (602) 340 1924 - www.bitterandtwistedaz.com - mar.-sam. 16h-2h, happy hour mar.-vend. 16h-19h.* Très réputé pour ses cocktails, ce bar sert aussi une cuisine moderne et créative, dans un cadre industriel-chic.

Alice Cooperstown – *101 E. Jackson St. - ℘ (602) 253 7337 - www.alicecooperstown.com - lun.-jeu. 11h-21h (22h vend.-sam., 18h dim.).* Installé dans l'un des entrepôts qui bordent la voie ferrée, l'établissement bénéficie de la popularité de son propriétaire, Alice Cooper, star planétaire et l'un des pères du heavy metal. Grande terrasse et concerts le w.-end.

ACHATS

Downtown Plan II

Antique Sugar – *801 N. 2nd St. - ℘ (602) 277 5765 - tlj 11h-19h.* Cette boutique très bien achalandée propose des vêtements *vintage* choisis avec le plus grand soin, des années 1940 à nos jours. Les prix sont raisonnables.

Tempe

Arizona Mills – *5000 S. Arizona Mills Circle - 85282 Tempe - ℘ (480) 491 7300 - www.simon.com/mallarizona-mills - 10h-21h, dim. 11h-19h.* Le plus vaste des malls d'Arizona se définit comme un shoppertainment (shops + entertainment), avec plus de 175 magasins, restaurants et cinémas.

ACTIVITÉS

Children's Museum – *215 N. 7th St - angle Van Buren St-7th St. - ℘ (602) 253 0501 - www.childrensmuseumofphoenix.org - 9h-16h.* Ancienne école dédiée aux 0-10 ans. Espaces tactiles, piscine de balles, mur d'escalade…

Tucson.
Photoshot/Pearce/hemis.fr

Tucson

★★

526 116 habitants – Arizona

Tucson (prononcez « Tou-sone ») est une ville à taille humaine entourée de montagnes. La nature n'est donc jamais loin et, dans une même journée, on peut flâner dans les vieux quartiers puis marcher entre les saguaros (une espèce de cactus), sans pour cela faire des kilomètres. L'ancienne capitale de l'Arizona est aussi une ville universitaire, très dynamique et multiculturelle, à portée de voiture des villes minières du sud ou, plus loin, des parcs d'Organ Pipe et de Chiricahua.

🔍 NOS ADRESSES PAGE 430
Hébergement, restauration, achats, activités, etc.

🅸 S'INFORMER

Visitor Center – *100 S. Church Ave., au fond du « patio », Suite 7199* (B3) - ℘ *1-800 638 8350 - www.visittucson.org - lun.-vend. 9h-17h, w.-end 9h-16h.* Vous pouvez vous y procurer l'excellente brochure de la ville ainsi que la brochure *Downtown Walking Tour*, pour une promenade autoguidée d'environ 1h30 dans le cœur historique de la ville.

🔘 SE REPÉRER

Carte de région B3 (p. 400-401) - carte Michelin Western USA 585 E 12. Tucson se trouve à 97 miles (155 km) au sud-est de Phoenix par l'I-10 et à 390 miles (624 km) au sud-est de San Diego par l'I-8 puis l'I-10.

🔘 SE GARER

Le parking La'Placita (*5 \$/j*), situé derrière la cathédrale dans S. Church Ave., permet de visiter l'ensemble du centre-ville à pied.

6

À NE PAS MANQUER

Les salles consacrées à la civilisation indienne de l'Arizona State Museum et une excursion au parc de Chiricahua.

ORGANISER SON TEMPS

Évitez de séjourner à Tucson les deux premières semaines de février, durant la foire des pierres précieuses.

Se promener Plan de la ville

Comptez une journée à pied.

Gagnant toujours plus de terrain sur le désert, Tucson s'étend jusqu'aux contreforts des montagnes volcaniques qui bordent la vallée. Les lieux touristiques sont néanmoins rassemblés dans le centre, autour des deux quartiers historiques épargnés par les gratte-ciel : El Presidio, au nord de Congress Street, et El Barrio Historico au sud de cette même rue et du Convention Center. De là, il est facile de rallier les musées installés sur le campus de l'University of Arizona (au nord-est de Downtown). Petit repère : à Tucson, les avenues sont orientées nord-sud, et les rues ouest-est.

★★ EL PRESIDIO HISTORIC DISTRICT B2

▶ *Comptez 2h à 3h. Le cœur historique de Tucson est accessible à pied depuis le Visitor Center, grâce aux passerelles qui enjambent Broadway Blvd et Congress St.* Même s'il ne reste rien du fort construit en 1775 – son enceinte se confond désormais avec Washington St. au nord, Main Ave. à l'ouest, Pennington St. au sud et Church Ave. à l'est – ce quartier tranquille vaut le détour pour ses maisons pittoresques, notamment le long de Main Avenue. Le type d'architecture de chacune définit son âge : les plus anciennes sont des bâtisses en adobe accolées les unes aux autres, tandis qu'après l'arrivée du chemin de fer (1880) sont apparues des demeures en brique, d'allure victorienne, séparées par des jardins.

★ Tucson Museum of Art

140 N. Main Ave. - ✆ (520) 624 2333 - www.tucsonmuseumofart.org - mar.-sam. 10h-17h (20h jeu.), dim. 12h-17h - fermé 1er janv., dim. de Pâques, 4 juil., Thanksgiving, 25 déc. - 12 $, (7 $ 13-17 ans), 6 $ le 1er dim. du mois et gratuit de 17h à 20h le 1er jeu. du mois.

Au nord d'El Presidio Plaza, ce musée occupe plusieurs édifices restaurés datant de la seconde moitié du 19e s. Fondé en 1924, il expose essentiellement des **peintures américaines** des 19e et 20e s., mais également quelques **œuvres précolombiennes★** (inca, maya…) et des objets religieux de la période hispanique (Pavillon Palice). Le musée abrite aussi une collection d'art moderne et contemporain, ainsi que des manuscrits et des livres rares. Le pavillon Goodman se consacre aux thèmes propres au Sud-Ouest (cow-boys et Indiens, grands espaces).

Ne manquez pas le **Museum Store★**, dédié à la poterie indienne. Le visiteur y est invité à dater et identifier les pièces exposées grâce aux outils mis à sa disposition (chronologie, microscopes…). Vue sur les réserves depuis une vitre. Le billet d'entrée du musée donne également accès à deux demeures dignes d'intérêt, sises dans le même pâté de maisons, appelé Historic Block.

★★ Casa Cordova – *Au nord du musée.* C'est peut-être la plus ancienne maison de Tucson (1850 environ). Ne manquez pas également *El Nacimento*, une collection d'innombrables sujets de crèche (plus de 300), installés chaque année de novembre à mars.

San Diego, Phoenix

Sabino Canyon

TUCSON

0   1/2 mi
0   0,5   1 km

Center for Creative
Photography,
Museum of Art

Arizona-Sonora
Desert Museum,
Saguaro NP,
Old Tucson
Studios

The MiniTime Machine
Museum of Miniatures

Arizona
History Museum

Arizona
State Museum

University
of Arizona

Old Town
Artisans

Downtown History
Museum

Tucson
Museum of Art

St Augustine's
Cathedral

El Tiradito
Wishing Shrine

"A" Mountain
(Sentinel Peak)
▲ 883

MERCADO
DISTRICTOF
MENLO PARK

Garden of
Gethsemane
Santa Cruz
River Park

EL PRESIDIO
HISTORIC
DISTRICT

EL BARRIO
HISTORICO
DISTRICT

258 Numéro d'échangeur

Titan Missile Mus., Mission San Xavier del Bac, Tombstone, Bisbee, Pima Air & Space Mus.

SE RESTAURER

Augustin Kitchen	5
Charro Cafe (El)	8
Cocina Restaurant (La) ...	11
Coronet (The)	1
Garden Bistro-	
Tohono Chul Park	13
Seis	3
5 Points	2

SE LOGER

Best Western Royal Sun	
Inn & Suites	1
Confort Suites at	
Sabino Canyon	2
El Presidio Inn B&B	5
Historic Congress (The) ..	3
Quality Inn Flamingo.......	6
Motel 6	7
University Inn	9

6

★ **Corbett House** – *Au nord-ouest du musée*. Elle mérite le détour pour son intérieur (1907) admirablement reconstitué dans le style *Arts and Crafts* du début des années 1900.

En sortant du musée sur Meyer Ave., traversez la rue pour entrer dans le bloc des artisans.

★ Old Town Artisans

Charmante bâtisse en adobe (1850) dotée d'un agréable patio fleuri, autour duquel ont été aménagées différentes boutiques d'artisanat, un charmant petit restaurant et une scène sur laquelle se produisent des musiciens.

Prenez Telles St. dans Court Ave., tournez à droite puis à gauche pour rallier Church St. Tournez à droite et, une fois devant la Pima County Courthouse (1929) reconnaissable à son dôme vernissé et à son style post-colonial, traversez la rue puis la place pour rejoindre, face à la bibliothèque municipale, l'entrée du musée historique.

Downtown History Museum

140 N. Stone Ave. - ℘ (520) 770 1473 - www.arizonahistoricalsociety.org - jeu.-sam. 10h-16h - gratuit.

Il aborde l'histoire de la ville sous l'angle de ses commerces, services et loisirs (bazar, barbier, police, tramway, cinéma…). Photos, objets et reconstitutions.

UNE VILLE ATTRACTIVE

La vallée de Tucson est appréciée depuis fort longtemps pour ses cours d'eau saisonniers. Des chasseurs et des cueilleurs auraient habité la région il y a 8 000 à 10 000 ans. Au 3e s., les **Indiens hohokams** s'installèrent non loin de la rivière Santa Cruz, au pied du Sentinel Peak, pour cultiver les terres, avant de disparaître aux alentours de 1450.

À partir du 16e s., les pionniers européens qui s'aventuraient aux confins nord des possessions de la Couronne espagnole rencontrèrent les **Tohonos o'odhams**, une tribu indienne vivant encore aujourd'hui aux abords de Tucson (nom dérivé de celui du site indien Stjukshon qui signifie « Source coulant au pied de la montagne »). Le père **Eusebio Kino**, fondateur de la mission San Xavier à la fin du 17e s., fut le premier Européen à y établir sa résidence, mais la fondation de la ville remonte à 1775, date à laquelle **Hugh O'Connor**, un Irlandais dépêché par les Espagnols, construisit un fort *(presidio)* qui servait de poste militaire et de halte pour les voyageurs, à l'emplacement de l'actuel El Presidio District.

Tucson comptait plus de 7 000 habitants quand, en 1821, le Mexique, auquel elle était rattachée, acquit son indépendance. Elle passa sous le contrôle américain en 1854 et devint le siège du territoire d'Arizona de 1867 à 1889. Elle se tailla une réputation de « rude ville de l'Ouest », mais dès 1880 le chemin de fer facilita les échanges avec l'Est du pays et permit notamment la construction de bâtiments en brique.

La première **université** fut ainsi créée en 1891, mais la ville se développa surtout à partir de 1940 avec l'installation de la **base militaire** aérienne (elle demeure le premier employeur devant l'université). La population, qui avoisinait les 120 000 habitants en 1950, doubla en dix ans. Le climat sec et doux de la région continue d'attirer les visiteurs et, au rythme de 2 000 nouveaux résidents chaque mois, Tucson dépasse actuellement les 500 000 habitants, 33e ville des États-Unis.

★ EL BARRIO HISTORICO DISTRICT B3

▶ *Comptez 1h en partant du* Visitor Center.

Réduit à la portion congrue après la construction du Convention Center, ce quartier essentiellement résidentiel s'inscrit aujourd'hui au sud de Cushing Street et à l'ouest de Stone Avenue.

Traditionnellement mexicain et chinois, il s'est offert une nouvelle jeunesse en devenant un des quartiers branchés de Tucson où ont ouvert quelques hôtels, boutiques et cafés. N'hésitez pas à vous promener dans ces rues pittoresques bordées de maisons en adobe.

★ St Augustine's Cathedral

Non loin du Visitor Center. *192 S. Stone Ave. -* ℘ *(520) 623 6351 - www.cathedral staugustine.org.*

Les hautes tours blanches de la cathédrale émergent des palmiers et des orangers qui encadrent cet imposant édifice de la fin du 19ᵉ s., dont l'entrée est ornée de grès sculpté.

Descendez Stone St. vers le sud jusqu'à 14ᵗʰ St. Tournez à droite. Le quartier historique sera sur votre gauche à partir de Convent St. et Main Ave. deux rues plus loin.

★ El Tiradito Wishing Shrine

Main Ave. La légende veut que, sous les fleurs et les cierges qui brûlent devant cet autel populaire, soit enterré un amant assassiné par un mari trompé. Paradoxe amusant, la communauté mexicaine y célèbre parfois des mariages…

À voir aussi *Plan de ville*

UNIVERSITY OF ARIZONA C1/2

Comptez 3h. À 1,5 mile au nord-est du centre de Tucson. Au départ du terminal Ronstadt, le bus 6 remonte Euclid Ave. jusqu'à l'intersection avec University Blvd.

Le magnifique campus de l'University of Arizona occupe 176 ha en plein cœur de Tucson. Quand elle ouvrit ses portes en 1891, l'université ne comptait qu'un bâtiment, isolé en plein désert, ce qui obligeait la poignée d'étudiants à s'y rendre à cheval ! Elle constitue aujourd'hui l'un des plus importants centres de recherche des États-Unis, avec de nombreux laboratoires reconnus, notamment en cancérologie, et accueille plus de 40 000 étudiants de plus de 100 nationalités différentes.

En voiture depuis Downtown, remontez plein nord jusqu'à Speedway Blvd que vous prendrez à droite vers l'est. Au croisement avec Park Ave., tournez à droite et garez-vous le plus vite possible (parking devant le musée historique).

★★ Arizona State Museum

1013 E. University Blvd, à l'angle de Park Ave. - ℘ *(520) 621 6302 - www.state museum.arizona.edu - lun.-sam. 10h-17h, fermé dim. et j. fériés - 5 $.*

Si vous voulez tout savoir sur les différents peuples indiens du Sud-Ouest, consacrez un peu de temps à ce musée créé en 1893. Il regroupe d'importantes pièces relatives aux **cultures indiennes★★**, dont une remarquable collection retraçant 2 600 ans de poterie indigène (plus de 20 000 objets).

La visite s'organise de façon didactique, chaque salle du musée étant consacrée à une tribu (Seris, Tarahumaras, Yaquis, O'odhams, Colorado River Yumans, Southern Paiutes, Pais, Western Apaches, Navajos et Hopis). Les objets exposés et les panneaux explicatifs, élaborés en collaboration avec les Indiens,

6

retracent clairement les origines, l'histoire et la vie contemporaine de chacune d'elles. Il est notamment fait état des revendications territoriales actuelles. *Revenez sur Park Ave. Remontez-la et tournez à gauche dans 2nd St.*

★ **Arizona History Museum**

949 E. 2nd St. - ☏ (520) 628 5774 - www.arizonahistoricalsociety.org - lun.-jeu. 9h-16h (vend. 20h), sam.-dim. 11h-16h - 3 $, -7 ans gratuit.

L'Arizona History Museum mérite le détour si vous vous intéressez à l'histoire de l'Arizona en général. L'espace consacré à l'exploitation des richesses du sous-sol, primordiale dans l'histoire de l'État, reproduit notamment l'intérieur d'une mine. Une collection de carrioles et de diligences est également installée à demeure. Une partie du musée accueille par ailleurs des expositions temporaires, consacrées, par exemple, à l'habillement ou à l'ameublement d'une maison en 1900. Au premier étage, une section très ludique incite les enfants à se mettre dans la peau d'un Indienne, d'un cowboy ou d'un mineur du 19e s. *En sortant du musée, prenez à gauche. Traversez Park Ave. : 2nd St. se trouve une rue plus au nord. Suivez-la jusqu'à Olive Rd et tournez à gauche.*

Center for Creative Photography

1030 N. Olive Rd - ☏ (520) 621 7968 - www.creativephotography.org - mar.-vend. 9h-16h, sam. 13h-16h - fermé j. fériés - gratuit.

Dans le campus, vous pouvez aussi faire un tour par ce centre culturel dont les expositions photographiques sont toujours très saluées par la critique.

★ **University of Arizona Museum of Art**

1031 N. Olive Rd, University of Arizona - ☏ (520) 621 7567 - www.artmuseum. arizona.edu - merc.-sam. 9h-17h (jeu. 20h), dim. 12h-17h - fermé j. fériés- 8 $.

Sur les 9 000 œuvres du musée, seul 1 % est exposé par roulement. Art précolombien, art européen du 15e s. au 20e s. : bel ensemble de Gallego et Bartolomé sur la vie du Christ (15e s.), peintures de l'atelier de Tiepolo (18e s.), Delacroix, Goya, Maurice Denis, Kandinsky… Art contemporain au rez-de-chaussée.

AUTOUR DU CENTRE-VILLE Plan de ville

★ **« A » Mountain** A3/4

Comptez 30mn. À Tucson, à l'extrémité ouest de Congress St., tournez à gauche dans Cuesta Ave. qui devient Sentinel Peak Rd et montez jusqu'au parking.

Au sud-ouest du centre-ville, le **Sentinel Peak** (883 m) a été rebaptisé « A » Moutain depuis qu'une immense lettre « A » (comme Arizona) y a été installée pour marquer la victoire de l'équipe de football de l'université (1915). On a, du haut de ce mont volcanique, une **vue panoramique★** sur la vallée de Tucson et seuls les gratte-ciel de Downtown émergent de l'agglomération, en contrebas. Ces buildings paraissent toutefois minuscules à côté des Rincon Mountains qui bordent le côté oriental de la vallée, et des Santa Catalina Mountains, plus au nord, qui culminent à plus de 2 500 m. Par temps clair, on aperçoit même la mission San Xavier del Bac, à 12 miles au sud, et les sommets des Santa Rita Mountains dans le lointain.

★ **The Mini Time Machine Museum of Miniatures** Hors plan par C1

Comptez 1h. 4455 E. Camp Lowell Drive - ☏ (520) 881 0606 - theminitimemachine. org - mar.-sam. 9h-16h, dim. 12h-16h, fermé lun. - 9 $ (4-17 ans 6 $).

Seul musée au monde entièrement consacré aux maisons de poupée, il expose plus de 300 miniatures dans trois salles à thèmes. **The Enchanted Realm** recrée un univers féérique où l'on trouve aussi bien des miniatures de Noël que des maquettes minuscules de plateaux de tournage hollywoodiens. L'**History Gallery** s'enorgueillit notamment d'une des plus anciennes maisons de poupée de l'Histoire (1775). **Exploring the World** s'intéresse aux diverses significations et utilisations des miniatures à travers le monde. Œuvres d'artistes passionnés (souvent amateurs), ces maisons mettent en scène l'imagination débordante de leur créateur, dans des reproductions à la finesse souvent fascinante.

À proximité Carte de région

Entourée de montagnes désertiques et d'espaces naturels encore préservés, Tucson est la porte de belles excursions en pleine nature.

À L'OUEST

★★ Arizona-Sonora Desert Museum B3

▶ *Comptez 2 à 3h. 2021 N. Kinney Rd, 12 miles à l'ouest de Tucson par Speedway Blvd et Gates Pass Rd - ℘ (520) 883 2702 - www.desertmuseum.org - juin-août : dim.-vend. 7h30-17h, sam. 7h30-22h ; mars-mai et sept. : 7h30-17h ; oct.-fév. 8h30-17h - 20,50 $ (4-12 ans 8 $).*

Fondé en 1952, le superbe musée en plein air du désert du Sonora est l'un des trésors de la ville de Tucson. Tout à la fois zoo et jardin botanique, ce musée est destiné à présenter les richesses de la région dans les conditions les plus naturelles possibles. Vous trouverez ainsi un sentier qui mène à différents espaces thématiques (les montagnes, les prairies du désert, le jardin des cactus, les habitants des rivières, les félins…) protégés par un filin invisible, à l'intérieur desquels les animaux vivent comme à l'état sauvage.

Ne manquez pas notamment la serre des colibris. Des *docents* (guides), postés sous des tonnelles le long du chemin, peuvent vous fournir quelques renseignements.

★ Saguaro National Park B3/4

▶ *3693 S. Old Spanish Rd. Le parc est divisé en deux parties, situées de part et d'autre de la ville de Tucson. La portion ouest est accessible par Kinney Rd, environ 2 miles au-delà de l'Arizona-Sonora Desert Museum (voir ci-dessus).*
Faites halte au Red Hill Visitor Center *(partie ouest) ; ℘ (520) 733 5158 ou au* Rincon Mountain District Visitor Center *(partie est), ℘ (520) 733 5153.*

LE FABULEUX DESTIN DU SAGUARO

Au commencement est l'éclatante fleur fuchsia du saguaro qui ne s'épanouit que 24h, pendant lesquelles se fait la pollinisation. Survient alors le fruit, porteur de plus de 2 000 graines, dont les hommes et les animaux du désert sont très friands. Les colombes à ailes blanches participent activement au disséminement de ces graines, mais faute de plante protectrice procurant de l'ombre à la jeune pousse, peu d'entre elles donneront naissance à un autre cactus. Malgré les 200 fruits qu'il produit chaque année, on estime en effet que le saguaro n'aura qu'un seul descendant… mais quelle descendance ! Après une croissance difficile – à 25 ans, le jeune cactus atteint environ 30 cm –, il lui faut attendre 50, voire 60 ans, avant de porter ses premiers fruits. Sa taille avoisine alors les 2 m. Entre 75 et 100 ans, il produit enfin ses premières tiges, qui lui donneront une apparence unique, magistralement droite ou étrangement tortillée.

www.nps.gov/sagu - visitor *9h-17h, fermé 25 déc. - parc de 7h au coucher du soleil - 5 $/véhicule. Plusieurs chemins de randonnée sillonnent le parc (de 7 à 10 miles AR). Demandez conseil aux rangers.*

★ **Portion ouest** – Une route touristique, la **Bajada Loop Drive★** *(9 miles)*, permet de traverser de véritables forêts de saguaros (prononcez « so-ouo-ro »), ces imposants cactus aux bras levés vers le ciel, emblèmes du Sud-Ouest américain, qui habillent les contreforts des Tucson Mountains.

Le **Valley View Overlook Trail** *(facile ; 30mn AR ; le sentier débute à 3,5 miles au nord du* Visitor Center*)* mène à un **point de vue★★** somptueux sur la vallée alentour.

Portion est – *Env. 15 miles du centre-ville. Suivez Broadway Blvd vers l'est. Tournez à droite dans Houghton Rd, et parvenu à Escalante Rd, à gauche.* Cette partie dite des *Rincon Mountains* est moins colorée que son *alter ego* de l'ouest. Sept chemins de randonnée permettent de l'arpenter, les plus longs offrant les plus beaux points de vue sur les saguaros et Tucson *(dénivelé maximum 1 219 m)*.

Old Tucson Studios B4

▶ *201 S. Kinney Rd, au sud de l'embranchement avec Gates Pass Rd, à proximité de l'Arizona-Sonora Desert Museum (voir p. 423). ℘ (520) 883 0100 - www.old tucson.com - horaires et jours très variables, se rens. sur le site Internet - 17,95 $ (4-11 ans 10,95 $).*

Depuis sa construction en 1939 pour le tournage du film *Arizona* (avec William Holden), le site d'Old Tucson a conservé l'aspect d'une ville du *Wild Wild West* (l'une des rares productions à y avoir été tournées récemment). Le site a servi de décor à plus de 300 films, principalement des westerns, mais aussi des feuilletons comme *La petite maison dans la prairie*. Il a été depuis reconverti en parc d'attractions pour enfants, avec manèges, petit train à vapeur et spectacles. Un petit musée vieillot retrace l'histoire des tournages qui se sont succédés ici. L'absence d'indications sur le site-même est regrettable, mais il émane un charme étrange de ces décors mythiques et solitaires, perdus dans le désert du Sonora.

AU SUD

★★ Mission San Xavier del Bac B4

▶ *Comptez 1h. Située à 12 miles au sud de Tucson, dans la réserve des Indiens tohonos o'odhams (la deuxième plus étendue du pays), la mission est accessible par l'I-19 (sortie San Xavier Rd). 1950 W. San Xavier Rd - ℘ (520) 294 2624 - www. sanxaviermission.org - église 7h-17h - messes en semaine à 8h30, sam. à 17h30,*

UN MISSIONNAIRE ENTREPRENANT

La mission San Xavier fut construite par des franciscains de 1783 à 1797, mais l'histoire missionnaire est avant tout associée au père Eusebio Francisco Kino, qui découvrit le site en 1692.

Il fut le premier à entrer en contact avec les Indiens tohonos o'odhams qui vivaient alors dans un village appelé Walk (« l'endroit où l'eau surgit »), devenu Bac depuis. Ce jésuite d'origine italienne sillonna pour la Couronne espagnole la majeure partie du nord du Mexique et du sud de l'Arizona, où il parcourut près de 20 000 miles à cheval.

Après avoir fondé une vingtaine de missions, cet infatigable explorateur s'éteignit en 1711, à l'âge de 65 ans, dans la mission Santa Maria Magdalena (Mexique).

Mission San Xavier del Bac, au sud de Tucson.
A. Forterre/Michelin

dim. à 8h, 11h, 12h30 - musée 8h-16h30, boutique 8h-17h - visites guidées les lun. et sam. matin en dehors des offices - gratuit.

La silhouette massive de cette mission édifiée à la fin du 18ᵉ s. se découpe sur le paysage désertique alentour. Au sommet du petit monticule voisin, où est nichée une réplique de la grotte de Lourdes, la vue sur l'ensemble du site est imprenable. Vous apercevrez peut-être les élèves indiens, en uniforme, qui se rendent en rang serré à l'école de la mission, créée en 1864. La religion chrétienne et les traditions indiennes sont pratiquées de concert dans la réserve, la mission étant toujours en activité et dirigée par des pères franciscains.

★★ **Église** – Elle est remarquable, tant pour sa façade asymétrique, où se mêlent les styles maure, byzantin et Renaissance mexicaine, que pour son intérieur coloré, où s'expriment les styles mexicain baroque et mudéjar (les peintures ont été rénovées par des artistes internationaux), et ses statues de bois expressives devant lesquelles brûlent des cierges. On y voit également un gisant de saint François Xavier, recouvert d'un tissu satiné, qui est parsemé de petites amulettes symbolisant les requêtes des fidèles croyants.

Musée *(entrée libre)*– Il présente l'histoire des missions, des Tohonos O'odhams, de la chapelle et de sa restauration.

★ **Titan Missile Museum** B4

◖ *23 miles au sud par l'I-19, sortie 69. 1580 W. Duval Mine Rd - ℰ (520) 625 7736 - www.titanmissilemuseum.org - dim.-vend. 9h45-16h, sam. 8h45-17h - visite guidée (1h) uniquement en anglais : ttes les h en été, premier départ 10h, dernier départ 14h50 - 9,50 $ (7-12 ans 6 $).*

Conçus dans les années 1960 dans la logique de la Guerre froide, les missiles Titan II ont été progressivement désactivés à partir de 1982. Sur les 53 sites de lancement, seul celui-ci demeure intact (hors d'état de marche). La visite comprend : une vidéo sur l'histoire de ce programme d'armement *(10mn)*, un tour des extérieurs pour comprendre le système de climatisation et de sécurité, et enfin la descente dans le silo de lancement qui conserve encore son missile.

À L'EST

★★ **Sabino Canyon** B3

◖ *Comptez 1h30. 12 miles au nord-est de Tucson par Speedway Blvd, El Tanque Verde Rd et Sabino Canyon Rd, www.fs.usda.gov/recarea/coronado, renseignements visites guidées (tram) www.sabinocanyon.com - tlj 8h-16h30. 5 $/véhicule (non compris dans le National Parks Pass).*

Oasis naturelle au pied des **Santa Catalina Mountains**, Sabino Canyon est un lieu apprécié pour sa faune et sa flore abondantes. Ses gorges sont inondées pendant la saisons des pluies et offrent, dans ce paysage aride, un spectacle de cascades et de torrents plutôt saisissant. On peut s'aventurer sur les différents sentiers (plusieurs niveaux de difficulté), à pied ou à vélo, ou choisir de prendre un tram qui permet de visiter le canyon en 45mn.

★ **Pima Air & Space Museum** B4

◖ *17 miles au sud-est par l'I-19 puis l'I-10 et Valencia Rd. 6000 E. Valencia Rd - ℘ (520) 574 0462 - www.pimaair.org - tlj 9h-17h (dernière entrée 15h), fermé Thanksgiving et 25 déc. - 15,50 $ (7-12 ans 9 $), auxquels il faut rajouter le Tram Tour (6 $) ou l'Amarg (7 $).*

Hangars – Chacun des sept hangars développe une thématique ou un pan de l'histoire de l'aéronautique ou de la Seconde Guerre mondiale : forteresses volantes (390th Memorial Museum), théâtre d'opérations européen (hangar 3), pacifique (hangar 4), conquête de l'espace… Les bénévoles sont là pour expliciter les panneaux ou détailler les avions.

Tarmac – Sur les 260 engins répartis en désordre sur le terrain d'aviation, certains sont encore en état de marche. On peut notamment monter dans l'Air Force One des présidents Kennedy et Johnson. La promenade pouvant prendre du temps, un petit train en montre l'essentiel *(Tram Tour 6 $, horaires variables à l'année, se rens. (520) 574 0462.)*

Armag – *Visite guidée en anglais (1h30) : lun.-vend. (les départs varient selon la saison, se rens.). 7 $, inscription à l'accueil.* La base militaire voisine abrite un « cimetière d'avions » où sont stockés les engins qui ne sont plus en service mais peuvent encore être utilisés. Une fois définitivement hors circuit, ils sont démontés. Si les rangées impeccables de gros porteurs, d'avions de chasse ou d'hélicoptères ont de quoi fasciner, seuls les passionnés vibreront réellement à l'énoncé technique des Mohawks, Vikings, F15, Iroquois et autres Falcons.

Excursions Carte de région

★★ **CHIRICAHUA NATIONAL MONUMENT** B4

◖ *Comptez la journée AR. 117 miles à l'est de Tucson, dont 77 miles sur l'I-10 jusqu'à Willcox, sortie 336, puis 44 miles sur la Hwy 186, via Dos Cabezas, et ensuite la Hwy 181. Attention, le parc est loin de tout : pas de restaurants, pas d'hôtels à proximité. Fuseau horaire Montain Standard Time (+ 1h qu'en Arizona en été).*

Visitor Center – 12856 E Rhyolite Creek Rd - ℘ (520) 824 3560 - www.nps.gov/chir - 8h-16h30 - parc ouv. 24h/24h, fermé Thanksgiving et 25 déc. - gratuit.

Dans ce parc créé en 1924, l'érosion mécanique combinée à celle de l'eau a formé de véritables forêts de **pinacles naturels** appelés « Rochers debouts » par les Apaches. Les colonnes de rhyolite ne présentent pas une palette très colorée du fait de leur origine volcanique, cependant leur nombre et leur disposition rend fascinant le jeu de la lumière entre leurs rangs serrés.

★ **Scenic Drive** – Pour rallier les principales randonnées et les plus beaux points de vue, la Scenic Drive traverse une vallée arborée fleurant bon le genévrier, le pin, le cyprès d'Arizona ou le sycomore. En chemin, arrêtez-vous à **Organ Pipe Formation** pour apercevoir les orgues de pierre accrochés à la falaise. Après le canyon, la route grimpe à flanc de montagne pour atteindre Massai Point.

★★ **Massai Point** – Ce belvédère offre un panorama à 360° sur une vraie Manhattan minérale ! Les pinacles recouvrent tout le relief, des pentes les plus abruptes jusqu'au fond des canyons. Vous aurez le même panorama, mais à l'opposé de la vallée, depuis **Inspiration Point** *(accessible uniquement à pied ; 8,6 km AR depuis Massai ; entre 100 et 300 m de dénivelé ; 3h à 6h ; difficile)*. Le sentier y menant descend dans un labyrinthe d'aiguilles rocheuses, en contrebas du belvédère de Massai.

★★ **Echo Canyon Loop** – *Reprenez la Scenic Drive et garez-vous à Echo Canyon. Boucle de 5 km, revenant par Hailstone et Ed Riggs Trails, modéré.* Vous pouvez faire la randonnée entière, ou vous contenter de la portion menant du parking à Echo Canyon Grotto en suivant l'Echo Canyon Trail sur 1,3 km *(1h AR, facile).*

★ ORGAN PIPE CACTUS NATIONAL MONUMENT A4

▶ *Comptez la journée. 132 miles à l'ouest de Tucson par la Hwy 86. À Why, bifurquez vers le sud sur la Hwy 85.*

Kris Eggle Visitor Center – *10 Organ Pipe Drive, 22 miles au sud de Why sur la Hwy 85 - ℘ (520) 387 6849 - www.nps.gov/orpi - tlj 8h-17h - fermé Thanksgiving et 25 déc. - parc ouv. 24h/24 - 12 $/véhicule (valable 7 jours), compris dans le National Park Pass).*

Aux abords du *Visitor Center*, un court **sentier balisé** permet de se familiariser avec la flore locale comme les **buissons de créosote**, reconnaissables à leurs feuilles minuscules et à leurs fleurs jaunes, et surtout les **cactus** caractéristiques de la région (bras fins partant de terre et ressemblant à des tuyaux). Ils créent des réserves d'eau dans leurs racines creuses et dans leur tronc recouvert d'une substance grasse. Leurs épines acérées servent à décourager les animaux qui viennent y construire un abri, mais elles s'avèrent surtout une source d'ombre non négligeable pour eux-mêmes.

Les deux routes panoramiques du parc ne sont pas asphaltées, mais praticables en voiture de tourisme, à allure modérée.

★★ **Ajo Mountain Drive** – *Boucle de 21 miles (2h, sans les randonnées). Départ à l'est du* Visitor Center. *Demandez la brochure détaillant la végétation rencontrée aux 22 arrêts, matérialisés par des piquets en bois au bord de la route.*

La route mène aux contreforts des montagnes Ajo. À l'arrêt 13 *(9,4 miles du Visitor Center)*, l'**Arch Canyon Trail**★ offre une jolie balade *(1-2h AR)* au fond d'une vallée peuplée de buissons et de cactus. Le sentier conduit au pied d'un promontoire rocheux que vous pouvez escalader afin de profiter d'une vue panoramique sur le Mexique *(suivez les petits tas de cailloux).*

Deux miles plus loin, à l'arrêt 15, vous parvenez à l'aire de pique-nique ombragée d'Estes Canyon, d'où partent les deux sentiers de randonnée de la boucle de l'**Estes Canyon-Bull Pasture Trail**★★, qui offre de superbes points de vue sur les vallées désertiques alentour *(2h AR ; il est conseillé de suivre le Bull Pasture Trail à l'aller et de redescendre par l'Estes Canyon Trail, moins abrupt).* Les pentes douces des monts reçoivent plus de précipitations que les plaines et comptent une extraordinaire diversité de cactus et d'arbustes, dont le **palo-verde**, reconnaissable à son tronc vert tendre.

★ **Puerto Blanco Drive** – *Comptez 3 à 4h. Départ derrière le* Visitor Center, *où vous pouvez acheter une brochure détaillant les 26 arrêts de la route. Cette boucle*

6

de 53 miles permet de découvrir l'ouest du parc, qui offre un panorama très diversifié de la végétation de ce désert.

La route contourne les **Puerto Blanco Mountains**, des monts d'origine volcanique formés il y a 15 à 25 millions d'années. Elle permet d'apercevoir la vallée d'Ajo, au nord, puis elle longe la frontière mexicaine pour rejoindre la Hwy 85.

Circuit conseillé Carte de région

★★ LES VILLES MINIÈRES B4

▶ *Vous pouvez visiter les trois destinations ci-dessous en deux jours si vous voulez faire la totalité des visites.*

Tombstone

Comptez 1h30. Tombstone est située à 70 miles au sud-est de Tucson. Empruntez l'I-10 jusqu'à Benson, puis la Hwy 80 (comptez 1h de route). Arrivé à Tombstone, prenez à droite dans 4th St. pour rejoindre le Visitors Center.

🄘 *Angle Allen St.-4th St. - ℘ (520) 457 3929 - www.tombstoneweb.com - 9h-16h, w.-end 9h-17h. On vous y renseignera sur les horaires des spectacles.*

Fondée à la fin des années 1870, suite à la découverte de filons d'argent dans les montagnes voisines, Tombstone s'est forgée une réputation de rude ville de l'Ouest. C'est là qu'en 1881 se tint le fameux « règlement de comptes à OK Corral », au cours duquel les frères Earp et Doc Holliday affrontèrent les McLaury et les Clanton *(reconstitution de la scène tlj à 12h, 14h et 15h30, rés. ℘ (520) 457 3456, www.ok-corral.com)*. Au plus fort de son occupation, cette ville de 15 000 habitants (aujourd'hui la population avoisine les 1 500 âmes) était toutefois plutôt tranquille et comptait quatre églises, une école, deux banques, un journal et un opéra. Une partie de la rue principale, **Allen Street**, a été reconstruite avec ses auvents de bois sous lesquels s'alignent boutiques pour touristes et restaurants. Entre autres attractions, toutes payantes, retrouvez, notamment, la mine, le **Birdcage Theater** – saloon fantômatique qui propose des *ghost tours* – et le plus grand rosier grimpant au monde. Ne ratez pas **Boothill Graveyard★** *(entrée gratuite)*, un cimetière de la fin du 19e siècle, où sont enterrés les *bad boys* du Far West : les épitaphes humoristiques et inspirées, peintes au goudron, valent leur pesant de poudre à revolver !

Reprenez la Hwy 80. Bisbee est située à 20 miles au sud de Tombstone.

COWTOWN KEEYLOCKO, UNE VILLE IMAGINAIRE A4

En décembre 1974, un cowboy du nom d'Ed Keeylocko (de son vrai nom Edward J. Brooks) fonde une ville près de Three Points, en plein désert, où il élève du bétail qu'il vend sur les foires de Tucson et aux alentours. Passionné par l'histoire de l'Ouest américain, il bâtit un ranch, un saloon (le *Blue Dog Saloon*), une bibliothèque, un restaurant, une prison, une banque, un théâtre et même une petite chapelle, où il peut marier les visiteurs qui le souhaitent car Ed Keeylocko est aussi pasteur. La plupart du temps, la ville ne compte que cinq âmes tout au plus – seuls Keeylocko et quelques travailleurs occasionnels de son ranch habitent sur place. La commune ne dispose pas de site Internet. Les horaires d'ouvertures fluctuent au gré de l'humeur et de l'emploi du temps du cowboy ; il faut donc rouler pendant 20mn sur la piste qui mène au ranch pour se retrouver devant un portail, qui peut être clos. Mais le jeu en vaut la chandelle, si vous voulez rencontrer un véritable cowboy qui aime à palabrer au comptoir de son saloon avec ses visiteurs éphémères. Camping possible sur place.

Magasins sur Main Street, quartier historique de Bisbee, Cochise County.
R. Cummins/Getty Images

★★ Bisbee

Comptez une demi-journée.

🛈 *478 Dart Rd, dans le Queen Mine Tour Building - ☏ (520) 432 3554 - www.discoverbisbee.com - 9h-17h, w.-end 10h-16h.*

Fine fleur des villes minières de l'Ouest, la petite bourgade de Bisbee apparaît au détour d'un virage, accrochée à flanc de montagne. L'exploitation des nombreuses richesses du sous-sol (cuivre, or, argent, plomb, zinc) à partir de 1875 en fit la cité la plus peuplée entre St Louis et San Francisco au début du 20ᵉ s. (20 000 habitants). Ravagé par un incendie en 1908, le centre-ville fut immédiatement reconstruit et les demeures d'allure victorienne, en brique naturelle ou colorée, dégagent un charme authentique. Seules la banque et la poste furent épargnées. Les anciens saloons abritent quant à eux de charmants cafés, une pléiade de boutiques et des échoppes d'artisans. Ne manquez pas celle du chapelier, O'Ptimo *(47 Main St.)*. Lors de l'arrêt de l'activité minière en 1975, Bisbee attira une communauté d'artistes et de hippies qui, aujourd'hui, donne tout son charme à cette ville bohème et très vivante (nombreux festivals, concerts, cafés, boutiques…)

★ **Bisbee Mining & Historical Museum** – *5 Cooper Queen Plaza - ☏ (520) 432 7071 - www.bisbeemuseum.org - tlj 10h-16h - 8 $, -16 ans 3 $.* Ce musée propose une belle exposition de photos et d'objets de cette époque. Reconstitution d'une galerie de mine. Salle sur l'exploitation du cuivre.

★ **Queen Mine** – *478 Dart Road, en lisière du centre-ville, dir. Douglas, presque tout de suite après être passé sous la Hwy 80, sur la droite, rampe d'accès du camping. ☏ (520) 432 2071 ou 1-866 432 2071 - www.queenminetour.com - visites guidées (1h15) : horaires variables, se rens. - 13 $ (4-12 ans 5,50 $). Réservation conseillée. Prévoyez un pull (8 °C au fond de la mine).* Menée par d'anciens mineurs, la visite (en anglais) se fait dans de petits wagonnets qui déambulent dans les galeries.

★ Kartchner Caverns State Park

▶ *53 miles au sud-est de Tucson par l'I-10, sortie 302, puis la Hwy 90. L'entrée du parc se trouve au mile 298. Accessible depuis Bisbee par les Hwy 80 puis 90 (47 miles).*

6

🅱 ☎ *(520) 586 2383 - http://azstateparks.com/parks/kaca - 8h-17h (18h en hiver) -
réserv. conseillée. Visite guidée, se rens. sur les horaires : env. 3 départs/h tte l'année
sf 25 déc. pour Rotunda-Throne Room (1h30, 23 $, 7-13 ans 13 $) ; 2 départs/h pour
Big Room de mi-oct. à mi-avr. (1h45, 23 $, 7-13 ans 13 $). 6 $ pour 4 adultes/véhicule
et 3 $ pour tte pers. en plus. Accès pour les pers. à mobilité réduite.*

Le parc préserve deux grottes, découvertes en 1974 par des spéléologues
venus s'entraîner dans les Whetstone Mountains. Elles se sont formées suite
au retrait progressif de la mer il y a 200 000 ans.

Rotunda-Throne Room – Elle rassemble cinq types de formations calcaires
issues de l'action de l'eau : suintante (boucliers ou excentriques), coulante
(rideaux et orgues), condensée (corail, c'est-à-dire avec un effet pop-corn),
gouttante (stalagmites et stalactites) ou piscines. Le clou de la visite se trouve
dans la **chambre du trône**★ avec la colonne **Kubla Khan**★★ (17 m).

Big Room Complex – En été, des milliers de chauve-souris nidifient dans cette
grotte, d'où sa fermeture pendant cette période. Le reste de l'année, on peut
admirer les jeux de couleurs de sa roche virant parfois au rose (Strawberry
Room) et ses boucliers aux formes étranges.

😊 NOS ADRESSES À TUCSON

TRANSPORTS

**En avion - Tucson International
Airport** – *8 miles au sud de la
ville,* ☎ *(520) 573 8100, www.
flytucson.com.* L'aéroport est
10 miles (16 km) au sud du centre
de Tucson. Il est conseillé de se
déplacer en voiture, mais le réseau
de bus est assez développé.

En bus – Les bus locaux sont
gérés par la compagnie **Sun Tran**
(*www.suntran.com*), dont la gare
(Ronstadt) est située à l'angle de
Congress St. et de 6th Ave. (C2).
Prix d'un trajet, 1,50 $ (prévoyez
l'appoint), d'un Pass à la journée
3,50 $ (SunGo Card). De l'aéroport,
prenez le bus 6 ou 11 dans la
partie ouest du terminal principal,
pour rejoindre le centre.

HÉBERGEMENT

Downtown

Les prix sont en baisse à partir
d'avril, car la haute saison
correspond à l'hiver. Les deux
premières semaines de février
sont très chargées à cause de la
foire aux pierres précieuses. Il
est alors impératif de réserver.

*Attention, certains prix sont donnés
ici hors taxes (Motel 6, University
Inn, Flamingo Hotel).*

PREMIER PRIX

Motel 6 – *960 S. Freeway - sortie
258* (A1) - ☎ *(520) 628 1339 - www.
motel6.com -* 🖥 🏊 🅿 ♿ *- 111 ch.
à partir de 52 $.* À l'ouest de
l'autoroute, mais en étant peu
éloigné du centre-ville, motel
fidèle aux exigences de confort
de la chaîne. Pratique et peu
onéreux.

**The Historic Congress
Hotel** – *311 E. Congress St.*
(C2) - ☎ *(520) 622 8848 - www.
hotelcongress.com -* 🖥 🍴
🅿 ♿ *- wifi - 40 ch. 80/149 $.*
Construit en 1919 et rénové
dans le style de l'époque, cet
hôtel est déconseillé à ceux qui
recherchent le calme, car il est
fréquenté par les fêtards qui
entrent gratuitement dans le club
ouvert tous les soirs jusqu'à 1h.
Dispose aussi de 2 chambres de
4 lits pour les petits budgets.

BUDGET MOYEN

El Presidio Inn B & B – *297 N.
Main Ave.* (B2) - ☎ *800 349 6151 -
www.elpresidiobbinn.com -* 🖥

P - wifi - *4 ch. 119/169 $* ⌐ *(2 nuits mini d'oct. à mai).* Ce B & B du quartier historique est installé dans une maison victorienne dont les chambres tout confort, joliment aménagées, donnent sur une cour intérieure verdoyante. Délicieux petit-déj.

Quartier de l'université

Une voiture est nécessaire pour séjourner dans ce quartier. Chaque établissement de notre sélection dispose d'un parking gratuit.

PREMIER PRIX

University Inn – *950 N. Stone Ave.* (B2) - *(520) 791 7503* - www. universityinntucson.com - ▦ **P** ⌐ - wifi - *38 ch. 47/157 $* ⌐. Accueil sympathique et prix très abordables dans ce petit motel sur 2 étages. Les chambres sont sans originalité, mais propres.

Quality Inn Flamingo Hotel – *1300 N. Stone Ave.* (B2) - *(520) 770 1910* - www.qualityinn. com - ▦ ⌐ - *80 ch. 49/75 $* ⌐. Cet agréable motel, qui dispose d'une piscine, est calme, propre et confortable.

Best Western Royal Sun Inn & Suites – *1015 N. Stone Ave.* (B2) - *800 545 8858* - www. bwroyalsun.com - ▦ ✕ **P** ⌐ ♿ - wifi - *608 ch. 85/130 $*. Ce motel de luxe offre un excellent confort. Belles chambres, mais salles de bains petites.

À l'est de Tucson

Légèrement excentré, ce quartier est une base idéale pour des randonnées dans Sabino Canyon, au pied les Santa Catalina Moutains et des excursions dans les villes minières.

PREMIER PRIX

Comfort Suites at Sabino Canyon – *7007 E. Tanque Verde Rd* - *(520) 298 2300* - www. tucsoncs.com - ▦ - *90 ch. 74/99 $*.

Ce charmant hôtel, pourvu d'un agréable patio avec piscine, est particulièrement dépaysant avec son décor mexicain.

Bisbee

BUDGET MOYEN

School House Inn B & B – *818 Tombstone Canyon* - *(520) 432 2996* - www.schoolhouseinnbb. com - ▦ - *9 ch. 89/149 $*. Située sur les hauteurs de Bisbee, cette ancienne école du 19e siècle abrite un B & B au charme unique. Chaque chambre est décorée avec une créativité minutieuse sur le thème d'une matière scolaire (arithmétique, géographie, Histoire…).

Organ Pipe

Seul le camping est possible dans deux sites distincts peu ombragés. Ils ne prennent pas de réservation et fonctionnent sur la base du « premier arrivé, premier servi ». Prévoyez eau et ravitaillement en vivres et carburant.

PREMIER PRIX

Alamo Canyon Campground – *10 $/nuit (+ 12 $ de frais d'entrée pour 7 j. max.).* Très rudimentaire, il n'accepte que les tentes et ne dispose que de latrines (pas de véritables toilettes, ni de salle de bains).

Twin Peaks Campground – *16 $/ nuit (+ 12 $/véhicule pour 7 j.).* Plus grand (208 empl.), il accueille aussi les camping-cars. Eau et toilettes.

RESTAURATION

Choix très varié parmi une pléiade de restaurants sud-américains ou spécialisés dans la cuisine du sud-ouest des États-Unis.

Downtown

PREMIER PRIX

5 Points – *756 S. Stone Ave.* (B3) - *(520) 623 3888* -

6

www.5pointstucson.com - tlj 7h-15h - sandwichs 9 $, salades 10 $. Installé dans un ancien entrepôt, ce café branché sert d'excellents sandwichs et salades, pour un *brunch* ou un déjeuner sain et léger.

El Charro Cafe – *311 N. Court Ave.* (B2) - ℘ *(520) 622 1922 - www. elcharrocafe.com - 11h-21h, vend.- sam. 11h-22h, dim. 10h-22h - plats env. 8/20 $.* Ce restaurant mexicain s'est spécialisé dans les plats relevés, dans un décor enlevé et riche en couleurs. Au-dessus de la terrasse pendent les quartiers de viande (carne seca) qui sèchent au soleil.

La Cocina Restaurant – *201 N. Court Ave.* (B2) - ℘ *(520) 622 0351 - www.lacocinatucson.com - lun. 11h-15h, mar.-merc. 11h-22h, jeu.- vend. 11h-2h, sam. 10h-2h, dim. 11h-16h (réserver). Happy Hours mar.-vend. 15h-18h - plats 7/13 $.* Installé dans la cour d'Old Town Artisans (*voir p. 420*), à l'ombre des bougainvillées, on déguste de copieuses salades ou des plats du Sud-Ouest épicés. Le restaurant voisine avec des boutiques d'artisanat, tandis qu'à l'intérieur la décoration varie au gré des expositions d'artistes contemporains. Concerts le soir.

Quatier de l'université

BUDGET MOYEN

The Coronet – *402 E. 9ᵗʰ St.* (C2) - ℘ *(520) 222 9889 - www. cafecoronet.com - lun.-vend. 11h- 22h, sam. 9h-22h, dim. 9h-2h. Happy Hours lun.-sam. 15h-18h - plats 14/23 $.* Ce joli restaurant, très recherché, mêle l'atmosphère d'un patio du Sud-Ouest américain au style brasserie à la française. Cuisine européenne le soir, excellents *brunches* à l'américaine le week-end.

Mercado District of Menlo Park

Ce tout petit quartier, situé à l'ouest de *Downtown*, s'est nouvellement développé autour d'une jolie place de marché publique (la seule à Tucson), le Mercado San Agustin. Restaurants modernes, galeries d'art et boutiques à la mode en font un lieu favori des « bobos » de Tucson.

PREMIER PRIX

Seis – *100 S. Avenida del Convento* (A3) - ℘ *(520) 622 2002 - www. seiskitchen.com - lun.-jeu. 8h-20h, vend.-sam. 8h-21h, dim. 8h-16h - plats env. 7/15 $.* Dans la cour animée du Mercado, ce petit *fast-food* mexicain propose une cuisine moderne de grande qualité. Ambiance familiale et joyeuse.

BUDGET MOYEN

Agustin Kitchen – *100 S. Avenida del Convento* (A3) - ℘ *(520) 398 5382 - www.agustinkitchen.com - mar.-vend. 11h-22h, sam.-dim. 10h- 22h, happy hour vend.-sam. 22h- 2h - plats 10/30 $.* Ce restaurant, à l'atmosphère chic et décontracté, revisite la cuisine du Sud-Ouest américain en s'inspirant des brasseries françaises. Viandes régionales et vins d'Arizona sont à l'honneur le soir.

Au nord de Downtown

PREMIER PRIX

Garden Bistro, Tohono Chul Park – *7366 N. Paseo del Norte* (B1) - ℘ *(520) 742 6455 - www. tohonochulpark.org - 8h-17h - fermé 1 janv., 4 juil., Thanksgiving et 25 déc. - plats env. 9/16 $.* Joli restaurant ombragé entouré d'un parc dédié à la connaissance des plantes autochtones : près de 25 ha de désert en pleine ville. Idéal pour une pause déjeuner ou pour un thé. Carte sans prétention, mais cuisine savoureuse.

BOIRE UN VERRE

Tucson Université

À partir d'Euclid Ave., University Blvd se pare de lumières qui invitent à la balade. L'atmosphère est estudiantine (mais pas exclusivement) et bon enfant.

Frog & Firkin – *874 E. University Blvd* (C2) - *℘ (520) 623 7507 - www.frogandfirkin.com - 11h-1h, vend.-sam. 2h.* Pub anglais fort sympathique, dont la petite terrasse est très prisée.

Gentle Ben's – *865 E. University Blvd* (C2), *℘ (520) 624 4177, www.gentlebens.com - lun.-merc. 11h-22h, jeu.-sam. 11h-2h, dim. 12h-22h.* La brasserie de Gentle Ben's, l'ours en bois qui vous accueille, produit 8 bières différentes. Le grand bâtiment en brique comprend une salle de restaurant, une petite terrasse et un bar.

Tucson 4th Avenue

Il est agréable de parcourir à pied 4th Ave. (surtout entre 6th et 7th St.) qui, à l'instar d'University Blvd *(voir « Boire un verre »)*, est bordée de restaurants et de cafés, et bénéficie d'une ambiance plus alternative que le voisinage de l'université.

Epic Cafe – *745 N. 4th Ave.* (C2) - *℘ (520) 624 6844 - www.epiccafe. com - tlj 6h-0h.* Larges canapés et tables en marbre meublent ce petit établissement aux tons

rougeoyants, idéal pour discuter autour d'un café. Concerts les vendredi et samedi soir, mah-jong le mercredi soir.

ACHATS

Artisanat - Old Town Artisans – *201 N. Court Ave.* (B2) - *℘ (520) 623 6024 - www.oldtownartisans. com - sept.-mai : lun.-sam. 10h-17h30, dim. 11h-17h ; juin-août : lun.-sam. 10h-16h, dim. 11h-16h.* Différentes brocantes et boutiques d'artisanat, présentant notamment de très jolies poteries, ont investi une charmante bâtisse en adobe de 1850 dotée d'un agréable patio fleuri.

AGENDA

Gem and Mineral Show – *2e sem. fév. Rens. au ℘ (520) 322 5773, www.tgms.org.* Foire internationale aux pierres précieuses.

Wa : k Pow-wow – *2e w.-end de mars à la mission San Xavier del Bac. ℘ (520) 294 5727.*

Fourth Avenue Street Fair – *En mars et en déc. ℘ (520) 624 5004, www.fourthavenue.org.* Fête de quartier en plein air.

El Dia de San Juan Fiesta – *En juin. ℘ (520) 861 4504, dans le Mercado San Agustín.* Cette fête dédié à saint Jean-Baptiste, célèbre la saison des pluies.

Tucson Meet Yourself Festival – *Mi-oct. ℘ (520) 792 4806, www. tucsonmeetyourself.org.* Festival multiculturel dans le Presidio Park.

6

Flagstaff et ses environs

68 667 habitants – Arizona

Flagstaff, nichée au milieu d'une magnifique forêt de pins noirs (Coconino National Forest), au pied des San Francisco Peaks, dégage une agréable sensation d'authenticité. Son petit centre historique, marqué par l'époque des pionniers, vit au rythme du passage des trains, de la Route 66, d'une vie étudiante animée et de l'afflux des touristes. Car Flagstaff, « porte d'entrée du Grand Canyon », donne aussi accès à des sites indiens et à des paysages grandioses.

> 😊 **NOS ADRESSES PAGE 445**
> Hébergement, restauration, achats, activités, etc.

⬛ S'INFORMER

Visitor Center – *1 E. Route 66, à la gare ferroviaire -* 📞 *(928) 213 2951 ou 1-800 379 0065 - www. flagstaffarizona.org - lun.-sam. 8h-17h, dim. 9h-16h.* Le centre d'informations est riche en brochures (vous pouvez télécharger le guide de Flagstaff en français sur leur site) et son personnel s'avère de bon conseil.

▶ SE REPÉRER

Carte de région A1 (p. 400-401) - carte Michelin Western USA 585 E 10. Le chef-lieu du comté de Coconino se trouve à 146 miles (234 km) au nord de Phoenix par l'I-17 et à

251 miles (407 km) au sud-est de Las Vegas par l'US-93 et l'I-40.

▶ SE GARER

Le parking attenant à l'office de tourisme est gratuit toute la journée.

😊 À NE PAS MANQUER

Les coulées de lave du Sunset Crater Volcano, les arbres fossilisés de la Petrified Forest et le coucher de soleil sur les roches rouges de Sedona.

🕐 ORGANISER SON TEMPS

Prévoyez deux jours pour la ville et ses environs ; les distances entre les sites sont grandes. Voyez les roches de Sedona en fin de journée.

Se promener

LE CENTRE HISTORIQUE

▶ *Comptez 2h. Le* Visitor Center *dispose d'une brochure en français détaillant les bâtiments historiques du quartier. Partez de l'office de tourisme vers la gare.*
La ville actuelle est étendue, mais le centre historique est délimité par Beaver St. à l'ouest, Agassiz St. à l'est, Birch Ave. au nord et la Route 66 (Santa Fe Ave.) au sud. Après deux incendies qui ravagèrent la ville en 1886 et 1888, Flagstaff fut reconstruite en pierre et en brique, et certains bâtiments ont été recouverts de stuc. Quelques-uns, comme le magasin des frères Babbitt, ont désormais retrouvé leur apparence d'origine.

★ Gare

Avec sa façade bleue et blanche aux allures de demeure anglaise, la **gare★** toujours en activité est l'emblème de la ville. Elle fut construite en 1926 pour remplacer un terminal situé un peu plus à l'est.

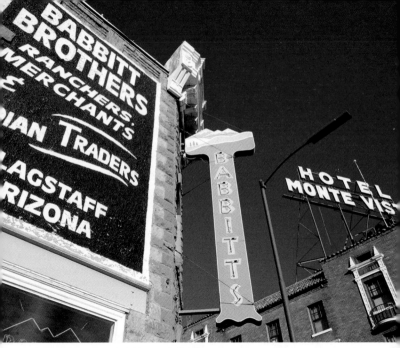

Les enseignes lumineuses de Babbitts et de l'hôtel Monte Vista.
K. T. Levesque/Getty Images

Sortez de la gare et traversez la Route 66 (Santa Fe Ave.) au niveau de San Francisco St. Longez l'avenue en direction de l'ouest.

Les établissements qui bordent la Route 66 sont tous d'anciens saloons. Construits vers 1888, ils étaient destinés aux employés des chemins de fer.

Passé la Flagstaff Brewery Corp., empruntez sur votre droite la Gateway Plaza, puis prenez à gauche pour déboucher dans Leroux St. Tournez à droite.

★★ Weatherford Hotel

21-23 N. Leroux St. à l'angle avec Aspen St.

Très élégant avec sa balustrade extérieure aux fines colonnettes et sa façade de grès rouge ! John Weatherford ouvrit d'abord un magasin dans les locaux les plus au sud, avant de construire cet hôtel en 1900. À l'étage, la magnifique salle de bal qui donne sur le balcon comporte un joli bar en bois rehaussé de miroirs.

J. Weatherford est aussi à l'origine du premier cinéma (1911) de Flagstaff, qui occupait le **théâtre de l'Orpheum**, situé plus à l'ouest, dans Aspen Ave. (℘ *(928) 556 1580 - www.orpheumflagstaff.com)*. Projection de films et concerts.

Prenez à droite dans Aspen Ave.

Le bâtiment situé à l'angle de la rue (1898) abrita le premier des cinq bureaux de poste successifs de Flagstaff. Il fait face à Heritage Square, une place moderne décorée de statues métalliques, où les habitants aiment à se retrouver.

Continuez jusqu'à San Francisco St.

6

Babbitt Brothers Building

À l'angle d'Aspen Ave. et de San Francisco St.

Originaires de Cincinnati (Ohio), les cinq frères Babbitt décidèrent de tenter leur chance dans l'Ouest. David, l'aîné, délaissa le ranch qu'ils avaient commencé par acheter pour mener des opérations en ville. En 1888, il édifia le **Babbitt Brothers Building**, imposant bâtiment de grès rouge entièrement restauré. Quelques années plus tard, il fit construire en tuf d'origine volcanique les commerces situés de l'autre côté de la rue *(15-25 E. Aspen Ave.)*.

Les Babbitt sont à l'origine de plusieurs édifices de Flagstaff, dont le troisième bureau de poste, qui arbore une jolie devanture classique et que vous pouvez admirer en prenant à gauche dans San Francisco Street *(108 N. San Francisco St., proche de l'hôtel Monte Vista)*. Il voisine avec le **Federal Building★** (1936), dont la façade Art déco aux lignes épurées est rehaussée de plaques de cuivre.

★ Monte Vista Hotel

Face au Babbitt Brothers Building. Cet hôtel, repérable de loin aux lettres jaunes qui surmontent sa façade, est un autre emblème de la ville. Après 1925, passé la crise de l'après-guerre, le commerce reprit et un groupe d'habitants posa dans le journal local la question : « Voulons-nous un hôtel ? » En deux mois, les souscriptions furent si nombreuses qu'elles permirent la construction du Community Hotel qui ouvrit en janvier 1927 et devint le foyer de l'activité sociale de la ville, détrônant le Weatherford Hotel. Avec la grande époque des westerns, le Monte Vista accueillit les stars du cinéma venues tourner dans la région, tels John Wayne, Gary Cooper, Clark Gable et tant d'autres.

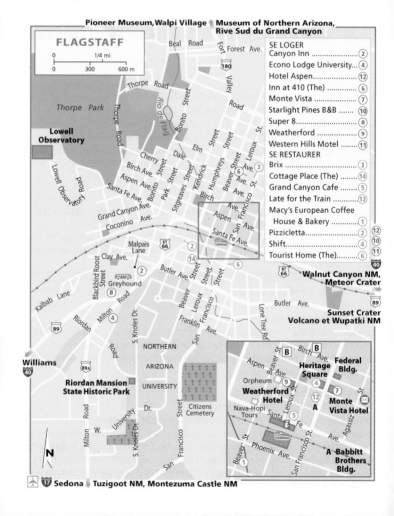

FLAGSTAFF

Pioneer Museum, Walpi Village — Museum of Northern Arizona, Rive Sud du Grand Canyon

SE LOGER
Canyon Inn .... ②
Econo Lodge University... ④
Hotel Aspen .... ⑫
Inn at 410 (The) .... ⑥
Monte Vista .... ⑦
Starlight Pines B&B .... ⑩
Super 8.......................... ⑧
Weatherford .... ⑨
Western Hills Motel .... ⑪

SE RESTAURER
Brix .... ③
Cottage Place (The) .... ⑭
Grand Canyon Cafe .... ⑤
Late for the Train .... ⑫
Macy's European Coffee House & Bakery .... ①
Pizzicletta...................... ②
Shift.............................. ④
Tourist Home (The).......... ⑥

À voir aussi

EN VILLE

★ Riordan Mansion State Historic Park

Depuis la gare, prenez la direction de Phoenix, passez sous la voie ferroviaire, continuez tout droit sur Milton Rd, coupez Malpais-Butler Ave. et prenez ensuite la première à gauche. 409 W. Riordan Rd - ℘ (928) 779 4395 - www.azstateparks. com/Parks/RIMA - juin-oct. : tlj 9h30-17h ; nov.-mai : jeu.-lun. 10h30-17h ; fermé 25 déc. - visite de la maison ttes les heures de 11h à 16h (dernier départ) - 10 $ (7-13 ans 5 $).

Cette maison de bois et de pierres fut construite en 1904 pour les frères Tim et Michael Riordan, qui avaient épousé deux sœurs. Chacune des familles en occupait une aile.

La visite comprend les chambres et les salles de réception de la partie est, l'office et la cuisine. Elle s'achève à l'ouest par une exposition sur l'histoire de la famille et de la ville. L'ensemble illustre le niveau de confort le plus élevé que l'on pouvait atteindre à l'époque à Flagstaff. C'est aussi un bel exemple d'architecture selon les principes progressistes du mouvement Arts & Crafts. Pour en comprendre toutes les subtilités, la visite guidée, très instructive, est fortement conseillée.

Lowell Observatory

Comptez 30mn. 1400 W. Mars Hill Rd, au bout de Santa Fe Ave. à l'ouest. ℘ (928) 774 3358 - www.lowell.edu - lun.-sam. 10h-22h, dim. 10h-17h - fermé 1er janv., Thanksgiving, 24 et 25 déc. - 12 $ (5-17 ans 6 $).

L'Arizona compte un grand nombre de sites d'observation du ciel et des étoiles. Fondé en 1894 par Percival Lowell, l'observatoire de Flagstaff possède trois télescopes, dont le plus vieux, le **Clark Telescope** de 1896, se règle manuellement et le plus célèbre, le **Pluto Dome**, est à l'origine de la découverte de Pluton, en 1930. L'observatoire et la bibliothèque se visitent avec un guide *(ttes les heures)* contrairement aux expositions et au Space Theater. Le parc offre une jolie vue sur l'ensemble de Flagstaff.

AU NORD DU CENTRE-VILLE

Pioneer Museum

2340 N. Fort Valley Rd, sur l'US-180 N. en direction du Northern Arizona Museum, sur la droite. ℘ (928) 774 6272 - www.arizonahistoricalsociety.org - lun.-sam. 9h-17h (16h en hiver), dim. 10h-16h (fermé dim. en hiver) - 6 $ (7-17 ans 3 $).

La grosse locomotive noire (1929) en bordure de route marque l'entrée de ce petit musée, dont le bric-à-brac occupe l'ancien hôpital pour indigènes. Objets chirugicaux, jeux d'autrefois, plaques routières…

★ Museum of Northern Arizona

Comptez 2h. 3101 N. Fort Valley Rd, sur la N. Hwy 180, env. 3 miles au nord sur l'US-180. Le musée est caché par de grands arbres, sur la gauche (ne le confondez pas avec le Pioneer Museum, situé sur cette même route). ℘ (928) 774 5213 - musnaz. org - lun.-sam. 10h-17h, dim. 12h-17h - fermé 1er janv., 25 déc., Thanksgiving - 12 $ (10-17 ans 8 $).

Le musée a été fondé en 1928 par Harold Colton, zoologue de formation, et son épouse Mary Russell Colton, peintre, avec l'aide de scientifiques et de personnalités de la ville, tous passionnés par la région.

6

UNE VILLE DE CHEMIN DE FER

La région avait été quadrillée dès le milieu du 19e s. par des expéditions de reconnaissance militaires, mais les premiers à établir un campement à Flagstaff furent des pionniers bostoniens qui, en 1876, affublèrent le tronc d'un pin d'un drapeau destiné à célébrer le centenaire de la création du pays. Ils partirent peu après, mais le nom de Flagstaff (*flag* pour « drapeau », *staff* pour « mât ») resta attaché au lieu.

La région étant peu propice à l'agriculture et à la prospection minière, les premiers habitants étaient des éleveurs de moutons. Puis, en 1882, l'arrivée du train marqua le véritable développement de Flagstaff, notamment grâce à l'exploitation du bois. En 1886, elle était la plus grande ville sur la ligne Albuquerque-côte Pacifique, et l'École normale d'Arizona, qui prendra le statut d'Université en 1966, s'y installa dès 1899.

La fameuse **Route 66**, qui reliait Chicago à Los Angeles, construite dans les années 1920, traversa le centre de Flagstaff, assurant ainsi la pérennité de la bourgade : de 1 271 habitants en 1900, la ville passa à près de 4 000 en 1930, à 18 214 en 1960, et à plus de 60 000 aujourd'hui.

Un bâtiment de style colonial espagnol (1936) abrite les collections permanentes dédiées au **plateau du Colorado**, dont elles exposent la géologie (fossiles et squelettes) et, surtout, l'héritage humain, c'est-à-dire **l'histoire et la culture des Indiens** qui habitent notamment le nord de l'Arizona : Hopis, Navajos, Pais, Zunis. Photos, objets d'artisanat de chaque culture (poteries, paniers, bijoux, poupées, etc.) et panneaux chronologiques racontent le quotidien de ces différentes tribus.

Fidèle à sa devise première – « ce musée expose des idées, non des objets » –, le Northern Arizona Museum accueille aussi un centre de recherche, des expositions temporaires et organise des journées culturelles animées par des artistes ou des artisans hopis, navajos et zunis, visant à promouvoir les arts indiens.

À proximité Carte de région

Williams A1

▶ *Comptez 35mn. Suivez la I-40 West.* Visitors Center *au 200 Railroad Ave.* ☎ *(928) 635 1418 - www.experiencewilliams.com - tlj 8-17h.*

Williams est une petite ville charmante au parfum de Far West, traversée par la Route 66. Sa rue principale, animée, est bordée de motels et de boutiques *(ouvertes jusqu'à 20h-21h)* qui proposent aussi bien des articles de cow-boys que de l'artisanat indien ou des souvenirs de la Route 66. Sa gare est le point de départ du train à vapeur qui rejoint le Grand Canyon. Williams est une étape idéale avant le Grand Canyon situé à une heure de route *(voir Grand Canyon « Nos adresses » p. 391).*

Excursions Carte de région

▶ *Les deux sites de* **Sunset Crater Volcano** *et* **Wupatki National Monument** *sont reliés par une route qui décrit une boucle de 36 miles à partir de l'US-89, à 12 miles au nord de Flagstaff. La route est ouverte du lever au coucher du soleil. Comptez environ 3h pour l'ensemble. Si vous n'avez pas le National Parks Pass, le billet pour 1 personne/7 jours, valable pour les deux sites, coûte 20 $ par véhicule. Ces parcs sont sur le fuseau horaire Mountain Standard Time (+ 1h/Arizona).*

★ SUNSET CRATER VOLCANO A1

Visitor Center – ℘ (928) 526 0502 - www.nps.gov/sucr - juin-oct. : 8h-17h ; reste de l'année : 9h-17h - fermé 25 déc. - route scénique ouverte tlj. 24h/24. Le Bonito camping (℘ (928) 526 0866 - de déb. mai à mi-oct.) est situé à proximité mais ne comporte pas de douche. 20 $/véhicule.

À 2 miles à l'est de l'US-89 apparaît la silhouette conique du **Sunset Crater Volcano★**, haut de 300 m, dévoilant le sommet rougeoyant qui a suggéré son nom (*sunset* signifie « coucher de soleil »). Entré en activité en 1064, il est le plus récent des 600 volcans qui composent le **San Francisco Volcanic Field**, vaste étendue résultant de l'activité volcanique (5 120 km²), dont les San Francisco Peaks constituent le point culminant (le plus haut pic s'élève à 3 850 m). Du premier arrêt, *Bonito Parc*, on aperçoit très bien, au loin, leurs sommets enneigés.

Bonito Lava Flow – *Parking à environ 1 mile après le* Visitor Center. Le Sunset Crater a connu des éruptions successives durant près de 130 ans. À la fin de son activité, une importante coulée de lave a donné naissance sur son versant ouest à cet impressionnant champ de basalte noir qui s'étend à gauche de la route.

Lenox Crater – *De l'autre côté de la route, face au parking.* Un chemin (*1,6 km ; 50mn AR ; fatigant car on marche sur la cendre volcanique mais cela vaut le coup pour la vue*) s'enfonce dans la forêt de pins ponderosa qui exhalent une douce odeur de vanille, et conduit au sommet de ce cratère, d'où la belle vue panoramique permet d'apercevoir les San Francisco Peaks et le mont Elder.

★ **Lava Flow Trail** – *150 m plus loin par la route. 1,6 km soit 45mn si vous suivez la plus grande des deux boucles (facile), 25mn si vous vous en tenez à la partie asphaltée.* Un sentier aménagé serpente à travers différentes formations de lave, où des végétaux d'un vert cendré, des arbustes aux troncs blancs et des lichens produisent des contrastes de couleur étonnants avec le sol de lave noir. Il permet de s'approcher au plus près du volcan recouvert de cendres noires, où il est interdit de randonner.

La route contourne le cratère et rejoint le Visitor Center *de Wupatki (20 miles).*

★ WUPATKI NATIONAL MONUMENT A1

Visitor Center – ℘ (928) 679 -2365 - www.nps.gov/wupa - tte l'année 9h-17h - fermé 25 déc. - les vestiges indiens ne sont accessibles qu'aux heures d'ouverture du Visitor Center. Route scénique ouverte tlj. 24h/24, sentiers de randonnées ouverts du lever au coucher du soleil.

À l'approche du **Wupatki National Monument**, le paysage change et les forêts de hauts pins font place à des étendues arides aux roches ocre jaune-ocre et rouge piquetées de buissons gris-vert. Au cœur de cette plaine désertique subsistent quelques vestiges de villages du 12e s. La région aurait compté plus de 3 000 individus au plus fort de son occupation par les Indiens sinaguas, cohoninas et kayentas anasazis, mais, en 1255, les derniers bâtisseurs quittèrent le site, occupé occasionnellement par la suite.

6

★ Wukoki Pueblo

Peu avant le Visitor Center, *une route sur la droite mène au site (2,5 miles).*
Véritable forteresse plantée en plein désert, cette étonnante **structure de pierres rouges** se marie parfaitement avec la saillie rocheuse sur laquelle elle est construite, surtout lorsque ses murs et sa tourelle flamboient sous les rayons du soleil couchant. De petite taille, elle abritait plusieurs familles.
Revenez sur la route principale et arrêtez-vous au Visitor Center.

★ **Wupatki Pueblo Trail**

Derrière le Visitor Center. *Sentier en boucle d'environ 800 m, comptez 1/2h.*

Il s'agit du **plus grand village** du site. Élevé sur un piton rocheux, le bâtiment principal comptait plus d'une centaine de pièces. À ses pieds, deux enceintes circulaires : l'une servait sans doute de lieu de réunion pour toutes les communautés de la région ; l'autre, plus tardive, était un terrain de jeux rituels. Au bout du chemin, ne manquez pas de jeter un œil au *blowhole*, une cavité naturelle dans le sol d'où s'exhale un peu d'air.

Reprenez la route principale pour 2,5 miles.

Doney Mountain

La route sur la gauche permet de rejoindre cette montagne, qui fait partie du San Francisco Volcanic Field. Deux sentiers permettent de gravir ses petits monts volcaniques, **Big Doney Crater** et **Little Doney Crater**, du haut desquels on a une vue panoramique sur les San Francisco Peaks, le Painted Desert et le bassin de Wupatki *(sentier facile ; comptez 30mn AR).*

Quelque 5 miles plus loin, les sites de **Nalakihu Pueblo** et de **Citadel Pueblo** sont très facilement accessibles de la route.

★ **Lomaki Puebloa et Box Canyon Dwellings**

Ne manquez pas ces ruines à la maçonnerie très fine, mélange de pierres blanches et rouges, qui surplombent un adorable petit canyon.

La route s'achève 3 miles plus loin et rejoint l'US-89.

★ **WALNUT CANYON NATIONAL MONUMENT** A1

▶ *Comptez une demi-journée avec Meteor Crater. 3 Walnut Canyon Rd, 17 miles à l'est de Flagstaff par l'I-40. Visitor Center -* ☎ *(928) 526 3367 - www.nps.gov/ waca - juin-oct. : 8h-17h ; reste de l'année : 9h-17h - fermé 25 déc. L'entrée du parc ferme 1h avant la fermeture du monument - 8 $ valable 7 jours (-16 ans gratuit), 28 $/voiture.*

Le défilé étroit et vertigineux du Walnut Creek a conservé près de 25 habitations sinaguas en pierre du 12e s., nichées dans les replis des parois à-pic de calcaire, cachées par une végétation variée de pins ponderosa, de pins Douglas, de pins pignons, de yuccas et de cactus. Pour des raisons inconnues, les Indiens se sont réfugiés dans ces endroits difficiles d'accès et pauvres en eau, vivant de la cueillette, de la chasse et de la culture de quelques champs situés en haut des falaises.

Il est possible de randonner dans le parc de **Walnut Canyon★**. Le **Rim Trail** *(20mn AR)* suit le bord de la falaise et permet d'apercevoir les villages de loin. L'**Island Trail★** *(56 m de dénivelé, 240 marches ; 1h AR, facile en prenant son temps ; le chemin ferme à 17h en été, 16h en hiver)* contourne un piton rocheux et conduit au cœur des vestiges préservés de quelques habitations accrochées aux rochers. Le site, magnifique, témoigne aisément des dures conditions de vie des Indiens sinaguas.

Reprenez l'I-40 et, 23 miles plus loin, prenez à droite dir. Meteor Crater (sortie 233, 5 miles).

★ **METEOR CRATER** B1

▶ ☎ *(800) 289 5898 - www.meteorcrater.com - de mi-mai à mi-sept. : tlj 7h-19h ; reste de l'année : 8h-17h ; Thanksgiving 8h-13h - fermé 25 déc. - 18 $ (6-17 ans 9 $). Demandez la traduction française de l'historique du site. Librairie, beaux fossiles et minéraux en vente à la boutique. Cafétéria.*

C'est un cratère de 173 m de profondeur et de près de 5 km de circonférence, formé par l'impact d'une météorite, il y a 50 000 ans, qui pourrait contenir un immeuble de 60 étages et 20 terrains de foot ! Le sol heurté par la météorite présente un aspect proche de celui de la Lune. C'est pourquoi les astronautes du programme spatial Apollo sont venus à Meteo Crater pour suivre une partie de leur entraînement. Le sentier qui suit le bord du cratère est uniquement accessible avec un guide *(si le temps le permet, visite 1h, départ entre 9h15 et 14h15)*, mais un circuit libre donne une bonne vision panoramique du site. Des panneaux explicatifs, des vidéos et des activités interactives vous attendent dans le **musée** dédié aux météores du monde entier.

★ WALPI VILLAGE Hors plan par B1

▶ *Env. 110 miles au nord-est de Flagstaff par Leupp Rd. Vous entrez en territoire navajo : la réserve hopi est encerclée par la réserve navajo.* Visitor Center - First Mesa - ℘ (928)737 2670 - www.experiencehopi.com. *Été : tlj 9h-15h (dernière visite à 14h) ; hiver : tlj 8h-16h30 (dernière visite 15h) - fermetures occasionnelles lors de cérémonies, se rens. - visites guidées uniquement, photos strictement interdites - 20 $ (-18 ans 10 $). Comptez 1h30.*

Établi en 900 av. J.-C., ce pueblo hopi est inhabité depuis 1 100 ans. Perché sur un roc sacré, Walpi domine une vallée majestueuse et désertique. Les maisons de pierre sont rouvertes uniquement pour les cérémonies religieuses. Elles appartiennent encore aux membres de la communauté hopi, qui vivent désormais à First Mesa et organisent les visites de cet ancien village. On y apprend ainsi beaucoup sur le mode de vie actuel des Hopis, ce peuple pacifique connu pour être une société matriarcale et pour exceller à la course à pied.

★★ PETRIFIED FOREST NATIONAL PARK B1

▶ *Comptez minimum une demi-journée dans le parc : 45mn pour traverser le parc en voiture plus les arrêts et un ou plusieurs trails. 123 miles à l'est de Flagstaff par l'I-40 (soit 2h). Le parc possède deux entrées, situées à chaque extrémité de l'unique route touristique qui le traverse (28 miles). La sortie 311 de l'I-40 mène à l'entrée nord où le Visitor Center voisine avec une station-service, un restaurant et un magasin de souvenirs. ℘ (928) 524 6228, www.nps.gov/pefo. Painted Desert Visitor Center de déb. avr. à mi-sept. : 7h-17h, fév.-mars et de mi-sept. à fin oct. : 7h-18h, nov.-fév. 8h-17h. Routes juin-juil. : 7h-20h ; mai et août : 7h-19h30 ; avr. et sept. : 7h-19h ; mars : 7h-18h30 ; oct. : 7h-18h. 20 $/véhicule, valable 7 j. On accède à l'entrée sud par la Hwy 180. Demandez la brochure en français. Un conseil : ne ramasser pas les pierres, c'est interdit et les amendes sont très élevées.*

Cette vaste **étendue désertique** conserve d'étonnants troncs aux nervures chatoyantes. Vestiges d'une forêt datant de 225 millions d'années, ces arbres de plusieurs dizaines de mètres ont été ensevelis sous des cendres volcaniques et des dépôts de sédiments. Privés d'oxygène, ils se sont lentement transformés en écrins de quartz, sous l'action de la silice apportée par l'eau. Peu à peu, l'érosion a mis au jour ces étonnants fossiles contenus dans l'épaisse couche sédimentaire. Cette dernière a également donné naissance aux paysages désolés du « Désert peint », rattaché au parc en 1932, dont les collines aux teintes pastel s'enflamment au lever et au coucher du soleil.

★★ Painted Desert

Après le *Visitor Center*, une boucle sillonne la partie nord du parc et dessert 9 points de vue. Un sentier relie **Tawa Point** à **Kachina Point** *(1,5 km)* et surplombe un dédale de collines colorées *(permis nécessaire pour camper)*.

6

Les différents points de vue ne révèlent qu'une petite partie de cette bande de terre infertile appelée « Désert peint », qui court le long de la vallée du Little Colorado, du parc jusqu'au Grand Canyon, plus au nord. Les collines aux pentes douces se parent de couleurs différentes selon la composition des roches. Les dégradés de rouge et de violet proviennent d'oxydes de fer, de manganèse et d'aluminium, les tons blancs indiquent la présence de gypse, et les teintes grisées celle de restes d'animaux (entre autres des dinosaures) et de plantes. Édifié en 1924, le **Painted Desert Inn★** abrite aujourd'hui un musée, où sont exposés les objets utilisés du temps où cette bâtisse appartenait à la célèbre compagnie Fred Harvey, une chaîne de restauration de luxe qui fit le prestige de la ligne de chemin de fer de Santa Fe. Subsistent également de belles peintures murales, œuvres d'un artiste hopi.

★ Les arbres pétrifiés

Dans la partie sud du parc, les troncs pétrifiés qui lui ont donné son nom constituent la principale curiosité ; mais vous pouvez également y admirer des vestiges indiens, les ruines d'un village abandonné au 15ᵉ s. sur le site de **Puerco Pueblo**, et plus d'un millier de pétroglyphes gravés dans la roche au fil des siècles (les plus anciens remontent à 5 000 ans) sur le **Newspaper Rock**. Deux points de vue, **Teppes** et **Blue Mesa★★**, offrent des panoramas semblables à ceux du « Désert peint ». Au dernier arrêt de la boucle de Blue Mesa, un sentier guidé, le **Blue Mesa Trail★★** *(facile ; 1,6 km ; comptez 45mn)*, vous emmène au cœur des formations rocheuses aux dégradés violets.

Chacun des points de vue suivants donne accès à de courts sentiers, le long desquels reposent les arbres lentement mis au jour par l'érosion. Faites un détour par **Crystal Forest** *(1,2 km)* et ne manquez pas le **Long Logs Trail★**, qui abrite la plus grande concentration de bois pétrifié, et le **Giant Logs Trail** *(600 m)*, où se succèdent des spécimens parmi les plus grands et les plus colorés. Ce dernier débute au **Rainbow Forest Museum**, où sont exposés des fossiles de plantes et des squelettes d'animaux préhistoriques découverts dans le parc *(tlj janv.-fév. et nov.-déc. : 8h-17h, mars et de mi-sept. à fin oct. : 7h-18h, de déb. avr. à mi-sept. : 7h-19h - gratuit)*.

Circuit conseillé Carte de région

★★ LA RÉGION DE SEDONA A1

◖ *Pour visualiser ce circuit d'environ 150 miles, reportez-vous à la carte de région (p. 400-401) - comptez une journée. Pour rejoindre Sedona, à 30 miles au sud de Flagstaff, empruntez l'US-89A.*

À environ 12 miles au sud de Flagstaff, l'US-89A longe le splendide canyon de l'Oak Creek. Avant de vous engager sur la route en lacet qui descend au fond de la gorge, vous pouvez admirer la vue depuis **Oak Creek Vista**.

Si vous souhaitez vous baigner dans l'un des toboggans naturels creusés par l'Oak Creek, faites un tour au **Slide Rock State Park** *(à 5 miles au sud d'Oak Creek Vista, sur la Hwy 89A - ☏ (928) 282 3034 - www.azstateparks.com/parks/SLRO - tlj 8h-18h, 19h à partir du 25 mai et en été - 10 $ par véhicule (4 pers. ou 3 $/pers. suppl.), 20 $ en été.*

★ Sedona

🛈 *Visitor Center dans le centre, au croisement de Hwy 89A et de 331 Forest Rd - ☏ (928) 288 7336 - www.visitsedona.com - tlj 8h30-17h, mais d'autres bureaux d'information ont ouvert à l'extérieur de la ville. Procurez-vous le Red Rock Pass*

Painted Desert dans le Petrified Forest N. P.
A. de Valroger/Michelin

(5 $ par jour) si vous souhaitez faire de la randonnée. La ville s'organise autour de l'US-89A, divisée en Uptown (la portion touristique) et en West Sedona, plus à l'ouest (artère où se succèdent commerces et hôtels).

Blottie au fond d'une vallée encadrée de buttes d'un rouge flamboyant, typiques du « **Red Rock Country** »★★, cette bourgade se consacre pleinement au tourisme et au New Age. En effet, visiteurs et randonneurs sont séduits par la majesté des montagnes aux couleurs de feu qui se dressent alentour, dont certaines, appelées **vortex**, concentreraient de puissantes énergies électro-magnétiques. Formées il y a plus de 250 millions d'années, ces couches de calcaire et de grès ont été soulevées, comme le plateau du Colorado, il y a 60 millions d'années, et s'élèvent à présent à 1 372 m au-dessus du niveau de la mer. Les roches ont pris des formes étonnantes. D'ailleurs, depuis le centre-ville *(uptown Sedona)*, on aperçoit une curiosité très appréciée des enfants, le **Snoopy Rock**. Ce rocher rouge ressemble à s'y méprendre au chien Snoopy allongé sur le toit de sa niche.

Les routes 89A et 179 offrent de magnifiques points de vue sur les roches alentour. Des aires de stationnement permettent de profiter du paysage. Mais si vous avez peu de temps, rendez-vous sur la colline de l'aéroport puis vers la Chapelle de Holy Cross d'où vous aurez les deux plus beaux panoramas.

★ **Point de vue de la colline de l'aéroport** – *Empruntez Airport Rd, à droite de l'US-89A (quand on vient de Flagstaff) dans West Sedona. Parking en haut de la montée, à gauche de la route.* Magnifique panorama sur le paysage qui se dessine au nord de Sedona. Devant vous se déroule une frise de pitons rocheux dans un harmonieux dégradé de rouge et de blanc. Tous portent des noms évocateurs, tels Chimney Rock (« la Cheminée »), Capitol Butte (« le mont du Capitole ») ou Coffee Pot Rock (« la Cafetière »), et la plupart sont parcourus de **sentiers de randonnée**.

Randonnées – *Parking sur votre droite en redescendant de l'aéroport vers Sedona. Vous devez détenir le Red Rock Pass pour y stationner.* Deux **chemins** débutent au parking. L'un mène au mont voisin qui offre une vue à 360° *(facile ; 30mn*

AR), tandis que l'autre conduit sur la montagne située à droite du parking, plus au sud *(facile ; 2h AR). Renseignements à la station de rangers, 8375 State Route 179, au sud du village de Oak Creek,* ✆ *(928) 203 2900.*

★ **Chapel of the Holy Cross** – *11 miles au sud de Sedona, par la Hwy 179. Tournez à gauche dans Chapel Rd, 3 miles au sud du croisement entre l'US-89A et la Hwy 179. 9h-17h, mais accès libre au point de vue.* La **chapelle** est perchée sur un promontoire qui constitue l'endroit idéal pour admirer le coucher du soleil sur les formations situées au sud de Sedona. Imaginée en 1956 par l'artiste sculpteur Marguerite Brunswig Staude, cette chapelle moderne comporte une large baie vitrée qui permet de profiter du panorama.

Revenez sur l'US-89A que vous prenez vers le sud. À Cottonwood, empruntez Main St. qui conduit aux ruines de Tuzigoot (à 25 miles de Sedona).

Tuzigoot National Monument

Visitor Center – *À l'entrée du site -* ✆ *(928) 634 5564 - www.nps.gov/tuzi - juin-août : 8h-18h ; reste de l'année : 8h-17h, fermé 25 déc. - 10 $ valable 7 j., billet combiné avec Montezuma Castle (gratuit -16 ans). Gratuit si vous possédez le National Parks Pass. Documentation en français (0,50 $).*

Les Indiens sinaguas qui vécurent dans la région à partir de l'an 1000 édifièrent sur cette butte un village qui comprenait plus d'une centaine de pièces. Il comptait 200 habitants au plus fort de son occupation, mais fut déserté au tout début du 15ᵉ s. Un sentier pavé permet de s'approcher des ruines d'un grand nombre de pièces, dont il ne subsiste que les fondations, et grimpe jusqu'au sommet de la colline, d'où l'on a une vue superbe sur la Verde Valley. Une petite exposition sur les Sinaguas est proposée au *Visitor Center.*

Reprenez l'US-89A jusqu'à Jerome (à 12 miles au sud de Cottonwood).

Jerome

Perchée sur la Mingus Mountain, cette ancienne ville minière, qui comptait 15 000 habitants en 1929, n'en recense plus que 450, dont une majorité d'artistes venus s'installer ici dans les années 1970. Jerome se consacre désormais essentiellement au tourisme, égrenant dans ses rues escarpées des chapelets de boutiques sur le thème de la ville-fantôme. Plus authentique, l'enseigne **House of Joy**★ *(dans la rue principale, après la fourche),* un ancien bordel converti en boutique, déborde de vieilleries mises en scène avec malice par les propriétaires.

De retour à Cottonwood, rejoignez l'I-17 par la Hwy 260. Prenez la sortie 289 de l'I-17 qui mène au Visitor Center *du Montezuma Castle National Monument (à 50 miles au sud de Flagstaff et environ 100 miles au nord de Phoenix).*

★ Montezuma Castle National Monument

✆ *(928) 567 3322 - www.nps.gov/moca.* Visitor Center 8h-17h. 10 $ valable 7 j., *billet combiné avec Montezuma Castle (gratuit -16 ans). Gratuit si vous possédez le National Parks Pass.* Nichés dans une alcôve naturelle à 30 m au-dessus du sol, ces vestiges sont admirablement préservés. Le village sinagua construit au 12ᵉ s. comprenait 45 pièces réparties sur six étages. Grâce à un sentier, on peut s'en approcher, mais il demeure inaccessible au public. L'eau du Beaver Creek, qui s'écoule à proximité, permettait aux Indiens de cultiver.

Quelques miles plus loin *(suivez l'I-17 vers le nord et prenez la sortie 293),* à **Montezuma Well**★★ (« puits de Montezuma »), des ruines d'habitats sinaguas sont disséminées près d'un joli bassin, formé par l'effondrement d'une caverne souterraine et alimenté par une source *(l'endroit est idéal pour pique-niquer).*

NOS ADRESSES À FLAGSTAFF

TRANSPORTS

En avion – L'aéroport (*℘ (928) 556 1234*) est situé à 5 miles au sud de Flagstaff par l'I-17 *(www. flagstaff.az.gov)*. Pour rejoindre la ville, louez une voiture ou empruntez un taxi.

En bus – Les huit bus de la compagnie **Mountain Line** (*℘ (928) 779 6624, www. mountainline.az.gov*) circulent dans Flagstaff entre 6h et 22h, 7h et 20h le w.-end *(1,25 $)*. **Arizona Shuttle** (*1 E. Rte 66 - ℘ 1-877 226 8060 - www.arizonashuttle. com*) assure notamment des liaisons entre Flagstaff et Sedona *(40mn, tlj dép. 8h et 16h, retour 8h50, 16h50, 39 $ AS)*, et le Grand Canyon via Williams *(2h, tlj 7h45, 12h45, 15h45, retour 10h, 15h15, 18h15, 30 $ AS)*. Il est préférable de réserver ; tarifs préférentiel sur Internet.

HÉBERGEMENT

À Flagstaff

Large choix d'hébergements, très demandés durant les week-ends et la belle saison (surtout les deux premières semaines de mai, période de remise des diplômes). Voir aussi la partie *Accomodations* sur *www.flagstaffarizona.org*.

Dans le centre historique

BUDGET MOYEN

Weatherford Hotel – *23 N. Leroux St. - ℘ (928) 779 1919 - www. weatherfordhotel.com - 🍽 ✕ - 11 ch. 55/155 $*. Cet hôtel historique de 1897 à la façade élégante propose des chambres lumineuses avec salle de bains privée ou commune ainsi que trois chambres haut de gamme. Pour un moment de détente, rendez-vous au pub Charly's ou dans

l'ancienne salle de bal Zane Grey où se déroulent des concerts.

Monte Vista Hotel – *100 N. San Francisco St. - ℘ (928) 779 6971 - www.hotelmontevista.com - 🍽 ✕ 10/20 $ - 🅿 10/24 $ - wifi - 42 ch. 95/155 $*. Édifié en 1926, cet hôtel fut autrefois fréquenté par les stars de cinéma. Toujours aussi accueillant, il a conservé son charme et sa décoration un peu vieillotte. Son lounge et son Café Rendez-Vous sont connus pour leurs concerts et leur ambiance sympathique.

POUR SE FAIRE PLAISIR

The Inn at 410 – *410 N. Leroux St. - ℘ (928) 774 0088 - www.inn410. com - 🍽 - 10 ch. 185/275 $ ☕*. Ce B & B luxueux comprend des chambres spacieuses décorées dans un style rustique très américain. Copieux petit-déj., boissons en fin de journée.

Au sud du centre historique

Situés non loin du centre, le long de Milton Road, ces hôtels bénéficient d'un certain calme. Il vaut cependant mieux avoir une voiture pour sortir le soir.

BUDGET MOYEN

Super 8 – *602 Historic Route 66 - ℘ (928) 774 4581 - www. flagstaffsuper8.com - 🍽 ✕ 🅿 ⬆ ♿ - wifi - 67 ch. à partir de 90 $*. Motel classique, impeccable, sans surprise.

Canyon Inn – *501 S. Milton Rd - ℘ (928) 774 7301 - www. canyoninnflagstaff.com - 🍽 🅿 - wifi - 21 ch. 60/140 $ ☕*. Chambres spacieuses et tout confort dans ce motel situé à 3mn de la gare Greyhound.

Econo Lodge University – *914 S. Milton Rd - ℘ (928) 774 7326 - 🍽 🅿 ⬆ - wifi - 66 ch. 82/158 $ ☕*. Un bon confort dans ce motel bien tenu. Petit-déj. continental léger.

À l'est du centre historique

Des motels économiques, éloignés du centre, bordent la portion est de la Route 66 (proche de la voie ferrée où circulent des trains de nuit). Prenez la sortie 198 de l'I-40 pour les rejoindre.

PREMIER PRIX

Western Hills Motel – *1580 E. Route 66 -* ✆ *(928) 774 6633 - westernhillsmotel.squarespace. com -* ✕ ⴾ *- wifi - 28 ch. à partir de 65 $.* Un peu en retrait de la Route 66, motel sympathique doté de petites chambres tout confort.

BUDGET MOYEN

Hotel Aspen – *1008 E. Route 66 -* ✆ *(928) 527 1912 - www.hotelaspenflagstaff.com - ch. 85/145 $* ⏁. Cet hôtel, perché sur une colline, offre un calme relatif et une vue agréable sur les forêts de pins. Les chambres sont confortables. On prend son petit-déj. (inclus) face à la montagne.

Starlight Pines B & B – *3380 E. Lockett Rd -* ✆ *(928) 527 1912 - www.starlightpinesbb.com -* ▤ *- 4 ch. 159/179 $* ⏁. Une superbe maison, construite « à l'ancienne ». Les chambres racontent toutes une histoire à travers leur mobilier des années 1920, rassemblé par les propriétaires passionnés.

À Williams

De nombreux motels et hôtels bordent les deux routes principales dont la Route 66 *(voir, « Nos adresses au Grand Canyon », p. 393).*

RESTAURATION

Fait rare aux États-Unis, aucune chaîne de cafés ou de restaurants ne s'est encore installée dans le centre de Flagstaff. Les établissements, proches les uns des autres, offrent l'occasion de jolies flâneries nocturnes.

PREMIER PRIX

Late for the Train - *22 E. Birch Ave. -* ✆ *(928) 779 5975 - www. lateforthetrain.com - tlj 6h30-18h (21h vend.-sam.) - pâtisseries env. 3/5 $.* Un endroit idéal pour déguster un bon café torréfié accompagné de quelques douceurs.

The Tourist Home – *52 S. San Francisco St. -* ✆ *(928) 779 2811 - www.TouristHomeUrbanMarket. com - tlj 6h-18h - sandwichs et salades 8/13 $.* Ce deli market branché est parfait pour un déjeuner léger dans le patio. Desserts maison.

Macy's European Coffee House & Bakery – *14 S. Beaver St. -* ✆ *(928) 774-2243 - www. macyscoffee.net - tlj 6h-20h - sandwichs et salades 8/13 $.* Quartier général des étudiants, ce café végétarien et vegan pratique des prix particulièrement raisonnables, pour une cuisine authentique et de bonne qualité. L'ambiance est chaleureuse (expositions de photos au mur).

Grand Canyon Cafe – *110 E. Route 66 -* ✆ *(928) 774 2252 - 7h-21h - fermé dim.- plats env. 5/14 $.* Typique *diner* proposant des plats américains et chinois dans un décor qui semble inchangé depuis 60 ans, avec son long comptoir et ses banquettes en skaï vert.

Pizzicletta – *203 W. Phoenix Ave. -* ✆ *(928) 774 3242 - www.pizzicletta. com - tlj à partir de 17h - pizzas 11/15 $, fromages et charcuteries 10/11 $.* Le chef, son tablier couvert de farine, déambule entre une unique longue table de bois que l'on partage avec ses voisins et un four à bois pour vous proposer d'authentiques charcuteries italiennes ou une excellente pizza préparée avec des produits frais et régionaux. Carte des vins.

BUDGET MOYEN

Brix – *413 N. San Francisco -* ℰ *(928) 213 1021 - www. brixflagstaff.com - tlj sf lun. 17h-22h - viandes 23/34 $.* pour les viandes. Un joli cadre pour ce bar à vins sympathique où l'on peut se restaurer léger à midi et faire un repas aux saveurs du chef le soir. Vin au verre et assiette de fromages *(11/16 $).* Agréable patio.

Shift – *107 N. San Francisco St. -* ℰ *(928) 440 5135 - www.shiftflg. com - merc.-sam. à partir de 17h, dim. 9h-14h - plats 10/19 $.* La mode des *small plates* (tapas à l'américaine) est ici bien présente avec des plats modernes et chics, d'une grande créativité. Dans la cuisine ouverte, le chef et les marmitons prennent plaisir à discuter avec les clients, tout en pelant des échalotes.

The Cottage Place – *126 W. Cottage Ave. -* ℰ *(928) 774 8431 - www.cottageplace.com - merc.-dim. 17h-21h - 5/13 $ - 26/38 $ - réserv. recommandée.* Une étape gourmande dans une maison du début du 20e s. Des plats élaborés et une carte des vins assez complète.

À Sedona et Williams

Vous n'aurez aucun mal à vous restaurer à **Sedona** et à **Williams**, de nombreux bars et restaurants bordent la rue principale, ouverts toute la journée et en soirée.

BOIRE UN VERRE

Ville étudiante, Flagstaff connaît une véritable vie nocturne. Le journal gratuit, *Flagstaff Live,* donne le programme complet des animations tout comme le site www.flaglive.com.

Museum Club – *3404 E. Route 66 -* ℰ *(928) 526 9434 - www. themuseumclub.com - 11h-2h, dim. 11h-21h.* Facilement identifiable grâce à l'immense guitare en néons roses qui précède la cabane de rondins, ce vieux et vaste bar (1916) habillé de bois ravira les amateurs d'ambiances *country* et de chapeaux de cow-boys. Country music vend. et sam. soir.

Charly's – *23 N. Leroux St. -* ℰ *(928) 779 1919 - vend.-dim. 8h-22h.* Concerts certains soirs, une tradition du Weatherford Hotel, à partir de 21h. Bar avec billard animé jusqu'à 2h du matin.

Flagstaff Brewing Company – *16 Historic Route 66 -* ℰ *(928) 773 1442 - www.flagbrew.com - 11h-2h.* Les amateurs de bière s'y donnent rendez-vous pour discuter autour d'un pichet de la cuvée maison. Concerts.

Vino Loco – *22 E. Birch Ave - Suite 1 -* ℰ *(928) 226 1764 - www. vinolocoflag.com - dim.-merc. 11h-21h, jeu.-sam. 11h-0h.* Cette sympathique cave propose une sélection intéressante de vins locaux et du monde entier. Concerts folk et *country* les soirs de week-end.

ACTIVITÉS

Arizona Snowbowl – *www. arizonasnowbowl.com.* Flagstaff est réputée pour sa station de ski, à 14 miles au nord de la ville.

Flagstaff Extreme Adventure Course – *Fort Tuthill County Park -* ℰ *1-888 259 0125 - www. flagstaffextreme.com - 50 $ (7-11 ans : 27 $).* En dépit de son nom, ce parcours d'accrobranche permet de s'amuser quel que soit son niveau.

Sedona

Très nombreuses possibilités de randonnées à pied, à cheval ou en vélo avec des niveaux de difficultés variables. Renseignez-vous auprès du *Visitor Center* de Sedona - *www.visitsedona.com.*

Le Nouveau-Mexique 7

Carte Michelin Western USA 585 – Nouveau-Mexique

Aztec Motel à Albuquerque.
J. Larsen/age fotostock

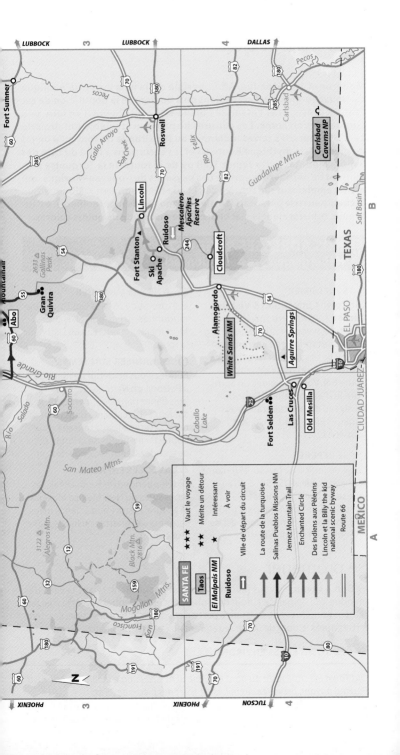

Albuquerque

556 495 habitants – Nouveau-Mexique

Moderne et très étendue, Albuquerque est la ville la plus dynamique du Nouveau-Mexique, accueillant plus du tiers de la population de cet État. La présence et l'essor de l'université contribuent à en faire une agglomération jeune. Les cultures hispanique et pueblo ont droit de cité. D'ailleurs, les terres indiennes du Rio Grande ne sont qu'à un jet de pierre de la mythique Route 66 et les excursions à faire du côté des Sandia Mountains, du Jemez Trail ou de la route de la Turquoise permettent de découvrir la variété des paysages du Nouveau-Mexique, qui mérite amplement son surnom de « Land of Enchantment ». Albuquerque accueille aussi le plus grand festival au monde de montgolfières, à l'automne, transformant le ciel bleu en une multitude de points colorés.

😃 NOS ADRESSES PAGE 462
Hébergement, restauration, achats, activités, etc.

🛈 S'INFORMER

Old Town Convention & Visitors Center – *303 Romero St. N.W., Don Luis Plaza, www.visitalbuquerque.org - tlj, horaires variables*. Bien renseigné sur la ville et sa région (brochures, plans de ville et dépliants sur la Route 66). Vous trouverez un autre bureau d'information à l'aéroport au niveau de la récupération des bagages *(dim.-vend. 9h30-20h, sam. 16h30)*.

▶ SE REPÉRER

Carte de région B2 *(p. 450-451)* - *carte Michelin Western USA 585 G 11*. La ville se trouve à 562 miles (899 km) au sud-est de Las Vegas par l'I-40 et à 453 miles (725 km) au nord-est de Phoenix par l'I-17 puis l'I-40.

👁 À NE PAS MANQUER

Une promenade dans Old Town, une randonnée au Petroglyph National Monument, un repas au 66 Diner, sur la route 66.

🕐 ORGANISER SON TEMPS

Rendez-vous en début de matinée à Petroglyph National Monument, puis flânez dans Old Town. L'été, la chaleur est accablante dans l'après-midi : réservez-la aux musées. Pour apprécier les néons de la Route 66, descendez Central Avenue de nuit.

👫 AVEC LES ENFANTS

Le téléphérique de Sandia Peak, les dinosaures du New Mexico Museum of Natural History and Science et les serpents à sonnettes du Rattlesnake Museum.

Se promener

😃 **Bon à savoir** – Il vous faudra un véhicule pour circuler dans la ville, très étendue, qui s'organise autour du croisement entre Central Ave. et la voie ferrée. Les numéros vont croissant à partir de là dans chaque direction. Les deux lettres après le nom de la rue se réfèrent aux points cardinaux.

★★ **OLD TOWN ET LES ENVIRONS** Plan II

Old Town est situé juste au nord de Central Ave., à l'angle de Rio Grande Blvd. Parking payant, prévoyez des billets de 1 $ et des pièces de 25 cts.
C'est au cœur de la vieille ville, quartier le plus charmant de la ville qui s'organise autour d'une belle place ombragée, que flotte le souvenir de l'époque

Albuquerque, Route 66, bâtisse orthodoxe russe.
D. Delimont/age fotostock

espagnole, avec ses rues bordées de bâtiments en adobe, de style territorial ou pueblo, et ses patios fleuris où pépient les oiseaux et sèchent les piments. Le quartier demeure inchangé depuis un siècle, lorsque l'arrivée du chemin de fer, en 1880, déplaça les commerces vers la gare, là où se trouve aujourd'hui Downtown. On respire l'air du soir sur les bancs de la Plaza ombragée, entre le kiosque à musique et la ravissante **église San Felipe de Neri★**, fondée la même année que la ville, en 1706. Détruite en 1792, elle fut reconstruite en 1793. Quelques Indiens des *pueblos* voisins vendent leurs bijoux à l'ombre des galeries de San Felipe Street. N'hésitez pas à flâner dans les rues autour de la place et à emprunter les impasses conduisant à de frais patios, où se nichent boutiques d'artisanat et galeries d'art.

★ Rattlesnake Museum

202 San Felipe N.W. - ℰ (505) 242 6569 - www.rattlesnakes.com - juin-août : tlj lun.-sam. 10h-18h, dim. 13h-17h ; sept.-mai : lun.-vend. 11h30-17h30, sam. 10h-18h, dim. 13h-17h - 5 $.

👥👤 Ce petit musée, proche du cabinet de curiosités, dédie trois petites salles aux serpents à sonnette. Nombreuses informations et spécimens présentés, pour découvrir cet animal réputé dangereux, et démonter certains mythes. Également, collection de *comics*, jeux et bouteilles de bières, et divers objets à l'effigie du crotale. Si vous n'êtes pas phobique des serpents, peut-être que les vivariums de tarentules et autres amphibiens vous feront plus d'effet…

★ The Albuquerque Museum of Art and History

2000 Mountain Rd N.W., Old Town - ℰ (505) 243 7255 - albuquerquemuseum.org - tlj sf lun. 9h-17h - fermé lun., 1ᵉʳ janv., Thanksgiving et 25 déc. 4 $, 4-12 ans - 1 $, gratuit 1ᵉʳ merc. du mois, 3ᵉ jeu. du mois 17h-20h30 et dim. 9h-13h.

Cet agréable musée est composé de deux sections. La première est dédiée à l'art, avec des œuvres d'artistes du Nouveau-Mexique, modernes et contemporains, d'artistes du Nouveau-Mexique. La seconde résume l'histoire d'Albuquerque et du Rio Grande. On y découvre, à travers **objets★★** et reconstitutions, le quotidien des premiers cow-boys, les artisanats des Indiens Pueblos, et l'art religieux.

★ New Mexico Museum of Natural History and Science

1801 Mountain Rd N.W. - ℘ (505) 841 2800 - www.nmnaturalhistory.org - tlj 9h-17h - fermé 1er janv., Thanksgiving et 25 déc. - 8 $, 3-12 ans 5 $, Dynatheater 10 $ (3-12 ans, 6 $), planétarium 7 $ (3-12 ans 4 $).

On y apprend l'histoire géologique de l'État, l'apparition des volcans et des grottes, des dinosaures et autres stégosaures, des plantes, etc. Certains squelettes sont particulièrement bien conservés ! Un planétarium et un cinéma dynamique proposent des spectacles à thème. Quant à la galerie Start-Up, elle aborde l'histoire de la révolution informatique en commençant par l'Altair, qui était le premier ordinateur personnel commercialisé (conçu à Albuquerque).

★ Indian Pueblo Cultural Center

2401 12th St. N.W., au nord d'Old Town - ℘ (505) 843 7270 - www.indianpueblo. org - tlj sf j. fériés 9h-17h - entrée gratuite dans le centre où se trouvent des boutiques, musée 8,40 $ (5-17 ans 5,40 $) - Navette gratuite de/vers Old Town et l'ABQ BioPark (juin-oct. : vend.-dim.).

Ce centre culturel engagé, géré en association par les 19 *pueblos,* compte un musée, une librairie, une grande boutique d'artisanat indien (plus cher que dans les villages, mais cela donne une idée des différents styles) et un restaurant de cuisine indienne et locale. L'exposition permanente du **musée**, en sous-sol, présente l'histoire et l'artisanat des 19 *pueblos* : les vitrines côte à côte permettent de comparer la diversité des motifs et des réalisations de chacune des communautés. Exposition temporaire au rez-de-chaussée.

Le week-end, les Indiens des différents *pueblos* présentent des **spectacles de danses traditionnelles★★** en costume *(w.-end 11h et 14h).*

ABQ BioPark, Botanic Garden

à l'ouest d'Old Town, en bordure du Rio Grande.

2601 Central Ave. N.W., à l'intersection de Central et de New York Ave., ℘ (505) 764 6200. 9h-17h (18h le w.-end de mai à sept.), fermé 1er janv., Thanksgiving et 25 déc. Entrée pour le zoo ou l'aquarium 12,50 $ (3-12 ans 4 $), entrée pour le zoo et l'aquarium 20 $ (3-12 ans 6 $), petit train 3 $ (3-12 ans 2 $).

Plantes méditerranéennes et locales se partagent avec le jardin japonais les 10 ha de ce parc agréablement frais. Divers festivals animent le parc tout au long de l'année : concerts pendant l'été, festival du cidre en octobre, etc. Ne manquez pas d'emmener les enfants musarder parmi les papillons monarques du Butterfly Pavilion, pendant l'été. Aquarium et zoo, circuit de petit train électrique en plein air, reconstitution d'une ferme des années 1930.

LA ROUTE 66 ET DOWNTOWN Plan I

Parcourez la Route 66 d'est en ouest, de préférence de nuit, quand tous les néons sont allumés. Cette section de la Route s'étend sur 4 miles (20mn. env. en voiture). Commissionnée en 1926 pour favoriser l'immigration vers l'Ouest, la Route 66, ou « Mother Road » (la Route Mère), relie Chicago, dans l'Illinois, à Santa Monica, en Californie. Bien que remplacée par l'I-40 et débaptisée en 1984, la **Route 66** reprend son nom original pour la traversée d'Albuquerque par **Central Avenue**. Motels, stations-service et fast-foods ont été classés Monuments historiques. Les styles architecturaux sont éclectiques : néopueblo (toits plats, parapets arrondis, poutres et porches…), hispanique ou moderne jusqu'aux années 1950, style ranch, colonial ou même polynésien dans les années 1960.

Les secrets d'une réussite

ALBUQUERQUE À LA CROISÉE DES CHEMINS

Une occupation ancienne

Bien que les innombrables pétroglyphes découverts aux environs témoignent d'une occupation indienne depuis 3 000 ans, la ville ne fut officiellement fondée qu'en 1706.

Elle prit le nom de **Villa de Alburquerque** en l'honneur du vice-roi du Mexique, le duc d'Alburquerque (le premier « r » du nom a disparu par la suite).

Camino Real et chemin de fer

La présence d'eau, de forêts et de pâturages au cœur du désert en faisait un endroit de choix pour les colons mexicains le long d'El Camino Real (« la Route royale »), qui reliait Mexico à Santa Fe (2 400 km, à peu près le tracé de l'I-25).

Sa prospérité date toutefois de l'arrivée du **chemin de fer**, en 1880, qui en fit un carrefour commercial de première importance et amena une seconde vague de colons, américains cette fois.

La Route 66

En 1926, la construction de la **Route 66** mit enfin un terme à l'isolement relatif du Nouveau-Mexique, rapprochant Albuquerque des brumes de Chicago et des palmiers de Los Angeles, et devenant le paradis des bikers en Harley-Davidson. La ville en garde un collier de motels variés et de néons colorés.

UN CENTRE DYNAMIQUE DE RECHERCHE ET DE FÊTE

Des liens avec la recherche nucléaire

La suite de l'histoire locale devint beaucoup plus sérieuse avec la Seconde Guerre mondiale et les recherches ultrasecrètes sur la fission de l'atome. Si Los Alamos *(voir p. 475)* abrite le laboratoire où naîtra la bombe atomique, Albuquerque possède la base aéronavale de Kirtland et le Sandia National Laboratory où sont aussi menées des **recherches militaires**.

C'est encore au Nouveau-Mexique, à White Sands *(voir p. 501)*, que l'on se livra au premier essai nucléaire. Avec la Guerre froide et la course aux armements, Albuquerque développa son industrie et ses technologies de pointe, grâce à des grandes firmes comme Honeywell Defense Avionics Systems, GE Aircraft Engines, Intel, etc.

Ces dernières décennies, la recherche s'est attachée aux applications plus pacifiques du **nucléaire**, en médecine notamment.

Une ville universitaire et festive

La ville a ensuite découvert le tourisme et les montgolfières. Chaque année, en octobre, l'**International Balloon Fiesta**, le plus important festival au monde, rassemble plus de 1 000 ballons dans le ciel d'Albuquerque.

Quant à l'université, elle garantit un bouillonnement intellectuel et culturel dans des domaines variés et parfois inattendus, comme le département spécialisé dans les études sur le *chile* (« piment »), l'un des emblèmes du Nouveau-Mexique.

Enfin, Albuquerque se mua en star du petit écran grâce au succès de la brillante série de Vince Gilligan, *Breaking Bad (voir encadré p. 457).*

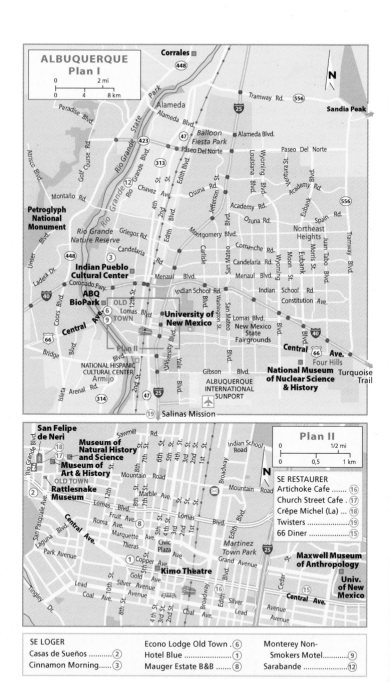

ALBUQUERQUE
Plan I

0   2 mi
0   4   8 km

Corrales

448

N

Park

Alameda

Tramway Rd.

556

Sandia Peak

Paradise Blvd.

Atrisco Blvd.

Golf Course Rd.

Rio Grande State Park

Alameda Blvd.

47   *Balloon Fiesta Park*

423

Alameda Blvd.

Paseo Del Norte

Wyoming Blvd.

Louisiana Blvd.

Paseo Del Norte

313

Rio Grande Blvd.

Edith St.

4th St.

Chavez Ave.

Osuna Rd.

Jefferson St.

Academy Rd.

Academy Rd.

Montaño Rd.

12

Rio Grande

Osuna Rd.

San Mateo Blvd.

Eubank Blvd.

Academy Rd.

556

Petroglyph National Monument

Rio Grande Nature Reserve

Griegos Rd.

Candelaria Rd.

Montgomery Blvd.

Comanche Rd.

Carlisle

Candelaria Rd.

Wyoming Blvd.

Northeast Heights

Juan Tabo Blvd.

Morris St.

Eubank Blvd.

Moon St.

Spain Rd.

Tramway Blvd.

Unser Blvd.

448

3

Indian Pueblo Cultural Center

Menaul Blvd.

Menaul Blvd.

Ladera Dr.

Coronado Fwy.

40

ABQ BioPark

Coors Blvd.

Central Ave.

66

OLD TOWN

12th St.

6

9

Lomas

Indian School Rd.

Indian School Rd.

Washington St.

San Mateo Blvd.

Constitution Ave.

University of New Mexico

Lomas Blvd.

New Mexico State Fairgrounds

Bridge Blvd.

Plan II

University Blvd.

Yale Blvd.

Central 66 **Ave.**

Four Hills

Turquoise Trail

NATIONAL HISPANIC CULTURAL CENTER

Armijo

Isleta Blvd.

Arenal Rd.

314

2nd St.

47

19

Gibson Blvd.

ALBUQUERQUE INTERNATIONAL SUNPORT

National Museum of Nuclear Science & History

25

Salinas Mission

San Felipe de Neri

Rio Grande Blvd.

Sawmill Rd.

18

17

Museum of Natural History and Science

Museum of Art & History

OLD TOWN

2

Rattlesnake Museum

8th St.

7th St.

6th St.

5th St.

4th St.

3rd St.

2nd St.

1st St.

Indian School Road

Broadway

Plan II

0   1/2 mi
0   0,5   1 km

N

Mountain Road

Mountain Road

Mountain Rd.

12th St.

Lomas Blvd.

Marble Ave.

Fruit Ave.

Roma Ave.

Marquette Ave.

San Pasquale St.

Laguna Blvd.

Park Avenue

Lomas Blvd.

8

5th St.

4th St.

3rd St.

2nd St.

1st St.

Edith Blvd.

Broadway

Tingley Dr.

Tijeras Ave.

Civic Plaza

1

Copper Ave.

Kimo Theatre

Gold Ave.

Silver Avenue

Coal Avenue

10th St.

Lead Avenue

8th St.

4th St.

3rd St.

2nd St.

16

Broadway

Silver Ave.

Coal Ave.

Central Ave.

Martinez Town Park

Grand Avenue

25

Maxwell Museum of Anthropology

Cedar St.

15

Central Ave.

Univ. of New Mexico

Edith Blvd.

Silver Avenue

Lead Avenue

SE RESTAURER

Artichoke Cafe 16
Church Street Cafe . 17
Crêpe Michel (La) ... 18
Twisters 19
66 Diner 15

SE LOGER

Casas de Sueños 2
Cinnamon Morning 3

Econo Lodge Old Town . 6
Hotel Blue 1
Mauger Estate B&B 8

Monterey Non-Smokers Motel 9
Sarabande 12

Vers Midtown/University

Notez les **Tewa Motor Lodge** *(5715 Central Ave. N.E. ; 1946)* et **Desert Sands Motor Hotel** *(5000 Central Ave. S.E. ; 1953).*

Au no 3201, la **Monte Vista Fire Station** (1936) était la caserne des pompiers, devenue un restaurant. Pour une étape milk-shake ou burger, le **66 Diner** a conservé l'allure des années d'après-guerre *(1405 Central Ave. N.E. ; 1946).*

Downtown

C'est la partie la plus vibrante de la Route 66 : après avoir croisé la voie de chemin de fer, vous abordez Downtown et ses quelques bâtiments d'époque, banques, bureaux et salles de théâtre ou de cinéma, comme le **Sunshine Theatre** *(120 Central Ave. SW. ; 1923)* et l'étonnant **KiMo Theatre★** *(423 Central Ave. NW. ; 1927)* et sa façade de céramique décorée, mélange de styles pueblo et Art déco, où se produisirent Ginger Rogers et Gloria Swanson.

★ UNIVERSITÉ

Au centre d'Albuquerque, à l'est de la voie ferrée et de l'I-25.

Au carrefour de Central Avenue et de Yale Boulevard, l'**University of New Mexico★**, fondée en 1889, compte près de 28 000 étudiants. Elle a été conçue pour accroître le rayonnement de la ville après l'arrivée du chemin de fer. Comme beaucoup d'universités américaines, le campus est très agréable et comporte de nombreux espaces verts, fontaines, bancs et sculptures en plein air. L'architecture rappelle l'histoire du Nouveau-Mexique, et privilégie le style néopueblo et l'adobe : difficile à croire que l'on est dans une université ! Les meilleurs exemples en sont, entre autres, le Hodgin Hall ou l'Alumni Memorial Chapel. L'université est surtout réputée pour ses départements d'anthropologie, de culture latino-américaine et de médecine.

★ **Maxwell Museum of Anthropology** – *1 University of New Mexico, à l'ouest du campus, près de Redondo Rd qui est parallèle à University Blvd et à Central Ave. On la rejoint par Yale Blvd (perpendiculaire à la Route 66) - ℘ (505) 277 4405 - maxwellmuseum.unm.edu/- mar.-sam. 10h-16h, fermé j. fériés - gratuit.* Pour les

---

L'EFFET BREAKING BAD

Breaking Bad (2008-2013), récompensée par l'*Emmy Award* de la meilleure série dramatique en 2013 et 2014, met en scène les aventures de Walter White. Ce professeur de chimie terne et effacé d'Albuquerque, décide, après l'annonce d'un cancer en phase terminale, de fabriquer de la méthamphétamine avec l'un de ses anciens élèves pour subvenir aux besoins futurs de sa famille. Au point de se muer, au fil des saisons, en baron de la drogue. Interprétation magistrale, seconds rôles consistants, écriture ciselée et réalisation audacieuse : *Breaking Bad* est saluée par la critique et plébiscitée par le public. Baignée de soleil et envahie par la poussière du désert, la série réussit sans peine à sublimer les paysages du Nouveau-Mexique. Et Albuquerque devient un personnage à part entière, au point d'attirer les téléspectateurs accros qui arpentent les lieux emblématiques de la série. Produits dérivés et circuits thématiques ont ainsi fleuri en ville, engendrant des retombées économiques non négligeables pour celle qui, longtemps, resta dans l'ombre de sa voisine Santa Fe.

Les lieux de tournage de la série (la maison des différents protagonistes, la station de lavage, le fast-food Los Pollos Hermanos, etc.) sont repertoriés sur le site de la ville : www.visitalbuquerque.org.

passionnés d'archéologie, de belles vitrines expliquent les **méthodes de recherches archéologiques★**, utilisées sur les sites de Chaco et de la vallée du Rio Grande, que les archéologues ont exploré à partir de 1929. Sont évoquées à travers différents objets, dont de belles **poteries★★**, l'histoire et l'évolution des cultures indiennes anciennes majeures : Mogollon du Nouveau-Mexique, Anasazi (les ancêtres des Pueblos), et Hohokam (originaires des déserts d'Arizona).

À l'est de l'université, autour de Central Avenue, s'étend le quartier de **Nob Hill**, bordé de restaurants et de bars, avec ses rues résidentielles ombragées vers le nord.

À proximité Carte de région

★★ National Museum of Nuclear Science & history

601 Eubank Blvd S.E. Suivez Central Ave. plein est jusqu'à Eubank Blvd où vous tournez à droite - ☎ (505) 245 2137 - www.nuclearmuseum.org - 9h-17h, fermé 1er janv., Pâques, Thanksgiving et 25 déc. - 12 $ (6-17 ans 10 $).

La fusée pointée vers le ciel à l'extérieur du bâtiment donne le ton de ce musée dédié à l'histoire de l'énergie nucléaire américaine. Le Nouveau-Mexique occupe une place de premier plan dans celle-ci, avec notamment le Manhattan Project de Los Alamos *(voir p. 475)*, qui déboucha sur la fabrication de la bombe atomique.

Trois thèmes dominent les salles : **Histoire**, **Science** et **Technologie**. Sont retracés à travers des mises en scènes, objets, portraits des principaux scientifiques, et reproduction de matériel, la création de la première bombe atomique, son usage désastreux sur le Japon en 1945, puis l'escalade atomique pendant la Guerre froide (propagande, construction d'abris anti-atomiques…), et enfin, les emplois actuels du nucléaire, médical et dans l'énergie.

La partie historique est passionnante, et rappelle que les états-Unis, le Japon et l'Allemagne avaient engagé des chercheurs chacun de leur côté dans une course pour construire la première bombe atomique dans les années 1940. L'équipe allemande était sur le point d'y parvenir avant les autres, mais le chercheur chargé du projet, Heisenberg, commit une grave erreur scientifique, et ce fut finalement l'équipe américaine qui réussit, à Los Alamos au Nouveau-Mexique.

Dans la salle dédiée à **Hiroshima** et **Nagasaki**, ne ratez pas l'émouvant film réalisé par un photographe américain quelques heures à peine après l'explosion sur la ville, pour documenter les résultats de la bombe. Plus légère, la salle **Atomic Culture** présente l'énergie atomique dans la culture populaire : *comics*, films, littérature, jeux et chansons, que ce soit de la propagande, ou engagé contre l'exploitation de l'énergie atomique.

Le musée comprend une impressionnante collection de reproductions de bombes, de missiles et même d'avions, dans la cour à l'extérieur.

★ Petroglyph National Monument

Compter 1 à 2h. Visitor Center : 6001 Unser Blvd N.W., à 7 miles au nord-ouest d'Old Town. Suivez Central Ave. vers l'ouest, puis tournez à droite dans Unser Blvd - ☎ (505) 899 0205 - www.nps.gov/petr - visitor Center tlj 8h-17h, fermé 1er janv., Thanksgiving et 25 déc. - entrée gratuite sf au parking de Boca Negra Canyon (lun.-vend. 1 $, w.-end 2 $) - prenez de l'eau en été.

Au pied de cet escarpement volcanique long de 17 miles, la West Mesa, les Indiens ont laissé plus de 20 000 pétroglyphes gravés dans le basalte, dans une zone considérée comme sacrée. Bien que certains remontent à 3 000 ans, la plupart ont été exécutés après 1300, lorsque les anciens Pueblos désertèrent le plateau du Colorado pour s'installer le long du Rio Grande. Ces dessins étranges et stylisés représentent des figures animales ou humaines et des symboles spirituels, dont l'interprétation diffère selon les tribus.

Arrêtez-vous d'abord au Visitor Center pour récupérer un plan du parc. Il y a 4 zones à explorer : prenez la voiture pour rejoindre chacune d'elles (pas de pétroglyphes à **Volcanoes**).

Boca Negra Canyon – *Au bout d'Unser Blvd, à 2,5 miles au nord du* Visitor Center - *tlj 8h-17h - 1 $/véhicule, 2 $ le w.-end*. Le site compte trois petits circuits qui grimpent à flanc de colline, chacun prenant de 5 à 30mn et permettant d'apercevoir certains des 100 pétroglyphes répartis sur les rochers.

★ **Rinconada Canyon** – *0,5 mile au sud du* Visitor Center *sur Unser Blvd. Comptez 1h30 AR - tlj 8h-17h*. Le sentier sablonneux suit à l'aller des falaises sur lesquelles sont dispersés des dessins parfois très visibles (le canyon en dénombre 500).

★ **Piedras Marcadas Canyon** – *6 miles au nord-est du* Visitor Center *(consultez plan du Visitor Center) - tlj 8h-17h*. Situé à proximité d'une zone résidentielle, ce site est très calme, et le sentier sablonneux *(1,5 mile AR)* qui le traverse permet d'admirer 300 pétroglyphes, certains en hauteur, cachés dans les rochers.

★★ **Le téléphérique du Sandia Peak** (Sandia Peak Aerial Tramway) B2

▶ *Au nord-est d'Albuquerque. Suivez l'I-40 vers l'est (sortie 167), puis Tramway Blvd N. sur environ 9 miles, ou prendre l'I-25 vers le nord (sortie 234), puis Tramway Rd E. sur 5 miles. Accessible également par la Hwy 14, sur le Turquoise Trail -* ☎ *(505) 856 7325 - www.sandiapeak.com - de Memorial Day à Labor Day : 9h-21h (reste de l'année : mer.-lun. 9h-21h, mar. 17h-20h). Fermé 2 semaines en nov. - 25 $ (5-12 ans 15 $, 13-20 ans 20 $). C'est encore plus beau au coucher du soleil.*

La Sandia Crest barre l'est d'Albuquerque et culmine au **Sandia Peak★** (3 113 m). À mesure que le téléphérique s'élève, on est surpris par le contraste entre la vallée semi-désertique et la succession de canyons boisés. Au sommet, des sentiers, avec plus de 34 km de randonnée à pied ou en VTT, au cœur d'une flore et d'une faune très riches (ours bruns, lynx, ratons laveurs, cerfs, aigles…). En hiver, on pratique le ski.

Corrales Village B2

▶ *Au nord-ouest, à 10 miles au nord de l'I-40 par Coors Blvd puis Corrales Rd.* Donnant une idée de la vie que pouvaient mener les colons au bord du Rio Grande avant le boom de la ville, ce paisible village agricole noyé dans la verdure a conservé ses vieilles fermes en adobe, ses corrals à chvaux et l'émouvante **chapelle San Ysidro★** (1868) avec son toit et ses deux amusants clochetons en tôle ondulée *(de Corrales Rd, suivez les panneaux « Old church »).*

Excursions Carte de région

Acoma-Sky City★★★ *(66 miles)*, **El Malpais N.M.★** *(72 miles)* et **El Morro N.M.** *(115 miles)* peuvent faire l'objet d'une journée d'excursion à l'ouest d'Albuquerque *(voir à Gallup, p. 496).*

★★ **VERS LOS ALAMOS : JEMEZ MOUNTAIN TRAIL** B2

▶ *Comptez une demi-journée. Un magnifique circuit de 35 miles à travers les Jemez Mountains, de Jemez Pueblo à Los Alamos (prévoyez un pique-nique). Pour rejoindre Jemez Pueblo, à 45 miles au nord d'Albuquerque, empruntez l'I-25 (sortie 242) puis les Hwys 550 et 4 en passant par Zia Pueblo.*

7

★ Zia Pueblo

Dans ce village indien traditionnel, il est interdit de prendre des photos ou de filmer.
Typique avec ses maisons carrées en adobe au cœur d'une terre désertique et
ses fours extérieurs traditionnels, ce *pueblo* poussiéreux est dominé par une
émouvante petite **chapelle** blanche ornée de motifs indiens. Le symbole du
village est célèbre, car c'est aussi l'emblème de l'État (un cercle traversé de
trois rayons dans les quatre directions).
À San Ysidro, bifurquez à droite sur la Hwy 4.

Jemez Pueblo

Le village, sans intérêt architectural, n'est ouvert au public que lors de ses
fêtes rituelles, contactez le **Walatowa Visitor Center** pour connaître les
dates, c'est le seul endroit ouvert au public dans le village *(7413 Hwy 4 -
☏ (575) 834 7235 - www.jemezpueblo.com - été : tlj 8h-17h ; reste de l'année :
merc.-dim. 10h-16h).*
Après le village débute la **route des Jemez Mountains** qui encadrent de façon
spectaculaire le Jemez Creek. Le cours d'eau se faufile entre des falaises aux
couleurs changeantes, du rose et du jaune au rouge et à l'orange. Peu à peu,
la route s'éloigne du désert, la terre est d'un incroyable rouge vif et les arbres
envahissent le canyon en un paysage de cinéma.
Le long de la Highway 4, vous passez le **Jemez State Monument** *(Jemez
Springs. - tlj sf lun.-mar. 8h30-17h - 5 $)* qui retrace l'histoire d'un ancien *pueblo*
en ruine et de sa mission fondée en 1621, lors de l'évangélisation des Indiens.

Jemez Springs

Le village contemporain semble rescapé des années 1940 avec son saloon, où
ne manquent que les chevaux attachés à la barrière, et sa maison de bains d'eau
thermale. On vous y explique la richesse minérale des sources chaudes des
environs et leurs bienfaits contre le stress et la déprime *(Bath House - ☏ (575)
829 3303 ou 1-866 204 8303 - www.jemezsprings.org - tlj sf merc. 10h-18h (19h
vend.-sam.). Comptez 12 $/pers. pour un bain de 25mn ou 42 $ pour un massage
de 30mn. Réserv. conseillée le w.-end).*

★★ Soda Dam

À la sortie de Jemez Springs, le **Soda Dam** est un étonnant barrage naturel
(90 m de long, 15 m de haut et 15 m d'épaisseur) formé par la calcification
progressive d'une eau très riche en carbonate. La route s'élève ensuite dans
les montagnes, et la végétation change : les conifères, de plus en plus nombreux le long de crêtes torturées, composent un paysage alpin.

★ Battle Ship Rock

Bien signalé sur la droite, parking 5 $.
Au **Battle Ship Rock**, de menaçantes murailles de pierre noire s'élèvent au-
dessus des arbres *(du parking, un petit sentier mène vers les falaises).*
Les environs sont couverts d'une épaisse forêt sillonnée de nombreux sen-
tiers permettant la randonnée, en particulier pour descendre vers la rivière en
contrebas *(notamment à partir des parkings du Dark Canyon National Recreation
Area ou de l'aire de repos de La Cueva).*
Plus on monte, plus la forêt se fait dense, les bouleaux se mêlant aux pins,
avant d'aborder de larges pâturages. La chaîne montagneuse culmine au
Redondo Peak, à 3 376 m. Sur le plateau, la **Valles Caldera★★**, aussi appelée
Valle Grande, est une vallée d'altitude (2 550 m) de 22 km de diamètre. Il s'agit
en fait d'un gigantesque cratère (l'un des plus grands au monde), formé il y a
plusieurs millions d'années, après l'effondrement d'une série de volcans.

★ VERS SANTA FE, PAR L'EST : LA ROUTE DE LA TURQUOISE
(Turquoise Trail) B2

▶ *Comptez une demi-journée, sur la route de Santa Fe. Quittez Albuquerque vers l'est par l'I-40. À 16 miles de Downtown (5 miles après la jonction entre l'I-40 et Central Ave.), prenez la sortie 175 pour rejoindre la Hwy 14.*

Idéal pour rejoindre Santa Fe, ce circuit longe la Sandia Crest par l'est et suit une vallée, autrefois célèbre pour ses mines de turquoise, d'argent, d'or et de charbon. Les paysages sont désertiques et montagneux, la végétation basse est rare, on croise quelques ranchs. Vous passez d'abord la bifurcation vers le Sandia Peak *(13 miles de la Hwy 14)*, puis, 10 miles plus loin, les maisons délabrées de Golden, premier hameau fantôme. Continuez sur 12 miles.

Madrid – Cette ville fantôme fut créée par une entreprise d'extraction de charbon, au milieu du 19e s. À la fermeture des mines, Madrid tomba dans l'oubli, jusqu'à sa vente aux enchères en 1975. Artistes, artisans, hippies ou marginaux investirent les vieilles maisons. Chaque 3e week-end de mai, festival de blues, le CrawDaddy Blues Fest.

★ **Cerillos** – *3 miles après Madrid.* Ce village, plus authentique que Madrid avec ses rues non pavées et ses maisons et palissades de bois, a été fondé en 1879 sur le site d'une mine de turquoise. À l'époque, la ville comptait 21 saloons et 4 hôtels : difficile à croire quand on voit le calme qui y règne à présent. Les panneaux Post Office mènent au **Casa Grande Trading Post** où l'on vend de vraies turquoises ou des imitations. Le petit musée poussiéreux *(17 Waldo St. - ☎ (505) 438 3008 - www.casagrandetradingpost.com - tlj 9h-17h - 2 $)* rend modestement hommage à la mine : outils, minéraux, objets divers… Des lamas et quelques animaux de ferme ont élu domicile sur le côté de la poste.

VERS LE SUD : SALINAS PUEBLO MISSIONS NATIONAL MONUMENT B2/3

▶ *Comptez une demi-journée. Suivez l'I-25 vers le sud sur 52 miles. À Bernardo, prenez la Hwy 60 vers l'est sur 30 miles.*

La Salinas Valley était occupée par les Indiens **mogollons**, rejoints par les **Anasazis** descendus du plateau du Colorado après 1300. Les deux tribus partagèrent alors leurs savoir-faire. Attirés par le sel que les Indiens tiraient des lacs, les Espagnols colonisèrent la région dès 1598 et fondèrent des missions tenues par les franciscains. Les **trois missions** en ruine *(été : 9h-18h ; reste de l'année : 9h-17h)* donnent une idée de l'étonnant mariage de la tradition des *kivas* sacrées des Pueblos et de l'Église. Les moines apportèrent de nouvelles techniques de culture (blé, arbres fruitiers, vigne) et d'artisanat, un art culinaire (le pain), mais aussi de nouvelles maladies qui décimèrent les populations. La plupart des Pueblos finirent par se révolter contre les Espagnols en 1680. Les autres, harcelés par les raids apaches, émigrèrent vers le sud.

★ **Abo Ruins** – *Au nord de la Hwy 60, à 30 miles de l'I-25.* C'est la première mission que vous rencontrez sur la route. Le site possède les ruines de l'une des très rares églises du 17e s. des États-Unis.

Mountainair – *9 miles plus loin, sur la Hwy 60.* Ce paisible village héberge le *Visitor Center (☎ (505) 847 2585, tlj 8h-17h)*, qui présente l'histoire de la région et les trois sites.

Quarai – La mission de **Quarai** *(à 9 miles au nord de Mountainair par la Hwy 55)* possède l'église la mieux conservée.

Gran Quivira – *25 miles au sud de Mountainair par la Hwy 55.* Bien que très abîmé, le site était le plus important (jusqu'à 1 500 habitants) avec son église, son *pueblo* de quelque 300 pièces et ses sept *kivas*.

7

😊 NOS ADRESSES À ALBUQUERQUE

TRANSPORTS

En avion – Albuquerque International Sunport - *À 3,5 miles au sud-est de Downtown par l'I-25 S - ℘ (505) 244 7700 - www.cabq.gov/airport.* Pour le centre-ville, suivez le panneau *Limos, buses, shuttles,* jusqu'à l'arrêt **City Bus**. Les grands hôtels proposent souvent une navette gratuite *(shuttle)* de/vers l'aéroport. Les navettes payantes *(env. 10 $)* sont plus intéressantes que les taxis si vous êtes seul. Les locations de voitures *(Rental Cars)* sont accessibles par navette *(shuttle)* gratuite. Il est recommandé de louer une voiture pour se déplacer à Albuquerque, mais il existe des transports en commun, **ABQ Ride** *(1 $, One-Day Pass 2 $).*

En taxi – *12-13 $ pour Downtown.*

En train – Amtrak Station - *214 1st St. S. - ℘ 1-800 872 7245 - www.amtrak.com.* La ligne Southwest Chief *(1 train/j. dans chaque direction)* relie Chicago à Los Angeles, via Kansas City, Albuquerque et Flagstaff *(40h, à partir de 169 $/fauteuil, 630 $/couchette).*

HÉBERGEMENT

😊 **Bon à savoir** – Central Ave. est bordée de motels souvent mal insonorisés et pas toujours très propres. Downtown étant cher et sans caractère, l'idéal est de loger entre Downtown et Old Town ou, si vous avez une voiture, dans les quartiers résidentiels, pour les B & B de charme. Prix plus élevés lors des festivals.

Près d'Old Town Plan II
PREMIER PRIX

Econo Lodge Old Town – *2321 Central Ave. N.W. - ℘ (505) 243 8475 -* 🖥️ 🅿️ 🏊 *- wifi - 43 ch. à partir de 60 $* 🍽️. Une chaîne d'un bon confort. À 10mn à pied d'Old Town. Petit-déj. continental. Piscine couverte et Jacuzzi.

Monterey Non-Smokers Motel – *2402 Central Ave. S.W. - ℘ (505) 243 3554 -* 🖥️ 🅿️ 🏊 *- wifi - 15 ch. 62/85 $.* Un motel très banal, mais sur la Route 66, tenu par un couple de Polonais. Chambres avec machine à café et frigo-bar. Laverie. À 10-15mn à pied d'Old Town. Fumeurs s'abstenir.

Hotel Blue – *717 Central Ave. N.W. - ℘ (505) 924 2400 - www.thehotelblue.com -* 🅿️ 🏊 *- wifi - 144 ch. 85/157 $* 🍽️. Un bon hôtel bien situé, en face du parc Robinson, avec des chambres très confortables, cafetières, micro-ondes. Petit-déjeuner. Transfert aéroport et parking gratuits.

BUDGET MOYEN

Mauger Estate B & B – *701 Roma Ave. N.W. - ℘ (505) 242 8755 - www.maugerbb.com -* 🅿️ *- wifi - 10 ch. 99/179 $* 🍽️. Dans un quartier résidentiel, une maison en brique pleine de charme, à la déco raffinée très anglo-américaine. Jardin et jolie terrasse. Accueil soigné, apéritif et petit-déj. Parking gratuit.

Casas de Sueños – *310 Rio Grande Blvd S.W. - à 2mn à pied d'Old Town - ℘ (505) 247 4560 - www.casasdesuenos.com -* 🖥️ 🅿️ *- wifi - 21 ch. 139/225 $* 🍽️. Casitas en adobe dispersées autour d'un jardin et équipées pour la plupart d'une kitchenette. Bon petit-déj.

À la périphérie de la ville Plan I
BUDGET MOYEN

Sarabande – *5637 Rio Grande Blvd N.W. - ℘ (505) 348 5593 - www.sarabandebnb.com -* 🖥️ 🅿️ 🏊 *- wifi - 4 ch. 159/189 $* 🍽️. Élégante maison en adobe, décor un peu kitsch. Les chambres les plus belles donnent sur le patio et sa fontaine, les autres sur la piscine. Copieux petit-déj. Jacuzzi.

Cinnamon Morning – *2700 Rio Grande Blvd N.W. -* ☏ *(505) 345 3541 - www.cinnamonmorning. com -* 🖥 🅿 *- wifi - 7 ch. 125/159 $, 1 Guest House à partir de 249 $.* Adresse de charme aux abords nord de la ville. Cette maison de style mexicain est décorée avec goût. Patio avec Jacuzzi. Copieux petit-déj. Tarifs moins élevés hors saison.

Jemez Trail (30 miles au NO)

PREMIER PRIX

La Cueva Lodge – *38690 Hwy 126 - 87025 Jemez Springs - au croisement avec la Hwy 4 -* ☏ *1-866 312 0102 - www. lacuevalodge.com -* 🅿 *- 15 ch. 65/95 $.* Un motel relativement basique à 25 miles de Los Alamos. Demandez les *Deluxe Rooms*, face à la montagne.

BUDGET MOYEN

Canon del Rio B & B – *16445 Hwy 4 - 87025 Jemez Springs - au sud de Jemez Springs -* ☏ *(575) 829 4377 - www.canondelrio.com -* 🖥 🅿 ⛵ *- wifi - 6 ch. 139/159 $* ☕. Dans cette maison moderne en adobe, le patio au bord de la rivière, ouvre sur la montagne et un superbe cadre naturel. On peut parfois observer des colibris s'abreuvant au pas de la porte. Petit-déj. très copieux. Piscine, Jacuzzi, et massages à la demande. Une très belle adresse.

RESTAURATION

Albuquerque

PREMIER PRIX

66 Diner – *1405 Central Ave. N.E. - le long de la Route 66 -* ☏ *(505) 247 1421 - www.66diner. com - lun.-jeu. 11h-22h, vend. 11h-23h, sam. 8h-23h, dim. 8h-22h - 6/14 $.* Un *diner* comme on en rêve : juke-box, affiches du King et de Marilyn, fauteuils en skaï, néons. Les serveurs arborent un uniforme très fifties. Au menu : tous les classiques américains (burgers, poulet frit, chilis, etc.). Les desserts sont gigantesques.

Church Street Cafe – *65 Church St. N.W. - 01240 Lenox -* ☏ *(505) 247 8522 - www. churchstreetcafe.com - 8h-21h, dim. 8h-16h - 4/13 $.* Une charmante maison, aux pièces très chaleureuses, dans une ruelle d'Old Town. Idéal pour les salades, burgers, *burritos*, *rellenos*, *tamales*. Le patio à l'arrière est très agréable les soirs d'été.

La Crêpe Michel – *400 San Felipe Drive -* ☏ *(505) 242 1251 - www. lacrepemichel.com - 11h30-14h, 18h-21h, dim. 11h30-14h - fermé lun. - plats 6/21 $.* Une bonne table située au fond d'une pittoresque impasse d'Old Town. Des crêpes fourrées originales et copieuses, mais aussi une vraie cuisine mijotée par Claudie, française, installée ici depuis des années. Terrasse miniature. Il est préférable de réserver.

Twisters – *4257 Isleta Bd S.W. - au sud de l'aéroport -* ☏ *(505) 877 2727 - www.twistersinc. com - 5h30-21h, vend.-sam. 5h30-22h - moins de 10 $.* Cette adresse de fast-food mexicain est à réserver pour les fans de la série *Breaking Bad* qui a été tournée ici comme le rappelle les posters et les photos : Twisters est mieux connu sous le nom de Los Pollos Hermanos.

BUDGET MOYEN

Artichoke Cafe – *424 Central S.E. - à l'angle d'Edith St., face à l'Old Library -* ☏ *(505) 243 0200 - www. artichokecafe.com - lun.-vend. 11h-14h30 et tlj 17h-22h (21h dim.) - plats*

7

soir 18/39 $. Considérée comme l'une des meilleures tables d'Albuquerque, Artichoke Cafe sert une cuisine internationale de qualité. Belle carte des vins. Salle élégante, mais bruyante et climatisation assez fraîche…

Sur la route de la turquoise : Madrid

PREMIER PRIX

The Mine Shaft Tavern – *2846 Hwy 14 - 87010 Madrid - ☎ (505) 473 0743 - www. themineshafttavern.com - 11h30-20h, vend.-sam. 11h30-21h - plats 5/13 $*. Un vrai saloon où manger des plats américains classiques : burgers énormes, salades, spécialités mexicaines. Concerts.

Sur le Jemez Trail

Los Ojos – *87025 Jemez Springs - ☎ (575) 829 3547 - www. losojossaloon.com - 11h-0h, sam.-dim. 8h-0h - plats env. 5/15 $*. Saloon avec tabourets et bar en bois massif, collections de fusils, chapeaux et trophées empaillés au mur. On y mange pour moins de 12 $. Musique country live et nuits poker certains soirs.

BOIRE UN VERRE

☺ **Bon à savoir** – Le journal hebdomadaire gratuit *Alibi* (www.alibi.com) liste concerts, manifestations, bars et clubs.

Marble Brewery – *111 Marble Ave. NW - ☎ (505) 243 2739 - www. marblebrewery.com - 12h-0h, dim. 12h-22h30*. Un palais de la découverte pour les amateurs de bière, dans une ambiance festive. D'avril à oct., le patio est ouvert : grandes tables communes, concerts. Visite gratuite de la brasserie le jeu. à 17h30.

ACTIVITÉS

Balade en ballon - Rainbow Ryders – *5601 Eagle Rock Ave.*

N.E. - ☎ 800 725 2477 - www. rainbowryders.com. Comptez 225 $/pers. pour une matinée au-dessus des Sandia Mountains et de la vallée du Rio Grande.

National Hispanic Cultural Center – *1701 4th St. S.W. - ☎ (505) 246 2261 - www. nationalhispaniccenter.org - mar.-sam. 10h-17h*. À l'honneur : théâtre, musique et danse valorisant la culture hispanique, traditionnelle et contemporaine.

AGENDA

Gathering of Nations Pow-wow et **American Indian Week** – *Dernière sem. d'avr. www. gatheringofnations.com*. Le plus important pow-wow des États-Unis rassemble toutes les tribus nord-américaines, pour des spectacles et compétitions de danses et costumes, ainsi que l'élection de Miss Indian World.

Cinco de Mayo Celebration – *Dim. 5 mai ou précédant le 5 mai*. Cette fête mexicaine célèbre la victoire du Mexique sur la France en 1862. Musique, danses et cuisine mexicaines dans les rues.

International Balloon Fiesta – *9 jours à partir du premier w.-end d'oct. ☎ (505) 821 1000 ou 1-888 422 7277, www.balloonfiesta.com, 8 $*. Le plus grand rassemblement de montgolfières au monde. Pour voir l'envol massif des ballons à l'aube, il faudra vous lever à 4h du matin, mais cela vaut le coup !

Noël – *Tout déc*. Très pittoresque dans Old Town. Les lampions sont remplacés par des milliers de *luminarias*, des cierges placés dans des sacs en papier et dispersés sur les plazas, les arbres, les balcons, devant l'église et dans les ruelles.

Santa Fe

★★★

69 976 habitants – Nouveau-Mexique

Mariage réussi des cultures indienne, espagnole et américaine, Santa Fe est une ville mythique et métissée. Une certaine spiritualité New Age anime les habitants, et se marie aux croyances catholiques et à la ferveur des danses sacrées des Pueblos. L'architecture est douce, ronde et aux couleurs chaudes, le bonheur se vit à l'ombre des galeries où sèchent les colliers de piments, dans un mélange d'exubérance créative et de fantaisie posthippie : c'est le Santa Fe Style. Mais si l'anticonformisme était de mise il y a quelques années, la ville s'est embourgeoisée, et ses richesses tranchent avec le reste du Nouveau-Mexique, plus pauvre.

 NOS ADRESSES PAGE 476
Hébergement, restauration, achats, activités, etc.

S'INFORMER
Convention Center & Visitors Bureau – *201 W. Marcy St. -* ℘ *(505) 955 6200 - www.santafe.org - lun.-vend. 8h-17h.*

SE REPÉRER
Carte de région B2 (p. 450-451) - carte Michelin Western USA G 10. La capitale du Nouveau-Mexique est située à l'écart de l'I-25 qui vient d'Albuquerque (60 miles, 96 km). Pour entrer en ville, sortez de l'I-25 par la sortie 278 (Cerrillos Rd). Pour quitter Santa Fe vers Taos, suivez Guadalupe St. vers le nord : elle rejoint la Hwy 84/285.

SE GARER
Downtown est circonscrit par le Paseo de Peralta. Parking payant dans le centre, mais les places sont rares en été. Les distances étant raisonnables, mieux vaut garer sa voiture à l'extérieur du centre et continuer à pied.

À NE PAS MANQUER
Se promener sur la Plaza et autour ; explorer Museum Hill, et notamment le Museum of Indian Arts and Culture ; goûter à la cuisine du Nouveau-Mexique (le maïs bleu, les beignets ou *sopaipillas*, les *enchiladas*…).

ORGANISER SON TEMPS
Prévoyez de rester au moins deux jours complets à Santa Fe. La ville n'est pas très grande, mais les musées sont riches et passionnants. Santa Fe est une destination très touristique : évitez les week-ends. La plupart des musées sont gratuits le vendredi soir.

Se promener

★★ AUTOUR DE LA PLAZA

Circuit autour de la Plaza du vieux Santa Fe - comptez une demi-journée, et plus encore si vous visitez les musées.

Pensez au Pass 4 jours pour visiter les musées.

Comme dans toutes les villes espagnoles, la **Plaza★★** est le centre de la ville. Celle de Santa Fe, encadrée d'un bel ensemble de maisons anciennes, fut longtemps le lieu de rendez-vous des habitants. Au 19e s., c'était là que se terminait le Santa Fe Trail (une pierre en marque l'emplacement au coin nord-est)

LE SANTA FE STYLE

En même temps que la ville attirait les artistes, l'idée naquit de redonner à Santa Fe un caractère architectural à l'image de son héritage culturel. Là où les Américains avaient apporté les styles territorial puis victorien, on décida de revenir aux influences mexicaines et pueblos, et à des maisons agencées autour d'un patio. Construites en adobe, elles sont peu élevées, le toit est plat et les angles sont arrondis. Les fenêtres sont petites, les murs épais, et les poutres soutenant les plafonds restent apparentes sur les façades. La norme s'est si bien imposée qu'elle est devenue obligatoire. Les hauteurs sont strictement réglementées, la couleur doit respecter les teintes de terre brunie et le style se fondre dans l'environnement.

et que les commerçants se pressaient pour examiner les marchandises nouvellement arrivées.

★★ Palace of the Governors

105 W Palace Ave. - ☎ (505) 476 5100 - www.palaceofthegovernors.org - tlj 10h-17h (20h le vend. de mai à oct.), fermé lun. de nov. à avr. ; 1ᵉʳ janv., dim. de Pâques, Thanksgiving et 25 déc. - 12 $ (-16 ans gratuit) ; gratuit mai-oct. : vend. 17h-20h et nov.-avr. : 1ᵉʳ vend. du mois. Visites guidées du centre-ville, avr.-oct. : tlj sf dim. à 10h15, 10 $.

Sur le côté nord de la place se dresse l'un des plus vieux édifices publics du pays. Il servait à la fois de logement pour les gouverneurs et de siège du pouvoir. Le plus célèbre de ses occupants fut Lew Wallace, auteur de *Ben Hur*. Le palais, qui vous renseignera sur l'histoire de Sante Fe, héberge aujourd'hui, à l'arrière, le passionnant **New Mexico History Museum**★★ *(voir ci-dessous)*. À l'extérieur, sous les arcades qui longent la façade, des Indiens venus des *pueblos* voisins vendent leurs bijoux (ils sont seuls à en avoir le droit, à tour de rôle).

★★ New Mexico History Museum

– *113 Lincoln Ave. - ☎ (505) 476 5200 - www. nmhistorymuseum.org - mêmes conditions de visite que le Palace of the Governors.*

Ce grand musée moderne, qui conserve quelque 17 000 objets très bien mis en scène, retrace l'histoire du Nouveau-Mexique de 1480 à nos jours, racontés chronologiquement, salle après salle. La question de l'identité du Nouveau-Mexique se pose à travers les peuples qui y vivent ou y ont vécu : Indiens, conquistadors et missionnaires espagnols, mexicains, trappeurs, et plus récemment scientifiques, mineurs et activistes de la contre-culture.

Sortez du musée et traversez Lincoln Ave.

★★ New Mexico Museum of Art

107 W. Palace Ave. - ☎ (505) 476 5072 - www.nmartmuseum.org - tlj 10h-17h (20h le vend. de mai à oct.), fermé lun. de nov. à avr. ; 1ᵉʳ janv., dim. de Pâques, Thanksgiving et 25 déc. - 12 $ (-16 ans gratuit) ; gratuit mai-oct. : vend. 17h-20h et nov.-avr. : 1ᵉʳ vend. du mois.

Ce beau bâtiment, à la cour intérieure très agréable, se reconnaît à son architecture néopueblo. Construit en 1917, il marqua le début du **Santa Fe Style** *(voir encadré ci-dessus)*. Il est consacré à l'art du Nouveau-Mexique, des peintres espagnols jusqu'aux contemporains, en passant par ceux des différentes colonies artistiques de Santa Fe et de Taos, y compris Georgia O'Keeffe, et par les photographes. Le lieu accueille également des expositions d'art contemporain. La portion ouest de Palace Avenue était le repaire des maisons de jeu et des prostituées au temps du Santa Fe Trail.

Suivez Palace Ave. vers l'ouest, tournez à droite dans Grant Ave., puis tout de suite à gauche dans Johnson St.

★★ Georgia O'Keeffe Museum

217 Johnson St. - ☎ (505) 946 1000 - www.okeeffemuseum.org - fin mai-mi-oct. : tlj 9h-17h (19h vend.) ; reste de l'année : tlj 10h-17h (19h vend.) ; fermé 1ᵉʳ janv., Pâques, Thanksginving et 25 déc. - 12 \$, gratuit -18 ans ; visite guidée 32 \$.

Avec plus de 130 peintures, ce musée rassemble la plus importante collection au monde des œuvres de la célèbre peintre (1887-1986). Un film retrace les étapes de la vie de cette artiste d'avant-garde du modernisme américain. En 1929, O'Keeffe passe l'été au nord du Nouveau-Mexique. Quelques années plus tard, elle achète une vieille maison en adobe à Abiqu, et revient tous les étés dans cette région où « les couleurs sont différentes. » Elle y trouve une source constante d'inspiration, et peint le désert, les chapelles, des portes, des fleurs.
Revenez sur la Plaza et prenez Palace Ave. vers l'est. East Palace Ave. conserve de nombreux souvenirs de l'histoire locale.

East Palace Avenue

Le **109 East Palace Avenue** servit par exemple de poste relais lorsque les chercheurs en énergie nucléaire investirent la ville de Los Alamos. Le laboratoire

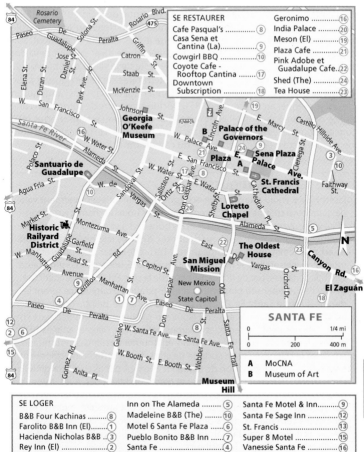

SE RESTAURER

Cafe Pasqual's .... (8)
Casa Sena et Cantina (La) .... (9)
Cowgirl BBQ .... (10)
Coyote Cafe - Rooftop Cantina .... (17)
Downtown Subscription .... (18)
Geronimo .... (16)
India Palace .... (20)
Meson (El) .... (19)
Plaza Cafe .... (21)
Pink Adobe et Guadalupe Cafe.. (22)
Shed (The) .... (24)
Tea House .... (23)

SANTA FE

A — MoCNA
B — Museum of Art

7

SE LOGER

B&B Four Kachinas .... (8)
Farolito B&B Inn (El)........ (1)
Hacienda Nicholas B&B .. (3)
Rey Inn (El) .... (2)
Inn on The Alameda .... (5)
Madeleine B&B (The) ...... (10)
Motel 6 Santa Fe Plaza ...... (6)
Pueblo Bonito B&B Inn .... (7)
Santa Fe .... (4)
Santa Fe Motel & Inn.......... (9)
Santa Fe Sage Inn .... (12)
St. Francis .... (13)
Super 8 Motel .... (15)
Vanessie Santa Fe .... (16)

devant rester secret, tous les nouveaux arrivants passaient par ici pour les vérifications, puis des militaires venaient les chercher. Leur seule adresse était désormais celle-ci, accompagnée d'un numéro de boîte postale.

Plus loin, le long de la rue, plusieurs cours intérieures évoquent le mode de vie des colons espagnols. La plus belle est la **Sena Plaza★★** *(125 E. Palace Ave.)*, avec ses arbres et sa profusion de fleurs : c'était la cour d'une immense hacienda espagnole, résidence d'une famille de 11 enfants.

Suivez E. Palace Ave. et tournez à droite dans Cathedral Place.

★ Museum of Contemporary Native Arts (MoCNA)

108 Cathedral Place - ℘ (505) 983 8900 - www.iaia.edu/museum - tlj sf mar. 10h-17h (12h dim.) - fermé mar., 1er janv., dim. de Pâques, Thanksgiving et 25 déc. - 10 $.
Cet institut se consacre à l'art indien contemporain. Outre de riches collections de peinture, sculpture, céramique, joaillerie et vannerie, il abrite la seule école des beaux-arts des États-Unis strictement dédiée à la promotion des méthodes et des cultures artistiques de tous les Indiens d'Amérique du Nord.

★ St Francis Cathedral

℘ (505) 982 5619 - www.cbsfa.org - lun.-sam. 9h30-16h30, dim. se rens.
De l'autre côté de la rue, la cathédrale ne date que de la fin du 19e s. (1869-1886). Contrairement aux églises traditionnelles du Nouveau-Mexique, elle n'est pas construite en adobe mais en pierre dorée, extraite localement. Son style néoroman imposant (deux clochers-flèches de 48 m de haut devaient même surmonter les tours) tranche avec le reste de la ville. Cela était voulu. Après la conquête par les Américains des territoires sur le Mexique, le pape décida en effet d'envoyer un Français à Santa Fe, Jean-Baptiste Lamy, qui en devint le premier archevêque en 1851. Décidé à remettre de l'ordre dans une église devenue tolérante, il commença par défroquer certains prêtres qu'il jugeait trop libérés et projeta de bâtir une cathédrale à la française qui donnerait une juste idée de la grandeur du catholicisme.

ARTISTES OU MYSTIQUES

Le sort qui a voulu que Santa Fe échappât au train lui a certainement valu de garder son charme intact. Sa réputation de « bout du chemin », de liberté et de vie sauvage attira les artistes et les bohèmes. Les plus grands peintres américains s'y sont succédé. Au début du 20e s., ils colonisèrent **Canyon Road**, un chemin presque campagnard, à l'écart de la Plaza. Les prix y étaient modestes et les ateliers se multiplièrent. Après 1916, une solide communauté s'installa, financée par de riches mécènes de la côte Est. Toute l'architecture de la ville fut repensée pour retrouver l'inspiration d'origine : ce furent les débuts du **style Santa Fe**. En 1917, **Georgia O'Keeffe**, peintre originaire de la côte Est, tomba amoureuse du Nouveau-Mexique. Elle emménagea en 1949 dans une petite maison des environs de Santa Fe. Dans les années 1930 et 1940, les cinéastes de Hollywood vinrent tourner des films dans la région, amenant la célébrité et son cortège de stars. Toute cette faune colorée fit encore grandir la réputation de Santa Fe. Hippies, babas cool, marginaux et mystiques venaient s'y ressourcer et n'en repartaient pas. Avec la vogue New Age, on ne compte plus les mouvements de quête spirituelle, de retour aux sources et de redécouverte de soi. Les prix ont emboîté le pas à cette folie et les véritables artistes ont dû quitter Canyon Road pour laisser la place aux galeries, mais la marque exubérante et libre qu'ils ont laissée sur la ville continue d'attirer les visiteurs.

L'édifice fut construit autour de la chapelle précédente (1714) qui existe encore à l'angle nord-est et abrite une Vierge de bois habillée, surnommée **La Conquistadora★★**, apportée du Mexique en 1625 (c'est la plus ancienne des États-Unis). Très vénérée, elle sort en procession en juin, pour Corpus Christi, la Fête-Dieu, et pour la Fiesta. Durant la révolte des Pueblos, les Espagnols l'emportèrent dans leur fuite puis la ramenèrent en 1692, lui attribuant la reconquête de Santa Fe. Chaque jour, une fidèle change ses vêtements. Les vitraux de la cathédrale ont été réalisés en France.

À voir aussi

★ SUR L'OLD SANTA FE TRAIL

▶ *Comptez 1h à 2h.*

Dernier vestige de l'ancienne route commerciale, l'Old Santa Fe Trail a conservé son nom. À l'époque, on arrivait de l'est en contournant les Sangre de Cristo Mountains par le sud.

La rue part de Loretto Chapel, passe la rivière et croise E. De Vargas St.

★ Loretto Chapel

207 Old Santa Fe Trail - ℰ (505) 982 0092 - www.lorettochapel.com - 9h-16h30, (dim. 10h30) - 3 $.

Construite en 1878 pour une communauté de religieuses, elle se veut inspirée de la Sainte-Chapelle de Paris (toutes proportions gardées…) et fut édifiée par les architectes de la cathédrale. Elle vaut la visite pour son **escalier en spirale★★** qui tourne deux fois de 360°, sans vis et sans support apparent.

Barrio de Analco

À l'époque espagnole, cette partie de la ville, au sud du cours d'eau, fut la première à être urbanisée. Son nom signifie « *le quartier de l'autre côté de l'eau* ». Les officiels, soldats et missionnaires vivaient autour de la Plaza, tandis que les serviteurs mexicains, les ouvriers et les Indiens convertis étaient cantonnés à l'écart. Avec l'ouverture du Santa Fe Trail qui passait par là, de plus en plus de nouveaux arrivants s'installèrent le long d'East De Vargas Street, qui conserve les plus vieux édifices de la ville *(voir ci-dessous* **The Oldest House***)*. Au bord du cours d'eau, on vient pique-niquer, pêcher et même lézarder à l'ombre quand il fait chaud.

★ San Miguel Mission

401 Old Santa Fe Trail - ℰ (505) 983 3974 - tlj 10h-14h, gratuit.

Cette mission fut fondée aux débuts de la ville, en 1610, mais partiellement détruite lors de la révolte des Pueblos. Elle servait d'église aux Mexicains et convertis du quartier voisin. Le bâtiment actuel, à l'exception des murs, fut reconstruit en 1710 et fortifié. Le **retable★** de San Miguel date de 1798. Notez aussi les **peintures sur peau de buffle et de cerf★**, qui remontent à 1630, et qu'utilisaient les moines pour enseigner aux Indiens. La légende dit que le voyageur qui sonne la cloche à l'entrée (1356) reviendra un jour à Santa Fe… Notez **The Oldest House** *(215 E. De Vargas St.)*, une vieille maison en adobe aux murs massifs, que les poutres ont permis d'estimer aux environs de 1650.

★ CANYON ROAD

7

▶ *Comptez 1h à 2h.*

Cette longue et étroite rue bordée de cafés, restaurants et galeries d'art est l'un des emblèmes de la ville. En flânant le long de la rue, remarquez la variété du Santa Fe Style et l'esthétique de certains jardins. L'ancienne hacienda **El Zaguan★** *(545 Canyon Rd, jardin accessible au public tlj sf dim. et j. fériés 9h-17h)*, construite après 1850 par un riche marchand, est le parfait exemple de style territorial, avec son long couloir central et sa galerie à colonnes, et possède un étonnant jardin victorien, créé par Adolph Bandelier, l'anthropologue découvreur du site pueblo de Los Alamos, qui importa même une partie des plantes utilisées. Ne manquez pas, ici ou là, des galeries ou ateliers pleins d'humour et de fantaisie, comme celui de l'inénarrable **Ed Larson** *(821 Canyon Rd, dans d'anciennes étables)*, avec ses tableaux en relief et ses cow-boys irrévérencieux.

VERS GUADALUPE STREET - HISTORIC RAILYARD DISTRICT

◗ *Guadalupe St. à l'angle avec Montezuma St. Ce quartier se déploie à l'ouest du centre-ville, le secteur abordé ci-dessous se trouvant sur la rive sud - Comptez 2h.* Ce quartier, en pleine renaissance, s'organise autour de l'ancien **dépôt ferroviaire** de l'Atchison Topeka & Santa Fe Railway, qui reliait autrefois la ville à Lamy, plus au sud. Un petit rappel du fait que Santa Fe est passée à côté de la révolution du chemin de fer pour cause de cupidité. Ayant eu vent du projet, des spéculateurs achetèrent en effet les terrains du tracé supposé de la future ligne, mais plutôt que de négocier les prix, les compagnies ferroviaires préférèrent aller à Albuquerque. Voilà pourquoi Santa Fe conserve encore son air de bout du monde.

Santa Fe Southern Railway

℘ (505) 989 8600 ou 1 888 989 8600 - www.thetraininsantafe.com - merc.-dim., différentes formules et prix, tous les trains AR Santa Fe.
Embarquez le long de l'Old Santa Fe Trail, à bord de voitures d'époque.

★ Santuario de Guadalupe

100 N. Guadalupe St. - ℘ (505) 988 2027 -lun.-vend. 9h-16h.
Notre-Dame de Guadalupe peut paraître un peu excentrée, mais, construite en 1781, elle mérite le coup d'œil, notamment pour les collections de l'archidiocèse : statues de saints, peintures italiennes ou œuvres du baroque mexicain.

★★ MUSEUM HILL

◗ *Museum Hill est un ensemble de musées regroupés le long de Camino Lejo, au sud-est de la ville (à environ 2 miles de la Plaza). Pour rejoindre les musées, continuez sur l'Old Santa Fe Trail vers le sud jusqu'au Camino Lejo et suivez les panneaux. Vous pouvez vous garer sur le parking de l'un des musées, et rejoindre les autres à pied. Vous pouvez vous y rendre par le bus M (départ toutes les 45mn du Bus Terminal sur Sheridan Ave., entre Marcy et Palace Ave., au nord de la Plaza).*

★ Museum of Spanish Colonial Art

750 Camino Lejo - ℘ (505) 982 2226 - www.spanishcolonial.org - tlj de Memorial Day à Labor Day : 10h-17h (fermé lun. le reste de l'année) - 8 $ (- 16 ans gratuit).
Fort d'une collection de 3 000 objets, ce musée, installé dans une maison de style Pueblo Revival en vogue au début du 20e s., présente figurines et retables, mobiliers, outils et bijoux de l'époque coloniale.

★★★ Museum of Indian Arts and Culture

710 Camino Lejo - ℘ (505) 476 1250 - www.miaclab.org - tlj de Memorial Day à Labor Day : 10h-17h (fermé lun. le reste de l'année) - gratuit vend. 17h-20h, fermé 1er janv., dim. de Pâques, Thanksgiving et 25 déc. - 9 $ (-16 ans gratuit, billet inclus dans le Pass - visite guidée (1h30, en anglais uniquement) 10h30, 12h et 14h.

De l'Espagne à l'Union

LA CONQUÊTE ESPAGNOLE

C'est en 1540 que des missionnaires espagnols, venus du Mexique, explorèrent pour la première fois la région, menés par **Marcos de Niza**, qui, de retour au Mexique expliqua au conquistaror **Mendoza** qu'il avait trouvé les Cités d'Or encore plus merveilleuses que les cités aztèques et incas. Les conquistadores marchèrent vers le Nouveau-Mexique, mais ne trouvèrent que des Indiens pueblos, des agriculteurs. En 1598, 129 familles s'installèrent au nord de Santa Fe, dans la vallée d'Española, sous la conduite de **Don Juan de Oñate**. Mais c'est Santa Fe que choisit son successeur, **Don Pedro de Peralta**, en 1609, pour devenir la capitale du nouveau territoire (c'est la plus ancienne ville des États-Unis à avoir gardé ce titre sans interruption). L'année suivante, on construisit le palais des Gouverneurs et la mission San Miguel. Soldats, colons et marchands empruntaient **El Camino Real** (« la Route royale »), qui reliait Mexico à Santa Fe. Les missionnaires convertirent massivement les Indiens pueblos, que leur mode de vie sédentaire rendait plus familiers que les tribus nomades (comme celles des Apaches et des Navajos). En 1617, 14 000 d'entre eux avaient adopté le catholicisme sans vraiment renoncer à leurs traditions.

LA RÉVOLTE DES INDIENS

Excédés d'être exploités par les colons et les missionnaires ainsi que par l'interdiction croissante de pratiquer les rites ancestraux, les Indiens des villages environnants, menés par un chaman du nom de **Popé**, de Taos Pueblo, se révoltèrent le 11 août 1680. Les colons s'enfuirent de Santa Fe vers le sud et s'installèrent à El Paso, près du Mexique. Les Indiens reprirent le contrôle de la région et s'emparèrent des chevaux abandonnés par les fuyards, ce qui contribua à changer leur mode de vie car, avant l'arrivée des Espagnols, l'usage du cheval leur était inconnu. Par voie de troc, les chevaux passèrent aux tribus du nord, les Utes, puis se répandirent parmi les Indiens des Grandes Plaines. En 1692, les Espagnols récupérèrent le Nouveau-Mexique et Santa Fe (c'est cet événement que célèbre la Fiesta, chaque année en septembre), mais ils étaient devenus plus tolérants envers les traditions indiennes. La domination espagnole cessa en 1821, quand le Mexique devint indépendant.

LE SANTA FE TRAIL

Aussitôt les troupes espagnoles parties, des aventuriers venus de l'est se hasardèrent dans la région. Le premier était un colporteur qui arrivait du Missouri avec un chariot plein de marchandises. Il vendit ses denrées avec un énorme bénéfice. La nouvelle se répandit vite et d'autres l'imitèrent : ce fut le début du célèbre **Santa Fe Trail**, une route commerciale longue de 900 miles.
En 1846, lors de la guerre des États-Unis contre le Mexique, l'armée américaine s'empara de Santa Fe et déclara le Nouveau-Mexique **Territoire américain**. Des forts furent construits tout le long du Santa Fe Trail pour le protéger des raids indiens. Les ranchs se multipliaient avec l'arrivée de nouveaux immigrants européens des États de l'Est. Pourtant, le Nouveau-Mexique resta un simple territoire jusqu'en 1912, date à laquelle il accéda au statut d'État : c'est le 47e État américain.

RED OR GREEN ?

Dans les restaurants au Nouveau-Mexique, après avoir commandé votre plat, on vous posera la question : *Red or Green ?* soit Rouge ou Vert, en référence à la sauce faite à base de *chile*, une variété de piments. Le vert et le rouge sont autant pimentés : le rouge est mixé, tandis que le vert contient des ptits morceaux. Si vous demandez à ce que l'on vous serve les deux *(both),* la combinaison s'appelle *Christmas* (Noël).

L'imposante figure du danseur apache Esprit de la Montagne marque l'entrée de ce musée d'art et d'anthropologie, qui présente l'histoire des Indiens du Sud-Ouest américain, qu'ils soient nomades (Navajos, Apaches…) ou sédentaires (Pueblos). La visite de ce musée est indispensable pour comprendre la culture indienne et son adaptation progressive, souvent douloureuse, à l'intrusion des Européens et à la culture américaine contemporaine. à l'entrée de l'exposition permanente intitulée **Here, Now and Always** *(Ici, maintenant et toujours),* notez la sculpture représentant la Terre Mère, et les visages perdus des hommes et femmes à qui elle vient de donner vie. L'accès aux collections se fait ensuite par un étroit passage sombre où l'on entend le bâton de pluie, puis des vidéos d'Indiens expliquent leurs origines et leurs identités. Les modes de vie, rites et histoires des Indiens du Sud-Ouest sont présentés à travers huit thèmes : les ancêtres, les cycles, l'architecture, le langage et les chants, la flore et la faune, le troc, la survie et les arts. Les expositions temporaires (photographies, bijoux, peintures, musique, etc.) complètent la visite, d'une grande richesse.

★★★ Museum of International Folk Art

706 Camino Lejo, ℗ (505) 476 1200, www.moifa.org. Sept.-mai : tlj sauf lun. 10h-17h ; fermé 1er janv., dim. de Pâques, Thanksgiving et 25 déc. 9 $. Ne manquez pas de retirer les brochures explicatives sans lesquelles la visite perd de son intérêt. Comptez 2 à 3h.

Sur la place Mizner, à l'opposé du Museum of Indian Arts and Culture, il s'agit du plus important musée d'art populaire au monde. Ses réserves comptent plus de 130 000 objets fascinants, venant des cinq continents. La **Girard Wing★★** héberge les collections léguées par l'architecte Alexander Girard : c'est un incroyable regroupement de jouets anciens et objets usuels : marionnettes, poupées, petites voitures, trains miniatures, du monde entier, sont animés dans des saynètes. Les vitrines sont très nombreuses : prenez le guide disponible dans la salle pour vous repérer dans cette immense salle.

D'autres expositions temporaires dans les autres salles : textiles, culture hispanique, folk art… De quoi faire un véritable tour du globe…

Wheelwright Museum of American Indians

704 Camino Lejo - ℗ (505) 982 4636 - www.wheelwright.org - tlj 10h-17h - fermé 1er janv., Thanksgiving et 25 déc. - visite guidée mar., jeu. et w.-end 10h30 et 14h donation recommandée 3 $.

Cette maison de style navajo accueille des expositions temporaires d'art indien.

Santa Fe Botanical Garden

715 Camino Lejo - ℗ (505) 471 9103 - www.santafebotanicalgarden.org - avr.-oct. : tlj. 10h-17h ; nov.-mars : 10h-16h - fermé 1er janv., Thanksgiving et 25 déc. - 5 $ (-12 ans gratuit) - visite guidée tlj 10h et 14h.

à flanc de colline, un beau jardin, encore en phase de développement lors de notre passage : verger, plantes du désert et sculptures.

Façade à Santa Fe.
Topic Photo Agency In/age fotostock

À proximité Carte de région

El Rancho de las Golondrinas B2

 À 15 miles au sud de Santa Fe par l'I-25 (sortie 276). 334 Los Pinos Rd, La Cienaga - ℘ (505) 471 2261 - www.golondrinas.org - juin-sept. : merc.-dim. 10h-16h ; visite guidée du lun. au vend. avr., mai et oct. sur réserv. uniquement - 6 $ (13-18 ans 4 $) - festival du vin début juin, fête de la Renaissance fin sept. (voir infos sur le site).

Cette ancienne hacienda permet de découvrir la vie des colons espagnols aux 18ᵉ et 19ᵉ s., le long d'El Camino Real. Les habitations, l'école et le magasin ont été restaurés, ainsi que les ateliers.

Pour les week-ends, des volontaires en costume font revivre l'hacienda (démonstrations de tissage, broderie, forge, menuiserie…)

★ **Pecos National Monument** B2

 À 30 miles au sud-est de Santa Fe. Suivez l'I-25 vers l'est, sortez à Pecos-Glorieta (sortie 299) pour prendre la Hwy 50 vers l'est jusqu'à Pecos, puis la Hwy 63 vers le sud - ℘ (505) 757 7200 (Visitor Information)/(505) 757 7241 (Visitor Center) -www. nps.gov/peco - de Memorial Day à Labor Day : 8h-18h (16h30 reste de l'année), fermé 1ᵉʳ janv., Thanksgiving et 25 déc. - gratuit. Demandez le petit guide en français prêté sur place.

Pour les passionnés d'archéologie, voici les ruines d'un *pueblo* indien du début du 15ᵉ s., christianisé par les franciscains. On y voit les vestiges d'une **mission** des 17ᵉ et 18ᵉ s. Sur les schémas, on lit la structure du village initial, avec plus de 20 *kivas* et 600 pièces sur 4 ou 5 étages, agencées en rectangle autour de la Plaza. Notez la présence d'une *kiva* dans le couvent, preuve que les missionnaires toléraient les rites des convertis.

Circuit conseillé Carte de région

★★ DES INDIENS AUX PÈLERINS B1/2

◐ *Pour visualiser ce circuit de 120 miles, reportez-vous à la carte de région (p. 450-451) - comptez la journée. Quittez Santa Fe au nord par l'US-285. À Pojoaque, bifurquez à gauche sur la Hwy 502, dir. Los Alamos, et suivez ensuite la Hwy 4.*

★★ Bandelier National Monument B2

Comptez une demi-journée.

🅸 ℘ *(505) 672 3861 - www.nps.gov/band - Parc accessible seulement par* shuttle *de fin mai-oct. au départ du Visitor Center de White Rock, Route 4 (9h-15h). Durée 30mn. Départ ttes les 30mn - 20 $/véhicule si vous n'avez pas le National Parks Pass - sur la mesa, un camping rudimentaire est ouvert de mars à nov. : venez tôt le matin pour une place. Pendant l'été, les alertes innondations* (flooding) *sont fréquentes.*

Le Bandelier National Monument compte parmi les plus beaux et les plus passionnants vestiges des anciens Pueblos. Les **canyons** autour de Los Alamos étaient déjà fréquentés il y a 7 000 ans par des chasseurs nomades. Les premiers à s'y sédentariser furent les anciens Anasazis de l'époque des *basketmakers*, au 6e s. Ils occupaient par petits groupes familiaux des grottes creusées dans les falaises calcaires. Ils commencèrent à se rassembler en villages à partir du 12e s. Peu nombreux au départ, ils bénéficièrent après 1300 de l'arrivée des peuples du plateau du Colorado. La région se dépeupla au 16e s., après la colonisation espagnole. Les Indiens s'établirent plus loin dans la plaine, là où se trouvent les *pueblos* actuels. Les habitants de Cochiti, de Santo Domingo et de San Felipe se disent leurs descendants. Les canyons furent redécouverts en 1880 par un anthropologue suisse, Adolph Bandelier, autodidacte passionné.

Au fil du parc, vous découvrirez les **ruines d'un** pueblo du 14e s., des **habitations troglodytiques** dans les falaises, une grotte rituelle et sa *kiva*, et ferez une agréable balade le long du ruisseau. Mais arrêtez-vous d'abord au *Visitor Center* pour bien comprendre la structure du *pueblo* du temps de sa splendeur. *L'accès au* Visitor Center *dans le parc se fait par une route impressionnante, qui descend dans le canyon.*

★★ **Main Loop Trail** – *Départ derrière le* Visitor Center *; facile ; 1h ; 2 km.* Imaginez que vous êtes sur les terres agricoles des anciens Indiens. Vous passez d'abord une grande *kiva*, où ils se livraient à des pratiques rituelles et se transmettaient la tradition orale. À l'époque, la *kiva* était recouverte d'un toit de rondins et de terre. Tout près, les ruines de **Tyuonyi Pueblo★★** *(à 400 m du* Visitor Center*)* sont tout ce qu'il reste d'un village de 400 habitations, agencé en cercle autour de la Plaza où l'on faisait les travaux quotidiens. Notez les trois petites *kivas*.

Approchez ensuite la base de la falaise et passez des **grottes troglodytiques★**, dont la plupart ont été creusées avec des outils rudimentaires. Les plafonds noircis rappellent qu'on y entretenait un feu pour la chaleur et la cuisine.

Certaines maisons troglodytiques, les **talus houses★**, sont plus évoluées : construites avec les pierres trouvées sur place, elles utilisaient la falaise comme mur arrière et pouvaient atteindre plusieurs étages.

Ne manquez pas, le long du sentier, de vous retourner pour admirer le panorama sur Tyuonyi : d'en haut, on voit clairement son plan circulaire.

À son apogée, le canyon comptait 500 habitants. Plus loin, vous abordez **Long House**, un exemple de *talus house*. Il ne reste que les traces de ce qui devait être un immeuble de l'époque : près de 250 m de long et plusieurs étages accrochés à la falaise. Les rangées de trous dans la paroi servaient à ancrer de grosses poutres. Au-dessus, remarquez quelques pétroglyphes.

★ **Nature Trail** – 800 m. Il prolonge le Main Loop Trail, le long de la rivière, et conduit à **Alcove House**★. Cette anfractuosité de la falaise, à 42 m en hauteur, s'atteint en grimpant quatre échelles en bois, comme le faisaient les Anasazis. Elle abrite une *kiva* parfaitement restaurée dans laquelle vous pouvez descendre et où se tenaient sans doute des rites réclamant isolement et secret.

★ **Falls Trail** – 5,6 km AR ; 2h ; au sud du Visitor Center. Pour ceux qui veulent profiter du splendide environnement naturel, ce sentier mène à deux chutes d'eau du canyon.

Bandelier N.M. est à une quinzaine de miles au sud de Los Alamos. Reprenez la Hwy 4 vers l'ouest et tournez ensuite à droite sur la Hwy 501.

Los Alamos B2

🛈 *109 Central Park Square - 𝒫 (505) 662 8105 - www.visitlosalamos.org - lun.-vend. 9h-17h, sam. 9h-16h, dim. 10h-15h, fermé 1er janv., Thanksgiving et 25 déc.*

Los Alamos est une ville tirée au cordeau, propre et verdoyante, en contraste étonnant avec sa géologie tourmentée et la nature sauvage alentour.

★ **Bradbury Science Museum** – *1350 Central Ave., à l'angle de Central Ave. et de 15th St. - 𝒫 (505) 667 4444 - www.lanl.gov/museum - mar.-sam. 10h-17h, dim.-lun. 13h-17h, fermé 1er janv., Thanksgiving et 25 déc. - gratuit.* La visite passionnera ceux qui s'interrogent sur la fabrication des armes nucléaires et leur histoire. Elle suit une présentation en trois parties : l'histoire, la recherche et la défense. On y voit, par exemple, un courrier d'Einstein à Roosevelt à propos de l'utilisation de l'uranium, ou une bombe atomique Little Boy de 5 tonnes, comme celle lâchée sur Hiroshima. On y découvre toutes les techniques impliquées. Ne manquez pas le petit film *(demandez à l'accueil la traduction française)*, qui évoque l'étrange histoire de la ville au temps où elle devint *top secret*.

Seul bémol : comme le musée est sponsorisé par le National Laboratory, les expositions ne présentent que l'aspect positif des recherches.

★ **Los Alamos Historical Museum** – *1050 Bathtub Row, à l'angle de Central Ave. et de 20th St., derrière l'Art Center - 𝒫 (505) 662 6272 - www.losalamoshistory. org - été : lun.-vend. 9h30-16h30 (reste de l'année 10h-16h), w.-end. 11h-16h, (10h le sam. en hiver), fermé 1er janv., Thanksgiving et 25 déc. - gratuit, contribution recommandée.* Pour une vision plus objective, ce modeste musée présente le côté humain des choses. Des pièces de maison à l'époque du Manhattan Project sont reconstituées et illustrent le mode de vie au quotidien de cette communauté de scientifiques et leurs familles, dont la moyenne d'âge était de 24 ans. Des photos panoramiques montrent les effets dévastateurs de la bombe atomique. Vous apprendrez aussi l'histoire des Indiens qui occupaient la région depuis la préhistoire : habitat, artisanat et mode de vie sont évoqués. Le musée est hébergé dans d'anciens locaux de la **Ranch School**, une école privée fondée en 1917 qui accueillait de jeunes garçons dans des camps d'été.

Suivez la Hwy 502 en direction d'Espanola où vous prendrez la Hwy 76.

★★ El Santuario de Chimayó B1

Comptez 1h. Sur la route 94 - www.elsantuariodechimayo.us - oct.-avr. : 9h-17h ; mai-sept. : 9h-18h ; messe en sem. 11h, messe dim. 10h30, 12h.

Ce lieu de pélerinage chrétien contemporain allie foi et piété populaire dans un ensemble de bâtiments, dont le plus beau d'entre eux est la petite chapelle, d'une touchante simplicité avec ces deux modestes tours en adobe rose et en bois sombre, et sa galerie de ginguois. Achevée en 1816, elle accueille chaque Vendredi saint le plus important pèlerinage des environs. Des miracles auraient eu lieu sur ces terres, mais ne sont pas reconnus par les autorités de l'église. Néanmoins, plus de 30 000 fidèles y viennent à pied, car la terre du sanctuaire, dite la *Holy Dirt,* est réputée pour soigner tous les maux, y compris les cœurs brisés… À l'intérieur, remarquez les **retables★** et statues en bois peint. À gauche de l'autel, une petite porte mène à une antichambre remplie de béquilles des malades, et d'**ex-voto★** portant les vœux des pèlerins. Au fond, une minuscule pièce conserve un trou dans le sol où chacun vient prendre un peu de la terre bénie. On vous dira qu'il est bien miraculeux que le niveau n'ait jamais baissé… Les autres bâtiments sont plus kitsch ; on peut faire un petit détour par la **Santo Niño Chapel de Atocha**, modeste grange couverte de zinc, parfait exemple de la piété populaire avec ses ex-voto naïfs et ses statues en plâtre coloré *(9h-17h).*

Revenez à Santa Fe par **Española**, *qui s'est fait une spécialité des voitures customisées, à admirer surtout lors des sorties du week-end, et l'US-285.*

Ⓘ **Bon à savoir** – De Chimayó, vous pouvez faire route vers Taos en suivant la Route 76 *(comptez 1h30 avec des arrêts).* Elle traverse quelques villages ignorés des touristes : **Truchas** *(9 miles de Chimayó),* choisi par des artistes en quête de solitude et de simplicité, avec de belles vues sur les montagnes Rocheuses, au loin. Six miles plus loin, l'**église de Las Trampas★** (1760) offre un exemple remarquable de sanctuaire en adobe de la période espagnole.

Ⓘ NOS ADRESSES À SANTA FE

TRANSPORTS

En avion – Il n'y a pas d'aéroport à Santa Fe. **Sandia Shuttle** – ✆ 1-888 775 5696 - www. sandiashuttle.com - 1h20 - 30 $ AS, 55 $ AR. Une trentaine de navettes relient l'aéroport d'Albuquerque. Réservez la veille. Également des liaisons vers Taos.

En bus – Un service urbain est assuré par la **Santa Fe Trails** (www.santafenm.gov). Les bus circulent de 6h à 22h en sem., de 8h à 20h le sam. ; seules les lignes 1, 2, 4 et M fonctionnent le dimanche (8h30-18h30), différents horaires les jours fériés. Billet : 1 $; forfait à la journée : 2 $.

INFORMATIONS UTILES

Santa Fe

Informations touristiques - New Mexico Department of Tourism/ Santa Fe Visitor Center – 491 Old Santa Fe Trail - ✆ (505) 827 7400 - www.newmexico.org - tlj 8h-17h. Informations générales sur tout l'État du Nouveau-Mexique.

État des routes - New Mexico Department of Transportation – nmroads.com. Important en hiver, à cause de la neige, surtout si vous prenez la route de Taos.

Mariage – Plus romantique que Las Vegas et aussi simple puisqu'il n'y a pas de délai d'attente : prévoyez les pièces d'identité et 25 $ en liquide pour le **Santa Fe County Clerk's Office**. 102 Grant Ave., ✆ (505) 986 6280, lun.-vend. 8h-17h.

HÉBERGEMENT

À 15mn du centre-ville

Ⓘ **Bon à savoir** – Les motels les moins chers se trouvent le long de Cerrillos Rd. Les prix diffèrent selon les dates et sont souvent moins élevés en semaine.

PREMIER PRIX

Motel 6 Santa Fe Plaza – 646 Cerrillos Rd - ✆ (505) 982 3551 - www.motel6.com - 🖃 🅿 🛏 🚻 - wifi - 48 ch. 78/160 $ 🖵. L'adresse n'a pas de caractère, mais c'est l'un des deux motels abordables si près de la Plaza (10mn à pied). Chambres bien équipées, demandez celles en retrait de la route.

BUDGET MOYEN

Santa Fe Sage Inn – *725 Cerrillos Rd -* ☏ *1-866 433 0335 - www.santafesageinn.com -* 🖥 ⛷ ♿ *-wifi - 157 ch. 89/164 $* ☕. En face du précédent. Là encore, motel classique, mais plus élégant. Demandez une chambre dans les buildings B ou D, en retrait de la route. Wifi gratuit.

Santa Fe Motel & Inn – *510 Cerrillos Rd -* ☏ *1-800 930 5002 - www.santafemotel.com -* 🖥 🅿 ♿ *- 24 ch. 159/279 $* ☕. Chambres aux tons lumineux avec une décoration recherchée et jolies salles de bains, avec ou sans kitchenette. Adorables casitas (plus chères), avec une terrasse. Accès Internet gratuit.

Pueblo Bonito B & B Inn – *138 W. Manhattan Ave. -* ☏ *1-800 461 4599 - www.pueblobonitoinn.com -* 🖥 🅿 *- wifi - 12 ch. 95/205 $* ☕ *et 6 suites 115/230 $* ☕. À moins de 5mn à pied du centre, une série de maisonnettes de style pueblo, avec cheminée. Les suites disposent d'une cuisine et d'un salon. Apéritif inclus.

Hotel Santa Fe – *1501 Paseo de Peralta - angle Cerrillos Rd -* ☏ *(855) 825 9876 - www.hotelsantafe.com -* 🖥 🍴 🅿 ⛷ *- wifi - 163 ch. 179/200 $*. Un bel hôtel tout proche du centre, tenu par des Indiens de Picuris Pueblo. Excellent restaurant, grand confort, accueil gentil et efficace.

POUR SE FAIRE PLAISIR

El Farolito B & B Inn – *514 Galisteo St. -* ☏ *(505) 988 1631 - www.farolito.com -* 🖥 🅿 *- wifi - 8 ch. 195/275 $* ☕. Jolie maison décorée dans les styles espagnol et pueblo, avec un ravissant patio, à moins de 5mn de la Plaza. Chambres avec cheminée, dispersées dans de petites casitas avec parking privé. Copieux petit-déj. Réservez plusieurs mois à l'avance. Le propriétaire possède aussi le **B & B Four Kachinas Inn** *(512 Webber St.,* ☏ *(505) 982 2550 ou 1-800 397 2564, www.fourkachinas.com, 6 ch., 205/240 $).*

Dans le centre historique

🅰 **Bon à savoir** – Les hôtels de charme sont nombreux dans le centre historique, mais chers. Si votre budget ne vous le permet qu'une fois au cours de votre voyage, c'est ici qu'il faut faire une petite folie. Attention, les prix augmentent très nettement pour l'Indian Market ou la Fiesta.

Hotel St. Francis – *210 Don Gaspar Ave. -* ☏ *(505) 983 5700 - www.hotelstfrancis.com -* 🖥 🍴 ♿ *- wifi - 80 ch. 178/263 $*. Élégance feutrée, très anglo-américaine, salles imposantes et hautes de plafond, meubles anciens. Bon restaurant et joli jardin. Les chambres standard sont très bien.

Vanessie Santa Fe – *427 W. San Francisco St. -* ☏ *(505) 984 1193 - www.vanessiesantafe.com -* 🖥 🍴 *- wifi - 18 ch. 236/425 $* ☕. Une ancienne demeure coloniale en adobe, avec balcons et galeries en bois, dans une ruelle près du centre. Déco sobre et raffinée, typique du Sud-Ouest américain, et multiples attentions. Apéritif inclus.

Près de Canyon Road

UNE FOLIE

Inn on The Alameda – *303 E. Alameda St. -* ☏ *(505) 984 2121 - www.innonthealameda.com -* 🖥 🅿 ⛷ ♿ *- wifi - 71 ch. 199/690 $* ☕. Agréable hôtel de style Santa Fe, dans un cadre reposant et élégant. Chambres spacieuses. Apéritif inclus. Jacuzzis extérieurs.

7

À l'est de la Plaza

BUDGET MOYEN

Hacienda Nicholas B & B – *320 E. Marcy St. - ☏ (505) 986 1431 - www.haciendanicholas.com -* ▦ ▣ *- wifi - 5 ch. et 2 suites 150/260 $* ☕. Les chambres ne sont pas grandes mais très confortables, certaines avec une cheminée. Charmante maison, très calme, avec un petit patio où l'on vous offre fromage, fruits et verre de vin entre 17h et 19h.

The Madeleine B & B – *106 Faithway St. - à 5mn - ☏ (505) 982 3465 - www. madeleineinn.com - 7 ch. 160/240 $.* Tenu par le même propriétaire que l'établissement précédent et tout aussi recommandable.

Le long de Cerrillos Road

😊 **Bon à savoir** – Les hôtels sont très loin du centre.

PREMIER PRIX

Super 8 Motel – *3358 Cerrillos Rd - ☏ (505) 471 8811 - www. super8.com -* ▦ ▣ ♿ *- wifi - 96 ch. 58/75 $* ☕. Motel rose qui se situe à 4 miles du centre. Petit-déj, Internet gratuit, laverie. Une option économique.

BUDGET MOYEN

El Rey Inn – *1862 Cerrillos Rd - ☏ (505) 982 1931 - www. elreyinnsantafe.com -* ▦ ♨ *- 86 ch. 110/265 $* ☕. Joli motel de la grande époque de la Route 66, verdoyant et fleuri, à l'architecture mexicaine toute blanche. Laverie, sauna et Jacuzzi à disposition, petit-déj. continental. Demandez les chambres les plus éloignées de la route.

RESTAURATION

😊 **Bon à savoir** – Il est préférable de réserver sa table pour dîner.

Dans le centre-ville

PREMIER PRIX

Plaza Cafe – *54 Lincoln Ave. - sur la plaza - ☏ (505) 982 1664 - thefamousplazacafe.com - 7h-21h - 10/20 $.* Une adresse chérie des locaux tant elle est sympathique. Dans une ambiance authentique de *diner*, sont servis à toute heure des plats simples et roboratifs de la cuisine du Nouveau-Mexique. Bons desserts.

Downtown Subscription – *376 Garcia St. - perpendiculaire à Canyon Rd vers le sud - ☏ (505) 983 3085 - 7h-18h - moins de 10 $.* Pour boire un café et manger un gâteau sur une agréable terrasse, une adresse décontractée et accueillante qui fait maison de la presse (dont la presse étrangère).

Cowgirl BBQ – *319 S. Guadalupe St. - ☏ (505) 982 2565 - www. cowgirlsantafe.com - 11h30-22h30, w.-end. 11h-23h (0h vend.-sam.), bar tlj jusqu'à la fermeture - plats 5/23 $ - menu 32/50 $.* Ambiance *country* et déco western avec vieilles photos de cow-girls au mur. Plats américains. Musique blues, country, jazz ou rock, selon les soirs (dès 21h).

The Shed – *113 E. Palace Ave. - ☏ (505) 982 9030 - www.sfshed. com - 11h-21h – fermé dim. - plats 10/20 $.* Cuisine traditionnelle du nord du Nouveau-Mexique, comme le *red chile* ou les *quesadillas*. Adorable patio. Réservez le soir et demandez une table dans le patio.

BUDGET MOYEN

El Meson – *213 Washington Ave. - ☏ (505) 983 6756 - mar.-sam. 17h-23h - tapas 8-15 $ - plats 25/39 $.* Un bistrot espagnol à l'ambiance calme : délicieuses tapas, paella et bon choix de vins. À côté, se trouve un bar plus chaleureux où ont lieu des concerts.

India Palace – *227 Don Gaspar Ave. - ℘ (505) 986 5859 - www.indiapalace-santafe.com - 11h30-22h - plats 12/30 $.* Bonnes spécialités indiennes notamment les currys. Agréable patio. Le midi, excellente formule de buffet à volonté pour 11 $.

Cafe Pasqual's – *121 Don Gaspar St. - ℘ (505) 983 9340 - www.pasquals.com - 8h-17h30 (réserv. conseillée) - plats 7/18 $, le soir 15/30 $.* Un restaurant coloré et à l'accueil souriant. Bonne cuisine latino-américaine, du Salvador principalement.

Pink Adobe & Guadalupe Cafe – *406 Old Santa Fe Trail - ℘ (505) 983 7712 - www.thepinkadobe.com - 16h-23h, w.-end 8h-23h30 - fermé lun. - plats 18/30 $.* Deux adresses en une dans cette pittoresque maison en adobe de 350 ans et table mexicaine très à la mode. Le bar **Dragon Room** est l'endroit où il faut être vu à Santa Fe.

La Casa Sena et **La Cantina** – *125 E. Palace Ave. - ℘ (505) 988 9232 - www.lacasasena.com - 11h-22h - plats 8/20 $ - 25/42 $.* Une ancienne hacienda de style territorial, dont le patio est sans doute le plus beau de la ville. Cuisine inspirée du Sud-Ouest, mais inventive et d'influence européenne. La Casa Sena, dans le patio ou à l'intérieur, est un restaurant gourmet (carte des vins); La Cantina est moins formelle et propose des concerts. On peut aussi seulement venir y prendre un verre.

POUR SE FAIRE PLAISIR

Coyote Cafe - Rooftop Cantina – *132 W. Water St. - ℘ (505) 983 1615 - www.coyotecafe.com - 17h-21h, vend.-sam. 17h-21h30 - plats 25/45 $.* Encore une table à la mode, pour des plats latino-américains inventifs. Salle malheureusement bruyante.

D'avr. à oct., préférez la **Rooftop Cantina**, la partie aménagée sur le toit dans une atmosphère très Caraïbes *(plats 12/23 $)*.

Canyon Road

PREMIER PRIX

Tea House – *821 Canyon Rd - ℘ (505) 992 0972 - teahousesantafe.com - 9h-21h - moins de 15 $.* Faites une halte dans ce salon de thé : petites salles intimes et belle terrasse. Grand choix de thé, de gâteaux, mais aussi des soupes, salades et sandwichs.

POUR SE FAIRE PLAISIR

Geronimo – *724 Canyon Rd - ℘ (505) 982 1500 - www.geronimorestaurant.com - 17h45-21h, vend.-sam. 17h45-21h30 - plats 18/50 $.* Régulièrement élu meilleure table du Nouveau-Mexique, ce restaurant propose une cuisine très créative, inspirée de la tradition locale. Cadre élégant. Cher, mais prix justifiés.

À Museum Hill

BUDGET MOYEN

Museum Hill Café – *Milner Plaza - le long de Camino Lejo - ℘ (505) 984 8900 - www.museumhillcafe.net - 11h-15h - fermé lun.* Lors de votre visite à Museum Hill, n'hésitez pas à faire une pause, très agréable, dans ce café qui propose une cuisine originale et goûteuse agrémentée d'une sublime vue sur les montagnes au coucher du soleil.

À la périphérie de la ville

PREMIER PRIX

Marisco's La Playa – *537 W. Cordova Rd - ℘ (505) 982 2790 - mariscoslaplayarestaurant.com - 11h-21h - plats 10/16 $.* Restaurant de fruits de mer sans prétention. Plats simples et frais. Déco avec tables en Formica et chaises en vinyle.

7

BUDGET MOYEN

La Choza – *905 Alarid St. - accès par Cerrillos Rd -* 📞 *(505) 982 0909 - www.lachozasf.com - 11h-21h - fermé dim. - plats 4/15 $.* Petites pièces colorées, cuisine locale : *sopaipillas* fourrées, tacos au maïs bleu, *enchiladas*… Sélection de margaritas. Un endroit familial, très agréable.

Mu Du Noodles – *1494 Cerrillos Rd -* 📞 *(505) 983 1411 - mudunoodles.com - 17h30-21h - fermé dim.-lun. - plats 13/24 $.* Restaurant thaï de bonne qualité, à la décoration sobre et à l'éclairage chaleureux. Entrées et salades délicieuses, plats copieux.

Los Alamos

😊 **Bon à savoir** – Les quelques restaurants sont situés sur Central Ave. et Trinity Dr. Après 20h, il faut se contenter des fast-foods.

Sur la route de Taos

PREMIER PRIX

Rancho de Chimayó – *SF County Rd 98 - 87522 Chimayó -* 📞 *(505) 984 2100 - ranchodechimayo.com - 11h30-20h30, w.-end 8h30-20h30 - plats 8/15 $.* Près du sanctuaire, un des rares restaurants de la région. Vieille maison, établissement familial et chaleureux pour une bonne cuisine, très copieuse, du Nouveau-Mexique.

BOIRE UN VERRE

😊 **Bon à savoir** – Chaque vendredi, le quotidien *Santa Fe New Mexican* sort **Pasatiempo**, un supplément culturel résumant les programmes de la semaine.

Maria's – *555 W. Cordova Rd - près de St Francis Drive -* 📞 *(505) 983 7929 - www.marias-santafe.com - 11h-22h - fermé 1er janv. et 25 déc. - 7/18 $.* L'adresse incontournable pour boire une véritable margarita (100 recettes différentes). On y mange aussi *(moins de 15 $)*, mais il vaut mieux réserver. La salle du bar est plus sympa et elle accepte les fumeurs.

El Farol – *808 Canyon Rd -* 📞 *(505) 983 9912 - www.elfarolsf.com - 11h30-22h, bar jusqu'à 0h.* Un très bon restaurant espagnol *(déj. 10/15 $, dîner 20/30 $)* où se déroulent tous les soirs, dans une ambiance chaleureuse, d'excellents concerts de jazz, flamenco, blues ou salsa.

Lensic Theater – *211 W. San Francisco St. -* 📞 *(505) 988 7050 - www.lensic.org.* Programmation artistique variée : concerts, ballets, théâtre, danse, etc. dans ce beau théâtre des années 1930.

Jean Cocteau Cinéma – *418 Montezuma Ave. -* 📞 *(505) 466 5528 - www.jeancocteaucinema.com.* Un cinéma art et essai dans un quartier en plein changement. Les *geeks* en particulier apprécieront la programmation.

ACHATS

😊 **Bon à savoir** – Les artisans indiens vendent bijoux, paniers et poteries sous les arcades de la Plaza. Les prix sont très élevés, mais les produits authentiques.

Kowboyz – *345 W. Manhattan Ave. - dans le Railyard District -* 📞 *(505) 984 1256 - www.kowboyz.com - 10h-17h30.* Une immense sélection de bottes, vintage et neuves, et tout l'attirail du parfait cow-boy du Sud-Ouest (chapeau, tee-shirt…).

Jackalope – *2820 Cerrillos Rd -* 📞 *(505) 471 8539 - www.jackalope.com - 9h-18h, dim. 10h-18h.* Bric-à-brac d'objets ethniques pour maison ou jardin, tels les crânes de bétail.

Pueblo of Tesuque Flea Market – *15 Flea Market Rd - sur la Hwy 84/285, à 8 miles au nord de la ville -* 📞 *(505) 670 2599 - mars.-déc. :*

vend.-dim. 9h-16h. Ce marché aux puces propose un incroyable déballage de toutes sortes de choses : fripes, vannerie, bijoux…

ACTIVITÉS

Rafting - Kokopelli Rafting Adventures – *802 Early St. -* ℰ *(505) 983 3734 - www. kokopelliraft.com - 8h-19h, dim. 8h-17h.* Pour une demi-journée *(58 $),* 1 jour *(110-125 $)* ou 2 jours *(354 $, avec bivouac et repas),* sur le Rio Grande ou le Rio Chama.

AGENDA

Rodeo de Santa Fe – *Quatre jours, du merc. au sam., aux environs du 21 juin.* ℰ *(505) 471 4300, www. rodeodesantafe.org. 17/27 $.* Le festival se tient sur Rodeo Rd, à 5 miles du centre. Shows à 18h30.

María Benítez Cabaret Theater Flamenco – *Tous les soirs, sf lun., de mi-juin à Labor Day, à l'hôtel The Lodge at Santa Fe.* ℰ *(505) 467 3773 - www. institutespanisharts.org - 30-50 $.* La compagnie d'une danseuse de flamenco légendaire à Santa Fe.

New Mexico Jazz Festival – *Mi-juil. à Santa Fe et Albuquerque. Programme et salles sur www. newmexicojazzfestival.org.* Célèbres artistes de jazz. Certains concerts sont gratuits.

Santa Fe Opera – *Fin juin-fin août. 7 miles au nord de la ville sur la Hwy 84/285.* ℰ *(505) 986 5900 ou 1-800 280 4654, www.santafeopera.org. Billets 38/265 $. Les places debout coûtent 15 $.* L'opéra de Santa Fe est reconnu mondialement pour la qualité des œuvres présentées et la stature des interprètes. Durant huit semaines, une

quarantaine de spectacles ont lieu dans une salle aux parois latérales ouvertes, donnant une impression de plein air. Réservez pour les places assises.

Santa Fe Chamber Music Festival – *De mi-juil. à mi-août. 208 Griffin St.* ℰ *(505) 982 1890, www.santafechambermusic.com. 20/80 $.* Durant cinq semaines, une cinquantaine de concerts sont donnés au St Francis Auditorium du Museum of Fine Arts, le plus souvent en fin d'après-midi ou en soirée. Manifestation de grande qualité, très éclectique.

Spanish Market – *Deux jours durant, fin juil. et fin nov. www. spanishcolonial.org.* Artisanats d'inspiration espagnole et mexicaine (objets en fer-blanc peint, images pieuses, céramique…) sur la Plaza, en été, à l'Hotel Albuquerque dans Old Town en hiver. Spécialités culinaires, musique et danses.

Indian Market – *Pendant une semaine fin août. www.swaia. org.* Le plus grand marché indien des États-Unis réunit plus de 200 artisans autour de la Plaza.

Santa Fe Fiesta – *2ᵉ sem. de sept., à partir du jeu.* Cette fête, célébrée depuis 1712, commémore le retour des Espagnols en 1692. La vedette est la Conquistadora ou Vierge de la Victoire. La Fiesta commence avec la mise à feu de Zozobra, un immense bonhomme en carton-pâte. Ensuite, ce ne sont que danses, défilés et messes…

Noël – Le soir du 24 décembre, les environs de la Plaza et de Canyon Rd sont illuminés de *farolitos (luminarias).* Procession et cantiques de Noël.

Taos

5 676 habitants – Nouveau-Mexique

Taos est une petite ville dans les montagnes du Nouveau-Mexique, qui doit son succès touristique à la présence du village voisin, Taos Pueblo, le seul village indien, où vit toujours une communauté, inscrit au patrimoine mondial de l'Unesco. La destination est aussi un centre de ski l'hiver (l'un des meilleurs des Rocheuses) et de rafting au printemps et en été. Cet étonnant mélange explique son ambiance à la fois artiste, bohème et sportive.

😊 NOS ADRESSES PAGE 487
Hébergement, restauration, achats, activités, etc.

▯ S'INFORMER

Visitor Center – *1139 Paseo del Pueblo Sur -* 📞 *(575) 758-3873 ou 1-877 587 9007 - www.taosvacationguide.com - tlj 9h-17h.*

◐ SE REPÉRER

Carte de région B1 (p. 450-451) – carte Michelin Western USA 585 H 10. Taos se situe à 72 miles (115 km) au nord de Santa Fe et est reliée par deux routes. La Hwy 68 longe le Rio Grande (vues spectaculaires sur le canyon à l'approche de Taos) et traverse Ranchos de Taos puis devient El Paseo del Pueblo Sur à l'entrée de la ville. Vers le centre-ville, elle croise la Hwy 64 (Kit Carson Rd) puis devient El Paseo del Pueblo Norte. La seconde route passe par la montagne (route 76 puis 518).

😊 À NE PAS MANQUER

La visite de Taos Pueblo est incontournable !

🕐 ORGANISER SON TEMPS

Commencez la journée par la visite de Taos Pueblo, puis consacrez l'après-midi à découvrir le centre de Taos et les musées de votre choix. En fin d'après-midi, quand la lumière est rasante, traversez, au nord de la ville, le pont au-dessus du canyon du Rio Grande : vertigineux ! Prévoyez un jour supplémentaire pour randonner dans la nature (rafting, à cheval…)

Découvrir

★★★ TAOS PUEBLO

◐ *2 miles au nord de la Plaza de Taos par El Paseo del Pueblo Norte, puis à droite par El Camino del Pueblo.*
Alt. 2 120 m - www.taospueblo.com - tlj 8h-16h (8h30 dim.) - visites guidées (durée 30mn.) à partir de 9h (gratuite, pourboire recommandé) - 16 $ (gratuit -10 ans). Photos interdites des membres de la tribu, ainsi que durant les fêtes et danses.

En langue *tiwa*, on appelle ce *pueblo* le « Lieu du saule rouge », en raison des arbres qui poussent le long de la rivière. C'est un village dont les blocs de maisons en terre ocre, l'adobe, sont restés intacts malgré le temps, ce qui lui a valu d'être inscrit au patrimoine mondial de l'Humanité en 1992. Ni eau courante ni électricité : la vie et les rythmes sont les mêmes depuis des siècles. Quelques Pueblos continuent à vivre ici, surtout l'été, les autres (2 000 environ) préférant habiter des maisons plus modernes sur les terres de la réserve tribale voisine.

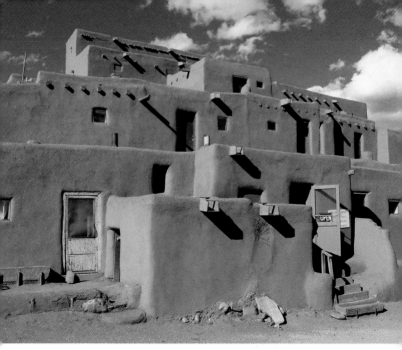

Construction en adobe de Taos Pueblo.
Carbonbrain/fotolia.com

Le **Red Willow Creek**, qui traverse le *pueblo*, vient d'une source sacrée appelée Blue Lake, dans les Sangre de Cristo Mountains. Cette rivière partage le village en deux grandes structures, le **North Side★★★** *(rive nord)* et le **South Side** *(rive sud)*, qui se relaient tous les six mois pour administrer la communauté.

🕊 **Bon à savoir** – La promenade dans le village est strictement canalisée pour préserver l'intimité des habitants. Vous ne pourrez flâner dans les ruelles qui longent l'arrière des bâtiments, pas plus que sortir de la place centrale ou monter dans les étages.

★★★ North Side

Gardant l'entrée de la place centrale, la **San Geronimo Church★★**, dédiée par les missionnaires à un saint catholique (Jérôme) et à la Vierge, est l'un des plus récents bâtiments du village (1850). Le culte de la Vierge a toujours été bien accepté par les Indiens qui y retrouvent leur concept traditionnel de Mère Nature. 75 % des Indiens de Taos sont catholiques et une messe est célébrée ici tous les dimanches à 7h. Un cercueil symbolique est placé à droite de l'autel, mais les Pueblos ont leur propre rites funéraires, tenus secrets.

Bien que des portes aient été rajoutées, on comprend bien l'agencement des villages pueblos en pièces juxtaposées, où l'on entrait par le toit au moyen d'une échelle (facile à retirer en cas de visite hostile). Parmi les traditions conservées au village, les fours en terre *(hornos)* servent encore à cuire le pain ou une pièce de viande (on allume un feu vif qui chauffe les parois, puis on retire les cendres, on enfourne le pain et on ferme la porte). Notez aussi les *ramadas*, des abris de rondins qui fournissent l'ombre en été, et les séchoirs, des tables de rondins à claire-voie pour faire sécher la viande, les céréales et les haricots. Situés au nord-ouest du village, vous verrez les ruines de la chapelle primitive et le cimetière. Ces deux endroits sont sacrés et interdits. C'est dans la chapelle que furent exécutés les rebelles qui s'y étaient réfugiés après l'assassinat du gouverneur Bent. Au nord-est, vous croiserez une autre zone proscrite, à savoir celle des *kivas*, réservées aux rites sacrés.

> ## VENT DE LIBERTÉ À TAOS
> En 1540, une première expédition espagnole, partie chercher de l'or, décou-vrit le *pueblo* de Taos. En 1598, la mission San Geronimo fut fondée dans le village indien, au sud duquel des familles espagnoles créèrent une petite ville. Mais en 1680, Taos Pueblo mena la rébellion des Indiens et les Espagnols s'enfuirent, pour revenir quinze ans plus tard. Au début du 20e s., ce furent les artistes qui découvrirent le site et vinrent y chercher l'inspiration. Fondée en 1914, la **Taos Society of Artists** devint l'une des écoles de peinture les plus célèbres des États-Unis. Dans les années 1960-1970, les hippies apportèrent à Taos leur mode de vie bohème et décon-tracté. Depuis, la ville est restée un lieu créatif et authentique, où l'art est une passion vivante, moins mercantile qu'à Santa Fe.

South Rim

Moins imposante que son *alter ego* de la rive nord, cette portion de village paraît plus concentrée. On ne peut y pénétrer, pas plus qu'en faire le tour. Vous vous contenterez donc de passer en revue le front des premières mai-sons et leurs échoppes.

Se promener

Construite sur un plateau entre le Rio Grande et les Sangre de Cristo Mountains (le Wheeler Peak, au nord-est, culmine à 4011 m), Taos compte deux parties : la ville historique créée par les Espagnols (65 % de la population), vieille de trois siècles, et le pueblo occupé par les Indiens depuis plus de mille ans.

★ AUTOUR DE LA PLAZA

Typique des villes espagnoles, la **Plaza★** abritait jadis les transactions com-merciales entre Indiens et colons. La foire traditionnelle attirait chaque année les caravanes venues du Mexique, mais aussi les trappeurs français et les col-porteurs anglo-américains.

Quittez la Plaza vers le sud-ouest par El Camino de Santa Fe. Traversez El Camino de la Placita et prenez en face Ledoux St., qui regroupe quelques musées, et la plupart des galeries d'art, de qualité très inégale. La **Navajo Gallery** *(210 Ledoux St. - ☎ (575) 758 3250 - tlj 11h-16h - gratuit)* présente les œuvres de R.C. Gorman, peintre indien célèbre, originaire de Taos.

Ernest Blumenschein's House

222 Ledoux St. - ☎ (575) 758 0505 - www.taoshistoricmuseums.org - avr.-oct. : tlj 10h-17h, dim. 12h-17h ; nov.-mars : tlj sf merc. et dim. 10h-16h - 8 $ (-16 ans 4 $) Billet combiné avec l'hacienda de los Martinez (12 $).

Ici demeurait l'un des fondateurs de la Taos Society of Artists (1915) qui fut l'un des premiers à découvrir Taos en 1898. Elle abrite une collection de ses tableaux et d'autres peintres de Taos, ainsi que du mobilier permettant de voir le mode de vie et l'intérieur du maison du 19e s.

★★ Harwood Museum of New Mexico

238 Ledoux St. - ☎ (575) 758 9826 - harwoodmuseum.org - tlj 10h-17h (fermé lun. de nov. à mars), dim. 12h-17h., fermé de mi-sept à déb. oct. et 1er janv., Thanksgiving et 25 déc. - 10 $ (-18 ans gratuit).

Dans un beau bâtiment récemment rénové (on peut voir les agrandissements successifs du bâtiment d'origine en adobe rose), est présentée une sélection d'œuvres d'artistes de Taos, du début du 20e s. à aujourd'hui, inspirés par la lumière, les paysages et la diversité des peuples. Une galerie est consacrée à l'art hispanique avec une belle collection de retables et de sculptures.

Revenez ensuite sur la Plaza et traversez El Paseo del Pueblo Sur pour emprunter Kit Carson Rd.

★ Kit Carson Home and Museum

113 Kit Carson Rd. - ☎ (575) 758 4945 - www.kitcarsonhomeandmuseum.com - tlj 10h-17h - 7 $.

Ce musée occupe l'ancienne maison du célèbre *frontier man* (homme de la frontière), dont on apprend l'histoire à travers un film (20mn), des objets d'époque et des documents. Dans le film présenté dans la première salle, c'est l'arrière-petit-fils de Kit Carson qui reprend le rôle de son aïeul. Originaire du Kentucky, Kit partit à l'aventure dès 16 ans. Tantôt trappeur et chercheur des meilleures pistes pour tracer de nouveaux chemins, il prit part aux guerres contre les Indiens qui occupaient les territoires. Cette demeure était son cadeau de mariage pour sa jeune femme d'origine espagnole. Ils y vécurent jusqu'à leur mort en 1868.

Taos Art Museum at Fechin House

227 Paseo del Pueblo Norte - ☎ (575) 758 2690 - www.taosartmuseum.org - mai-oct. : mar.-dim. 10h-17h ; nov.-avr. : 10h-16h - 10 $ (-12 ans gratuit) - fermé 1er Janv., Pâques, 4 Juil., Thanksgiving et 25 déc.

Demeure dans les années 1920 d'un artiste russe, la **Fechin House** présente les œuvres des peintres de Taos depuis le début du 20e s., notamment de la Taos Society of Artists.

À voir aussi

AU NORD DU CENTRE-VILLE

★★ Millicent Rogers Museum

▶ 4 miles du centre par la Hwy 64. Millicent Rogers Rd sera fléché sur la gauche. 1504 Millicent Rogers Rd - ☎ (575) 758 2462 - www.millicentrogers.org - avr.-oct. : tlj 10h-17h (fermé lun. reste de l'année) - fermé 1er janv., dim. de Pâques, Thanksgiving et 25 déc. - 10 $, (6-16 ans 2 $), audioguide 3 $ en sus.

Née en 1902, Millicent Rogers est la petite-fille d'un des fondateurs de la Standard Oil Company. Elle vécut une vie de paillettes, à New York. Suite à sa rupture avec l'acteur Clark Gable, et à cause de sa santé fragile, elle se retire, en 1947, à Taos, où elle se passionne pour l'artisanat des Indiens, puis pour la défense de leurs droits. Cette maison, qui appartenait à des amis de Millicent, renferme une partie de son exceptionnelle collection d'art indien et hispanique. **Bijoux★★** zunis ou navajos, **tissages★**, poteries, peintures, photographies et **objets hispaniques★★** résument la culture très métissée du Nouveau-Mexique.

AU SUD DU CENTRE-VILLE

★ Hacienda de los Martinez

▶ 708 Hacienda Way, au sud-ouest du centre-ville, au bout de Ledoux St., tournez à gauche dans Ranchitos Rd. - ☎ (575) 758 1000 - www.taoshistoricmuseums. org - avr.-oct. : tlj 10h-17h (12h dim.) ; nov.-mars : tlj sf merc. et dim. 10h-16h - 8 $ (-16 ans 4 $).

Cette hacienda permet de découvrir le mode de vie des colons espagnols. Son allure fortifiée souligne les dangers du quotidien. Vingt et une pièces modestement meublées, comme au 17e s., se répartissent autour de deux patios. Les Martinez étaient une famille de fermiers et de marchands qui affrétaient des caravanes vers Chihuahua, le long d'El Camino Real, puis le long du Santa Fe Trail, après 1821. La situation de Taos en faisait un carrefour d'échanges entre les Grandes Plaines à l'est, les montagnes Rocheuses au Nord, et le Rio Grande qui descend vers le sud.

Ranchos de Taos B1

◖ *À 4 miles environ au sud de la Plaza par El Paseo del Pueblo Sur. Vous apercevrez le chevet fortifié de l'église après une placette, sur la gauche.*

Ce village possède l'une des plus célèbres églises du Nouveau-Mexique, la **San Francisco de Assisi Church★★**, qui a inspiré peintres et photographes comme Georgia O'Keeffe ou Ansel Adams *(lun.-sam. 9h-16h, fermé 1re quinz. de juin ; plusieurs messes par jour)*. Cette église fortifiée construite entre 1710 et 1755 possède un remarquable chevet et d'énormes contreforts arrondis, ainsi que de jolis retables en bois peint. C'est autour de ce lieu de culte que les Espagnols s'installèrent, plutôt qu'à Taos, quand ils revinrent d'exil après la rébellion de 1680.

À proximité Carte de région

★ **Rio Grande Gorge** B1

◖ *À 10 miles au nord-ouest de Taos par la Hwy 64 en direction de Tres Piedras.*

Le Rio Grande traverse le plateau de Taos en creusant une gigantesque gorge que l'on peut admirer du **Rio Grande Bridge★**, qui enjambe la rivière à 195 m en contrebas. Des postes d'observation sont installés sur le pont… Excitant si vous n'avez pas le vertige ! On peut aussi se promener le long de la crête.

À 1,5 mile au-delà du Rio Grande, la route longe un étrange village de maisons semi-enterrées tout en rondeurs : **Earthship★** est un concept d'architecture et d'habitat utilisant uniquement les énergies naturelles (solaire, éolienne…) et les matériaux naturels ou de récupération (vieux pneus, bouteilles, canettes, cartons, terre, etc.). La visite passionnera les adeptes d'écologie et de solutions alternatives *(Visitor Center ☎ (575) 613 4409 - www.earthship.net - tlj 9h-17h (dernière visite à 16h) - 7 $)*. Il est possible d'essayer soi-même ces maisons en dormant sur place *(140 à 360 $/nuit, appelez ☎ (575) 751 0462)*.

Circuit conseillé Carte de région

★ **ENCHANTED CIRCLE** B1

◖ *Circuit total de 120 miles (74 miles pour Enchanted Circle, 46 miles AR pour Cimarron). Quittez Taos vers le nord par la Hwy 522, suivez la Hwy 38, puis la Hwy 64.*

Cet agréable circuit contourne l'imposant **Wheeler Peak**. D'impressionnants aplombs rocheux dominent la route qui longe le Columbine Creek et traverse un paysage de haute montagne et de larges alpages propices au ski de fond. On passe ensuite le **Bobcat Pass** (2 995 m), puis on longe les hauts sommets avec, de part et d'autre de la route, les portails des immenses ranchs.

Parvenu à l'intersection avec la Hwy 64, vous pouvez continuer vers l'ouest et terminer la boucle, ou tourner à gauche pour faire un détour par Cimarron.

Cimarron

Cimarron (« sauvage » en espagnol) recouvre un ancien territoire des Indiens utes et apaches. Située sur le Santa Fe Trail, dans sa traversée des montagnes, la petite ville est vite devenue le rendez-vous des aventuriers de l'Ouest. Aujourd'hui complètement assoupie, elle conserve l'**Hôtel Saint-James★** *(voir p. 488),* un ancien saloon où les hors-la-loi venaient se soûler. Fondé par un Français, ancien cuisinier du président Abraham Lincoln à la Maison Blanche, il fut le théâtre de 26 meurtres : en ces temps troublés de la conquête de l'Ouest, on avait la gâchette facile… Buffalo Bill, Wyatt Earp, Billy the Kid et Jesse James ont lustré le bois de ses comptoirs. Le plafond garde encore les traces des règlements de compte au pistolet. La femme du propriétaire fut tellement troublée que son fantôme hante encore l'hôtel…

🕹 NOS ADRESSES À TAOS

TRANSPORTS

En navette – Faust's Transportation (☏ *(575) 758 3410)* et **Twin Hearts Express** (☏ *(575) 751 1201)* assurent des transferts quotidiens vers Santa Fe ou l'aéroport d'Albuquerque.

HÉBERGEMENT

🛏 **Bon à savoir** – Il y a deux hautes saisons, l'hiver et l'été. Les motels les moins chers sont à l'écart du centre-ville, le long de la route de Santa Fe. Hors saison, les prix baissent de 20 à 30 %.

PREMIER PRIX

Best Western Kachina Lodge – *413 Paseo del Pueblo Norte* - ☏ *1-800 522 4462* - *www. kachinalodge.com* - ▤ ✕ 🅿 🛏 ♿ - *wifi* - *118 ch. 80/147 $* ☕. Confortable motel de style adobe rose et bleu. Piscine très agréable. Spectacle de danses indiennes tous les soirs (sf lun. et dim.) de mai à octobre. Navettes gratuites pour l'aéroport, la gare routière et les sites historiques.

Super 8 Motel – *1347 Paseo del Pueblo Sur* - ☏ *(575) 758 1088* - ▤ 🅿 - *wifi* - *50 ch. à partir de 82 $.* L'un des moins chers de la ville, à 2 miles au sud de la Plaza.

Sun God Lodge – *919 Paseo del Pueblo Sur* - ☏ *(575) 758 3162* - *sungodlodge.com* - ▤ 🅿 ♿ - *wifi* - *56 ch. à partir de 72 $.* Ce joli motel aménagé autour d'une pelouse dispose de chambres spacieuses et bien décorées. Laverie, Jacuzzi, barbecue… Internet gratuit.

BUDGET MOYEN

El Pueblo Lodge – *412 Paseo del Pueblo Norte* - ☏ *(575) 758 8700* - *www.elpueblolodge.com* - 🅿 🛏 ♿ - *wifi* - *50 ch. 119/177 $* ☕. Un motel aux chambres agréables, à proximité de la route pour Taos Pueblo. Grand jardin, piscine et Jacuzzi. Wifi gratuit.

La Doña Luz Inn B & B – *114 Kit Carson Rd* - ☏ *(575) 758 9000* - *www.ladonaluz.com* - ▤ 🅿 ♿ - *wifi* - *15 ch. 119/229 $* ☕. Toutes les chambres sont différentes dans cette auberge vieille de deux siècles. La « Santiago Room » plaira aux fans de style espagnol. Les chambres plus chères peuvent accueillir 4 à 6 personnes.

Old Taos Guesthouse – *1028 Witt Rd* - ☏ *(575) 758 5448* - *www. oldtaos.com* - 🅿 - *wifi* - *10 ch. 139/229 $* ☕. À 2 miles de la Plaza, dans un quartier calme et résidentiel (suivez Kit Carson Rd sur 1,2 mile et tournez à droite dans Witt Rd). Cette ravissante maison ancienne en adobe, nichée au cœur d'un joli jardin, possède un charme fou. Petit-déj., Jacuzzi.

Casa Benavides – *137 Kit Carson Rd* - ☎ *(575) 758 1772* - *casabenavides.com* - 🖥 🅿 ♿ - *wifi* - *38 ch. 100/175 $* 🛏. Un B & B de charme à deux pas de la Plaza, avec des chambres au décor indien, réparties dans 6 petites maisons, et un joli patio. Copieux petit-déj. et goûter avec pâtisseries maison.

UNE FOLIE

Inn at La Loma Plaza – *315 Ranchitos Rd* - ☎ *(575) 758 1717* - *www.vacationtaos.com* - 🖥 🅿 - *wifi* - *12 ch. 273/565 $* 🛏. Une belle hacienda en adobe à moins de 1 mile de la Plaza. Grand confort, service irréprochable, apéritif et plantureux petit-déj., immense Jacuzzi en plein air et accès à un club de sport avec piscine et tennis. Les suites, beaucoup plus chères, peuvent accueillir de 4 à 6 personnes.

Cimarron

BUDGET MOYEN

Express St James Hotel – *617 S. Collison* - *87714 Cimarron* - *à l'angle de 17ᵗʰ St. et Collinson St.* - ☎ *(575) 376 2664* - *www.exstjames.com* - *fermé 24-25 déc.* - ✕ 🅿 - *wifi* - *22 ch. 120/155 $*. Un hôtel historique où sont passés Jesse James, Buffalo Bill et Billy the Kid, et qui a gardé son allure. Si l'on s'amuse des histoires de fantômes, les témoignages sont tellement nombreux que le doute s'installe et que l'on tend l'oreille vers la chambre 18, toujours fermée à clef…

RESTAURATION

PREMIER PRIX

Eskes'Brewery – *106 Des George Lane* - *à l'arrière du parking central* - ☎ *(575) 758 1517* - *www.eskesbrewpub.com* - *11h-21h30, vend.-sam. 11h-22h* - *plats env. 12 $*. Idéal pour un repas simple (salade, burger, burrito). Plat spécial les mar.,

jeu. et dim. soir. Trente variétés de bières, certaines brassées sur place. Musique *live* les soirs d'été.

BUDGET MOYEN

Doc Martin's – *125 Paseo del Pueblo Norte* - *en plein centre* - ☎ *(575) 758 1977* - *www.taosinn. com* - *11h-22h, w.-end 7h30-21h30* - *plats 15/27 $*. Un chef inventif, inspiré de la cuisine locale, qui allie saveurs acides et sucrées dans des plats raffinés et originaux.

Trading Post Cafe – *4179 Paseo del Pueblo Sur* - *87557 Ranchos De Taos* - *Hwy 68, Ranchos de Taos, à 4 miles au sud de la Plaza* - ☎ *(575) 758 5089* - *tradingpostcafe. com* - *11h-21h* - *fermé lun., dim.* - *plats déj. 8/15 $, dîner 10/32 $.* Une carte variée aux influences méditerranéennes. Plats copieux et bien présentés. Décor chaleureux, avec des tableaux d'artistes. L'un des restaurants les plus recherchés des environs.

BOIRE UN VERRE

Adobe Bar – *125 Paseo del Pueblo Norte* - *en plein centre* - ☎ *(575) 758 2233* - *www.taosinn. com* - *11h-22h.* Bar attenant au restaurant Doc Martin's. Patio agréable quand il fait beau. Spécialité de margaritas. Musique *live* le soir.

The Sagebrush Inn – *1508 Paseo del Pueblo Sur* - ☎ *(575) 758 2254* - *sagebrushinn.com* La popularité de cet hôtel très fréquenté par les gens du coin vient de ses soirées dansantes, débutant à 20h30, vend. et sam. Musique country, cow-boys et señoritas : on s'en donne à cœur joie sur la piste et l'ambiance est conviviale.

ACTIVITÉS

Rafting – **Far Flung Adventure Tours** – *15 NM-522* - *87529 El Prado* - ☎ *800 359 2627* - *www.farflung.com* - *8h-18h.*

Le Rio Grande et le Rio Chama permettent de descendre des rapides, dont le plus célèbre est le Taos Box, à 17 miles au fond d'un canyon. Sorties d'une demi-journée (2/3h) ou d'une journée *(de 60 à 125 $ hors taxes)*, ou excursions de plusieurs jours alliant rafting et camping sauvage *(à partir de 270 $ hors taxes)*.

Randonnée avec un lama - Wild Earth LLamas Adventures – ℘ 1-800 758 5262 - www. llamaadventures.com. D'une journée à 5 jours *(à partir de 125 $)* dans les Sangre de Cristo Mountains. Le lama porte votre chargement, on vous sert les repas et on vous fournit tout le matériel de camping. Rythme adapté aux personnes non entraînées.

Randonnée équestre – Pour se noyer dans les grands espaces et se sentir revenu aux temps des grands ranchs. **Taos Indian Horse Ranch** – *Hwy 150 Pinon Rd - 87514 Arroyo Seco - ℘ (575) 770 1855 - env. 125 $/2h, 270 $/j*. Pour une randonnée de plusieurs jours, réserver à l'avance.

Pêche à la mouche – Si votre rêve est d'apprendre ce sport raffiné, les Streit Père & Fils vous enseigneront la technique, les pieds dans l'eau.

Taos Fly Shop – *308 C Paseo Del Pueblo Sur - ℘ (575)751 1312 - www.taosflyshop.com - 8h-18h.*

AGENDA

Rodeo de Taos – *Dernier w.-end de juin*. Rodeo Grounds, Camino de la Merced (donne dans El Paseo del Pueblo Sur).

Taos Pueblo Pow-wow – *2e w.-end de juil.* ℘ *(575) 741 0974/0181, www.taospueblopowwow.com. 15 $*. Rassemble des Indiens des États-Unis et du Canada, pour des danses et des exhibitions de costumes.

Corn Dances à Taos Pueblo – Pour les fêtes des principaux saints. Santa Cruz (3 mai), San Antonio (13 juin), San Juan (24 juin), Santiago (25 juil.) et Santa Ana (26 juil.).

San Geronimo Feast – *Le soir du 29 et le 30 septembre, à Taos Pueblo*. C'est la fête du saint patron du *pueblo*, qui conjugue les influences catholiques (le 30) et les danses indiennes (le 29). À cette occasion se déroule la **Taos Trade Fair** (foire). Fêtes ayant lieu au Taos Pueblo en hiver : la **Deer Dance** le 25 déc. ; la **Turtle Dance** le 1er janv. ; les **Deer and Buffalo Dances** le 6 janv.

Chaco Culture National Historic Park

Chaco Canyon est de loin le plus important vestige de la civilisation ana-sazi. Imaginez un ensemble urbain réparti sur 10 km², avec des fondations mystérieuses et des murs à la maçonnerie extrêmement fine, illustrant la grandeur et l'importance de cet ancien peuple. Beaucoup de tribus indiennes actuelles se réclament d'une parenté avec lui, notamment les Pueblos et les Hopis. Même les Navajos placent encore ce canyon parmi leurs sites sacrés.

NOS ADRESSES PAGE 495
Hébergement, restauration, achats, activités, etc.

S'INFORMER

Visitor Center – ☏ *(505) 786 7014 - www.nps.gov/chcu - 8h-17h, fermé 1ᵉʳ janv., Thanksgiving et 25 déc. - sentiers ouverts de 7h au coucher du soleil - 16 $/véhicule, inclus dans le N.P. Pass.*
Téléphonez pour connaître l'état de la piste d'accès.

SE REPÉRER

Carte de région A1 *(p. 450-451)* - *carte Michelin Western USA 585 G 10.* Chaco N.H.P. est perdu au beau milieu d'une étendue semi-aride à l'est d'un axe Farmington-Gallup. L'endroit se rallie uniquement par deux pistes, chacune longue d'une vingtaine de miles ; rouler en 4 x 4 n'est pas obligatoire sur cette piste *(comptez 1h) – voir détail des circuits ci-dessous.*

À NE PAS MANQUER
La vue sur Pueblo Bonito depuis la falaise, Shiprock au lever du jour et Bisti De-na-zin Wilderness au coucher du soleil.

ORGANISER SON TEMPS
Comptez la journée pour découvrir le parc sous tous ses points de vue.

Découvrir

★★ CHACO CULTURE NATIONAL HISTORIC PARK

Depuis Farmington, *au nord, comptez 80 miles (128 km) en suivant l'US-64 E. jusqu'à Bloomfield, où vous tournez à droite sur l'US-550. Après Nageezi, bifurquez sur la Country Rd 7900 et suivez les panneaux. Les 16 derniers miles ne sont pas goudronnés.*

Depuis Gallup, *au sud-est, comptez 96 miles (148 km) en suivant l'I-40 E. jusqu'à Thoreau, puis la Hwy 371 dir. Farmington. 4 miles après Crownpoint, au mile 53, prenez la piste 9 à droite (dir. Torreon, Cuba), roulez 13 miles et prenez à gauche la piste 14 (dir. Nageezi, 22 miles).*

Chaco Canyon comprend 13 sites en ruine, dont les plus beaux sont sur le côté nord du canyon. Commencez par le *Visitor Center* où est diffusé un petit film sur la culture des Anasazis. Derrière le bâtiment, **Una Vida** est un exemple de village moyen de 150 pièces et cinq *kivas*.

Ruines de Pueblo Bonito sur le site de Chaco.
E. Burciaga/Tips/Photononstop

Prenez la voiture et roulez jusqu'à **Chetro Ketl★**, qui ne fut commencé qu'au 11e s. Ses ruines comptent parmi les plus importantes (500 pièces, 16 *kivas* et une plaza fermée).
Un sentier, au pied de la falaise, relie ce village à Pueblo Bonito. Vous pouvez aussi faire la centaine de mètres qui les séparent en voiture.

★★★ Pueblo Bonito
Fascicule à l'entrée du sentier.
Ce site illustre le mieux la complexité de l'architecture des Anasazis. Avec ses 600 pièces, jadis sur quatre étages, ses 40 *kivas* et ses deux plazas, c'est une véritable petite ville. À la différence de beaucoup de *pueblos* plus simples où les pièces furent ajoutées au fur et à mesure des besoins, son plan général en D était déterminé dès le départ, bien que la construction se soit étalée entre 850 et 1150.
L'épaisseur des murs décroît vers le haut à la fois pour plus de stabilité et plus de légèreté dans les hauteurs. La qualité et la variété de la maçonnerie sont remarquables : on y voit un système de cœur de mur en pierre et mortier, recouvert sur chaque face d'un parement élaboré de grès taillé.
À l'époque, le tout était recouvert d'un revêtement qui simplifiait la maintenance. Pour former les étages, on avait recours à un système de poutres perpendiculaires, recouvertes d'un torchis (on évalue à 225 000 le nombre d'arbres que les bâtisseurs ont dû aller chercher à des dizaines de kilomètres…).
L'absence de foyer et les difficultés d'aération laissent penser que les pièces du rez-de-chaussée servaient au stockage, laissant celles des étages pour les habitations.
L'orientation du *pueblo* et des pièces répond à des contraintes astronomiques sophistiquées. Malgré sa taille, les archéologues pensent que seulement 50 à 100 personnes y vivaient à demeure, l'ensemble étant plutôt une sorte de grand édifice public, utilisé de façon saisonnière pour accueillir les flux de visiteurs venus à Chaco pour les cérémonies ou le commerce.

7

CANNIBALES ?

Troublante découverte que celle de nombreux ossements humains apportant la preuve que les habitants de Chaco se sont à un moment livrés au cannibalisme. La façon dont les corps ont été dépecés, les chairs arrachées et les traces de cuisson laissent peu de place au doute. Certains archéologues voient dans cet usage, inconnu chez les tribus voisines, des rites rattachés au sacrifice humain pratiqué par une élite voulant asseoir son pouvoir, ou encore la marque de cérémonies guerrières sacrées. On trouve un parallèle dans les anciennes sociétés mexicaines, notamment celle de l'Empire toltèque. Cette influence a pu se répandre via les routes commerciales très importantes qui reliaient Chaco au Mexique. Ainsi, on a découvert que certains habitants de Chaco et des environs se limaient les dents de façon similaire aux traditions d'Amérique centrale.

Le grand mur extérieur, à l'arrière du *pueblo*, a été rajouté à la fin du 11e s. pour doubler le mur précédent. Entre les deux, on a trouvé une rangée de pièces n'ayant accès que sur l'extérieur et munies de plates-formes qui servaient peut-être de couchettes aux visiteurs. D'autres particularités sont à remarquer, dont les grandes *kivas* des plazas, sans doute réservées aux cérémonies ou rassemblements importants (plusieurs centaines de personnes). Notez aussi les différentes formes de portes, en T ou en coin, avec des seuils plus ou moins hauts.

Suivez ensuite le sentier vers **Pueblo del Arroyo**, ses 280 pièces et plus de 20 *kivas*.

★★ Pueblo Alto Trail

Départ 500 m après Pueblo del Arroyo. Circuit total de 2 à 3h ; permis obligatoire ; la première partie implique une montée raide entre deux pans de falaises, la suite est facile. Emportez de l'eau.

Ne manquez pas ce sentier qui mène au sommet de la mesa et à un très beau **panorama**★★★ sur Pueblo Bonito et le canyon *(1h AR)*. Il forme ensuite une large boucle en passant par d'autres ruines. L'ensemble du canyon abritait entre 4 000 et 6 000 personnes à l'année, principalement dans les plus petits *pueblos*.

À proximité Carte de région A1

Farmington

Entre les réserves des Navajos à l'ouest, des Utes au nord, et des Apaches jicarillas à l'est, Farmington est profondément marquée par l'héritage indien. C'est aussi la porte des « **Four Corners** », point de rencontre du Nouveau-Mexique, du Colorado, de l'Utah et de l'Arizona. La ville elle-même ne présente pas d'intérêt, mais constitue une base idéale pour de belles excursions. Les environs sont particulièrement animés au moment des grandes fêtes traditionnelles indiennes. Même si ces manifestations sont ouvertes au public, sachez rester discret, dans le respect des rites des tribus.

Four Corners Monument – *℘ (928) 206 2540 - www.navajonationparks.org - de déb. mai à mi-août : tlj 8h-20h ; de mi-août à fin oct. et avr.-mai : tlj 8h-19h ; nov.-mars : tlj 8h-17h - 5 $.* Le point de rencontre des quatre états du Sud-Ouest américain est symboliquement représenté sur le sol, au cœur de cette réserve navajo. Si l'envie vous prend d'être simultanément à quatre endroits différents, ne ratez pas l'occasion de faire cette photo touristique.

★ Aztec Ruins National Monument

◐ *Comptez 30mn. 14 miles à l'est de Farmington par la Hwy 516.*

Visitor Information – ✆ *(505) 334 6174 - www.nps.gov/azru - tlj 8h-17h (18h de Memorial Day à Labor Day) ; fermé 1ᵉʳ janv., Thanksgiving et 25 déc. - 5 $ (-16 ans gratuit), inclus dans le N.P. Pass - livret en français.*

Cet ancien *pueblo* en ruine date de l'âge d'or des Anasazis (1100-1300). Avec ses 400 pièces, son plan rectangulaire symétrique et sa vaste Plaza, il s'apparente aux *pueblos* de Chaco Canyon *(voir p. 490)* et de Mesa Verde *(voir p. 348)*. On pense d'ailleurs qu'Aztec faisait partie d'un vaste réseau de villages *(voir encadré et Salmon Ruins ci-dessous)* rayonnant à partir de Chaco et en lien étroit avec des communautés indiennes du Mexique.

Son principal intérêt est une immense **kiva★** de 15 m de diamètre (la plus grande existante), très bien restaurée. Le **musée★** explique parfaitement comment les Anasazis construisaient leurs villages, leurs méthodes d'agriculture et leur savoir-faire. Une maquette permet d'imaginer le *pueblo* au 12ᵉ s.

Salmon Ruins

◐ *Comptez 40mn. Env. 12 miles à l'est de Farmington, sur l'US-64. ✆ (505) 632 2013 - www.salmonruins.com - 8h-17h (sam. 9h et dim. 12h nov.-avr., w.-end 9h mai-oct.), fermé 1ᵉʳ janv., Thanksgiving et 25 déc. - 4 $ (6-16 ans 1 $).*

Le site porte le nom de la famille indienne établie, à la fin du 19ᵉ s., à l'emplacement d'un ancien village anasazi. Ce dernier aurait été occupé aux 11ᵉ s. et 12ᵉ s., comptant une population d'au moins 200 personnes. Les recherches archéologiques l'incorporent dans le réseau de villages liés à Chaco Canyon. Commencez la visite par le musée qui expose les objets retrouvés pendant les fouilles (jarres, bris de flèches, poteries, outils en os, morceaux d'adobe…). En contrebas de la colline, vous verrez la maison des Salmon et la reconstitution d'habitats indiens dans l'espace intitulé *Heritage Park*.

LA SPHÈRE D'INFLUENCE DES ANASAZIS

Les découvertes archéologiques dans le nord-ouest du Nouveau-Mexique et le plateau du Colorado ont montré que **Chaco Canyon**, outre son importance architecturale et culturelle, est au centre d'un réseau de plus de 650 km de routes travaillées et entretenues, qui rayonnaient vers quelque 200 villages périphériques pour former une sorte d'**empire** de 100 000 km². Le long de ces routes, les villages étaient régulièrement séparés par un jour de marche. Les différents sites du canyon révèlent aussi que Chaco avait des liens commerciaux et sans doute culturels et religieux avec le nord du **Mexique** (on a retrouvé des poteries, coquillages, plumes de perroquet et clochettes de cuivre importés de ces régions). À leur tour, les villages de la périphérie du réseau de Chaco ont adopté à des degrés divers les technologies et les traditions de cette civilisation mère, notamment leur maîtrise architecturale.

L'**âge d'or** de Chaco s'étend du milieu du 9ᵉ s. à la fin du 12ᵉ s., lorsque toute construction cessa dans le canyon. Pourtant, son influence se poursuivit malgré un certain déclin. Peut-être chassés par la dégradation du climat ou par l'épuisement des terres, les Chacoans partirent fonder **Aztec**, dont la richesse est encore un écho de leur splendeur passée, puis d'autres villages du Sud-Ouest. Leur culture s'est ensuite fondue dans celle des peuplades qu'ils intégraient. Des archéologues voient même leur survivance dans certaines communautés du Mexique, comme celle de Paquimé au Chihuahua.

7

Les ruines conservent quant à elles les fondations d'une centaine de chambres ainsi que deux **kivas** (une grande et une tour-kiva). Pensez à demander le livret explicatif à l'accueil du *Visitor Center (anglais)*.

Excursions Carte de région A1

★ Shiprock Pinnacle

◗ *Comptez une demi-journée. 47 miles à l'ouest de Farmington par la Hwy 64. À Shiprock, prenez la Hwy 666 vers le sud sur environ 6 miles, puis prenez à droite vers la Red Valley, sur environ 7 miles. Roulez jusqu'au pied de l'étonnante crête de pierre qui ressemble à un immense mur (peu après le panneau « Mile 14 »). Une piste la longe sur la droite vers Shiprock Pinnacle (4 miles).*

☉ Ne vous engagez pas dans le labyrinthe de pistes au-delà de Shiprock, même en 4 x 4, car vous risqueriez de vous y perdre.

La route s'approche lentement de l'impressionnante silhouette de la montagne sacrée des Navajos. Jaillissant du plateau désertique à plus de 510 m de haut, c'est un énorme bouchon de lave solidifiée, vieux de plus de 3 millions d'années. En l'abordant par ce côté, il évoque deux grandes ailes repliées : en navajo, son nom est **Tsé bit'a'i** (« Rocher avec des ailes »). De plus près, on admire ses hautes parois roses et cannelées qui s'élèvent vers le ciel.

Sa nature sacrée interdit absolument d'y grimper. Plusieurs légendes sont en effet attachées au lieu : l'une dit qu'il s'agit du vaisseau fantôme qui amena les Navajos dans la région, une autre raconte que des oiseaux géants y nichaient et qu'ils nourrissaient leurs petits d'humains. Les guerriers jumeaux débarrassèrent le Peuple de ces monstres.

★ Bisti/De-na-zin Wilderness

Comptez une demi-journée. 36 miles au sud de Farmington par la Hwy 371. Passez la Bisti Compressor Station (centrale), la Bistahi United Methodist Church, puis remontez la côte. Un panneau indique Bisti sur la gauche. Suivez le chemin de terre sur 2 miles et garez-vous au parking.

Superbe exemple de *badlands* (mauvaises terres), cette zone aride à la géologie tourmentée était, il y a 70 millions d'années, un marécage luxuriant peuplé de dinosaures, de lézards et de poissons. Aujourd'hui asséché et érodé, le sol libère des fossiles et du bois pétrifié. C'est aussi l'érosion des strates de nature différente qui cause les formes étranges dressées autour de multiples petits canyons.

☉ **Attention** car aucun sentier n'est dessiné, encore moins balisé ! N'hésitez pas à laisser des marques de votre passage, branches piquées ou petits tas de pierres, afin de revenir sans problème à votre voiture. Prenez absolument de l'eau.

😊 NOS ADRESSES À CHACO CULTURE NATIONAL HISTORIC PARK

HÉBERGEMENT

Chaco

Le parc ne dispose d'aucun hébergement, sauf un camping (tte l'année, 64 empl. 15 $/nuit, interdit aux camping-cars de plus de 9 m). Visez plutôt un motel à Bloomfield, Farmington ou Gallup (voir p. 496).

Farmington

PREMIER PRIX

Travelodge – 510 Scott Ave. - à l'entrée de Farmington en venant d'Albuquerque par la Hwy 64 - ☏ (505) 327 0242 - www.travelodge. com - 🅿 🏊 ♿ - wifi - 98 ch. 44/72 $ 🖳. Un motel impersonnel, mais bon marché hors saison.

La Quinta – 675 Scott Ave - à l'entrée de Farmington par la Hwy 64 venant d'Albuquerque - ☏ (505) 327 4706 - laquintafarmington.com - 🅿 🏊 ♿ - wifi - 106 ch. 75/108 $ 🖳. Un motel agréable et calme. Jolie piscine.

Bloomfield

PREMIER PRIX

Super 8 Motel Bloomfield – 525 W. Broadway St. - à la jonction des Hwys 64 et 44 - ☏ (505) 632 8886 - www.super8. com - 🖥 🅿 ♿ - wifi - 42 ch. à partir de 70 $ 🖳. Motel de chaîne qui présente l'avantage d'être dans la direction de Chaco.

RESTAURATION

Farmington

BUDGET MOYEN

Three Rivers Eatery & Brewhouse – 101 E. Main St. - ☏ (505) 324 2187 - www.threeriversbrewery.com - 11h-21h, vend.-sam. 11h-22h - plats 14/26 $. Pub sympa qui brasse ses bières et propose burgers maison, meatloaf (pain de viande), ribs, steak…

K.B. Dillons Bar & Grille – 101 W. Broadway - ☏ (505) 325 0222 - lun.-vend. 11h-21h, sam. 17h-21h. Ambiance western et décor chaleureux. Demandez le Bar Menu, carte de snacks à l'américaine (10/20 $). Le soir, plus élaboré et plus cher (à partir de 20 $). Fond de musique country.

AGENDA

Little Beaver Roundup – 3e w.-end de juil. À Dulce, capitale des Apaches jicarillas. Il comprend un rodéo et un pow-wow.

Go-Jii-Ya Feast – Vers le 15 sept., à Stone Lake (18 miles au sud de Dulce), chez les Apaches jicarillas. Pow-wow et rodéo.

Bear Dance (printemps) et **Sun Dance** (été) – Au Southern Ute Indian Tribe's Cultural Center, à Ignacio (48 miles au nord-est de Farmington). ☏ (970) 563 0100. Infos sur cette tribu d'Indiens : www.southern-ute.nsn.us.

Gallup

22 088 habitants – Nouveau-Mexique

Poumon commercial de la région, Gallup est le point de convergence de toutes les communautés indiennes alentour si bien que les fans d'artisanat y chinent volontiers, car c'est ici que l'on trouve les plus beaux bijoux zunis ou les tapis navajos. Les pow-wows sont aussi une bonne occasion de découvrir la culture des premiers Américains, tout comme la visite d'Acoma-Sky City. Et pour les amateurs d'espaces naturels, rendez-vous sur les spectaculaires champs volcaniques d'El Malpais N.M.

😊 NOS ADRESSES PAGE 500
Hébergement, restauration, achats, activités, etc.

ℹ️ S'INFORMER

Gallup Visitors and Information Center – *Gallup-McKingley County Chamber of Commerce - 106 West Historic Route 66 - NM 87301 - ☎ (505) 722 2228 ou 800 380 4989 - www.thegallupchamber.com - lun.-vend. 8h-17h, sam. (de Memorial Day à Labour Day) 8h30-16h.* Ce centre d'information jouxte le centre culturel qui se trouve sur la Route 66, contre la voie de chemin de fer.

▶️ SE REPÉRER

Carte de région A2 (p. 450-451) - carte Michelin Western USA 585 F 10. Gallup se trouve à 139 miles (222 km) à l'ouest d'Albuquerque et à 186 miles (288 km) à l'est de Flagstaff par l'I 40.

😮 À NE PAS MANQUER

Les *trading posts* et les prêteurs sur gages, pour les bijoux indiens ; le panorama depuis la mesa d'Acoma-Sky City.

🕐 ORGANISER SON TEMPS

Venez le samedi au Flea Market (marché vintage) et déjeunez sur le pouce de spécialités navajos.

Se promener

Gallup et ses motels fatigués vivent au son des interminables convois ferroviaires qui traversent la ville en sifflant. Un destin bien normal quand on doit son nom à un intendant des chemins de fer, David Gallup. Il avait ouvert un bureau en prévision de l'arrivée du train et les ouvriers allaient chez lui chercher leur paie. Le nom est resté.

PRÊTEURS SUR GAGES

Le prêt sur gages fait partie intégrante de la vie des Indiens, traditionnellement méfiants à l'égard des banques. Ils investissent leurs gains en bijoux, en tapis, en armes, en sellerie et, lorsqu'ils ont besoin d'argent liquide, ils vont chez le prêteur. Celui-ci fait en même temps fonction pour eux de coffre de banque. Un taux et une durée sont fixés, que la plupart respectent scrupuleusement, car ils attachent une grande valeur à ce qu'ils ont mis en gage. S'ils en sont incapables, la marchandise, après expiration des délais, revient au prêteur qui peut la vendre (c'est alors un *dead pawn*). Si vous achetez ce genre d'objet, vérifiez sur l'étiquette la date de la transaction, le nom de l'emprunteur et l'âge du bien.

Mais ce qui fait l'identité de la ville, ce sont surtout, depuis 1881, les *trading posts* et les prêteurs sur gages, points de rendez-vous incontournables de la population indienne. La ville est en effet cernée de réserves : celle des Hopis à l'ouest, celle des Zunis au sud et, surtout, l'immense réserve navajo et ses quelque 210 000 habitants au nord-ouest (Gallup accueille la plus importante concentration de Navajos en dehors de cette réserve). Nul étonnement, donc, à voir autant d'objets et d'artisanat indiens dans les vitrines, le long de la Route 66 et dans le centre-ville.

Longez la Hwy 66 et garez-vous à côté du Cultural Center, face à 1ˢᵗ St. Partez de la chambre de commerce et traversez la Route 66 - comptez 1h à 2h.

Pour découvrir de beaux bijoux, poteries ou tapis anciens, visitez de préférence les *trading posts* et les *pawnshops* (ou *cash pawn*, prêteurs sur gages), qui présentent quelques merveilles. C'est là que se pressent les vieilles Indiennes croulant sous les bijoux, qui viennent négocier un prêt *(voir encadré ci-dessus pour le mode d'emploi)*. Coal Avenue, parallèle à la Route 66, au sud, compte aussi des magasins.

Murals

Documentation disponible à la chambre de commerce. Périmètre compris entre la Route 66 au nord, Hill St. au sud, 3ʳᵈ St. à l'ouest et 2ⁿᵈ St. à l'est.

Le centre-ville de Gallup arbore une petite dizaine de fresques, illustrant chacune un thème fondateur de l'histoire et de l'identité de la ville ou des Indiens : le commerce, le Grand Gallup, la Longue Marche navajo *(voir Roswell, Fort Sumner State Monument)*, les *Code Talkers'*navajos de la Seconde Guerre mondiale, les Zunis… Elles ont aussi bien été réalisées par des artistes d'origine indienne que par des peintres venus d'autres États.

À proximité Carte de région

Window Rock A2

26 miles au nord-ouest de Gallup par l'US-491, dir. Shiprock, puis, après 23 miles, la Hwy 264 à gauche - comptez 1h.

Centre du gouvernement de la Nation navajo depuis les années 1930, ce village doit son nom à une **falaise★** de grès ocre percée d'un énorme trou (14 m de diamètre). À son pied avaient lieu des cérémonies. Aujourd'hui, on y voit le mémorial dédié aux vétérans de la Seconde Guerre mondiale, les bureaux des services juridiques et des archives, ainsi que le bâtiment octogonal construit en 1936 pour accueillir les sessions de la **Chambre du Conseil navajo** (88 délégués à ce jour).

Navajo Nation Museum – *Dans le même bâtiment que le* Visitor Center, *visible depuis la Hwy 264, sur la droite en venant de l'est -* ℘ (928) 871 7941 - www.navajo nationmuseum.org - lun. 8h-17h, mar.-vend. 9h-18h, sam. 9h-17h, fermé dim. - gratuit. Cet espace, récent, privilégie pour l'instant les expositions temporaires, aussi bien sur l'histoire ou la culture navajo que sur des thèmes ou sur l'art étranger au *Diné* (peuple navajo).

Navajo Zoo – *Jouxtant le musée -* ℘ (928) 871 6574 - www.navajozoo.org - lun.-sam. 10h-16h30 - gratuit. Petit zoo réunissant dans ses enclos l'essentiel de la faune de la réserve : ours noir, cougars, cervidés, porc-épic…

Excursions Carte de région

Les destinations suggérées ci-dessous peuvent donner lieu à une journée d'excursion si elles sont combinées avec le Malpais National Monument.

ENTRE ARTISANAT ET HISTOIRE A2

▶ *Circuit de 128 miles - comptez une demi-journée. Si vous décidez de découvrir El Malpais, partie est et ouest, et donc de revenir par Grants, comptez la journée (304 miles). Quittez Gallup au sud, par la Hwy 602, puis la Hwy 53 à droite.*

Zuni Pueblo

Le plus peuplé des *pueblos* ne présente guère d'intérêt touristique, si ce n'est pour son artisanat (bijoux finement travaillés, entrelacs compliqués d'argent et de turquoise, ou mosaïques de pierres ressemblant à de la marqueterie), ses animaux fétiches en pierre ou ses poupées *kachinas* figurant les esprits d'animaux, de plantes ou de forces de la nature. Les rites zunis sont parmi les plus élaborés et presque toujours interdits au public.

Revenez sur vos pas et suivez la Hwy 53, plein est jusqu'à El Morro (34 miles).

El Morro National Monument

Comptez 2h de visite - ℰ (505) 783 4226 - www.nps.gov/elmo - visitor Center : tlj en été 9h-18h ; reste de l'année : 9h-17h. Sentier été : tlj 9h-17h ; reste de l'année : 9h-16h - fermé Thanksgiving, 25 déc. et 1er janv. - gratuit - attention, des incendies l'été et la neige en hiver contraignent les autorités à fermer régulièrement le site (ou des portions de route) - rens. sur le site Internet ou au ℰ 505 783 4226.

Cette imposante mesa de grès qui domine la vallée de ses 60 m vaut pour ses roches qui portent des **inscriptions humaines★** de toutes les époques dont des pétroglyphes indiens datant de 1000 à 1400, mais aussi la marque du premier gouverneur espagnol du Nouveau-Mexique, Don Juan de Oñate, en 1605. Un agréable **sentier★** longe la base de la mesa et mène aux ruines indiennes du sommet *(boucle de 3 km ; 1h30).*

Vous pouvez retourner à Gallup en faisant demi-tour, ou bien continuer sur la Hwy 53 vers Grants (43 miles). Vous longerez ainsi la partie ouest d'El Malpais N.M.

★ **EL MALPAIS NATIONAL MONUMENT** A2

▶ *87 miles à l'est par l'I-40 jusqu'à Grants (64 miles-sortie 81), puis la Hwy 53 pour atteindre la partie nord - comptez une journée si vous faites plusieurs randonnées au nord et à l'est, ou si vous combinez avec la visite d'El Morro.*

Cette zone protège une gigantesque coulée de lave refroidie, issue, il y a 2 000 ans, d'une quarantaine de volcans. Deux routes y donnent accès : la Hwy 53 au nord et la Hwy 117 à l'est.

Passer de l'une à l'autre en voiture exige de transiter par Grants. Si vous disposez d'un véhicule solide et que le temps est sec, vous pouvez risquer la **piste 42**, à l'ouest du parc, mais il faut avoir du temps *(env. 4h, sans arrêt randonnée)* et prendre ses précautions (plein d'essence, d'eau…). La route n'est pas praticable par temps de pluie, même en 4 x 4.

Autrement, le **Zuni-Acoma Trail★★** relie bien les deux routes à travers le champ de lave, mais il s'agit d'une très longue randonnée *(env. 7h AS)* qui nécessite d'être récupéré à l'arrivée *(vérifiez au préalable si le chemin est accessible).*

🚩 **Northwest New Mexico Visitor Center** – I-40, sortie 85 à Grants - ℰ (505) 876 2783 - www.nps.gov/elma. *C'est ici que vous demandez le permis gratuit et obligatoire pour visiter les grottes.* **El Malpais Information Center**, *23 miles sud I-40 Hwy 53 - ℰ (505) 783 4774 - www.nps.gov/elma - gratuit.*

Partie nord

Elle attire surtout les spéléologues en raison des tunnels et des boyaux de lave à explorer. Certains sont accessibles aux amateurs (**El Calderon**, *2,5 miles* à l'est du Visitor Center, *dir. Grants)*, d'autres sont plutôt réservés aux spécialistes comme **Big Tubes area** *(par la piste 42 qui débute sur la gauche, à 4 miles à l'ouest du Visitor Center, dir. Zuni Pueblo. Comptez 4,5 miles jusqu'au parking)*. En tous cas, munissez-vous toujours de l'équipement adéquat : chaussures de marche, pantalon, gants (les rochers coupent) et surtout une lumière électrique assez puissante ! Le *Visitor Center* vous donnera la documentation nécessaire et de précieux conseils. Tenez-en compte. Permis obligatoire, à demander au Northwest New Mexico Visitor Center

Bandera Crater Ice Caves – *2 miles à l'ouest du* Visitor Center - *www.icecaves. com - se renseigner*. La même famille tient depuis plusieurs générations ce *trading post* donnant accès à une grotte de glace naturelle.

★ Partie est

De la route, vous apercevez sur la droite les affleurements rocheux noirs de la coulée de lave refroidie. Le meilleur point de vue sur cette vaste vallée lunaire est **Sandstone Bluffs Overlook★**, le long de la Hwy 117 *(10 miles du* Visitor Center).

★★ **Zuni-Acoma Trail** – 4 miles plus loin est signalé le départ de cette ancienne route commerciale reliant les deux *pueblos* et traversant le champ de lave *(elle rejoint la Hwy 53 en 12 km)*.

★ **Ventana Natural Arch** – *2,8 miles plus au sud*. Il s'agit de l'une des plus grandes arches naturelles du Nouveau-Mexique. Le sentier des **Narrows** *(départ 4 miles plus loin le long de la route ; 3-4h AR)* permet de l'admirer depuis la falaise qui lui fait face.

★ **Lava Falls Area** – *Env. 12 miles au sud de l'arche, 1h30*. Cette boucle balisée par des cairns permet de marcher en plein chaos volcanique. Soyez vigilant car le terrain est très accidenté. Livret explicatif au *Visitor Center*.

★★★ ACOMA-SKY CITY A2

◗ *90 miles à l'est par l'I-40, sortie 96 - comptez une demi-journée, une journée si vous allez aussi à El Malpais.*

▤ ☏ *1-800 747 0181 - www.acomaskycity.org - visite guidée uniquement (1h). - de fin mars à fin oct. : tlj 8h30-15h30 (se renseigner pour horaires d'hiver) - Haak'u Museum, jours et horaires d'ouverture sujets à changement, se rens. - entrée 23 $; vidéo interdite, il faut acheter un permis au* Cultural Center *pour prendre des photos.*

Le plus spectaculaire des *pueblos* est perché sur une mesa (plateau volcanique) vertigineuse, à 110 m au-dessus de la plaine. Beaucoup d'Indiens s'y sont réfugiés après la révolte des Pueblos en 1680 pour échapper aux terribles représailles espagnoles.

On nomme Sky City la partie historique du *pueblo* d'Acoma : c'est le plus ancien village habité, puisqu'il est sans doute occupé depuis le 11e s. Quelque 50 personnes y résident à l'année, malgré l'absence de tout confort : électricité et eau courante.

La **mission San Esteban del Rey★★** (1629-1640) est un superbe exemple d'église en adobe. Elle est particulièrement pittoresque pour Noël, lorsque le village est illuminé par les luminarias. Le 2 septembre se déroule la fête de San Esteban avec la danse de la Moisson.

😊 NOS ADRESSES À GALLUP

HÉBERGEMENT

Gallup

PREMIER PRIX

Red Roof Inn – 3304 W. Hwy 66 -
5 miles à l'O, près de la jonction
entre la Route 66 et l'I-40 (sortie 16) -
℘ (505) 722 7765 - www.
redroofinngallup.com - 🅿 🛋 - wifi -
103 ch. 54/75 $. Motel basique.
Laverie. Wifi gratuit.

BUDGET MOYEN

El Rancho Hotel – 1000 E.
Hwy 66 - ℘ (505) 863 9311 - www.
elranchohotel.com - ✕ 🅿 🛋 - wifi -
76 ch. 77/113 $. Hôtel historique,
ouvert en 1937, jadis fréquenté par
les stars du cinéma, comme Burt
Lancaster et Gregory Peck. Belle
architecture en brique et en bois,
hall imposant.

Acoma-Sky City

BUDGET MOYEN

Sky City Hotel & Casino – Acoma
Pueblo - I-40 sortie 102, à 11 miles
de Sky City - ℘ 888 759 2489 - www.
skycity.com - ▦ ✕ 🅿 🛋 - wifi -
132 ch. 89/119 $ 🛋. Établissement
impersonnel mais confortable,
tenu par la communauté indienne.

RESTAURATION

Gallup

PREMIER PRIX

Earl's – 1400 E. Hwy 66 - ℘ (505)
863 4201 - lun.-sam. 6h-20h30, dim.
7h-18h30 - plats 7/17 $. Restaurant
local très populaire, servant une
cuisine mexicaine ou américaine.
Bon rapport qualité-prix.

ACHATS

Gallup

Ellis Tanner Trading Co. - 1980
Hwy 602 - à l'angle de la Hwy 602 et
de Nizhoni St. - ℘ (505) 863 4434 -
www.etanner.com - 8h-19h - fermé

w.end. Sur la route de Zuni Pueblo,
ce trading post et prêteur sur
gages propose de beaux bijoux.
Thunderbird Supply Co. – 1907
W. Hwy 66 - ℘ (505) 722 4323 -
www.thunderbirdsupply.com - lun.-
sam. 8h30-18h (nov.-fev. 9h-18h,
sam. 9h-17h). Les Navajos se
fournissent ici pour fabriquer leurs
bijoux : pierres, montures et fils en
argent ou en or, fétiches…
Stone Jewelers Supply – 101 W.
Coal Ave. - ℘ (505) 726 2866 - lun.-
vend. 11h-18h, sam. 12h-17h30.
Pierres taillées ou non, turquoises
naturelles ou stabilisées, montées
sur place sur des montures en
argent. Prix intéressants.
Gallup Flea Market – 340 9th St -
℘ 1 505-979-1338 - sam. 7h-17h -
prenez l'US-491 dir. Shiprock
au nord, tournez à droite dans
Jefferson Ave., juste après la station
Texaco. Allez jusqu'au « Stop », puis
tournez à gauche. Le marché aux
puces se tient plus loin sur la droite.

AGENDA

Danses indiennes – De Memorial
Day à Labor Day : lun.-vend.
19h-20h, ℘ (505) 722 2228. à la
McKinley Courthouse Plaza. Gratuit.
**Annual Intertribal Ceremonial
Pow-wow** – 4 jours, 2e sem. d'août.
Le plus important rassemblement
de tribus dans le cadre splendide
du Red Rock State Park (danses,
artisanat, rodéo).
Red Rock Balloon Rally –
3 jours fin nov.-déb. déc., www.
redrockballoonrally.com. Grand
rassemblement de montgolfières
au Red Rock State Park.
Navajo Nation Fair – Windows
Rock. Merc.-dim. suivant le Labor
Day en sept. www.navajonationfair.
com. La plus grande foire
indienne de la région (danses,
cérémonies…).

White Sands National Monument

710 km² de dunes si blanches que l'on dirait de la neige, enchâssées entre les San Andres Mountains et le Chihahuan Desert : le panorama qu'offre White Sands est tout simplement étonnant. Vous aurez sans doute l'impression d'aller au bout du monde pour le voir, et avec raison, car c'est l'une des zones les plus isolées et les plus pauvres du Nouveau-Mexique (les premiers essais nucléaires y ont été réalisés en 1945). Cependant, le site mérite bien cette peine et vous pourrez prolonger le séjour à Alamogordo ou Las Cruces.

😎 NOS ADRESSES PAGE 504
Hébergement, restauration, achats, activités, etc.

🛈 S'INFORMER
Visitor Center – 📞 (575) 679 2599 - www.nps.gov/whsa - été : 8h-19h ; automne et printemps : 9h-18h ; hiver : 9h-17h - 5 \$/pers. Possibilité de camping sauvage sur demande au Visitor Center. Demandez la carte des sentiers et le feuillet Who passed this way sur les empreintes animales.

▶ SE REPÉRER
Carte de région B4 (p. 450-451) - carte Michelin Western USA 585 G 12. Les dunes se dressent à 52 miles (82 km) au nord-est de Las Cruces par l'US-70, Las Cruces se trouvant à 224 miles (358,4 km) au sud d'Albuquerque, vers la frontière mexicaine.

😎 À NE PAS MANQUER
White Sands au lever ou au coucher du soleil.

🕐 ORGANISER SON TEMPS
Évitez le milieu de journée : la lumière efface tous les contrastes, vous ne verrez pas grand-chose et vos photos seront ratées.

Découvrir

▶ Comptez une demi-journée. Boucle de 16 miles, de 7h jusqu'au coucher du soleil. Prévoyez de l'eau, un pique-nique, des lunettes de soleil et de la crème solaire, car la réverbération est aussi forte que sur la neige.

Ce sable étincelant, ondulant sous le vent, doit son incroyable blancheur à sa composition : il s'agit de **gypse**, très rare sous forme de sable, car soluble dans l'eau (une forme de sulfate de calcium). À l'origine, il constituait le lit d'une ancienne mer. Après le soulèvement des montagnes avoisinantes, le gypse qui les composait s'est dissous progressivement sous l'effet de la pluie, de la neige et des rivières pour venir s'accumuler dans le Tularosa Basin, le bassin occupé par White Sands. Les vents dominants se sont ensuite chargés de sculpter un merveilleux paysage mouvant, autour de vastes mares, comme le lac Lucero. Lorsque le temps est humide et l'évaporation lente, le gypse se dépose sous forme de cristaux le long des berges.

Débutez la visite par le **film documentaire★** du Visitor Center, qui explique comment les espèces végétales et animales s'adaptent à ce milieu hostile.

7

★ Circuit

La route permet de se faire une idée du spectaculaire phénomène naturel des dunes de gypse. Notez, sur la chaussée, comme elles avancent inexorablement. 🐾 Plusieurs sentiers très courts et aménagés permettent de voir l'évolution de la végétation. Mais pour bien sentir la magie du site, allez jusqu'au bout de la route et empruntez l'**Alkali Flat Trail★★★**, qui passe plusieurs barrières de dunes et mène au lit asséché d'un ancien lac *(boucle de 7,5 km, balisée par des piquets. Attention, car par grand vent ils peuvent être enterrés ; faites demi-tour si vous ne voyez pas le suivant. Facile mais fatigant ; comptez au moins 3h et emportez 2 à 4 l d'eau)*. En chemin, guettez les empreintes des nombreux animaux qui réussissent à vivre dans ce désert blanc.

À proximité Carte de région

★ AGUIRRE SPRINGS ET LES ORGAN MOUNTAINS B4

◗ *Comptez une demi-journée au moins pour les balades. Suivez la Hwy 70 en direction de Las Cruces, puis env. 34 miles plus loin, prenez une petite route sur la gauche, indiquant « Recreation Campground » et suivez-la sur 6 miles - avr.-oct. : tlj 8h-19h ; reste de l'année : 8h-17h - visitor center avr.-sept. : tlj 8h-19h ; reste de l'année : 8h-17h - 5 $/véhicule. Possibilité de camper en s'adressant au gardien.*

Les Organ Mountains, déclarées en mai 2014 monument national, culminent à plus de 2 700 m, et sont cannelées à la manière de tuyaux d'orgue. Le site d'**Aguirre Springs★**, situé sur leur versant est, offre une oasis bienvenue au-dessus du désert. Des sentiers de randonnée partent à l'assaut de la montagne, notamment le **Baylor Pass Trail★** *(6,5 km AR)* qui conduit à un col dominant Las Cruces et tous les environs.

LAS CRUCES A4

◗ *Comptez une demi-journée. 50 miles au sud-est du parc par l'US-70.*
La Cruces Convention & Visitors Bureau – *211 N. Water St. - ℘ (575) 541 2444 - www.lascrucescvb.org - lun.-vend. 8h-17h, sam. 8h30-13h.*
Irriguée par le Rio Grande et bordée par les Organ Mountains, cette ville universitaire fondée en 1849 doit son nom (« Les Croix ») aux innombrables tombes de colons massacrés par les Apaches. Elle commande une région agricole importante, produisant des piments, du coton et des noix de pécan. Son célèbre marché du terroir témoigne de la qualité des produits locaux.

Dunes de gypse blanc au White Sands N. M.
G. Probst/Sime/Photononstop

★ Old Mesilla

Comptez 1h. 4 miles au sud du centre-ville, par la Hwy 28.

Aux abords de Las Cruces, le village de Mesilla fut créé dès 1598, lorsque les Espagnols de Juan de Oñate arrivèrent du Mexique, en route vers le nord. Le village ne fut ensuite rattaché aux États-Unis qu'en 1854, après le rachat au Mexique d'une portion supplémentaire de territoire. C'est ici que la transaction fut signée et la frontière actuelle établie. Mesilla fut aussi le théâtre du jugement et de la condamnation à mort de Billy the Kid, avant que le hors-la-loi ne s'évade.

Plaza – Avec son atmosphère toute mexicaine, elle présente toutes les caractéristiques des places espagnoles : carrée, avec un kiosque à musique, bordée de maisons, ici de style territorial, et dominée par les tours de l'**église San Albino** *(tlj sf dim. 9h-16h).*

Cimetière maçonnique – *Au bout de la Calle de Guadalupe, à l'opposé de l'église, traversez la Calle del Sur et continuez tout droit jusqu'au bout de la route vicinale.* Les amateurs d'histoire de l'Ouest iront au vieux cimetière où est enterré le shérif Pat Garrett, qui mit un terme à la cavale de Billy the Kid.

Fort Selden

Comptez 2h. Radium Springs, 15 miles au nord de Las Cruces par l'I-25 (sortie 19) - tlj sf mar. 8h30-17h - 3 $ (gratuit -16 ans).

Pour les passionnés d'histoire, ce fort en adobe (en ruine), fondé en 1865 pour protéger les colons des raids indiens, était celui de la célèbre Black Cavalry, composée de soldats noirs américains. Le général MacArthur, héros de la Seconde Guerre mondiale, y a passé une partie de son enfance.

ALAMOGORDO B4

◖ *Comptez 1h à 2h. 15 miles au nord-est du parc par l'US-70.*

🛈 **Information touristique - Chamber of Commerce** – *1301 N. White Sands Blvd -* ✆ *(575) 437 6120 - www.alamogordo.com - lun.-vend. 8h-17h.*

C'est à la première bombe atomique que l'on fit exploser le 16 juillet 1945 tout près d'ici, à Trinity Site (au nord de White Sands), que cette petite ville isolée doit sa célébrité. L'installation d'une base aérienne militaire et d'un pas de tir de missiles au nord du parc de White Sands (c'est là qu'atterrissent les navettes spatiales) acheva de la consacrer à l'industrie et à la recherche spatiales, sans pourtant lui ajouter de charme. Son principal intérêt pour le visiteur est la proximité de White Sands et son musée de l'espace.

★ **New Mexico Museum of Space History**

3198 State Route 2001 - ☏ (575) 437 2840 ou 877 333 6589 - www.nmspace museum.org - tlj 9h-17h, fermé Thanksgiving et 25 déc. - 6 $ (4-12 ans 4 $).

Ce musée retrace l'histoire de l'aventure spatiale, depuis la fusée artisanale de Robert Goddard ou la première capsule habitée par un chimpanzé, jusqu'aux vols Apollo et les stations spatiales du futur. Amusez-vous à simuler l'atterrissage de Columbia et ne manquez pas la vitrine consacrée à la nourriture dans l'espace.

Le Dome IMAX propose une sélection de films sur ces sujets *(2 films par jour projetés plusieurs fois, première projection à 10h, dernière à 16h. 6 $, 4-12 ans 4,50 $).*

NOS ADRESSES AUTOUR DE WHITE SANDS NATIONAL MONUMENT

TRANSPORTS

Las Cruces

En car – Le **Las Cruces Shuttle Service** (☏ (575) 525 1784 ou 1-800 288 1784, www.lascruces shuttle.com) assure 11 liaisons quotidiennes du lun. au vend. avec l'aéroport d'El Paso (Texas), à 45 miles au sud de la ville.

HÉBERGEMENT

Le parc ne disposant d'aucun hébergement, vous devrez chercher un toit du côté de Alamogordo (14 miles) ou de Las Cruces (52 miles).

Alamogordo

PREMIER PRIX

Motel 6 – *251 Panorama Blvd - ☏ (575) 434 5970 - www.motel6. com -* 🅿 ⛱ *- wifi - 96 ch. à partir de 40 $.* Un motel impersonnel, mais pratique et bon marché.

Desert Aire Hotel – *1021 S. White Sands Blvd - ☏ (575) 437 2110 - bestwesternnewmexico.com -* ▤ 🅿 ⛱ *- wifi - 81 ch. 62/83 $.* Une adresse très confortable et impeccable. Billard. Idéal comme point de chute pour visiter White Sands.

Las Cruces

PREMIER PRIX

Super 8 Motel – *245 La Posada Lane - sortie 142 sur l'I-10 - ☏ (575) 523 8695 - www.super8. com -* 🅿 *- wifi - 59 ch. 55/95 $* ⬚. Un motel au confort standard, sans surprise.

Americas Best Value Inn & Suites – *901 Avenida De Mesilla - ☏ (575) 524 8603 - www. americasbestvalueinn.com -* ✕ 🅿 ⛱ ♿ *- wifi - 160 ch. et suites 53/80 $.* Même confort que le précédent, mais un peu plus près de Mesilla.

BUDGET MOYEN

The Lundeen Inn of the Arts – *618 S. Alameda Blvd - ☏ 1-888 526 3326 - www. innofthearts.com -* 🅿 ♿ *- wifi - 7 ch. 110/125 $.* Un B & B de style territorial à la déco espagnole, abritant également une galerie d'art. Copieux petit-déj. Les suites sont un peu plus chères, mais on y dort à 4.

RESTAURATION

Las Cruces

BUDGET MOYEN

Peppers Cafe – *2355 Calle de Guadalupe - Old Mesilla*

Plaza - 📞 *(575) 523 6700 - 11h-22h, dim. 12h-21h - plats 5/17 $ (viandes 25/40 $).* Situé autour du ravissant patio couvert du très chic restaurant Double Eagle, ce café attire une clientèle jeune avec une cuisine éclectique, néomexicaine, et des salades énormes. Bon rapport qualité-prix. En réservant, on peut dîner dans l'une des élégantes salles intérieures.

Double Eagle – *2355 Calle de Guadalupe - Old Mesilla Plaza -* 📞 *(505) 523 6700 - www.double-eagle-mesilla.com - 11h-22h, dim. 11h-21h - plats 7/40 $.* Une table raffinée, considérée comme la meilleure de la ville, inspirée des cuisines méridionales. Déco dans le style Vieux Sud.

AGENDA

Las Cruces
Farmers & Craft Market – *Tous les merc. et sam., de 8h à 13h, au Downtown Mall. www.fcmlc.org.* Un marché vivant, avec produits du terroir, musique, dégustations et artisans variés.

American Indian Week – *Fin mars-déb. avr.* Pow-wow et danses traditionnelles. Organisé par l'université et des associations indiennes de la ville.

Cinco de Mayo Fiesta – *Les 5 et 6 mai sur l'Old Mesilla Plaza.* 📞 *(575) 524 3262.* Danses et musiques hispaniques, défilés.

Hatch Chile Festival – *Le week-end de Labor Day, à Hatch (35 miles au nord de Las Cruces), www.hatchchilefest.com.* On célèbre la cueillette des piments. Musique, danses et défilés égayent la manifestation.

The Whole Enchilada Fiesta – *3 j. fin sept.-déb. oct. au Downtown Mall. enchiladafiesta.com.* Fête dédiée à cette spécialité mexicaine et au *chile*. Le tout en musique.

White Sands N. M.
S. Cordier/hemis.fr

7

Ruidoso

8 005 habitants – Nouveau-Mexique

Si vous avez soif d'altitude et de forêt, allez à Ruidoso. Vous serez au cœur de la Lincoln National Forest, qui englobe trois chaînes montagneuses : les Sacramento Mountains, où se trouvent Ruidoso et la réserve apache, les Capitan Mountains, au nord du village de Lincoln, et les Guadalupe Mountains, plus au sud. Cette vaste région, sauvage et isolée, entretient de larges pâturages et le souvenir de célèbres hors-la-loi. C'est aussi un paradis pour les amateurs de randonnée.

NOS ADRESSES PAGE 509
Hébergement, restauration, achats, activités, etc.

S'INFORMER

Visitor Information - Chamber of Commerce – *720 Sudderth Drive - ℘ (575) 257 7395 ou 877 784 3676 - www.ruidosonow.com - lun.-vend. 8h-17h, sam. (et dim. de Memorial Day à Labor Day) 9h-15h.*

SE REPÉRER

Carte de région B3 *(p. 450-451) - carte Michelin Western USA 585 G 12.* Ruidoso se trouve à 182 miles (282 km) au sud-est d'Albuquerque par l'I-25, l'US 380 puis la Hwy 37 et à 117 miles (180 km) au nord-est de La Cruces par l'US-70.

À NE PAS MANQUER

Le village de Lincoln pour son atmosphère hors du temps.

ORGANISER SON TEMPS

Essayez d'y aller en période de courses pour l'atmosphère typique de ce pays d'élevage, mais réservez alors votre hébergement.

Se promener

Comptez 1h à 2h.

Attention, la ville s'organise en deux entités : Ruidoso Downs, le long de l'US-70, et Ruidoso, autour de la Hwy 48, c'est-à-dire de Sudderth Drive.

Au centre des Sacramento Mountains, cette petite ville est renommée pour ses courses de **quarter horses** (chevaux américains, mélange de chevaux

---

THE KID AND THE SHERIFF

Né sur la côte Est, William Bonney devient orphelin à 13 ans et s'engage comme cow-boy dans les ranchs d'Arizona. Très vite, il tombe dans la délinquance et doit s'enfuir au Nouveau-Mexique où il arrive en 1877. L'adolescent, désormais connu sous le nom de **Billy the Kid**, s'enrôle au service de Tunstall, un homme d'affaires à l'origine de la guerre de Lincoln. Son patron se fait assassiner sous ses yeux et le jeune homme est pris dans une spirale de violence, tuant lui-même un shérif et son adjoint. Sa cavale figure parmi les légendes de l'Ouest.

Plusieurs maisons de Lincoln l'ont abrité et c'est dans cette prison qu'il fut transféré après son jugement à Las Cruces.

Trompant et tuant son gardien (on y voit encore le trou de la balle), il s'évada pour être finalement rattrapé trois mois plus tard et exécuté à 21 ans à Fort Sumner, par le shérif Pat Garrett.

espagnols et anglais) qui attirent une foule passionnée et pittoresque entre fin mai et début septembre.

★ Hubbard Museum of the American West

26301 Hwy 70 W., Ruidoso Downs, US-70 vers l'est, près du champ de courses - ☏ (575) 378 4142 - www.hubbardmuseum.org - tlj sf mar. et merc. 9h-17h ; fermé Thanksgiving et 25 déc. - 7 $ (6-16 ans 2 $).

Tout à la gloire du cheval et de son rôle dans l'histoire de l'Ouest, ce musée possède plus de 10 000 objets anciens : carrioles, buggys, chariots, harnachements de cheval ou de mule…

Circuits conseillés Carte de région

★ LINCOLN ET LA BILLY THE KID NATIONAL SCENIC BYWAY B3

▶ *Boucle de 70 miles - comptez 3h. Quittez Ruidoso par la Hwy 48, dir. Capitan, et, après env. 6,5 miles sur la Hwy 48, bifurquez à droite sur la Hwy 220 qui mène à Fort Stanton.*

L'un des plus célèbres hors-la-loi de l'Ouest a laissé son empreinte dans la région au point de donner son nom à une route : la **Billy the kid National Scenic Byway**.

Cette dernière forme un triangle reliant Ruidoso à Capitan, au nord (Hwy 48), et Hondo à l'est, en passant par Lincoln. Elle intègre également la Hwy 220 qui part de la Hwy 48 pour rallier la Hwy 380, via Fort Stanton. Chacun de ces lieux présente un personnage ou une activité emblématique de l'histoire locale. L'itinéraire ci-dessous n'en développe qu'une partie.

Fort Stanton

Ce poste-frontière avancé, établi en 1855, resta en activité jusqu'en 1896. Le célèbre Kit Carson *(voir Taos)* le commanda pendant la Guerre civile. Il servit par la suite d'hôpital aux tuberculeux de la marine et de camp d'internement pendant la Seconde Guerre mondiale.

On peut encore voir les maisons de briques blanchies à la chaux qui les accueillaient. Petit musée sur l'histoire du site à l'entrée du camp *(horaires incertains, www.fortstanton.com).*

Poursuivez sur la Hwy 220, puis tournez à droite sur la Hwy 380.

★ Lincoln

Lincoln State Monument – *Anderson-Freeman (sortie est) ou Courthouse Museum (sortie ouest) - ☏ (575) 653 4025 - www.nmmonuments.org - tlj 8h30-16h30 - fermé Thanksgiving, 25 déc., 1er janv. et Pâques - 5 $.*

C'est à Billy the Kid et à la sanglante **Lincoln County War** que le paisible village (70 hab.) agricole de Lincoln, fondé entre 1840 et 1850, doit sa célébrité. Dès le départ, il rassemblait tout ce que l'Ouest comptait de contradictions : colons espagnols, éleveurs, prospecteurs, officiers de cavalerie, Apaches et *desperados* de tout poil… En 1878, une véritable guerre opposa deux hommes d'affaires et leurs partisans. C'est à cette occasion que Billy the Kid bascula définitivement dans le camp des hors-la-loi. Le village-rue est resté en l'état et restitue parfaitement l'atmosphère de l'époque, avec ses maisons en adobe de style territorial et ses enclos à bestiaux.

Courthouse – *Sortie ouest du village, à droite.* Son musée explique toute la County War et l'évasion de Billy the Kid, détenu à l'étage *(voir encadré page précédente).*

Tunstall Store – *Sur la gauche en traversant le village vers l'est.* Il donne une bonne idée de ce qu'était un magasin général : caisse enregistreuse et vitrines d'époque, exemples d'articles vendus… *(ouv. en saison uniquement).*

Anderson-Freeman Museum – *Sortie est du village, sur la gauche.* L'espace d'exposition aborde tous les aspects de l'histoire locale : la guerre du comté, les Apaches, les Buffalo Soldiers, les cow-boys…

MESCALEROS APACHES RESERVE B3/4

▶ *Comptez une demi-journée. Quittez Ruidoso par la Hwy 70. La réserve apache s'étend au sud et à l'ouest de Ruidoso, de part et d'autre de la Hwy 70, jusqu'au village de Mescalero au sud (à 17 miles). La plus belle traversée se fait par la Hwy 244 qui quitte la Hwy 70 en direction de Cloudcroft.*

Avant la colonisation, les **Apaches** se déplaçaient librement sur un vaste territoire allant du Chihuahua (Mexique) à l'Arizona et au Kansas, en passant par le Nouveau-Mexique. Le nom de Mescaleros concerne ceux du sud du Nouveau-Mexique et leur a été donné par les Espagnols, en raison de leur abondante consommation de *mescal* (une sorte de cactus, dont ils mangeaient le cœur). Cette tribu farouche, qui vénère les Esprits de la Montagne *(Mountain Spirits)*, s'est distinguée par sa résistance acharnée aux colons et à la christianisation, et par ses nombreux raids sanglants, tant sur les villages espagnols ou américains que sur les tribus avoisinantes. Le plus célèbre de ses chefs est Geronimo, l'un des derniers grands guérilleros indiens du 19e s.

La réserve (2 800 hab.) qui a été attribuée aux Mescaleros couvre 184 000 ha de montagnes, de pâturages et de forêts, que traverse la Hwy 244 reliant Cloudcroft à Mescalero, dans un paysage inchangé depuis la conquête de l'Ouest.

★ Cloudcroft B4

Ce petit village de chalets en rondins a été créé pour loger les ouvriers construisant la ligne de chemin de fer de la Southern Pacific Railroad. Vous traverserez de beaux paysages de haute montagne, mêlant de gros rochers et d'épaisses forêts.

Ski Apache B3

📞 *(575) 464 3600 - www.skiapache.com*

🎿 La tribu gère aussi cette station qui offre, sur les flancs de la Sierra Blanca (3 591 m), au nord-ouest de Ruidoso, un beau réseau de **sentiers de randonnée★** en été et un vaste domaine skiable en hiver.

Monjeau Fire Lookout Tower – *Quittez Ruidoso par la Hwy 48, dir. Capitan, et, après env. 10-15mn, tournez à gauche après la station-service pour prendre la Ski Run Road NM 532. Après 1 mile, bifurquez à droite et grimpez jusqu'au parking (20mn).* Cette tour de surveillance des feux de forêt, construite en 1936, est toujours en activité. Elle offre un joli point de **vue★** sur les Sacramento Mountains. Point de départ de randonnées *(procurez-vous le détail des randonnées du secteur – kilométrage, durée, niveau – à l'office de tourisme).*

☺ NOS ADRESSES À RUIDOSO

HÉBERGEMENT

Ruidoso

BUDGET MOYEN

Motel 6 – *412 Hwy 70 W. -* 📞 *(575) 630 1166 - www.motel6. com -* 🅿️ 🛟 ♿ *- 83 ch. 99/169 $.* Un motel propre, à l'écart de la ville. Jacuzzi.

Comfort Inn – *2709 Sudderth Dr. - en haut de la ville -* 📞 *(575) 257 2770 - www.comfortinnruidoso. com -* 🖥️ 🅿️ 🛟 ♿ *- wifi - 54 ch. 114/260 $* 🛏️. Un motel agréable. Jacuzzi et piscine couverte.

Mescaleros-Apaches Reserve

POUR SE FAIRE PLAISIR

Inn of the Mountain Gods Resort and Casino – *287 Carrizo Canyon Rd - à 4 miles au sud-ouest de Ruidoso -* 📞 *1-800 545 9011 - www.innofthemountaingods. com -* 🖥️ ✕ 🅿️ 🛟 ♿ *- wifi - 273 ch. 189/366 $.* Beau complexe hôtelier géré par la tribu apache, avec golf et casino. Chambres spacieuses avec balcon ; demandez la vue sur le lac. Offres spéciales hors été.

Cloudcroft

BUDGET MOYEN

The Lodge Resort & SPA – *601 Corona Place -* 📞 *1-800 395 6343 - www.thelodgeresort.com -* 🖥️ ✕ 🅿️ 🛟 ♿ *- wifi - 59 ch. 115/255 $.* L'un des hôtels les plus élégants du sud de l'État, au cœur de montagnes boisées. Tous les attributs du grand luxe : 9 trous, sauna, massages et excellent restaurant. Décor victorien et meubles anciens. Des chambres moins chères sont dans le Pavilion, une annexe nettement moins bien. Packages sur le site Internet.

AGENDA

Coming of the Age Ceremony – *Quatre jours autour du w.-end du 4 Juil., au village de Mescalero.* 📞 *1-888 320 0348.* Un rite de passage apache, avec parades, rodéo et cérémonies.

Lincoln County Cowboy Symposium – *Trois jours vers la mi-oct., à Lincoln.* 📞 *(575) 378 4431, www. cowboysymposium.org.* Musique country, chants et poésie de cow-boys, contes et danses.

Le lac Mescalero.
Marilyn Haddrill/iStock

7

Roswell

48 477 habitants – Nouveau-Mexique

Si vous n'avez jamais entendu parler de l'homme de Roswell, vous quitterez cette ville en sachant tout sur lui et les aliens en général. Au passage, vous apprendrez que les premières fusées ont été lancées ici et qu'avant de devenir la Mecque des amateurs de science-fiction, ce plateau désertique était occupé par les Apaches et les Comanches. Ajoutez un peu d'art contemporain, une excursion aux grottes de Carlsbad ou à Fort Sumner, et vous aurez un aperçu de votre séjour !

😊 NOS ADRESSES PAGE 513
Hébergement, restauration, achats, activités, etc.

🛈 S'INFORMER
Roswell Civic Center - Visitor Information – *912 N. Main St., sur la gauche en roulant plein nord (passé 8th St.) - ℘ (575) 624 6860 - www. roswellnm.org - lun.-vend. 8h30-17h, sam. 8h30-16h, dim. 9h-15h.*

▶ SE REPÉRER
Carte de région B3 *(p. 450-451) - carte Michelin Western USA 585 H 12.* Roswell se trouve dans l'angle sud-est de l'État du Nouveau-Mexique, à 185 miles au nord-est de Las Cruces (290 km, 3h40) et à 203 miles au sud-est d'Albuquerque (320 km, 3h40).

😊 À NE PAS MANQUER
Les grottes de Carlsbad, pour leur écosystème.

🕐 ORGANISER SON TEMPS
Consacrez la matinée à Roswell, puis filez plein sud pour arriver aux grottes de Carlsbad avant l'envol des chauves-souris, en fin de journée. Le mieux est de passer ensuite la nuit sur place. Pour la visite de Fort Sumner, au nord, privilégiez l'aller-retour dans la journée.

Se promener

Sans grand charme, la ville s'organise autour de l'intersection de l'US 380, c'est-à-dire 2nd St. (axe est-ouest) et de l'US 285, soit Main St. (axe nord-sud). La Hwy 70 traverse Roswell en adoptant le même tracé que ces deux *highways*, selon une orientation nord-ouest. À l'exception de l'UFO, la plupart des sites à visiter se concentrent autour de North Main St., entre 2nd St. et College Blvd.

★ Roswell UFO Museum

114 N. Main St., presque à l'angle sud-ouest avec 2nd St., dans l'ancien théâtre - ℘ 1-800 822 3545 ou (575) 625 9495 - www.roswellufomuseum.com - tlj 9h-17h, fermé Thanksgiving, 25 déc. et 1er janv. - 5 $ (5-15 ans 2 $). Il est nécessaire de lire l'anglais pour comprendre la foule de documents exposés - rens. sur www. majesticdocuments.com.

UFO signie *Unidentified Flying Object*, autrement dit OVNI en français. Début juillet 1947, un éleveur trouve des débris bizarres dispersés sur ses terres ; on parle de « corps non identifiables » (*alien bodies* ou « corps étrangers »). L'armée déclare d'abord qu'il s'agit des restes d'une soucoupe volante, puis se rétracte, invoquant un ballon-sonde et des mannequins expérimentaux. Mais la presse internationale et de nombreux témoignages troublants sèment le doute. Beaucoup concluent à un complot d'État visant à cacher l'existence d'extraterrestres.

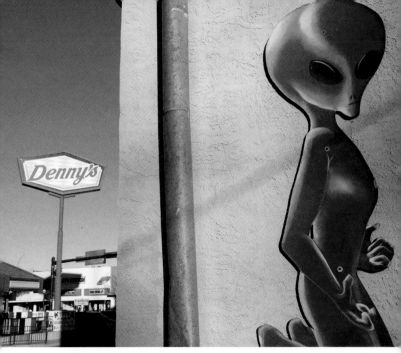
Alien peint sur un mur dans une rue de Roswell.
W. Bibikow/Agency Jon Arnold Images/age fotostock

Ce stupéfiant musée, tenu par des bénévoles convaincus que quelque chose d'« extranormal » s'est bien passé ici en 1947, rassemble coupures de presse de l'époque de l'« *Incident at Roswell* », documents officiels, courriers, reconstitution d'un *alien*, témoignages troublants, manipulations de l'information par l'armée. Même les sceptiques sont interpellés… et repartent avec des questions sans réponse.

★ Roswell Museum and Art Center (RMAC)
100 W. 11th St. (rue donnant sur N. Main St.), dans un bâtiment d'adobe presque attenant au Roswell Civic Center - ℘ (575) 624 6744 - roswellmuseum.org - tlj sf lun. 9h-17h, dim. et vac. 13h-17h, fermé Thanksgiving, 25 déc. et 1er janv. - gratuit, contribution souhaitable.

Ce musée très éclectique propose une reconstitution de l'atelier de **Robert Goddard** et de sa première fusée *(voir encadré p. 512)*, tandis qu'une **galerie★★** expose objets usuels, costumes de cow-boys et d'Indiens, avec des détails sur le sens des coiffures et des ornements, ainsi que des panneaux exposant l'histoire des colons du Nouveau-Mexique.

Notez aussi l'intéressante collection d'art contemporain, témoignant de la politique dynamique du musée et du travail des artistes résidents *(voir ci-dessous)*.

Anderson Museum of Contemporary Art (AMOCA)
409 E. College Blvd - ℘ (575) 623 5600 - roswellamoca.org - lun.-vend. 9h-16h, w.-end 13h-17h - entrée libre.

Photographies, peintures, dessins, sculptures ou nouveaux médias : l'AMoCA permet de suivre l'évolution de l'art contemporain sur plus de 30 ans. Sa collection se compose en effet des œuvres réalisées dans le cadre du programme des artistes résidents, lancé en 1967 par l'homme d'affaires et artiste Donald B. Anderson. Ce programme sélectionne, chaque année, six à huit nouveaux artistes qui se voient offrir toutes les facilités pour leur travail de création. En échange, ils laissent au musée certaines pièces produites pendant cette période.

UN VISIONNAIRE SUPERSONIQUE

C'est vers l'âge de 7 ans que le jeune **Robert Goddard** (1882-1945) eut envie de voler dans l'espace. Après ses études, il commence à déposer des brevets (en tout 214!). Il met peu à peu au point le type de carburant, le moteur, les plans et lance un premier engin en 1926, que des problèmes de stabilisation font échouer. Il attendra 1935 pour lancer une autre série de fusées de 5 m de long, dont l'une dépasse pour la première fois la vitesse du son et atteint une altitude de 2 250 m. En 1937, il établit son record : 2 700 m! Ce n'est cependant que le 12 avril 1961 que son rêve se réalisera grâce au vol spatial du Russe Iouri Gagarine.

Excursions Carte de région

★★ Carlsbad Caverns National Park B4

▶ *99 miles au sud de Roswell, 23 miles au sud de Carlsbad.*

🏛 *3225 National Parks Hwy -* ✆ *(575) 785 2232 - www.nps.gov/cave -* Visitor Center : *8h-19h (17h de Labor Day à Memorial Day) - fermé Thanksgiving, 25 déc. et 1er janv. - 10 $ (gratuit -15 ans). Chaussures plates à semelles antidérapantes et lainage recommandés, car le sol est très glissant et il fait très frais dans les grottes.*

Ce réseau de 88 **grottes souterraines** couvre 189 km² à une profondeur atteignant 470 m. La plus vaste mesure 78 m de haut, 550 m de long et 245 m de large. Vous y verrez drapés, stalactites, stalagmites, et surtout les traces d'une colonie de 250 000 chauves-souris *(d'avr. à oct.)*. À la tombée de la nuit, elles s'envolent pour la chasse nocturne, formant un impressionnant nuage. Le mieux est de découvrir les grottes en empruntant l'entrée naturelle *(fermée 1h30 avant la fermeture du parc ; 1 mile en pente ; comptez 1h)*. Sinon, un ascenseur conduit aux grottes principales *(facile ; 1 mile ; comptez une demi-heure)*. Les deux circuits peuvent se cumuler.

Bosque Redondo Memorial at Fort Sumner State Monument B3

▶ *91 miles au nord de Roswell, 7 miles au sud-est de Fort Sumner par la Hwy 60/84, puis la NM 272 -* ✆ *(575) 355 2573 - merc.-dim. 8h30-16h30, fermé j. fériés - 3 $.*

C'est ici que fut tué et enterré Billy the Kid, mais l'endroit a surtout connu l'un des plus grands drames de la colonisation des Indiens. Après leur défaite par Kit Carson au canyon de Chelly, les 9 000 Navajos survivants furent déportés ici lors de la **Longue Marche** à travers le Nouveau-Mexique, et internés de 1864 à 1868 dans ce que l'on peut appeler un camp. L'armée américaine entendait leur imposer une organisation sédentaire sur le modèle agricole des colons, mais plus de 3 000 moururent sur place, de maladies, de l'échec des cultures, des raids comanches et, plus tristement encore, du déracinement.

😊 NOS ADRESSES À ROSWELL

HÉBERGEMENT

Roswell

PREMIER PRIX

Motel 6 – 3307 N. Main St. - Hwy 70/285 - ☏ (575) 625 6666 - www. motel6.com - 🖵 🅿 ⛵ ♿ - wifi - 83 ch. 55/104 $. Un peu en retrait de la route. Simplement fonctionnel. Avec piscine couverte et laverie.

Super 8 – 3575 N. Main St. - Hwy 70/285 - ☏ (575) 622 8886 - www. super8.com - 🖵 🅿 ⛵ ♿ - wifi - 64 ch. à partir de 68 $. Motel standard, gratuit pour les enfants de moins de 17 ans. Piscine couverte et laverie.

Best Western El Rancho Palacio – 2205 N. Main St. - Hwy 70/285 - ☏ (575) 622 2721 - bestwesternnewmexico.com - 🖵 🅿 ⛵ - wifi - 45 ch. à partir de 77 $ 🍴. Un motel plutôt agréable. Piscine extérieure. Internet gratuit.

Comfort Inn – 3595 N. Main St. - Hwy 70/285 - ☏ (575) 623 4567 - 🖵 ✕ 🅿 ⛵ ♿ - wifi - 55 ch. à partir de 90 $ 🍴. Tout confort, bien qu'impersonnel. Piscine couverte, salle de fitness.

Carlsbad

PREMIER PRIX

Motel 6 – 3824 National Parks Hwy - ☏ (575) 885 0011 - www. motel6.com - 🖵 🅿 ⛵ ♿ - wifi payant - 80 ch. à partir de 70 $. Le moins cher, tout à fait standard et un peu bruyant, mais pratique.

BUDGET MOYEN

Super 8 Motel – 3817 National Parks Hwy - ☏ (575) 887 8888 - www.super8.com - 🖵 🅿 ⛵ ♿ - wifi - 46 ch. à partir de 110 $. Motel de bon confort avec petit-déj. continental et cafetière dans les chambres.

Best Western Stevens Inn – 1829 S. Canal St. - sortie du centre vers le sud et les grottes), - ☏ (575) 887 2851 - www. bestwestern.com ou - 🖵 ✕ 🅿 - wifi - 220 ch. dont 46 suites à partir de 108 $. Un agréable motel assez calme. Demandez les chambres du fond qui sont plus éloignées de la route. Le restaurant, The Flume, est l'un des meilleurs de la ville.

RESTAURATION

Roswell

PREMIER PRIX

Golden Corral – 2624 N. Main St. - ☏ (575) 622 5102 - 11h-22h, vend. 11h-23h, sam.-dim. 7h30-23h - 9/15 $. Un système très économique de buffet à volonté, moins cher à midi.

BUDGET MOYEN

Cattle Baron Steak & Seafood – 1113 N. Main St. - ☏ (575) 622 2465 - www.cattlebaron.com - 11h-21h, vend.-sam. 11h-22h - plats 10/27 $. Grillades traditionnelles et poissons, le tout frais et copieux. Une formule buffet de salades pour manger léger, mais à satiété.

AGENDA

Mescal Roast and Mountain Spirit Dances – Quatre jours déb. ou mi-mai, au Living Desert Zoo & Gardens de Carlsbad. ☏ (575) 887 5516. Les Apaches cuisent le mescal suivant la méthode ancestrale, et se livrent aux danses guerrières et de l'Esprit de la Montagne.

UFO Festival – 1re semaine de juil. à Roswell. www.ufofestivalroswell. com. Pour les inconditionnels d'ovnis. Conférences, concerts et représentation d'une invasion d'aliens…

7

COMPRENDRE
LE SUD-OUEST
AMÉRICAIN

Las Vegas.
T. Emmett/Getty Images

Le Sud-Ouest aujourd'hui

Entre décor de western et mégalopoles démesurées, quelle image retenir du Sud-Ouest américain qui continue de faire rêver tant de voyageurs ? Le mythe est en effet solide, entretenu par le cinéma, la littérature et quelques spectaculaires success-stories. Les États de la région ont su protéger et mettre en valeur les canyons spectaculaires, les parcs nationaux sauvages tandis que des villes tentaculaires se développaient, notamment le long du Pacifique. Ce n'est qu'un des nombreux paradoxes d'une société en pleine mutation aujourd'hui confrontée, sans doute plus que d'autres, à d'importants défis humains et environnementaux. Y aller, c'est se préparer à un périple mémorable dans une contrée imprégnée d'un esprit d'invention permanente. Un voyage où l'on va pouvoir retrouver l'Amérique pionnière dans sa capacité de tirer le monde occidental au-delà des vieux clichés conservateurs.

UN DÉCOR GRANDEUR NATURE

Le survol de la région peut surprendre ou inquiéter. N'y a-t-il que d'interminables plateaux désertiques ? Rien de plus déconcertant en effet que la découverte des hautes terres du Sud-Ouest américain. De vastes plans inclinés dissymétriques, scandés par de brusques ruptures. Ces reliefs sont à la fois très anciens et très récents, puisque le soulèvement des chaînes pacifiques se poursuit lentement, rythmé par les tremblements de terre et des éruptions. Le résultat est une extraordinaire variété de paysages. Le Sud-Ouest devient ainsi un **écran gigantesque** où l'on peut projeter tout à loisir nos rêves d'espace. On peut y voir une invitation à partir sur les traces des grands chefs indiens tels Geronimo, Sitting Bull ou Cochise pour retrouver leurs terres dorées de lumière, théâtres de tant de combats désespérés. D'autres préféreront suivre le parcours de pionniers, d'explorateurs ou l'installation de mormons. D'autres encore succomberont au chant des sirènes de Las Vegas qui brille de tous ses feux, en plein désert…

Cet incroyable décor en perpétuelle évolution est aujourd'hui confronté à d'incroyables défis.

AU-DELÀ DES CLICHÉS

L'élection de Barack Obama, un président métis, une forte immigration mexicaine, de graves sécheresses, des incendies, une crise économique mondiale : la donne change profondément et les yeux du monde se tournent plus que jamais vers cette région puissante, qui a si longtemps symbolisé le rêve et la réussite. Les États du Sud-Ouest apparaissent comme le **sismographe** de

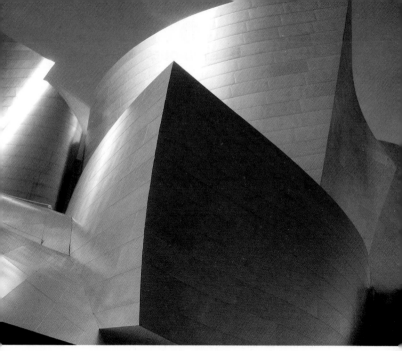

Le Walt Disney Concert Hall par Frank O. Gehry, Los Angeles.
L. Decoudin/Michelin

l'Amérique. On connaît leur dynamisme et on espère y trouver la renaissance d'une société américaine abattue par la crise économique. Au-delà des clichés du cow-boy ou d'une nouvelle frontière, aller dans ces villes et ces espaces hors du commun, c'est chercher à comprendre une partie des convulsions du monde actuel.

Une véritable **révolution culturelle** est en marche. Elle est tout d'abord le fruit d'un incroyable métissage avec les cultures noire, indienne, et mexicaine. Ces mutations particulièrement visibles dans le Nouveau-Mexique sont encore plus marquées et plus variées dans les grandes villes comme San Francisco.

Autre moteur de changement, la **crise économique** vient changer le mode de vie si privilégié et dépensier de la région. Le temple de la consommation est ébranlé, toute l'industrie automobile vacille, entraînée par les puissants 4 x 4 et les imposantes berlines si gourmandes en carburant.

LE TOURNANT ÉCOLOGIQUE

La richesse suprême mais aussi la plus rare dans la région est l'**eau**, un trésor difficile à préserver mais aussi à partager. Le Sud-Ouest, qui regroupe déjà de nombreuses zones désertiques, souffre depuis plusieurs années de **sécheresse**. Depuis 2009, la Californie est en état d'urgence avec des incendies violents menaçant même les zones urbanisées, et les impacts risquent d'être lourds pour les agriculteurs avec la limitation de l'irrigation. Le contexte est difficile, mais l'Ouest américain a des **ressources**. On y découvre encore des fossiles de dinosaures… mais le pays attend beaucoup de la recherche qui bat son plein autour de la Silicon Valley. Il y a des signes encourageants : les **villes vertes** ou **écovillages** se développent, les baleines réapparaissent au large de Malibu et les canoéistes réinvestissent la rivière de Los Angeles. La « vitalité » américaine doit se tourner vers un autre modèle économique forcément plus sobre.

Le système politique

La Constitution des États-Unis, inchangée depuis plus de deux siècles, est la plus ancienne au monde. La volonté de rompre avec un pouvoir colonial a certainement prévalu lors de la création des institutions et influença l'esprit que les pères fondateurs donnèrent à cette république du Nouveau Monde. La jeune puissance joua pourtant très vite à son tour la carte de l'expansionnisme, s'attachant à conquérir les grands espaces de l'Ouest. Elle acquit rapidement un statut de superpuissance, symbolisant le dynamisme et la réussite, avant d'être ébranlée par les attentats de 2001 et la dernière crise économique mondiale. En 2009, Barack Obama est le premier Afro-Américain à accéder à la magistrature suprême ; un premier mandat marqué par l'adoption d'une réforme de la couverture santé très controversée et, en 2011, par la mort de Ben Laden.

Le gouvernement fédéral…

La naissance des États-Unis d'Amérique repose sur la déclaration d'indépendance du **4 juillet 1776**, par laquelle les treize colonies de l'Est s'affranchirent du pouvoir colonial anglais. Soucieux de réguler les échanges économiques, les treize États nouvellement créés se réunirent dix ans plus tard à Philadelphie pour rédiger la **Constitution de 1787**, qui créa un État fédéral et en définit les instances communes.

La Constitution américaine établit la séparation des pouvoirs et l'égalité entre les États au sein du corps législatif. Le Congrès comprend en effet deux assemblées : la **Chambre des représentants** se compose de 435 membres, renouvelés tous les deux ans, et représentant les États proportionnellement au nombre d'habitants ; le **Sénat**, renouvelé par tiers tous les deux ans, est constitué de deux sénateurs par État, élus pour six ans. Si le texte de la Constitution reste inchangé, il est prévu que des amendements puissent y être ajoutés, afin de préciser certains points et régler définitivement des questions laissées en suspens. En 1791, les dix premiers amendements, ou *Bill of Rights*, précisèrent les droits individuels et ceux des États, par opposition à ceux du gouvernement fédéral. Le pouvoir exécutif est confié au **président** et à son vice-président, élus pour quatre ans selon un système de collège électoral (les citoyens votent pour une liste d'électeurs, qui soutient un candidat et procède elle-même à un vote plusieurs semaines après l'élection générale). Le Président est conseillé par **14 secrétaires d'État**, responsables des différents ministères. Le pouvoir judiciaire est confié à la **Cour suprême**, la plus haute instance du pays, composée de neuf juges nommés à vie par le Président, après accord du Sénat. Elle remplit tout à la fois le rôle de Conseil constitutionnel, de Conseil d'État et de Cour de cassation.

... et celui des États

Si le gouvernement fédéral exerce son autorité dans les affaires étrangères (défense et diplomatie), dans les échanges commerciaux internationaux et en partie dans la justice, chacun des **50 États** dispose par ailleurs de son propre gouvernement, en charge de l'enseignement, de la politique sociale, des équipements, de la police et de la justice (ce qui explique que tous les États n'adoptent pas les mêmes réglementations, ni la même position face à la peine de mort). Un **gouverneur**, élu pour deux ou quatre ans, est désigné comme chef de l'exécutif, tandis que le pouvoir législatif est assuré par **deux assemblées**.

LE RATTACHEMENT TARDIF DU SUD-OUEST

À l'époque où la Constitution fut rédigée, le pays se composait uniquement des États de la côte Est. Certains n'ayant aucune frontière commune avec les terres de l'Ouest, il fut prévu, pour éviter tout conflit, que les nouveaux espaces conquis reviendraient à l'État fédéral. La Constitution précisait par ailleurs que tout territoire regroupant 60 000 habitants pourrait postuler pour rejoindre l'Union, et obtiendrait les mêmes droits et les mêmes devoirs que les autres. L'explosion démographique générée par la ruée vers l'or permit à la Californie de dépasser rapidement le seuil nécessaire. En 1850, elle fut ainsi le 31e État à entrer dans l'Union, précédant de plusieurs années tous les autres États du Sud-Ouest : le Nevada (1864), le Colorado (1876), l'Utah (1896), le Nouveau-Mexique et l'Arizona (1912).

DU CINÉMA À LA POLITIQUE

Hasard ou coïncidence, deux acteurs ont été gouverneurs de Californie. Après avoir commencé sa vie professionnelle au cinéma et à la télévision, l'ancien président **Ronald Reagan** avait d'abord été gouverneur de l'état qui abrite Hollywood de 1967 à 1975. **Arnold Schwarzenegger**, plus connu pour son jeu très musclé dans *Conan le Barbare* et *Terminator* et élu plusieurs fois « Monsieur Univers », a occupé cette fonction de 2003 à 2011. C'est le démocrate **Jerry Brown** qui a succédé à l'ex-gouverneur républicain et a pris les rênes de la Californie, comme il l'avait fait 36 ans auparavant après Ronald Reagan.

LE BIPARTISME

Dès l'origine, les deux grands partis qui dominent la vie politique américaine se sont différenciés par leur interprétation des textes constitutionnels. Pour les républicains, le pouvoir fédéral ne doit en aucun cas empiéter sur les prérogatives des États. Ils préconisent la libre entreprise, qui doit conduire à une moindre dépendance des citoyens envers l'État fédéral. À l'inverse, les démocrates sont plus interventionnistes : l'importance d'une politique économique et sociale à l'initiative du pouvoir fédéral fait partie de leurs revendications traditionnelles.

Les Américains

Si une région de la planète illustre bien la notion de « melting pot » c'est bien cette partie ouest des États-Unis qui concentre un nombre incroyable de nationalités et de minorités. Il n'y a qu'à parcourir les différents quartiers de San Francisco pour s'en convaincre définitivement. Ce creuset démographique doit résorber des situations historiques complexes, liées à l'esclavage ou au traitement des Indiens, mais également de forts flux migratoires, notamment en provenance du Mexique. Il n'est pas question d'assimilation, le communautarisme est ici très fort, mais de gros efforts ont été faits pour normaliser les relations entre tous ces Américains. La communauté noire a ainsi beaucoup évolué grâce à l'Affirmative action (discrimination positive) qui a permis la naissance d'une classe moyenne et l'élection du premier président noir, Barack Obama. Mais le chemin reste encore long, la crise vient ralentir une évolution toujours fragile et nombreux sont les oubliés du « miracle américain ».

Une démographie galopante

La population globale américaine est estimée en 2014 à plus de **318 millions d'habitants** avec une croissance démographique d'environ + 1 % par an. Mais cette progression est bien plus élevée dans l'Ouest qui compte la plus forte concentration de minorités qui, comme les Asiatiques et les Latino-Américains, s'y installent davantage que dans le reste du pays.

En plus des importants flux migratoires, la **natalité** est très variable selon les communautés, avec un boom du côté des Hispaniques qui devraient représenter près de 30 % de la population américaine vers 2050.

La **Californie** est l'État le plus peuplé avec près de 38,5 millions d'habitants en 2013. Les autres États du Sud-Ouest sont plus faiblement peuplés, en dehors de quelques régions urbanisées.

Parmi les **agglomérations** qui enregistrent la croissance la plus rapide depuis 1990, Las Vegas arrive ainsi en première position, avec + 111 %, suivie par Phoenix, + 48,6 % et Tucson, + 27,1 %. Enfin, les grandes agglomérations de Los Angeles (2e ville du pays), de Phoenix (6e ville), San Diego (7e ville) et San Francisco (14e ville) comptent parmi les zones urbaines les plus peuplées des États-Unis.

UNE FORTE IMMIGRATION

Longtemps considérés comme un Eldorado pour les Européens, les États-Unis ont conservé leur pouvoir d'attraction car le pays a accueilli, légalement ou illégalement, près de 8 millions de personnes entre 2001 et 2005, selon le Centre d'Étude de l'Immigration. La tendance se confirme, malgré des législations plus restrictives et un mur de plus de 1 000 km sur la **frontière avec le Mexique**. Une image, celle de la ville frontière de Tijuana, illustre mieux que tous les discours cette incroyable pression migratoire. La ville, très dense, semble s'écraser contre la barrière de fer tandis que de larges espaces se déploient côté américain. L'**Arizona** a reçu près de 2 millions d'immigrants entre 1970 et 2009, soit le tiers de sa population actuelle. Si l'on se réfère à l'augmentation du nombre d'habitants entre 2000 et 2010, le **Nevada** arrive en tête avec une augmentation de 35 % (la moyenne nationale est de 5,3 %), suivi par l'Arizona (24,6 %) et l'Utah (24 %).

Les Indiens

Voyager dans les terres rouges du côté de Santa Fe ou de Phoenix, ou même encore vers les profonds canyons du Colorado, c'est partir à la recherche des terres indiennes. Et comment ne pas constater cette contradiction qui tenaille les tribus indiennes d'aujourd'hui ? Les Indiens sont en effet tiraillés entre les tentations et surtout les excès de l'« *American way of life* », et la conviction qu'ils doivent perpétuer leurs valeurs et retrouver la dignité de leurs ancêtres.

Aujourd'hui, les mobile homes côtoient les **hogans** (habitat traditionnel navajo) isolés, perdus dans les montagnes. Les descriptions minutieuses des rituels anciens ont certainement contribué au succès de la région navajo comme destination touristique. Elles ont surtout aidé à faire admettre dans le patrimoine national américain une culture encore méprisée. La récompense, dont le romancier Tony Hillerman restait le plus fier, était le titre de « Special Friend of the Dineh », ami notable du peuple navajo, que lui avaient conféré les autorités tribales.

Les mentalités évoluent, mais les Indiens restent confrontés à d'importants défis.

VERS UN LENT RENOUVEAU

Les 2 millions d'Indiens ne représentent aujourd'hui que 0,8 % de la population totale des États-Unis (au Nouveau-Mexique la proportion atteint les 10 % et en Arizona elle est de 5 %). Malgré les progrès, leur espérance de vie moyenne ne dépasse pas 50 ans. Environ la moitié d'entre eux vivent dans des **réserves**, principalement à l'ouest du Mississippi. Elles sont gouvernées de façon indépendante par les autorités tribales, possèdent leur police et tentent de créer leur propre économie, basée sur le tourisme (parcs, complexes hôteliers, services), les jeux (les réserves sont autorisées à ouvrir des casinos) et les ressources minières. Malheureusement, le chômage (flirtant souvent avec les 50 %), le niveau insuffisant de l'éducation (seuls 2,1 % poursuivent des études supérieures contre 7,6 % pour l'ensemble de la population), l'alcoolisme et la drogue maintiennent beaucoup de villages dans un état de dénuement proche de la misère, avec son cortège de suicides, de frustrations et de violences.

Pourtant, l'échec de leur intégration dans les villes et le renouveau des traditions parmi les nouvelles générations sont à l'origine d'un **retour des jeunes vers les réserves**. La rénovation du système scolaire pour les enfants indiens, la promotion de l'art et de la littérature (l'enseignement des langues ancestrales leur est peu à peu proposé) ainsi que la mode de la culture indienne (malgré ses dérives factices ou pseudo-ésotériques) ont contribué à la renaissance du patrimoine autochtone et à une approche plus respectueuse des rites et de la philosophie de vie des Indiens. Des cérémonies traditionnelles ont encore lieu et, chaque année,

LA PLACE DES INDIENS DANS LE NATIONAL PARK SERVICE

Dans les années 1990, une loi reconnut l'importance du rôle des Indiens dans les programmes de préservation des sites historiques. En 1992, des tribus ont ainsi pu elles-mêmes demander le rattachement de certains sites au registre national des sites historiques. On leur reconnut par ailleurs le droit et les compétences pour donner des conférences sur le bien-fondé de la préservation de certains sites. En 1996, le directeur du NPS a mis en place un véritable partenariat avec 12 tribus indiennes, notamment les Hualapais (Arizona), les Yuroks (Californie) et les Navajos (Arizona, Utah, Nouveau-Mexique), qui, au même titre qu'un État, sont chargées de l'administration des parcs ou « monuments » situés sur leurs territoires. Elles sont ainsi parties prenantes dans la préservation de leur héritage, dans le respect de leur culture et selon leurs priorités tribales. Parmi les grands sites gérés par les Indiens figurent Monument Valley, le canyon de Chelly et le fameux Grand Canyon Skywalk (passerelle panoramique).

de grands rassemblements intertribus, les **pow-wows**, leur permettent de montrer leurs costumes et de présenter leurs danses. Chaque année, le 23 juin, c'est le jour du soleil : face à la montagne, les Indiens du Nouveau-Mexique se livrent à de mystérieuses cérémonies pour saluer l'apparition du soleil. « Nous aidons quotidiennement notre père le soleil, à travers le ciel, disent-ils. Si nous arrêtons nos pratiques, le soleil ne se lèvera plus. Ce sera la nuit à jamais. »

LES COMMUNAUTÉS INDIENNES

Au nombre de 2,5 millions, les *Native Americans* vivent aujourd'hui en majeure partie à l'ouest du Mississippi, où, depuis le 19e s., le gouvernement américain leur a alloué des terres. La plupart des Indiens vivent dans ces quelque **300 réserves** et travaillent dans les villes. La majorité des terres appartient aux tribus qui les administrent selon leurs propres lois, sauf prérogatives fédérales, mais les gouvernements tribaux restent très dépendants des fonds fédéraux. La majeure partie des Indiens du Sud-Ouest vit en Arizona (21 réserves) et au Nouveau-Mexique (25 réserves). La réserve

la plus étendue du pays, celle des Navajos, s'étend sur 70 825 km², à cheval sur l'Arizona, le Nouveau-Mexique et l'Utah, et accueille 219 000 personnes. À la différence des Indiens des Grandes Plaines, qui ont été chassés vers l'ouest, hors de leurs territoires historiques, les tribus d'Arizona et du Nouveau-Mexique possèdent encore une partie des terres qui étaient occupées par leurs ancêtres. Leurs cultures en sont d'autant mieux préservées et vivantes.

Occupés depuis la préhistoire par les ancêtres des Indiens, des peuplades venues d'Asie par le détroit de Béring (mongoloïdes) et peut-être d'Europe continentale par la banquise (caucasoïdes), les vastes territoires du continent nord-américain ont fait l'objet de toutes les convoitises à partir du 16e s. ; ils ont attiré des vagues successives d'immigrants d'origines très diverses d'où est issue une société composite et colorée.

LES TRIBUS INDIENNES

Les Navajos

Avec quelque 270 000 membres, ils constituent aujourd'hui la tribu la plus nombreuse du Sud-Ouest et la deuxième d'Amérique du Nord après les Cherokees. Ils se désignent eux-mêmes par le nom de *Dineh* ou *Diné*, qui veut dire « le peuple », tout en revendiquant le terme de *Navajo Nation*. Jadis, les Navajos se livraient à de fréquents raids sur les Indiens pueblos, mais avec le temps, les méthodes d'agriculture ou d'artisanat des deux tribus se sont mêlées et influencées. Les chants occupent une place importante dans leur culture, non seulement pour transmettre les mythes et les traditions, mais aussi lors des cérémonies, notamment les rites de guérison, où ils exécutent des peintures de sable *(sand paintings)* chargées de symboles sacrés. Ils bénéficient aujourd'hui de la plus vaste réserve des États-Unis, sur le plateau du Colorado, à cheval sur la frontière du Nouveau-Mexique, de l'Arizona et de l'Utah (environ 160 000 Navajos y vivent), mais les jeunes partent en masse vers les villes pour échapper à l'inactivité et souffrent souvent de déracinement.

Les Apaches

Ils composent l'autre grande tribu nomade du Sud-Ouest, avec 57 000 personnes réparties entre le Nouveau-Mexique, l'Arizona et le sud-ouest de l'Oklahoma. Ne connaissant pas une organisation tribale centralisée, ils se déplaçaient plutôt en bandes, et leurs chefs les plus célèbres furent Cochise et Geronimo. Ils appartiennent au même groupe linguistique que les Navajos. Leur organisation sociale repose largement sur les lignées féminines, qui se chargent de l'administration des familles.

Les Pueblos

Les descendants des anciens Anasazis *(voir le site exceptionnel de Mesa Verde)* sont environ 59 000, dispersés dans leurs réserves du Nouveau-Mexique (62 %) et d'Arizona (17 %). Habitant des *pueblos* structurés depuis le 9e s., ils sont les plus religieux des Indiens du Sud-Ouest (les villages ont été évangélisés très tôt par les missionnaires catholiques).

Ce sont les Espagnols qui les ont surnommés Pueblos en raison de leur culture sédentaire. Leur rite le plus spectaculaire est la *Corn Dance* (danse du Maïs), mais ils sont tout aussi célèbres pour leurs danses animales, du Cerf, de l'Ours ou de l'Aigle.

Les villages, composés de maisons à étages réalisées en terre crue (adobe), sont séparés en deux, le peuple de l'Hiver et le peuple de l'Été, qui administrent la communauté chacun leur tour. Les Pueblos sont particulièrement

LE RITE DE LA PUBERTÉ

Après leur première menstruation, les jeunes filles apaches doivent se livrer à un rite long et éprouvant, que la tribu tient de « Femme Peinte en Blanc » (White Painted Woman, aussi dénommée Changing Woman ou « Femme Changeante »), l'une des déesses fondatrices. Les Apaches croient que la jeune fille pubère est douée de pouvoirs de guérison spéciaux. Durant quatre jours, elle se tient dans un tipi construit spécialement pour l'occasion, son corps est enduit de blanc, ses vêtements peints en jaune comme le pollen sacré du maïs, et elle ne doit ni se laver ni sourire. Elle regarde en permanence vers l'est, d'où est arrivée « Femme Peinte en Blanc », et doit accueillir quiconque demande ses soins. Le chaman qui la soutient se livre à des chants sacrés, tandis que chaque soir on exécute la danse des Esprits de la Montagne. La fête s'achève au bout des quatre jours, mais la jeune fille doit attendre neuf jours pour se laver et être acceptée comme une femme à marier.

appréciés pour leur vannerie, leur poterie et leurs bijoux. Parmi eux, les **Zunis** occupent une place à part, en raison de la complexité de leurs rites et de leur artisanat particulier (fétiches de pierre, *kachinas*, bijoux opulents et très élaborés…).

Les Hopis

Formant une tribu très pacifique du nord-est de l'Arizona, les quelque 10 000 Hopis sont encerclés par les Navajos avec lesquels ils entretiennent un âpre conflit de territoire. Proches de la culture pueblo à laquelle on les rattache souvent, ils parlent une langue shoshone et sont longtemps restés isolés des autres tribus. Cette société matriarcale tire son originalité de ses rites complexes impliquant les **kachinas**, figurines sculptées et habillées, symbolisant les différents esprits des plantes, des animaux ou des forces de la nature. Leur danse la plus typique est la Snake Dance (danse du Serpent), mais ils se livrent aussi à de pittoresques danses des *kachinas* et à la cérémonie des flûtes censée amener la pluie. Leurs maisons en terre crue sont proches de celles des Pueblos.

Les Shoshones

Ils occupent une large partie du Grand Bassin, les zones centrales du Nevada, l'ouest de l'Utah, le sud-est de la Californie (Death Valley) et l'ouest du Texas (tribus comanches).

Les heurts avec les hommes blancs vinrent surtout de l'arrivée massive des mormons en Utah, puis des chercheurs de minerais. Nomades, les Shoshones vivaient à l'origine de la cueillette et de la chasse au bison, et habitaient des huttes sommaires, les *wickiups*. Aujourd'hui, comme les autres Indiens, ces tribus vivent dans de modestes maisons, le plus souvent préfabriquées, assemblées en villages pauvres. Parmi ces autres tribus, les **Paiutes** (un peu moins de 10 000) évoluent entre les Rocheuses, la Sierra Nevada et le plateau du Colorado. Les **Utes** (environ 7 000), qui appartiennent au même groupe linguistique, ont valu son nom à l'Utah. Ils se déplaçaient en bandes de chasseurs et se livraient à des raids sur les tribus voisines. Aujourd'hui rassemblés dans des réserves de l'ouest du Colorado (notamment près de Mesa Verde) et du sud de l'Utah, les Utes célèbrent toujours les impressionnantes *Bear Dance* (danse de l'Ours) et *Sun Dance* (danse du Soleil).

Les Indiens de Californie

Peu nombreux, ils ont été anéantis par l'immigration massive des Européens et dépossédés de leurs traditions. La tribu des **Chumashs**, sur la côte centrale, se distinguait par ses barques fabriquées en planches, alors que les autres évidaient des troncs ou tendaient des peaux sur une ossature en bois. Principalement regroupés autour

---

UNE PLANTE VÉNÉRÉE

Le **maïs** (corn), base de leur alimentation, est une plante vénérée par la plupart des tribus du Sud-Ouest. Sa culture exige des trésors d'ingéniosité et de soins dans ces climats arides, et témoigne de l'harmonie de l'homme avec la nature et les éléments. C'est sans doute pour cette raison que la plante est l'un des symboles sacrés les plus forts. Le pollen sert d'offrande lors des cérémonies, où il représente le renouveau de la vie et le cycle de la nature. Sa couleur jaune évoquant celle du soleil figure la force de vie. L'une des divinités les plus respectées des Pueblos est Corn Mother, assimilée à la Terre Mère.

Une femme indienne et son petit-enfant dans Monument Valley.
Camerique/ClassicStock/Getty Images

de Santa Barbara, ils ont presque disparu après la colonisation. Sédentaires, ils se sont facilement enrôlés dans les missions, y perdant toute leur identité. Les quelques survivants vivent du tourisme, et surtout des bénéfices de leur casino, dans la réserve de Santa Ynez. Les **Miwoks** vivaient le long de la côte, au nord de San Francisco, et au bord des rivières Sacramento et San Joaquin, sur le flanc ouest de la Sierra Nevada. Décimés après l'arrivée massive des chercheurs d'or, ils occupent encore quelques petites réserves où ils se sont mélangés avec d'autres tribus voisines. Parmi les traditions qu'ils ont gardées, on retient le travail des perles et la vannerie.

Les communautés d'immigrants

Explorateurs et missionnaires espagnols venus par le Mexique, trappeurs ou colons anglais, français, allemands cherchant fortune dans l'Ouest, travailleurs chinois fuyant les incertitudes de leur pays, esclaves noirs affranchis constituèrent au fil du temps une mosaïque d'immigrants d'une incroyable diversité, remplaçant les tribus indiennes peu à peu mises à l'écart (au Nouveau-Mexique et en Arizona, les Indiens n'obtinrent le droit de vote qu'en 1948). Toutes ces communautés se mélangent très peu et se replient sur elles-mêmes dans des quartiers clairement délimités qui deviennent parfois des ghettos. Bien que les communautés blanches américaines restent provisoirement majoritaires dans l'ensemble de l'Ouest, les disparités sont grandes entre les régions, la Californie du Sud et le Nouveau-Mexique étant composés pour plus de la moitié de populations dites minoritaires (Latinos, Noirs, Indiens et Asiatiques).
Cette bascule ne peut que s'accélérer, puisque plus des 4/5 de la croissance démographique est aujourd'hui le fait de ces minorités (immigration et taux de fécondité élevé).

DES COMMUNAUTÉS BIEN ÉTABLIES

Les Anglo-Américains

Les premiers immigrants d'origine anglo-saxonne (Anglais, Écossais et Irlandais) sont devenus américains à la déclaration de l'Indépendance. Ils ont rapidement été suivis par d'autres Européens, moins nombreux – Français, Allemands, Scandinaves –, fuyant la pauvreté de leur pays d'origine ou la persécution religieuse ou politique. Tous sont arrivés progressivement dans l'Ouest avec les caravanes de pionniers pour posséder enfin des terres ou chercher de l'or. Entreprenants, ils ont souvent posé les fondements de l'économie locale. Sûrs d'eux, ils ont aussi imposé leurs idées, religieuses ou sociales, et pris les rênes du pouvoir politique. Ils constituent la frange la plus riche de la société américaine, même si la pauvreté les touche de plus en plus. Ils sont les plus nombreux (67 %), malgré des disparités selon les États. Ils rassemblent toute la diversité héritée de l'Europe, tant sur les plans religieux et culturels que dans le domaine politique. Dans l'Ouest américain, leur proportion est en constante diminution.

Les Noirs

« Importés » de force depuis l'Afrique, ils sont arrivés comme esclaves dans les plantations de coton des États du Sud. Malgré la guerre de Sécession, l'abolition de l'esclavage et le droit de vote théorique à partir de 1870, ils firent l'objet d'une ségrégation sans pitié et rejoignirent progressivement les grandes villes industrialisées. Dans l'Ouest, ils sont surtout regroupés à **Los Angeles** (9,8 % de la population et un premier maire noir en 1973) et ont représenté jusqu'à 36 % des habitants d'Oakland. Pourtant, leur intégration se fait mal et beaucoup vivent en dessous du seuil de pauvreté, isolés de la société dans des ghettos où la violence flambe. En moyenne et à qualifications égales, le salaire d'un Noir ne s'élève qu'à 60 % de celui d'un Blanc. En 1992, Los Angeles fut le théâtre de violentes émeutes raciales après l'acquittement de quatre policiers blancs qui avaient frappé un Noir. Bien que ne représentant que 13 % de la population des États-Unis, les Noirs forment près de la moitié de la population carcérale, en raison de la délinquance, mais aussi du coût prohibitif d'une défense juridique efficace. Comme dans la plupart des communautés pauvres, les mouvements religieux trouvent un terrain favorable, notamment les sectes d'origine chrétienne ou l'islam, sur les traces du célèbre Malcolm X, délinquant converti en prison. Le terrain politique et revendicatif est occupé par des associations non violentes, à l'image du mouvement de Martin Luther King, ou révolutionnaires, dont le symbole est resté le mouvement des Black Panthers, fondé à Oakland par des militants d'extrême gauche. En vingt ans, la communauté noire a accompli des progrès extraordinaires, même si les pauvres restent encore marginalisés.

Les Asiatiques

Les **Chinois** constituent une communauté très originale. Ils se sont surtout installés en Californie (plus de 12 % de la population) et dans les villes où passait le chemin de fer, à la construction duquel ils ont beaucoup contribué. Très attachés à leurs traditions, ils se regroupent en quartiers très typés, les *Chinatowns*, où la langue et les boutiques restituent l'ambiance des villes asiatiques. Le respect des valeurs familiales, la solidarité et un solide sens du commerce leur fournissent une protection contre l'extrême pauvreté.

Les **Japonais** ont quant à eux formé dès le 19e s. une communauté très dynamique, mais souvent en butte au racisme. Après l'attaque de Pearl Harbor par le Japon (1941), tous les Japonais des États-Unis, même ceux qui avaient pris la nationalité américaine, ont été internés dans des camps (puis libérés après la guerre), ce qui a considérablement freiné leur intégration.

LA MONTÉE EN PUISSANCE DES HISPANIQUES

Avant de devenir américains, en 1848, les États du Sud-Ouest ont longtemps été colonisés par les Espagnols, puis rattachés au Mexique. Aujourd'hui encore, le Nouveau-Mexique, la Californie et l'Arizona accueillent les communautés hispanophones les plus importantes du pays. Avec près de 45 millions d'individus, la population hispanique dépasse maintenant la population noire (40 millions) et représente 15 % de la population américaine. Les statistiques tablent sur une croissance continue de cette communauté dans les années à venir, de sorte que l'on parle de « brunissement de l'Amérique ». Cela n'est pas sans inquiéter la frange conservatrice de la communauté blanche, car les Hispaniques, animés d'un esprit très communautaire, se soucient peu de la culture dominante et sont très attachés à leur langue et à leurs traditions, qu'ils continuent de pratiquer dans les quartiers où ils se regroupent.

Les Latinos

Venus surtout du Mexique (ils sont alors appelés Chicanos), ils constituent la plus importante des populations dites minoritaires du Sud-Ouest américain (plus de 43 % au Nouveau-Mexique, 34 % en Californie, 28 % en Arizona), voire la première communauté par endroits. La population de Los Angeles est à moitié hispanique (48,5 % contre 29,4 % d'Anglo-Américains) et c'est un fils d'immigrants mexicains qui en est le maire. Leur immigration est la plus ancienne et remonte au temps de l'occupation espagnole, mais elle s'est accentuée avec l'industrialisation des États-Unis et l'appauvrissement du Mexique. L'**immigration clandestine** est un tel problème que des murs et des barbelés ont été érigés le long de la frontière. Ces immigrés forment une communauté profondément catholique, d'origine pauvre et rurale, peu éduquée (moins de 8 % suivent des études au-delà du niveau bac) et très attachée à ses racines. Dans les quartiers latinos et les grandes exploitations agricoles, il est d'ailleurs rare d'entendre parler anglais…

Économie et tourisme

Les villas de stars à Beverly Hills continuent de fasciner, les plages de Malibu ont toujours du succès, mais la réalité n'est pas toujours aussi glamour dans l'Ouest américain. La difficulté des États, en particulier de la Californie, pour voter des budgets en 2009 illustre bien les remises en question nécessaires avec la crise. Des restrictions budgétaires drastiques ont été décidées dans les administrations et les défis futurs exigent désormais l'invention de nouveaux modèles basés sur la croissance verte, les énergies renouvelables et un secteur bancaire plus régulé. La réduction des émissions de gaz à effet de serre sur le sol américain d'ici à 2020 est une étape importante et nécessaire qui contient une promesse de création d'industries novatrices et d'emplois. Cette prise de conscience inédite est urgente pour les États du Sud-Ouest, composante en grande partie de cette « Sun Belt » qui n'a pas fini de faire rêver toute une génération de jeunes entrepreneurs épris de liberté d'entreprise et de passion pour les technologies nouvelles.

Le tourisme

Les célèbres plages californiennes, les machines à sous de Las Vegas, les parcs nationaux spectaculaires et, même, la faiblesse actuelle du dollar… Le Sud-Ouest américain ne manque pas d'atouts pour attirer les touristes. Ce n'est pourtant pas l'euphorie, la crise ayant provoqué un ralentissement même si les touristes commencent à revenir. Le président Obama a signé en 2010 le **Travel promotion Act**, une taxe pour financer la promotion touristique des États-Unis dans le monde.

LES GRANDES VILLES

Déroutantes à cause de leurs dimensions impressionnantes, les grandes villes sont des points d'entrée passionnants sur le territoire américain. San Francisco bien sûr, mais aussi Los Angeles et ses 84 quartiers. On aurait tort de ne retenir que la première impression où dominent l'asphalte et le béton. Ces **mégalopoles** recèlent de nombreuses richesses, humaines et culturelles bien sûr, mais aussi naturelles (Golden Gate Park, Griffith Park, etc.). Sensibilisées par les problèmes de pollution, les mentalités évoluent, les pratiques aussi. Pourra-t-on bientôt y flâner ? Si c'est déjà possible dans certains quartiers de San Francisco, cela semble moins évident à Los Angeles, royaume de la voiture. Et pourtant, l'apparition de l'**écovillage** de Bimini Place annonce de profonds changements et de nouveaux échanges sociaux. Plus qu'un choix, c'est devenu une nécessité pour assurer l'avenir.

Route 66 à Tucumcari (Nouveau-Mexique).
J. Arnold/hemis.fr

LES GRANDS ESPACES

C'est en partant à l'aventure dans le Grand Ouest que l'on comprend le goût des Américains pour les voitures confortables. Les kilomètres défilent, mais ces territoires offrent une gamme d'**activités de pleine nature** sans doute unique au monde. Elle comprend le littoral, les grandes étendues désertiques et leurs reliefs inoubliables, sans oublier le tourisme viticole et les lacs. Autour des grandes retenues de barrage se sont développés des marinas et des sites récréatifs très fréquentés.

LES GRANDS PARCS

Le trésor du Sud-Ouest est avant tout ce magnifique ensemble de **Parcs nationaux**. Yosemite, Death Valley, Bryce Canyon, Canyonlands ou Grand Canyon, ces joyaux sont des jalons indispensables pour un voyage réussi. Il y a bien sûr des parcours organisés, mais il faut prendre le temps de randonner, si possible d'y séjourner pour en prendre un peu la mesure. Tout cela est possible grâce aux rangers, qui comptent de nombreuses femmes et des membres de la communauté indienne. Ils sont souvent de très bons guides en plus d'avoir un rôle important dans l'entretien des pistes, le repérage des incendies et la lutte contre le braconnage.

LA MYTHIQUE ROUTE 66

Longue de 3 943 kilomètres, elle traverse le pays de Los Angeles à Chicago. Immortalisée en 1939 par John Steinbeck qui l'avait surnommée la **Route Mère** (Mother Road) dans *Les Raisins de la colère*, la Route 66 s'est illustrée par des nouveautés qui vont transformer le visage d'une partie de l'Amérique de l'Ouest. Tout d'abord les motels, puis les stations-service, les restaurants routiers où l'on mange sans même descendre de voiture. En 1985, elle est baptisée « route historique » et est désormais sillonnée par des passionnés, à moto souvent, qui ont envie de traverser les paysages les plus extraordinaires du Nouveau-Mexique et de l'Arizona.

LA CALIFORNIE, UN ÉTAT PIONNIER

Avec plus de 38 millions d'habitants en 2013, la Californie est de loin l'État le plus peuplé et constitue un vrai pays à elle seule. Son isolement géographique par rapport au reste du territoire fut à l'origine de son rapide développement. Aujourd'hui, grâce à une **activité économique très diversifiée** et à une position de leader dans la production agricole, l'industrie et le tourisme, elle est la plus puissante des États-Unis, avec 13 % du PIB total, et occupe la 8e place dans l'économie mondiale. Véritable laboratoire de l'innovation, la Californie reste pionnière dans bien des domaines. Qu'il s'agisse du développement de l'informatique et des industries de haute technologie, de questions sociales (contestations étudiantes, mouvements syndicaux, revendications des communautés noires ou homosexuelles) ou écologiques. Longtemps réputé État le plus pollueur de l'Amérique, elle cherche des solutions pour inventer un autre modèle de développement durable. Le meilleur exemple est **San Francisco** qui se fait désormais l'apôtre d'une façon de s'enrichir plus respectueuse des hommes et des écosystèmes. De plus en plus de créateurs d'entreprises, échaudés par l'éclatement de la bulle Internet, choisissent l'écologie et le commerce équitable. Poussée par cette vague, la ville mise sur l'énergie solaire ou marémotrice, les produits de nettoyage non toxiques, le recyclage des ordures et les transports non polluants.

La question de l'eau

C'est devenu un problème crucial : on constate le tarissement général des cours d'eau dans le Sud-Ouest et 95 % de l'eau arrivant sur le sol de l'Arizona est repris par l'évaporation et la transpiration des végétaux. Les scientifiques ont observé une **baisse des précipitations** dans le bassin du Colorado de plus de 20 % en un siècle.

En 1878, un grand géologue, **J. W. Powell**, avait formulé la doctrine de l'eau, qu'il appelait une « démocratie technologique ». Il proposait de découper l'Ouest en bassins versants hiérarchisés dont les potentiels en eau et en terre seraient évalués. Il était facile, selon Powell, d'équiper 40 millions d'hectares où pourraient s'installer plus d'un million de fermes familiales. Cette utopie a sans surprise été balayée par les lobbies de grands propriétaires fonciers. Pour **irriguer** les terres arides et subvenir aux besoins croissants de la population, de l'industrie, de l'agriculture et de l'élevage, des projets de mise en valeur ont été soutenus au cours du 20e s. par le gouvernement fédéral ou par les États.

Les premiers **grands barrages** ont ainsi été édifiés en Arizona en 1911 (Roosevelt Dam, *voir p. 413*) et au Nouveau-Mexique en 1916 (Elephant Butte Dam). D'autres chantiers, plus modestes, ont été mis en œuvre.

Les plus importants sont situés sur le fleuve Colorado : près de Las Vegas, la construction du Hoover Dam commença en 1931 pour s'achever quatre ans plus tard *(voir p. 287 et 292)*, tandis qu'en amont du Grand Canyon le Glen Canyon Dam était terminé en 1963 *(voir p. 373)*. Aujourd'hui, la situation n'en demeure pas moins préoccupante.

La **surexploitation** des nappes souterraines qui alimentent les États du Sud-Ouest fait que celles-ci tendent à s'épuiser rapidement et il est devenu nécessaire que chaque État, en charge de la gestion des ressources en eau, fixe des limites au pompage.

La place de l'agriculture

Grâce à un climat ensoleillé, d'importants efforts d'irrigation, une industrie très mécanisée et une main-d'œuvre hispanique bon marché, la Californie s'est hissée au premier rang de la production agricole américaine.

De vastes régions, comme la vallée Centrale ou la vallée de Salinas, se consacrent ainsi aux **cultures maraîchères** (choux, brocolis, artichauts, ail) et fruitières (abricots, fraises, nectarines, kiwis). La Californie assure par ailleurs plus de 90 % de la production de raisins aux États-Unis, et les **vignobles** des vallées de Sonoma et de Napa *(voir p. 108)* lui valent de figurer parmi les grands producteurs de vins mondiaux (4ᵉ rang). Avec plus de 1 600 km de côte, la Californie occupe par ailleurs une place de choix dans le domaine de la **pêche**. Les autres États du Sud-Ouest, s'ils sont moins tournés vers l'agriculture, se consacrent davantage à l'élevage du bétail. Aujourd'hui, les fréquentes sécheresses posent le problème du stockage de l'eau et celui de la salinisation des sols, une des prémices hélas bien connues de la désertification.

Les richesses du sous-sol

Comme au temps des pionniers, l'exploitation des mines de **cuivre** et l'extraction du **charbon** occupent toujours une place prépondérante dans l'économie des États du Sud-Ouest (44 % de la production nationale), notamment en Utah, au Nouveau-Mexique et en Arizona. L'épuisement rapide de ces richesses non renouvelables et les cicatrices laissées par l'exploitation dans le paysage inquiètent les écologistes, dont les préoccupations commencent à être prises au sérieux. L'État fédéral joue en ce sens un rôle important, car la majeure partie des terres fédérales se trouve dans le Sud-Ouest. En 1996, Bill Clinton a ainsi créé le Great Staircase-Escalante National Monument (Utah), soustrayant 6 879 km² de terrains à toute exploitation.

Le développement de l'industrie et des services

Durant la Seconde Guerre mondiale, les forces aériennes de l'armée américaine installèrent leurs principales bases d'entraînement dans les déserts du Sud-Ouest, tandis que la marine s'implantait en Californie, en particulier à San Diego. Dès lors, les **industries aéronautiques et navales** connurent un développement sans précédent dans la région et furent soutenues par le gouvernement fédéral pendant la Guerre froide. Par ailleurs, les **recherches nucléaires** débutèrent au Nouveau-Mexique dès 1942 et le premier essai atomique fut effectué le 16 juillet 1945 près d'Alamogordo *(voir p. 503)*. Quand les commandes militaires commencèrent à baisser, la Californie (Silicon Valley), mais aussi les régions d'Albuquerque, de Phoenix et de Tucson surent se reconvertir dans les industries de **haute technologie**, dynamisées par les laboratoires de recherche de prestigieuses universités. Enfin, on ne peut manquer d'évoquer l'importance de l'industrie cinématographique, avec l'installation des grands studios de cinéma à Hollywood à partir des années 1920 *(voir p. 215)*.

Religions

Dieu est partout aux États-Unis, dans le « God Bless America » de l'hymne national, dans la « Nation under God » de la Constitution, ou encore le « In God we trust » sur les billets de banque. L'une des originalités de la société américaine est sa religiosité intense, même si elle semble plus libérée et sécularisée en 2013 qu'il y a 25 ans. La Bible (sur laquelle le Président prête serment) est une référence militante. Les Américains ont besoin d'elle pour organiser leur vie sociale et trouver l'harmonie avec l'ordre divin. Entouré de ses ministres, un président des États-Unis est capable de prier avant une séance de travail. On peut trouver dans chaque chambre d'hôtel une Bible, ou dans certains secteurs de l'Ouest américain, le Livre de Mormon. Il suffit d'écouter les discours politiques de tous bords pour mesurer la place de la foi et des bons sentiments dans la vie collective, d'allumer la télévision ou la radio pour tomber sur l'une des multiples chaînes évangéliques, où des pasteurs haranguent une audience subjuguée.

Croyants ou laïcs ?

En tant qu'avant-garde d'un monde meilleur, les Américains se doivent d'être des missionnaires. Déjà, Alexis de Tocqueville, dans *De la démocratie en Amérique* (1835-1840) avait noté que, dès le début, « la politique et la religion se trouvèrent d'accord, et depuis elles n'ont point cessé de l'être ».

Aux États-Unis « être citoyen et **croyant** est un plus et un gage de valeur morale », analyse Sébastien Fath, chercheur au CNRS. Dans ce pays d'immigration, les Églises sont un lieu de socialisation et d'**intégration**. Elles ont joué un rôle clé dans le projet de peuplement. Peut-être à cause de cette forte pression des néochrétiens, les **Américains agnostiques** (environ 15 %, mais en progression régulière) se rassemblent en lobby pour s'assurer que la séparation de l'Église et de l'État soit bien appliquée.

Le protestantisme

AUX ORIGINES, LE PURITANISME

Au 17ᵉ s., les premiers colons calvinistes fuient la répression religieuse en Europe. À bord du *Mayflower*, venus d'Angleterre et de Hollande, les célèbres **Pères Pèlerins** (Pilgrims Fathers) voguent vers le Nouveau Monde, avec le projet de créer une nation en alliance avec Dieu. Rejoints par d'autres dissidents protestants, ils décident de créer « une véritable société puritaine qui forcerait la régénération de la métropole », relève Isabelle Richet, auteur de *La Religion aux États-Unis* (Que sais-je ?). Un nouveau migrant s'illustre, **John Winthrop** (1588-1649), et son discours « La cité sur la colline » enflamme les foules. C'est le début de la **tradition messianique** américaine. Elle ne cessera pas et continue aujourd'hui d'influencer la politique de dirigeants américains.

Le protestantisme et les églises dérivées forment la **première grande famille religieuse** (52 %), celle qui a conditionné les fondements de la société américaine. Cette branche réformatrice et rigoriste du protestantisme faisait partie de l'Église presbytérienne, qui prône des paroisses autonomes plutôt qu'un clergé nommé par un pouvoir central. Ils considéraient l'Amérique comme leur Terre promise, leur « **Nouvelle Jérusalem** », et pensaient être le peuple élu de Dieu, en opposition avec les Indiens, race maudite, vouée au culte de Satan. Pour eux, l'Église est au centre de la vie sociale, ses règles font office de loi civile et une morale stricte est le fondement de la société. Le travail acharné est une vertu, et le succès économique la preuve du soutien divin (si l'on échoue, c'est qu'on l'a mérité). Cette conception explique toute l'évolution des mentalités, notamment l'importance attachée à la **réussite matérielle** et aux **valeurs morales** (même si on se contente hypocritement des apparences).

LES BAPTISTES

Parmi les autres branches protestantes très répandues, et dont l'essor est caractéristique de la vie religieuse américaine, les plus nombreux sont les baptistes, pour qui le **baptême par immersion**, réservé aux adultes, suit une profession de foi ostentatoire : parmi les baptistes célèbres, les présidents Carter et Clinton, mais aussi Martin Luther King, Rockefeller ou Britney Spears…

LE COURANT ÉVANGÉLISTE

Le protestantisme évangélique regroupe environ 70 millions de personnes. Dans le Sud-Ouest américain, le nombre d'églises a doublé ces dix dernières années. Sur le campus de la méga-église de Saddleback, en Californie, le Christ est au centre des discours et des activités rassemblées sur une sorte de parc à thèmes, pas bien éloigné de l'esprit Disneyland. L'évangélique croit que la Bible est la parole de Dieu et que tout le monde a besoin d'entendre « la Bonne Nouvelle ». Né au début du 18e s. d'une scission au sein des églises protestantes, le mouvement regroupe trois branches, le **pentecôtisme**, le **fondamentalisme** et le **néoévangélisme**, davantage orienté vers un dialogue œcuménique. Un de ses leaders actuels les plus charismatiques, **Rick Warren**, n'hésite pas à afficher l'objectif : préparer le second avènement du Christ sur la Terre. Le courant évangéliste prospère dans les quartiers pauvres des grandes villes. D'ailleurs, il existe des évangélistes de gauche qui n'ont pas forcément le désir

UNE TRADITION DE PROSÉLYTISME

La multiplication des prêcheurs de rue et des manuels spirituels en tout genre souligne cette évolution. Partout, des groupes d'influence se constituent pour intervenir sur la vie politique. Dans certaines prisons, on cherche à réhabiliter les détenus par la conversion intensive, sept jours sur sept. Il n'est pas rare de voir un détenu porter un bracelet aux couleurs arc-en-ciel sur lequel sont inscrites les initiales WWJD (What Would Jesus Do). « Que ferait Jésus à ma place » se dit-il. À la fin de chaque session, les prisonniers, quelle que soit leur religion, se lèvent, se prennent la main, ferment les yeux et prient. Chrétiens ou musulmans. Qu'importe !

de convertir l'Amérique et de révolutionner la planète.

Le catholicisme

Beaucoup moins nombreux (26 %) que les protestants, les immigrés catholiques (Irlandais surtout à l'origine) cherchaient avant tout à échapper à la misère et venaient de milieux défavorisés. La sauvegarde de leur foi et de leurs valeurs n'était pas en cause : ils se battaient pour leur survie et pour faire fortune. Les protestants les ont longtemps regardés de haut, les assimilant aux classes sociales inférieures. Dans le Sud-Ouest américain, en revanche, le catholicisme est plus ancien, hérité de la conquête espagnole et des Mexicains, et il s'est surtout enrichi des fêtes hispaniques. Le **culte de la Vierge et des saints** y prend nettement le pas sur celui du Christ. En règle générale, le catholicisme américain diffère de celui de l'Europe par sa plus grande implication sociale, caritative et politique. Dans les communautés noires, il se rapproche du pentecôtisme et de ses offices exubérants et spectaculaires. Chez les Indiens, notamment les Pueblos, le culte des saints est toujours associé à des rites ancestraux et à des danses sacrées.

Les religions asiatiques

Les communautés asiatiques sont restées profondément attachées à leurs croyances. **Bouddhistes** ou **taoïstes**, les Chinois sont les plus fidèles aux traditions ancestrales. Malgré l'engouement des Occidentaux pour les religions orientales, ils ont su rester à l'écart des dérives sectaires et des courants ésotériques. Le respect des anciens et des valeurs familiales, ainsi que la solidarité entre les générations forment le ciment de ces communautés qui célèbrent toutes les fêtes traditionnelles.

Les mormons

Bien que ne se réclamant d'aucune des grandes Églises, les mormons donnent un exemple original de la façon dont de nouvelles religions ou sectes ont pu apparaître et se développer à la faveur de la colonisation. Fondée à New York en 1830, l'**Église de Jésus-Christ des saints des derniers jours** s'appuie sur une « révélation » de Dieu à un certain **Joseph Smith**. Une belle journée de printemps 1820, le jeune homme, fils d'un modeste fermier, résolut de se retirer dans un bois proche, le Bosquet sacré, pour découvrir dans le ciel « une colonne de lumière plus brillante que le soleil descendre peu à peu jusqu'à tomber sur lui ». Un nouveau « Prophète » était né. Ses adeptes allaient porter le nom de « Saints », nom donné aux enfants de Dieu aux premiers temps du christianisme. **Le Livre de Mormon** qui en résulta définit les croyances du groupe comme complément de la Bible et base d'une religion nouvelle. Convaincus d'être les pionniers du royaume divin sur Terre, et en particulier aux États-Unis, les mormons devaient être des missionnaires et répandre leur croyance par des prédications. Leur **polygamie** (prétendant à cet égard s'inspirer de l'Ancien Testament) leur valut bien des oppositions au cœur d'une société protestante par ailleurs très « moralement correcte » ! Faute d'un public réceptif, fuyant la société « impie » de la côte Est, les pionniers mormons prirent donc la route de l'Ouest, déterminés à y installer le Royaume de Dieu. C'est au bord du Grand Lac Salé, au nord de l'Utah, qu'ils s'établirent finalement, jetant les fondations de ce qui deviendra **Salt Lake City**, qui demeure encore aujourd'hui leur capitale mondiale. De là, ils partirent coloniser les déserts environnants, où fleurirent les noms bibliques (Zion, Moab, Ephraïm…) et où ils imposèrent leurs valeurs morales intransigeantes et leur sens de la famille. Outre la propagation de leurs croyances, ils s'attachent à réussir matériellement et forment l'une des communautés les plus riches de l'Ouest. L'**Utah** est devenu leur État (62,4 % des habitants, dont près de 60 % sont très actifs), tandis que, dans le reste du Sud-Ouest, les communautés de Los Angeles et d'Oakland (Californie) ou de Mesa (Arizona) sont les plus importantes.

Depuis des dizaines d'années, les mormons créent une **base généalogique** gigantesque dans les profondeurs des Granite Mountains, à proximité de Salt Lake City.

En 2015, les mormons ont terminé l'enregistrement de toutes les archives d'Europe et inventorié un nombre considérable de noms.

Depuis 1958, il est en effet possible de recevoir un baptême *post mortem* pour ne pas être injustement privé de tout espoir d'accéder aux béatitudes éternelles. Ce qui frappe le visiteur de l'Utah, c'est le nombre important de petites exploitations agricoles maîtrisant un **réseau d'irrigation** pour produire des céréales et arbres fruitiers, malgré la sécheresse environnante.

Actuellement, cette Église compte près de quatre millions de fidèles, la grande majorité aux États-Unis.

Les rites indiens

Bien que leur quotidien ait été profondément influencé par les rites sacrés, on ne peut pas parler de religion pour désigner l'ensemble des croyances des Indiens. La notion même de religion ne correspond à aucun mot dans beaucoup de langues indiennes. Ils ne possèdent pas de clergé, ni de structures religieuses proprement dites. Les villages pueblos possédaient bien des lieux de réunion sacrés, les *kivas*, les tribus avaient recours aux offices des chamans, sortes de médecins dotés de pouvoirs surnaturels, mais l'ensemble des croyances repose sur une culture orale, transmise par les anciens de la tribu, qui sont souvent chargés de l'éducation des jeunes enfants. Les cérémonies sont des célébrations collectives qui évoquent les grands mythes fondateurs, différents d'une tribu à l'autre. Ces rites rassemblent et unissent les participants dans un esprit de communion avec la nature.

LES MYTHES FONDATEURS

Il existe un grand nombre de légendes pour expliquer la création du monde, mais la plupart des tribus indiennes croient en des mythes similaires.

Les récits épiques sont longs et compliqués, mais on y retrouve l'idée d'émergence à partir d'un monde sombre et souterrain grâce à l'aide des esprits bienveillants de la Mère Nature.

Selon les **Navajos**, Premier Homme et Première Femme sont nés du maïs. Ils aidèrent le « Premier Peuple » à traverser une succession de mondes souterrains obscurs et hostiles, peuplés de monstres et jalonnés de nombreuses épreuves, avant de trouver l'entrée de ce monde-ci, à travers un roseau qui menait au centre de l'univers (les Navajos le situent entre quatre sommets du plateau du Colorado). Premier Homme et Première Femme créèrent alors la lune et les étoiles pour les éclairer, mais le malicieux Coyote les dispersa dans le ciel. À ce moment-là naquit Femme Changeante, aussi identifiée à la Mère Nature avec ses saisons, qui épousa le Soleil et l'Eau pour donner naissance aux Dieux Jumeaux de la Guerre. Tous font partie du panthéon des Navajos, avec les esprits des animaux et des plantes, mais c'est Femme Changeante qui décida enfin de créer les humains à partir de morceaux de sa propre peau.

Chez les **Pueblos**, le mythe de l'émergence est plus simple. Les hommes, créés par la volonté de Femme qui Pense, ont dû également traverser de sombres mondes souterrains avant d'accéder à la vie et à la lumière. Pour ce faire, ils ont reçu l'assistance des plantes, des oiseaux et des animaux, qui ont construit une pyramide pour qu'un pic-vert puisse percer un trou au centre du monde, le *sipapu* (symboliquement représenté dans les *kivas*). À leur sortie, le monde était froid et humide, jusqu'à ce que le Soleil, père des Dieux Jumeaux, vînt le réchauffer. Les humains errèrent ensuite jusqu'à la Maison Blanche, lieu mythique où les divinités, les *kachinas*, leur enseignèrent ce qui est nécessaire à la survie. À sa naissance, chaque humain reçoit une âme et un esprit gardien et, lorsqu'il meurt, ces deux entités regagnent le *sipapu* pour rejoindre les mondes souterrains.

LES CYCLES DE LA VIE

La plupart des rites indiens reposent sur leur rapport à la nature. Ils célèbrent le **cycle des saisons**, les récoltes, la pluie ou la fécondité. On y fait appel aux **esprits de la nature**, aux forces des éléments, aux animaux ou aux plantes qui composent le panthéon des divinités indiennes, qui ont aidé les hommes à émerger du néant et peuvent leur apporter abondance et force. D'autres rites ont un lien avec les étapes de la vie, assurent la guérison, préparent à la chasse ou au combat…

Les sites sacrés, comme Shiprock *(voir p. 494)*, revêtent une importance particulière, car on y vient pour entrer en communion avec l'esprit du lieu, pour recevoir des visions ou pour être initié. La mort n'est pas crainte par les Indiens, qui voient l'au-delà comme un monde neutre et qui l'acceptent totalement comme une partie de l'**équilibre de la nature**.

UNE PHILOSOPHIE

Pour les Indiens, le principe fondamental est celui de l'**harmonie**, qui exige d'être à tout moment en accord avec soi-même, les autres et l'univers, animaux, plantes et éléments. Tout conflit ou problème vient d'une rupture de cette harmonie et il suffit de rétablir l'**équilibre** pour que le problème soit résolu. C'est ainsi que l'on traite les divergences : les notions de **consensus** et de respect de la différence sont essentielles.

Les Indiens n'envisagent pas de convaincre ou de convertir celui qui est différent. La notion de décision à la majorité leur est étrangère, de même que le concept de propriété. Cela explique l'accueil favorable et patient réservé aux premiers missionnaires chrétiens et leur incapacité initiale à revendiquer une terre qu'ils ne pensaient pas pouvoir posséder.

C'est ce souci de respect et d'harmonie qui a engendré le mélange des fêtes chrétiennes et des danses sacrées, pour Noël ou pour les jours des saints patrons des villages.

D'autres groupes ont intégré encore plus étroitement les rites anciens à la pratique chrétienne, comme les adeptes de la **Native American Church**, qui utilisent le peyotl (cactus hallucinogène dont la consommation rituelle fut instituée par les Aztèques) comme un sacrement lors des cérémonies.

Des hippies à l'écologie militante

Fuir le conformisme bourgeois : le credo de Kerouac et de ses amis a inspiré les hippies héritiers des beatniks. Un style de vie en rupture avec celui de leurs parents et une approche des relations humaines. Le fameux « Peace and Love » des hippies se répand sur les campus de la côte californienne. « Tout m'appartient car je suis pauvre », déclare Allen Ginsberg, ami de Kerouac.

À partir des années 1950, la Californie fut le berceau de la **contre-culture**. La contestation ne s'arrêta pas à la politique ou à la création littéraire et artistique, mais toucha aussi à la religion. Toute une génération était en quête de nouvelles valeurs, rejetant le matérialisme ambiant, les luttes de pouvoir et les traditions des générations précédentes. Un grand nombre de mouvements associatifs ou sectaires naquirent. De la Californie, ce renouveau s'étendit au reste de l'Amérique et au Nouveau-Mexique. Santa Fe en devint un centre important.

UN RENOUVEAU EXOTIQUE

L'une des caractéristiques de ce courant est l'adhésion à des valeurs et à des cultures lointaines, vues comme une alternative au conformisme chrétien. De là sont nées les sectes **néohindouistes** (Krishna, Méditation transcendantale), **néobouddhistes**, **néomusulmanes**, voire de curieux mélanges, comme la secte messianique coréenne de Moon. Tous ces mouvements ont en commun une volonté de retour à la vie communautaire, un éveil de la conscience, et souvent le charisme d'un gourou.

Dans un autre registre, moins exotique, l'**Église de Scientologie** prend une place considérable, faisant des émules parmi les élites, surtout à Hollywood (Tom Cruise en est un des piliers), où une avenue porte même le nom de son fondateur, L. R. Hubbard. Grâce à la puissance de la pensée et à son pouvoir sur le corps, l'adepte doit surmonter tous ses problèmes et parvenir à un état supérieur. Livres, séances de travail sur soi et instruments pseudo-scientifiques sont ainsi vendus à prix d'or.

LE NEW AGE

Sous cette appellation sont regroupés un grand nombre de mouvements plus ou moins ésotériques, extrêmement populaires dans l'Ouest américain, partout où les anciens hippies se sont installés (Californie, Arizona, Nouveau-Mexique). Selon eux, l'humanité entre dans l'ère du Verseau, qui doit s'accompagner d'un retour de l'amour, de la libération des esprits et d'un éveil des consciences… Il s'agit de trouver en soi « l'**énergie cosmique** », grâce notamment à l'astrologie, le chamanisme ou le spiritisme. Ainsi, des lieux comme Sedona, en Arizona, attirent beaucoup d'adeptes à la recherche de « vortex sacrés »…

On cherche à revivre ses vies antérieures, à retrouver l'harmonie avec la nature et à se guérir naturellement. De nombreux centres de retraite spirituelle, de méditation ou de médecine douce canalisent la manne commerciale des milliers de convaincus.

Pour certains, la route américaine peut se lire comme une route intérieure, le « **chemin qui mène vers soi** ».

Vie quotidienne

Les gens qui quittent leur pays pour tenter leur chance aux États-Unis sont généralement des optimistes capables de travailler dur pour assurer l'avenir de leur progéniture. Vont-ils rester aussi entreprenants et inventifs face à la crise économique actuelle ?
C'est une nécessité car il n'y a pas ici d'État Providence et les Américains comptent surtout sur eux-mêmes, sur leur légendaire mobilité, pour repartir sur de nouvelles bases. La « vitalité » américaine se tourne désormais vers l'intérêt social, la responsabilité face aux dégradations de l'environnement, vers l'urgence d'une politique de santé et d'éducation. Il faudra plus qu'une récession économique pour briser le rêve de tous ceux qui sont venus dans cet Ouest américain pour avoir une vie meilleure.

À LA MAISON

Les villes étant très étendues, l'habitat américain s'organise très différemment du nôtre. Les immeubles des centres-villes regroupent principalement des bureaux et, à l'exception des très grandes villes, peu d'appartements. Les familles préfèrent vivre à la périphérie, où les quartiers populaires alignent des rangées de petits bungalows modestes, tandis que les banlieues chic sont parsemées d'énormes demeures à l'architecture ostentatoire. La plupart des maisons sont construites en bois, ce qui est beaucoup plus rapide et moins cher qu'en pierre. En règle générale, les pièces sont spacieuses et très claires. Jusqu'à l'éclatement de la crise des *subprimes* en 2008, le marché des petites maisons préfabriquées était florissant. Le marché de l'immobilier s'est effondré, laissant des milliers d'Américains sans toit et entraînant une crise financière mondiale. Dans certaines villes, les communautés de logement à titre expérimental partagent les valeurs montantes de l'entraide et de l'écologie.

AU TRAVAIL

Changer de poste ou de carrière au cours d'une vie n'est pas du tout ressenti comme un problème ou un échec. Les emplois étant beaucoup moins protégés qu'en France et le chômage moins important, les Américains sont professionnellement plus mobiles et prêts à se remettre en cause pour améliorer leurs conditions de vie. Le travail est cependant la seule garantie contre beaucoup d'inégalités de la société américaine. Les grandes entreprises offrent par exemple des assurances santé à des prix abordables (hors de prix autrement) ou des plans épargne pour la retraite (ce qui peut s'avérer dramatique lorsque l'entreprise fait faillite). Les horaires sont très lourds et les employés sont jugés aux résultats. En raison des bas salaires et du nombre de postes à temps partiel, il n'est pas rare pour les plus modestes de cumuler deux emplois.

San Francisco, Haight Ashbury.
L. Decoudin/Michelin

L'EMPLOI DES SENIORS

Selon les statistiques fédérales, les 65 ans et plus compteront en 2016 pour 6,1 % des actifs, contre 3,6 % à peine en 2006. Budget serré, vie trop chère, désir de contacts humains, de plus en plus de retraités décident de vivre avec leurs enfants. La moitié d'entre eux souhaite trouver une activité pour pouvoir aider les autres.

SUR LA ROUTE DES VACANCES

Les Américains prennent très **peu de vacances**, car la plupart des entreprises n'accordent guère de congés payés. Comme ce sont souvent des congés sans solde, les vacances sont courtes et concentrées autour des grands week-ends fériés. Les **parcs d'attractions** sont populaires auprès des familles, de même que les pique-niques et barbecues en plein air. Très fréquentés aussi, les **parcs nationaux** attirent les visiteurs épris de grands espaces et de nature, mais souvent agglutinés sur les sentiers principaux et les aires aménagées. Les **retraités**, à l'inverse, ont beaucoup de temps, et beaucoup de ceux qui ont pu se ménager une confortable retraite choisissent le **camping-car** pour arpenter le pays, durant parfois des mois. Ils sont très nombreux en hiver dans les régions ensoleillées du sud des États-Unis.

Prendre la route reste parfois une démarche romantique, une façon de se mesurer à l'immensité de ce pays. Il reste des utopistes pour reprendre le thème du **voyage**, conçu comme un élargissement de la conscience. La « route » est toujours une promesse de liberté pour les Américains. L'Ouest rappelle la piste des pionniers. Pur produit de la civilisation actuelle, le citoyen américain garde une âme nomade et la nostalgie d'une vie naturelle et primitive.

Le voyageur peut imaginer les caravanes de chariots qui taillaient leur route au-delà des Rocheuses. Il peut songer au chef sioux Sitting Bull : « Mon peuple souhaite vivre libre comme l'air. Je n'ai rien vu de ce qu'un homme blanc possède,

---

UN MYTHE, LA ROUTE 66

La Route 66 renaît de son délabrement grâce à une poignée d'irréductibles. Lunettes noires, chapeau vissé et salopette, le look de Peter Fonda et Dennis Hopper chevauchant leurs Harley-Davidson, devant les caméras d'*Easy Rider*, les nostalgiques sillonnent régulièrement les 3 943 kilomètres dans leur Ford Mustang des années 1965 ou sur leur bike rutilante, avec la garantie d'un T-Bone steak à l'étape du jour, lorsqu'ils feront halte dans un motel à l'enseigne à néon. Ils redonnent vie aux villes fantômes si nombreuses en Arizona. Seul compte le plaisir d'être ensemble, de faire tourner de vieilles cylindrées ou de s'offrir une séance de brûlage de pneus à l'étape de Kingman. L'entraide est nécessaire sur ces parcours accidentés où les moteurs chauffent vite. La Cadillac 1946 a besoin d'eau pour remplir son radiateur vorace avant de franchir le poste de Needles, à l'entrée de la Californie en venant d'Arizona.

---

maisons, chemins de fer ou vêtements, qui égale le droit de se déplacer en rase campagne et de vivre selon notre mode de vie. »

AU RESTAURANT

Il y a deux catégories bien distinctes de restaurants. Les premiers valorisent gastronomie et art de vivre. Ils offrent une cuisine qui n'est pas toujours très fine, mais souvent inventive. L'atmosphère y va de l'élégance branchée des intellectuels citadins à la convivialité bruyante des bons vivants des petites villes perdues. Les plus nombreux sont toutefois les restaurants familiaux ou populaires et les grands bars, à l'ambiance chaleureuse. On y vient pour manger beaucoup et pour un prix modeste. À l'intérieur des terres, là où les distractions sont rares, c'est une occasion de sortie ; on y écoute de la musique, on assiste parfois à un karaoké pittoresque, et on y pratique même des danses oubliées ailleurs, telles que quadrille ou polka…

LES LOISIRS

Les loisirs occupent une place de choix, mais diffèrent selon les moyens financiers des familles. Les écoles accordent une très large place au **sport**, et des performances hors du commun peuvent offrir à un jeune, même pauvre, un passeport pour l'université, dont les équipes sportives grandissent le prestige. Parmi les sports les plus populaires, le basket, le football américain et le base-ball sont des institutions et les équipes fonctionnent comme de véritables entreprises.

La **télévision** fait partie intégrante du quotidien, et les enfants la regardent durant des heures, puisque l'école termine tôt dans la journée. La qualité déplorable des programmes, reposant exclusivement sur des films violents ou insipides et des *reality shows*, finit par poser de graves problèmes d'éducation, dans un contexte où les familles vivent de façon de plus en plus éclatée. Néanmoins, depuis quelques années, certaines chaînes câblées (HBO et Showtime en tête) proposent d'excellentes **séries** prisées dans le monde entier : *Homeland, Broadwalk Empire, Breaking Bad, Mad Men*, etc.

De la même manière, à l'exception des grands **journaux** de qualité (*New York Times, Washington Post, Los Angeles Times*…), la plupart des quotidiens lus par le grand public développent surtout les faits divers sordides et les thèmes les plus superficiels de la politique intérieure, à l'exclusion des informations internationales ou des problèmes de société.

Le long chemin de l'éducation

Les problèmes d'éducation soulignent toutes les ambiguïtés de l'Amérique. Devant l'école, les inégalités deviennent encore plus criantes. La dérive de l'enseignement et la ségrégation par l'argent condamnent les enfants issus des minorités ou des couches pauvres à ne pas faire mieux que leurs parents. Pourtant, « l'ascenseur social » fonctionne. Peu de pays permettent à un tel degré la réussite rapide, l'esprit d'entreprise et l'absence d'inhibitions. Mais cela ne doit pas cacher que ceux qui réussissent le font au bout d'une compétition acharnée. Dans certaines familles immigrées récentes, on hérite de ce fameux rêve américain. Sans doute plus motivées que d'autres, elles investiront tout, leur vie et leurs économies, dans leur entreprise pour donner un avenir correct à leurs enfants.

LE CURSUS

Les enfants commencent l'école à 5 ans et effectuent une première année de *Preschool*, équivalente à notre système d'école maternelle. Ensuite, l'écolier intègre l'*elementary school* (école primaire) où il restera six ans, du *1st grade* au *6th grade*. Il entre ensuite dans une *junior high school* pour les *7th* et *8th grades* (de 12 à 14 ans, l'équivalent du collège en France), suivie de la *high school* (lycée) où il étudiera durant quatre ans pour obtenir le *general education diploma* (genre de baccalauréat), à la fin du *12th grade*.

Les **études supérieures** sont encore plus spécialisées. Le cursus est décomposé en quatre ans de *college*, suivis de deux ou quatre ans d'*university*.

Le diplôme de *Junior College* peut demander à l'étudiant un à cinq ans selon qu'il devra ou non cumuler ses études avec un travail rémunéré. La plupart des étudiants occupent d'ailleurs un emploi et contractent de lourds emprunts auprès des banques. Après ce premier niveau, l'étudiant est un *junior graduate*. Il peut poursuivre son cursus universitaire.

Les quatre ans de *college* mènent au stade du *senior graduate* (niveau bac + 4) qui lui donne le *bachelor's degree*, diplôme décerné à l'issue de ce cycle.

Un deuxième cycle mène au *master's degree* (bac + 6), et enfin un troisième cycle au *doctorate* (bac + 8). Les quatre premières années sont consacrées aux matières les plus générales, littéraires ou scientifiques. La spécialisation (droit, médecine, commerce…) se fait à partir du niveau du *master's* et du *doctorate*.

PRIVÉ OU PUBLIC

Tout le système américain repose sur ce choix qui souligne le rôle prépondérant de l'argent. Dans le principe, les programmes éducatifs sont censés être similaires, mais dans la pratique, les écoles publiques rassemblent une majorité d'enfants issus des classes moyennes et défavorisées. La violence et l'insécurité y sont de plus en plus un problème, comme le montrent régulièrement de sinistres faits divers, tel celui de Columbine.

Le niveau d'éducation y a tellement baissé depuis la dernière décennie (graves difficultés de lecture, absence totale de culture générale, manque de motivation des élèves) qu'il est devenu un enjeu politique majeur et requiert des investissements financiers énormes que le gouvernement hésite à engager.

L'enseignement privé fonctionne grâce aux frais d'inscription payés par les familles (entre 3 000 et 7 000 $ par an) et aux différentes subventions (églises, sponsors privés, legs de mécènes…). Les écoles catholiques sont souvent les plus abordables, suivies par celles des autres Églises. En haut de l'échelle se trouvent celles qui sont gérées par de prestigieuses fondations, à l'image de l'université Stanford.

Comme pour le primaire et le secondaire, les **universités** sont publiques ou privées, mais les études sont toujours payantes (même dans le public, le coût moyen des frais annuels de scolarité est de 5 500 $; dans le privé, les prix montent beaucoup plus haut, au-delà de 21 000 $). Seul le *junior college* se contente d'un modeste 2 000 $ annuels…

LA VIE SUR LE CAMPUS

En rejoignant l'université, l'étudiant est fortement encouragé à vivre dans une résidence du campus (souvent obligatoire jusqu'à 21 ans) où il sera accueilli par les étudiants des années supérieures. L'année commence par de grandes réjouissances, de la soirée *ice cream* au barbecue géant, en passant par la soirée dansante, le match amical ou la messe d'accueil. Les nouveaux sont présentés en procession devant les anciens, le président et le corps professoral. La **vie associative** est très intense, sportive, intellectuelle ou caritative, d'autant que les différentes Églises sont très présentes. Garçons et filles résident dans des étages séparés, à deux ou quatre par chambre, les studios étant réservés aux plus anciens. L'une des particularités de cette vie estudiantine est celle des **confréries** (*fraternities* pour les garçons, *sororities* pour les filles) ; ces sociétés quasi secrètes, aux rites pittoresques et mystérieux, se constituent suivant des critères variés et forment la base de réseaux d'amitié et de soutien qui perdurent bien après l'entrée dans la vie professionnelle.

Les aléas du féminisme

Comme pour beaucoup de sujets de société, la place de la femme révèle encore les paradoxes de l'Amérique. À côté de femmes émancipées, indépendantes et engagées, on trouve la femme au foyer, encore pétrie des codes moraux du protestantisme strict ou du catholicisme latin, tandis que, dans la tradition indienne, la femme reste souvent la clé de voûte de la tribu.

UN FÉMINISME ENGAGÉ

Bien que des courants féministes aient déjà agité l'Europe, c'est aux États-Unis qu'a eu lieu la révolution néoféministe, dès les années 1960, avec le **Women's Rights Movement**, puis en 1968 avec le radical **Women's Liberation Movement** (*Women's Lib*). L'Amérique blanche lutta très tôt contre les inégalités entre les sexes et inventa le terme de sexisme pour suggérer un parallèle avec le racisme.

Au début des années 1970 naquit un important courant éditorial, s'inspirant de l'essai de Simone de Beauvoir, *Le Deuxième Sexe*, considéré aux États-Unis comme la bible des féministes, et mettant en avant la littérature écrite par et pour des femmes (Germaine Greer, Kate Millett…). Une presse engagée et radicale se fit le porte-parole de ce féminisme américain qui était violemment revendicatif. On parlait d'oppression, d'exploitation et de libération. Dans un climat conflictuel, on critiquait le système patriarcal à la base de la société américaine.

Celle-ci a gardé de ces années d'antagonisme une propension à voir le **conflit** et l'exploitation partout. Le nombre de cas de plaintes, parfois cocasses, pour harcèlement sexuel, les multiples procédures ou règlements qui ordonnent la vie professionnelle ou sociale font parfois du quotidien un parcours du combattant. Nombre d'éditorialistes stigmatisent régulièrement le **désarroi** de l'homme américain devant ce nouveau rapport de force.

ENTRE PURITANISME ET OBSESSION

Une large frange de la population reste profondément marquée par l'acquis protestant hérité du puritanisme fondateur de l'Amérique *(voir p. 532)*. Ce sont tous ceux qui passent leur temps à pointer les « péchés » des autres. Il suffit, pour s'en convaincre, de suivre n'importe quelle campagne politique pour savoir que la vie sexuelle non conventionnelle ou les entorses à la **morale** disqualifient plus d'un candidat. Qui a oublié le rocambolesque scandale de la liaison du président Clinton avec Monica Lewinsky ?

Les dérapages existent. Il y a quelques années, un fait divers sordide défrayait la chronique. Un jeune garçon de 11 ans était emprisonné, témoignage « visuel » des voisins à l'appui, pour attouchement sur sa petite sœur : il n'avait fait que la mettre sur le pot…

LES MODÈLES TRIBAUX

Bien des tribus indiennes, en revanche, fonctionnent depuis l'origine suivant un modèle radicalement différent. La vie primitive, surtout pour ceux qui s'organisaient en bandes, était précaire et instable. Tandis que l'homme partait de longues semaines chasser ou se livrer à des raids, les femmes veillaient sur le cercle familial et géraient les problèmes. Des femmes se consacraient à la médecine *(medicine woman)* ou même devenaient chamans.

La **filiation** est fréquemment matrilinéaire (les ascendantes déterminent la lignée) et la demeure familiale est celle de la mère (lorsque les filles se marient, elles restent vivre chez leur mère avec leur époux) ; ceci rend parfois la position des hommes difficile et explique qu'ils apprécient le secret et la compagnie des autres hommes pour certains rites (bains de sueur chez les Navajos, *kivas* chez les Pueblos) ou, plus prosaïquement, pour boire ensemble.

Certaines tribus, comme les Hopis, admettaient même l'adultère des femmes, bien que, par ailleurs, celles-ci soient souvent frappées d'ostracisme au moment de leur menstruation.

Après la conquête de l'Ouest et la déportation des tribus, les femmes ont souvent assuré la survie du groupe, tandis que beaucoup d'hommes sombraient dans l'alcoolisme ou la drogue. Elles occupent aujourd'hui de nombreux postes à **responsabilités** dans les instances tribales, s'engagent en politique et s'investissent dans l'éducation et l'économie, conscientes de leur rôle pour la préservation des traditions et de la culture de la tribu.

Objectif : qualité de vie

Pour beaucoup, la Californie est restée le symbole du paradis, l'« État d'or » *(Golden State)* où tout est toléré, où le climat est clément et où les modes de vie alternatifs sont monnaie courante. Le Nouveau-Mexique, surtout aux environs de Santa Fe et de Taos, est aussi devenu le refuge des marginaux.

UNE VIE SAINE ET NATURELLE

Tout commence par le culte de la beauté et de la santé. Culturistes musclés sur la promenade de Venice Beach, starlettes bronzées patientant devant les studios de Hollywood, mères de famille inconditionnelles de produits bio, de vitaminothérapie et d'aromathérapie : la règle est d'aimer son corps, de le cultiver et de le préserver jusqu'à un âge avancé. Officines de chirurgie, de massages, gommages et autres savoir-faire lipophages se disputent les faveurs des belles… et des beaux.

Le **culte du corps** et de l'éternelle jeunesse est certainement l'une des caractéristiques de l'Ouest, là où un grand nombre de retraités viennent passer une vieillesse qu'ils espèrent heureuse et saine. Le contraste avec la proportion inquiétante des jeunes obèses dans la population est souvent frappant. Nettement plus intellectuels sont les passionnés d'**écologie**, de domotique et d'énergies alternatives, qui pensent toute leur vie en fonction du respect de la nature. Demeures exubérantes et originales, comme les maisons flottantes de Sausalito, pensées pour la lumière (systèmes ingénieux de parois coulissantes, immenses baies vitrées, plafonds transparents…) ou orientées en fonction des courants magnétiques pour que ceux-ci n'interfèrent pas sur la santé. Maisons utilisant les produits de récupération (vieux bois, bouteilles vides, canettes, pneus) ou préconisant les énergies renouvelables (solaires, éoliennes), architectures intégrées au paysage, matériaux naturels et biodégradables. Ces habitations vont-elles rester exceptionnelles ou annoncent-elles un nouveau mode de consommation ?

LA SANTÉ

La raison pour laquelle des millions d'Américains choisissent un job plutôt qu'un autre est souvent liée au type d'assurance-maladie offerte par l'entreprise. Aux États-Unis, les problèmes de santé ont contribué à 62,1 % des banqueroutes individuelles. Actuellement, près de 50 millions d'Américains sont dénués de **couverture maladie**, alors que les dépenses de santé sont passées de 5 % du PIB en 1960 à près de 20 % en 2011, l'un des taux les plus élevés au monde. L'**obésité** qui touche un tiers de la population représente plus de 9 % des dépenses de santé. Maîtriser les coûts sanitaires est un enjeu national et le défi du président Obama dans un contexte de déficit abyssal.

L'année en fête

La diversité des cultures a donné naissance à une kyrielle de fêtes colorées : défilés costumés, surréalistes au milieu des gratte-ciel, fiestas bruyantes aux parfums de maïs frit, ou danses effrénées au son des tambours indiens…

LE SACRÉ…

Célébré le 4e jeudi de novembre, **Thanksgiving** (« action de grâces ») demeure la tradition la plus symbolique, observée par la plupart des Américains. C'est une fête paisible et très familiale qui remercie Dieu pour la première récolte des immigrants puritains. On célèbre cette occasion autour d'un repas traditionnel et de l'incontournable dinde. Beaucoup plus spectaculaire et nettement moins religieux, **Noël** est célébré par une profusion de lumières et de nombreux concours de la maison la mieux illuminée. Rues, monuments et boutiques prennent alors une allure féerique.

De nombreuses *fiestas* animent par ailleurs la communauté latino, comme la Fiesta de Santa Fe ou les célébrations en l'honneur des saints locaux, mais la plus importante demeure **Cinco de Mayo** (5 mai), en souvenir de la victoire des Mexicains sur les Français en 1862.

… ET LE PROFANE

Hormis les fêtes religieuses, qui sont les moins nombreuses, l'année est jalonnée d'autres grands rendez-vous festifs dont l'origine tient aux différentes communautés, à l'histoire ou aux traditions.

La **Saint-Valentin** (14 février) est ici la fête de l'amour en général. Vous serez surpris par l'ampleur du phénomène : on trouve des cartes pour tous les membres de sa famille, pour ses amis, ses collègues, voire son chien ou son chat (!), et on considère comme une tragédie de ne pas en recevoir soi-même plusieurs à cette occasion.

La **Saint-Patrick** (17 mars) est la grande fête des Irlandais, célébrée là où ils sont le plus nombreux, à grand renfort de bière, de casquettes aux couleurs irlandaises – vert et blanc.

Memorial Day, le dernier lundi de mai, est l'occasion de rendre hommage à tous les morts tombés pour le pays.

Independance Day (4 juillet) est la fête nationale et commémore la proclamation de la déclaration d'indépendance en 1776 : elle est l'occasion de défilés et de feux d'artifice.

D'origine celtique et introduite aux États-Unis par les Irlandais, **Halloween** (31 octobre) est devenue une immense fête commerciale. Difficile d'échapper aux costumes orange et noir. Dans les quartiers résidentiels, les enfants sortent déguisés le soir et sonnent aux portes en disant *trick or treat* (farce ou surprise) : s'ils ne reçoivent pas de bonbons, ils vous font une farce. San Francisco est le théâtre des plus belles célébrations du **Nouvel An chinois**, qui se fête fin janvier-début février dans toutes les communautés chinoises des États-Unis. Foires et spectacles durent une semaine, mais le clou en est la parade finale et son dragon géant.

FESTIVALS MUSICAUX ET RODÉOS

Typiques de l'Ouest profond, surtout du Colorado et du Nouveau-Mexique, le **rodéo** et la **musique country** sont les symboles de la vie du Far West et des cow-boys (Grand Junction, Durango, Albuquerque, Santa Fe, Taos, Lincoln…). Très conviviaux et populaires, ces festivals s'accompagnent de gigantesques barbecues fréquentés par les ranchers isolés qui viennent y voir les chevaux et s'offrir un ou deux jours de bon temps. En Californie, les festivals musicaux sont plus élitistes, les meilleurs se consacrant au **jazz**, au **blues** ou au **rock** (San Francisco, Monterey, Coachella).

POW-WOWS ET FÊTES INDIENNES

L'année des Indiens est rythmée par des fêtes religieuses et sacrées souvent interdites au public. Les danses et les rituels les plus beaux ont lieu au Nouveau-Mexique, notamment dans les *pueblos* et chez les Apaches mescaleros. Les **pow-wows** sont en revanche de grands rassemblements entre tribus, à l'occasion desquels sont organisés des concours de costumes ou de beauté et des démonstrations de **danses rituelles**. Les plus célèbres sont ceux de Gallup, d'Albuquerque et de Taos Pueblo.

Costumes, bijoux, artisanat

Dans l'Ouest, les costumes des cow-boys et les parures de plumes des Indiens ont disparu de la vie quotidienne, même si le style western a laissé sa marque sur les vêtements, les chapeaux et les bottes (cloutage, boutons et ornements de métal argenté, cuir et franges, imprimés style couverture). Les Indiens ne sortent plus les costumes de gala que pour les cérémonies et les pow-wows où ils rivalisent de couleurs vives.

Costumes et bijoux indiens

TENUES DE FÊTES

Là où, autrefois, la tradition voulait que l'on se vêtisse de peaux finement tannées, de tissus naturels tissés à la main, garnis de perles, de longues franges, de coquillages et de plumes minutieusement choisis, la modernité a amené les tissus synthétiques et leurs tons criards, le plastique et les plumes teintes. Le résultat reste toutefois spectaculaire et pittoresque, dès que les danses et le rythme des percussions font oublier la perte d'authenticité.

Les Indiens du Sud-Ouest ont toujours favorisé un habillement plus modeste que les Indiens des Grandes Plaines.

En général, lors des danses, les hommes portent des mocassins et des jambières richement décorées, au-dessus de pantalons recouverts d'une jupe ou d'un kilt. Les **ceintures** sont larges et somptueuses, les gilets sont brodés ou recouverts de franges, de pendeloques de métal ou de corne. Pour certaines danses, ils portent sur les reins une énorme **parure de plumes** colorées, un peu à la manière d'un paon faisant la roue. Sauf dans les grands pow-wows, vous ne verrez pas les énormes coiffes de guerre à plumes des Indiens des Plaines (Sioux, Cheyennes…), mais plutôt une variété de coiffures rituelles variant selon les tribus et les danses. Pour la danse du Cerf, par exemple, la coiffure des danseurs comporte une ramure symbolisant l'animal. L'habillement des femmes pour les pow-wows est souvent plus discret que celui des hommes, qui animent les cérémonies.

Selon les tribus, elles portent des robes très simples, droites, fendues sur les côtés pour faciliter les mouvements et retenues par de riches ceintures. En fonction du climat et de la saison, elles chaussent des sandales de cuir ou des mocassins brodés surmontés de jambières de peau ou de fourrure. Elles peuvent aussi conjuguer une longue jupe, un corsage et un gilet, brodés ou décorés de pendeloques

Parure traditionnelle en plumes et perles.
J. Parkin/fotolia.com

diverses. Les cheveux sont tressés et ornés de plumes, perles ou coquillages. L'hiver, elles se drapent dans une ou deux couvertures traditionnelles. Les femmes navajos ont emprunté à celles des pionniers leurs larges jupes froncées, portées plutôt longues, et de simples corsages en velours. Cet habillement reste encore aujourd'hui le plus courant dans la réserve navajo. Les principaux ornements sont la ceinture et les bijoux.

UNE MULTITUDE DE SYMBOLES

Les **plumes** ont gardé une symbolique très forte. Pour les hommes, elles marquent le courage, chacune correspondant à un acte de bravoure. Un code précis pour les encoches ou les taches qu'elles portent indique la nature des exploits. Les coiffures élaborées ne sont sorties que pour les grandes cérémonies. Les plumes, par leur forme, figurent aussi la croissance végétale et la fertilité. Ainsi, lors des danses, les participants en portent des bouquets pour faire monter

vers les esprits leur incantation pour des récoltes abondantes. Les Zunis utilisent des sortes de bâtons de prière surmontés d'un tel bouquet. Dans d'autres tribus, les coiffes les arborent en éventail au-dessus du front, évoquant le soleil, également symbole de force et de fertilité. L'origine des plumes varie en fonction de l'esprit que les Indiens veulent mobiliser, comme celui de l'aigle, ou de ce qu'ils ont à disposition (plumes de dindon, de corbeau…). Chez les Apaches, les coiffures rituelles arborent les quatre couleurs des esprits de la Montagne (blanc pour le pollen, jaune pour le cerf, noir pour l'aigle et bleu pour la turquoise).

Les **cheveux** sont aussi liés à la fertilité. Portés dénoués, ils symbolisent la pluie. Les tresses sur les épaules sont l'apanage des femmes mariées ; les célibataires les portent dans le dos. Chez les Hopis, les jeunes filles à marier portent les cheveux partagés en deux et noués en « fleur de courge », formant de larges oreilles de chaque côté de la tête. Les hommes portent encore les cheveux longs, qu'ils retiennent avec un bandeau coloré (parfois un simple foulard) ou brodé de perles. Le tissage de **perles** sur les costumes et les parures ne remonte qu'à la fin du 17e s., lorsque les trappeurs européens introduisirent des perles de Bohême pour le troc contre les peaux. Certaines tribus en font des costumes et des accessoires splendides, comme les Sioux, les Shoshones, les Kiowas (tribu apache) ou les Miwoks…

Les **coquillages** sont également utilisés pour décorer les costumes et les coiffures, surtout dans les tribus du littoral, mais on les retrouve ici et là, en raison de l'important troc entre régions.

Une partie originale du costume de certains Pueblos (Zunis, Hopis) est le **masque**, utilisé pour la danse des *kachinas*. Chaque masque représente un esprit divin, issu du monde animal ou végétal, et doit faciliter l'entrée en contact avec cet esprit. De forme généralement cylindrique, peint de couleurs vives et orné de plumes, il constitue la partie la plus pittoresque du costume, comme chez les Hopis, où l'on dénombre près de 500 *kachinas* différentes. Les pouvoirs ainsi que les symboles des oiseaux et des autres animaux mimés par les costumes (plumes, cornes, peaux) varient selon les mythes de chaque tribu.

LES FONCTIONS DES BIJOUX

Impossible de parler du costume indien sans évoquer les bijoux de toute nature que l'on empile littéralement sur soi. L'abondance de bijoux caractérise autant l'homme que la femme. Bracelets superposés, colliers en grand nombre, bagues énormes, broches grandes comme des assiettes, ceintures d'argent et de pierres au poids impressionnant, cravates et ornements de col, agrafes de chapeau : dans certains cas, l'ensemble tient un peu de l'arbre de Noël…

Exécutés en **argent** et en **pierres**, les bijoux remplissent deux fonctions. La première est de protéger celui ou celle qui les porte par sa symbolique et par la nature de ses pierres.

La **turquoise**, par exemple, largement utilisée par les tribus du Sud-Ouest car on la trouve en abondance en Arizona et au Nouveau-Mexique, est le symbole du dieu Soleil et apporte force et vigueur. La forme des bijoux figure aussi la protection de tel ou tel esprit – comme c'est le cas pour les **fétiches de pierre** des Zunis –, la fertilité, le courage…

En second lieu, les bijoux sont un moyen traditionnel pour les Indiens d'investir leur richesse et de posséder des objets faciles à troquer. Peu confiants dans les banques, ils ont, depuis l'arrivée des Blancs, utilisé leurs bijoux pour obtenir des prêts sur gages *(voir p. 496)*.

L'abondance de bijoux portés par une seule personne, stupéfiante lorsque l'on fréquente les marchés du week-end, témoigne de sa richesse, un peu comme si l'on transportait son compte en banque sur soi…

LES STYLES DE BIJOUX

Malgré la grande diversité des bijoux indiens, on reconnaît quatre grands styles que les artisans de toutes les tribus déclinent d'une façon ou d'une autre.

Les **Navajos** fabriquent principalement des bijoux très lourds, en **argent** incrusté de **turquoises**, dont la taille peut être impressionnante. Ce sont surtout les hommes qui les fabriquaient autrefois, même si de plus en plus de femmes s'y mettent. Le motif le plus célèbre est celui du

Squash Blossom (fleur de courge), juxtaposition de perles d'argent en forme de pétale et d'un large anneau ouvert portant les pierres. Certains y voient un symbole de fertilité, mais le dessin fut emprunté à un motif espagnol, lui-même reçu des Arabes.

Toutes sortes de pièces sont réalisées dans le même style, boucles de ceinturon, colliers, broches et bracelets. Les Navajos sont connus pour leur capacité à intégrer les savoir-faire et les modèles des tribus voisines pueblos.

Les **Zunis**, auxquels les Navajos ont emprunté bien des motifs, sont considérés comme les maîtres en matière de bijoux. À base d'argent et de turquoises, mais aussi de corail, de nacre et de pierres de différentes couleurs, leurs bijoux sont délicatement ouvragés, incrustés de pierres minuscules, taillées avec une telle précision qu'on parle de style **petit point** (*needlework*). Les mêmes pierres sont aussi utilisées pour composer une fine **marqueterie** et réaliser bibelots précieux ou bijoux. Leurs motifs les plus populaires sont la **fleur stylisée circulaire**, censée évoquer la toile d'araignée (une des divinités indiennes), et l'**aigle**, très vénéré. Les petits damiers figurent les nuages et les formes aiguës la pluie.

Les **Hopis** possèdent un style original, très différent de celui des autres tribus. L'argent y occupe la place de choix, avec un usage beaucoup plus parcimonieux des pierres. Le bijou est constitué de deux couches de métal. La couche inférieure, qui donne la forme, est patinée pour garder une couleur noire. La couche supérieure, de même forme, est soigneusement évidée suivant un motif géométrique ou symbolique, puis elle est fixée sur la couche du dessous et polie. Le contraste de l'argent brillant et du noir donne des bijoux au style très contemporain.

Santo Domingo Pueblo est le berceau d'un style encore différent qui utilise les **coquillages** et quelques pierres. Il s'agit d'un travail long et d'une extrême minutie. Le coquillage ou la pierre sont coupés en petits fragments plats et minces que l'on meule pour en faire des perles en forme de disques de taille régulière ou croissante. Ces disques sont ensuite enfilés en constituant une séquence de couleur ou de taille. Le collier obtenu peut aussi être noué pour former des boucles ou assemblé à d'autres pour constituer un bijou plus important. Bien que très sobres, ces colliers sont rares et chers, en raison de la difficulté du travail. Santo Domingo est aussi le village d'origine du **liquid silver** (« argent liquide ») : l'argent est débité en fines bandes étroites que l'on façonne en tubes, puis que l'on coupe pour faire des perles. Chaque collier compte un grand nombre de rangs de ces perles et donne l'illusion du métal en fusion.

L'artisanat indien

🕮 **Bon à savoir** – Assurez-vous que les mentions d'origine figurent sur la pièce de votre choix et que les métaux ou les pierres utilisés font l'objet d'une garantie.

Soyez prêt à payer un bon prix, car, lorsqu'il est de **qualité**, l'artisanat indien se vend la plupart du temps très cher.

LA VANNERIE

La vannerie est le plus ancien des artisanats indiens, puisque les paniers furent longtemps les seuls récipients : tissés très serrés, ils étaient imperméabilisés par un genre de poix pour retenir les liquides. Pour faire chauffer la nourriture, on y plaçait des pierres brûlantes. La vannerie indienne se fabrique en enroulant les fibres en spirale (roseau ou yucca selon les endroits, ou même crin de cheval pour de délicates miniatures), puis en solidarisant chaque rangée par une sorte de tissage. Les fibres sont teintées de différentes couleurs pour former un motif géométrique ou symbolique.

Les meilleurs fabricants de paniers sont les **Tohonos O'odhams** (sud de l'Arizona) et les **Hopis**. Aujourd'hui, ceux que fabriquent les Indiens des États-Unis sont de plus en plus rares, et beaucoup de boutiques proposent à leur place ceux des **Séris** (Indiens du Nord-Ouest du Mexique), beaucoup moins chers.

LA POTERIE

Les **Pueblos** sont les plus anciens potiers de la région. Chaque village et chaque artiste définissent un style, des formes et des décors qui leur sont propres.

Le procédé de fabrication traditionnel (sans tour de potier) reprend celui de la vannerie : le vase ou le pot est monté progressivement en enroulant en spirale un fin boudin de terre qu'on lisse avant de le cuire.

Cette **technique de la spirale** explique que les formes restent très sobres. Les motifs décorant les pots et les couleurs varient d'un *pueblo* à l'autre. Zia se distingue par son argile rouge et ses dessins noirs, Acoma, Zuni, Santa Clara ou Jemez Pueblo proposent une variété de motifs compliqués, géométriques ou figuratifs. San Ildefonso privilégie le rouge ou le noir : les dessins sont formés par le contraste entre surfaces mates et brillantes.

LE TISSAGE

Initialement nomades, les **Navajos** apprirent le tissage des Pueblos. Ils utilisent un métier vertical sommaire devant lequel la tisseuse travaille assise.

Au début, les motifs étaient très simples, et les couleurs celles de la laine naturelle, blanche, brune ou noire. Peu à peu, ils introduisirent des motifs plus élaborés et se mirent à teindre la laine à l'aide de différents végétaux et de teintures achetées aux Espagnols.

Après s'être longtemps contentés de tisser des couvertures et des pièces sommaires pour les robes, ils s'attaquèrent aux petits **tapis**. Les premiers motifs ne comportaient pas de bordure et n'étaient que des variations plus ou moins travaillées de la rayure.

Puis les Blancs rencontrés dans les *trading posts* leur firent découvrir les tapis à bordures périphériques décorées qu'ils ajoutèrent par la suite pour encadrer les dessins navajos traditionnels. Ces tapis atteignent aujourd'hui des prix considérables.

KACHINAS ET FÉTICHES

Les *kachinas* sont des esprits pour les Indiens pueblos et s'intègrent surtout dans les rites hopis et zunis. Ils en font une représentation par leurs costumes lors des cérémonies. Comme les enfants sont exclus des rites, des **poupées kachinas** sont fabriquées pour les familiariser avec la tradition. Ce ne sont en aucune façon des jouets, mais des objets dûment révérés. Façonnées traditionnellement dans une racine de peuplier, ces poupées sont sculptées puis peintes à la main, décorées de plumes, de fourrure, de coquillages ou de métal. Les plus belles sortent des mains d'artistes reconnus et sont signées. Il ne faut pas les confondre avec les banales statuettes multicolores représentant des danseurs en costume, ou les copies de modèles anciens exécutées industriellement et que l'on trouve dans les boutiques pour touristes.

Les **fétiches** sont des représentations animales (ours, tortue, cerf…) sculptées dans différentes pierres naturelles (turquoise, quartz, malachite…). Particulièrement répandus chez les Pueblos (les plus beaux sont ceux des Zunis), ils sont censés contenir et transmettre une partie de l'esprit de l'animal et de ses pouvoirs. On les trouve sous forme de statuettes miniatures, ornées de morceaux de coquillage, de turquoise ou de corail pour augmenter leur pouvoir, ou intégrés dans des colliers.

LES PEINTURES DE SABLE

Toutes les boutiques proposent les célèbres **sand paintings** navajos, motifs variés exécutés avec des sables colorés et fixés sur un support en bois. Il faut toutefois souligner que ce procédé n'est pas authentique et ne correspond pas au rituel réel, qui est par définition éphémère. Achetez-les s'ils vous plaisent, mais n'imaginez pas posséder un objet sacré. La plupart sont de fabrication semi-industrielle.

LES BIJOUX

Ils sont très importants dans la culture indienne, mais attention aux contrefaçons *(voir p. 611)*.

L'artisanat latino

Bien que très répandu au Nouveau-Mexique, dans le sud de l'Arizona et de la Californie, cet artisanat n'est pas fabriqué sur place, mais importé d'Amérique du Sud par la communauté latino. Le meilleur côtoie le pire et le plus artificiel.

LES RETABLES MINIATURES

La plupart des boutiques hispaniques vendent ces petits autels ouvrants, représentant une scène naïve de l'Évangile. C'est un artisanat typique d'Amérique du Sud, notamment du Pérou, où l'on utilisait la pomme de terre réduite en poudre pour faire une pâte que l'on façonnait ensuite en petits personnages.

LE CULTE DE LA RÉCUP

Incontournable dans les pays pauvres, la récupération de matériaux est à la base d'un artisanat populaire naïf et émouvant. De la boîte de conserve à l'objet du culte, c'est l'ingéniosité et la tendresse qui transparaissent dans ces crucifix ou ces icônes en fer-blanc découpé, poinçonné, martelé, peint…
Dans son film *Into the Wild* (2008), Sean Penn braque ses caméras sur un lieu hors du commun où l'art brut est roi, **Slab City**. Dans un ancien camp militaire abandonné, en plein désert, une petite communauté de vétérans, d'artistes et de hippies tente de survivre loin du modèle américain de rentabilité. Les sculptures éoliennes de Lyman Whitaker animent les rues de Santa Fe (Wiford Gallery) tandis que Gendron Jensen dessine, près de Taos, les ossements des grands animaux. Au Nouveau-Mexique, artistes et artisans ne sont décidément pas comme ailleurs.

LA DURE VIE DU SQUELETTE

Au Mexique, la mort fait partie de la vie. Le jour des Morts donne lieu à des célébrations conviviales, puisqu'à cette occasion les défunts reviennent voir les vivants. Pour les célébrer, on met en scène toutes sortes de squelettes (en papier mâché, bois, fer-blanc, argile), dans des compositions pleines d'humour, voire parfaitement délirantes, que l'on peut acheter toute l'année. Il en découle un artisanat coloré et inventif, à base de matériaux récupérés ou bon marché, peints de couleurs vives.

Gastronomie

La diversité culturelle de l'Ouest américain garantit une palette de cuisines très différentes. Chaque communauté garde ses spécialités et vous pourrez manger mexicain, indien, chinois, japonais, coréen, thaï, italien ou basque… Bien que la Californie ait la réputation d'avoir une cuisine plus saine qu'ailleurs, la plupart des Américains mangent trop et mal. Hormis dans les grandes villes où les chefs doués sont nombreux, attendez-vous à une alimentation décevante et trop riche. Si vous ne supportez plus l'idée de manger encore un hamburger, vous pouvez vous rabattre sur les salades, qui sont souvent énormes et suffisent à un repas, les plats végétariens ou la cuisine asiatique, qui reste la plus équilibrée. Les cuisines mexicaine et indienne sont en revanche plus riches, souvent frites, à base de maïs et de féculents.

La cuisine

LA CUISINE AMÉRICAINE

Bien que cette appellation ne recouvre pas une réelle tradition, certains plats sont des incontournables. Le **hamburger** en est un. Faites-en au moins l'expérience, dans un restaurant et non dans un fast-food, surtout dans les quartiers peu touristiques ou dans les petites villes. Dans les menus, vous le trouverez souvent à la rubrique sandwichs et serez agréablement surpris de sa préparation. La viande est copieuse et de qualité. Le *fried chicken* (poulet frit) est une autre recette typique, héritée des États du Sud, de même que le *cajun chicken* (poulet cajun), une recette épicée et très parfumée. Côté grillades, surtout dans les régions d'élevage (Colorado et Nouveau-Mexique), le **bœuf** est à l'honneur. Attention, la découpe est différente de celle pratiquée en France. Pour le steak, préférez le *prime rib* ou le *T-Bone steak* (issus de la côte de

bœuf). Demandez-le *rare* (saignant), *medium* (à point) ou *well done* (cuit). Bien plus légères sont les **salades**, qui comportent souvent du poulet ou des fruits de mer, une large variété de crudités, voire de fruits frais, et un choix de sauces (*dressings*) toutes un peu sucrées. La plus proche de celle que nous connaissons est l'*italian dressing*, le *french dressing* étant assaisonné de ketchup. Le *blue cheese* ou *Roquefort dressing* contient du fromage bleu, le *ranch dressing* de la crème aigre et le *thousand island dressing* est un mélange de mayonnaise, de ketchup et de cornichons hâchés. Les desserts sont toujours fort sucrés, gâteaux très riches à la crème, au chocolat, aux cacahuètes, glaces énormes… Parmi les spécialités plus familiales, goûtez le *pecan pie* (sorte de tarte à la noix de pécan) ou le *carrot cake*, un délicieux gâteau où le sucre, le girofle et la cannelle s'allient au goût de la carotte. Bien sûr, les Américains croient que leur *apple pie* est la meilleure du monde. Elle se déguste parfois avec du fromage cheddar ou « à la mode », c'est-à-dire avec une boule de glace.

FUSION FOOD

À côté des cuisines asiatiques et étrangères (méditerranéenne, française…) à la réputation établie, la Californie est devenue le temple de la *fusion food*, un mélange de différentes traditions culinaires et un métissage heureux de saveurs et d'épices de toutes les origines. Poisson à la vanille ou aux cacahuètes, viande laquée à la compote de légumes, ragoûts aux épices : surprise des papilles garantie. Une cuisine légère et créative que vous pourrez notamment découvrir à San Francisco, Santa Barbara ou Santa Fe.

L'INFLUENCE MEXICAINE

À la base de l'alimentation mexicaine sont le **maïs**, les **haricots**, les différentes variétés de **poivrons** et de piments, la tomate et le fromage. La viande est assez rare et n'entre que dans la composition des plats de luxe. La plupart des recettes s'organisent autour des *tortillas*, de fines crêpes de maïs ou de blé roulées *(burritos, enchiladas)*, pliées avec du fromage *(quesadillas)* et frites ou empilées autour de farces variées. La *salsa* est une autre spécialité de base. C'est une sauce épaisse, faite à partir de piments, de poivrons, de tomates, de jus de citron vert et d'épices. Elle est servie froide en apéritif avec des chips de maïs ou chaude en accompagnement des plats. Les *chiles rellenos* sont des poivrons farcis de viande, de pommes de terre et de haricots, panés puis frits, et servis avec une sauce à base de tomate et de poivron. Petits chaussons de pâte fourrés de viande ou de fromage, les *empanadas* acceptent à peu près tous les contenus et sont cuits au four ou frits. Autre plat typique, les *tamales* consistent en une farce de viande ou de fruits de mer enroulée dans de la pâte, puis dans l'enveloppe séchée d'un épi de maïs, et cuite à la vapeur. Les *fajitas* sont de fines lanières de viande (poulet, bœuf, ou *combo*, c'est-à-dire les deux viandes mélangées) sautées avec des poivrons et des oignons, servies grésillantes sur une pierre chaude, accompagnées de crème, de fromage et de **guacamole**, une purée d'avocat assaisonnée de citron vert et d'une pointe de Tabasco. Le *green chile* et le *red chile* sont des ragoûts de porc très piquants avec poivrons verts ou rouges et pommes de terre. À ne pas confondre avec le **chili** (ou **chili con carne**), un plat tex-mex servi comme une soupe, saupoudré d'oignons émincés et de fromage râpé.

Depuis quelques années, les cuisiniers proposent de nouvelles boissons sucrées pour remplacer le sempiternel Coca : le *horchata* est un lait d'amandes ou de riz parfumé de cannelle, le *jamaïca* une tisane rouge rafraîchissante préparée avec des fleurs d'hibiscus ; vous trouverez également des jus de melon et pastèque.

Dans le Sud-Ouest, la nourriture des Indiens utilise la même base que celle des Mexicains : maïs, haricots secs de toutes sortes, tomates et poivrons. La spécialité est le **pain de maïs frit**, en fait une *tortilla* jetée crue en pleine friture, qui sert de support à la nourriture (à la manière d'une pizza ou d'un pain pour hamburger) ou comme une crêpe saupoudrée de sucre et de cannelle.

L'ESSOR DU BIOLOGIQUE

Les rayons et les marchés bio *(organic)* se multiplient, poussés par une mode déjà bien ancrée à San Francisco. Les prix restent chers, mais la tendance est forte. Ainsi le samedi matin à Santa Monica, les petits producteurs débarquent sur les trottoirs, envahissent les rues, ramenant des fermes environnantes fruits et légumes garantis 100 % bio. Moins de matière grasse dans les menus des restaurants et plus de légumes du cru.

Les boissons

POUR ÉTANCHER SA SOIF…

Bien que la Californie soit devenue l'une des patries du **vin**, la plupart des Américains n'en boivent pas souvent à table, d'abord parce qu'il reste cher mais aussi parce qu'il ne fait pas partie de la culture gastronomique populaire. Les bons restaurants proposent toujours une carte des vins, mais, en matière d'alcool, la **bière** est le choix le plus répandu. Ne confondez pas la *root beer* avec de la bière. Il s'agit en fait d'une boisson gazeuse sans alcool, souvent artificielle (vérifiez la composition sur les canettes), très parfumée, qui était à l'origine fabriquée à partir des racines de certaines plantes. Depuis les années 1990, les « microbrasseries » et autres fabricants de bières artisanales sont devenus du dernier chic, surtout en Californie (bien que l'Anchor Steam Beer soit la boisson fétiche de San Francisco depuis 1896). La qualité d'une bière se juge comme le vin à la robe, au goût, au nez, mais aussi à la consistance de la mousse *(head)*. Tout cela est affaire d'ingrédients de base : le houblon, l'orge, l'avoine, le blé parfois (pour une bière d'été) et, bien sûr, l'eau. En attendant de savourer le produit, goûtez à cette sélection de noms de bières californiennes (vous constaterez que les Belges ont fait école dans ce domaine !) : Hairy Eyeball Ale, North Coast Old, Rasputin Russian Imperial Stout, Snowshoe Grizzly Brown Ale, Stone Arrogant Bastard Ale…

Pour la majorité, la consommation d'alcool est réservée aux sorties dans les bars ou les clubs, sous forme de cocktails ou d'alcool forts, dont la **tequila** dans les régions à forte composante latino. Cette dernière est un alcool AOC produit à partir du cactus agave autour de la ville de Tequila (État de Jalisco) au Mexique. Avant l'arrivée des Espagnols en 1521, les Aztèques produisaient un alcool nommé *pulque*, à base d'agave. Fortifié par le processus de distillation introduit par les Européens, il devint la tequila, produit à échelle industrielle depuis 1965. Quatre catégories de tequila sont reconnues : la *Claro*, la tequila de base, à la couleur transparente, due à l'absence de vieillissement ; l'*Especial*, distillée deux fois avant d'être vieillie en fût de chêne (on y ajoute parfois du caramel pour lui donner sa couleur dorée typique) ; la *Reposado*, vieillie en fût de chêne entre 2 mois et 1 an ; et l'*Anejo*, vieillie en fût de chêne pendant 3 ou 4 ans.

Dans les réserves indiennes, où l'alcoolisme fait des ravages, il est interdit et impossible de boire de l'alcool. En Utah, beaucoup de restaurants tenus par des mormons n'en servent pas non plus. En fait, la boisson nationale, même avec un bon repas, reste l'incontournable **Coca-Cola** ! En outre, on vous proposera souvent de l'**iced tea**, un thé banal, froid et servi sur une pile de glaçons.

Le café américain est fidèle à sa réputation de « jus de chaussette », très allongé et manquant souvent de goût. C'est notamment le cas dans les *diners*. Mais la mode du café à l'italienne a envahi les grandes villes. Ainsi, la plupart des cafés modernes servent-ils aussi désormais d'excellents cappuccinos, expressos et autres *latte*.

Les vins californiens

DES DÉBUTS COMPLIQUÉS

L'histoire du vin dans la région remonte à Cortès, qui conquiert le Mexique en 1524. Au 18ᵉ s., les franciscains se lancèrent dans la viticulture en développant leurs missions (de la région de San Diego à Sonoma), notamment pour subvenir aux besoins de vin de messe. Il faut attendre le milieu du 19ᵉ s. pour que les vignobles se développent vraiment, avec la ruée vers l'or et l'annexion de la Californie par les États-Unis. Peu après 1830, un Bordelais, Jean-Louis Vignes, fut un des premiers à conseiller de planter des variétés de raisins nobles et il importa des boutures de choix. Il fut suivi par d'autres Français et par Haraszthy, aristocrate hongrois qui rapporta des centaines de variétés d'Europe. L'essor fut brutalement interrompu par le phylloxera (fin 19ᵉ s.) et surtout la Prohibition (1920-1933). Mais la renaissance des vignobles fut spectaculaire, surtout à partir des années 1970, avec, pour beaucoup, le choix de privilégier la qualité. Grâce à ces efforts, les vins californiens comptent aujourd'hui dans le monde des grands vins.

UN CONTEXTE FAVORABLE

Si les vignobles se développent si bien en Californie, c'est que le climat, les reliefs, les sols et les autres conditions sont ici proches de ceux qui prévalent dans la plupart des bonnes régions viticoles. Ainsi, les comtés les plus frais, au nord de l'État, produisent des vins d'une excellente qualité : vallées de Napa, de Sonoma, de Livermore, Santa Cruz Mountains, Mendocino, etc. Mais il y a le problème de l'eau. Avec les campagnes écologiques menées pour le respect des fleuves et des vallées, les vignerons ont de plus en plus de difficultés à trouver l'eau nécessaire pour combattre les gelées de printemps, qui peuvent détruire 75 % d'une récolte.

Les cépages – Les vins californiens mettent en avant sur l'étiquette le nom du cépage. La transition entre le cépage d'origine, baptisé « mission », et les belles variétés européennes se réalisa grâce à Agoston Haraszthy. La région de San Francisco profita énormément de sa démonstration : on peut produire des vins de haute qualité sur des terrains non irrigués. Les vins californiens comptent aujourd'hui plus de 100 cépages dont les plus célèbres sont le cabernet sauvignon, le chardonnay, le merlot et le local de l'étape : le zinfandel.

PRODUCTION ET TERRITOIRES

Plus de 90 % des vins américains viennent de Californie qui produit près de 16 millions d'hectolitres. La fureur de planter a fait passer au début des années 1990 de 40 000 à 132 000 ha la surface des vignobles. Elle est actuellement de plus de 200 000 ha. Du nord au sud, on distingue cinq grandes régions : la côte nord, les vallées de Sacramento et de San Joaquin, la côte centrale, et la côte sud qui ne joue pas un grand rôle dans la production totale de l'État. Le classement géographique des vins peut se faire sur plusieurs niveaux : **États**, **Comtés**, et zones géographiques spécifiques, les **Avas (American Viticultural Areas)**. Contrairement à d'autres pays, ces appellations ne sont que géographiques et n'imposent pas de réelles contraintes de fabrication. On compte plus de 1 000 *wineries* en Californie, dont certaines de taille moyenne, proposant, à des prix raisonnables, des produits de bonne qualité et même des vins fins. Les plus célèbres se situent dans la Napa Valley avec par exemple le domaine Chandon à Yountville ou la Robert Mondavi Winery à Oakville (voir p. 111).

Géographie

Des rivages du Pacifique à la Sierra Nevada et ses séquoias géants, des vastes étendues désertiques de l'Arizona aux gorges vertigineuses du plateau du Colorado et aux crêtes escarpées des montagnes Rocheuses, le Sud-Ouest américain renferme une extraordinaire variété de merveilles naturelles. Les éléments se sont combinés pour façonner, ici des arches ou aiguilles, là de profonds canyons, chefs-d'œuvre démesurés, d'une éblouissante beauté.

Un peu de géologie…

L'immense faille du Grand Canyon laisse apparaître des couches de roches parmi les plus anciennes, celles qui constituent le socle du sol américain (2 milliards d'années environ) et qui sont très rarement visibles ailleurs. Elles ont été formées suite à la collision d'îles volcaniques avec la plaque continentale.

LA FORMATION DU SOUS-SOL

Durant l'**ère primaire** (– 550 à – 250 millions d'années), des avancées et des reculs des mers se succèdent sur le continent, déposant des sédiments qui s'accumulent pour former les couches qui dessinent les falaises du Grand Canyon. L'ensemble des continents forme encore une seule grande masse compacte.

NAISSANCE DES RELIEFS

Durant la période suivante (– 250 à – 65 millions d'années, **ère secondaire**), les eaux se retirent vers les océans, créant un continent sec et élevé. Aux sédiments marins s'ajoutent les alluvions déposées par les cours d'eau et les vents. Le relief se forme de plateaux étagés à la manière d'un escalier géant *(Grand Staircase)*, montant progressivement depuis le Grand Canyon, le plus bas et le plus ancien, jusqu'à Bryce Canyon, plus au nord, où sont exposées les roches les plus récentes. En même temps, c'est l'apogée des reptiles, notamment des dinosaures, et l'apparition des premiers oiseaux et des mammifères. La seconde moitié de cette période (à partir de – 140 millions d'années environ) est marquée par un événement important : le continent nord-américain, maintenant séparé de

Paysage du Yosemite National Park.
Corbis/hemis.fr

l'Europe par l'océan Atlantique, entre en collision avec la plaque pacifique, qui s'enfonce sous la plaque continentale. Ce phénomène est à l'origine de bien des reliefs du Sud-Ouest, notamment la Sierra Nevada et les montagnes de l'Arizona.

LES MONTAGNES PLUS RÉCENTES

Au début de l'ère tertiaire (– 65 à – 5 millions d'années), les mouvements des plaques continentales se poursuivent et donnent naissance aux montagnes Rocheuses *(Rocky Mountains)*, ainsi qu'au Grand Bassin *(Great Basin)*, une vaste dépression où alternent des chaînes montagneuses parallèles.

À cette même époque, l'ensemble du **plateau du Colorado** *(Colorado Plateau)* est surélevé à quelque 3 200 m au-dessus du niveau de la mer. Après cette dernière élévation, le fleuve Colorado entame son lent travail d'érosion, creusant le Grand Canyon et révélant ainsi nombre de trésors géologiques.

Les paysages du Sud-Ouest

Les États-Unis d'Amérique s'étirent sur 4 500 km d'est en ouest et sur 2 500 km du nord au sud. À l'Ouest, les Rocheuses sont longues de près de 2 000 km, entre le Canada et le Mexique. Longtemps considérées comme un formidable défi, elles apparaissent encore comme un rêve d'espaces inviolés.

Le Sud-Ouest américain se caractérise par une grande sécheresse. À titre de comparaison, l'embouchure du Rio Grande, dans les montagnes Rocheuses (l'État du Colorado), est située à la même latitude (le 26e parallèle) que l'oasis d'In Salah, dans le Sahara algérien. Mais du vignoble de Napa à la Vallée de la Mort ou aux grands

---

TECTONIQUE DES PLAQUES : QU'EST-CE QUE C'EST ?

Cette théorie scientifique explique la géologie par l'existence, à la surface du globe, de plaques rigides mais en mouvement. À l'origine, tous les continents étaient solidaires. Puis, à la fin de l'ère primaire, ce bloc massif s'est séparé en plusieurs plaques qui ont donné les continents. Ces plaques continentales ont peu à peu dérivé pour aboutir à la configuration que nous connaissons aujourd'hui. Quand les plaques s'éloignent, cela donne naissance à une faille, comme celle qui partage l'océan Atlantique en deux. Quand elles se rapprochent, comme le long de la Californie, cela provoque des séismes, voire, beaucoup plus tard, des soulèvements du relief.

Parcs nationaux du Colorado, la diversité des paysages est stupéfiante et en fait une magnifique destination touristique.

LA CÔTE CALIFORNIENNE

Adossée aux **Coast Ranges**, une chaîne montagneuse dont les sommets avoisinent les 1 000 m, la côte Pacifique s'étire sur plus de 1 300 km du nord au sud. À l'est de cette barrière rocheuse s'étend la luxuriante **vallée Centrale** (*Central Valley*), rendue fertile grâce aux travaux d'irrigation, et largement dédiée à l'horticulture ou à la viticulture comme dans les régions de Napa et de Sonoma (*voir p. 108-110*). La côte sud de la Californie bénéficie d'un climat méditerranéen, marqué par des étés chauds et secs (23-25 °C) et des hivers doux (15-18 °C), tandis que la partie nord, qui connaît un climat tempéré, accuse des températures un peu plus fraîches et se révèle plus humide, avec des saisons intermédiaires assez pluvieuses.

La faune et la flore

La côte Pacifique est plantée d'une végétation composée principalement de buissons épineux et persistants. Si elle constitue un véritable éden pour les oiseaux (goélands, pélicans, hérons, cormorans, geais, sternes…), la côte californienne est aussi l'un des grands lieux de migration des **baleines**. Les baleines grises migrent entre novembre et mai. Les baleines bleues et les baleines à bosse, de juin à novembre. Les meilleurs sites pour les voir sont Point Reyes National Seashore (*voir p. 104*), Carmel, Santa Barbara et Cabrillo National Monument. Otaries, phoques et éléphants de mer fréquentent quant à eux la côte toute l'année. À San Francisco, vous les verrez au Pier 39, et le long de la côte à Año Nuevo State Reserve ou Cabrillo National Monument.

LA SIERRA NEVADA

La Grande Vallée de Californie est bordée à l'est par la Sierra Nevada, longue de 650 km et culminant entre 1 500 et 2 700 m. Le versant occidental, raviné par les eaux, descend en pente douce vers la vallée. Parmi ses hauts sommets, le **mont Whitney** (4 418 m) est le point culminant des États-Unis (hors Alaska et Hawaï). Dans sa partie basse, la Sierra Nevada est encore sous l'influence du climat méditerranéen, chaud et aride, mais, en altitude, les précipitations se font plus abondantes et les sommets connaissent un **climat alpin**, très froid et sec, avec de fortes chutes de neige en hiver. Sur le versant ouest, entre 700 et 2 000 m d'altitude, d'importantes précipitations ont permis la croissance de forêts de conifères, où

LA FAILLE DE SAN ANDREAS

Après les terribles séismes qui ravagèrent San Francisco et les environs de Los Angeles au 20e s., les Californiens ont dû apprendre à vivre avec la peur que la terre ne tremble à nouveau. La région la plus instable suit la faille de San Andreas, qui marque la frontière entre les plaques pacifique et nord-américaine, et sépare le sud-ouest de la Californie du reste du continent américain. Les deux plaques glissent le long de cette fracture de l'écorce terrestre et se déplacent l'une par rapport à l'autre de 5 cm par an en moyenne. Ce mouvement est chaque année à l'origine de centaines de secousses, souvent imperceptibles, mais qui peuvent se révéler d'une incroyable violence si ce coulissement est bloqué par une roche et que la pression entre les plaques augmente.

se concentrent d'impressionnantes futaies de séquoias géants, des arbres pouvant atteindre plus de 80 m de hauteur et 30 m de circonférence. Les prairies d'altitude sont le royaume des **ours noirs**, très redoutés, qui sont une espèce protégée. Elles abritent aussi des **cerfs mulets** (*mule deers*), qui se déplacent souvent à plusieurs, ainsi que des **mouflons d'Amérique** (*bighorns*), aujourd'hui assez rares et beaucoup plus farouches.

LES DÉSERTS DU SUD-OUEST

Le Sud-Ouest des États-Unis compte quatre déserts remarquables, occupant des zones montagneuses ou de basses plaines. Ils subissent un climat continental semi-désertique, caractérisé par de très faibles précipitations, des températures estivales toujours très élevées et, selon l'altitude, des hivers plus ou moins frais. Les plus hauts sommets reçoivent même de la neige en hiver.

Au sud-est de la Californie, le **désert Mojave** est le plus petit, le plus aride et le plus chaud de tous. La Vallée de la Mort y est le point le plus bas de l'hémisphère Nord (– 86 m au-dessous du niveau de la mer, à Badwater).

Au nord du désert Mojave s'étire le **désert du Grand Bassin**, le plus grand et le plus froid des déserts américains. La barrière rocheuse de la Sierra Nevada empêche les vents océaniques chargés d'humidité de faire route vers l'est, où commencent les vastes étendues semi-arides du Grand Bassin. Les vallées et les hauts plateaux qui couvrent le Nevada et une bonne partie de l'Utah, au nord du plateau du Colorado, s'apparentent davantage à une steppe. Les étés y sont très chauds, propices aux orages violents, tandis que les hivers sont rigoureux et enneigés.

Ce désert comporte peu d'arbres et de plantes cactées, mais quelques espèces d'arbustes.

Le **désert du Sonora** occupe le sud de la Californie et de l'Arizona, et la partie nord-ouest du Mexique (les deux tiers de ce désert sont au Mexique). Il possède une végétation plus diversifiée en raison des pluies hivernales et des violents orages de fin d'été. Quand ceux-ci sont assez généreux, le désert se couvre d'un parterre de fleurs très colorées.

Le **désert du Chihuahua**, enfin, est situé pour l'essentiel au Mexique, mais il couvre aussi le sud-est du Nouveau-Mexique et l'ouest du Texas. Il possède la plus grande variété de cactus et reçoit l'ensemble de ses précipitations pendant l'été.

La faune et la flore

La flore et la faune se sont adaptées à cet environnement extrême. Les cactus qui peuplent les déserts sont capables de constituer une réserve d'eau dans leurs racines creuses et dans leur tronc, recouvert d'une substance grasse, tandis que leurs épines leur permettent de contrôler l'évaporation et de se protéger des prédateurs.

L'imposant **saguaro**, ou cactus-chandelier, aux larges ramifications dressées vers le ciel, est devenu le symbole du Sud-Ouest. La famille des cactées comprend bien d'autres spécimens : le **cactus-tonneau** (*barrel cactus*), de forme cylindrique et de 1 à 2,5 m de haut, le **cactus tuyau d'orgue** (*organ pipe cactus*), qui forme de véritables bouquets pouvant atteindre près de 6 m, ou le **cholla**, aux multiples branches d'apparence duveteuse, mais hérissées d'épines redoutables.

Assez proche du cactus, le **buisson de créosote**, reconnaissable à ses feuilles minuscules (qu'il perd) et à ses fleurs jaunes, vit parfois uniquement en sous-sol, pour mieux renaître après les pluies.

Très répandu dans les déserts du Sud-Ouest, il était apprécié des Indiens pour ses vertus médicinales. Les **yuccas**, utilisés lors des cérémonies rituelles, leur fournissaient nourriture, détergent et fibres. Cette famille de plantes compte une quinzaine d'espèces différentes, dont le célèbre **arbre de Josué** (*Joshua Tree* ou *Yucca brevifolia*), qui peut atteindre près de 15 m de haut et domine largement le désert Mojave. L'**ocotillo**, frêle buisson aux branches graciles, à l'extrémité desquelles s'épanouissent de jolies fleurs rouges, est un familier de ces contrées. Le **palo verde**, dont le tronc et les branches se parent d'un beau vert tendre, orne quant à lui les places des villes du sud de l'Arizona comme les versants des collines.

Ces buissons et plantes basses servent d'abris aux petits rongeurs, comme les souris, les écureuils ou les **rats-kangourous**, d'étonnantes créatures qui peuvent se passer de boire, car leur métabolisme fabrique des déjections presque sèches et des urines extrêmement concentrées. Les seuls liquides qu'ils ingèrent sont contenus dans les plantes et les graines dont ils se nourrissent. Ils profitent des températures plus clémentes de la nuit pour sortir et chercher de la nourriture. L'un de leurs prédateurs, le **serpent à sonnette**, ou crotale, effraie ses ennemis en agitant sa queue, dotée d'anneaux en écaille dure, qui émet un bruit dissuasif. Extrêmement rapide, il attaque par surprise et son venin est mortel, même pour l'homme.

Le **coyote**, qui erre en solitaire, est l'un des principaux prédateurs du **roadrunner**, étonnant coucou appelé aussi « coq du chaparral ». Popularisé par les dessins animés de la Warner Bros, c'est un coureur infatigable qui détale sur ses deux pattes et peut atteindre 40 km/h sur terrain plat. Malgré les épines, de nombreux oiseaux viennent creuser leur nid dans les cactus, comme le **cactus wren** ou le **Gila woodpecker** : ainsi, ils agissent pour la pollinisation des plantes.

LE PLATEAU DU COLORADO

Occupant une superficie de 331 776 km², le plateau du Colorado couvre quatre États voisins : l'Arizona, l'Utah, le Colorado et le Nouveau-Mexique, dont les frontières se coupent à angle droit, définissant la région des **Four Corners** (quatre coins). Il est traversé d'est en ouest par le puissant **fleuve Colorado**, qui court

EL NIÑO

Rendu célèbre par ses conséquences désastreuses lors des hivers 1982-1983 et 1997-1998, ce phénomène est bien connu des pêcheurs de la côte Pacifique de l'Amérique. Il s'agit d'un courant océanique chaud qui apparaît en général vers Noël pour durer quelques mois. L'augmentation de température de l'Océan est en moyenne de 1 à 2 °C et fait fuir les poissons. Mais lorsqu'elle est plus forte (5 à 8 °C), cela cause un affaiblissement et un changement de direction des vents, une montée du niveau de la mer et une détérioration du climat. Quand El Niño est intense, les orages violents, les pluies torrentielles et les inondations se multiplient sur la côte sud-ouest des États-Unis, tandis que les chaînes de montagne connaissent un hiver très doux et un manque de neige. C'est en Amérique latine que les conséquences d'El Niño sont les plus dramatiques. Les années à fort El Niño sont suivies d'années à La Niña, où, à l'inverse, la température de l'eau chute, ce qui provoque sécheresse ou hivers très froids.

Randonnée dans les Narrows, Zion NP.
L. Decoudin/Michelin

des montagnes Rocheuses au golfe de Californie. Avec ses nombreux affluents, celui-ci a entrepris depuis près de 5 millions d'années un lent travail d'érosion, donnant naissance à de profondes gorges, dont le Grand Canyon. Les vents, pluies, neige et gel ont fini de façonner le paysage, sculptant arches, aiguilles et autres formations pittoresques dans les couches de roche mises au jour. Toutes ces merveilles naturelles sont protégées au sein de parcs nationaux et de sites classés, tels que Zion Canyon, Bryce Canyon, Capitol Reef, Canyonlands, Arches, Mesa Verde, canyon de Chelly et Grand Canyon.

La faune et la flore

Le plateau s'élève en moyenne à 1 500 m, mais les chaînes de montagnes peuvent y culminer jusqu'à 3 300 m. Il connaît lui aussi un climat continental semi-désertique, mais plus contrasté. Entre 1 600 et 2 500 m d'altitude, la végétation la plus répandue est la **forêt pygmée**, composée de genévriers et de pins pignons de taille modeste. Les **pins ponderosa**, le **pin de Douglas** et les **trembles** habillent les régions plus élevées, où les précipitations sont plus abondantes et où l'on trouve de la neige en hiver.

Parmi la faune très variée qui peuple les parcs, vous apercevrez de petits mammifères rongeurs, comme le **chien de prairie**, un proche parent de la marmotte (qui tient son nom du fait que son cri ressemble à un aboiement), ou le **chipmunk**, un écureuil peu farouche qui n'hésitera pas à vous approcher de près pour mendier quelques friandises. **Coyotes**, **pumas** (mountain lion) ou **cerfs mulets** (mule deer), qui habitent également ces contrées sauvages, se font en revanche plus discrets. L'**antilope d'Amérique** (pronghorn), qui avait quasiment disparu à cause de la chasse, a été réintroduite dans l'Utah dans les années 1970.

LES MONTAGNES ROCHEUSES

Cette immense chaîne montagneuse, entrecoupée de larges bassins, de plaines et de

ATTENTION OÙ VOUS METTEZ LES PIEDS…

En marchant dans les déserts du plateau du Colorado, vous remarquerez la croûte grisâtre et noueuse qui recouvre le sable sur près de 75 % de sa surface. Ne cédez pas à la tentation de la réduire en poussière ou de marcher dessus : il s'agit de la croûte cryptobiotique, un système naturel et vivant, essentiel à la vie dans le désert. Si vous aviez un microscope, vous verriez que les grains de sable sont agglutinés grâce à de longs filaments, ceux de la cyanobactérie. Cette bactérie capture le nitrogène de l'air pour fertiliser les plantes ; elle produit de longs filaments retenant les minéraux essentiels à la vie végétale et constituant un filet très dense qui solidarise les grains de sable et les microlichens, puis prévient l'érosion. Dès qu'il pleut, les filaments se gonflent, jusqu'à dix fois leur taille, et stockent l'eau indispensable pour les mois secs. Mais cet équilibre est fragile. Pour construire une telle croûte, il faut jusqu'à 250 ans ! Un pas hors des sentiers marqués peut ainsi ruiner des décennies de patient travail de la nature…

plateaux, s'étire du Canada au Mexique selon un axe nord-sud. Les Rocheuses dites méridionales, qui traversent le Colorado et le Nouveau-Mexique, se composent en fait d'un ensemble de chaînes parallèles, parmi lesquelles les Black Ranges, les monts San Andres et les Sangre de Cristo Mountains. Elles culminent à plus de 4 000 m (Mount Elbert, Wheeler Peak), avant de perdre de l'altitude dans le nord du Nouveau-Mexique. Le **Rio Grande**, qui prend sa source dans les monts San Juan, au sud-ouest du Colorado, court selon le même axe nord-sud, au fond de la vallée d'effondrement qui abrite son lit, pour rejoindre le golfe du Mexique au terme de 3 036 km.

Les paysages sont ceux de la haute montagne, avec ses profondes vallées boisées et ses crêtes escarpées couronnées de neiges éternelles. Les versants des montagnes Rocheuses, plus humides que la vallée du Rio Grande en contrebas, sont couverts de **genévriers** et d'autres arbustes épineux, qui laissent place en altitude aux forêts de **pins ponderosa**, aux épicéas et aux bouleaux. Enfin, les plus hautes altitudes se caractérisent par une végétation très clairsemée, typique du climat alpin, très froid en hiver.

Préserver les richesses naturelles

Tant qu'il y avait de nouveaux espaces à conquérir, les richesses semblaient illimitées, mais quand le territoire américain prit sa forme définitive, certaines voix s'élevèrent pour rappeler que les ressources n'étaient pas inépuisables.

LES PREMIERS ESPACES PROTÉGÉS

La vallée de Yosemite et le bosquet de Mariposa Big Tree furent les premiers, en 1864, à faire l'objet d'un décret visant à la préservation d'espaces sauvages. Le Congrès octroya ces terres à l'État de Californie à condition qu'elles soient dédiées à l'agrément public. Le premier parc national, administré par le pouvoir fédéral, fut créé en 1872 : il abrite les geysers et les sources d'eau chaude de Yellowstone (Wyoming). Ainsi, près de 90 000 ha devinrent interdits à la colonisation et à l'exploitation. Cependant, près de vingt ans s'écoulèrent avant que ne soient créés, en Californie, les parcs de Sequoia, General Grant (aujourd'hui rattaché à Kings Canyon) et Yosemite. **John Muir**, un naturaliste d'origine écossaise qui parcourut la Sierra Nevada, joua un rôle primordial pour la sauvegarde de l'environnement et parvint à sensibiliser l'opinion et le gouvernement fédéral grâce à ses nombreux écrits *(voir p. 133)*. À sa demande, le président Theodore Roosevelt en personne vint découvrir ces merveilles de l'Ouest, au début du 20e s.

UNE VOLONTÉ FÉDÉRALE

Le nombre d'espaces protégés ne cessant d'augmenter, leur administration aboutit, en 1916, à la création d'un organisme central : le **National Park Service** (NPS), placé sous l'égide du ministère de l'Intérieur. Il régit aujourd'hui 58 *National Parks* et un peu moins de 400 *National Monuments*, sites historiques *(National Historic Sites)*, mémoriaux *(Memorial National Park)*, bords de mer *(National Lake and Seashores)* ou bases de loisirs *(National Recreation Areas)*… En 2009, ces sites protégés couvraient 35 millions d'hectares et accueillaient 300 millions de visiteurs par an.

Parmi les quelque vingt dénominations données à ces espaces, les plus répandues sont celles de « parc national » *(National Park)* et de « monument national » *(National Monument)*.

Les National Parks

Premiers à avoir vu le jour, ils sont établis par un vote du Congrès, irrévocable, et visent à protéger des formations naturelles extra-ordinaires, des ressources forestières ou minières, ou des sites historiques d'exception (villages indiens, missions, bâtiments).

Les National Monuments

L'Antiquities Act, voté en 1906 par le Congrès, autorise le Président à créer des *National Monuments*

sur des terres contrôlées par l'État fédéral. Dernier en date, le Great Staircase Escalante National Monument (Utah) a été créé en 1996 par le président Bill Clinton, préservant ainsi 687 990 ha d'espaces sauvages pour les générations futures. Ce statut peut être révoqué, mais nombre d'entre eux, souvent les plus importants, acquièrent par la suite le statut de parc national.

Autres Parcs

Outre les *National Parks* ou *National Forests* administrés au niveau fédéral, le Sud-Ouest des États-Unis compte également des *State Parks* (parcs d'État) ou *State Forests* qui sont définis et dirigés par chaque État. Tous s'attachent à la protection de la nature et à l'agrément des visiteurs. Les States Parks rencontrent souvent des difficultés financières, aggravées par la crise économique. Des débats ont régulièrement lieu sur l'avenir de nombre d'entre eux.

Gardiens de lieux d'exception

On les reconnaît à leur chapeau beige à bords plats. Ce sont les **rangers**, hommes et femmes, des Indiens dans certains secteurs. Ils sont des gardiens, mais aussi des guides passionnés pour faire découvrir les fragilités de ces écosystèmes. Grâce à eux, on apprend que les séquoias de la Sierra Nevada ont besoin d'incendies contrôlés pour se développer, que les grenouilles de montagne à patte jaune vont peut-être survivre dans les plaines glaciaires du Yosemite si les botanistes isolent le parasite qui attaque l'espèce. Face aux difficultés financières, la priorité est donnée aux services offerts aux visiteurs.

Histoire

Avant de devenir cet Ouest mythique où plusieurs générations de trappeurs et de marchands vinrent chercher fortune, les immenses terres vierges du Sud-Ouest de l'Amérique du Nord étaient, pour les tribus indiennes, le centre du monde. Convoité par les Espagnols, les Mexicains puis les Anglo-Américains, le Sud-Ouest est l'une des dernières régions rattachées à la fédération des États-Unis, mais cette conquête s'est effectuée au prix de beaucoup de sueur et de sang.

Les premiers hommes

Il y a quelque 20 000 ans environ, lors de la dernière grande glaciation, des hommes venus d'Asie passèrent vraisemblablement par le détroit de Béring pour se disperser sur le continent américain. Ces **chasseurs nomades**, qui traquaient les mammouths pour assurer leur survie, arrivèrent, semble-t-il, dans l'actuel Sud-Ouest américain vers 12000-10000 av. J.-C.

À la fin de la période glaciaire (8000-7000 av. J.-C.), d'importants changements climatiques vinrent toutefois bouleverser leur mode de vie : les températures augmentèrent, le climat devint plus sec, la végétation se fit moins abondante et les troupeaux se raréfièrent.

Rien ne permet d'affirmer que les peuples qui ont succédé à ces chasseurs étaient leurs descendants directs, mais ces derniers ont dû s'adapter à une région devenue aride. De récentes découvertes dans l'Utah (Range Creek) sont venues apporter des éléments sur les **Fremont**, un peuple de cultivateurs et de chasseurs.

LES ANCÊTRES DES INDIENS

Le Sud-Ouest recèle de vestiges préservés, permettant l'étude des ancêtres des Indiens. Peu après le début de notre ère, trois grandes civilisations sédentaires vivaient dans la région. Ces peuples voisins entretenaient des échanges commerciaux et culturels, et s'influencèrent dans leurs techniques de construction, ainsi que leur artisanat.

Les **Hohokams** (550-1450) occupaient la partie sud de l'Arizona. Ils s'établirent peu à peu dans des villages qui, à partir de 1100, début de la période dite classique, se dotèrent d'enceintes et de bâtiments sur plusieurs étages. Dans un environnement désertique, ils réussirent à récolter maïs, orge, haricots, coton, tabac et courges grâce à la maîtrise des techniques d'**irrigation**. Dans la vallée de la Salt River, on dénombre pas moins de 300 miles de canaux.

Les **Mogollons** (300-200, 1300), qui vivaient principalement de la chasse et de la cueillette, peuplaient les montagnes du sud-est de l'Arizona et du sud-ouest du Nouveau-Mexique. Ils furent les premiers à utiliser les **poteries** pour emmagasiner eau et vivres. Quand, à partir de 700, ils possédèrent quelques rudiments d'**agriculture**, ils se sédentarisèrent et s'installèrent au sommet des montagnes ou sur les mesas. Ils finirent toutefois par s'implanter de plus en plus dans les vallées, sans doute sous l'influence des Anasazis, auxquels ils finirent, selon certains scientifiques, par s'assimiler. Les **Anasazis** apparurent sur le plateau du Colorado au début de l'ère chrétienne. Ils se nourrissaient des produits de l'agriculture (maïs, courges, haricots) et de plantes sauvages. Pendant mille ans, ils bâtirent leurs habitations dans le sol, creusant la terre et posant des toits sur des poteaux en bois, puis la période 1100-1300 connut l'apogée de leurs **techniques de construction** avec l'édification de maisons sur plusieurs étages (voir p. 577).

Des vestiges de villages, nichés dans les falaises, admirablement préservés, permettent aujourd'hui d'admirer l'ingéniosité et la solidité de leur maçonnerie.

L'implantation espagnole

Les Espagnols prennent pied dès le 16e s. au centre et au sud du continent américain, tandis que la première colonie anglaise, Jamestown, est fondée en 1607 sur la côte Est, en Virginie. Mais pendant deux siècles, malgré les incursions espagnoles, les territoires de l'Ouest demeurent très peu connus.

LES PREMIERS EXPLORATEURS

Au 16e s., un grand nombre d'Espagnols, attirés par les récits de voyage des premiers explorateurs, s'embarquent pour le Nouveau Monde, sur les traces de Christophe Colomb. Les conquistadores, partis à la recherche des trésors aztèques et mayas, s'établissent en Amérique centrale et du Sud. Les richesses qu'ils amassent servent à financer des expéditions de reconnaissance au nord de leurs possessions : la région du Texas est ainsi la première à être explorée. En 1540, **Francisco Vasquez de Coronado** entreprend une expédition de deux ans, à la recherche de l'or mythique des Sept Cités de Cibola. Il explore pour la première fois le Nouveau-Mexique et l'Arizona, pousse jusqu'au Kansas, au centre du pays, mais l'entreprise est un échec. À la même époque, **Juan Rodriguez Cabrillo** ouvre la voie maritime du Pacifique et découvre la baie de San Diego (1542), mais il faut attendre 1769 pour que des campements durables soient installés sur la côte californienne (voir p. 214 et 266).

LE TEMPS DES MISSIONS

Les missionnaires espagnols réussissent là où les conquistadores avaient échoué, en s'implantant dans le pays. Cela se fait toutefois au détriment des peuples indigènes, qu'ils s'appliquent à convertir et à sédentariser dans les missions, au mépris de leur mode de vie. En 1598, quand l'Espagne décide de coloniser la région de l'actuel Nouveau-Mexique, des missionnaires s'installent dans la vallée du Rio Grande et, en 1609, le gouverneur **Don Pedro de Peralta** choisit Santa Fe pour devenir la capitale des nouvelles possessions (voir p. 471). Soldats, colons et marchands empruntent **El Camino Real** (la route Royale), qui relie Mexico à Santa Fe. Les relations avec les Indiens sont extrêmement tendues ; la violence et l'intolérance des colons conduisent à la **révolte des Pueblos** qui éclate en 1680, et chasse les Espagnols pour un temps. Ils ne reviendront que douze ans plus tard. Plus à l'ouest, le père Eusebio Francisco Kino, un jésuite d'origine italienne, sillonne pour le compte des Espagnols le sud de l'Arizona, où il fonde une vingtaine de missions entre 1692 et 1711. La Couronne espagnole concentre ensuite ses forces sur les territoires côtiers de la Californie, où les Russes, venus du nord, menacent d'avancer. En 1769, l'expédition de Gaspar de Portola et du père **Junípero Serra** ouvre ainsi la voie à la colonisation de la Californie par la construction de missions et de forts *(presidio)*. La première des 21 missions de Californie est fondée à San Diego la même année, puis les Espagnols s'établissent à San Francisco en 1776 et à Los Angeles en 1781.

La fin des colonies et l'expansion territoriale

Tandis que l'Espagne règne dans le Sud de l'Amérique, les deux autres puissances coloniales, l'Angleterre et la France, cohabitent dans l'Est, où elles se disputent les territoires en s'alliant les tribus indiennes. Le rapport de force change en 1776, lorsque les treize colonies de la côte atlantique décident de s'affranchir de la tutelle anglaise et proclament leur **indépendance**, qui ne sera toutefois effective que sept ans plus tard, en septembre 1783. L'Ouest reste un territoire lointain, en grande partie inexploré par les Américains, trop occupés par la guerre d'Indépendance.

UN PREMIER PAS VERS L'OUEST

En 1803, Napoléon Ier accepte de vendre la Louisiane aux États-Unis (l'Union compte alors seulement treize États). Ce territoire permet à la jeune nation de doubler pratiquement sa surface.
Les terres qui s'étirent à l'ouest du Mississippi, connues simplement par quelques récits de trappeurs, commencent à attirer l'attention du président Thomas Jefferson, qui organise une expédition officielle, visant à décrire ces régions, à en évaluer les richesses et à nouer des liens avec les Indiens en vue d'échanges commerciaux.

LES GRANDES EXPÉDITIONS

En 1804, **Meriwether Lewis** et **William Clark** s'embarquent pour un voyage de deux ans qui les conduira de Saint Louis, sur les rives du Mississippi, jusqu'à l'estuaire du fleuve Columbia, au nord de la côte Pacifique. Le succès de l'expédition et les récits qu'ils en rapportent aiguisent la curiosité pour ces nouvelles régions. Des expéditions suivent, comme celle de **Zebulon Pike**, le premier, en 1807, à atteindre le Nouveau-Mexique. Ses descriptions du désert ne suscitent toutefois guère l'intérêt des Américains, qui vivent dans des régions humides et boisées. Grande figure parmi les explorateurs, **Jedediah Smith** découvre le South Pass dans les Rocheuses, point de passage décisif pour les pionniers en marche vers le Pacifique. Il est le premier à rejoindre la côte Ouest par le sud, traversant le Grand Bassin et le désert Mojave, en 1826. Il est brièvement emprisonné à son arrivée par les Espagnols qui ne souhaitent pas qu'il dévoile sa route. Il faut attendre les récits enflammés de **John Charles Fremont** sur ses cinq périples à travers les Rocheuses (de 1842 à 1853), pour que naisse le mythe d'un Ouest paradisiaque.

LES TRAPPEURS

Les expéditions laissent la place à une véritable ruée de trappeurs à la recherche de fourrure. Les premiers chariots de ces « Mountain men » franchissent les Rocheuses vers 1830, la Sierra Nevada en 1840. Les quelques fortins mexicains *(presidios)* étaient bien incapables

LES TRIBUS PERDUES DE CALIFORNIE

En Californie, peu de vestiges témoignent des populations indiennes qui habitaient les régions montagneuses, les plaines et le long de la côte Pacifique avant l'arrivée des colons. Les tribus miwoks, yuroks, kuroks, yupas et chumashs, pour ne citer qu'elles, ont été littéralement décimées au milieu du 19e s. par l'arrivée massive des Européens, les épidémies et l'alcool. La période coloniale leur fut fatale : 150 000 en 1848, les Indiens de Californie n'étaient plus que 31 000 en 1870 et 16 000 en 1900.

de lutter contre l'infiltration de migrants étrangers. Durant la première moitié du 19e s., quelques voyageurs ouvrent de nouvelles pistes vers l'Ouest lointain. Des rendez-vous annuels *(parties)* de la fourrure rassemblent des trappeurs, coureurs des bois, marchands et Indiens.

LA GUERRE CONTRE LE MEXIQUE

Pendant ce temps, le Mexique cherche à se débarrasser de la tutelle espagnole et entame sa marche vers l'indépendance, qu'il proclame finalement en 1821. Il possède alors les territoires du Texas, du Nouveau-Mexique et de l'Arizona. Les étrangers, trappeurs et marchands, avec qui les Espagnols commerçaient depuis le 18e s., y sont tolérés. Les Mexicains décident d'ouvrir la ville de Santa Fe aux Américains et une multitude de chariots se succèdent le long de la **piste de Santa Fe**, qui débute à Kansas City : le nombre des migrants américains augmente considérablement. Mais la question de la frontière du Texas est un sujet de discorde entre Américains et Mexicains, qui finit par conduire à la guerre contre le Mexique. Les troupes américaines ne se contentent pas de défendre la région du Rio Grande, mais marchent vers l'ouest jusqu'en Californie. À l'automne 1846, les territoires du Sud-Ouest sont aux mains des Américains. En février 1848, l'armée américaine marche sur Mexico. La capitale

est prise et la signature du **traité de Guadalupe Hidalgo** marque la fin de la guerre. Le Sud-Ouest (Californie, Arizona, Colorado, Utah, Nouveau-Mexique et Nevada) devient officiellement américain. En 1853, l'Arizona atteint sa taille actuelle grâce à l'achat des terres les plus au sud *(Gadsden Purchase)*.

LES GUERRES INDIENNES

L'expansion du territoire américain se fait au détriment des Indiens, repoussés toujours plus à l'ouest. En 1830, sous la présidence d'Andrew Jackson, le Congrès vote l'**Indian Removal Act**, qui recommande le déplacement par la force des tribus indiennes du Sud-Est américain vers les territoires indiens, à l'ouest du Mississippi (dans l'actuel Oklahoma). Les premières réserves indiennes sont ainsi créées dès 1860. La terre constitue la principale richesse de l'Ouest, aussi l'arrivée massive de colons sur leurs territoires de chasse et le massacre systématique des bisons, indispensables à leur survie, attisent-ils la colère des Indiens, principalement ceux qui sont restés nomades, comme les Navajos ou les Apaches.
Malgré le **traité de Bear Springs** signé avec les Navajos au lendemain de la victoire des États-Unis sur le Mexique, les raids indiens contre les villages colons perdurent, notamment en Arizona et au Nouveau-Mexique. Décidés à mettre un terme à ces soulèvements, les Américains,

guidés par le colonel **Kit Carson**, pourchassent les Navajos dans le canyon de Chelly au cours de l'hiver 1864 et les déportent en masse à Fort Sumner (Nouveau-Mexique), à 700 miles de là *(voir p. 512)*. Plus de 300 Navajos périssent lors de cette **Longue Marche**, et les survivants ne seront autorisés à retourner sur leurs terres qu'en 1868, au terme de quatre années de captivité dans des conditions épouvantables.

Les **Apaches**, menés par Cochise puis Geronimo, résistent durant plus de vingt ans aux Américains en lançant de nombreux raids contre les Blancs. Les guerres menées contre les Apaches prennent fin en 1886, avec la reddition de Geronimo. Les forts de l'armée américaine sont peu à peu abandonnés, et les Indiens, parqués dans des réserves, n'ont d'autre choix que d'apprendre à survivre.

« Soyons justes, nous les avons mal traités. C'est une véritable tache dans notre histoire. » Ainsi parle John Ford lorsqu'il réalise en 1964 son dernier et magnifique western *Cheyenne Autumn*.

Go West !

Au milieu du 19e s., les immenses espaces de l'Ouest demeurent très peu peuplés. La colonisation de ces **Territoires** (immenses terres conquises sur les Mexicains qui n'avaient pas encore acquis le statut d'État) demeure un enjeu important pour la cohésion de la nation américaine. La ruée vers l'or de Californie va, en ce sens, jouer un rôle déterminant.

L'ARRIVÉE DES MORMONS ET LA CRÉATION DE L'UTAH

Fondée en 1830 par Joseph Smith, la secte des mormons est née dans l'État de New York. Persécutés pour leur position en faveur de la polygamie, ses membres finissent par émigrer vers l'ouest, avant d'atteindre la vallée déserte du Grand Lac Salé en 1847. Près de 5 000 mormons s'y installent et travaillent pour creuser des canaux d'irrigation, développer l'agriculture et participer à la construction de Salt Lake City.

Bientôt, ces pionniers industrieux envoient des expéditions dans le sud de ce qui deviendra le Territoire d'Utah en 1850, puis un État de l'Union en 1896. Ils découvrent la vallée de la Virgin River, le Zion Canyon, Bryce Canyon et Capitol Reef auxquels ils attribuent des noms bibliques *(voir p. 532)*.

LES ÉCLATS DE L'OR

Le traité de Guadalupe Hidalgo à peine signé, la nouvelle de la découverte de filons d'or près de l'actuelle Sacramento se répand comme une traînée de poudre. Les histoires les plus folles circulent : fermiers, industriels, prospecteurs, marchands et soldats venus de la côte Est quittent tout pour le mirage d'une fortune facile. Des milliers de migrants venus d'Europe affluent vers ce mythique Eldorado.

Ceux qui arrivent par voie terrestre suivent le **California Trail** (piste de Californie), qui se confond jusqu'aux montagnes Rocheuses avec l'*Oregon Trail* (piste de l'Oregon), emprunté dans les années 1840 par une première vague d'immigrants.

Une deuxième piste, le **Butterfield Trail**, accessible en hiver, est ouverte dans le Sud, le long de ce qui constitue aujourd'hui la frontière avec le Mexique. Elle traverse les Territoires du Sud-Ouest, mais peu s'arrêtent dans ces contrées qui semblent inhospitalières.

La Californie connaît en revanche un **afflux massif de population**, passant de 20 000 habitants en 1849 à 250 000 en 1852. San Francisco, qui compte 500 âmes en 1849, en recense 35 000 l'année suivante !

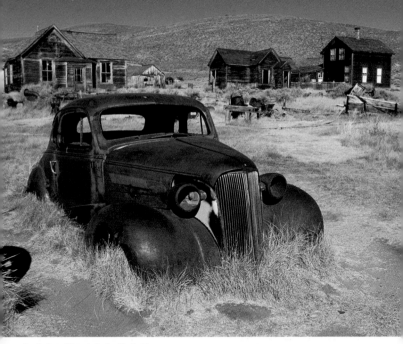

Bodie State Historic Park, ville fantôme.
B. Perousse/hemis.fr

L'État entre d'ailleurs dans l'Union dès 1850, en 31e position, bien avant la plupart des États du centre du pays.

Une fois la fièvre retombée, certains chercheurs d'or décident de s'installer et se lancent dans l'élevage, l'agriculture ou le commerce. Une population cosmopolite forge les prémices de la culture californienne, reposant sur l'idéal du « tout est possible ». En 1859, après la découverte d'un important filon d'argent à Comstock Lode, le Nevada voisin attire à son tour les prospecteurs et intègre l'Union en 1864.

L'OUEST ET LA GUERRE DE SÉCESSION

La guerre de Sécession, qui a notamment pour enjeu l'abolition de l'esclavage, oppose de 1861 à 1865 les États du Nord, industriels et abolitionnistes, aux États agricoles du Sud, qui ont intérêt à maintenir l'esclavage (plus de 600 000 Américains y laisseront la vie). Le Sud-Ouest n'est qu'indirectement affecté par cette guerre civile puisque, à part la Californie, aucun de ces Territoires n'appartient encore à l'Union. Les États confédérés, situés au sud du pays, occupent brièvement l'Arizona en 1861 et le convainquent de les rejoindre, mais ils sont chassés du Nouveau-Mexique et contraints de se replier au Texas.

DE L'IMPORTANCE DES CHEMINS DE FER

Avec le développement de la Californie, il devient indispensable d'améliorer les moyens de communication, car les distances constituent un obstacle pour l'acheminement de l'or et de l'argent. En 1857, une compagnie de transport inaugure la première liaison postale est-ouest par diligence, le long du *Butterfield Trail* : il ne faut plus qu'une vingtaine de jours pour acheminer le courrier, alors que le délai était d'un mois par le canal de Panama. La demande est d'autant plus pressante que l'émigration se poursuit et que l'arrivée du chemin de fer augure de nouvelles possibilités. Par ailleurs, en pleine guerre de Sécession, le besoin d'unir les membres disparates de l'Union passe par le peuplement des Territoires. Ce n'est donc pas un hasard si le Président appuie le Congrès pour la mise en œuvre d'une **liaison transcontinentale**. La construction, par des milliers d'immigrants chinois, est achevée le 10 mai 1869 : la voie venant de Californie, construite par la Central Pacific Railroad Company, et celle bâtie à l'est par l'Union Pacific Railroad se rejoignent en Utah. Désormais, il suffit d'une poignée de jours pour traverser le pays. Au sud, les lignes de la Southern Pacific Railroad et de la Santa Fe Railroad, l'une des plus dynamiques, relient San Francisco et Los Angeles au reste du pays et desservent l'Arizona, le Nouveau-Mexique et le Colorado.

L'OCCUPATION DE L'ESPACE

À la tête d'un territoire immense, le gouvernement doit procéder à une **distribution des terres** afin de permettre leur développement. Les compagnies qui financent la construction des lignes de chemin de fer se voient allouer d'importantes parcelles de terrain. C'est ainsi que naît la ville de Las Vegas, dont le site a été choisi pour installer une station de ravitaillement *(voir p. 287)*. La situation est plus difficile pour les pionniers, auxquels l'État propose, depuis le vote en 1862 du Homestead Act, de cultiver un petit lopin (65 ha) pour une somme modique pendant cinq ans, au terme desquels ils deviennent propriétaires. Mais la sécheresse du Sud-Ouest rend l'exploitation des terres hasardeuse et pénible : seul l'élevage donne des résultats satisfaisants. Certains sites exceptionnels commencent par ailleurs à faire l'objet d'une attention toute particulière et donneront bientôt lieu à la création de parcs nationaux.

L'âge d'or du Far West

Les années 1870-1890, qui font suite à la guerre de Sécession, se traduisent par la conquête des derniers espaces vierges : les plaines du centre des États-Unis et le Sud-Ouest, cet Ouest lointain ou *Far West*, où sont nées une bonne partie des valeurs dans lesquelles veut se reconnaître le pays. La **Frontière** n'est plus cette zone extrême de la colonisation,

LA LÉGENDE DE BUFFALO BILL

William Frederick Cody est né dans l'Iowa en 1854. Ayant perdu son père à l'âge de 11 ans, il subvient courageusement aux besoins de sa mère et de ses sœurs. Après avoir participé à la guerre de Sécession dans les rangs du 7e de cavalerie du Kansas, il est engagé par l'Union Pacific Railway Company où on le surnomme « Buffalo Bill », en raison de son talent particulier à chasser le bison. Il en aurait tué plusieurs milliers ! Il affronte à maintes reprises les Indiens, allant jusqu'à défier leur chef en combat singulier. Bientôt, le récit de ses exploits se répand dans toute l'Amérique. En 1880, les guerres indiennes achevées, il réunit cow-boys et Indiens dans un incroyable spectacle, le Wild West Show, dont le succès s'affirme dans tous les États-Unis et jusqu'en Europe. Après avoir connu la fortune, malheureusement dilapidée par des spéculations hasardeuses, il meurt en 1917, à l'âge de 63 ans. Il repose maintenant dans une tombe creusée dans le roc, au-dessus de Denver.

cette limite qui recule toujours plus vers l'ouest, mais elle habite toujours l'imaginaire de chaque Américain. Cette période explique l'attachement viscéral des Américains pour la liberté, mais aussi la puissance des lobbys qui soutiennent le port d'armes.

L'ÉLEVAGE ET LE MYTHE DU COW-BOY

Les cow-boys américains sont héritiers des garçons vachers espagnols *(vaqueros)*, dont ils ont conservé l'équipement et le mode de vie. Ils mènent une existence rude et monotone, rassemblant les troupeaux qui paissent en liberté dans les immenses espaces du Nouveau-Mexique et de l'Arizona. Les cow-boys connaissent un âge d'or pendant les années 1865-1885, car ils assurent la transhumance, des régions désertiques du Sud vers les Grandes Plaines et les pâturages des Rocheuses, et sont chargés de mener les troupeaux à l'abattoir, dans les villes du Kansas. Ces longues expéditions, fatigantes et dangereuses, dont beaucoup de westerns se sont inspirés, ont grandement contribué au mythe du cow-boy : l'homme seul, courageux, confronté à une nature sauvage qu'il finit par dompter et à l'opposition des Indiens qui peuplent encore ces contrées. Les cow-boys commencent à disparaître avec la fin de l'élevage extensif et l'arrivée du fil de fer barbelé, dans les années 1870. À partir des années 1880, l'élevage se cantonne aux grands ranchs, de plus en plus nombreux.

LE TEMPS DES SHÉRIFS

À la fin du 19e s., après la guerre de Sécession, un grand nombre de hors-la-loi, attirés par les profits tirés des mines et de l'élevage, se réfugient dans le Sud-Ouest. Joueurs professionnels, bandits de grand chemin et tueurs à gages se côtoient et sèment la violence sur les routes ou dans les saloons qui fleurissent sur les traces des pionniers. Des figures devenues mythiques, comme **Wyatt Earp**, **Billy the Kid** *(voir p. 507)*, **Jesse James** et **Butch Cassidy**, illustrent cette époque mouvementée. Le développement des villages et l'arrivée des shérifs ou *marshals*, souvent d'anciens tueurs chargés de faire respecter la loi contre le port d'armes en ville, contribuent à ramener quelque peu l'ordre.

LA FIN DU FAR WEST

Après la ruée vers l'or de Californie, certains immigrants continuent de tenter leur chance partout où des veines sont mises au jour. En Arizona, comme à Bisbee *(voir p. 429)*, certains filons de cuivre et d'argent perdurent jusqu'au 20e s. D'autres sont abandonnés, et seules quelques **villes fantômes** témoignent aujourd'hui de l'activité passée *(voir p. 142 et 156)*. Le temps où le prospecteur partait seul dans les collines avec son âne est révolu : les chercheurs indépendants cèdent la place aux mineurs qui travaillent pour des sociétés exploitant de grandes mines. L'Arizona, l'État du Cuivre *(The Copper State)*, devient le 48e État de l'Union en février 1912, un mois après le Nouveau-Mexique. Ce sont les deux derniers États (hors Hawaii et Alaska) à entrer dans l'Union. À l'aube du 20e s., le Sud-Ouest est un monde en transition : le barbelé a clos les espaces, les nouveaux arrivants rejettent la violence, le train a remplacé les diligences, les touristes affluent dans les parcs et le cuivre devient la principale richesse du sous-sol. L'Ouest sauvage n'est plus qu'un mythe.

Dates clés

Avant l'arrivée des Européens

● **20000-12000 av. J.-C.** – Des chasseurs nomades en provenance d'Asie rejoignent le continent américain par le détroit de Béring.

● **500-1450** – Apogée des civilisations archaïques du Sud-Ouest.

L'époque coloniale

● **1492** – Christophe Colomb découvre l'Amérique.

● **1540** – Francisco Vasquez de Coronado lance une première expédition dans le Sud-Ouest.

● **1542** – Juan Rodriguez Cabrillo découvre la baie de San Diego.

● **1579** – L'explorateur Francis Drake débarque en Californie et la revendique au nom de l'Angleterre.

● **1609** – Fondation de Santa Fe au Nouveau-Mexique.

● **1680** – La révolte des Pueblos chasse les Espagnols du nord du Nouveau-Mexique.

● **1692-1711** – Le père Eusebio Francisco Kino fonde une vingtaine de missions dans le sud de l'Arizona.

● **1769** – L'expédition sainte de Gaspar de Portola et du père Junípero Serra marque le début de la colonisation de la Californie.

De l'indépendance à l'entrée de l'Ouest dans l'Union

● **1776** – Déclaration d'Indépendance.
Fondation de San Francisco.

● **1781** – Fondation de Los Angeles.

● **1787** – La Constitution des États-Unis d'Amérique est signée à Philadelphie.

● **1803** – Les États-Unis achètent la Louisiane à la France.

● **1804-1806** – Expédition de Lewis et Clark.

● **1821** – Indépendance du Mexique et ouverture de la piste de Santa Fe.

● **1830** – L'Indian Removal Act contraint les Indiens du Sud-Est américain à s'implanter à l'ouest du Mississippi.
Joseph Smith fonde la secte mormone dans l'État de New York.

● **1835** – Début de la guerre contre le Mexique.

● **1848** – Le traité de Guadalupe Hidalgo marque la fin de la guerre contre le Mexique – les territoires compris entre la Californie et le Texas reviennent aux États-Unis. Début de la ruée vers l'or en Californie.

● **1850** – Entrée de la Californie dans l'Union.

● **1861-1865** – Guerre de Sécession.

● **1862** – Le Homestead Act propose d'allouer 65 ha de terre à bas prix à toute personne qui les cultive pendant cinq ans.

● **1864** – Entrée du Nevada dans l'Union. La vallée de Yosemite fait l'objet d'un décret visant à la préservation des espaces sauvages.

● **1869** – Première liaison transcontinentale par voie ferrée.

● **1872** – Yellowstone devient le premier parc national.

● **1876** – Entrée du Colorado dans l'Union.

● **1896** – Entrée de l'Utah dans l'Union.

L'histoire moderne

● **1906** – San Francisco est dévastée par un terrible séisme dont la puissance est évaluée à 8,3 sur l'échelle de Richter.

● **1911** – Le 1er grand barrage (Roosevelt Dam) est édifié en Arizona.

● **1912** – Entrée du Nouveau-Mexique et de l'Arizona dans l'Union.

● **1913** – Les premiers studios de cinéma s'installent à Hollywood.

● **1914-1918** – Première Guerre mondiale.

● **1916** – Création du National Park Service.

● **1924** – L'Indian Citizenship Act reconnaît la citoyenneté américaine à tous les Indiens nés aux États-Unis.

● **1929** – Krach du marché boursier et début de la Grande Dépression.

● **1941** – Attaque de Pearl Harbor et entrée des États-Unis dans la Seconde Guerre mondiale.

● **1942** – Début des recherches sur la bombe atomique à Los Alamos, au Nouveau-Mexique.

● **1945** – Essai de la première bombe atomique au Nouveau-Mexique.
Bombardement de Hiroshima (6 août) et de Nagasaki (9 août).

● **1955** – Naissance du mouvement beatnik à San Francisco.
Inauguration de Disneyland à Anaheim, près de Los Angeles.

● **1959** – L'Alaska et Hawaii sont les derniers États à entrer dans l'Union.

● **1960** – John F. Kennedy accède à la présidence des États-Unis.

● **1963** – Le président John F. Kennedy est assassiné à Dallas (22 novembre). Lyndon Johnson lui succède.

● **1964** – Manifestations étudiantes à l'université de Berkeley.

● **1965** – Violentes émeutes dans le quartier noir de Watts à Los Angeles.
Début de la guerre du Viêtnam.

● **1966** – Création du mouvement des Black Panthers à Oakland.

● **1967** – Des milliers de hippies se retrouvent à San Francisco pour le Summer of Love.

● **1968** – Robert F. Kennedy est assassiné à Los Angeles.

● **1968** – Richard Nixon, ancien sénateur de Californie (1951-1953), est élu 37e président des États-Unis.
Neil Armstrong est le premier homme à marcher sur la Lune.

● **1980** – Ronald Reagan, ancien gouverneur de Californie (1967-1975), est élu 40e président.

● **1989** – Le séisme de Loma Prieta (7,1 sur l'échelle de Richter) touche le sud de la baie de San Francisco. George Bush est élu président.

● **1991** – Guerre du Golfe.

● **1992** – L'affaire Rodney King déclenche de violentes émeutes dans le quartier noir de Watts à Los Angeles. Bill Clinton est élu 42e président.

● **1994** – Un séisme d'une ampleur de 6,8 sur l'échelle de Richter secoue la vallée de San Fernando, près de Los Angeles.

● **1996** – Réélection de Bill Clinton.

● **2000** – George W. Bush devient le 43e président des États-Unis.

● **2001** – Attentats contre le World Trade Center de New York et le Pentagone à Washington.

● **2003** – Les États-Unis, alliés à la Grande-Bretagne, déclarent la guerre à l'Irak sans l'aval de l'ONU.

● **2004** – George W. Bush est réélu.

● **2005** – La Cour suprême des États-Unis interdit la peine de mort pour les criminels mineurs au moment des faits.

● **2008** – La crise des *subprimes* provoque une crise financière mondiale. Le démocrate Barack Obama est le premier métis élu à la présidence des États-Unis.

● **2009** – Décès de Ted Kennedy. Le président Obama reçoit le prix Nobel de la Paix ; il lance la difficile réforme de la Santé.

● **2011** – Mort d'Oussama Ben Laden, tué par les forces spéciales américaines au Pakistan.

● **2012** – Réélection de Barack Obama.

● **2013** – Un gigantesque incendie frappe la Californie, atteignant Yosemite National Park.

● **2016** – Donald Trump devient le 45e président des États-Unis.

Architecture

L'architecture américaine est marquée par une contradiction : le souci de s'émanciper des modèles européens et la persistance, malgré tout, de l'influence coloniale. Point de rencontre de plusieurs civilisations, l'Ouest porte toutes ces empreintes espagnole, indienne, anglo-saxonne, avec en plus une note exubérante et fantaisiste liée à l'atmosphère ambiante de liberté. L'absence de normes contraignantes, l'immensité de l'espace et la diversité des climats ont donné naissance à une palette infinie de styles, parfois assemblés au petit bonheur, mais dégageant souvent un charme très pittoresque. De nombreux édifices publics, mais aussi des résidences privées ont été signés par de grands architectes comme Frank Lloyd Wright, Richard Neutra, Rudolph Schindler, Pierre Koenig ou Frank O. Gehry.

UN HÉRITAGE ÉCLECTIQUE

Jusqu'à la guerre de Sécession, l'architecture américaine, tributaire des modèles espagnol ou anglais, n'avait aucune originalité. À l'Ouest, en revanche, la présence ancienne des Indiens sédentaires laissait paraître une architecture spécifique et aboutie. La colonisation est donc venue y greffer des styles radicalement différents. Dans le Sud-Ouest, c'est le **style espagnol** qui a d'abord prévalu, caractérisé par les murs lisses et sobres, les toits peu inclinés, les porches profonds bordés d'arcades. On y retrouve aussi l'influence du **style indien pueblo**, notamment l'usage de l'adobe *(voir p. 577)*, les toits plats et les poutres aux saillies apparentes. Avec l'arrivée des Anglo-Américains, ils sont relayés par **le style anglais**, d'abord **géorgien**, avec son extrême symétrie, son dépouillement et son élégance, puis **victorien**, de plus en plus chargé et asymétrique. Le réel développement d'une architecture indépendante date de la seconde moitié du 19e s. avec l'apparition des gratte-ciel et les innovations de l'habitat individuel. Pourtant, les uns comme les autres garderont la trace des apports européens.

ÉDIFICES PUBLICS ET RELIGIEUX

En matière de monuments officiels, l'architecture américaine puise principalement dans le répertoire historique européen. Après de larges emprunts, au 18e s., à l'architecture anglaise géorgienne et palladienne (elle-même néoclassique), la déclaration de l'Indépendance amena une prise de distance par rapport à l'Europe, et en particulier l'Angleterre. C'est le président Jefferson (1801-1809), passionné d'architecture, qui imprima leur style aux édifices publics. Il s'inspira de l'Antiquité grecque et romaine. Impressionné par la Maison carrée de Nîmes, en France, il importa aux États-Unis le modèle du temple romain et imposa un **style néoclassique** à base de colonnes, de frontons, de corniches et de rotondes. Le 19e s. a confirmé ce retour des valeurs

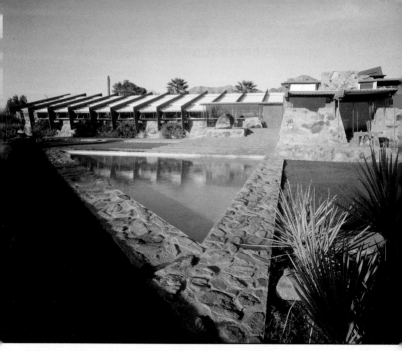

Taliesin West à Scottsdale, maison de l'architecte Frank Lloyd Wright.
Chicago History Museum/Getty Images

antiques, privilégiant le **modèle grec** (on parle de *Greek Revival*, Renaissance grecque). Banques, universités et cathédrales se mirent à ressembler au Parthénon (comme la Bank of California à San Francisco). De nombreux architectes se rapprochèrent alors de l'École des beaux-arts de Paris, y étudièrent la Renaissance et l'héritage antique. Il en découla ce que l'on nomme le **style Beaux-Arts**, qui perdurera jusqu'après la Première Guerre mondiale. Tous les édifices officiels sont conçus selon ce modèle, le plus célèbre étant le Capitole à Washington, dont celui de Sacramento est inspiré. En Californie, le campus de Berkeley en est une bonne illustration, de même que le City Hall ou le Palace of Fine Arts de San Francisco, et le palais de justice de Los Angeles. L'architecture religieuse et civile s'inspire de grands monuments européens, inaugurant le **style néogothique** (Grace Cathedral de San Francisco) ou **néoroman** (université de Stanford à Palo Alto, université de Californie à Los Angeles), des styles qui se retrouveront dans les gratte-ciel.

L'ARCHITECTURE URBAINE

Les villes américaines ont bénéficié d'un essor spectaculaire, accentué dans l'Ouest par la ruée vers l'or. Après des débuts désordonnés, on a vite rationalisé l'espace par un plan en damier, avec des blocs réguliers et des rues à angle droit. Au centre des villes, le manque de place et la croissance économique débouchèrent très vite sur la nécessité de construire en hauteur. Le long de la côte Pacifique, la menace des tremblements de terre a ralenti ce développement sans toutefois le stopper. Les gratte-ciel californiens n'atteignent pas les hauteurs de ceux de Chicago ou de New York, mais la recherche stylistique est tout aussi poussée. La véritable histoire du gratte-ciel commença à Chicago dans les années 1870. Des architectes formés en France y testèrent la construction d'immeubles à ossature métallique, permettant des édifices plus élevés et plus d'ouvertures. Ils constituèrent ce que l'on nomme l'**école de Chicago**. Ces immeubles de plus en plus hauts comportaient à l'origine des façades recouvertes de brique, de pierre ou de céramique, et adoptaient tous les styles en vogue, Beaux-Arts, néoroman (Mills Building à San Francisco) ou néogothique (Russ Building à San Francisco). Le décor se concentre sur les premiers et derniers niveaux. Le **style Art déco**, en vogue après l'Exposition des arts décoratifs de Paris (1925), imprime un profond renouveau à l'architecture des deux décennies qui suivent (partie centrale du Los Angeles Times Building ou encore l'Eastern Columbia Building à Los Angeles). On renonce au répertoire classique pour adopter les motifs végétaux stylisés, les chevrons et zigzags, les lignes parallèles qui accentuent l'impression de hauteur et envahissent aussi la décoration intérieure. Pour éviter que les rues ne soient trop assombries, on construit des immeubles à gradins, dont les retraits successifs laissent passer la lumière, comme le Pacific Telephone Building à San Francisco. En Californie, le style Art déco est très populaire, surtout dans le Sud, pour le gratte-ciel autant que les cinémas et les théâtres, mais il n'atteint pas la splendide élégance du Chrysler Building de New York. À partir du milieu des années 1930, sur les traces des Allemands exilés du Bauhaus, naît le **style international**, préfigurant la période moderne. On joue de la légèreté de l'ossature métallique et du verre pour réaliser des murs-rideaux, uniquement interrompus par des bandes de brique ou de céramique qui donnent le rythme vertical et l'impression de transparence et de légèreté. Le décor disparaît au profit de la fonctionnalité et de l'uniformisation. Ce style va

déterminer un grand nombre de très hauts gratte-ciel des décennies suivant la Seconde Guerre mondiale, comme la Bank of America de San Francisco.

Dans le même temps, d'autres courants refusent les contraintes de la rationalisation prônée par le style international. On parle d'**architecture organique**, représentée dans l'Ouest par **Frank Lloyd Wright** (Taliesin West à Phoenix) et **Bernard Maybeck** (First Church of Christ Scientist à Berkeley). Les lignes courbes, les décrochements, voire les formes symboliques et les volumes originaux (cônes tronqués, pyramides, cubes évidés) viennent rompre l'uniformité et évoquent les formes de la nature.

Par réaction, le **style postmoderne** rejette à la fois le minimalisme et l'asymétrie pour privilégier un retour à la régularité et à la surcharge, voire à l'ostentation avec corniches ou colonnes, comme à la grande époque du néoclassique. Plus récemment, des courants très éclectiques agitent les milieux des architectes *(voir le Getty Center à Los Angeles, p. 231)*. **Frank O. Gehry**, le célèbre créateur du Guggenheim de Bilbao, a construit le Chiat-Day-Mojo Building à Venice. **Renzo Piano** a recouvert l'Académie des Sciences de San Francisco d'un toit d'environ 1 ha, couvert de verdure et de panneaux solaires.

Enfin, dans les villes de moyenne importance ou à forte identité, les urbanistes et les architectes s'accordent à privilégier un **style régionaliste** marqué et des édifices de hauteur limitée, comme c'est le cas à Santa Fe avec le **style pueblo** (Santa Fe Museum of Fine Arts) ou à Santa Barbara avec l'**architecture hispanique** (Santa Barbara County Court House). Quant aux friches industrielles, elles redeviennent des espaces naturels, comme sur le site de Cornfield à Los Angeles.

Habitat

La terre et le bois, deux matériaux présents en abondance, sont à la base de presque tout l'habitat de l'Ouest américain. Du premier on fit l'adobe et le second permit à des villes entières de surgir très vite du néant. Un ingénieux système de charpente semi-préfabriquée, sur laquelle on montait très vite de larges panneaux en bois, servait de base à des maisons de styles très divers : seules les finitions faisaient la différence, genre tantôt Nouvelle-Angleterre, tantôt victorien, tantôt danois… L'habitat doit tenir compte des contraintes antisismiques et de la nouvelle donne écologique, avec une matière première intarissable ici : le soleil.

AU COMMENCEMENT ÉTAIT LE PUEBLO

Les premières habitations étaient celles des Indiens pueblos sédentaires. Leurs villages sont construits en **adobe**, de la terre crue séchée au soleil, et composés de maisons originales, parfois nichées au creux des falaises. L'unité de base est une pièce de forme cubique, sans porte, à laquelle on accède par le toit au moyen d'une échelle. Ce dernier, soutenu par des poutres aux extrémités saillantes *(vigas)*, est plat et porte les pièces de l'étage suivant. Les premiers colons espagnols retinrent les matériaux et la forme générale des maisons, mais y ajoutèrent des détails issus de leur propre culture (crépi peint, porches ombragés, portes et fenêtres en bois ouvragé, couverture de tuiles pour les toits). C'est ainsi que les premières missions furent fondées au cœur des *pueblos* (Acoma Pueblo, Ranchos de Taos). À partir du début du 20e s., notamment sous l'influence des nombreux artistes qui fréquentaient le Nouveau-Mexique, les urbanistes décidèrent de revenir à ce style ancestral (Santa Fe, Taos…) pour les maisons contemporaines, tout en utilisant les techniques actuelles. L'architecture navajo est extrêmement rudimentaire, puisque les Navajos étaient des nomades. Après leur sédentarisation, ils ont commencé à construire les **hogans**, des huttes coniques en branches couvertes de terre, puis hexagonales ou octogonales. L'ouverture était toujours orientée vers l'est.

MAISONS EN TERRE CRUE

L'adobe est un matériau de construction obtenu en fabriquant des briques à partir de terre crue, de paille et d'eau, que l'on mélange jusqu'à obtention d'une pâte épaisse. Celle-ci est ensuite versée dans des moules en bois sommaires et sèche pendant un ou deux jours. Les briques crues sont démoulées, séchées plus longuement au soleil et utilisées au moins un mois plus tard. Après la construction, un crépi extérieur à la chaux régulièrement entretenu protège la structure des intempéries.

Le pueblo indien

Le style pionnier

Le style territorial

H. Choimet/MICHELIN

Le style néo-mexicain

Le style italianisant

Le style Queen Anne

H. Choimet/MICHELIN

Même s'ils sont devenus rares, on en trouve encore à proximité des maisons : ils servent d'annexe. Le modèle du *hogan* a été repris pour l'architecture du bâtiment administratif du Navajo Community College, dans la réserve de la tribu.

LE STYLE COLONIAL

Les premiers Mexicains utilisaient aussi l'adobe pour construire leurs maisons, qui comprenaient un porche, une cour intérieure et un simple toit presque plat. Initialement, ces habitations étaient longues et basses. Avec l'arrivée progressive des Anglais, on construisit de plus en plus de **maisons à étage**, toujours en adobe, mais avec balcon couvert formant véranda. Ce style mixte est visible à Monterey ou à Albuquerque. Plus la colonisation se diversifia, plus les matériaux varièrent. Le **bois** prit peu à peu la place de l'adobe, car il se prêtait à des constructions rapides et faisait partie du patrimoine des Anglo-Américains. La **tôle** s'ajouta aux matériaux traditionnels pour la même raison. Du côté des styles, les nouveaux venus importèrent ce qu'ils avaient vu chez eux, tout en l'adaptant aux maisons encore modestes de l'Ouest. Dans le sud de la Californie, le style espagnol fit un grand retour à partir du début du 20e s., avec ses arcades, ses profonds préaux, ses céramiques décorées et ses stucs.

LE STYLE TERRITORIAL

Lorsque les maisons mexicaines rencontrent la pompe du style néoclassique, cela donne un curieux mariage appelé « style territorial ». Les Territoires étaient ces immenses terres conquises sur les Mexicains, mais qui n'avaient pas encore accédé au statut d'État (Nouveau-Mexique, Arizona…). Les colons connaissaient la vogue urbaine du *Greek Revival*, avec ses colonnades et ses frises. Le corps de la maison reste le même, long et bas, mais les encadrements des fenêtres et des portes se décorent de frises ou de modestes corniches, tandis que le porche repose sur des colonnes en bois.

LES FOLIES VICTORIENNES

Quand les villes devinrent mieux organisées, on abandonna progressivement les sommaires maisons en bois des pionniers pour adopter les styles européens, plus sophistiqués. Durant la seconde moitié du 19e s., tous les styles anglais se succédèrent, le plus populaire étant le style victorien. En fait, il s'agissait plutôt d'une interprétation de ce qui se pratiquait en Angleterre, tant les variations pouvaient être diverses et excentriques. Les maisons sont construites en bois suivant un plan standard, imposé par les lotissements étroits et profonds

LA CHARPENTE BALLON

Mise au point à Chicago vers 1830, cette technique préfigure l'arrivée du préfabriqué. Une charpente légère en planches, clouées entre elles, sert d'armature à la maison en suivant un catalogue de plans standard. Seuls les piliers de soutien sont en brique. On termine ensuite la maison avec de larges panneaux en bois, recouverts de crépi, bardeaux ou frisette… De cette façon, on peut construire très vite des maisons dont l'originalité tient à leurs finitions (fenêtres, corniches, portes, couleurs). Toutes sortes de styles ont survécu grâce à ce système, depuis la maison en planches des pionniers jusqu'aux bungalows couverts de bardeaux. Même les jolies maisons victoriennes sont assemblées suivant ce principe.

des villes. De la largeur d'une pièce, elles s'étirent vers l'arrière le long d'un couloir qui dessert toutes les pièces. Les chambres sont à l'étage, et les communs en sous-sol ou à l'arrière. Des dizaines d'habitations, presque identiques, sont ainsi alignées le long des rues, comme à San Francisco, dans les quartiers de Haight-Ashbury ou à Alamo Square. Parmi les variétés de styles, on distingue le **style italianisant** (en raison des éléments rappelant la Renaissance italienne, corniches, frontons…), le **style Eastlake** (du nom d'un concepteur de meubles), avec ses fenêtres rectangulaires et ses finitions en bois ouvragé, et le **style Queen Anne**, asymétrique, avec une façade-pignon, des tourelles et des toits très pointus (Haas-Lilienthal House à San Francisco).

DE L'ARTS AND CRAFTS AU RÊVE CALIFORNIEN

En réaction à l'uniformisation des villes et à l'industrialisation de la construction, le mouvement *Arts and Crafts* naquit en Angleterre au début du 20e s. Rejetant les principes de la fabrication de masse, il marque un retour aux valeurs de l'artisanat d'art et à la communion avec le milieu naturel. La maison doit être simple, harmonieuse et se fondre dans son environnement. Tout est soigné jusque dans le moindre détail. Le design est sobre et fonctionnel. On prône les décors végétaux, la céramique artisanale, le travail minutieux du bois, la peinture au pochoir…
C'est le règne du bungalow tout simple, avec son porche ouvrant sur le jardin et ses fenêtres dans le toit. En Californie, les architectes les plus connus sont les **frères Greene** (maisons à Pasadena) et **Bernard**

Maybeck. Le bungalow californien deviendra d'ailleurs presque un style à lui tout seul. La Californie est aussi la terre du rêve et de toutes les folies, en matière d'architecture comme du reste. Que ce soit autour de la baie de San Francisco ou le long des côtes, l'abondance du bois de séquoia, la clémence du climat et le relief accidenté ont donné naissance à des maisons d'architecte audacieuses et complètement intégrées dans la nature : multiples niveaux, terrasses, décrochements, énergies renouvelables, larges baies…

LES MAISONS DU FUTUR

On a longtemps imaginé que les principales évolutions de l'habitat seraient des perfectionnements de la domotique : des maisons intelligentes. Mais les maisons de demain doivent obéir à d'autres paramètres : elles doivent résister aux secousses sismiques et avoir une très faible consommation d'énergie. Parmi les nouveaux concepts, les maisons de **Nader Khalili** à Hesperia, près de San Bernardino, sont intéressantes car construites uniquement avec les matériaux de la région : baptisées « **superadobes** », elles sont bâties avec des sacs d'adobe, résistent aux feux et aux secousses.
Sous le soleil de Taos, **Earthship** est un programme pionnier de logements « responsable » conçu par l'architecte **Michael Reynolds** : la chaleur est autoproduite et tous les déchets sont recyclés.
L'objectif californien : créer d'ici à 2017 un million de maisons à l'énergie solaire. Le fort ensoleillement de la région est un atout majeur. On comprend l'importance des « immeubles verts » pour réduire les effets de la pollution.

Les arts

La diversité des cultures de l'Ouest a donné naissance à un foisonnement de visions différentes, allant de la simplicité d'un vase indien au souffle d'un peintre paysagiste californien, en passant par la violence colorée des fresques murales des Latinos. En plus des grandes villes californiennes, Santa Fe et Taos, dans le Nouveau-Mexique, concentrent un très grand nombre d'artistes.

L'art indien

La notion d'art n'existait pas vraiment dans la culture des premiers Indiens puisque chaque chose était conçue pour servir. En revanche, un soin particulier fut apporté très tôt à tout ce qui touchait au sacré, comme le montrent les **pétroglyphes** *(voir p. 455)* ou les peintures rupestres retrouvés sur les sites archéologiques, les poteries des Indiens pueblos et les motifs des peintures de sable éphémères des Navajos. Peintures rituelles, tissages de perles, jeux de plumes et de couleurs, bijoux *(voir p. 546)* attestent une sensibilité à la beauté. De nombreux motifs géométriques ou symboliques utilisés par les Indiens ont d'ailleurs envahi la création artistique. En matière de peinture et de sculpture, la création, si elle est abondante, reste décevante et atteint rarement l'élégante sobriété des arts anciens. Impressionnée par une vision romantique de la nature et des grands mythes indiens, elle se caractérise souvent par un hyperréalisme baignant dans une lumière surnaturelle, et par un mélange très « New Age » d'animaux, de portraits et de sites naturels idéalisés… Certains artistes se détachent cependant, comme **Pablita Velarde** (1918-2006), **Harrison Begay** (1917-2012), le sculpteur apache **Allen Houser** (1914-1994), le peintre navajo **R.C. Gorman** (1931-2005), né au canyon de Chelly, ou le Hopi **Dan Namingha** (1950) ; néanmoins la qualité est à rechercher surtout du côté des artisans d'art, potiers ou joailliers.

L'héritage hispanique

C'est dans l'**art religieux** que l'apport hispanique fut le plus riche : retables, fresques murales ou sculptures sacrées des missions et des sanctuaires (San Juan Bautista, Chimayó…), mais aussi objets rituels modestes, comme les images pieuses en fer-blanc ou peintes sur bois. Le style est d'une émouvante simplicité, mélange de baroque espagnol, de naïf et d'héritage indien *(voir le Museum of International Folk Art de Santa Fe, p. 472)*. Mais l'héritage mexicain le plus pittoresque et le plus populaire est celui des **fresques murales** aux couleurs violentes, qui racontent de véritables histoires et mettent en images les malheurs, les revendications et les espoirs des Latinos. Celles de Mission District à

San Francisco, d'Albuquerque ou de Santa Fe sont d'excellents exemples de cet art populaire, porté par des artistes mexicains de renom comme **Diego Rivera** (1886-1957), qui en fut l'un des initiateurs (Panamerican Mural au City College de San Francisco), **José Orozco** (1883-1949) ou **David Siqueiros** (1896-1974), qui a signé des fresques à Los Angeles. Dans cette perspective de l'art pour la révolution, plusieurs lieux d'exposition et de pratiques artistiques ont vu le jour dans les années 1970 à Los Angeles pour les Chicanos. Les **murals** collectifs – tel le *Great Wall of Los Angeles* – permettaient de rassembler les jeunes autour d'un projet commun valorisant, tout en les détournant des gangs, et de développer un sentiment de fierté et d'appartenance.

La peinture

Dans un premier temps, l'Ouest américain et la Californie, terres sauvages et mal balisées, ne furent que des sujets de peinture. Les artistes aventureux y séjournaient, en ramenaient des tableaux, mais toute l'effervescence artistique se concentrait à l'est du pays. La seconde partie du 19e s. vit ainsi arriver toute une génération d'artistes marqués par le style romantique allemand ou les débuts de l'impressionnisme français et formés dans les écoles européennes. Le genre en vogue à l'époque est le grand **paysage**, baigné de lumières étranges ou noyé de couleurs chaudes et de brumes automnales *(voir Oakland Museum, p. 89)*. Les clients sont les nouveaux riches qui investissent dans l'Ouest ou ceux qui veulent en faire la promotion, comme les compagnies de chemin de fer, ou encore ceux qui veulent vanter certaines régions devant le Congrès pour leur assurer le statut de parc national. Parmi ces paysagistes, on note **Albert Bierstadt** (1830-1902), **Thomas Moran** (1837-1926), **William Henry Jackson** (1843-1942), **Thomas Hill** (1829-1908), **Alfred Jacob Miller** (1810-1874), **William Keith** (1838-1911), **Charles Rollo Peters** (1862-1928)… Un autre genre populaire est le **portrait épique**, tout à la gloire de la conquête de l'Ouest. Indiens, cowboys, diligences et petites villes minières envahissent les tableaux de **George Catlin** (1796-1872), de **Frederic Remington** (1861-1909) ou de **Charles Russell** (1864-1926)… Il faut attendre le début du 20e s. pour que l'**impressionnisme** devienne à son tour populaire, suivi du **fauvisme**. Oakland et San Francisco deviennent des centres de création artistique grâce à la fondation de l'Art Institute of San Francisco et de plusieurs musées. Comme en France, les peintres pratiquent la peinture de plein air et se regroupent en écoles informelles, comme le **Groupe des Six**, à Oakland. Le Nouveau-Mexique est un autre foyer actif. Taos accueille une petite colonie de peintres, venus dans l'Ouest au début du 20e s. pour croquer quelques paysages, mais qui furent séduits par la lumière exceptionnelle et décidèrent de s'y établir. La **Taos Society of Artists**, constituée par Ernest Blumenstein (1874-1960), Bert Phillips (1868-1956), Joseph Sharp (1859-1953), Herbert Dunton (1878-1936) et beaucoup d'autres, produisit un grand nombre de paysages et de scènes de genre. À Santa Fe, dans les années 1920, un autre groupe, **Los Cincos Pintores** (Les Cinq Peintres), investirent le quartier de Canyon Road et y fondèrent une petite colonie d'artistes, ouvrant la porte à ce qui est devenu l'un des premiers marchés d'art des États-Unis.

L'EXPLOSION CONTEMPORAINE

Les premières expositions d'art moderne aux États-Unis rencontrèrent d'abord un accueil très hostile. Le public ne comprenait ni n'appréciait les Matisse, Picasso ou Braque. La crise de 1929 fit renaître un nationalisme réactionnaire et un refus des influences artistiques européennes. Il fallut attendre les années 1940 pour que l'art moderne fasse une réelle percée. Malgré tout, avant cette époque, **Georgia O'Keeffe** (1887-1986) fut remarquée pour sa vision intimiste et dépouillée. Installée au Nouveau-Mexique, près de Taos, elle imposa ses paysages austères et les détails magnifiés de ses fleurs ou de ses crânes de vache (*voir le Georgia O'Keeffe Museum de Santa Fe, p. 467*). Avec la montée du nazisme, les États-Unis accueillirent nombre d'artistes exilés (Mondrian, Chagall, Léger…) qui contribuèrent au renouveau. Les riches mécènes exposèrent de plus en plus d'œuvres inédites et finirent par imposer un art nouveau. Dès la fin des années 1940, des peintres comme **Clyfford Still** (1904-1980) ou **Mark Rothko** (1903-1970), membres de l'Art Institute de San Francisco, éveillent l'enthousiasme de leurs étudiants pour la **peinture abstraite**. Parmi eux, on note **Sam Francis** (1923-1994) ou **Robert Motherwell** (1915-1991).

La période suivante vit le retour d'un mouvement figuratif, qui prit le nom de **Bay Area Figurative**, dont les peintres les plus célèbres sont **Richard Diebenkorn** (1922-1993) et **David Park** (1911-1960), exposés au SF MoMA et à l'Oakland Museum. La fin des années 1950 et les années 1960 amenèrent le pop art, né à New York autour de Robert Rauschenberg et d'Andy Warhol, mais rapidement très populaire en Californie. La présence de riches mécènes et la création de nombreux musées (notamment le LACMA à Los Angeles en 1967), écoles d'art, galeries attirèrent nombre d'artistes en mal de public, parmi lesquels **David Hockney** (1937), **Jonathan Borowsky** (1942) ou **Edward Ruscha** (1937) sont les plus remarqués.

À la fin des années 1960, la scène artistique de Los Angeles, grande rivale de celle de New York, vit naître des mouvements tel que le **minimalisme californien** dit « L.A. Look » ou « Finish Fetish », en référence à l'attention quasi obsessionnelle apportée par les artistes à la finition de leurs œuvres. Celles-ci se caractérisent par leurs surfaces colorées et réfléchissantes, inspirées des formes et des couleurs des voitures et des planches de surf, ainsi que des nouvelles matières technologiques. **Craig Kauffman** (1932-2010), le premier artiste à travailler le plastique à une grande échelle, ou **John McCracken** (1934-2011) en sont les emblèmes. Parallèlement, abandonnant les formes traditionnelles de la sculpture, les artistes du mouvement **Light & Space**, notamment **James Turrell** (1943), **Robert Irwin** (1928) et **Larry Bell** (1939), s'intéressent à la perception en proposant une expérience corporelle au visiteur. Ils utilisent la lumière comme matériau artistique. Cela préfigure l'art de la **performance**, qui se développe à Los Angeles sous l'influence d'**Allan Kaprow** (1927-2006), célèbre dès les années 1950 pour ses *happenings*, et devient un mode de création privilégié pour des artistes comme **Chris Burden** (1946) et **Paul McCarthy** (1945) : leur corps est le sujet et le matériau artistique avec lequel ils travaillent.

Les paysages du Sud-Ouest ont largement inspiré les adeptes du **land art**, comme **Michael Heizer** (*Double Negative*) ou **Nancy Holt** (*Sun Tunnels*).

Littérature

Le héros type de la littérature américaine est en quête perpétuelle : de racines, de liberté, d'absolu, de lui-même, du salut. Éperdu, rebelle et insatisfait, il peuple aussi bien les épopées du Far West que les romans de la Beat Generation. Comme si après avoir fondu toutes ses cultures, l'Amérique se cherchait un but... Les cultures se métissent, les accents et les tonalités délimitent des territoires, mais cette terre, cette géologie incroyable est à l'origine d'un langage : celui de la pierre et de l'eau, de la sédimentation des sols et des mémoires, de la « granulation du réel », pour reprendre une expression de Cormac Mac Carthy. On comprend mieux l'attachement de J.-M. G. Le Clézio pour le Nouveau-Mexique, son « port d'attache ».

L'ÉPOPÉE

Pour beaucoup d'écrivains du 19e s., l'Ouest parle d'aventure et d'exploration. Dans un premier temps, la littérature de ces contrées est celle des commencements, écrite par les témoins visuels, les explorateurs eux-mêmes et les historiens. Les premiers récits ne sont que les carnets des premiers colons, comme le bouleversant journal de **Virginia Reed Murphy** (1834-1921), rescapée de la tragique expédition Donner en 1846 *(voir p. 128)*, ou les œuvres de **Laura Ingalls Wilder** (1867-1957), telle *La Petite Maison dans la prairie*. D'autres sont des carnets de route beaucoup plus précis, écrits à l'usage des colons : *La Piste de l'Oregon* a été publiée en 1849 par **Francis Parkman** (1823-1893), un Bostonien en quête d'héroïsme. Dans la même veine, les guides de **John Frémont** (1813-1890) et de son épouse, **Jesse** (1824-1902), racontant en détail la découverte de l'Ouest, furent des best-sellers de l'époque. **Frederick Jackson Turner** (1861-1932) préférait la lecture historique des événements et la conquête progressive (*La Frontière*, 1893). Durant la seconde moitié du 19e s., la ruée vers l'or servit de cadre aux premiers grands romans populaires de **Bret Harte** (1836-1902) et fit naître un genre qui prendra ensuite vie au cinéma, le western. Une abondante littérature de qualité inégale inonda alors les bibliothèques, mélangeant amour et aventure, violence et vertu. À cet égard, *Le Virginien*, d'**Owen Wister** (1860-1938), apparaît comme le précurseur. Au 20e s., on note les romans de **Zane Grey** (1872-1939) (*Les Cavaliers de la sauge violette*, 1912), de **Willa Cather** (1873-1947) (*Pionniers*, 1913 ; *La Mort et l'Archevêque*, 1927) ou de **Wallace Stegner** (1909-1993) (*Vue cavalière*, 1976). Mais bien sûr, l'archétype du romancier de l'Ouest reste **Jack London** (1876-1916), né à Oakland, auteur aventurier universellement traduit de *L'Appel de la forêt* (1903), de *Croc-Blanc* (1906) et *Martin Eden* (1909). À peu près à la même époque, revues littéraires et journaux de la côte Ouest publièrent des récits, nouvelles et chroniques d'auteurs ou de journalistes qui vécurent ou séjournèrent en Californie, comme **Mark Twain** (1835-1910) ou **Ambrose Bierce** (1842-1914), chroniqueur au *San Francisco Examiner*, qui a laissé des nouvelles irrévérencieuses et cyniques sur la période de la guerre de Sécession. D'autres attirèrent l'attention sur l'environnement, pressentant déjà le besoin de le préserver, comme le célèbre naturaliste **John Muir** (1838-1914), **Mary Austin** (1868-1934), qui défendit la cause des déserts, ou Edward Abbey (1927-1989), dont *Désert solitaire* (1968) est devenu le livre culte de générations d'écologistes.

CONSCIENCE SOCIALE ET TRANCHES DE VIE

La littérature américaine parvint à une maturité nouvelle lorsqu'elle commença à aborder les problèmes humains et sociaux posés par la création très rapide du pays. **Frank Norris** (1870-1902) s'y attaqua dès la fin du 19e s. avec *Les Rapaces* (1899) ou *La Pieuvre* (1901), dans lesquels il dénonce l'avidité des barons du chemin de fer. Mais dans l'Ouest, c'est bien sûr **John Steinbeck** (1902-1968), prix Nobel de littérature en 1962, qui porta le mieux les couleurs des fermiers et des ouvriers pauvres, dans *Tortilla Flat* (1935), *Des souris et des hommes* (1937), *Les Raisins de la colère* (1939), qui lui valut le prix Pulitzer, *À l'est d'Éden* (1952)… Même le mythe de l'Ouest perd de son lustre, comme chez **Arthur Miller** (1915-2005), le dramaturge isolé à Big Sur, dans *Les Désaxés* (1961). Son homonyme **Henry Miller** (1891-1980), aussi célèbre que controversé, pourfend le puritanisme et se montre assez morose sur la région de Big Sur qui, selon lui, va devenir une « banlieue de Monterey, avec l'insipide agitation qui rend si odieuse la banlieue américaine ».

À l'enracinement tant recherché par les générations précédentes se substitue une quête insatisfaite et rebelle. Entre jazz, alcool et nuits sans sommeil, **Jack Kerouac** (1922-1969) entame en 1949 sa traversée hallucinante des États-Unis sur plus de 5 000 km d'est en ouest (*Sur la route*, 1957, adaptation cinématographique par un autre écrivain majeur, **Russell Banks**, pour Francis Ford Coppola). Jack Kerouac et ses amis de la **Beat Generation** (*voir p. 45*) posent un regard sans concession sur l'Amérique maccarthyste et prônent le détachement et l'errance. En marge de ce mouvement, **Charles Bukowski** (1920-1994) dépeint avec violence la société américaine, le règne de l'argent, la morale hypocrite et la modernité médiocre (*Journal d'un vieux dégueulasse*, 1969). Dans les années 1970 et 1980, de nouveaux auteurs ont préféré mettre en avant de minuscules tranches de vie, à la manière poignante d'un **Raymond Carver** (1938-1988), dont les nouvelles minimalistes sont d'une tendresse amère. Dans un genre plus cynique, **T.C. Boyle** (1948), qui vit dans le sud de la Californie, met en scène des histoires tragicomiques stigmatisant les travers de l'Amérique moderne. Dans les années qui suivent, le sulfureux **Bret Easton Ellis** (1964) brosse, à la manière des plus grands satiristes mondains, le tableau d'une société blasée et d'une jeunesse dorée et perturbée.

Des auteurs féminins se font aussi remarquer au tournant du 21e s. par des fresques très vivantes sur les différentes communautés, comme **Amy Tan** (1952) ou **Barbara Kingsolver** (1955), dont les romans décrivent souvent l'Arizona, avec toujours une forte empreinte écologique. Le roman noir est un autre genre qui atteint la notoriété mondiale, avec des écrivains tels

LES LANGUES INDIENNES

Certaines sont encore parlées aujourd'hui dans les réserves et dans les familles. Après s'être d'abord attaché à préserver les droits civils et territoriaux des Indiens, le renouveau culturel a remis les langues à l'honneur en encourageant la création artistique et littéraire. Dans les réserves, des écoles primaires et secondaires sont repassées sous contrôle indien et on y enseigne de nouveau les langues, surtout à l'écrit, ce qui est une victoire pour une culture initialement orale. Il existe même des campus indiens, comme le Navajo Community College, fondé en 1969. Dans les réserves, des radios indiennes diffusent en langue tribale, comme chez les Navajos ou les Apaches d'Arizona.

Les Cherokee ont été les premiers Amérindiens à développer une écriture. Les caractères de leur alphabet se mêlent avec leurs symboles et à leurs dessins d'animaux sur les parois des roches.

que **Dashiell Hammett** (1894-1961) et son *Faucon maltais*, **James Ellroy** (1948), explorateur des bas-fonds de Los Angeles, ou **Raymond Chandler** (1888-1959) ; et actuellement, **Michael Connelly** (1956), qui a vécu à Los Angeles et écrit sur cette ville, qui sert de toile de fond à tous ses romans, et fut un temps journaliste au *Los Angeles Times*.

Jim Harrisson trouve des méthodes dans son dernier recueil de nouvelles, *L'été où il faillit mourir (2008)*, pour agrandir, intensifier la vie.

Pour **Cormac Mac Carthy**, il est temps de passer d'autres frontières, de chercher d'autres limites pour « trouver du nouveau » (*The Crossing*, 1994). C'est l'envers du décor que nous présente **Richard Lange** avec *Dead Boys* (2009), un recueil de nouvelles sur les paumés de Los Angeles.

LES ÉCRIVAINS INDIENS

Issus d'une culture orale, les Indiens ne devinrent écrivains que tardivement et souvent avec difficulté, en raison de la barrière de la langue. Dans le Sud-Ouest, le plus célèbre de ces nouveaux auteurs indiens est **Scott Momaday** (1934), né de père kiowa et de mère cherokee, vivant en Arizona, et dont *La Maison de l'aube* obtint le prix Pulitzer en 1969. Il dépeint les contradictions du monde indien déchiré entre traditions et modernité.

Dans un tout autre genre, le Navajo **Tony Hillerman** (1925-2008) a mis à la mode le roman policier navajo qui se déroule toujours dans les réserves indiennes, sur fond de rites et de traditions.

Simon Ortiz (1941), originaire d'Acoma Pueblo, est pour sa part reconnu comme un poète de talent. Plus au nord, dans les Grandes Plaines, le jeune **David Treuer** (1972), qui appartient à la tribu ojibwé, brosse dans *Little* le tableau sans concession des laissés-pour-compte et des marginaux de la communauté indienne.

QUELQUES ÉCRIVAINS FRANÇAIS ET L'OUEST RÊVÉ

Un homme accidentel (2008) de **Philippe Besson**, explorant les faux-semblants d'Hollywood et le monde des films noirs.

L'Implacable Brutalité du réveil (2009) de **Pascale Kramer** : « J'aime Los Angeles, sa couleur si particulière, ces teintes roses et ce ciel turquoise en raison de la… pollution. »

Cinéma

Si le cinéma est né en Europe, c'est à Hollywood qu'il atteint la démesure. La ville est surtout associée aux films à gros budget. En Europe, près de 60 % des films vus sont des productions américaines. Difficilement, des cinéastes indépendants travaillent aussi, engagés pour les minorités ou posant, à la demande d'un public cinéphile, un regard critique sur une société de plus en plus déchirée. Après les attentats du 11 septembre 2001, Hollywood a été poussé à remettre en cause cette escalade de la violence. La discrétion qui s'ensuivit dans les milieux du cinéma, tout à fait inhabituelle, n'a pas duré, mais des voix s'élèvent pour que plus de retenue tempère la surenchère de l'argent et du sensationnalisme.

LA MECQUE DU CINÉMA

Rien ne destinait la Californie à devenir la terre promise du cinéma. Jusqu'aux années 1910, la création et les affaires se faisaient à New York. Mais c'est en 1913 que **Cecil B. De Mille**, venu à Hollywood pour tourner un film, installa le premier studio dans une grange. Les prix bas, le climat et les paysages variés à portée de main séduisirent le cinéaste, nombre de ses confrères puis toutes les grandes personnalités de la profession. Très vite, tous les grands studios furent à Hollywood même si certains sièges sociaux demeurèrent à New York. Enfin, à partir de 1928, la cérémonie des Oscars acheva d'en faire la Mecque du cinéma.

Entre les deux guerres, le cinéma devint une énorme industrie avec la création des *majors*, ces compagnies florissantes qui firent la fortune des producteurs et propulsèrent les stars au firmament : Paramount, Metro Goldwyn Mayer (MGM), Warner Brothers, Twentieth Century Fox, Universal, Columbia, United Artists…

LE WESTERN

Le western est un film épique racontant des épisodes de la **conquête de l'Ouest** au 19e s. et au début du 20e s. Les personnages sont initialement très manichéens, les bons d'un côté et les méchants de l'autre. Les héros sont des aventuriers, souvent instables et rebelles, confrontés à des difficultés et qui finissent toujours par les vaincre en se dépassant. La popularité des premiers films s'explique par l'attachement des Américains à ce pan de leur histoire, par ailleurs très courte, et aux vertus de courage et d'ambition qu'ils permettent d'idéaliser.

Au milieu des années 1940, un glissement s'opéra et les scénarios devinrent moins simplistes ; on commença à porter un regard plus critique sur les excès de la conquête, notamment à l'égard des Indiens.

Parmi les grandes figures du western, deux noms viennent aussitôt à l'esprit, ceux de **John Ford** et de **John Wayne**. Le premier est l'un des réalisateurs les plus prolifiques, avec

Les rues pentues de San Francisco, un décor de cinéma particulièrement prisé.
R. Martini/Look/Photononstop

130 films entre 1917 et 1966. Il est notamment l'auteur de *La Chevauchée fantastique* (1939), *Le Massacre de Fort Apache* (1948) ou *Rio Grande* (1950). Le second, devenu l'acteur préféré du premier, est immanquablement associé à l'image du western (*La Prisonnière du désert*, 1956 ; *L'homme qui tua Liberty Valance*, 1962).

On retrouve dans tous les westerns les grandes étapes de la conquête de l'Ouest, comme l'exploration (*La Captive aux yeux clairs* de **Howard Hawks**, 1952 ; *Rivière sans retour* d'**Otto Preminger**, 1954 ; *Jeremiah Johnson* de **Sidney Pollack**, 1972), l'épopée du chemin de fer (*Le Cheval de fer* de John Ford, 1924), les guerres indiennes (*Le Massacre de Fort Apache* de John Ford, 1948 ; *Little Big Man* d'**Arthur Penn**, 1970), les hauts faits des bandits (*Butch Cassidy et le Kid* de **George Roy Hill**, 1969 ; *Pat Garrett et Billy le Kid* de **Sam Peckinpah**, 1973)…

À partir des années 1960, le western aborda avec recul les guerres civiles du Mexique et l'intervention des États-Unis (*Les Cent Fusils* de **Tom Gries**, 1969), l'oppression des Indiens ou la réalité sordide de la vie au Far West. Dans son dernier et magnifique western, *Cheyenne Autumn* (1964), John Ford rend hommage aux Indiens maltraités, reconnaissant cette « tache dans notre histoire ». John Wayne, Gary Cooper, Henry Fonda ou Gregory Peck deviennent des héros du Far West. Mais les années 1960 voient la fin du western, d'autres genres cinématographiques captivent alors davantage le public.

Sergio Leone donne alors un nouveau souffle au genre avec le western italien, communément appelé western « spaghetti ». *Il était une fois dans l'Ouest* (1968), avec Charles Bronson et Claudia Cardinale, est considéré comme son chef-d'œuvre. **Clint Eastwood** remit le western à la mode grâce à des films tels que *Pale Rider* (1985) ou *Impitoyable* (1992). Le succès inattendu de *Danse avec les loups* (1990), de **Kevin Costner**, montre peut-être que la vision trop unilatérale du western classique a fait son temps…

Dans les années 2000, quelques réalisateurs s'essaient à nouveau dans le genre. *Open Range* (2003) de Kevin Costner, *3h10 to Yuma* (2007) de James Mangold, *Appaloosa* (2008) d'Ed Harris et *True Grit* (2010) des frères Coen mettent en scène des acteurs célèbres par ailleurs, qui se plongent avec plaisir dans l'univers de l'Ouest américain. Malgré des scénarios bien ficelés et une réalisation de qualité, le western ne connaît plus le même succès qu'autrefois.

Il y a eu aussi de nombreuses adaptations de bandes dessinées européennes, réputées pour leur humour, comme les aventures de **Lucky Luke** et des **Dalton** (d'après les albums de Morris).

LA COMÉDIE

À l'opposé du western qui place l'action au cœur d'une vaste épopée, la comédie à l'américaine s'attache aux situations cocasses du quotidien, et stigmatise les mœurs et les défauts de la classe moyenne.

À côté de **Charlie Chaplin** et de son humour corrosif ou du burlesque des **Marx Brothers**, l'Allemand **Ernst Lubitsch** *(Le ciel peut attendre*, 1943) donne à ce genre un style sophistiqué et raffiné que cultiveront par la suite **George Cukor** (*Une étoile est née*, 1954 ; *Le Milliardaire*, 1960), **Frank Capra** (*New York-Miami*, 1934), **Howard Hawks** (*L'Impossible Monsieur Bébé*, 1938), tout en y ajoutant un message social (1940-1950).

La veine comique est exploitée par **Jerry Lewis**, **Blake Edwards** ou **Billy Wilder** (*Sept ans de réflexion*, 1955 ; *Certains l'aiment chaud*, 1959).

Plus récemment, la comédie a développé une approche satirique avec des films comme *La Guerre des Rose* (1989) de **Danny De Vito**, dramatique avec *Thelma et Louise* (1991) de **Ridley Scott**, ou romantique avec *Quand Harry rencontre Sally* (1989) de **Rob Reiner**, *Pretty Woman* (1990) de **Garry Marshall**, *Mary à tout prix* (1998) des **frères Farrelly** ou *Lost in Translation* (2003) de **Sofia Coppola**, auteure talentueuse du très noir *The Virgin Suicides* (2000).

Dans un autre registre, la comédie musicale est l'une des grandes spécialités du cinéma d'outre-Atlantique, avec *Un Américain à Paris* (1951) de **Vincente Minnelli**, *Chantons sous la pluie* (1952) de **Gene Kelly** et **Stanley Donen**, *Les hommes préfèrent les blondes* (1953) de Howard Hawks et *Phantom of the Paradise* (1974) de **Brian De Palma**…

LE FILM NOIR

Ce genre devint populaire avec l'acteur **Humphrey Bogart** (*Le Faucon maltais* de John Houston, 1941 ; *Casablanca* de Michael Curtiz, 1942) et les films d'**Otto Preminger** (*Autopsie d'un meurtre*, 1959), de **Fritz Lang** ou de **Hitchcock** (*Fenêtre sur cour*, 1954 ; *Sueurs froides*, 1958 ; *Les Oiseaux*, 1963). Plus récemment, **Martin Scorsese** (*Taxi Driver*, 1976 ; *À tombeau ouvert*, 1999), **Ridley Scott** (*Blade Runner*, 1982), **Quentin Tarantino** (*Reservoir Dogs*, 1992 ; *Pulp Fiction*, 1994), **David Fincher** (*Seven*, 1995), les **frères Coen** (*Fargo*, 1996), **David Lynch** (*Sailor et Lula*, 1990 ; *Mulholland Drive*, 2001) ou **Sam Mendes** (*American Beauty*, 1999) ont su saupoudrer les scénarios d'humour noir et leur donner un rythme proche de la comédie.

UN CINÉMA ENGAGÉ

Dès les années 1940, des cinéastes comme **Orson Welles** (*Citizen Kane*, 1941) dressèrent un portrait sans concession d'une certaine Amérique. Après la Seconde Guerre mondiale et le Viêtnam, beaucoup prirent du recul par rapport à l'idéalisme ambiant.

Des films engagés et critiques abordèrent les questions sociales et politiques. Beaucoup étaient l'œuvre de cinéastes indépendants, libres des contraintes commerciales des grands studios, tels **Joseph Losey** (*Cérémonie secrète*, 1968 ; *Les Damnés*, 1969) ou **Elia Kazan** (*Un tramway nommé désir*, 1951 ; *À l'est d'Éden*, 1955).

Même des cinéastes voués au grand public, comme **Dennis Hopper** (*Easy Rider*, 1969), **Spike Lee** (*Malcolm X*, 1992), **Steven Spielberg** (*La Couleur pourpre*, 1985), **Francis Ford Coppola** (*Apocalypse Now*, 1979), **Oliver Stone** (*Platoon,* 1986 ; *JFK,* 1991 ; *Nixon* 1995) ou **Michael Cimino** (*Voyage au bout de l'enfer*, 1978 ; *La Porte du paradis*, 1980), abordent le racisme et les coulisses de la politique. Plus récemment, le documentaire engagé s'est imposé comme un genre à part entière : la Palme d'or de **Michael Moore** au Festival de Cannes 2004, pour *Fahrenheit 9/11,* en est un exemple.

Paul Thomas Anderson signe avec *There will be blood* (2007) une saga américaine magistrale, de la fin de la ruée vers l'or au règne des derricks : un film où l'on voit la puissance physique et financière fonder l'ordre social.

LES SUPERPRODUCTIONS HOLLYWOODIENNES

Ben Hur (1959) de **William Wyler** ou *Autant en emporte le vent* (1939) de **Victor Fleming** ont ouvert la voie aux films à grand spectacle, dont certains coûteront si cher (*Cléopâtre* de **Joseph L. Mankiewicz**, 1963), qu'ils menaceront la survie des studios. Dans cette veine immensément populaire, on trouve aussi bien les grandes **fresques historiques** (*Le Parrain* de Francis Ford Coppola, 1971) que les **épopées futuristes** (*La Guerre des étoiles* de George Lucas, 1977), la **science-fiction** (*Jurassic Park* de Steven Spielberg, 1993), les **désastres** (*La Tour infernale* de **John Guillermin**, 1974 ; *Titanic* de **James Cameron**, 1997) ou l'**aventure** (*Indiana Jones* de Steven Spielberg, 1984). L'importance croissante du jeune public détermine aussi l'attribution de budgets énormes et un succès à la mesure : *E.T.* (1982) de **Steven Spielberg** ou *Harry Potter à l'école des sorciers* (2001) de **Chris Colombus**. La plupart de ces productions restent de qualité moyenne, pourtant certains auteurs réputés se lancent dans les films grand public, tel **Quentin Tarentino** et sa série des *Kill Bill* (2003, 2004).

Lors de la sortie d'*Avatar* (2009), on évoque le début d'une nouvelle ère au cinéma. Avec ses effets spéciaux innovants, le film de **James Cameron** devient le plus gros succès commercial de tous les temps, battant le record d'entrées de son film *Titanic* (1997).

LE CINÉMA D'ANIMATION

Les nouvelles technologies bouleversent le monde de l'animation qui a connu d'innombrables succès avec les studios **Disney** ou **Tex Avery**. Il s'agissait de productions quasiment industrielles qui ont fait le tour de la planète.

Ces superproductions ne sauraient faire oublier les indépendants qui sont plus nombreux avec les développements informatiques. Le plus célèbre d'entre eux, **Pixar Animation Studios**, a été racheté par Disney en 2006. Il a accumulé Oscars et récompenses depuis *Toy Story* en 1995. Son film en 3D, *Là-haut* (2009), réussit le tour de force de réjouir adultes et enfants sur un sujet pas forcément drôle puisqu'il s'agit de solitude et de fin de vie.

Musique

Si les plus importants courants créatifs trouvent leur origine dans l'est et le sud des États-Unis, l'Ouest tient une place à part en raison des nombreux artistes qui s'y sont installés et de l'héritage des Indiens et des premiers colons. Ces derniers avaient emporté avec eux les instruments de musique de la vieille Europe. La musique country est l'aboutissement de ce folklore typiquement blanc américain, qui a évolué dans l'Ouest en style western, dit aussi « cow-boy ». Depuis, au sud de la Californie, est apparu le Bakersfield sound, un genre harmonique et profond.

PERCUSSIONS ET MÉLOPÉES

La musique accompagne les **danses sacrées** des Indiens. Lentes mélopées, incantations, percussions lancinantes rythmant les danses rituelles ou mélodies cristallines des flûtes en bois ont laissé une tradition très vivante que le renouveau de la culture indienne remet à l'honneur. Selon la tradition, ces nouvelles mélodies sont « inspirées », reçues lors de rêves ou de visions. Beaucoup incluent les bruits de la nature dans leurs compositions. Parmi les interprètes contemporains, certains connaissent un réel succès, comme le flûtiste d'ascendance ute et navajo **Carlos Nakai**, dont certaines créations sur les thèmes du Sud-Ouest et des Grandes Plaines ont inspiré des chorégraphies à Martha Graham, danseuse contemporaine renommée. Dans un autre genre, **Robert Mirabal**, de Taos, revisite le patrimoine musical sacré en le métissant de rock ou de rythmes aborigènes. Sur les traces des Indiens, des compositeurs blancs du **courant New Age** puisent dans le répertoire traditionnel l'inspiration pour leurs compositions de relaxation ou de méditation.

AUTOUR DES FEUX DE JOIE…

Née au début du 20e s., la **musique country** est le grand courant musical de la communauté rurale blanche du Midwest et de l'Ouest, héritée des premiers colons et des cow-boys qui chantaient autour des feux de camp. On y retrouve des influences écossaise et irlandaise, entre ballades et danses endiablées. Privilégiant le violon, la guitare et surtout le banjo, la musique country a bénéficié de la vogue western due au cinéma à partir des années 1940. Par la suite, le blues, le swing et le rock l'ont fait évoluer, pendant que d'autres restaient attachés au style originel, tels **Johnny Cash** ou **Dolly Parton**. Avec **Hank Williams**, dans les années 1950, le mélange de country, de blues et de *honky tonk* prépara le terrain pour le rock'n roll. Chet Atkins, Elvis Presley, Neil Young ou Bob Dylan ont d'ailleurs utilisé les sources de la musique country. D'autres encore sont fidèles aux rythmes et mélodies, tout en glissant vers le folk, comme **Emmylou Harris**.

LA SCÈNE DU ROCK

L'héritage de la musique country se ressent dans les créations de certains groupes de rock, dont les Californiens de **Creedance Clearwater Revival**. Le sud de la Californie vit aussi l'émergence des **Beach Boys** et de leur rock ludique, idéal pour les plages de Los Angeles.

Mais c'est San Francisco qui sera le théâtre de la création la plus dynamique, surtout autour du mouvement Peace and Love de 1967. Des artistes de renommée internationale y donneront de mémorables concerts comme **Janis Joplin**, **Jimi Hendrix** ou les **Grateful Dead**… Los Angeles voit en 1965 les débuts sur scène des **Doors** et de **Mothers of Invention** (Frank Zappa), groupes qui expriment la révolte de la fin des *sixties* contre le puritanisme américain.

Au crépuscule du Flower Power apparaît le guitariste et chanteur californien **Ben Harper**, dont le folk-blues couvre toutes les variations de la musique noire américaine.

Red Hot Chili Peppers est un groupe de rock californien, fondé en 1983, qui va intégrer le phrasé rap et la syncope funk à un rock très musclé. Au tournant des années 1990, le rock commence en effet à accepter les apports du hip-hop et les fusions se font entendre.

Le label de hip-hop déviant du collectif d'Oakland Anticon produit notamment **Why ?**, groupe de rap mâtiné de rock et folk au phrasé hip-hop atypique.

Plus intimiste, la scène rock alternative de Tucson (Arizona) a un émérite représentant, **Calexico**, qui compose un « desert-rock » mélangeant musique des *sixties*, influences world music et rock indie.

À Silverlake, dans la banlieue de Los Angeles, les clubs se comptent à la pelle et les managers des grands labels signent les contrats de groupes à la notoriété locale qui donneront bientôt des concerts aux quatre coins du monde, comme **Cold War Kids**, **Ariel Pink**, **Darker my love**, **Giant Drag** ou **Local Natives**.

LE STYLE WEST COAST

Né dans l'est et le sud des États-Unis dans les années 1950, le jazz prend en Californie un caractère cool qui a donné le **West Coast Jazz**. Joué par des musiciens blancs décontractés, sur les traces de Lee Konitz ou de Gerry Mulligan, il privilégie une musique feutrée et fluide. **Stan Getz**, installé en Californie à partir de 1947, y a formé avec trois autres saxophonistes les **Four Brothers**, privilégiant les timbres harmonieux et la beauté des sons. Les orchestres intègrent des instruments moins traditionnels du jazz, comme le hautbois, la flûte ou le vibraphone…

LA MUSIQUE MINIMALISTE

La musique répétitive, appelée aussi minimaliste, est apparue dans les années 1960 sur la côte Ouest. Ses principaux représentants en Californie sont **John Adams** et **Terry Riley**. On pourrait faire remonter les prémices de cette musique à certaines œuvres d'Erik Satie ou à la composition 4'33 de **John Cage**. La plus forte influence découle des théories indiennes classiques qui furent l'inspiration de **La Monte Young**, représentant le plus radical de cette musique.

JACKSON, KING OF THE POP

Révélé dès l'âge de 11 ans dans les Jackson Five, **Michael Jackson** (1958-2009) s'impose comme le prodige pop de sa génération. Il travaille avec le danseur Poppin'Taco pour ses célèbres chorégraphies. Homme contesté, artiste vénéré, il est l'une des plus grandes stars du 20e s.

ORGANISER
SON VOYAGE

Le Roy's Cafe sur la route 66 à Amboy, Californie.
Ph. Renault/hemis.fr

Types de séjour

SÉJOURS « RÊVE AMÉRICAIN »	ÉTAPES ET CONSEILS
Flower Power : sur les traces de la Beat Generation	San Francisco - Berkeley - Marin County - Central Coast. Au printemps ou en automne, quand les universités sont ouvertes.
Séquence cinéma : d'Hollywood aux sites mythiques de tournage	Los Angeles - Santa Barbara - Carmel - San Francisco. En juillet et août, les studios sont bondés.
Au pays des westerns	Las Vegas - Grand Canyon - Lake Powell - Monument Valley - Arches - Canyonlands - Las Cruces - Ruidoso. Évitez les mois les plus chauds, durant lesquels la randonnée est impossible.
Culture indienne	Albuquerque - Santa Fe - Taos - Mesa Verde - Canyon de Chelly - Gallup - Chaco Culture. En été, lorsque se tiennent les plus grands pow-wows et rodéos.
Sur la Route 66	Los Angeles - Flagstaff - Gallup - Albuquerque - Santa Fe. Louez une moto, dormez dans des motels des fifties.
New Age : dans les hauts lieux de la nouvelle culture alternative	Santa Fe - Taos - Sedona. Essayez les dernières techniques de relaxation inspirées par l'héritage indien.
SÉJOURS AVENTURE	**ÉTAPES ET CONSEILS**
Surf	Marin County - Santa Cruz - Santa Barbara - Santa Monica - Venice - San Diego.
Rafting	La Colorado River et le Rio Grande au printemps, quand les rivières sont grosses.
Randonnée	Grand Canyon - Canyonlands - Yosemite - Zion - Bryce Canyon.
Ski	Taos Valley - Lake Tahoe - San Juan Mountains.
👫 AVEC DES ENFANTS	**ÉTAPES ET CONSEILS**
Au pays de Mickey Mouse et des attractions	Hollywood - Disneyland - Venice - Santa Barbara - Santa Cruz - Las Vegas.
Culture indienne, Far West et séjour sportif	Bryce Canyon - Arches - Mesa Verde - Durango/Silverton - Taos - Santa Fe - Petrified Forest - Meteor Crater - Grand Canyon.
Merveilles de la nature	Les parcs les plus tempérés en camping-car (Yosemite, Kings Canyon, Great Sand Dunes…) et la côte californienne pour les plages, les otaries et, en saison, l'observation des baleines.

Aller dans le Sud-Ouest américain

Identité des États

Californie
Capitale : Sacramento
Superficie : 403 932 km²
Population : 38 330 000 habitants

Arizona
Capitale : Phoenix
Superficie : 295 309 km²
Population : 6 392 017 habitants

Nouveau-Mexique
Capitale : Santa Fe
Superficie : 315 194 km²
Population : 2 085 000 habitants

Colorado
Capitale : Denver
Superficie : 269 837 km²
Population : 5 268 367 habitants

Utah
Capitale : Salt Lake City
Superficie : 220 080 km²
Population : 2 900 872 habitants

Nevada
Capitale : Carson City
Superficie : 286 351 km²
Population : 2 790 000 habitants

En avion

LIGNES RÉGULIÈRES

Temps de voyage – Paris-San Francisco ou Los Angeles sans escale : 10 à 12h (15-25h avec escale). Pour Las Vegas, Phoenix ou Albuquerque, une escale ; durée du vol hors escale : 12 à 15h. Pour Las Vegas, comptez 10h en vol direct *(voir-ci-contre)*.

Compagnies
Air France – 49 av. de l'Opéra, 75002 Paris, ✆ 36 54 (0,34 €/mn), www.airfrance.fr. Vols sans escale vers San Francisco ou Los Angeles, avec escale et en partenariat avec Delta Airlines pour Las Vegas, Phoenix, Albuquerque ou Salt Lake City.

American Airlines – Aéroport Charles-de-Gaulle, aérogare 2, terminal A, ✆ 0 821 980 999 (0,15 €/mn), www.americanairlines.fr. Vol quotidien Paris-Los Angeles (avec escale). Correspondances vers San Francisco, San Diego, Las Vegas…

Delta – Aérogare des Invalides, 2 r. Robert-Esnault-Pelterie, 75007 Paris, ✆ 0 892 702 609 (0,34 €/mn), www.delta.com. Vols quotidiens vers San Francisco et Los Angeles, correspondances vers Sacramento, San Diego…

KLM – ✆ 0 892 702 608 (0,34 €/mn), www.klm.fr. La compagnie néerlandaise, associée à Air France, organise des départs depuis la province, avec une escale à Amsterdam. Selon les périodes, les tarifs peuvent être très compétitifs.

United Airlines – Regroupe désormais United et Continental. à l'aéroport Charles-de-Gaulle, aérogare 1, porte 16, ✆ 0 810 727 272 (0,06 €/mn), www.united.fr. Vols quotidiens (avec escale) pour Los Angeles et San Francisco, et des correspondances vers beaucoup d'autres villes américaines.

US Airways – ✆ 0 810 632 222 (0,06 €/mn), www.usairways.com. Vols internationaux depuis Paris ou la province via Philadelphie ou Charlotte. Nombreux vols internes sur le territoire américain. American Airlines et US Airways ont fusionné en 2014.

Air Tahiti Nui – 28 bd St-Germain, 75005 Paris, réserv. ✆ 0 825 024 202 (0,15 €/mn), www.airtahitinui.fr. Quelques vols vers Los Angeles selon les saisons.

LIGNES LOW COST

Seules deux compagnies *low cost* desservent la côte ouest, à des prix très attrayants (de 500 à 800 $ AR), mais l'offre devrait évoluer avec l'arrivée de compagnies comme Ryanair et la filiale de Lufthansa, Wings Intercontinental.

XL Airways – ✆ 0 892 692 123 (0,34 €/mn) - www.xl.com. De juin à août, la compagnie française relie 3 fois par semaine Paris-CDG à San Francisco en vol direct. Elle propose également, au départ de Paris, quelques vols directs vers Las Vegas en été, à des prix avantageux (autour de 600 €).

Norwegian – ✆ 00 47 2149 00 15 - www.norwegian.com. La compagnie scandinave relie Paris-Orly à Los Angeles et San Francisco (Oakland) 1 à 4 fois par semaine *via* Oslo ou Copenhague.

CENTRALES DE RÉSERVATION

www.expedia.fr, **www.opodo.fr**, **www.govoyages.fr**. Les comparateurs ne recensent pas toutes les compagnies, aussi est-il conseillé d'en faire tourner plusieurs lors de votre recherche et de consulter également les tarifs directement sur les sites des compagnies aériennes. Les prix d'appel n'incluent pas toujours la totalité des frais (taxes d'aéroport, frais de dossier, bagages en soute). Simple et efficace, **Google Flight Search** (www.google.fr/flights) permet de visualiser immédiatement les prix et durées des vols des compagnies aériennes. L'outil a l'avantage aussi de comparer les prix des billets en fonction des dates du calendrier.

AÉROPORTS

Les départs de Paris se font à **Roissy-Charles-de-Gaulle**. Pour visiter la Californie, vous avez le choix entre les aéroports de San Francisco (SFO) et Los Angeles (LAX), qui peuvent aussi servir de point de départ pour certains parcs nationaux. Si vous vous concentrez sur le Colorado, préférez Las Vegas (LAS), Phoenix (PHX) ou Albuquerque (ABQ). Ces deux derniers ne sont accessibles qu'après une escale.

BAGAGES

Attention, si vous faites une **première escale** sur le territoire américain pour prendre une correspondance, vous devrez passer la douane et l'immigration, retirer vos bagages, passer au contrôle et les faire réenregistrer pour le vol intérieur. Les formalités de police peuvent être longues en raison de l'affluence dans les grands aéroports. Pour ne pas rater votre avion, assurez-vous de disposer d'une durée d'escale d'au moins 2h. Au retour, en revanche, vous pourrez enregistrer vos bagages jusqu'au terminus de votre trajet.

SÉCURITÉ AÉRIENNE

Les **mesures de sécurité** pour les vols au départ ou en direction des États-Unis sont très strictes. Les liquides, aérosols, gels, pâtes et crèmes sont interdits en cabine, sauf en petite quantité (tubes et flacons de moins de 100 ml) et s'ils sont placés dans un seul sac plastique transparent fermable et de moins d'1 litre. Les aliments pour bébé, les médicaments liquides (présentez une ordonnance) et les liquides achetés en *duty-free* (à condition d'être emballés dans un sac scellé, avec le ticket de caisse visible) échappent à cette interdiction.

Les **appareils électroniques déchargés** ne sont plus admis en cabine et doivent être placés dans les bagages de soute pour ne pas risquer leur confiscation.

Les bagages enregistrés en soute sont contrôlés par la **Transport Security Administration (TSA)** en charge de la sécurité, qui peut les ouvrir si elle l'estime nécessaire. Si vous verrouillez vos valises, utilisez de préférence une fermeture ou un cadenas agréés TSA, sans quoi ils risquent d'être fracturés.

Il est conseillé d'arriver à l'aéroport avec 2h30 à 3h d'avance pour avoir le temps de passer les contrôles. Lors du passage de l'immigration, à votre arrivée aux États-Unis, vos empreintes et un cliché de votre visage seront pris et vous devrez répondre aux questions d'un fonctionnaire très rigoureux. Faites-le sérieusement, même si certaines questions peuvent paraître saugrenues.

Voir aussi « Douanes » (p. 612) et « Formalités » (p. 603).

LES FORFAITS

Si vous devez effectuer plusieurs vols à l'intérieur du pays, vous pouvez acquérir un pass et faire vos réservations avant votre départ. **Delta-Skyteam** propose en partenariat le **Go USA and Canada**, vendu uniquement dans les agences de voyages et les compagnies aériennes membres de Sky Team (Air France, Delta, Alitalia, etc.) : **www.skyteam.com/ fr/Flights-and-Destinations/ Travel-Passes/Go-America/** Sur le même principe, il y a aussi le **Pass Oneworld Visit North America** : **http://fr.oneworld.com/ flights/single-continent-fares/ visit-north-america/**.

SAISONS

D'une ville à l'autre, d'un parc à l'autre, le climat est très différent. Renseignez-vous sur Internet selon vos dates et votre destination. Il est par exemple plus agréable de visiter Las Vegas et Death Valley au printemps ; en été, la chaleur y est accablante. En revanche, à cette période à Yosemite, il peut rester de la neige. Les parcs du Sud-Ouest (Arizona, Utah, Colorado) sont très visités à partir de mi-mai. L'idéal est de venir la dernière quinzaine d'avril ou tout début mai : certes, les matinées et les soirées sont fraîches et nécessitent un gilet, mais on a l'impression d'être seul au monde !

Avant de partir

Adresses utiles

OFFICES DE TOURISME

France – Rens. auprès du Visit USA Committee, qui dépend de l'ambassade américaine (✆ 0 899 70 24 70, 3 €/appel, www.office-tourisme-usa.com).

REPRÉSENTATIONS DIPLOMATIQUES AMÉRICAINES

France – Ambassade : 2 av. Gabriel, 75008 Paris, ✆ 01 43 12 22 22 ; france.usembassy.gov (fermée au public) ; service des visas : ✆ 0810 26 46 26 (0,06 €/mn) ; consulats : 89 quai des Chartrons, 33000 Bordeaux, ✆ 05 56 48 63 85 ; 1 quai Jules Courmont, 69289 Lyon Cedex 02, ✆ 01 43 12 48 60 ; pl. Varian-Fry, 13006 Marseille, ✆ 04 91 54 92 00 ; 30 quai Duguay-Trouin 35000 Rennes, ✆ 02 23 44 09 60 ; 15 av. d'Alsace, 67082 Strasbourg Cedex, ✆ 03 88 35 31 04 ; 25 allée Jean Jaurès, 31000 Toulouse, ✆ 05 34 41 36 50.

Belgique – Ambassade : 27 bd du Régent, 1000 Bruxelles, ✆ 02 811 4000, french.belgium.usembassy. gov.

Suisse – Ambassade : Sulgeneckstrasse 19, 3007 Berne, ✆ 031 357 70 11, bern.usembassy.gov.

Canada – Consulat : 315 Place d'Youville, Montréal, Québec H2Y 0A4, ✆ (514) 398 9695, montreal. usconsulate.gov ; consulat général : 360 University Ave., Toronto, Ontario M5G 1S4, ✆ (416) 595 1700, toronto.usconsulate.gov.

VOYAGISTES

S'il peut être plus avantageux de négocier directement un vol sec, pour les circuits et les séjours (surtout à thème), les voyagistes ont des offres souvent intéressantes.

Directours – 9 rue de la Paix, 75002 Paris, ✆ 01 45 62 62 62, www.directours.com.

Go Voyages – ✆ 0 899 860 860 (1,35 €/appel puis 0,34 €/mn), www.govoyages.com.

Look Voyages – 80 bd Raspail 75006 Paris, ✆ 01 45 44 48 49, www.look-voyages.fr.

Nouvelles Frontières – 13 av. de l'Opéra, 75001 Paris, ✆ 01 42 61 02 62, www.nouvelles-frontieres.fr.

Thomas Cook – ✆ 0 826 826 777 (0,15 €/mn), www.thomascook.fr. Édite une brochure spécialisée USA.

Voyageurs du Monde – 55 r. Ste-Anne, 75002 Paris, ✆ 01 42 86 16 00, www.voyageursdumonde. fr. Voyages et circuits culturels soigneusement organisés. Treize agences en région dont Lyon, Toulouse, Marseille. Également à Bruxelles.

Mais c'est sur Internet que vous trouverez les bonnes affaires de dernière minute **(Expedia, Lastminute, Ebookers)**.

SPÉCIALISTES DES ÉTATS-UNIS

Back Roads – 14 pl. Denfert-Rochereau, 75014 Paris, ✆ 01 43 22 65 65, www.backroads.fr. L'un des meilleurs spécialistes des États-Unis : voyages organisés, circuits en voiture, 4x4 ou camping-car, séjours sportifs (VTT, rafting), etc.

Compagnie des États-Unis et du Canada – 112 av. Kléber, 75016 Paris, ✆ 01 55 35 05 05, www. compagniesdumonde.com. Voyages à thème ou originaux (Harley-Davidson, trekking, train, par exemple).

Comptoir des voyages – 2-18 r. St- Victor, 75005 Paris (aussi à Lyon, Toulouse, Marseille) ℰ 0 892 239 339 (0,337 €/mn), www.comptoir.fr. Circuits presque à la carte, combinant vol et location de voiture, de camping-car ou de moto.

La Maison des États-Unis – 3 r. Cassette, 75006 Paris, ℰ 01 53 63 13 43, www.maisondesetatsunis.com. Voyages organisés ou sur mesure, tourisme d'affaire, vols secs à tarifs avantageux.

Jet Set Voyages – 41-45 r. Galilée, 75016 Paris, ℰ 01 53 67 13 00, www.jetset-voyages.fr. Tout le continent américain sous toutes les formes : séjours accompagnés, sur mesure, à la carte, au volant, croisières, séjours golf, équitation…

VOYAGES CULTURELS

Arts et Vie – 251 r. de Vaugirard, 75015 Paris, ℰ 01 40 43 20 21, www.artsetvie.com. Une agence également à Lyon.

Clio – 34 r. du Hameau, 75015 Paris, ℰ 01 53 68 82 82, www.clio.fr.

VOYAGES AVENTURE

Pour les séjours sportifs à organiser sur place, reportez-vous aux pages pratiques des chapitres Moab, Taos, Monument Valley ou aux sites Internet de chaque État qui listent les offres locales avec leur lien.

Pour ceux qui veulent un séjour clé en main, voici quelques adresses :

Allibert Trekking – 37 bd Beaumarchais, 75003 Paris, ℰ 01 44 59 35 35, www.allibert-trekking.com. Très beaux circuits de trekking ou de découverte des déserts de l'Ouest, des grands parcs ou des terres indiennes.

Aventuria – 213 bd Raspail, 75014 Paris, ℰ 0 805 160 195 (appel gratuit), www.aventuria.com. Offres de vols avec ou sans voiture et camping-car, vers la Californie et les grands parcs nationaux. Six succursales en région.

Terres d'Aventure – 30 r. St-Augustin, 75002 Paris, ℰ 0 825 700 825 (0,15 €/mn), www.terdav.com. Le professionnel du voyage à pied, en circuit, en famille ou en individuel.

TrekAmerica – Depuis la France, contactez le bureau international en Angleterre : ℰ (44) 208 682 8920, www.trekamerica.com. Site américain proposant une palette de circuits de 7 à 25 jours plutôt bon marché. Groupe : 13 pers. max. Circuits sur la côte californienne ou dans les parcs nationaux, hébergement motel ou camping.

West Forever – 4 imp. Joffre, ZA Holtzheim, 67202 Wolfisheim, ℰ 03 88 68 89 00, www.westforever.com (accueil clientèle sur RV). Des passionnés organisent des circuits en moto, en particulier en Harley-Davidson, notamment le long de la Route 66.

LIBRAIRIES SPÉCIALISÉES

France – **W.H. Smith**, 248 r. de Rivoli, 75001 Paris, ℰ 01 44 77 88 99. **American Library in Paris**, 10 r. du Gén.-Camou, 75007 Paris, ℰ 01 53 59 12 60.

Belgique – **Sterling Books**, r. du Fossé-aux-Loups 23, 1000 Bruxelles, ℰ 02 223 62 23.

Suisse – **OffTheShelf**, 15 bd Georges-Favon, 1204 Genève, ℰ (41 22) 311 10 90.

INTERNET/TÉLÉPHONE

www.visitusa.org, site institutionnel (en anglais).

www.virtualtourist.com permet de visualiser le lieu où vous allez, d'interroger la météo et de trouver beaucoup de tuyaux pratiques.

www.about.com propose à la section **Travel** des listes d'hébergements, d'activités, de sites, de liens et surtout des cartes que l'on peut télécharger.

www.citysearch.com recense les propositions d'hébergement, de restauration et de loisirs des principales villes des États-Unis.

www.nps.gov décline tous les sites des parcs nationaux.

www.parks.ca.gov est le portail des parcs de l'État de Californie.

www.nativeweb.org traite de tout ce qui touche aux intérêts des Indiens, journaux, associations, manifestations culturelles…

www.roadtrippers.com permet de construire son *road trip* à travers les états-Unis, suggestions de visites, routes scéniques et lieux où dormir (en anglais).

www.viamichelin.fr est un service de cartographie et de calcul d'itinéraires mondiaux.

Pour **téléphoner de France aux États-Unis**, composez le 00, puis le 1, et le numéro à 10 chiffres de votre correspondant *(voir aussi p. 623)*.

Formalités

Dans tous les cas, vérifiez vos pièces d'identité **AVANT de réserver votre voyage** : si elles ne sont pas conformes ou vous imposent l'obtention d'un visa, il vous faudra prévoir de longs délais, incluant un rendez-vous en personne aux services de l'ambassade des États-Unis à Paris.

PASSEPORT

Pour entrer aux États-Unis sans visa, il faut, y compris pour les enfants, posséder un passeport **biométrique** ou **électronique** en cours de validité.

Sur les passeports biométriques (délivrés depuis 2009) ou électroniques (délivrés depuis 2006), la photo d'identité numérisée est reproduite deux fois sur la même page et un symbole (cercle dans un rectangle) figure sur la couverture. En cas de doute, renseignez-vous auprès de votre préfecture, sur le site de l'ambassade des États-Unis (http://french.france.usembassy.gov) ou par téléphone auprès du consulat américain (0 810 26 46 26).

Les enfants, quel que soit leur âge, doivent être munis d'un passeport individuel : les autorités américaines ne reconnaissent pas l'inscription des enfants sur le passeport des parents.

VISA

Il n'est pas exigé pour les Français, Belges, Luxembourgeois et Suisses pour les voyages touristiques, d'affaires ou de transit inférieurs à 90 jours. Il l'est pour les séjours temporaires d'étude ou d'activité professionnelle sur place. Les voyageurs dispensés de visa doivent néanmoins disposer d'un billet d'avion ou de croisière aller-retour et remplir sur Internet, au moins 72h avant le départ (mais mieux vaut s'y prendre plus à l'avance), une **demande d'autorisation électronique de voyage** (**Esta**). Pour cela, connectez-vous sur le site **https:// esta.cbp.dhs.gov.** et remplissez le formulaire en ligne (LE seul site officiel, évitez les autres que propose votre moteur de recherche). Depuis décembre 2016, il a été ajouté une rubrique, pour l'instant optionnelle, concernant les réseaux sociaux (les identifiants sont demandés). L'autorisation, valable deux ans et pour des entrées multiples, coûte 14 $, payables en ligne par carte de crédit. La réponse est donnée sur le site presque immédiatement ou au bout de quelques heures. Une fois l'autorisation accordée, il est recommandé (mais pas obligatoire) de l'imprimer pour en conserver la référence. En cas de refus, il faudra solliciter un visa auprès du consulat. Les Canadiens, sauf exceptions, n'ont pas besoin de visa ni de remplir une demande Esta.

À l'aéroport aux USA, tous les voyageurs, avec visa ou non, sont soumis à la prise de leurs empreintes digitales et à la numérisation de leur photographie. Une preuve de solvabilité (carte de crédit, traveller chèques) peut être demandée.

☺ **Bon à savoir** – Si vous arrivez aux États-Unis par la route (*via* le Canada ou le Mexique), l'Esta n'est pas exigée. Vous devrez remplir un formulaire I-94 et payer un droit de 6 $.

☾ *Voir aussi « Sécurité aérienne » p. 600 et « Douanes » p. 612.*

ASSURANCES

Ne faites surtout pas l'économie d'une véritable assurance santé, car les frais grimpent très vite, surtout s'il y a radios et hospitalisation.

Les tour-opérateurs proposent en général une police d'assurance très complète couvrant le remboursement en cas d'annulation, les frais de soin et de rapatriement, ainsi qu'un remboursement forfaitaire en cas de vol ou de détérioration de vos bagages. Sinon, vous pouvez vous adresser à titre individuel aux grandes compagnies spécialisées (Europ Assistance, Mondial Assistance), mais renseignez-vous avant auprès de votre banque, car certaines cartes bancaires, dont la **Visa Premier** ou **Gold Master**, donnent droit à une couverture à l'étranger. Les grosses compagnies de mutuelles disposent aussi de ce service. Analysez les conditions de garantie : **vous ne devez pas avoir à faire l'avance des frais** et devrez demander une couverture d'au moins 150 000 €.

AVA – 25 r. de Maubeuge, 75009 Paris, ℰ 01 53 20 44 20, www.ava.fr.

Europ Assistance – ℰ 01 41 85 93 65, www.europ-assistance.fr.

Mondial Assistance – 54 r. de Londres, 75008 Paris, ℰ 01 53 05 86 00, www.mondial-assistance.fr.

Budget

BUDGET À PRÉVOIR

Les États-Unis sont une destination chère, où les coûts dépendent du cours du dollar. Les prix variant énormément d'un endroit à l'autre et en fonction de votre moyen de transport, il est difficile de fixer des budgets types. Ceux qui suivent sont établis **en pleine saison**. En semaine hors saison et l'hiver, il est possible d'obtenir des réductions sur les chambres d'hôtel.

☺ **Bon à savoir** – Fin avril, les parcs nationaux sont gratuits pendant une semaine, pour National Park Week.

☺ **Calculez votre budget quotidien**

Le prix à la journée a été calculé **pour une personne**, sur la base d'un séjour pour deux en haute saison.

Mini budget avec hébergement en camping ou auberge de jeunesse, repas sur le pouce et transport en bus : env. **120 €**.

Petit budget avec hébergement dans un motel bon marché, repas modeste et déplacements en bus ou en train : env. **180 €**.

Budget moyen avec hébergement dans un motel confortable, repas dans des restaurants plus raffinés et déplacements en voiture de location : env. **240 €**.

Petite folie avec hébergement dans un hôtel de caractère ou un B & B de charme, dîner dans les restaurants gastronomiques, déplacements en voiture de location : env. **300 €**.

SERVICES OU ARTICLES	PRIX MOYEN EN $
Une chambre double dans un motel de grande chaîne	80-100
Un repas simple dans un restaurant de chaîne ou dans un quartier populaire	12-20
Une location de voiture pour 1 semaine (catégorie A)	250
Une location de camping-car pour 1 semaine (2 pers.)	900
Un gallon d'essence (3,8 litres)	4 à 5
Un billet d'avion San Francisco-Albuquerque (aller simple)	250
Trajet aéroport de San Francisco/centre-ville en taxi	45
Carte d'entrée annuelle pour l'ensemble des parcs nationaux (Pass)	80
Entrée pour chaque parc (national, d'État, indien)	6-25
Entrée pour 1 personne pour 1 jour dans les parcs d'attractions	80
Rafting d'une demi-journée sur le Colorado	50
Location d'un kayak de mer pour observer les otaries (1h)	12-15

* Selon le taux de change, le montant en euros est de - 10 à - 20 %.
Moyenne ne prenant pas en compte les localités non touristiques,
nettement moins chères.

Se loger

LES DIFFÉRENTS TYPES D'HÉBERGEMENT

Le motel est le type le plus répandu et le plus pratique. Le B & B est de plus en plus populaire et constitue un bon moyen de côtoyer vraiment les Américains.

Campings

☺ **Bon à savoir** – Excepté sur la côte californienne, les nuits sont fraîches et les températures vite insupportables dès le mois de mai à l'intérieur des terres.

Tenez aussi compte de l'altitude élevée au Nouveau-Mexique ou sur le plateau du Colorado.

Les **parcs nationaux** sont équipés de campings bien aménagés (minimarket) et relativement bon marché (de 10 à 25 $ par emplacement). Vous pouvez acheter sur place une petite tente, à un prix inférieur à ceux pratiqués en France.

Ailleurs, les campings nationaux des principaux sites classés *(National Monuments, National Recreation Areas, State Parks…)* sont assez rudimentaires. Il vaut mieux se ravitailler avant de s'y rendre.

Réservez au moins 3 mois à l'avance, et jusqu'à 5 mois pour les sites les plus célèbres comme le Grand Canyon, car les places sont très disputées le week-end et en haute saison (mai-septembre), aussi bien pour les tentes que pour les camping-cars (RV).

Service central de réservation, ℘ 888 448 1474 ou 1-877 444 6777, www.recreation.gov *(voir aussi dans les pages pratiques des sites)*.

Les **campings privés** pratiquent à peu près les mêmes prix et sont souvent mieux équipés (douches chaudes, laverie, électricité, piscine). La plus répandue des chaînes de campings est **KOA** (Kampgrounds of America), ℘1-888 562 0000, www.koa.com. Autres listes sur www.gocampingamerica.com.

Le **camping sauvage** est généralement possible sur le domaine public, mais il doit respecter des consignes strictes. Dans les forêts et parcs d'État ou nationaux, des panneaux signalent la possibilité de faire du **backcountry camping** ou **backpacking**, sur des sites accessibles uniquement à pied (vous ne pouvez apporter que ce que vous portez sur le dos). Dans les parcs nationaux, vous devez retirer un *backcountry permit* au *Visitor Center* (10 $, parfois gratuit, à retirer sur place uniquement : c'est le principe du premier arrivé, premier servi). Sur place, il est demandé de ramener vos déchets, d'enterrer vos excréments, de ne faire du feu que si c'est permis (cela dépend aussi des autres ou du climat et de la météo) et de l'éteindre soigneusement en partant (attention, les rangers font des rondes, des incendies ont déjà défiguré plus d'un site…).

Motels et hôtels

Le **motel**, construit pour le voyageur motorisé, se situe en général en périphérie des villes ou le long des grands axes. Il s'organise sur un ou deux étages autour du parking. Les chambres donnent sur l'extérieur et vous pouvez garer votre véhicule juste devant. L'aspect extérieur du motel est très simple, mais les chambres, très grandes (on peut souvent y loger à quatre), sont généralement confortables. Même la première catégorie dispose du confort de base : bonne literie, salle de bain ou douche, air conditionné, télévision, téléphone, frigo. Il est fréquent d'avoir en plus un four à micro-ondes, un sèche-cheveux, une table pour prendre ses repas et même un fer à repasser ! à essayer absolument ! L'**hôtel** est plutôt situé en centre-ville, dans des immeubles plus importants et plus hauts. Pour le confort, tout dépend de la situation : en centre-ville, comme à San Francisco, les chambres sont fréquemment exiguës.

Réservez suffisamment à l'avance, par téléphone, fax ou Internet, surtout si vous voyagez entre mai et septembre. Il vous faudra toujours donner votre numéro de carte bancaire pour sécuriser la réservation. Le montant ne sera prélevé qu'à votre arrivée.

Bon à savoir – Pour annuler, **prévenez impérativement** avant 18h, voir un jour avant sinon la nuit vous sera débitée.

Grandes chaînes

Nombre de motels et d'hôtels de **grandes chaînes** manquent de caractère et bordent les routes, mais ils assurent un confort et un service standard (Wi-Fi inclus dans le prix de la chambre). Réservation centralisée par téléphone (numéro gratuit) ou par Internet. Le web permet d'ailleurs de bénéficier de **rabais et d'offres spéciales**, notamment dans les catégories supérieures. Si vous tenez à une adresse précise, appelez-la directement *(voir « Nos adresses à… »)*. Par ordre tarifaire croissant :

Motel 6 – ☏ 1-800 466 8356, www.motel6.com. Une chaîne basique mais confortable. Situés à proximité des routes, les motels sont parfois un peu bruyants, mais ce sont vraiment les moins chers.

Red Roof Inn – ☏ 1-800 733 7663, www.redroof.com. Cette chaîne propose de petits motels gais et confortables et des promotions très attractives.

Econo Lodge – ☏ 1-877 424 6423, www.econolodge.com. Pour de petits motels simples mais confortables, souvent bien placés. Prix spéciaux pour les internautes.

Super 8 – ☏ 1-888 454 3213, www.super8.com. Un très bon rapport qualité-prix et un confort impeccable pour des motels encore très bon marché.

Le guide MICHELIN

A dévorer d'urgence

Travelodge – ☏ 1-800 525 4055, www.travelodge.com. Pratiques car situés à proximité des grands axes.

Comfort Inn – ☏ 1-800 267 3837 (en français), www.comfortinn.com. Un service de qualité : petit-déjeuner inclus, patio ombragé, piscine…

Quality Inn – ☏ 1-800 267 3837 (en français), www.qualityinn.com. Même genre que le précédent (du même groupe Choice Hotels).

La Quinta – ☏ 1-800 753 3757, www.lq.com. Hôtels très confortables, à l'architecture néoméditerranéenne.

Ramada – ☏ 1-888 854 9517, www.ramada.com. Plusieurs catégories d'hôtels dans les centres-ville et des motels confortables.

Best Western – ☏ 1-800 780 7234, www.bestwestern.com. Un grand classique, avec des hôtels et motels de bonne qualité, et un accueil efficace. Assez cher, surtout à proximité des sites touristiques. Numéro Vert depuis la France : ☏ 0 800 904 490.

Holiday Inn – www.holidayinn.com. Déjà luxueux, avec de nombreux services et un très grand confort. Numéro Vert depuis la France : ☏ 0 800 905 999.

Bed & Breakfast et auberges de caractère

Plus raffinés, les B & B et les auberges de caractère *(inns)* se distinguent par leur taille modeste, le charme de leur accueil et de leur décoration, parfois un peu kitsch. Ils pratiquent en général des prix élevés, mais on y est traité comme des invités : plantureux petit-déjeuner, ou souvent, en fin de journée, un verre de vin et un plateau de fromage, occasion de faire connaissance avec vos hôtes et les autres résidents. Les B & B n'ont cependant pas toujours le caractère convivial de ceux d'Irlande ou de Grande-Bretagne, car ils sont souvent tenus par une gouvernante *(innkeeper)* et les propriétaires n'y résident pas ou ne se mélangent pas aux hôtes. Ils peuvent compter plus de 20 chambres et ressembler à de petits hôtels de luxe. Plusieurs sites Internet répertorient ces établissements : www.selectregistry.com ; www.bedandbreakfast.com ; www.bbonline.com…

LES PRIX DE L'HÉBERGEMENT

C'est sans conteste ce qui vous coûtera le plus cher. Il est cependant très difficile de citer des prix précis, car les tarifs changent quasiment tous les jours, en fonction du remplissage, de la saison, du jour de la semaine, du type de chambre. En règle générale, ceux qui sont indiqués sur le tableau ou les brochures sont les tarifs de base *(rack rate)*, pratiqués lors des réservations. En réservant par téléphone, vous ne pourrez pas obtenir de réelle baisse, mais demandez cependant le **special rate** ou les **special offers**. Mentionnez si vous êtes affilié à l'AAA *(voir p. 625)*, car cela vous donne souvent droit à une réduction. Enfin, pensez toujours à ajouter les **taxes**, variables selon les endroits (de 10 à 17 %).

Les variations de prix au sein d'un même établissement sont parfois très importantes. Les prix figurant dans le guide correspondent à une fourchette allant de la chambre standard à la suite en haute saison et qui tient compte des offres promotionnelles. Les taxes sont incluses, mais pas les pourboires *(voir le tableau ci-contre)*.

Dans un motel basique, il faut compter de 50 à 90 $ pour deux selon les endroits. Ces prix sont ceux des établissements bas de gamme (équivalent 1 étoile). Pour la gamme intermédiaire (2 étoiles), comptez entre 80 et 100 $ pour deux. Les B & B démarrent à 120 $ pour deux et peuvent dépasser

NOS CATÉGORIES DE PRIX		
	Hébergement	**Restauration**
Premier prix	jusqu'à 100 $	moins de 15 $
Budget moyen	de 100 $ à 200 $	de 15 $ à 30 $
Pour se faire plaisir	de 200 $ à 300 $	de 30 $ à 50 $
Une folie	plus de 300 $	plus de 50 $

les 200 $. Les hôtels des grandes chaînes (3 étoiles) tournent entre 175 et 250 $, alors que le grand luxe (4 étoiles) se monnaye à plus de 250 $. Sachez que le prix d'une chambre diffère d'environ 10-15 $ selon la taille du lit, ce qui peut représenter une économie indéniable et aussi, dans certains établissements, selon le fait qu'elle soit fumeurs (smoking) ou non.

Réservations et réductions

🐦 **Bon à savoir** – En réservant par Internet sur des sites discount, vous pouvez économiser de 20 à 70 % du prix (cela dépend de la saison, de l'emplacement, du remplissage de l'hôtel…), notamment dans les grandes villes.
Plusieurs sites sont spécialisés : **www.hotels.com** (en anglais et en $), **www.booking.com** (annulation gratuite le plus souvent), **www.ratestogo.com** (réservations de dernière minute). Sur place, en arrivant dans les aéroports, offices de tourisme et certains supermarchés, fast-foods et stations-service, demandez les livrets de **coupons** (coupons guides) qui offrent des réductions sur les nuits de certains hôtels (valables surtout en semaine et hors saison).

Se restaurer

OÙ SE RESTAURER

On peut manger pratiquement à toute heure. Un plat et une entrée constituent souvent un repas complet. Notre sélection dans « Nos adresses à… » sont répertoriées sur cette base, boisson en plus.
🐦 **Bon à savoir** – Comme les plats sont très copieux, on vous propose toujours d'emporter vos restes. Sinon, n'hésitez pas à le demander (a box to take away).

Type d'établissement

L'appellation « restaurant » recouvre des genres allant des **snack-bars** (type fast-foods), **cafétérias** ou **restaurants familiaux** (Applebee's est d'un excellent rapport qualité-prix) de grandes chaînes aux **restaurants** personnalisés plus raffinés. Certains ne servent que le petit-déjeuner et le déjeuner, d'autres se limitent au dîner, certains proposent les trois. Les **bars** et coffee shops (sortes de salons de thé) servent en général des plats simples, mais copieux et bon marché. Enfin, vous trouverez partout des **fast-foods** classiques (type McDonald's, très bon marché aux États-Unis), chinois ou mexicains. Les fast-foods qui ont la meilleure réputation sont In & Out, pour la qualité de la viande, et Fat Burger, qui utiliserait des produits bio. À de rares exceptions près, les pizzerias et les restaurants italiens ne sont pas les moins chers.

Les repas

Le petit-déjeuner – Souvent servi dès 7h du matin et jusqu'à 11h-11h30 (voire toute la journée), le **breakfast** est très copieux et d'un bon rapport qualité-prix (selon le nombre d'ingrédients, de 5 à 15 $). Il comprend le plus souvent des **œufs**

au plat (*sunny side up* ou *fried eggs*), en omelette ou brouillés (*scrambled eggs*), accompagnés de toasts, de **bacon grillé** ou de **saucisses** et de **pommes de terre** cuites en galettes à la poêle (*hash browns*). Il est suivi de patisseries diverses, dont les **crêpes** (*pancakes*), les **gaufres** (*waffles*), le **pain perdu** (*french toast*), les **muffins** (gâteaux individuels aux myrtilles, aux pépites de chocolat, au citron…), les **donuts** (beignets sucrés), les **bagels** (petits pains en forme d'anneau mis à la mode par les communautés juives de New York), servis avec du *cream cheese*, etc. On accompagne le tout avec du thé ou du café, en général très léger.

Le samedi et surtout le dimanche matin, beaucoup de restaurants proposent le **brunch**.

Le déjeuner – Le **lunch** est le repas le plus léger de la journée, servi facilement jusqu'après 15h. Comptez de 4 à 9 $ pour un **sandwich**, chaud ou froid, souvent servi avec des frites, une salade ou de la soupe. Autre solution : la **salade** toute préparée et souvent gargantuesque (*Caesar salad, Cobb salad*), ou celle à composer soi-même dans les *salad bars* (entre 6 et 12 $). La plupart des restaurants et bars proposent un **lunch menu** avec des plats uniques, similaires à ceux du dîner, un peu moins copieux, mais surtout beaucoup moins chers (entre 6 et 12 $).

Pour changer, essayez les chinois et les mexicains. Et si vous rêvez de manger un bon **chili con carne** à petit prix, jetez un œil sur la carte, il est souvent inscrit avec les soupes. On le mange à la cuiller, nappé d'oignons émincés, de fromage râpé, accompagné de pain (5 $!). Autre solution bon marché, les **all-you-can-eat-buffets** (buffets à volonté, autour de 10 $ le week-end, moins cher à midi). À Las Vegas, la formule des buffets, en

général de bonne qualité, est la grande mode.

Le dîner – Il se prend tôt (17h-19h), sauf dans les grandes villes. C'est traditionnellement le repas le plus copieux de la journée : mêmes plats qu'au déjeuner (sandwichs, salades, buffets à volonté), mais plus généreux et donc plus cher. Pour les gastronomes, c'est le moment de choisir des restaurants plus raffinés. La carte se divise en trois grandes sections. Appelées *hors d'œuvres* ou *appetizers*, les entrées sont parfois assez copieuses pour constituer un plat (7 à 15 $) ; les plats principaux se nomment *entrees* (15 à 30 $). Attention, les desserts sont énormes et très sucrés (6 à 10 $).

Les boissons

En principe, à peine assis, on vous sert un verre d'eau du robinet additionné de glaçons, que l'on renouvelle tout au long du repas. Vous pouvez demander une eau sans glace à votre serveur (*no ice*). L'eau minérale est rare et chère, car souvent importée. Beaucoup de restaurants familiaux ou populaires ne servent pas d'alcool, car ils doivent détenir une **licence** spéciale. En revanche, les établissements plus haut de gamme proposent en général une **carte des vins** avec les principaux crus de Californie, mais aussi du Chili et de France. Ceux-ci sont chers, mais on peut souvent les commander au verre. La plupart des Américains commandent des **sodas**, une limonade maison ou de l'*iced tea*, un thé sucré ou non (*sweetened, unsweetened*), toujours glacé. Au cours du repas, on vous proposera un *refill* : acceptez, le second verre est compris dans le prix. Dans les bars, vous pourrez boire l'une des nombreuses **bières** américaines (*Coors, Budweiser, Michelob*…) ou mexicaines (*Corona, Dos Equis*…). Pour une pression, demandez une *draft beer* ou une *beer on tap*.

Sur place de A à Z

ACHATS

Où trouver les bonnes affaires

Les discount stores – Ces immenses solderies vendent à prix cassé des produits de marque d'anciennes collections ou avec des petits défauts, comme Ross Dress for Less et Marshall's à San Francisco.

Les factory outlets – Véritables villages de magasins d'usine des grandes marques. Les prix y sont en principe inférieurs d'au moins 30 % par rapport aux magasins classiques. Le site www. premiumoutlets.com permet de les localiser.

Les trading posts – Ils se trouvent aux abords des terres indiennes. Ils vendent de l'artisanat indien de qualité et des objets d'occasion de valeur mis en gage et abandonnés par leurs propriétaires. Rapport qualité-prix remarquable. Sinon, les meilleurs endroits pour acheter de l'artisanat indien sont les villages eux-mêmes, notamment les *pueblos* du Nouveau-Mexique, ou les stands indiens en bord de route.

Faire attention

Pour l'**artisanat indien**, assurez-vous que les objets sont bien exécutés par des Indiens et non manufacturés ou copiés de façon semi-industrielle (ce qui est souvent le cas dans les boutiques des hôtels). Pour les bijoux, vérifiez les poinçons et les garanties attestant qu'ils sont en argent, décrivant la nature des pierres utilisées et le nom de l'artisan.

Pour les **objets électriques** et les **lampes**, sachez que le voltage et la taille des douilles diffèrent, vous devrez donc prévoir une adaptation ultérieure. Pour le **linge de maison**, de belle qualité, les tailles sont différentes des nôtres, notamment pour les lits.

ADRESSES UTILES

Offices de tourisme

Chaque État possède un organisme supervisant le tourisme *(voir ci-dessous)*.

Sur place, les bureaux s'occupant du développement touristique sont référencés dans l'annuaire sous la dénomination **Visitor Center**, **Chamber of Commerce** ou **Convention and Visitor's Bureau** *(voir pour chaque site « Nos adresses »)*.

Arizona – Arizona Office of Tourism, 1110 W. Washington St., Suite 155, Phoenix AZ 85007, ℘ (602) 364 3700 ou 1-866 275 5816, www. visitarizona.com et tourism.az.gov.

Californie – California Office of Tourism, P.O. Box 1499, Sacramento CA 95812-1499, ℘ (916) 444 4429 ou 1-877 225 4367, www.visitcalifornia. com.

Colorado – Colorado Tourism Office, 1625 Broadway, Suite 2700, Denver CO 80202, ℘ (303) 892 3885 ou 1-800 265 6723 ; www.colorado. com.

Nevada – Nevada Commission on Tourism, 401 North Carson St., Carson City NV 89701, ℘ (775) 687 4322 ou 1-800 638 2328, www. travelnevada.com.

Nouveau-Mexique – New Mexico Tourism Department, 491 Old Santa Fe Trail, Santa Fe NM 87501, ℘ (505) 827 74 00, www.newmexico.org.

Utah – Utah Travel Council, Capitol Hill, 300 N. State St., Salt Lake City

UT 84114, ☎ (801) 538 1900 ou
1-800 200 1160, www.utah.com.

Représentations diplomatiques

♿ *Voir pages pratiques de Los Angeles (p. 237) et San Francisco (p. 72) ou à la rubrique Consulates des pages jaunes locales.*

ALCOOL

Il faut avoir 21 ans pour acheter ou consommer de l'alcool, à justifier en présentant son passeport. On en trouve dans les boutiques spécialisées *(liquor stores)* ou dans les rayons séparés des grandes surfaces et des épiceries. La vente est interdite entre 2h et 6h du matin dans tous les États du Sud-Ouest à part le Nevada, où les bars peuvent rester ouverts 24h/24 et 7j/7. D'une manière générale, ne transportez pas de bouteilles entamées dans l'habitacle de votre voiture et ne buvez pas ouvertement sur la voie publique (même si certains le font en dissimulant bouteille ou canette dans un sac en papier).

Dans l'Utah – La vente d'alcool est interdite le dimanche, même dans les restaurants. Dans certains villages, l'alcool est interdit quel que soit le jour, et là où c'est permis, vous ne pourrez pas boire en terrasse ou dans les patios.

Dans les réserves indiennes – La vente d'alcool est aussi interdite et son transport à éviter.

CIGARETTES

La législation concernant le tabac est très stricte (le plus intransigeant est encore l'Utah mormon, et le plus « libertaire » le Nevada). Il est ainsi **strictement interdit de fumer** dans les transports et les lieux publics (y compris les galeries marchandes), dans la plupart des restaurants, bars, clubs, etc. La Californie est intransigeante sur le sujet depuis 1994. Il vous faudra fumer dehors, à 7 mètres de la porte, très exactement. De surcroît, les cigarettes sont assez chères (les prix varient considérablement d'un État à l'autre et selon les magasins). En revanche, vous pouvez fumer dans les casinos de Las Vegas.

COURANT ÉLECTRIQUE

Aux États-Unis, le courant est en **110 volts** et les prises sont différentes. Certains appareils de voyage peuvent basculer du 220 V au 110 V : vérifiez avant de partir. Emportez un adaptateur (on les trouve en grande surface) ou achetez en un sur place. Motels et hôtels fournissent parfois sèche-cheveux et fer à repasser.

DOUANES ET POLICE

À l'aéroport

Produits alimentaires et plantes sont interdits d'entrée, de même que les armes et les munitions. Depuis novembre 2006, tous **liquides**, gels, pâtes dentifrices… sont également interdits en cabine, à part la nourriture pour bébé. Parfums et alcools achetés à la boutique hors-taxes doivent vous être livrés dans des sacs scellés. Certains médicaments (notamment les narcotiques) sont interdits au passage de la douane. Si vous suivez un traitement, munissez-vous de l'ordonnance, traduite en anglais, avant le départ. La législation autorise l'**importation** de 1 l d'alcool par personne de plus de 21 ans, 200 cigarettes ou 50 cigares, ainsi que tout cadeau ne dépassant pas une valeur de 100 $. Pour connaître en détail cette réglementation, interrogez votre transporteur aérien et le site douane.gouv.fr

Sur la route

Attention aux limitations de vitesse (différentes selon les états). En moyenne, de 35 à 45 mph (56 à

TABLEAUX DE CONVERSION
POIDS ET MESURES

🇺🇸	🇪🇺	
1 pound (lb)	0,45 kilogramme (kg)	*Pour convertir des pounds (livres) en kilogrammes, on multiplie par 0,45.*
1 ounce (oz)	28,35 grammes (g)	*1 pound = 16 ounces*
1 long ton	1,01 tonne (t)	
1 pint (pt)	0,47 litre (l)	*Pour convertir des gallons en litres, on multiplie par 3,79*
1 gallon (gal)	3,79 litres (l)	
1 acre	0,4 hectare (ha)	*Pour convertir des acres en hectares, on multiplie par 0,4*
1 square mile (mi²)	2,59 kilomètres carrés (km²)	
1 inch (in)	2,54 centimètres (cm)	*Pour convertir des inches (pouces) en centimètres, on multiplie par 2,54*
1 foot (ft)	0,30 mètre (m)	*Pour convertir des feet (pieds) en mètres, on multiplie par 0,3*
1 yard (yd)	0,91 mètre (m)	*Pour convertir des yards en mètres, on multiplie par 0,91*
1 mile (mi)	1,6 kilomètre (km)	*Pour convertir des miles en kilomètres, on multiplie par 1,6*

VÊTEMENTS

Femmes	🇺🇸	🇪🇺
	4	35
	5	36
	6	37
Chaussures	7	38
	8	39
	9	40
	10	41
	6	36
	8	38
Robes	10	40
	12	42
	14	44
	16	46
	6	36
	8	38
Chemisier et pulls	10	40
	12	42
	14	44
	16	46

Hommes	🇺🇸	🇪🇺
	7 ½	40
	8 ½	41
	9 ½	42
Chaussures	10 ½	43
	11 ½	44
	12 ½	45
	13 ½	46
	36	46
	38	48
Costumes	40	50
	42	52
	44	54
	46	56
	14 ½	37
	15	38
Chemises	15 ½	39
	15 ¾	40
	16	41
	16 ½	42

LES TAILLES ONT TENDANCE À VARIER SELON LES FABRICANTS.

LES ÉQUIVALENCES SONT DONNÉES À TITRE INDICATIF.

VITESSE

MPH	10	20	30	40	50	60	70	80	90
KMH	16	32	48	64	80	96	112	128	144

TEMPÉRATURE

Fahrenheit (°F)	32°	41°	50°	59°	68°	77°	86°	104°	140°	176°	212°
Celcius (°C)	0°	5°	10°	15°	20°	25°	30°	40°	60°	80°	100°

Pour convertir les Fahrenheit en Celsius, retrancher 32 °F, multiplier par 5 et diviser par 9.
Pour convertir les Celsius en Fahrenheit, multiplier les °C par 9, diviser par 5 et ajouter 32.

72 km/h) en ville, de 55 à 65 mph (72 à 88 km/h) sur route et 65 mph à 75 mph (88 à 104 km/h) sur autoroute. Vous pouvez être soumis à des contrôles « volants » ou à des barrages routiers. Ils servent à controler la vitesse, mais aussi à repérer les chauffeurs ivres et les auteurs d'autres délits… Ayez toujours vos papiers à portée de main. Aux abords de la frontière californienne, il peut s'agir de contrôles « agricoles » vérifiant que vous n'introduisez pas d'essences ou de graines exogènes.

Voir aussi « Voiture » p. 624.

DROGUE

Bien que la consommation de cannabis soit répandue, elle est passible d'une amende. Deux exceptions : le Colorado, où la consommation de cannabis à but récréatif est légale depuis le 1er janvier 2014 (à partir de 21 ans), et la Californie, où l'usage et la vente de cannabis médical sur ordonnance sont légaux. La possession de drogues dures ou de stupéfiants est très sévèrement punie (longues peines de prison). Si vous suivez un traitement médical à base de tranquillisants ou de narcotiques, gardez votre ordonnance sur vous (si possible avec la traduction).

EAU POTABLE

L'eau du robinet ne présente aucun risque. L'eau minérale est assez chère. Si vous comptez utiliser l'eau de source lors de vos randonnées, achetez des pastilles désinfectantes. Attention, dans les déserts, certains parcs n'ont pas d'eau courante.

GOLFS

Le golf est un sport très répandu et les greens se multiplient, même dans les régions désertiques. Si les clubs les plus sélects pratiquent des prix prohibitifs, les golfs municipaux proposent des tarifs à la journée plus accessibles. La Californie en général, Palm Springs ou San Diego en particulier, sont de vrais paradis pour golfeurs.

Southern California Golf Association, www.scga.org.
Utah Golf Association, www.uga.org.
Colorado Golf Association, www.cogolf.org.
Southern Nevada Golf Association, www.snga.org.
Sun Country Amateur Golf Association (Nouveau-Mexique), www.suncountrygolf.org.
Arizona Golf Association, www.azgolf.org.

HABILLEMENT

Reportez-vous au tableau p. 613.

HEURE

Fuseaux horaires

Les États-Unis couvrent **quatre fuseaux horaires**. Tenez-en compte lors de vos correspondances.

La Californie et le Nevada s'alignent sur le **Pacific Standard Time** (PST), soit un décalage de -9h avec la France (GMT -8). Le Colorado, le Nouveau-Mexique, l'Utah et l'Arizona observent le **Mountain Standard Time** (MST), qui a un décalage de -8h avec la France (GMT -7). Quand il est midi à Paris, il est 3h du matin à Los Angeles ou Las Vegas, et 4h du matin à Albuquerque, Moab ou Phoenix. Un conseil, demandez l'heure quand vous changez d'état et quand vous passez dans une réserve indienne. Les Hopi, par exemple, ne suivent pas l'heure d'été contrairement aux Navajos !

Heure d'été

L'**horaire d'été** (on avance de 1h) s'applique du premier dimanche d'avril au dernier dimanche d'octobre pour tous ces États, à l'exception de l'Arizona qui se retrouve à cette période à la même heure que la Californie.

La date et l'heure

Aux États-Unis, la **date** s'écrit en mentionnant d'abord le mois, suivi du jour, puis de l'année : le 11 mai 2016 s'écrit 5/11/16. **L'heure** n'est signalée que de 1 à 12, suivi ou non de AM (ante meridiem) pour le matin, toujours suivi de PM (post meridiem) s'il s'agit de l'après-midi : 8 : 00 ou 8 am, c'est avant midi, 8 pm, c'est le soir ; en revanche, 12 : 00 ou 12 pm, c'est midi ; 12 am, c'est minuit.

HORAIRES D'OUVERTURE

Banques, administrations et bureaux de poste ouvrent généralement la semaine de 9h à 17h, et parfois le samedi matin (hors administrations publiques). Les **commerces** ferment plus tard : 18h en moyenne, sauf les grands centres commerciaux (20h-21h) et les petites épiceries (23h ou plus). Le dimanche, beaucoup sont ouverts de 13h-14h à 17h-18h. En Californie, certains supermarchés ouvrent 24h/24, ou de 6h à 0h. Beaucoup de **restaurants** populaires ou familiaux ouvrent dès 7h. Ils servent sans interruption jusqu'à la fermeture trois menus différents : le petit-déjeuner (*breakfast*, jusqu'à 11h-11h30), le déjeuner (*lunch*, 12h-16h) et le dîner (*dinner*, 17h-21h/22h). Les Américains dînant tôt, il est parfois impossible de manger après 20h-20h30 dans les petites villes.

L'appellation *early bird* ou, plus chic, *pre-theater*, désigne un repas servi entre 17h et 18h30-19h à un prix plus avantageux. Aux mêmes horaires, de nombreux bars pratiquent l'*happy hour* pendant laquelle sont servis deux boissons pour le prix d'une.

Dans les grandes villes ou le long des autoroutes, des snacks restent ouverts tard dans la nuit, voire jusqu'au petit matin.

INTERNET

⊙ **Bon à savoir** – Les cybercafés sont de moins en moins nombreux à louer des ordinateurs depuis que le Wifi existe. Presque tous les **cafés** mettent à disposition un accès Wifi gratuit. Les bibliothèques municipales *(library)* fournissent un accès souvent gratuit contre une pièce d'identité (15 à 60mn). Seule limite : vous ne pouvez aller sur certains sites, ni faire d'achats.

JOURS FÉRIÉS

Nouvel An – 1er janvier.
Martin Luther King's Day – 3e lundi de janvier.
Presidents Day – 3e lundi de février, en l'honneur des présidents Lincoln et Washington.
Memorial Day – Dernier lundi de mai, jour du souvenir à la mémoire des victimes de guerre.
Independence Day – 4 juillet, fête nationale des États-Unis.
Labor Day – 1er lundi de septembre, fête du Travail.
Columbus Day – 2e lundi d'octobre, jour où Christophe Colomb a « découvert » l'Amérique.
Veterans Day – 11 novembre, à la mémoire des vétérans de la Première Guerre mondiale.
Thanksgiving – 4e jeudi de novembre, jour d'action de grâces.
Noël – 25 décembre.

JOURNAUX

Les journaux français *(Le Monde, Le Figaro)* et internationaux sont distribués dans les grandes villes et les stations touristiques (surtout en Californie). Le plus lu des journaux populaires américains est **USA Today**. En Californie, le **Los Angeles Times** (le plus à gauche des quotidiens à fort tirage du pays) et le **San Francisco Chronicle** sont des quotidiens de qualité. Au Nouveau-Mexique, le **Santa Fe New Mexican** sort chaque vendredi un bon supplément culturel. Au niveau national, les deux quotidiens les plus appréciés sont le **Washington Post** et le **New York Times**. Les plus célèbres hebdomadaires sont **Time** et **Newsweek**. Les Navajos possèdent un journal, le **Navajo Times**, consultable sur Internet (www.navajotimes.com).

MARIAGES

Le **Code civil français** prévoit la possibilité du mariage à l'étranger à condition que celui-ci soit célébré dans les formes prévues par le pays où il a lieu. Donc, pour que votre mariage soit valable en France, il faudra qu'il soit célébré dans les formes de l'État américain dans lequel il aura lieu. Il faut également que vous soyez apte au mariage au regard du droit français, c'est-à-dire être majeur ou avoir l'accord de vos parents si vous êtes mineur.

Enfin, il faudra, avant le mariage, faire publier les **bans à la mairie** de votre domicile en France (ou du consulat si vous résidez aux états-Unis). Sur place, la procédure est très simple. Il suffit d'aller chercher une **marriage licence** à la mairie du comté *(county courthouse)*. Vous devrez remplir un formulaire et présenter une pièce d'identité avec photo (le passeport suffit). C'est un prêtre, un juge, un *commissioner of a court of record* ou le *county clerk* lui-même qui vous mariera ensuite. Il n'existe pas, comme en France, un mariage civil et un mariage religieux. Le mariage peut avoir lieu dans n'importe quel endroit et nécessite la présence d'un **témoin**. Le juge ou le prêtre remplira le **certificate of marriage** que vous a donné le *county clerk* et le

retournera à ce même *county clerk* 30 jours après la cérémonie. Il vous faudra demander ensuite au service de l'état civil de la mairie de votre lieu de naissance de procéder à la **transcription de votre mariage**. Vous devrez produire un justificatif, conservez bien celui qui vous sera remis aux États-Unis.

 Voir aussi à Las Vegas et Santa Fe.

MÉTÉO

Pour connaître la météo, très changeante au printemps et à l'automne, consultez www.weather.com, les quotidiens, la chaîne météo sur le câble et, avant d'entamer de longues randonnées dans les parcs, interrogez les rangers au *Visitors Center*.

MUSÉES, MONUMENTS ET SITES

Musées – Dans les grandes villes, beaucoup de musées n'ouvrent qu'à 11h et ferment vers 16h ou 17h, sauf un soir par semaine lors de la nocturne. Vérifiez toujours l'**heure de la dernière entrée du musée**, qui dépend du temps nécessaire à la visite. Pour les tarifs, comptez de 5 à 25 \$ (il existe des réductions pour les enfants et les étudiants).

Les parcs nationaux – Les heures d'ouverture et de fermeture des barrières d'accès sont souvent alignées sur celles du lever et du coucher du soleil. Il arrive que les *Visitor Centers* observent des horaires plus réduits (9h-17h ou 18h). Comptez 10 à 25 \$ par véhicule. Le billet est valable pendant 7 jours.

 Bon plans – Le **National Parks Pass** (80 \$) permet un accès illimité aux parcs nationaux durant 1 an, pour votre véhicule et ses passagers. On l'achète au guichet du premier parc visité. Attention toutefois, il n'inclut pas les *state parks* ou parcs d'État. Dans les grandes villes (San Francisco, Los Angeles, Santa Fe…), des **forfaits**

associent musées ou monuments aux transports en commun. Ils sont toujours très intéressants.

PHOTOGRAPHIE

Les pellicules

Leur usage devient rare avec le développement du numérique. Elles s'achètent dans les drugstores, les boutiques de souvenirs et les magasins de matériel photo. Pour les diapos (*slides*), c'est plus difficile. Approvisionnez-vous avant de partir ou dans les grandes villes. Attention, transportez vos pellicules ou votre appareil numérique dans votre bagage à main afin d'éviter qu'ils ne soient endommagés sous les rayons X de la sécurité des bagages enregistrés.

Mise en garde

Demandez toujours la permission avant de photographier des gens. Dans les **réserves indiennes** et les *pueblos*, le droit de photographier est limité et souvent accordé moyennant un **paiement**. Pour les portraits ou les clichés de maisons privées, demandez la permission (on vous demandera parfois de l'argent) et n'insistez pas en cas de refus. Les photos ne sont en général pas tolérées durant les cérémonies sacrées (renseignez-vous avant). Dans tous les cas, ne passez pas devant ni entre les participants et respectez ce qui est pour eux une manifestation rituelle.

POLITESSE

Au restaurant

Dans la plupart des **restaurants**, il ne faut pas vous présenter à une table, mais attendre qu'une hôtesse vous installe. *Wait to be seated* est généralement indiqué sur un panneau à l'entrée de la salle.

Les sujets qui fâchent ou pas

Le **patriotisme** étant très répandu, évitez de toucher, par exemple, à leur réputation de liberté, de justice et de bonté, et ne contestez pas la politique étrangère du pays.

La **religion** est un autre sujet très important. L'adhésion à une église ou à une autre est parfaitement acceptée et il est malvenu de critiquer la religiosité ambiante ou tout simplement la notion de foi (attention secte se dit *cult*, tandis que *sect* désigne un groupe religieux). En revanche, ne soyez pas surpris si l'on vous pose des questions sur votre métier et si l'on tente de mesurer votre **niveau de vie** : le travail est la valeur fondamentale des Américains, de même que la réussite sociale. Beaucoup de conversations tournent donc autour des succès matériels.

La politesse à l'indienne

Deux mots résument le savoir-vivre indien : **sobriété** et **discrétion**.

Contact – La poignée de main est pratiquée, mais le contact physique est restreint et les accolades vigoureuses sont déplacées.

Conversation – Il est considéré comme mal élevé de fixer les gens du regard, même dans les conversations. Au contraire, regarder un point précis du menton, de l'oreille ou du front pendant la conversation est un signe d'éducation et de respect. Il est aussi impoli de poser des questions trop personnelles, qui sont perçues comme une intrusion. Procédez par petites touches, peut-être en racontant un fait précis, puis en laissant votre interlocuteur s'engager dans la conversation. Tout est affaire de mesure et de respect de l'autre. Les Indiens aplanissent eux-mêmes bien souvent les difficultés.

Alcool – Ne commettez pas l'impair d'en proposer : l'alcoolisme est un fléau dans le monde indien et l'alcool est interdit dans les réserves.

POSTE

En fonction de la ville de départ, le courrier met de 6 à 15 jours pour arrive en Europe. De San Francisco ou Los Angeles, il peut mettre moins d'une semaine. Les timbres *(stamps)* sont vendus dans les bureaux de poste et dans certains distributeurs automatiques *(ATM)* : 1,15 $ pour une carte postale ou une lettre de moins de 28 g.
www.usps.com – Service postal américain USPS (US Postal Service).

Poste restante
Pour recevoir votre courrier en poste restante, faites indiquer : M. Dupont - c/o General Delivery - adresse du bureau de poste correspondant avec son code postal - USA. Pour avoir les coordonnées exactes et le code, renseignez-vous sur place, car tous les bureaux ne font pas office de poste restante. Pour retirer votre courrier, vous devrez présenter une pièce d'identité. Attention, les bureaux ne conservent pas le courrier plus de 10 jours, sauf si votre correspondant écrit lisiblement en haut de l'enveloppe « Hold for Arrival ».

Envois express et colis
Les services postaux sont lents et chers, et les tarifs varient en fonction des assurances, de la rapidité et, bien sûr, du poids.
Lettres express – De 5 à 9 $ pour une livraison entre 4 et 6 jours, 17 $ entre 3 et 5 jours.
Colis vers l'Europe – Par train et bateau (30-45 j.), vous paierez de 23,25 à 50 $ pour un colis de 2 à 9 kg. Vous pouvez envoyer un paquet pesant jusqu'à 30 kg. Pour un envoi par avion (7-10 j.), comptez de 20 à 73 $. Pour envoyer des livres ou magazines *(printed matter)*, demandez le **M-bag**, beaucoup plus économique. La lenteur et les colis égarés ont fait la fortune de sociétés comme **FedEx**, qui vous font payer beaucoup plus cher, mais garantissent une livraison ultrarapide.

⊙ **Bon à savoir** – Si vous ne voulez pas payer de taxes à la réception du colis, précisez qu'il s'agit d'effets personnels ou d'un cadeau sans valeur marchande. Pour les envois précieux, faites-vous assister par le commerçant qui vous vend l'objet.

POURBOIRE

Le pourboire est **incontournable**, car il fait partie de la rémunération des employés, dont le salaire de base est bas. La coutume veut qu'on laisse de 15 à 20 % de la note hors taxe dans les restaurants (sauf si le service est inclus) et les taxis.

Dans les hôtels
Il convient de laisser entre 3 et 5 $ par nuit pour la gouvernante *(housekeeper)*, avec un mot de remerciement pour lui indiquer que l'argent lui est destiné, et un minimum de 5 $ pour le porteur (1 à 2 $ par valise).

Dans les restaurants
Si vous payez par carte bancaire, le bordereau comporte une case spéciale pour le pourboire *(tip)*. Vous devez écrire dans la case correspondante le montant du pourboire que vous laissez et faire l'addition totale avant de signer. Quoi que vous laissiez, remplissez à la main la case « total » pour éviter des indélicatesses après votre départ…

PRÉVENTION DES RISQUES

Le site français du ministère des Affaires étrangères liste les risques par régions. Pour le Sud-Ouest des États-Unis, ce sont principalement les incendies et les séismes. www.diplomatie.gouv.fr, rubrique « Conseils aux voyageurs ».
En cas de **tremblement de terre** : ne pas chercher à quitter le bâtiment, mais s'éloigner des

baies vitrées, s'abriter sous une table solide ou dans l'encadrement d'une porte. À l'extérieur, trouver un endroit loin des arbres, poteaux électriques, murs ou bâtiments. Si vous êtes dans un véhicule, arrêtez-vous au bord de la route, loin des ponts, et attendez la fin des secousses à l'intérieur.

RAFTING

Sport mythique des grands rapides de l'Ouest, il se pratique de façon strictement réglementée, sur de gros canots pneumatiques de 6 à 12 passagers. Les rapides sont classés de I à VI, par ordre de difficulté croissante.

Les grands sites le long du **Colorado**, du **Rio Grande** et de la **Green River** regorgent d'organismes proposant des sorties pour tous les niveaux (env. 100 $ la journée/pers.).

☎ *Voir les pages pratiques de Monument Valley, Santa Fe, Taos, Moab, Page et Grand Canyon.*

Pour les débutants, le **tubing**, un radeau ressemblant à une grosse chambre à air, offre des sensations dans un rapide de classe I !

RANDONNÉES

Les **parcs nationaux et d'État**, les forêts et les bases de loisirs *(Recreation Areas)* sont sillonnés de nombreux sentiers bien aménagés. Certains sont même goudronnés et accessibles aux handicapés. D'autres ne sont ouverts que si vous avez retiré un **permis** *(voir pages des sites)*. Les circuits sont cartographiés et très bien balisés. Dans les parcs nationaux, un plan très détaillé est remis à l'entrée. Demandez les **fiches de randonnée** et les consignes particulières à l'entrée ou au *Visitor Center*. Pour vous repérer le long des sentiers, vous verrez des petits panneaux marron avec le logo du randonneur et le nom du sentier *(trail)*.

Pour les grandes randonnées, surveillez la météo (pluies et crues au printemps, orages en été, blizzard en hiver). Dans tous les cas, emportez toujours une casquette, des lunettes de soleil, beaucoup d'eau, un coupe-faim voire un pique-nique (les points de ravitaillement sont surtout à l'entrée des parcs) et un vêtement chaud (fraîcheur en matinée et en fin de journée, vents fréquents, froid en altitude).

REPAS

☎ *Reportez-vous à notre rubrique « Se restaurer » (p. 609) ou à notre chapitre Gastronomie (p. 552).*

SANTÉ

Bien qu'il n'y ait pas de problème sanitaire particulier aux États-Unis, prenez une assurance avant de partir *(voir rubrique « Formalités » p. 603)*.

Urgences – Composez le **911**.

Le climat et l'environnement

La chaleur – Le **coup de soleil** peut vous prendre par surprise en altitude, au bord de la mer et dans les déserts. Attention aussi au **coup de chaleur** qui peut être très dangereux : il se signale par de violents maux de tête, des vertiges et une difficulté à se mouvoir. Pour l'éviter : **boire de l'eau** (régulièrement, avant d'avoir soif), mettre un chapeau et ne pas boire d'alcool. Si cela vous arrive, installez-vous au frais ou à l'ombre, ventilez-vous, appliquez des linges mouillés et appelez un médecin.

La montagne – L'altitude demande un temps d'adaptation. Prévoyez-le si vous comptez faire du sport ou de la randonnée dans le **Colorado** et au **Nouveau-Mexique**. Sinon, le risque est de ressentir une grande fatigue, un essoufflement, des maux de tête ou des nausées et de violentes courbatures après l'effort.

Buvez beaucoup d'eau et évitez l'alcool. Rassurez-vous, on ressent rarement des troubles sérieux en dessous de 3 500 m.

Morsures ou piqûres – Les déserts du Sud-Ouest sont fréquentés par des serpents, araignées et scorpions. Portez des **chaussures fermées** et soyez vigilant lors de vos promenades. En cas de morsure, ne tentez pas de sucer le venin ou d'inciser la blessure, mais rendez-vous au plus vite chez un médecin qui vous administrera un **antivenin**.

Le virus West Nile sévit dans le Colorado, mais a tendance à se répandre dans d'autres États ; les infections sont généralement bénignes et le meilleur moyen de les prévenir est de se protéger des moustiques, vecteurs de la maladie.

Dermatite – Avant de faire une randonnée dans l'arrière-pays californien, apprenez à reconnaître le **sumac** vénéneux, appelé « herbe à puce » par les Québécois, *poison oak* par les Américains et *Rhus toxicodendron* par les botanistes (photo sur Internet). Cette plante sauvage redoutable, qui peut prendre la forme d'un arbuste ou d'une vigne grimpante, se reconnaît à ses feuilles, qui poussent toujours par groupes de trois. Elle déclenche démangeaisons et boutons qui peuvent se propager et persister deux ou trois semaines. Lavez les parties contaminées au savon et à l'eau. Si des boutons apparaissent, achetez une crème antihistaminique. Dans les forêts comme Yosemite, cette plante est rare car elle aime plutôt les zones en friche.

Trousse à pharmacie

Si vous suivez un traitement médical, emportez vos médicaments et l'ordonnance, originale et traduite. Une trousse de base comporte un désinfectant ou un antiseptique (Bétadine), un antidiarrhéique (Imodium) et un antiseptique intestinal (Ercéfuryl, Intétrix), des comprimés de sel pour éviter la déshydratation et un antihistaminique (contre le rhume, les allergies, le mal des transports et les piqûres d'insectes). Sans oublier des pansements, bandages et sparadraps, des pastilles pour purifier l'eau (Micropur) si vous randonnez, une crème solaire et une autre pour traiter les coups de soleil ou les brûlures superficielles (Biafine), un baume cicatrisant pour les lèvres. Une crème anti-inflammatoire et un antimycosique peuvent s'avérer utiles.

Services médicaux

Faites-vous préciser par votre assurance santé complémentaire la **marche à suivre** en cas de maladie ou d'accident, et quels sont les formulaires éventuels à remplir. Envisagez toutes les éventualités (radios, dentiste, hospitalisation, maladie…).

En cas de besoin, appelez les urgences ou rendez-vous à l'hôpital le plus proche. Quand il n'y a pas d'urgence vitale, allez dans les **medical clinics**, qui sont moins chères que les hôpitaux.

Pharmacies

Les médicaments sont vendus dans les **drugstores** et **pharmacies**. À l'exception des médicaments délivrés sur ordonnance, tous sont en libre-service et le choix est immense. Ils sont rangés par affections (yeux, nez, gorge, oreille, etc.). La plupart des magasins d'alimentation et des supermarchés ont aussi un rayon petite pharmacie.

SÉCURITÉ

Avec un minimum de précautions, vous ne connaîtrez pas de soucis. Malgré leur réputation sulfureuse, Phoenix et Los Angeles sont tout à fait fréquentables. Dans les grandes

NOUVEAU

LISBONNE **DANS LA POCHE**

SE RESTAURER

FAIRE UNE PAUSE

SHOPPING

SORTIR

LISBONNE

BERLIN

AMSTERDAM

LONDRES

YORK

NISE

OME

NE

RIS

EILLE

DIX GRANDES VILLES FORMAT POCKET
LISBONNE . BERLIN . AMSTERDAM . LONDRES . NEW YORK .
VENISE . ROME . BARCELONE . PARIS . MARSEILLE

villes, évitez les quartiers centraux à la nuit tombée (Downtown de Los Angeles et Phoenix, Tenderloin et SOMA à San Francisco), et si vous y logez, prenez un taxi pour regagner votre hôtel tard le soir.

Méfiez-vous du **vol à la tire**, à proximité des distributeurs de billets. N'exhibez pas un matériel photo luxueux et des bijoux de prix. Ne laissez pas d'objets de valeur dans votre voiture, ni dans votre chambre d'hôtel (déposez-les dans le coffre à la réception). Ne gardez dans vos poches ou votre sac qu'un minimum de monnaie. Gardez le reste, vos cartes de crédit et vos papiers, dans une poche spéciale, sous vos vêtements.

SOUVENIRS

Les prix indiqués sont **hors taxes** (7 à 17 % selon les États).

Confection

Les **grandes marques américaines** (Ralph Lauren, Tommy Hillfiger, Calvin Klein, Levi's…) sont nettement moins chères qu'en Europe, mais les styles sont parfois différents, adaptés aux goûts américains. Les **chaussures de sport** sont aussi une bonne affaire (Nike, New Balance). Enfin, les **bottes de cow-boy** et le **Stetson** sont incontournables pour qui passe par le Colorado et le Nouveau-Mexique.

Bons plans

L'**électronique** (appareils photo numériques, lecteurs MP3, ordinateurs…) et la **musique** (CD) sont moins chers aux États-Unis. L'occasion de découvrir des titres ou des groupes introuvables en France.

Artisanat et bijoux

Les produits indiens tels que poteries, couvertures et tapis sont très chers ; les bijoux (pierres et argent) sont plus abordables et nettement moins chers si vous les achetez directement aux Indiens. Certaines précautions sont à prendre au moment de l'achat *(voir Achats)*. L'artisanat américain est connu, quant à lui, pour le **travail du bois et du cuir** (ceintures, sacs…), et les **patchworks** *(quilt en anglais)*, du jeté de table au jeté de lit en passant par la tenture murale (de 150 à plus de 1 000 $). Pour les amoureux des **pierres, fossiles et perles**, vous trouverez des magasins spécialisés en bordure de route, à proximité des canyons. Quant aux **objets anciens ou vintage**, vous en trouverez dans certaines villes (Panguitch, Cortez, Venice…).

Alimentation

Pensez aux **condiments**, *barbecue sauces* et préparations à base de chile, emblème du Nouveau-Mexique.

Ramenez du **jerky**, viande de bœuf séchée des cow-boys (pratique pour les randonnées).

TAXES

À l'exception de l'essence, la plupart des denrées ou services sont soumis à des taxes. Comme elles varient beaucoup d'un État à l'autre, les prix sont toujours indiqués hors taxes. À cela s'ajoutent les taxes locales, variables elles aussi selon les villes, soit un surcoût de 3 à 15 %. Les restaurants et les hôtels facturent quant à eux des taxes particulières. L'ensemble majore la facture de 10 à 15 %. Tenez-en compte en faisant vos achats et vos réservations. Pour les hôtels, demandez le prix *tax included*. Dans les restaurants, il est en général précisé sur le menu si les prix incluent ou non les taxes.

TÉLÉPHONE

Les numéros

Numéros utiles – **Urgences**, 911 ; **renseignements**, 411 (numéro local), 1-800 874 4000, poste 324 (numéro international). Pour une aide téléphonique, faites le 0 de n'importe quelle cabine et vous aurez un opérateur qui vous passera le numéro souhaité.

Appels locaux et nationaux – Les numéros américains sont composés d'un indicatif régional à 3 chiffres, suivi du numéro de votre correspondant à 7 chiffres. Pour les appels locaux (même indicatif régional), ne composez que les 7 chiffres. Pour appeler une autre région (indicatif régional différent), composez le 1 + l'indicatif régional + le numéro du correspondant.

Appels des États-Unis vers la France, 011 + 33 + le numéro de votre correspondant à 9 chiffres (sans le 0 initial).

Appel des États-Unis vers la Belgique (32), la **Suisse** (41) et le **Canada** (1).

Appel de la France vers les États-Unis, 00 + 1 + indicatif régional à 3 chiffres + numéro du correspondant à 7 chiffres.

Numéros gratuits et spéciaux – Les numéros commençant par 1-800, 1-877, 1-888, 1-866… sont gratuits (toll free, toujours indiqué), souvent utilisés par les compagnies aériennes, les hôtels, B & B et loueurs de voitures. Ils fonctionnent depuis la France, mais sont alors payants. Si vous devez appeler un numéro commençant par 800, 877, 888, etc., faites-le toujours précéder du 1. Ils se présentent souvent avec des noms ou des mots (exemple : 1-800 5 FRANCE) pour une mémorisation plus facile ; il suffit de repérer sur les touches du téléphone à quels numéros correspondent les lettres.

Comment appeler

Hôtel – évitez de téléphoner à l'étranger depuis votre chambre, sauf si vous utilisez une carte prépayée, car les tarifs sont prohibitifs. Pour obtenir la ligne vers l'extérieur, on compose en général le 9. Le coût de l'appel sera comptabilisé sur votre facture. Si vous laissez sonner plus de cinq fois, la communication sera facturée même si personne ne répond.

Cabines téléphoniques – Elles fonctionnent avec des pièces de 5, 10 et 25 cents qui défilent très vite et sont très peu commodes pour les appels internationaux. Elles ne rendent ni la monnaie ni les pièces non utilisées. En revanche, on peut les utiliser avec une carte prépayée.

Cartes téléphoniques prépayées (prepaid phonecards) – Elles s'achètent dans les supermarchés, les épiceries, les gares routières, les stations-service, les bureaux de poste et chez les marchands de journaux. Comptez de 5 à 20 $ pour l'international. Composez le Numéro Vert (1-800), le code à 16 chiffres fourni avec la carte, puis le numéro de votre correspondant. On vous indiquera alors de combien de minutes vous pouvez bénéficier.

Téléphone portable français – Les téléphones portables doivent être tri-bandes ou quadri-bandes et non bi-bandes pour fonctionner aux États-Unis. L'option internationale de l'abonnement doit être activée. Pensez, en revanche à désactiver l'option « données à l'étranger » dans « réseau cellulaire », ainsi que la 3G ou la 4G (utilisez le Wifi sur place pour l'Internet mobile), sinon votre facture risque d'exploser. N'oubliez pas non plus de personnaliser le code d'accès à votre boîte vocale avant votre départ pour pouvoir ensuite écouter vos messages.

Pour appeler vers la France, vous pouvez utiliser le signe + au lieu du 011. La communication vers la France est chère : en moyenne 2,30 €/mn et 1,50 € pour la réception d'un appel mais de seulement 0,30 € pour un SMS.

Téléphone portable prépayé (prepaid cell phone) – Pratique pour les séjours prolongés. Tous les magasins de téléphonie en proposent. Vous achetez l'appareil et un temps de communication (premier prix env. 30 $), que vous alimentez ensuite avec des cartes à code achetées dans les mêmes lieux que les cartes téléphoniques. Attention : appels sortants comme entrants sont facturés.

Une autre solution consiste à acheter sur place une **carte SIM** qu'on utilisera sur son propre portable, à condition que celui-ci soit débloqué. Un numéro local et un crédit prépayé vous sont alors attribués. On trouve des cartes SIM dans les boutiques de téléphonie, parfois même à l'aéroport. Les recharges de crédit s'achètent ensuite dans les supermarchés, *drugstores* et station-service.

Téléphone sur Internet – Plusieurs applications permettent de téléphoner à partir d'un ordinateur, d'une tablette ou d'un téléphone portable en passant par le Wifi. Ainsi **Skype** permet-elle de communiquer gratuitement et de visu avec des correspondants connectés ou à un coût réduit via leur téléphone. **Viber** et **Whatsapp** s'utilisent également sans frais entre usagers.

TEMPÉRATURES

La température est donnée en degrés Fahrenheit, qui diffèrent des degrés centigrades (ou Celsius) : 0 °C correspond à 32 °F, et l'eau bout à 212 °F. Pour convertir les degrés Fahrenheit en degrés Celsius, on soustrait 32 à la température donnée, puis on multiplie par 5 et divise par 9. Inversement, pour passer des degrés Celsius aux degrés Fahrenheit, on multiplie la température d'origine par 9, puis on divise par 5 et enfin on ajoute 32. Une température de 30 °C équivaut donc à 86 °F. Plus simple, mais plus approximatif : diviser par 2 les Fahrenheit, et soustraire 15.

VOITURE

Voir aussi « Sur la route » p. 612.

Permis de conduire
Le permis national est en théorie suffisant (jusqu'à 3 mois de séjour), mais il est préférable de vérifier sur le site de l'ambassade américaine france.usembassy.gov. Le **permis international**, s'il est demandé, s'obtient en France dans les préfectures (attention aux délais). Ayez toujours l'un ou l'autre sur vous, même si vous ne conduisez pas. Idem pour le permis moto.

Location de voiture
Vous pouvez louer une voiture depuis la France, en passant par www.autoescape.com en vous assurant que la **location** est bien **inter-États**. Choisissez le type du véhicule, les assurances, prenez l'option kilométrage illimité ou non, payez en ligne puis imprimez le bon de location *(voucher)* à présenter au loueur. Dans le véhicule, vérifiez que le manuel est bien dans la boîte à gants et faites-vous expliquer comment **bloquer la vitesse** *(cruise control,* très utile pour les longues distances sur autoroutes ou dans les réserves indiennes où les contrôles de vitesse sont draconiens). Vérifiez toujours l'état des **pneus** et contrôlez-en la **pression** afin d'éviter qu'ils éclatent. Dans les régions enneigées, la plupart des loueurs interdisent le port de chaînes mais en montagne, certains véhicules sont parfois équipés de pneus neige. Enfin, lorsque vous rendrez la voiture, vous payerez les taxes et un supplément si vous la rapportez dans une ville différente du point de départ. Pensez, aussi à la laver et à faire le plein avant de la rendre, si c'est prévu dans votre contrat.

Conduite
Les voitures sont presque toutes équipées d'une **boîte de vitesses automatique** : D *(drive)* pour

avancer, R *(reverse)* pour la marche arrière, P pour parking, N *(neutral)* pour point mort et L ou M pour les vitesses basses (1re ou 2e) en montagne.

Code de la route

Il est permis de **tourner à droite** lorsque le feu est rouge, en faisant attention aux voitures arrivant de la gauche et qu'aucun panneau n'indique le contraire *(no turn on red)*. Respectez les limitations de vitesse aux abords des écoles et ne doublez pas si le panneau « Stop » du bus scolaire est abaissé. Enfin, sur les voies rapides à proximité des villes, la voie de gauche marquée d'un losange est réservée au **covoiturage**.

Essence

Moins chère qu'en France, elle est vendue par **gallon** (3,8 l). Les prix varient beaucoup d'un État à l'autre, et entre les villes et la campagne (l'Arizona est l'un des États les moins chers). Excepté pour les grosses voitures, le **regular unleaded** suffit. Beaucoup de stations fonctionnent avec la carte de crédit et des automates 24h/24. Sinon, observez les autres : soit vous vous servez et allez payer ensuite, soit vous payez avant de vous servir, soit vous attendez le pompiste. Les pourboires n'ont pas cours dans les stations-service.

Avantages club

Pour un séjour de trois mois, il est sage d'adhérer sur place à l'**AAA (American Automobile Association)**, www.aaa.com. L'adhésion coûte entre 50 et 95 $ selon les États. Elle donne droit à un dépannage d'urgence, des itinéraires personnalisés sous forme de livrets (à commander) ainsi qu'à des réductions dans les hôtels. Les membres de l'Automobile Club de France, de la Fédération française des Automobiles Clubs, du Camping Club de France ou de la Fédération française de sport automobile ont droit à tous les services de l'AAA en montrant leur carte française.

Se diriger

En ville – Aux intersections, les panneaux indiquant les rues que vous croisez sont suspendus aux feux face à vous, de l'autre côté du croisement. Vous ne voyez donc pas le nom de l'axe sur lequel vous roulez.

Aux feux, appuyez sur le bouton pour demander le passage. Comme les routes sont larges, le temps qui vous reste pour traverser s'affiche. Les Américains ne traversent que lorsqu'ils y sont autorisés.

Sur la route – Les distances sont données en miles (1 mile = 1,6 km). Pour repérer votre destination, ne vous contentez pas du nom de la ville, mais faites attention au **numéro de la route** et à la **direction** *(north, south, east, west)*. Les grandes intersections sont appelées *Junctions* et sont en général signalées à l'avance : on vous annonce la jonction avec la route que vous traversez (Jct-70 annonce que vous croisez la Route 70). Les routes précédées de la lettre I (I-25, I-40), pour *interstate highways*, sont de grandes **autoroutes fédérales**. Les impaires (I-25) sont orientées globalement du nord au sud. Les paires (I-40) vont d'est en ouest. Celles qui comportent 3 chiffres (I-405, autour de Los Angeles) ceinturent des grandes villes. Les autres routes : code US (US-50) pour les **routes fédérales**, code de l'État suivie chiffres pour les **routes d'État** (AZ-86, CA-1, CO-145, NV-96, NM-666, UT-12). Les petites **routes secondaires** sont des *country roads* (entretenues par le comté) ou *township roads* (entretenues par une municipalité) ou, dans les réserves, des *Indian reservation roads*.

Mémo

Agenda

La diversité des cultures a donné naissance à une kyrielle de fêtes : défilés costumés au milieu des gratte-ciel, fiestas bruyantes aux parfums de maïs frit, ou danses effrénées au son des tambours… ♿ Retrouvez-les ainsi que d'autres dans la rubrique « Nos adresses à… » de la partie « Découvrir ».

JANVIER

Taos (NM) – Turtle (1ᵉʳ), Deer ou Buffalo (6) : danses sacrées indiennes à Taos Pueblo.
Pasadena (CA) – Tournament of Roses (les 1ᵉʳ et 2) : la Parade des roses rassemble des milliers de personnes au Rose Bowl.

FÉVRIER

San Francisco (CA) – Chinese New Year : Nouvel An chinois.
Tucson (AZ) – Gem and Mineral Show : foire internationale aux pierres précieuses.

MARS

Los Angeles (CA) – Le marathon, grand rendez-vous sportif.
Tucson (AZ) – Wak Pow-wow : à la mission San Xavier del Bac (*2ᵉ w.-end*).

AVRIL

Las Cruces (NM) – L'American Indian Week (première sem.) est celle de la culture indienne avec pow-wow et danses.
Albuquerque (NM) – Gathering of Nations (dernières sem.) : le plus grand pow-wow d'Amérique du Nord (danses, concours de costumes…).
San Diego (CA) – Flower Show : floralies sur l'île de Coronado.

Coachella (CA) – L'un des plus grands rendez-vous mondiaux pour les amateurs de pop/rock/hip hop.

MAI

Cinco de Mayo Fiesta – Fête célébrée vers le 5 mai dans toutes les communautés mexicaines, avec musiques, danses et dégustations.
San Felipe (NM) – San Felipe Pueblo Feast (le 1ᵉʳ mai) : San Felipe Pueblo fête son patron avec une Corn Dance spectaculaire, au nord d'Albuquerque.
Taos (NM) – Santa Cruz Feast Day (le 3 mai) : à Taos Pueblo, l'une des plus importantes danses sacrées des Indiens pueblos.
Carlsbad (NM) – Mescal Roast & Mountain Spirit Dance (à la mi-mai) : quatre jours durant, près de Carlsbad, célébration en l'honneur du mescal, plante de base de l'alimentation des Apaches. On le fait cuire selon la tradition, en exécutant les danses rituelles.

JUIN

San Diego (CA) – Boat Show (mi-juin) : rassemblement de bateaux dans la marina.
Taos (NM) – Corn Dances (les 13 et 24 juin) : à Taos Pueblo, danses pour la San Antonio et la San Juan.
Santa Fe (NM) – Rodeo (aux env. du 21 juin) : quatre jours de shows.
Taos (NM) – Rodeo (dernier w.-end) : un rassemblement coloré fréquenté aussi bien par les Blancs que par les Indiens.
Grand Junction (CO) – Country Jam USA (4ᵉ sem.) : l'un des festivals de musique country les plus populaires du Sud-Ouest.
San Francisco (CA) – Gay Pride (fin du mois) : la communauté homosexuelle organise une

LE CARNET - *Le guide de toutes vos envies*

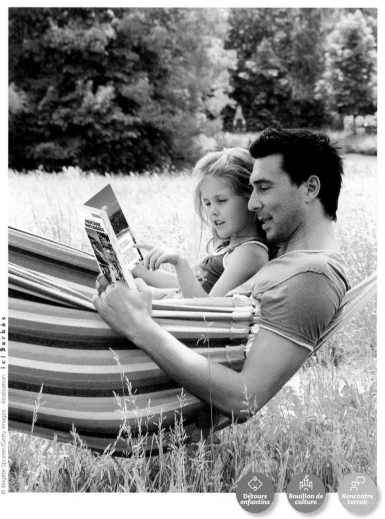

© Brigitte Sporner/Getty Images - Réalisation **ici** **ℬarbès**

 Détours enfantins

 Bouillon de culture

 Rencontre terroir

Michelin crée « Le Carnet » une série de guides qui vous offre un autre regard sur la France et l'Europe. Leurs pages vous font découvrir ou re-découvrir des lieux de culture, de terroir, de spectacles et d'activités sportives. Vous bénéficiez aussi des conseils avisés de personnalités locales : ostréiculteurs, écrivains, vignerons, surfeurs... **Autant d'invitations à vivre vos vacances au rythme de vos envies.**

 nouveau 13,90€

 ALSACE

 AQUITAINE PAYS BASQUE

BRETAGNE

CHÂTEAUX DE LA LOIRE

CORSE

LANGUEDOC ROUSSILLON

NORMANDIE

 PORTUGAL

 PROVENCE CÔTE D'AZUR

 MICHELIN *Une meilleure façon d'avancer*

semaine de fête qui culmine le week-end par un défilé géant.

San Francisco (CA) – San Francisco Jazz Festival : un festival de renommée internationale qui s'étale sur plusieurs semaines.

JUILLET

Ruidoso (NM) – Coming of Age Ceremony (début juil.) : rite de la puberté des filles célébré dans la réserve apache de Mescalero. Durant 4 jours, rituel entrecoupé de danses marquant l'entrée dans l'âge adulte.

Roswell (NM) – UFO Festival (1re sem.) : festival des ovnis. Conférences et mises en scène pour fanatiques de soucoupes volantes…

San Diego (CA) – Festival of the Bells (w.-end mi-juil.) : commémoration de la fondation de la première mission de Californie, la mission San Diego de Alcala.

Taos (NM) – Pueblo Pow-wow (2e w.-end) : de nombreuses tribus se réunissent à cette occasion. Costumes et danses très variés.

Dulce (NM) – Little Beaver Roundup (3e w.-end) : fête des Apaches jicarillas, avec pow-wow, rodéo et danses, à env. 90 miles à l'est de Farmington, sur la Hwy 64.

Taos (NM) – Corn Dances : à Taos Pueblo, pour célébrer Santiago (saint Jacques, le 25) et Santa Ana (le 26).

Santa Fe (NM) – Santa Fe Spanish Market (fin juil.) : durant 2 jours, tous les artisans de tradition hispanique se rassemblent sur la Plaza pour une gigantesque fête.

AOÛT

Santo Domingo Pueblo (NM) – Santo Domingo Feast (le 4 août) : l'une des plus belles Corn Dances du Sud-Ouest. Foire d'artisanat indien. Au nord d'Albuquerque.

Gallup (NM) – Inter-tribal Ceremonial Pow-wow (2e sem.) : pendant 4 jours, l'un des plus importants rassemblements de tribus d'Amérique du Nord.

Tucson (AZ) – Fiesta de San Augustin (le 20 août) : animations festives en l'honneur du saint patron de la ville.

Santa Fe (NM) – Santa Fe Indian Market (3e w.-end) : le plus grand marché d'artisanat indien des États-Unis : nombreuses démonstrations de danses et de costumes.

San Diego (CA) – World Body Surfing Championship : une compétition internationale de surf.

Los Angeles (CA) – Long Beach Blues Festival (w.-end de Labor Day).

SEPTEMBRE

Santa Fe (NM) – Santa Fe Fiesta (sem. suivant Labor Day) : la plus ancienne grande fête des États-Unis. Mélange de fête religieuse, avec procession de la Vierge, défilés et réjouissances populaires.

Monterey (CA) – Monterey Jazz Festival (mi-sept.) : l'un des plus réputés de la côte Ouest.

San Francisco (CA) – The Bay Area Blues Festival (2 j. fin sept.) : une ambiance conviviale, et un marché artisanal et gastronomique (gratuit).

Taos (NM) – San Geronimo Feast (les 29 et 30) : à Taos Pueblo, danses rituelles, messe et foire pour la fête du saint patron.

OCTOBRE

Albuquerque (NM) – International Balloon Fiesta (9 j. à partir du 1er w.-end) : premier rassemblement au monde de montgolfières.

Lincoln (NM) – Lincoln County Cowboy Symposium (3 j. vers la mi-oct.) : festival de musique country et de poésie. Atmosphère chaleureuse et bon enfant avec barbecues et danses.

Santa Fe (NM) – All Children Pow-wow (vers la mi-oct.) : un pow-wow attachant réservé aux enfants.

Tucson (NM) – American Heritage Experience Festival : festival multiculturel.

NOVEMBRE

Gallup (NM) – Red Rock Balloon Rally (3 j. fin nov.) : grand rassemblement de montgolfières dans un cadre splendide.
Los Angeles (CA) – Hollywood Christmas Parade (dernier dim. de nov. ou premier de déc.) : parade de stars sur Hollywood Blvd.

DÉCEMBRE

Albuquerque (NM) – Christmas Luminarias (tout le mois) : Old Town est illuminé de jolies lanternes enfermées dans des sacs en papier.
Santa Fe (NM) – Christmas Farolitos (le 24 déc.) : procession en chantant, dans les rues illuminées de *farolitos*.
Taos (NM) – Deer Dance (25 déc.) : à Taos Pueblo.
San Diego (CA) – San Diego Harbor Parade of Light : les décorations de Noël des bateaux illuminent la baie de San Diego.

Bibliographie

HISTOIRE ET SOCIÉTÉ

Hollywood, l'usine à rêves, Découvertes Gallimard, 1992.
Le Nouvel Hollywood, Le Cherche Midi, 2002.
Sexe, Mensonges et Hollywood, Le Cherche Midi, 2006.
Le western, quand la légende devient réalité, Découvertes Gallimard, 1995.
La Beat Generation, Découvertes Gallimard, 1997, 2004.
DAVIS William, *La Conquête de l'Ouest*, Solar, 1993.
Cadillac Desert, Penguin Book, 1986.

À propos des Indiens

Arts traditionnels des Amérindiens, Éd. Hurtubise HMH, 2001.
Histoire des Indiens d'Amérique du Nord, Larousse, 2001.

Pieds nus sur la terre sacrée, Denoël, 1976, 2001. Textes du patrimoine écrit et oral des Indiens, illustrés de photos d'Edward Curtis.
Traditions indiennes - La vie des Indiens d'Amérique, Nathan, 1997.
RIEUPEYROUT Jean-Louis, *Histoire des Navajos - Une saga indienne, 1540-1990*, Albin Michel, 1991.

BEAUX LIVRES, PAYSAGES

États-Unis II - Les Derniers Mondes sauvages, coll. Grandeur Nature, Éd. A. Barthélemy, 2006. Balade photographique dans les parcs nationaux américains.
Heart of a Nation, National Geographic, 2000. Regards d'écrivains et de photographes sur les paysages américains.
Itinerrance dans l'ouest des USA, Éd. de la Boussole, 2001.
L'Ouest américain, territoires sauvages, coll. Grands Voyageurs, Éd. du Chêne, 1999.

LITTÉRATURE GÉNÉRALE

Romans

BABITZ Eve, *Jours tranquilles, brèves rencontres* (1977). Los Angeles des années 1960-1970 peint avec humour et sensualité par une ex-groupie et artiste touche-à-tout.
BOYLE T.C., *América*, Livre de Poche, 1999. La rencontre improbable entre deux couples, l'un blanc, américain et bourgeois, l'autre latino, clandestin et pauvre…
BUKOWSKI Charles, *Hollywood*, Livre de Poche, 1989. L'expérience romancée de l'auteur en tant que scénariste à Hollywood.
EASTON ELLIS Brett, *Zombies* (1985), *Moins que zéro* (1988), 10/18 ; *Suite(s) impériale(s)*, la suite de *Moins que zéro,* Robert Laffont, 2010.
FANTE John, *La Route de Los Angeles* (1933), *Bandini* (1938), *Demande à la poussière* (1939), *Rêves de Bunker Hill* (1982), 10/18. Cycle autobiographique de ce

fils d'émigrés italiens né dans le Colorado en 1909.

KEROUAC Jack, *Sur la route* (1957), *Les Clochards célestes* (1963), *Big Sur* (1966), Folio Gallimard.

KINGSOLVER Barbara, *L'Arbre aux haricots*, suivi de *Les Cochons au paradis*, Rivages Poche, 1999. Un beau roman par un écrivain sensible, installé en Arizona.

LONDON Jack, *Martin Eden*, 10/18, 1999. Le chef-d'œuvre de Jack London. Roman d'apprentissage, récit du désenchantement.

MAUPIN Armistead, *Chroniques de San Francisco*, 10/18, 1994, 2013. Les aventures d'une poignée de colocataires dans le San Francisco des années 1970 à nos jours (8 tomes).

OTTO Whitney, *Le Jour du patchwork*, Rivages Poche, 1996. Les vies parallèles de femmes dans la Californie profonde.

STEINBECK John, *Rue de la Sardine* (1947), *Les Raisins de la colère* (1947), *Des souris et des hommes* (1955), *Tortilla Flat* (1961), Folio Gallimard.

UDALL Brady, *Le Destin miraculeux d'Edgar Mint*, 10/18, 2003. Émouvante histoire d'un enfant apache handicapé, par un écrivain vivant en Arizona.

Nouvelles

BOYLE T.C., *25 histoires d'amour*, (2002), *25 histoires de mort* (2004) Livre de Poche. Humour grinçant et réalisme décapant pour un portrait de l'Amérique au vitriol.

CARVER Raymond, *Les Vitamines du bonheur* (1985), *Tais-toi, je t'en prie*, (1987), Points Seuil. Récits amers de la vie américaine.

UDALL Brady, *Lâchons les chiens*, 10/18, 1998. Morceaux de vie ordinaire en Arizona et Utah.

Policiers

CHANDLER Raymond, *Le Grand Sommeil* (1939), *Fais pas ta rosière !* (1949), *Adieu ma jolie* (1940), Folio.

CONNELLY Michael, *Les Égouts de Los Angeles* (1993), *La Blonde en béton* (1994), *Le Poète*, son meilleur roman (1998), *Los Angeles River* (2004), *La Défense Lincoln* (2006), Points Seuil. Polars par un chroniqueur judiciaire du *Los Angeles Times*.

ELLROY James, *White Jazz* (1992), *L.A. Confidential* (1990), *Le Dahlia noir* (1987), *Le Grand Nulle Part* (1988), Rivages Noir. Une série noire située à Los Angeles.

Los Angeles Noir (2010). La ville à travers des nouvelles écrites par plusieurs auteurs dont M. Connelly.

Récits de voyage ou d'aventure

ABBEY Edward, *Désert solitaire*, Payot, 1995. Récits d'une saison comme ranger à l'Arches N. P.

BRYSON Bill, *Motel Blues*, Payot, 1995, 2003. Traversée de l'Amérique profonde décrite sur un ton humoristique et doux-amer.

CENDRARS Blaise, *L'Or*, Folio Gallimard, 1997. L'épopée en Californie de John Suter, le fondateur de Sacramento.

GORIN François, *L'Améryque (Journal Intyme)*, Éd. de l'Olivier, 1998. Carnet de route d'une traversée des États-Unis d'est en ouest.

STEVENSON Robert Louis, *La Route de Silverado*, Phébus, 2000.

Littérature indienne

ALEXIE Sherman, *Phoenix, Arizona*, 10/18, 2001 et *Dix petits Indiens*, Albin Michel, 2004. Nouvelles tendres et drôles, par un Indien vivant à Seattle.

HILLERMAN Tony, *Le Vent sombre* (1986), *Là où dansent les morts* (1986), *La Voie de l'ennemi* (1990), *Porteurs-de-peau* (1990), *Coyote attend* (1991), Rivages Noir. On suit le détective navajo, Joe Leaphorn, à travers les réserves indiennes.

MOMADAY Scott, *La Maison de l'aube*, Folio, 1993. Entre sacré et profane, toute l'ambiguïté du monde indien. Prix Pulitzer 1969 ; *L'Enfant des temps oubliés*, Folio, 1998. De superbes descriptions.

TALAYESVA Don, *Soleil hopi*, coll. Terre humaine, Éd. Pocket, 1982. Autobiographie d'un Hopi dans sa tribu, première moitié du 20e s.
TREUER David, *Little*, 10/18, 1998. La bouleversante histoire d'une poignée d'Indiens marginaux dans le froid du nord des États-Unis ; *Comme un frère*, 10/18, 2004. Balade désenchantée.
WATERS Frank, *L'homme qui a tué le cerf*, Folio Gallimard, 1992, 2001. Roman situé dans les *pueblos*.

Discographie

MUSIQUE INDIENNE

ALLEN Michael et STRAMP Barry, *Coyote Oldman* (1989).
MIRABAL Robert, *Land* (1995), *Song Carrier* (1995), *Native Suite* (1996), *Taos Tales* (1999). Arrangements de flûte riches et innovants.
NAKAI Carlos, *Canyon Trilogy* (1989), *Desert Dance* (1990), *Migration* (1992), *Mythic Dreamer* (1998). Flûtiste navajo-ute.
SHENANDOAH Joanne, *Orenda* (1998). Chants rituels.

POP/ROCK/FOLK (ACTUEL)

BEN HARPER, *Welcome to the Cruel World* (1993), *The Will to Live* (1997).
CALEXICO, *Garden Rain* (2006), *Carried to Dust* (2008), *Algiers* (2012).
COLD WAR KIDS, *Robbers and Cowards* (2006), *Loyalty to Loyalty* (2008), *Mine is yours* (2011), *Dear Miss Lonelyhearts* (2013), *Hold my Home* (2014).
COUNTING CROWS, *August and Everything After* (1993).
LANA DEL REY, *Born to Die* (2012), *Ultraviolence* (2014), *Honeymoon* (2015).
LOCAL NATIVES, *Gorilla Manor* (2010), *Hummingbird* (2013), *Sunlit Youth* (2016).

QUEENS OF THE STONE AGE, *Like Clockwork* (2013).
RED HOT CHILI PEPPERS, *Blood Sugar Sex Magik* (1991), *Californication* (1999).

Filmographie

La Chevauchée fantastique (1939), *Le Massacre de Fort Apache* (1948), *La Prisonnière du désert* (1956) de J. Ford, *Citizen Kane* (1941) d'O. Welles, *Le train sifflera trois fois* (1952) de F. Zinnemann, *La Captive aux yeux clairs* (1952) de H. Hawks, *La Rivière sans retour* (1954) d'O. Preminger, *Règlement de comptes à O.K. Corral* (1957) de J. Sturges, *Sueurs froides* (1958) d'A. Hitchcock, *Il était une fois dans l'Ouest* (1968) de S. Leone, *Bullitt* (1968) de P. Yates, *Easy Rider* (1969) de D. Hopper, *Little Big Man* (1970) d'A. Penn, *L'évadé d'Alcatraz* (1979) de D. Siegel, *Rain Man* (1988) de B. Levinson, *Bagdad Cafe* (1987) de P. Adlon, *Danse avec les loups* (1990) de K. Costner, *Thelma et Louise* (1991) de R. Scott, *Casino* (1996) de M. Scorsese, *L.A. Confidential* (1997) de C. Hanson, *Las Vegas Parano* (1998) de T. Gilliam, *Ocean's Eleven* (2001) de S. Soderbergh, *Sideways* (2004) d'A. Payne, *Collateral* (2004) de M. Mann, *Le Dahlia noir* (2006) de B. de Palma, *Echo Park L.A.* (2006) de R. Glater et W. Westmorland, *3h10 to Yuma* (2007) de J. Mangold, *Appaloosa* (2008) d'E. Harris, *Harvey Milk* de G. Van Sant, *Very Bad Trip* de T. Phillips et *L'échange* de C. Eastwood (tous de 2009), *Somewhere* de S. Coppola, *The Social Network* de D. Fincher, *True Grit* des frères Coen, *127 heures* de D. Boyle (tous de 2010), *Night Call* (2014) de D. Gilroy.
Sans oublier la série *Breaking Bad*, tournée à Albuquerque (2008-2013), voir p. 455.

MICHELIN INNOVE SANS CESSE POUR UNE MEILLEURE MOBILITÉ PLUS SÛRE, PLUS ÉCONOME, PLUS PROPRE ET PLUS CONNECTÉE.